D1361498

Contenido

6 • Secretos de salud para la mujer

7 • La familia saludable

8 • Reduzca el estrés, alargue la vida

9 • Información útil sobre cirugías y hospitales

12 • Guía de vitaminas y minerales

16 • Alertas de salud

17 • Conquistar el peso ideal

Prólogo

Nos complace que usted haya elegido nuestro libro, *La Guía médica de secretos de salud*, para conocer los más recientes descubrimientos, los mejores tratamientos y las soluciones más seguras sobre sus preocupaciones de salud. Nuestro objetivo en Bottom Line Publications y Bottom Line Books, es proporcionarles la mejor información a los lectores para ayudarles a estar y mantenerse saludables… y, si surge la necesidad, ayudarles a enfrentar con confianza la enfermedad y el sistema del cuidado de salud.

Cuando usted escoge un libro de Bottom Line Books, está recurriendo a un grupo estelar de expertos en una amplia gama de especialidades –médicos convencionales, doctores en naturapatía, profesionales en curación alternativa, expertos en nutrición, científicos investigadores, defensores de los consumidores de servicios de salud, fisiólogos, profesionales en salud mental e incluso chefs conscientes de la importancia de la salud.

Nuestros editores se esfuerzan enormemente para estar seguros de que entrevistamos a los expertos de vanguardia en temas de salud. Ya sea la prevención del cáncer, las nuevas terapias para el corazón, los más recientes avances en el tratamiento contra la artritis o los últimos consejos nutritivos, nuestro equipo habla con las personas que están creando las verdaderas innovaciones en el cuidado de la salud hoy en día.

¿Cómo encontramos a todos estos profesionales médicos de primera calidad? Durante los últimos 20 años, hemos construido una red de miles de líderes médicos tanto de la medicina alternativa como de la convencional. Ellos están afiliados a las instituciones médicas más prestigiosas de Estados Unidos y del mundo. También leemos los boletines médicos importantes y seguimos las más recientes investigaciones que se presentan en conferencias médicas de todo el mundo. Además, conversamos regularmente con nuestros consejeros que trabajan en los principales hospitales universitarios, en consultas privadas y agencias de salud gubernamentales.

La Guía médica es el resultado de nuestra investigación continua y de nuestro contacto con estos expertos, y en ella se encuentran sus últimos hallazgos y consejos. Esperamos que usted se beneficie del libro, disfrute su presentación y pueda sacar información nueva y útil sobre los temas de salud que le interesan a usted y a su familia.

Como lector de un libro de Bottom Line Books, puede estar seguro de que está recibiendo información confiable y bien investigada, y de que usted ha dado con una fuente fidedigna. Algunas publicaciones de salud confían en la experticia médica proveniente de una institución, nosotros consultamos a los mejores médicos de todos los destacados hospitales y facultades de medicina del país. Nuestra única meta es servirle a usted –nuestro lector.

Por favor sea prudente en cuanto a la salud. Siempre hable con su médico personal antes de tomar vitaminas, suplementos nutritivos o un medicamento sin receta… hacer un cambio en su dieta… o empezar un programa de ejercicios. Si usted experimenta efectos secundarios por seguir cualquier régimen, avise a su médico inmediatamente.

Estamos seguros de que la información de esta colección puede ayudarlos a usted y a su familia a tener una vida más saludable.

Los editores
Bottom Line Books
Stamford, CT

1

Lo mejor de lo mejor

Cómo preparar su árbol genealógico médico para salvar su vida

Victor Herbert, MD, JD
Mount Sinai Nutrition Center

Si usted tiene sólo una vaga idea del historial médico de su familia, se puede estar exponiendo a presentar problemas de salud innecesarios.

Todas las enfermedades crónicas, incluidas el asma, la artritis reumática, la esclerosis múltiple, las enfermedades del corazón y el cáncer, tienen un componente hereditario. Saber que usted tiene una predisposición genética a contraer una enfermedad en particular le da la posibilidad de prevenir esa enfermedad… o de tratarla en su etapa inicial, cuando hay mayores probabilidades de que sea curable.

La clave para adquirir este inestimable conocimiento está en hacer una breve historia de las dolencias que ha padecido su familia biológica.

Un árbol genealógico médico es fácil de hacer. Y aún más importante, vale la pena.

Ejemplo Nº 1: Uno de mis pacientes, un hombre de 20 años, descubrió una historia familiar de *hemocromatosis*, una enfermedad a menudo mortal en la que el cuerpo absorbe demasiado hierro. Cuando un análisis de sangre demostró que sufría de una moderada sobrecarga de hierro, corrigió el problema donando sangre mensualmente y suprimiendo su suplemento de hierro diario.

Ejemplo Nº 2: Después de que su madre murió de cáncer de ovario, una mujer de 31 años hizo su árbol genealógico médico. Al usarlo, un oncólogo determinó que esta mujer y sus hermanas tenían una probabilidad de 50% de desarrollar cáncer de ovario. Hasta ahora los exámenes de detección agresivos y las estrategias alimenticias han mantenido a las hermanas sin cáncer.

El fallecido Victor Herbert, MD, JD, fue jefe del Mount Sinai Nutrition Center y del Hematology and Nutrition Research Laboratory, del Veterans' Affairs Medical Center en El Bronx, Nueva York. Es coautor de *The Healing Diet: How to Reduce Your Risks and Live a Longer and Healthier Life if You Have a Family History of Cancer, Heart Disease, Hypertension, Diabetes, Alcoholism, Obesity, Food Allergies*. Macmillan.

Ejemplo Nº 3: Otro árbol reveló un enlace genético entre cinco parientes de sexo femenino afligidas por trastornos autoinmunes, incluidos el lupus, la artritis reumática y una afección llamada sarcoma de Boeck. La pregunta de un dietista reveló que todas las mujeres tomaban pastillas de alfalfa y vitamina E –ambas realzan los trastornos genéticos autoinmunes latentes. Cuando dejaron de tomar los suplementos, los síntomas empezaron a desaparecer gradualmente en cuatro de las cinco mujeres.

Éstos *no* son casos aislados. En un estudio realizado en 1988, 25.000 árboles médicos permitieron identificar a 43.000 individuos con alto riesgo de contraer enfermedades hereditarias –y que eran buenos candidatos para recibir tratamiento preventivo.

Es fácil recolectar los datos sobre sus parientes inmediatos, pero no pare allí. Retroceda tantas generaciones como le sea posible –incluso si requiere un gran esfuerzo.

No se preocupe si la información que usted descubre es inexacta o incompleta. Cualquier detalle que se añada al panorama de salud de su familia podría ser útil.

REUNIR LA INFORMACIÓN

Haga una lista de todos sus parientes biológicos que estén vivos… y de todos los amigos, vecinos, compañeros de trabajo, etc., que puedan suministrarle información sobre los que hayan fallecido. Si su familia es pequeña, hable por teléfono con sus parientes.

O planifique una reunión familiar –y añada el proyecto de hacer su árbol familiar a la agenda.

Recursos útiles: Puede pedirle a los médicos y a los hospitales los registros médicos y certificados de defunción. Las agencias de estadísticas demográficas y los archivos de los estados y condados también pueden ayudar.

Para obtener más información, envíe un sobre tamaño carta con estampilla postal y con su nombre y dirección a: National Genealogical Society (3108 Columbia Pike, Suite 300, Arlington, VA 22204), o visite *www.ngsgenealogy.com*.

CÓMO CREAR SU ÁRBOL

Busque una lámina de papel resistente, que mida por lo menos 36 pulgadas de ancho y 30 de largo (90 x 75 cm). Dóblela horizontalmente en cuatro. Cada sección representará una sola generación.

Si desea cubrir más de cuatro generaciones, consiga un papel más grande y dóblelo en más secciones –o adjunte más hojas.

Ponga el papel sobre una mesa. En la parte inferior, pegue con cinta adhesiva los cuestionarios de salud de sus hijos y los de sus hermanos.

En la sección inmediatamente anterior, pegue con cinta adhesiva su cuestionario y el de su cónyuge y los hermanos de su cónyuge.

Arriba de su propia información, ponga la de sus padres y sus tíos y así sucesivamente.

Coloque todos los cuestionarios que queden para que se bifurquen hacia fuera y hacia arriba y así trazar el árbol genealógico tradicional.

¿Piensa que es demasiado trabajo? Puede comprar un cuadro ya preparado por la National Genealogical Society o crearlo usted mismo usando un programa de computadora como Windows *Family Tree Maker* (800-548-1806, *www.genealogy.com*).

CÓMO USAR SU ÁRBOL

Cuando su árbol esté listo, lléveselo a su médico. Pídale que estudie los patrones de enfermedades a través de las generaciones –y que identifique a los miembros de la familia que puedan estar en peligro.

Las buenas noticias: Descubrir que puede tener el gen de una enfermedad no significa necesariamente que usted la desarrollará. En muchos casos, un simple análisis de sangre determinará con precisión su grado de riesgo.

Ejemplo: Si en su familia hay antecedentes de cáncer de mama… *y* su porcentaje de grasa corporal es mayor del 20% de la media para su sexo y edad… *y* su análisis de sangre muestra niveles elevados de estrógeno, su médico puede ordenar pruebas más rigurosas y exámenes médicos frecuentes.

Es casi seguro que su médico también le recomiende un cambio en su estilo de vida. Si bien una predisposición genética puede llevar a una enfermedad –o eliminarla– las enfermedades están también determinadas en parte por la dieta, el ejercicio, el cigarrillo y otros factores controlables.

Muchos trastornos genéticos, tales como la diabetes y algunos tipos de cáncer, son provocados en parte por la obesidad. Otras condiciones pueden ser prevenidas siguiendo una dieta especial.

Ejemplo: Si hay antecedentes en su familia de pólipos de colon, usted debería ser examinado periódicamente por un gastroenterólogo… y seguir una dieta rica en calcio, que se ha demostrado que ayuda suprimir los pólipos y el cáncer de colon.

Una vez que el árbol médico de su familia haya alertado a su médico y a usted sobre una posible predisposición, controlar su estilo de vida y hacerse chequeos médicos periódicamente le darán mayores posibilidades de derrotar las probabilidades genéticas.

Secretos para mantenerse saludable –y feliz– mientras viaja

Karl Neumann, MD, profesor clínico adjunto de pediatría de Weill Cornell Medical College en la ciudad de Nueva York. Es coeditor de *The Business Traveler's Guide to Good Health on the Road.* John Wiley & Sons.

Cualquiera sea su destino o la razón de su viaje, la fatiga, el estrés, o un trastorno estomacal pueden arruinarle el viaje.

Afortunadamente, las eventualidades de los viajes pueden mantenerse al mínimo simplemente con planificación previa.

Aquí tiene algunas maneras fáciles de hacer su viaje más cómodo –y saludable…

LISTA DE CUIDADO PERSONAL

Su consideración principal cuando se prepara para viajar es a dónde va, cuánto tiempo estará fuera de casa y cómo es el clima en su lugar de destino. Pero no importa qué clase de viaje esté planeando, lleve un equipo bien surtido de cuidado personal. *Debe estar fácilmente accesible en su equipaje de mano y debe contener estos artículos…*

●**Antiácidos.** Los populares remedios de venta sin receta médica, como Maalox, Mylanta, Gelusil, Tums o Rolaids combaten el malestar estomacal, la acidez y los calambres estomacales causados a veces por la comida poco familiar o por la bebida –o por el exceso de éstas.

●**Antidiarreicos.** Los remedios de venta libre como el Imodium AD, Pepto-Bismol o Kaopectate son todos eficaces para detener la diarrea. Las pastillas son más fáciles de llevar en un viaje, aunque las fórmulas líquidas brindan generalmente un alivio más rápido.

●**Laxantes.** Cuando está de viaje, es más probable que sufra estreñimiento que diarrea.

La razón: Mientras está de viaje su dieta suele ser baja en alimentos con alto contenido de fibra. Además, es probable que durante el viaje se le haga difícil mantener una rutina regular de ejercicio. Lleve Metamucil, Fibercon o Senokot, por las dudas.

●**Antihistamínicos.** El medicamento de venta libre Benadryl es eficaz contra muchos alérgenos e irritantes potenciales, y es tolerado por la mayoría de las personas. Si necesita estar alerta, pregúntele a su médico sobre Claritin. Ahora está disponible sin receta médica y causa poca o ninguna somnolencia.

●**Antibióticos.** Para abscesos dentales, bronquitis grave, heridas con pus en la piel u otras infecciones bacterianas persistentes, pídale a su médico que le recete con anticipación un antibiótico.

Atención: Los antibióticos deben ser usados *solamente bajo la supervisión de un médico.* Si tiene que usar alguno, llame a su médico para que le dé instrucciones.

●**Remedio contra el mareo.** Las pastillas Dramamine y Bonine son eficaces.

Atención: Dramamine y Bonine pueden causar somnolencia. Evítelos si necesita estar alerta.

●**Remedio contra el pie de atleta.** Asegúrese de llevar un antimicótico ("antifungal") para pies en polvo o solución como Lotrimin, Micatin o Tinactin, ya que las duchas de las habitaciones de hoteles y gimnasios no están siempre libres de hongos.

También es útil: Usar sandalias de goma para la ducha.

●**Protector solar, lentes para el sol y un sombrero amplio.** Son necesarios si viaja a lugares soleados o si piensa estar al aire libre por periodos de tiempo prolongados.

Importante: Su protector solar debe tener un SPF (factor de protección contra el sol) de al menos 15 y debe proteger contra los rayos UV-B y los UV-A.

●**Repelente de insectos.** Para adultos, busque uno que contenga entre 20% y 30% de DEET.

●**Aspirina, acetaminofeno o ibuprofeno.**

●**Un descongestionante y un paquete de toallitas faciales.**

También podría llevar un equipo básico de primeros auxilios con crema antibacterial, vendas, gasa, termómetro, tijeras y pinzas.

Si usa lentes correctivos, empaque un par de lentes de contacto o anteojos de repuesto. No se olvide de llevar la receta de sus lentes.

Si usted piensa nadar en agua sin cloro, lleve un remedio para el "oído de nadador", una infección caracterizada por el enrojecimiento, la picazón y dolor en el canal del oído externo. Recomiendo una preparación de venta libre llamada Vosol.

CÓMO CONTRARRESTAR EL DESFASE HORARIO

Cuando el vuelo cruza varios husos horarios, se alteran los ritmos circadianos del cuerpo. Considere las consecuencias del desfase horario ("jet lag") no como un problema especial, sino como otra forma de tensión manejable. *Aquí tiene algunas maneras de controlarlo…*

●**Evite las bebidas alcohólicas durante el vuelo.** El alcohol es un depresivo y puede agravar el letargo y la fatiga, dos síntomas clásicos del desfase horario. También puede causar intranquilidad, lo cual puede perturbarle el sueño o no dejarle dormir. Y como también actúa como diurético, el alcohol puede hacerlo sentir deshidratado.

●**Limite su consumo de cafeína.** Igual que el alcohol, la cafeína es un diurético que puede hacerlo sentir deshidratado y desorientado. Demasiada cafeína también puede causar nerviosismo, ansiedad, temblores e insomnio.

●**Beba mucha agua.** Algunos estudios han demostrado que incluso la deshidratación leve puede causar desgano y fatiga y puede hacerlo propenso a errores mentales –síntomas similares a los del desfase horario.

Tenga en mente que podría estar deshidratado incluso *antes* de la partida.

La razón: Sus patrones de comida y bebida pueden ser irregulares en las horas anteriores a su viaje. Respirar el aire seco de la cabina del avión incrementa esta deshidratación y sus efectos enervantes. Para mantenerse hidratado, beba mucha agua u otras bebidas no alcohólicas antes y durante su vuelo –un vaso de ocho onzas (225 ml) cada dos a tres horas. No espere hasta tener sed –para entonces ya podría estar deshidratado.

COMIDAS Y BEBIDAS SEGURAS

Las regiones del mundo se ubican en tres "niveles"…

●**Europa, Norteamérica y Australia.**

●**Israel y el Caribe.**

●**El resto del Medio Oriente, la mayor parte de África, el Lejano Oriente** y las otras regiones en vías de desarrollo.

Siempre que usted viaje al segundo o tercer nivel, debe estar especialmente alerta con lo que come y bebe. *La autodefensa…*

●**Coma comida cocinada mientras todavía esté caliente.** Asegúrese de que las carnes estén bien cocidas. En los países en vías de desarrollo, la carne de res y de cerdo no cocidas suficientemente son fuentes importantes de solitarias y otros parásitos. De igual manera la carne de ave, los mariscos y los vegetales deben estar frescos y cocinados completamente.

●**Evite las frutas peladas** y aquellas con la piel rota. Tenga cuidado también con las ensaladas de verduras crudas. Pueden estar contaminadas con bacterias de las manos de la persona que preparó la comida o del agua que se usó para enjuagar las verduras.

●**Evite natillas, pasteles y otros postres horneados.** Estas comidas están contaminadas a menudo con microbios que provocan problemas gástricos, especialmente si se refrigeran incorrectamente.

La excepción: Si se sirven calientes recién salidas del horno, estas comidas son en general seguras. Si desea postre, coma una golosina que venga empaquetada o una fruta fresca que usted mismo pele.

●**Tome bebidas embotelladas o enlatadas.** No use cubitos de hielo, porque podrían estar contaminados. Evite la leche, los productos lácteos y las comidas preparadas con ellos a menos que usted esté muy seguro de que han sido pasteurizados apropiadamente.

●**Evite el pan que ha sido dejado en canastas abiertas** –podría haber estado expuesto a moscas y otros insectos portadores de enfermedades. Si usted no está seguro de que el pan ha sido guardado apropiadamente, retire la corteza y coma solamente el *interior* del pan.

CÓMO EVITAR
LAS ENFERMEDADES CONTAGIOSAS

Si usted está planeando un viaje a los trópicos, hágase vacunar *al menos un mes antes de su partida*. Los esfuerzos desesperados de último minuto para obtener vacunas solamente agravan la tensión normal generada por un viaje al extranjero. Y las inmunizaciones múltiples requieren varias inyecciones durante un periodo de días o semanas.

Una línea directa de 24 horas operada por Centers for Disease Control and Prevention (CDC, 877-394-8747) tiene mensajes grabados en inglés sobre las vacunas necesarias y da recomendaciones para viajes internacionales. La información en español se encuentra en *www.cdc.gov/spanish/inmunizacion.htm*.

Para evitar la malaria, pregunte a su médico sobre los fármacos profilácticos. Algunos deben ser tomados una semana antes del viaje para asegurar que se hayan alcanzado los niveles adecuados del medicamento en la sangre antes de que usted llegue a su destino –y que cualquier efecto secundario ocurra antes de que usted salga de viaje.

Cómo leer los mensajes del cuerpo

Martin Rush, MD, psiquiatra con consultorio particular por más de 30 años, vive en Middletown, Ohio, y es autor de *Decoding the Secret Language of Your Body*. Fireside.

Muchos problemas físicos, ya sea un simple malestar, un dolor crónico o una enfermedad grave, tienen raíces psicológicas además de físicas.

Por supuesto que los virus, las bacterias, las torceduras musculares y otras molestias físicas juegan un gran papel en hacernos sentir mal. Sin embargo, es posible que estos problemas perjudiquen más si también tenemos emociones angustiosas –como el miedo, la cólera, la culpa o la tristeza.

El problema no son las *emociones* negativas en sí mismas –todos las sentimos en algún momento. Es la *represión* de estas emociones lo que hace que nuestro organismo actúe. Cuando reprimimos nuestros sentimientos en lugar de expresarlos, el organismo responde enviando una señal física –que no puede ser fácilmente ignorada.

En mis más de 30 años como médico de familia y luego como psiquiatra, he notado que cuando las personas identifican la situación estresante que precede a un síntoma físico –y luego hablan de los sentimientos relacionados con esa situación– el problema físico a menudo desaparece y su carga emocional también se hace más liviana.

No quiero trivializar la enfermedad, ni afirmar que hablar de sus sentimientos es un sustituto de un buen tratamiento médico. Los problemas físicos son auténticos y pueden requerir intervención física. Pero si se descuidan las raíces emocionales de un problema, el cuerpo seguirá enviando señales –de una u otra manera– hasta que éste se haya resuelto.

CÓMO DESCIFRAR EL LENGUAJE DE SU CUERPO

¿Cómo revelar las emociones escondidas que están detrás de un problema físico? Trate de pensar en las tensiones que estaban presentes justo antes de que la enfermedad apareciera… o simplemente examine los acontecimientos recientes que puedan haberle molestado.

Es posible que usted no reconozca que ciertas situaciones lo molestan; por eso es bueno contar con un amigo (o un terapeuta) para que lo ayude con este paso. A veces otras personas descubren conexiones que usted no percibe.

Una vez identificados, saque esos sentimientos dolorosos de su mente (y cuerpo) hablando a alguien de ellos.

Si tiene dificultad para identificar el origen, busque pistas en la ubicación física del problema. Aunque la situación de cada persona es única, he observado varias tendencias comunes en mis pacientes (y en mí mismo).

MANOS Y PIES FRÍOS

Cuando las manos y los pies se ponen fríos o entumecidos, es generalmente porque el sistema nervioso ha enviado señales a las arterias para contraerse, reduciendo el suministro de sangre a las extremidades. ¿Cuál es la causa? He notado que el fenómeno a menudo pareciera atacar a personas reacias a "esforzarse" por alcanzar sus deseos –tienen miedo de conseguir lo que realmente quieren.

Ejemplo Nº 1: El viejo cliché sobre novias o novios con los "pies fríos" no es sólo una expresión –es un fenómeno físico genuino que expresa el conflicto entre el anhelo de la conexión y el miedo a la responsabilidad.

Ejemplo Nº 2: Cuando empecé a esquiar después de los 50 años, mis pies y mis manos estaban tan helados –sin importar cuántas capas de medias y guantes me pusiera– que no podía divertirme. Cuando pensé en esto, recordé que aunque siempre había querido aprender a esquiar, este pasatiempo estaba fuera del presupuesto de mi familia. Me di cuenta de que estaba aterrorizado de disfrutar esa clase de placer que les fue negado a mis padres.

Cuando enfrenté este conflicto, me sentí más relajado… ¡y ahora me siento muy cómodo en las pistas de esquí!

DOLOR DE GARGANTA

Para muchas personas, es en la garganta donde almacenan la tensión cuando han sido desairadas, insultadas o rechazadas de alguna manera. Estas heridas del espíritu crean una necesidad urgente de consuelo, de palabras tranquilizadoras y de amor.

En un nivel primitivo, relacionamos esos grandes deseos con la comida –y especialmente con la seguridad que sentimos cuando éramos bebés de pecho.

Muchos años después, cuando nos sentimos rechazados, la garganta se contrae instintivamente, como para recrear ese viejo sentimiento de consuelo. Pero cuando el consuelo no se consigue, la mucosa protectora que cubre la parte posterior de la garganta se seca, dejando la zona vulnerable a la entrada de microbios.

Cuando sus sentimientos estén lastimados, dígalo –bien sea a usted mismo o a la persona que lo lastimó (si es apropiado)… y también a los demás, si el insulto fue grave. Asegúrese de que las personas a las que les cuenta el incidente tienen la capacidad de responder con la generosidad y el consuelo que usted necesita.

PROBLEMAS INTESTINALES

El estreñimiento, el colon espasmódico y otros problemas relacionados con los intestinos tienden a estar relacionados con la retención de sentimientos "desagradables" –la cólera, la maldad, los celos, la decepción– porque tememos que a las personas no les gustará nuestra "verdadera" personalidad.

Las hemorroides –pequeñas rupturas que pueden ocurrir cuando el músculo del esfínter anal se constriñe de tal modo que interrumpe la circulación– son otra expresión de este conflicto.

Ejemplo: Una mujer en uno de mis grupos de psicoterapia estaba atormentada por el estreñimiento. Nadie en el grupo la había escuchado hablar. Cuando se le alentó a que hablara de su infancia, dijo que había crecido como la hermana del medio y aprendido a guardarse sus sentimientos para evitar el enfrentamiento. De adulta, continuó dejando de lado sus propias necesidades para favorecer las demandas de su marido y sus hijos. A medida que siguió hablando de sus sentimientos libremente con el grupo, aprendió gradualmente a defender sus ideas y el estreñimiento dejó de ser un problema.

DOLOR EN LA PARTE INFERIOR DE LA ESPALDA

Llevar demasiado peso puede causar que los músculos que soportan la espalda se contraigan, dando como resultado un dolor agudo o crónico. El peso excesivo puede ser físico o emocional –cuando nos sentimos agobiados y queremos que alguien, para variar, nos cuide.

Ejemplo: Un hombre de mediana edad desarrolló problemas de espalda después de que su madre muy mayor fue a vivir con él y su esposa. Él quería a su madre y deseaba ayudarla, pero tenerla junto a su familia y tener que encargarse de su cuidado les produjo mucha tensión. No quería lastimar sus sentimientos quejándose –y también se sentía egoísta y culpable de estar resentido con ella.

Cuando finalmente fue capaz de hablar a su esposa sobre sus sentimientos, dejó de sentir que estaba llevando la carga a solas. Una vez que su espalda no tuvo la necesidad de hablar por él, el dolor disminuyó drásticamente.

CÓMO MANEJAR LOS SENTIMIENTOS OCULTOS

Aunque muchas personas valoran la terapia, usted no tiene necesariamente que hablar a un terapeuta para descargar estas emociones. Un amigo o amiga, un familiar, un colega o un miembro del clero pueden ser igualmente útiles –si puede contar con esa persona para que lo aliente.

Puede que no necesite una sesión muy larga. A menudo es suficiente sólo reconocer el sentimiento que estaba oculto ("eso me hizo enojar muchísimo") y tener a alguien que ratifique su reacción ("entiendo por qué te sentías así").

Si le preocupa cansar a sus amigos o ser considerado como alguien que siempre se queja, reparta la carga –mencione el asunto brevemente a varias personas. Se sentirá mejor cada vez que hable de ello.

Úselo… o piérdalo… física y mentalmente

Martin Groder, MD, psiquiatra de Chapel Hill, Carolina del Norte, y consultor de empresas. Es autor de *Business Games: How to Recognize the Players and Deal with Them*. Bottom Line Books.

Mientras más tiempo pase sin usar los talentos y destrezas especiales que ha ido adquiriendo con los años, le será más difícil restablecerlos y es menos probable que los recupere con sus antiguos niveles de excelencia. Cuando haya llegado al punto de no retorno, es probable que usted ni siquiera haga el intento.

El deterioro de nuestras capacidades ocurre debido al desuso, y esta ley se aplica tanto a nuestras habilidades mentales como a las físicas –tanto al ajedrez como al tenis.

POR QUÉ PERDEMOS LOS TALENTOS

Gran parte de la disminución de la fortaleza y la resistencia de la que culpamos a la edad se debe en realidad al ciclo de desuso. Disminuya la velocidad y se le hará más difícil retomar el ritmo –por lo tanto, la tendencia natural es disminuir la velocidad aún más.

Actividades tan diversas como jugar al billar, tocar el piano, hablar un idioma extranjero o responder sexualmente están coordinadas por la interacción compleja de células nerviosas en el cerebro.

Cuando usted practica, estas neuronas efectivamente crean filamentos microscópicos para conectarse entre ellas. Es un proceso conocido como *arborización*. Cuando usted deja de practicar, estas conexiones se marchitan.

Cada vez que aprende una nueva destreza o domina nuevas áreas de conocimiento, las neuronas segregan hormonas de crecimiento que promueven la arborización, estimulando así su propio crecimiento y el de sus vecinas.

DISMINUCIÓN DE LA CAPACIDAD DEL CEREBRO

Una parte del cerebro está dedicada al aprendizaje –se esfuerza por lograr los desafíos y maneja las frustraciones–, mientras que otra parte se encarga de establecer hábitos y rutinas. Si usted permite que una parte se atrofie, las funciones de ésta serán dominadas por las áreas más usadas.

Cuando usted deja de ponerse desafíos y de expandir sus destrezas, esa parte de su cerebro se tranquiliza y la actividad cerebral cambia a un modo menos activo. Mientras más pasivo usted se torne y deje de plantearse retos, le será más difícil reactivar esa parte de su cerebro.

La motivación es a menudo una gran víctima de este proceso. Una vez que ha dejado que sus destrezas decaigan, es más difícil sentirse interesado.

Ejemplo: Tocar mal el piano… o no ver los resultados de los ejercicios físicos… no es muy gratificante, así que usted tiene la tentación de dejar la actividad, en lugar de hacer el esfuerzo por corregir la situación o simplemente mantenerse en un nivel que corresponde a sus capacidades.

UN POCO DE PRÁCTICA

Encontrar el tiempo para mantener nuestras habilidades en medio de nuestras ocupadas vidas podría parecer un objetivo difícil de lograr. Pero es importante recordar que después de alcanzar la mediana edad, usted obtiene mayores beneficios de los pequeños primeros esfuerzos. Si practica sus destrezas, aunque sea apenas un poco todas las semanas, usted será capaz de ejercitar las capacidades que son importantes para usted.

Practicar un poco muchas de sus destrezas es más importante que concentrarse sólo en una o dos.

¿Cuánta práctica es suficiente? No hay ninguna regla universal, pero cuando se trata de ejercicio físico, una sesión de entre 20 y 40 minutos cada dos días parece ser suficiente para mantenerlo en forma… y saludable.

En la música también, parece ser que de media hora a una hora de práctica cada dos días, mantendrá un nivel significativo de destreza.

Así que, usar lo que usted no quiere perder al menos dos o tres veces a la semana durante media o una hora es una buena meta.

HAGA VALER LA PRÁCTICA

Para asegurarse de que aprovecha el tiempo que usted dedica a mantener sus destrezas, tómese en serio tanto a usted mismo, como a sus talentos y fortalezas para optimizar las condiciones y hacer que la práctica sea productiva. *Aquí tiene cómo hacerlo…*

●**Use el equipo adecuado.** Si está caminando para mantenerse en forma, compre unos buenos zapatos para caminar. ¿Quiere mejorar sus destrezas para tocar piano? Haga afinar el piano. Esto hará la experiencia más gratificante e incrementará las probabilidades de que usted continúe la actividad.

●**Haga la práctica placentera.** A algunas personas les gusta caminar, trotar o andar en bicicleta a solas… mientras que otras necesitan el apoyo de compañeros en un gimnasio. Pregúntese qué funciona mejor para usted.

Ejemplo: ¿Compartir con otros los ensayos que escribe le motivará a seguir escribiendo? Inscríbase en un taller u organice usted mismo un grupo de escritores.

●**Encuentre su nivel de práctica y sea consistente con él.** Algunas personas prefieren mantener sus destrezas de manera relajada, sin tensión, como una ocupación de ocio placentera. Otras valoran la euforia y la exigencia de la competencia.

Deje que sus preferencias personales le ayuden a escoger si usted practica sus destrezas por gusto o para encontrar adversarios que lo estimulen y le exijan más esfuerzo.

●**Conozca sus límites.** Un gran error que muchas personas cometen cuando practican es caer en la trampa del "profesional". No se molestan en practicar sus destrezas porque saben que nunca serán como los campeones a quienes admiran.

Admire a aquellos que han conseguido la excelencia, pero no los haga sus modelos. Acepte sus limitaciones, y recuerde que el objetivo es conservar sus habilidades, no conquistar el mundo.

NO SEA DEMASIADO EXIGENTE CON USTED MISMO

La actitud cumple un papel importante en lo bien que usted se desempeña y en la constancia para seguir el régimen de práctica. Una actitud positiva alimenta su determinación de mantener sus capacidades en forma, mientras que la negatividad acaba con la motivación. *Consejos útiles…*

●**Sea generoso y comprensivo con usted mismo** especialmente si está tratando de conservar o recuperar su nivel en un área en la cual fue experto en algún momento.

●**Acepte el papel de estudiante,** incluso si su esfuerzo está puesto en algo en lo cual alguna vez se destacó.

●**No compare su rendimiento con sus recuerdos** de cuando era más joven al máximo de su capacidad… en un tiempo donde mucha práctica había afinado sus destrezas.

●**Sea un entrenador amable y paciente con usted,** de esos que le lanzan la pelota mil veces a un niño antes de que éste aprenda a atraparla bien. Recuerde las ideas de sus maestros del pasado. Invite a compañeros pacientes y alentadores que puedan brindarle apoyo.

Importante: Mantenga alejados a los malos entrenadores y a los modelos negativos. Esté atento a esa desagradable voz interior –todos tenemos una– y hágala callar. Evite los "amigos" que puedan minar su confianza.

PRACTIQUE SUS HABILIDADES INTERPERSONALES

Las habilidades que necesita para llevarse bien con los demás –como trabajar en equipo, comprometerse, hacer críticas constructivas en lugar de destructivas– también necesitan práctica para estar en forma.

Si usted trabaja en casa, como lo hacen cada vez más personas hoy en día, usted podría perder la interacción diaria que hace que esto sea parte de su personalidad.

La soledad es también importante. Las personas que están constantemente rodeadas por otros –madres con niños pequeños o cualquiera que trabaje en una oficina muy ocupada y vuelve a una casa muy animada– pueden perder la capacidad para la tranquilidad y la reflexión.

---

12 cosas rápidas y fáciles que puede hacer para mejorar su salud

Harold H. Bloomfield, MD, psiquiatra particular en Del Mar, California. Es coautor de *The Power of 5*. Rodale Press.

No más excusas. Estas son las maneras de aumentar su salud y su felicidad –*en cinco minutos o menos.*

1. Inhale un olor energizante. Las investigaciones sugieren que los perfumes del limón y la menta piperita ("peppermint") son energizantes. Para sacar provecho a este descubrimiento beba de vez en cuando una taza de té de limón o de menta piperita o… masque chicle de menta piperita. Ponga una botella de extracto de menta piperita y/o limón para oler… añada un par de gotas a un aromatizador pequeño… o experimente con popurrí de otras esencias energizantes como pino ("pine"), jazmín ("jasmine"), lavanda ("lavender") o naranja.

2. Tome agua helada. Mantiene sus células hidratadas y le ayuda a quemar calorías. *La razón:* siempre que usted bebe algo frío, su cuerpo eleva su metabolismo para evitar que su temperatura corporal disminuya. Ese proceso quema calorías –ocho vasos de 16 onzas (450 ml) de agua helada quemarán 200 calorías adicionales por día.

La estrategia: Empiece el día con 8 a 16 onzas de agua helada. Tome un vaso de 16 onzas cada una o dos horas, manteniendo uno cerca de usted en el trabajo y en casa. En resumidas cuentas, usted debe beber ocho vasos al día. Termine antes de las 7 p.m. –para evitar tener que ir al baño después de acostarse.

3. Practique la meditación de "una respiración". Usted no tiene que pasar años para dominar la meditación. Este método de una respiración es una técnica de relajación poderosa y sencilla que puede ser practicada en cualquier momento, en cualquier lugar. Pruébelo siempre que usted se sienta fatigado o desubicado.

Qué hacer: Siéntese en una silla cómoda. Enderece la espalda, relaje los hombros e inspire profundamente. Deje que el aire "abra" su pecho. Imagine cómo llena cada célula de su cuerpo. Contenga la respiración un momento, luego exhale, soltando toda la tensión.

También útil: La relajación de un toque. Ponga las puntas de sus dedos justo enfrente de sus orejas. Inhale y apriete los dientes. Manténgalo cinco segundos. Exhale, y deje que los músculos de la mandíbula se relajen.

Repita este ejercicio tres veces más, usando la mitad de la tensión original, luego un cuarto, luego un octavo. Entonces respire profundamente, presione las puntas de sus dedos contra su mandíbula, deje que se afloje y diga, *a-a-a*. Imagine que usted está exhalando la tensión.

4. Minimice el ruido en casa y en el trabajo. Los sonidos fuertes o irritantes crean gran tensión física y emocional. Afortunadamente, muchos ruidos exasperantes pueden ser silenciados.

Estrategia Nº 1: Ponga una almohadilla de gomaespuma ("foam") debajo de la licuadora y de otros aparatos de cocina… y debajo de las impresoras, computadoras personales y otras máquinas de la oficina.

Estrategia Nº 2: Antes de comprar un aire acondicionado u otro aparato potencialmente ruidoso, compare los niveles de ruido de las diferentes marcas. Use aislantes de ruido alrededor del lavaplatos automático.

5. Déjese acariciar por la luz brillante. La mayoría de las personas obtienen una poderosa fuente de energía de la luz del sol o la luz brillante en un espacio interior. Trate de cambiar su escritorio más cerca de una ventana o… mejor aún, dé un paseo de cinco minutos al aire libre cada pocas horas.

También es útil: Diariamente tome cinco minutos de sol (antes de las 10 de la mañana o después de las 3 de la tarde). No use protector solar ni lentes de sol para disfrutar completamente de los efectos para realzar el ánimo que tiene la luz del sol.

En interiores, remplace las bombillas incandescentes o fluorescentes con bombillas de espectro completo de "luz de día" ("daylight bulbs") –las puede comprar en tiendas de lámparas o de alimentos naturales ("health food stores"). Precio: entre $7 y $9 para bombillas, entre $12 y $20 para tubos.

6. Haga ejercicios abdominales. Use esta técnica mientras esté sentado en su escritorio o atascado en el tráfico. Siéntese derecho. Ponga las manos sobre las caderas con los pulgares hacia la espalda. Exhale lenta y totalmente, sacando todo el aire con la fuerza de sus abdominales inferiores.

Repita hasta 10 veces al día. Puede hacer una o dos sesiones de estos abdominales para aplanar el vientre justo antes de las comidas, en los semáforos o cada vez que se siente en su escritorio. Estos ejercicios son excelentes tonificadores de los músculos abdominales inferiores.

7. Haga "entrenamiento" mental variado. Expanda su mente en tantas direcciones diferentes como sea posible para que participe en una variedad de actividades mentales y físicas. Los juegos de palabras son una manera fácil de llevar a cabo este entrenamiento. Escoja una oración cualquiera del periódico, luego cambie el orden de las palabras para formar una nueva frase… juegue Scrabble o haga crucigramas… rete a un amigo al ajedrez o a las damas.

8. Cocine con "nutrientes saludables". Éstas son verduras, hierbas y especias que tienen propiedades curativas específicas…

●**El ajo y la cebolla** potencian el sistema inmunológico, ayudando a prevenir los resfriados comunes.

●**La albahaca, el comino ("cumin") y el cúrcuma ("turmeric")** ayudan a prevenir el cáncer de la vejiga y la próstata.

●**La pimienta negra, los chiles jalapeños, los pimientos rojos picantes y la mostaza** aumentan su metabolismo por varias horas. Esto ayuda a quemar grasa.

●**La canela ("cinnamon")** ayuda a asimilar el azúcar manteniendo sus niveles de azúcar en la sangre en niveles normales.

9. Verifique su postura al leer. Una mala postura –inclinado sobre el escritorio, por ejemplo– puede causar dolores de cabeza, problemas de visión y dolor en la mandíbula y/o el cuello.

Autodefensa: Acerque el material de lectura a su campo visual o use un sujetador de libros para mantener el libro en el ángulo correcto. Si usted pasa mucho tiempo hablando por teléfono, consiga unos auriculares. No acune el teléfono entre la oreja y el hombro.

10. Use la terapia del punto desencadenante ("trigger-point"). Donde sienta tensión, palpe en busca de una banda muscular o tejido –un punto desencadenante. Presione leve o moderadamente. Continúe presionando unos cinco a diez segundos, luego libere.

11. Controle la contaminación interna. Siempre que le sea posible, mantenga sus ventanas abiertas. Todos los aparatos de gas deben ser inspeccionados anualmente y ventilados apropiadamente en el exterior para limitar su producción de monóxido de carbono. Use extractores de aire ("exhaust fans") en los baños, la cocina y el garaje cuando use estos ambientes. No fume ni deje que nadie fume en su casa u oficina.

12. No haga absolutamente nada. "Lyming" (flojear) es el arte caribeño de no hacer nada (sin sentirse culpable por ello). Trate de flojear frecuentemente para darle tiempo a su cerebro de procesar toda la información que recibe en el transcurso del día.

Consejo útil: Tómese unas "vacaciones mentales" de cinco minutos cada pocas horas. Imagine su playa favorita o algún otro lugar relajante. La idea es escaparse de la presión del trabajo, breve pero completamente.

Consejos sobre cómo dar consejos a los demás

Jeswald W. Salacuse, decano de la Fletcher School of Law and Diplomacy de la Universidad Tufts en Medford, Massachusetts. Es autor de *The Art of Advice: How to Give It and How to Take It.* Crown.

Hay un arte para dar consejos. Cuando usted ha dominado el arte, las personas escucharán lo que usted dice… y volverán a pedirle más consejos.

Tanto usted como aquellos que lo consultan se beneficiarán de la relación.

BENEFICIOS DE ACONSEJAR A OTROS

A los profesionales se les paga muy bien por su consejo experto. Pero hay otras razones por las cuales dar consejos.

●**Los padres aconsejan a sus niños** porque los aman y se preocupan por su bienestar.

●**Los altos gerentes aconsejan a los ejecutivos subalternos** sobre el idealismo, la amistad y el buen sentido de los negocios. El sólo saber que las otras personas quieren su consejo fortalece su autoestima.

ACONSEJAR ES UN ARTE

Para ser un buen consejero no es suficiente dar la información, no importa cuan exacta sea. Usted debe ser capaz de establecer relaciones con terceros que puedan ayudarlos a encontrar las mejores soluciones a sus problemas específicos.

Ejemplo: Un buen padre o madre debe saber lo que hacen sus hijos –y debe poder hablarles de una manera que demuestre que comprende sus preocupaciones.

CÓMO DAR CONSEJOS

El buen consejo es producto de un proceso de tres pasos…

●**Comprender los problemas particulares y los objetivos de la otra persona.** Su meta no es demostrar su propia sabiduría, sino ayudar a la otra persona a solucionar su problema. Para lograr esto, siempre escuche atentamente lo que dice la otra persona. Trate de descubrir cómo llegó a la situación actual… exactamente qué problema quiere que usted le ayude a solucionar… cómo espera él/ella beneficiarse de su consejo.

●***Para ayudar a que otra persona se abra a usted:*** "Rompa el hielo" comenzando con algo relevante sobre usted… anímele a que discuta el problema a su manera… no interrumpa… no se anticipe… nunca sugiera una solución antes de entender el problema.

Ejemplo: Una esposa infeliz le cuenta sobre la falta de atención de su marido y sus largas ausencias de casa y le pide su consejo. No le diga inmediatamente que cambie todas las cerraduras de la casa, que cierre la cuenta corriente conjunta y que llame a un abogado especialista en divorcios. Si usted le da la oportunidad de hablar un poco más, podría descubrir que ella quiere reconstruir la relación con su marido, cuya empresa tiene problemas y está amenazada con la quiebra.

Importante: Comprenda su papel exacto. Antes de empezar a dar consejos, asegúrese de que la persona realmente lo quiere. Tal vez solamente necesita un oyente comprensivo.

Si una persona desea su consejo, determine si usted está calificado para dárselo.

Pregúntese: ¿*Tengo los conocimientos, la capacidad y el tiempo necesarios para ayudar a esta persona?*

Ejemplo: Marta generalmente ayuda a otras personas a llenar las declaraciones de impuestos. Mientras ayudaba a una amiga que había enviudado recientemente, descubrió un problema de impuestos que superaba su experiencia. Marta no debería seguir adelante y adivinar lo que debería hacer su amiga. Es mejor que le diga que consiga ayuda profesional. Si la amiga nunca ha tenido experiencia con temas financieros, Marta podría ayudarla a encontrar un consejero mejor capacitado.

●**Identifique y valore las opciones y explíquelas tan claramente como pueda.** No trate de ser un solista –y no aplique siempre su solución favorita a un problema específico. Es posible que usted sepa más que las otras personas sobre los detalles técnicos de los problemas que enfrentan… pero ellos saben mejor que usted cual de las soluciones propuestas les viene mejor.

Ejemplo: Si una pareja próxima a jubilarse le pide su consejo, no les diga automáticamente que vendan su casa grande, que inviertan las ganancias y que se trasladen a un apartamento propio más pequeño. Ellos pueden preferir, por ejemplo, quedarse con la casa para alojar a sus parientes y amigos cuando vayan a visitarlos.

●**Deje que la otra persona tome la decisión.** Después de que usted le da su mejor consejo a la persona que lo consultó, recuerde que ella –no usted– tendrá que vivir con las consecuencias.

Eso no significa que usted se puede lavar las manos de cualquier responsabilidad. En la mayoría de los casos, usted debe dejar la decisión completamente a juicio de la persona que le pidió consejo. Pero es apropiado que usted intervenga en la decisión si la persona le pregunta explícitamente lo que haría usted… o si quiere hacer algo inmoral o muy peligroso… o si no puede comprender el posible resultado de una opción específica.

REGLAS ÉTICAS PARA ACONSEJAR

No cause daño. La persona que lo ha escogido como consejero piensa que usted podrá ayudarla.

Antes de dar consejo, asegúrese de que el seguirlo no causará daño. Dé solo el consejo. Su objetivo es ayudar a otra persona a tomar la decisión correcta, no el beneficio propio.

Un buen consejero es leal a su cliente y está comprometido a dar el mejor consejo, demuestra respeto a la persona que lo consultó, dedica toda su atención y capacidad a encontrar la mejor solución y se puede confiar en que mantendrá sus promesas.

Importante: Como consejero, usted necesita su propio consejero –alguien digno de confianza que le dé asesoría sobre problemas difíciles.

SEPA CUÁNDO DETENERSE

Cuando usted ha dado un consejo, la persona necesita solucionar su problema y usted debe mantenerse a un lado. *Aquí tiene las razones para detenerse…*

●**El individuo que se le acercó ha alcanzado la meta que buscó originalmente.** Asegúrese de que usted comprende el objetivo claramente desde el principio del proceso.

Ejemplo: Si sus hijos le piden su opinión sobre una casa que piensan comprar, no suponga que si la compran desearán su consejo no solicitado sobre cómo amueblarla.

●**El problema sobrepasa sus capacidades.** Si esto le sucede a usted, explique el problema francamente –como Marta en el ejemplo anterior, que aceptó ayudar a su amigo con sus impuestos, pero descubrió que el trabajo superaba sus conocimientos y su capacidad.

●**Su situación cambia.** Usted puede querer retirarse del papel de consejero o simplemente no tiene el tiempo o la energía necesarios para seguir aconsejando a alguien.

Si la persona depende de su consejo, adviértale que usted no seguirá disponible y si ella realmente necesita un buen consejo, trate de presentarle a alguien que pueda tomar su lugar.

LO MÁS IMPORTANTE

La gente que pide su consejo realmente le está demostrando admiración y un gran respeto a su capacidad y juicio. Asegúrese de compensarlos dando el mejor consejo posible.

Cómo sobrevivir desastres naturales… huracanes… inundaciones…

Betsy Shand y Janice McCann, coautoras de *Surviving Natural Disasters.* Dimi Press.

Si usted piensa que nunca será victima de un desastre natural, no es el único. Eso es lo que pensaban los habitantes de Nueva Orleans antes del último huracán Katrina.

La realidad: Casi todas las casas en el país son vulnerables a algún tipo de desastre, desde grandes catástrofes, como una inundación, hasta emergencias relativamente menores, como apagones eléctricos y tormentas de nieve inesperadas.

Las buenas noticias: Tomar precauciones de sentido común tiene gran importancia para evitar la pérdida de la propiedad y la vida.

Aunque la lista de precauciones podría parecer larga, estas medidas pueden tomarse durante un periodo de semanas o meses. Y en cuanto usted haya tomado las medidas necesarias, hay poco que hacer excepto enfrentarse al próximo desastre con mayor tranquilidad.

PROVISIONES DE EMERGENCIA

Piense que aguantar una catástrofe será un poco como acampar en su propia casa, donde la luz y el agua han sido cortadas. *Guarde en un clóset o en algún lugar conveniente…*

●**Alimentos que se puedan comer con poca o ninguna preparación,** como mantequilla de maní ("peanut butter"), galletas de soda de trigo integral ("whole-grain crackers"), comida de bebé, leche en polvo y cereales.

●**Varios galones de agua** que puede comprar embotellada en el supermercado.

●**Comida y agua** para la mascota.

●**Un equipo de primeros auxilios** que contenga no sólo los artículos convencionales como vendas y yodo ("iodine"), sino también tijeras, agujas e hilo y un suministro para varios días de cualquier medicamento que esté tomando. Los equipos pueden adquirirse en la Cruz Roja, en tiendas donde venden artículos para acampar y en la mayoría de las farmacias.

●**Linternas con baterías guardadas por separado** para que permanezcan frescas.

●**Dinero en efectivo.** Si la luz falla, los bancos y cajeros automáticos no funcionarán.

●**Un par adicional de anteojos** o de lentes de contacto.

●**Una escalera y herramientas básicas,** como una palanca, un destornillador, una sierra y un martillo.

Tenga el tanque de gasolina de su automóvil siempre lleno o casi lleno. Lo último que desea es ver el medidor de gasolina vacío cuando está tratando de huir de una crecida en el nivel del agua. (No guarde gasolina fuera del tanque de su automóvil.)

PROTECCIÓN DE SUS DOCUMENTOS

Debido a que los desastres pueden destruir casas y todo lo que haya en ellas, guarde copias de sus documentos importantes e información esencial con un amigo de confianza. *Por ejemplo…*

●**Una copia de su póliza de seguro** y el número de teléfono de su agente.

●**El nombre y número de su abogado.**

●**Una lista de sus problemas de salud,** qué tratamiento está siguiendo y el número de su médico.

●**La ubicación de su caja de seguridad** y una llave adicional.

●**Información bancaria,** como certificados de depósito y números de cuentas corrientes.

Es mejor elegir a un amigo que viva en otra ciudad para que guarde estos papeles ya que la casa de un vecino puede ser tan vulnerable como la suya.

ENTRENAMIENTO EN CASO DE DESASTRE

El entrenamiento de primeros auxilios no solo le permite ayudar a un herido. También le da confianza, lo que puede ser esencial para ayudarlo a sobrevivir la tragedia. Los centros comunitarios de la Cruz Roja, la YMCA, la YWCA y muchos hospitales ofrecen cursos de primeros auxilios. La mayoría de los departamentos de bomberos ofrece cursos para prevenir y sobrevivir incendios. Pero incluso si usted no toma ningún curso, haga su propio plan de evacuación en caso de incendio. *Aquí tiene los elementos clave del plan…*

●**Instale detectores de humo y/o aspersores ("sprinklers").** (A menudo las compañías de seguro bajan sus tarifas para casas con aspersores.)

●**Guarde toallas, agua y una escalera** de cuerda debajo de su cama. En caso de incendio, ganará mucho tiempo para escapar remojando las toallas en agua y poniéndolas debajo de las puertas para bloquear la entrada de humo.

●**Tenga extintores de incendio en sitios clave de la casa.**

●**Duerma con las puertas cerradas.**

●**Planee un procedimiento de evacuación** y practíquelo periódicamente, haga lo mismo que se hace en un simulacro de incendio.

Tenga conciencia de los artículos que puedan ser peligrosos en caso de catástrofe…

●**Fuentes de energía eléctrica difíciles de ver,** que se han caído o estén colgando.

●**Tuberías de agua, líneas de electricidad y cañerías principales de gas** en su casa. Pida a las compañías de estos servicios que le enseñen cómo cerrarlas. Eso es lo que tiene que hacer si hay una pérdida de agua, si le huele a gas o si sospecha que tiene un problema eléctrico después de un desastre.

EQUIPOS DE VECINOS

Organice un comité de vecinos para desastres cuyos miembros puedan ayudarse entre sí en caso de una emergencia. Si se trabaja en equipo los vecinos podrían salvar una casa si, por ejemplo, los propietarios no están y una cañería principal de gas se ha roto.

Muchos residentes tienen alguna destreza o algún equipo que podría ser de gran ayuda en caso de desastre.

Ejemplos: Médicos, carpinteros, plomeros o vecinos con generadores o teléfonos celulares.

La clave: Un sistema mediante el cual los habitantes de las casas puedan informar a sus vecinos cuál es su estado después de la tragedia. Por ejemplo, poner grandes cintas blancas, amarillas o rojas en su puerta o en otra ubicación.

Blanco significa que todo está bien. Amarillo indica que los residentes están bien, pero que necesitan un poco de ayuda. Y rojo es la señal de emergencia y de que necesitan ayuda inmediata.

ELIJA EL SEGURO APROPIADO

Pocos eventos son más desalentadores que sobrevivir a una catástrofe y descubrir que el seguro no cubrirá la pérdida de su propiedad. *Para evitar el problema...*

●**Compre la póliza de propietario** que cubra el *reemplazo* de su casa y de lo que hay en ella. Muchas pólizas cubren solamente el valor actual. Eso significa que si un sillón de estilo muy costoso es destruido en un incendio, el seguro paga solamente el valor actual de un sillón, no el valor de reemplazar la antigüedad.

●**Elija una póliza de seguro que pague sus gastos de manutención** por un periodo de tiempo suficiente como para volver a poner su casa en condiciones habitables.

●**Documente el valor de su casa y de su contenido**, guarde todos los recibos de los artículos que compre. Luego haga fotografías o grabe en video sus pertenencias; o considere

contratar a un tasador profesional para que le ponga precio a los artículos de los que no tiene recibo.

Cómo evitar el resfriado

David A. J. Tyrrell, MD, director jubilado de la unidad del resfriado del British Medical Research Council en Salisbury, Inglaterra.

Escuchamos informes sobre remedios de toda clase para el resfriado, desde chupar pastillas de zinc hasta frotar ajo sobre la ropa. Para saber lo que la ciencia médica opina sobre tales remedios, hablamos con el Dr. David A. J. Tyrrell, uno de los más renombrados expertos mundiales sobre el resfriado.

●**¿Qué causa los resfriados?** Los resfriados son causados por cualquiera de los cientos de diferentes virus especialmente adaptados para crecer en la nariz *(rinovirus y coronavirus)*. Por ello ha resultado imposible –hasta ahora– hacer una vacuna confiable. No hemos podido crear una sola que sea eficaz contra todos los virus.

Los fumadores son particularmente vulnerables a los resfriados. El humo del tabaco seca la mucosidad de las membranas que cubren la boca y la nariz, y deteriora su capacidad para detener los virus. Los tomadores moderados (aquellos que beben el equivalente a una copa de vino al día) parecen ser menos susceptibles.

Algo que no afecta su riesgo de contraer un resfriado es tener frío. Con el paso de los años, se han realizado varios estudios en los que algunos voluntarios tomaron baños fríos o se mojaron en la lluvia. Estas personas no contrajeron resfriados en un porcentaje más alto que las personas que permanecieron calientes y secas.

Esto no quiere decir que sea buena idea salir en invierno sin ropa apropiada. Mantenerse con frío puede precipitar la neumonía bacterial y otras dolencias graves.

●**¿Cómo se contagian los resfriados?** Los científicos no están de acuerdo en esto.

Muchos piensan que el virus se contagia cuando una persona inhala las diminutas gotitas de mucosidad y saliva contentivas del virus que son liberadas por el estornudo de una persona infectada. Varias pruebas indican que es posible contraer un resfriado con solo estar cerca (aproximadamente una yarda o un metro) de una persona infectada.

Otros científicos piensan que el virus se contagia por el contacto de las manos… o cuando se toca un objeto recientemente tocado por una persona infectada, y luego se lleva la mano cargada de microbios a la cara.

●**¿Qué se puede hacer para evitar los resfriados?** Debido a que no podemos contar con que las personas se queden en casa cuando están enfermas, lo mejor es evitar sentarse o estar de pie cerca de alguien que usted sospecha que tiene un resfriado… y estar pendiente de dónde pone sus manos.

●**¿La vitamina C previene los resfriados?** A pesar de su popularidad, nunca se ha demostrado que la vitamina C prevenga o cure los resfriados. Tras varios estudios, no se ha podido encontrar ninguna diferencia verdadera en la incidencia, la duración o la gravedad de los resfriados entre las personas que tomaron vitamina C (hasta 3.000 miligramos diarios) y aquellas que no la tomaron.

●**¿Son efectivas las vacunas antigripales ("flu shots")?** Previenen ciertas clases de gripe pero no lo libran de contraer un resfriado.

●**¿El estrés psicológico me hace mas vulnerable a los resfriados?** Sin duda. Hace varios años, hice una serie de estudios en colaboración con Sheldon Cohen, PhD, psicólogo de la Universidad Carnegie Mellon. Descubrimos que las personas que habían estado sometidas recientemente a una experiencia estresante –la pérdida del empleo, la muerte de un pariente cercano o incluso a formas deseables de estrés como el casamiento– eran más propensas a los resfriados que otras personas.

Hallamos que la diferencia casi se duplicaba en índices de infección entre los individuos con mayor –y menor– cantidad de estrés.

●**¿Cuál es la mejor forma de tratar un resfriado?** Mientras no haya ninguna manera de curar el resfriado, es posible hacer que los síntomas sean más soportables…

●**Beba líquidos** para mantener húmedas las membranas mucosas.

●**Alivie el dolor de garganta con bebidas tibias y dulces,** como el té con miel. O haga gárgaras con agua salada.

●**Inhale vapor de agua** de una tetera de vapor o tome un baño o una ducha caliente para ayudar a limpiar los conductos nasales. Además, un baño caliente resulta relajante.

●**Mantenga el aire húmedo** usando un humidificador o una tetera.

●**¿Son buenos los medicamentos de venta libre sin receta médica?** Tome aspirina, acetaminofeno o ibuprofeno para reducir el dolor y la fiebre. *Advertencia:* no debe dar aspirinas a niños menores de 12 años, por el riesgo del síndrome de Reye. La aspirina puede causar malestar estomacal y el acetaminofeno puede causar, ocasionalmente, daño al hígado. El ibuprofeno tiene un buen registro de seguridad, aunque también puede causar malestar estomacal.

Un descongestionante puede contener *efedrina*, que constriñe los vasos sanguíneos dilatados, reduciendo la hinchazón y la secreción de mucosidad. Es mejor usar este medicamento en gotas nasales o en aerosol ("spray") porque el efecto será local. Tomar cualquier medicamento en forma oral expone al cuerpo entero a sus efectos. Nunca use un descongestionante nasal en aerosol o en gotas por más de una semana. Si lo hace, se arriesga a una reacción de "rebote", en que la congestión empeora y el cuerpo se hace dependiente de la droga.

●**¿Debo ver a un médico si estoy resfriado?** En la mayoría de los casos es innecesario. Pero si los síntomas persisten más de una semana, o si tiene fiebre alta o una secreción nasal excesiva, podría haber contraído una infección bacterial además de estar resfriado. En tal caso, vaya a un médico inmediatamente. Pregunte si necesita antibióticos –los cuales, a propósito, son *inútiles* contra los resfriados.

Los niños menores de tres años, las personas mayores, y quienes padecen trastornos de pulmón o del corazón, tienen más riesgo de sufrir complicaciones posiblemente mortales. Deben notificar al médico al primer signo que indique que se trata de algo más que de un resfriado.

El médico también debe determinar si usted tiene un resfriado o una gripe. Un caso leve de gripe es a menudo indistinguible de un resfriado y un resfriado serio podría parecerse a la gripe. Aunque ambos se caracterizan por dolor de garganta, mucosidad y tos, en la gripe generalmente se presentan dolores musculares, dolor de cabeza y fiebre alta.

Los fármacos antivirales como el *rimantadina* (Flumadine), *amantadina* (Symadine) y los nuevos como el *oseltamivir* (Tamiflu) y *zanamivir* (Relenza), un medicamento que se inhala, pueden acelerar la recuperación de la gripe. Sin embargo, son eficaces solo si se toman poco después del inicio de los síntomas.

•¿Se pueden hacer ejercicios estando resfriado? No hay pruebas de que el ejercicio prolongue o incremente un resfriado. Efectivamente, algunas personas dicen que se sienten mejor después de hacer ejercicio. Pero no se exija demasiado si usted se siente mal.

•¿Pueden ayudar algunos remedios populares caseros? Muchos remedios pasados de moda parecen reducir el malestar, incluso aunque no consigan realmente librarlo del resfriado. Por ejemplo los líquidos tibios como sopa de pollo alivian la garganta, mientras que el vapor afloja la mucosidad. Y los tés hechos con jengibre ("ginger") u otras hierbas fragantes ayudan a calmar el malestar estomacal.

El mentol –mezclado con agua caliente para producir vapor o frotado en forma de gel sobre el labio superior– ayuda a limpiar los conductos nasales obstruidos.

Algunos afirman que las pastillas de zinc, la hierba *equinacia* ("echinacea") y los productos homeopáticos son útiles en el tratamiento de los resfriados. Pero hasta este momento, su eficacia no ha sido comprobada.

•¿Y esos dispositivos mecánicos que inyectan aire caliente a través de la nariz? No existe evidencia de que estos dispositivos, tipo secador de pelo, hagan mucho bien. Podrían aliviar algunos síntomas, pero no harán desaparecer el resfriado.

Usted puede obtener el mismo beneficio inhalando el vapor de un tazón de sopa o de agua caliente.

Cómo detener la sinusitis

Juan C. Guarderas, MD, división de alergias en la Mayo Clinic en Jacksonville, Florida.

Si tiene la nariz tupida por más de una o dos semanas, es posible que no tenga un resfriado –sino sinusitis. La sinusitis es una inflamación o infección de los senos nasales –los espacios vacíos en los huesos cerca de la nariz.

Entre otras funciones, los cuatro grupos de senos nasales calientan y humedecen el aire en su paso desde las ventanas nasales a los pulmones. Un recubrimiento de mucosidad mantiene los senos nasales húmedos.

Cuando todo está funcionando bien los diminutos pelos llamados *cilia* barren la mucosidad desde los senos nasales hasta la nariz. Pero cuando los pasajes que conectan la nariz con los senos nasales están congestionados –lo que ocurre durante un resfriado o un ataque de alergia– los senos podrían dejar de vaciarse. Las bacterias y/o los hongos se multiplican en la mucosidad atrapada y causan la infección.

La sinusitis puede tener como consecuencia una tos persistente o una bronquitis –y puede exacerbar casos de asma preexistentes. En casos infrecuentes, puede causar infecciones en los ojos o el cerebro con peligro de muerte.

SÍNTOMAS Y CAUSAS

La sinusitis se caracteriza por una congestión severa... dolor de cabeza... fiebre leve... dolor en la cara o en los dientes... y una secreción nasal amarilla-verdosa durante el día y la noche. Algunas de las personas que sufren de sinusitis son sensibles a los cambios en la presión barométrica –por ejemplo, durante los vuelos en avión o los cambios de clima.

En cambio el resfriado, se caracteriza por una secreción aguada blanca-amarilla que se va aclarando con los días. Las alergias se presentan a menudo con picazón e irritación en los ojos.

La mayoría de los casos de sinusitis ocurren durante o poco después de un resfriado. Otros casos son causados por alergias… el humo del tabaco u otros irritantes de la respiración… las infecciones bucales… o problemas anatómicos, como pólipos nasales o una desviación del tabique, que obstruye el drenaje del seno nasal.

Cuarenta por ciento de los ataques de sinusitis relacionados con el resfriado mejoran sin tratamiento cuando los senos comienzan a drenar de nuevo. Pero con frecuencia la sinusitis se hace crónica y crea cambios a largo plazo en el delicado revestimiento del seno (la *mucosa*).

La sinusitis crónica puede dañar la cilia o acidificar la mucosidad, provocando una mayor irritación e inflamación. Con el tiempo, los ataques repetidos de sinusitis pueden disminuir permanentemente la abertura de los senos nasales dentro de la nariz.

CÓMO TRATAR LA SINUSITIS AGUDA

El tratamiento común para la sinusitis aguda es con antibióticos durante 10 a 14 días… y con descongestionantes nasales orales y en aerosol ("spray").* No se recomienda el uso de antihistamínicos porque pueden secar demasiado.

Atención: Usar descongestionantes nasales de venta libre por más de cinco días puede causar un efecto "rebote", en el que los medicamentos pueden provocar una obstrucción de la nariz.

Con los antibióticos, es importante seguir el tratamiento completo –incluso después de que usted empieza a sentirse mejor. Si no, se crean las condiciones necesarias para la reproducción de las bacterias resistentes al medicamento.

Otro buen tratamiento para la sinusitis aguda es la *irrigación salina*. Efectuada bajo supervisión médica, puede ser muy eficaz para disminuir la congestión nasal y de los senos nasales.

*La mayoría de los médicos recomiendan en spray: descongestionantes de venta libre como NeoSynephrine o Afrin, soluciones salinas como Ocean o recetan esteroides como *beclometasona* (Beconase).

Qué hacer: Todas las mañanas, llene una pera de plástico de boquilla angosta con una mezcla de una cucharadita de sal y una pinta (½ litro) de agua tibia. Inclínese en el lavamanos y vierta un chorro de la solución en su nariz hasta que se acabe. La solución se escurrirá. Asegúrese de limpiar el recipiente y la boquilla después de cada uso.

CÓMO TRATAR LA SINUSITIS CRÓNICA

La sinusitis *crónica* es más difícil de tratar. Además de los descongestionantes en aerosol o en pastillas, un tratamiento de tres semanas con antibióticos es a menudo provechoso. Si después de eso no ve mejoría, consulte a un alergólogo o a un otorrinolaringólogo.

Para determinar con precisión el origen de su sinusitis, este médico puede recomendar una radiografía o una tomografía computada ("CT scan") o efectuar una endoscopia.

Con este simple procedimiento –realizado en el consultorio del médico– el médico puede determinar si usted tiene pólipos nasales u otra obstrucción anatómica. Si es así, la cirugía para extirpar los pólipos o para ensanchar ligeramente la abertura del seno nasal podría ayudar.

Si diagnostican que su sinusitis está relacionada con alergias, podría ser necesario evitar el polvo, la caspilla de animal y otros alérgenos.

Los tratamientos nasales como los inhaladores con esteroides también pueden brindar un poco de alivio.

Si ha tenido problemas con los senos nasales en el pasado y quiere evitar que se repitan, tome precauciones cuando esté resfriado –para evitar que se convierta en un ataque de sinusitis.

Use descongestionantes e irrigadores nasales y evite los vuelos aéreos, el submarinismo, el buceo, y otras actividades que involucren cambios rápidos en la presión atmosférica.

Cómo librarse de la indigestión... ¡para siempre!

Henry D. Janowitz, MD, profesor emérito de medicina clínica de la Mount Sinai School of Medicine en la ciudad de Nueva York. Es autor de *Good Food for Bad Stomachs.* Oxford University Press.

La indigestión afecta a millones de estadounidenses todos los años. Este término abarca una amplia gama de quejas –desde "acidez estomacal", gases, náusea, hinchazón y distensión hasta problemas mucho más graves, como la úlcera péptica, cálculos biliares ("gallstones") o cáncer de estómago.

La fuente principal del dolor gastrointestinal es la acidez ("heartburn"), técnicamente conocida como reflujo gastroesofágico ("acid reflux"). En algún momento, casi todos hemos tenido esa sensación de ardor detrás del esternón. A menudo es acompañada por una ola de fluido muy ácido en la parte posterior de la garganta, que deja una desagradable sensación ardiente allí también. El reflujo ocurre cuando el movimiento de la comida y los jugos digestivos en el tracto digestivo causan que el ácido estomacal se devuelva al esófago.

El reflujo también podría surgir por defectos en el esfínter esofágico –la "vía de acceso" muscular entre el esófago y el estómago.

También podría causarlo una hernia hiatal –una debilidad en el diafragma, la pared muscular que separa la cavidad abdominal de los pulmones. *Otros posibles causantes del reflujo...*

●**La cafeína y los cigarrillos.** Ambos causan secreción excesiva de ácidos estomacales.

●**Las comidas grasosas.** Las grasas son difíciles de digerir, así que las comidas grasosas permanecen en el estómago más tiempo que los carbohidratos y las proteínas.

●**Las bebidas alcohólicas.** Aunque directamente no producen reflujo, pueden causar erosión, hinchazón e inflamación en las paredes del estómago.

●**Las úlceras.** Las cicatrices en los tejidos por úlceras duodenales o pépticas previas, pueden a veces bloquear el paso de la comida hacia el estómago.

●**La diabetes y las infecciones virales.** Interfieren con la movilidad del estómago a través de varios mecanismos, entre ellos, lesión directa de los nervios que se dirigen al estómago o la estimulación del crecimiento excesivo de la flora bacteriana intestinal.

Si el reflujo no es tratado puede causar inflamación crónica del esófago (esofagitis), un trastorno serio caracterizado por ronquera, hemorragia, dolor, dificultad para tragar, náuseas y despertar frecuente por la noche.

OTRO MALESTAR COMÚN

La dispepsia no ulcerosa es otro malestar común del estómago.

Los síntomas: Retortijón agudo de estómago, náusea y acidez ligera. Estos síntomas son parecidos a los de la úlcera péptica, aunque por lo demás el estómago esté normal.

A veces la dispepsia no ulcerosa se caracteriza más por la sensación de que el estómago no se está vaciando suficientemente rápido. La comida pareciera permanecer demasiado tiempo, dando como resultado sensación de llenura, hinchazón y gases. Estos síntomas pueden comenzar antes de haber terminado la comida... o hasta dos horas después.

Nadie sabe exactamente qué causa la dispepsia no ulcerosa, pero algunos estudios apuntan a problemas en el movimiento muscular del estómago, el duodeno o el esófago.

REMEDIOS PARA ESTÓMAGOS CON PROBLEMAS

Si bien son a menudo útiles Maalox, Mylanta, Tums, Rolaids y otros antiácidos de venta sin receta, lo mejor es –en primer lugar– prevenir la indigestión. *Aquí tiene las estrategias de prevención...*

●**Coma tres buenas comidas al día.** O si lo prefiere, coma varias comidas pequeñas y ligeras. No pase por alto el desayuno y el almuerzo con la intención de "compensar" al final del día. Llenarse completamente con una sola comida incrementa la presión dentro del estómago –y con esto la posibilidad de reflujo.

●**No se acueste demasiado pronto después de comer.** El reflujo suele ocurrir cuando usted está acostado. Así que evite los refrigerios de medianoche y las siestas durante el día.

Si usted debe dormir inmediatamente después de comer, asegúrese de mantener el pecho elevado. Ponga algunas almohadas debajo de su cabeza, inserte un trozo de gomaespuma ("foam") debajo de su colchón o ponga la cabecera de la cama sobre bloques.

Si usted necesita un refrigerio de media noche, trate de beber una taza de té de hierbas o té descafeinado –los líquidos salen del estómago más rápido que los sólidos.

● **Tome medidas para evitar el estreñimiento.** El estreñimiento aumenta la presión abdominal, haciendo más probable el reflujo. Coma alimentos ricos en fibras... beba muchos líquidos... haga ejercicio regularmente... evite los cinturones ajustados o fajas... y trate de mantener un peso adecuado.

● **Evite comidas grasosas o muy sazonadas.** *Por ejemplo:* platos estilo "curry" y sechuan y platos hechos con "chili" en polvo ("chili powder"). Si ha experimentado indigestión después de comer tales comidas en el pasado, sea especialmente cuidadoso en evitarlas.

MÁS ALLÁ DE LA AUTOAYUDA

Si su malestar persiste, busque ayuda profesional. Para ayudar al médico a hacer un diagnóstico exacto, prepare una descripción detallada de los síntomas –cuánto tiempo los ha tenido y en qué circunstancias.

Ejemplo: Un retortijón o dolor ardiente y persistente por encima del ombligo dentro de las tres horas después de comer puede ser señal de una úlcera. Un chequeo médico minucioso debe constar de un examen físico general, un análisis de sangre y de heces ("stool test") y una prueba del tracto gastrointestinal superior con bario ("upper GI series with barium") en el estómago y el esófago.

Para ver bien las paredes del esófago, el médico puede hacer una endoscopia gastrointestinal superior ("GI endoscopy"), en la que usará una sonda de visión llamada *endoscopio.*

Algunos medicamentos recetados están diseñados para reducir los efectos irritantes del reflujo sofocando la acidez estomacal o neutralizando el ácido ya segregado. Otros limpian el esófago, refuerzan su músculo esfínter y ayudan a vaciar el estómago –en la dirección correcta.

Una clase de fármacos llamada *bloqueantes de histamina 2* ("histamine 2 blockers"), junto con los tratamientos de antiácido más nuevos como Prilosec, detienen la producción de ácido clorhídrico en el estómago –especialmente durante la noche cuando es más propenso a acumularse y devolverse. Los bloqueantes de histamina 2, Pepcid, Tagamet y Zantac, se adquieren sin receta médica y alivian el dolor de la acidez.

Si las pruebas confirman que padece esofagitis, debe prohibirse estrictamente la cafeína, el tabaco y el alcohol, al igual que la aspirina y otros antiinflamatorios sin esteroides (NSAID por sus siglas en inglés). Las recomendaciones sobre la dieta y el sueño también deben seguirse rigurosamente, y debe continuarse el tratamiento de recetas médicas incluso después de que todos los síntomas hayan desaparecido.

La nueva información más sorprendente sobre las úlceras de estómago es el descubrimiento de que la bacteria *H. Pylori,* si está presente, debe ser eliminada con antibióticos para asegurar que la curación sea duradera.

LA CONEXIÓN CEREBRO-INTESTINO

El cerebro está íntimamente vinculado con el estómago, el esófago y el intestino delgado por una "vía rápida" –un sistema directo de caminos de nervios– y por una ruta más lenta y más indirecta de "mensajeros" químicos: las hormonas.

Tales conexiones ayudan a explicar por qué el estrés y las emociones afectan nuestra salud digestiva tan dramáticamente. Los problemas emocionales cambian la actividad química del cerebro, lo que envía señales de tensión al tracto gastrointestinal.

Su capacidad de tolerar estos problemas estomacales depende en gran medida de su disposición. Por razones desconocidas, algunas personas tienen una tolerancia inusualmente baja para problemas del tracto gastrointestinal, ya sean causados por reacciones a las comidas, a la tensión psicológica o la enfermedad.

En esos casos, las técnicas de modificación de conducta como la terapia de control de la tensión o la relajación, a menudo ayudan. Por lo tanto una consulta con un psicólogo u otro profesional de la salud mental es con frecuencia parte esencial de la "curación" de un estómago con problemas.

Cirugía estética…
Las mejores soluciones

Kimberly Henry, MD, especialista en cirugía plástica y reconstructiva, con consultorio privado en Greenbrae, California. Es coautora de *The Plastic Surgery Sourcebook.* Lowell House.

La cirugía estética significa algo más que corrección de nariz o implantes de seno. Actualmente existen cientos de procedimientos distintos para solucionar problemas, desde las arrugas y cicatrices hasta la piel flácida y las mejillas caídas.

FRENTE SURCADA DE ARRUGAS

Las líneas verticales profundas del entrecejo por lo general pueden ser eliminadas con *BoTox*, una toxina derivada del mismo microbio que causa la mortífera enfermedad del botulismo.

Inyectado entre las cejas, el *BoTox* paraliza el músculo facial que causa las arrugas. El procedimiento dura unos 10 minutos. Los resultados se mantienen de tres a seis meses. *El costo:* $500 por inyección.

CARA DE CANSANCIO

Aunque las inyecciones de colágeno dan buenos resultados para arrugas faciales aisladas, no resultan muy eficaces para una cara que se ve totalmente "cansada". El mejor remedio para ese rostro es, habitualmente, una terapia láser.

La luz del láser hace que el colágeno de la piel se encoja, eliminando las arrugas por unos nueve años. Ese es el tiempo que tardan en formarse las arrugas faciales.

Hoy en día se emplean varios tipos distintos de láser. Para las arrugas leves, la mejor apuesta es el recientemente aprobado láser de *erbio*, en el que se combinan los resultados positivos con un periodo breve de recuperación.

La piel queda enrojecida durante tres o cuatro días. Usted puede volver al trabajo en el plazo de una semana. *El costo:* entre $1.000 y $3.000.

Evite: La dermabrasión y la exfoliación química de la piel ("chemical peel"). Estos tratamientos que anteriormente eran muy populares para eliminar las arrugas faciales produjeron resultados imprevistos. También pueden dejar marcas o causar el adelgazamiento de la piel.

CICATRICES O ARRUGAS PROFUNDAS

Para las cicatrices provocadas por el acné o para las arrugas profundas causadas por años de fumar cigarrillos y/o por la exposición al sol, la mejor solución es la terapia láser. Pero en lugar del láser de erbio, es mejor emplear el láser de *dióxido de carbono* ("carbon dioxide laser") que es más poderoso.

La terapia láser de dióxido de carbono dura solo 90 minutos, pero el periodo de recuperación a menudo tarda hasta 10 días.

En la primera semana posterior al tratamiento, es como haber sufrido una quemadura de sol intensa. La piel se descama y se forman costras. Con frecuencia son necesarios analgésicos para el dolor. Después de siete ó 10 días, las costras se caen revelando una piel nueva y rosada. *El costo:* entre $3.000 y $6.000.

PAPADA O PIEL FLÁCIDA

Para la piel flácida de la cara o del cuello, el mejor tratamiento es un estiramiento de la piel de la cara ("face-lift") o del cuello ("neck-lift"). En esta cirugía de cuatro horas, el cirujano hace una incisión delante y detrás de las orejas.

Luego el cirujano despega la piel de los músculos subyacentes y de la capa de grasa de la cara y la estira ajustándola de manera adecuada.

Los estiramientos faciales se efectúan sin internación. El periodo de recuperación dura de siete a diez días. Entonces se sacan las puntadas y usted puede reanudar la actividad normal. *El costo:* entre $5.000 y $25.000.

Las buenas noticias: Una variante nueva del procedimiento convencional de estiramiento facial reduce el riesgo leve de lesionar un nervio, vinculado con el procedimiento más antiguo. El estiramiento del plano *supraplatismal* consiste en reposicionar solamente las capas superficiales de la piel.

El cirujano reubica la capa de grasa de las mejillas y extrae algo del tejido grasoso de alrededor de la mandíbula. *El costo:* $3.300.

Debido a que ningún tipo de estiramiento puede eliminar por completo las arrugas, muchos pacientes optan por someterse a la terapia láser aproximadamente seis semanas después del estiramiento facial.

CADERAS, MUSLOS Y BRAZOS FLÁCIDOS

Dado que el problema de obesidad en Estados Unidos continúa sin solución, la liposucción ha pasado a ser el procedimiento estético quirúrgico más popular.

En la liposucción convencional, el cirujano extrae la grasa usando un tubo delgado (*cánula*) que se inserta en la piel. Actualmente, la mayoría de los cirujanos usa la *liposucción tumescente*, en la que se inyectan líquidos que contienen sales y azúcares esenciales junto con un anestésico local y *epinefrina* para controlar el sangrado en la zona succionada.

De manera opuesta a la liposucción convencional, la liposucción tumescente permite que se extraigan sin problemas grandes cantidades de grasa –hasta 22 libras (10 kilos) por vez. *El costo:* $2.500 por zona tratada.

Algunos cirujanos han comenzado a emplear en su lugar la liposucción *ultrasónica*. En este procedimiento se utiliza una sonda especial que "derrite" la grasa antes de extraerla del cuerpo.

PECHOS MASCULINOS AGRANDADOS

El procedimiento estándar para solucionar este problema consiste en hacer una incisión en el contorno externo del pezón y después extirpar el exceso de grasa.

Este método, por lo general, produce buenos resultados, en especial cuando se usa en combinación con la liposucción. *El costo:* entre $2.500 y $3.000.

CÓMO ENCONTRAR UN BUEN CIRUJANO ESTÉTICO

Elegir un cirujano certificado por la American Board of Plastic Surgery no es suficiente. *Además, debe buscar un cirujano que haya...*

●**Tratado a alguien que usted conozca** y que haya obtenido buenos resultados y

●**Efectuado el mismo procedimiento varias veces.**

La mejor estrategia: Consulte a dos o tres cirujanos estéticos. Escuche sus recomendaciones y vea cómo combinan su personalidad y la del profesional.

Para obtener una lista de cirujanos plásticos certificados de su zona, póngase en contacto con el servicio de consulta de la American Society of Plastic Surgeons, al 888-4-PLASTIC (888-4-752.7842). *www.plasticsurgery.org.*

Lo que debe saber acerca de los mareos

Brian Blakley, MD, PhD, profesor y jefe de otorrinolaringología de la Universidad de Winnipeg (Manitoba, Canadá). Es coautor de *Feeling Dizzy: Understanding and Treating Dizziness, Vertigo and Other Balance Disorders.* Hungry Minds, Inc.

Cuando no hay otros síntomas, el mareo leve ocasional no es motivo de preocupación. *Pero consulte a un médico de inmediato si los episodios de mareo se repiten... si son tan fuertes como para obligarlo a recostarse... o si vienen acompañados de...*

●**Visión doble.**

●**Incontinencia.**

●**Debilidad en las piernas o los brazos.**

●**Dificultad al hablar o tragar.**

●**Dolor de cabeza severo.**

Estos síntomas son indicativos de un derrame cerebral (apoplejía, "stroke"), tumor en el cerebro, aneurisma u otro problema que puede poner en peligro la vida.

TIPOS COMUNES DE MAREOS

●**Una leve sensación de mareo.** Puede causarla casi cualquier enfermedad sistémica, incluso los ataques isquémicos pasajeros, la esclerosis múltiple... o hasta el SIDA.

Algunas mujeres padecen mareos leves durante la menstruación –o como efecto secundario de la terapia de reemplazo de hormonas o por la menopausia.

●**Desequilibrio.** Esta sensación de tambaleo o de bambolearse puede ser causada por gripe, infección, artritis, compresión de la columna vertebral, diabetes u otro trastorno metabólico.

Otra causa del desequilibrio puede ser el consumo excesivo de alcohol, la ansiedad (la respiración rápida reduce el flujo de oxígeno hacia el cerebro) o la depresión… o por algunos medicamentos, incluidos los remedios para la tos o para la presión arterial.

●**Vértigo.** Esta sensación de mareo a menudo se presenta con las migrañas (jaquecas) y con muchas enfermedades.

●**Sensación de desmayo.** Con frecuencia es una consecuencia de la *hipotensión postural*, breve periodo de disminución de la presión arterial que ocurre cuando alguien se levanta o se endereza súbitamente.

Algunos medicamentos pueden contribuir a mejorar la hipotensión postural, entre ellos se incluyen los remedios para combatir la presión arterial alta, los antihistamínicos, los sedantes y los antipsicóticos.

Con un tratamiento adecuado, la mayoría de los casos de mareo desaparece. Sin embargo, algunos casos oponen resistencia al tratamiento –incluso los que son causados por la esclerosis múltiple, el SIDA y la menstruación. En estos casos, el paciente simplemente tiene que aprender a vivir con el problema.

TRASTORNOS EN EL OÍDO Y EN EL CEREBRO

El mareo persistente que no está vinculado a una enfermedad subyacente por lo general implica problemas relacionados con el cerebro o el oído interno.

●**El vértigo paroxístico postural benigno** (BPPV por sus siglas en inglés) se produce cuando una persona mueve la cabeza en una cierta posición –por lo general cuando se recuesta sobre la espalda y luego se da vuelta con rapidez hacia un lado.

El BPPV en sí mismo no es un riesgo para la vida, pero puede ser mortal si ocurre al conducir un vehículo o al levantarse.

El BPPV cuando afecta a personas menores de 50 años es causado a menudo por un trauma cerebral. Hasta un golpe leve puede ser suficiente. En personas mayores de 50 años, el BPPV puede ocurrir luego de una enfermedad, o puede ser causado por la degeneración de los nervios del oído medio. En algunos casos, el BPPV se produce sin ningún motivo aparente.

●**La neuronitis vestibular** es un vértigo súbito que ocurre unos pocos días o unas pocas semanas después de la recuperación de una infección viral. Con frecuencia se presenta con náuseas y/o vómitos. *La causa probable:* la inflamación del nervio vestibular, que conecta el cerebro con el oído interno.

●**La ataxia** es una pérdida de la coordinación. Por lo general es causada por la muerte de células cerebrales, aunque también puede ser provocada por deficiencias vitamínicas o por beber en exceso. Es más común entre las personas mayores, a menudo se desarrolla de manera gradual y por lo general es irreversible.

●**La enfermedad de Ménière** consiste en un conjunto de síntomas relacionados, incluidos los ataques de vértigo… el zumbido o la pérdida de audición en un oído… una sensación de opresión en el oído. Muchos casos son causados por la acumulación de líquido en el oído interno. La enfermedad de Ménière por lo general ataca entre los 30 y los 50 años de edad. Los síntomas tienden a repetirse y duran una hora o más cada vez. Su intensidad es de moderada a debilitante.

●**La infección en el oído** que causa una acumulación de líquido en el oído medio puede provocar desde un desequilibrio leve hasta un vértigo agudo.

CÓMO RECIBIR UN BUEN TRATAMIENTO

No hay una forma fácil de hacer un examen de los mecanismos de equilibrio del oído y del cerebro; por lo tanto es probable que su médico tenga problemas para establecer las causas del mareo que usted padece. Si él/ella no le prepara una historia médica completa… o no toma en serio su mareo… o tiene poca experiencia en este problema, busque otro médico.

Lo mejor: Un otorrinolaringólogo o un neurólogo que preste servicios en una clínica especializada en mareos. Para obtener el nombre de un profesional en su zona, contacte a la American Academy of Otolaryngology-Head and Neck Surgery, llamando al 703-836-4444, *www.entnet.org*.

Los médicos realizan varias pruebas para comprobar si hay daños en el oído interno. Las pruebas que hago con mayor frecuencia son exámenes para comprobar la capacidad auditiva (audiograma) y dos exámenes más especializados: *la electronistagmografía* (ENG) y la silla giratoria.

En la ENG se observan los movimientos oculares provocados por la estimulación eléctrica del sistema vestibular. El examen de la silla giratoria mide los movimientos oculares mientras el paciente está sentado en una silla giratoria controlada por computadora.

El mejor antídoto para las enfermedades del oído interno es el tiempo. El daño en el oído interno por lo general se cura en unas pocas semanas o meses. La acumulación de líquido debida a una infección en el oído también tiende a desaparecer en unas pocas semanas.

Incluso el daño persistente al nervio por lo general deja de causar mareo después de varios meses. El cerebro sencillamente aprende a reordenar la información que recibe (de modo semejante al que se adapta al balanceo de un barco).

La neuronitis vestibular a menudo persiste hasta que la inflamación subyacente desaparece. Ello puede llevar años –aunque los medicamentos, el descanso en la cama y los ejercicios de rehabilitación resultan útiles.

El mareo puede ser *permanente* en las personas que sufren de ataxia, esclerosis múltiple u otros trastornos del sistema nervioso central.

El tratamiento de la enfermedad de Ménière puede incluir cirugía para liberar la acumulación de líquido, pero los diuréticos y/o los esteroides pueden proporcionar un alivio importante.

Si usted tiene que someterse a una cirugía, asegúrese de que el cirujano esté certificado en otorrinolaringología. *Para verificar credenciales:* póngase en contacto con la American Board of Medical Specialities, llamando al 866-ASK-ABMS (888-275-8867), *www.abms.org.* Por lo general, el mareo desaparece dentro de las ocho semanas posteriores a la cirugía.

En algunos casos de mareo, el sedante suave *meclizina* (Antivert) trae alivio temporal. La escopolamina es aún más eficaz… pero también causa más efectos secundarios, entre ellos somnolencia y sequedad en la boca. *Advertencia:* estos fármacos deben usarse no más de una semana o dos, durante episodios graves.

EJERCICIOS DE REHABILITACIÓN

Muchas personas con mareo mejoran con ejercicios de rehabilitación. Éstos aceleran el proceso de adaptación del cerebro al mejorar las conexiones neurales en el oído interno. De hecho, los ejercicios de rehabilitación resultan útiles para la mayoría de los problemas de equilibrio, con o sin la supervisión de un médico. *Dos ejercicios útiles…*

Rotaciones horizontales de la cabeza: Siéntese mirando hacia delante. Vuelva la cabeza hacia la derecha, después hacia la izquierda, repitiendo el movimiento varias veces. Comience lentamente y aumente la velocidad de rotación de la cabeza en lo posible durante 20 segundos. Repita hacia el otro lado.

Rotaciones verticales de la cabeza: Siéntese mirando hacia delante. *Posición Nº 1*: vuelva la cabeza 45 grados hacia la derecha. *Posición Nº 2:* mueva la punta de la cabeza de su posición vertical para que su oreja izquierda se mueva hacia su rodilla izquierda y su cabeza quede horizontal. Alterne entre las posiciones 1 y 2 con la mayor rapidez posible durante 20 segundos. Repita por el otro lado.

Estos ejercicios deben repetirse dos o tres veces en cada sesión. Deben realizarse tres sesiones diarias.

Cómo ganar la guerra contra el dolor crónico

Norman Marcus, MD, director médico del Norman Marcus Pain Institute en la ciudad de Nueva York. Es autor de *Freedom from Pain.* Simon & Schuster.

Si usted sufre de dolores de cabeza, de espalda, de cuello o de las articulaciones que persisten durante más de seis u ocho semanas, es posible que esté experimentando un dolor crónico.

La buena noticia es que ahora usted puede hacer algo más que soportarlo.

ORÍGENES DEL DOLOR CRÓNICO

El cuerpo requiere unas seis semanas para curar lesiones importantes como huesos rotos, incisiones quirúrgicas, etc. Sin embargo, el dolor asociado con esas lesiones puede sentirse mucho después de que el cuerpo se ha curado.

El dolor agudo o de corto plazo que se presenta inmediatamente después de sufrir una lesión está directamente relacionado con la magnitud del daño que el cuerpo ha padecido. Pero el dolor que persiste más tiempo que el previsto después de una lesión es un dolor crónico –y *no* está relacionado con la magnitud del daño sufrido.

Durante años, el dolor crónico ha sido considerado en sí mismo una enfermedad y, por lo tanto, el tratamiento preferido era controlar el dolor en lugar de buscar la causa que lo producía.

LAS CAUSAS DEL DOLOR CRÓNICO

Los músculos son la causa principal del dolor crónico. Provocan dolor en cuatro formas.

El estrés emocional es el factor principal que tensa nuestros músculos sin que nos demos cuenta de ello. No es sorprendente que todo el estrés que sentimos a diario afecte el cuerpo. Tense los músculos y sentirá dolor. Y ese dolor puede trasladarse a distintas partes del cuerpo.

La mayoría de los dolores crónicos no debe considerase una manifestación de enfermedad. Pero pueden servir como barómetro para medir la tensión. Las otras causas que producen dolor muscular son la debilidad y la rigidez, el espasmo y los desencadenantes de dolor.

CÓMO REDUCIR EL DOLOR CRÓNICO

●**Escuche lo que su cuerpo le dice.** Si usted padece un dolor persistente reconozca que tiene un problema y que debe buscar ayuda. Lamentablemente, muchos médicos no pueden ayudarlo con sus dolores de espalda o de cuello.

La razón: Aunque cerca del 80% del cuerpo humano está constituido por músculos, a la mayoría de los médicos no se le ha enseñado cómo usar las manos para examinar los músculos y evaluar los posibles efectos de la tensión muscular, la debilidad y el espasmo. Por lo tanto, es probable que su médico no reconozca o no trate de manera adecuada un dolor muscular.

Si los métodos de tratamiento del dolor no le han dado buenos resultados, busque un médico especializado en dolores musculares. Verifique que los médicos que pudieran brindarle atención incluyan la evaluación y el tratamiento de los músculos en sus métodos de tratamiento del dolor.

●**Deje de considerar el dolor como una enfermedad.** Será más difícil librarse del dolor si pone en él un gran interés y preocupación.

Procure realizar la mayor cantidad posible de actividades diarias normales. No tema hacer movimientos, aun cuando le resulte un poco molesto. El movimiento es necesario para las personas que sufren dolor crónico porque la inactividad muscular empeora el dolor.

●**Comience un programa moderado de ejercicios.** Esto no significa tomar clases de ejercicios aeróbicos extenuantes… o correr cinco millas (8 km) en un día. De hecho, ambos tipos de ejercicios deben evitarse.

Lo mejor: Inicie un programa para caminar o nadar, comenzando con una distancia modesta y a medida que se sienta más cómodo, aumente su objetivo gradualmente. Trabaje con su médico en la preparación de un régimen adecuado para usted. Realice entre 30 y 40 minutos de ejercicios, tres o cuatro veces por semana.

Recuerde siempre que un programa de ejercicios apropiado comienza con técnicas de relajación como la meditación… continúa con la realización de ejercicios de calentamiento y estiramiento antes del inicio de los ejercicios… y termina con un periodo de enfriamiento, que concluye nuevamente con una relajación.

Además de ayudar al estiramiento y fortalecimiento, el proceso contribuirá a que su mente libere la tensión y el estrés, causas principales del dolor muscular crónico.

Si su dolor está asociado a síntomas peligrosos –fiebre, escalofríos, sudores nocturnos, dolores de cabeza y malestar– podría indicar una enfermedad subyacente o un problema que pudiera ser grave. Usted debe consultar a su médico.

EJERCICIOS IDEALES

●**Camine al aire libre.** Cuando camine, vaya un poco más rápido, después un poco más despacio, dé un paso más largo, luego un paso más corto. Eso es natural para el cuerpo y una excelente manera de hacer ejercicios para eliminar el dolor crónico. Al principio, no se preocupe por la velocidad. Aumente la distancia que recorre en alrededor de un 20% cada pocos días. Procure caminar dos o tres millas (3 ó 5 km) por día.

●**Use una bicicleta fija** ("stationary bike") con el asiento adaptado para que usted pueda extender las piernas un poco menos que en su extensión total. Una bicicleta fija es un buen ejercicio aeróbico –si se realiza con un mínimo de tensión al principio y lentamente se aumenta la dificultad. Si le duele la espalda en una bicicleta erguida, pruebe con una reclinada.

●**Los aparatos para realizar ejercicios de esquí a campo traviesa** ("cross-country ski") proporcionan un buen ejercicio si usted está en buen estado físico.

●**La natación es formidable.** Pero si usted tiene dolor de espalda, al hacer muchas piscinas nadando estilo crol es probable que su espalda se curve, causándole más dolor. Si tiene dolor de espalda, la brazada de espalda ("back stroke") y la brazada de costado ("breast stroke") son más adecuadas.

EJERCICIOS QUE DEBE EVITAR

●**No utilice ningún tipo de aparato para hacer ejercicios que fuerce a su cuerpo** a adoptar posiciones incómodas a las que usted no esté acostumbrado.

●**No realice en exceso ningún ejercicio para fortalecer los músculos.** Tres o cuatro repeticiones de cualquier movimiento son suficientes. Después pase al próximo ejercicio. Puede volver a hacer otra serie de cualquiera de los ejercicios realizados, únicamente si no siente ningún dolor.

●**Evite el aeróbic-step** ("stair-step", ejercicios aeróbicos en los que se usa un escalón). Pueden producir dolor a causa de la repetición de un movimiento. Estos ejercicios de piernas consisten solamente en movimientos ascendentes –no descendentes– para realizar un ejercicio aeróbico. Resulta mejor y más económico subir y bajar una escalera.

●**Evite ejercicios en la banda sin fin** (máquina de caminar, "treadmill"), porque lo fuerza a repetir el mismo movimiento al mismo ritmo una y otra vez. El cuerpo no está hecho para realizar ese tipo de movimiento repetitivo.

Cómo aliviar el dolor artrítico

Jason Theodosakis, MD, MS, MPH, profesor adjunto de medicina clínica y ex director del programa de capacitación de medicina preventiva para médicos internos de la facultad de medicina de la Universidad de Arizona en Tucson. Es coautor de *The Arthritis Cure: The Medical Miracle that Can Halt, Reverse and May Even Cure Osteoarthritis.* St. Martin's Griffin.

Los 16 millones de estadounidenses que sufren de osteoartritis* tienden a usar aspirina, ibuprofeno y otros medicamentos antiinflamatorios sin esteroides (NSAID por sus siglas en inglés) para controlar el dolor.

Pero los NSAID no curan la enfermedad subyacente. Por consiguiente, el dolor artrítico tiende a empeorar con el tiempo. Además, estos medicamentos pueden desencadenar numerosos efectos secundarios problemáticos, incluso problemas digestivos y alta presión arterial.

Lo peor de todo es que existen nuevas pruebas que sugieren que los NSAID pueden *agravar* la artritis al obstaculizar la síntesis de *glicoproteínas*, moléculas clave que ayudan a llevar el agua tan necesaria a articulaciones secas y dañadas.

Un gran avance: La ingestión diaria de dos suplementos nutricionales –*glucosamina* y *condroitina*– controla el dolor, estimula la movilidad de las articulaciones y contribuye a reparar el daño del cartílago que es el rasgo distintivo de la osteoartritis.

La glucosamina y la condroitina actúan juntas para impedir la acción de enzimas que destruyen el cartílago… promueven el flujo de agua y nutrientes hacia el cartílago… y estimulan la actividad de las células que producen cartílago llamadas *condrocitos*. *Se ha demostrado la eficacia de los suplementos en estudios realizados en todo el mundo…*

●**En un estudio de doble ciego realizado en Portugal,** a cuarenta pacientes artríticos se les dio 1,5 gramos (g) de glucosamina ó 1,2 g de ibuprofeno a diario. El efecto analgésico

*La osteoartritis es una de las 100 clases distintas de artritis. Es causada por la degeneración del cartílago que recubre las articulaciones.

25

(calmante de dolor) del ibuprofeno desapareció después de dos semanas. La glucosamina alivió el dolor durante las ocho semanas que duró el estudio.

●**En un estudio de doble ciego que incluyó a 80 pacientes artríticos, realizado en Milán, Italia,** se encontró que 1,5 g por día de glucosamina redujo los síntomas en un 73% después de 30 días. Los pacientes a los que se les suministró un placebo experimentaron una reducción de los síntomas de tan sólo un 41%.

●**En un estudio realizado en Francia,** a 120 personas que padecían artritis en la rodilla o en la cadera se les suministró condroitina o un placebo. Después de tres meses, el grupo de la condroitina informó que sufría mucho menos dolor que el grupo del placebo.

Yo personalmente puedo dar fe de la eficacia de la glucosamina y la condroitina. Hace cinco años, mi osteoartritis –resultado de lesiones deportivas crónicas– se agravó de tal manera que me vi obligado a usar muletas y silla de ruedas.

En una búsqueda de literatura médica sobre la artritis, descubrí varias referencias a la glucosamina y a la condroitina. Comencé a tomar ambos suplementos. Mis síntomas se aliviaron en dos semanas… y desaparecieron dentro de cuatro semanas. Varios meses más tarde, un examen médico reveló que el cartílago en mis articulaciones se había reconstituido por sí solo.

CÓMO USAR LOS SUPLEMENTOS

La glucosamina y la condroitina se pueden adquirir en las farmacias y en las tiendas de alimentos naturales ("health food stores"). Puede comprarlas sin receta médica, pero es mejor usarlas con la supervisión de un especialista en medicina deportiva, un reumatólogo o un médico ortopédico.

¿Qué dosis de cada suplemento debe tomar usted diariamente? Eso depende de su peso. *Yo uso estas guías…*

Menos de 120 libras (55 kilos): 1.000 mg de glucosamina… 800 mg de condroitina.

Entre 120 y 200 libras (55 y 90 kilos): 1.500 mg de glucosamina, 1.200 mg de condroitina.

Más de 200 libras (90 kilos): 2.000 mg de glucosamina… 1.600 mg de condroitina.

Les digo a mis pacientes que dividan cada dosis en mitades, que tomen la primera mitad a la mañana, la segunda mitad a la noche –preferiblemente con algún alimento.

A medida que el dolor de la artritis disminuye, les indico que reduzcan la dosis. Los síntomas por lo general comienzan a disminuir en seis semanas.

Importante: Poderosos como son estos suplementos, solamente forman parte de un régimen de tratamiento eficaz contra la artritis. Aquí tiene los otros componentes fundamentales.

LOS ANTIOXIDANTES

Debido a que el daño del cartílago asociado con la artritis es causado en parte por los radicales libres que dañan las células, les recomiendo a mis pacientes que tomen antioxidantes diariamente. *Estos son particularmente eficaces para controlar los radicales libres…*

●**Vitamina A**…5.000 unidades internacionales (IU por sus siglas en inglés) por día.

●**Vitamina C**…4.000 mg por día.

●**Vitamina E**…400 IU por día.*

●**Selenio**…200 microgramos (mcg) por día.

También es una buena idea comer alimentos ricos en *bioflavonoides*. Estos compuestos hacen que el *colágeno* (la proteína resistente que es un elemento principal del cartílago) sea más fuerte y menos propenso a la inflamación.

Fuentes de bioflavonoides: El té verde, las bayas, las cebollas, los cítricos, las frutas deshuesadas (sin semillas), como las cerezas y las ciruelas.

EJERCICIO REGULAR

Caminar, nadar y otros ejercicios son los elementos clave de todo régimen para la artritis.

El ejercicio estimula la producción de fluido sinovial, el "caldo" rico en nutrientes que lubrica las articulaciones. También fortalece los músculos, tendones y ligamentos que sostienen las articulaciones… amplía su rango de movimiento… y estimula su flexibilidad.

El reto: Encontrar un ejercicio que no desencadene un dolor adicional. A menudo remito a mis pacientes artríticos a un fisioterapeuta ("physical therapist"). Él/ella puede preparar un régimen

---

*Debido a la posible interacción entre la vitamina E y varios fármacos y suplementos, al igual que por otras consideraciones de seguridad, consulte a su médico antes de empezar un régimen de vitamina E.

de entrenamiento físico que se adapte a sus necesidades y a sus limitaciones específicas.

Para encontrar un fisioterapeuta en su zona, póngase en contacto con la American Physical Therapy Association, llamando al 800-999-2782 o visite la página Web: *www.apta.org*.

Advertencia: Las personas que se anuncian como "entrenadores personales" ("personal trainers") con frecuencia carecen de la capacitación requerida para trabajar de manera eficaz y en condiciones seguras con pacientes artríticos.

LA MECÁNICA DEL CUERPO

Algunos casos de artritis son causados por articulaciones que no están bien alineadas o por otros problemas "mecánicos" del cuerpo. Esos problemas ejercen una presión indebida en las articulaciones y causan el desgaste del cartílago.

Para identificar los problemas causados por la "mecánica corporal", les pido a mis pacientes artríticos que se sometan a un examen biomecánico ("biomechanical analysis"). Este examen consiste en observar con suma atención la forma en que caminan, trabajan y se mueven.

Un examen típico incluye la grabación en video de sus movimientos y/o la utilización de platos de fuerza electrónica ("electronic force plates") para medir la fuerza en las plantas de los pies mientras usted camina.

Una vez que se han localizado los problemas, se le mostrará cómo al modificar sus movimientos puede reducir el estrés de carácter mecánico en sus articulaciones.

Ejemplo: Tres médicos le dijeron a una mujer que sufría un dolor artrítico agudo en un tobillo que debía dejar de jugar tenis. También se le dijo que necesitaba cirugía para estabilizar la articulación.

Su paso *parecía* normal, pero un examen biomecánico mostró que estaba poniendo una presión anormal en su rodilla, tobillo y pie derechos. La paciente pasó unas pocas horas aprendiendo cómo caminar correctamente y compró un par de zapatos distintos. En dos semanas, el dolor desapareció.

El examen biomecánico pueden realizarlo los médicos y profesionales especializados en medicina deportiva. Su costo varía entre los $100 y $1.000, dependiendo del equipo utilizado.

PÉRDIDA DE PESO

Con cada paso que usted da somete a sus rodillas y a las articulaciones de las caderas, a fuerzas que son entre 2,5 y 10 veces el peso de su cuerpo. Por esta razón es imprescindible mantenerse delgado si quiere controlar el dolor artrítico.

Ejemplo: Las rodillas de un hombre que pesa 200 libras (90 kilos) deben soportar hasta una tonelada (2.000 libras ó 900 kilos) de peso al ponerse en cuclillas o al bajar las escaleras.

Si está excedido de peso, tome medidas para perder el sobrepeso. Si su peso es normal, asegúrese de mantenerse en esa forma.

Cómo aliviar el dolor en las articulaciones

David S. Pisetsky, MD, PhD, jefe de la división de reumatología del Centro Médico de la Universidad Duke en Durham, Carolina del Norte. Autor de *The Duke University Medical Center Book of Arthritis.* Ballantine Books.

Una punzada repentina en un codo, en un hombro, en una rodilla o en otra articulación –probablemente no es artritis. La mayoría de las formas de artritis se desarrollan con lentitud, atacando primero las manos.

Probablemente usted ha irritado el tejido blando alrededor de la articulación. Esta enfermedad –de hecho, una familia de enfermedades que incluye la bursitis, la tendinitis y el síndrome del túnel carpal– requiere un tratamiento levemente distinto al de la artritis.

La inflamación del tejido blando no es una consecuencia natural del envejecimiento. En la mayoría de los casos puede derivar del exceso de ejercicio… o de una actividad laboral que implique movimientos repetitivos. El dolor habitualmente aparece dentro de las 24 horas de haber cometido el exceso. Puede variar desde un dolor amortiguado hasta un dolor punzante.

LESIONES COMUNES DEL TEJIDO BLANDO

●**La tendinitis del manguito rotatorio** ("rotator cuff") afecta los tendones que sostienen el hombro. Común entre los nadadores y otros atletas, esta dolencia puede dificultar el vestirse o el acostarse.

●**La bursitis del hombro** –muy común entre los jardineros y pintores de viviendas– es causada por la presión reiterada sobre las bursas del hombro, una especie de "almohadillas" llenas de líquido que protegen las articulaciones. Llega a ser doloroso mover el brazo para separarlo del cuerpo.

●**El codo de tenista** lo padecen los carpinteros, jardineros, mecánicos, dentistas… y los jugadores de tenis que pegan incorrectamente o usan una raqueta con un encordado muy tenso. El dolor dificulta dar un apretón de manos o levantar un maletín.

●**El síndrome del túnel carpal** es una inflamación del tejido que rodea el nervio mediano de la mano. Entre los síntomas se incluyen la debilidad, el dolor, el ardor o dolor en la muñeca y/o en la mano. Es causado generalmente por movimientos repetidos de las manos, como los que realizan los cajeros, las costureras o los que trabajan con computadoras.

●**La bursitis prerrotuliana** es la inflamación de la bursa que está delante de la rótula (patela). Es común en personas que deben permanecer de pie o arrodilladas durante periodos prolongados. El dolor rara vez es agudo.

●**El dolor en la tibia** ("shin splints") es un dolor en la parte delantera e inferior de la pierna. En la mayoría de los casos este problema es causado por el ejercicio repetitivo –en especial por correr sobre superficies duras. Esto puede dañar los músculos y los tejidos de los tendones.

●**La tendinitis del aquileo** (la inflamación del tendón de Aquiles) es común entre los jugadores de básquet y de "squash" y los corredores –en especial entre los que corren sobre cemento o con zapatillas de suelas muy delgadas. Entre los síntomas se incluyen el dolor, la hinchazón y la sensibilidad en el talón.

●**La fascitis plantar** consiste en un desgarramiento en el ligamento que conecta el arco con el talón. Provoca un ardor doloroso en la planta del pie y en el talón, lo que hace que sea doloroso caminar o ponerse en puntas de pie. Es común entre los corredores.

●**La bursitis trocantérica** es una inflamación de la bursa ubicada cerca de la cadera.

Entre los síntomas se incluye el dolor en la cadera y el muslo, en especial al caminar, al levantarse de una silla o al recostarse sobre el costado afectado.

CÓMO AVERIGUAR LO QUE LE SUCEDE

Si usted siente un dolor súbito, tiene sensibilidad o hinchazón en una articulación, consulte a un médico de inmediato. *El examen médico inicial debe incluir…*

●**La historia clínica completa.** Dígale al médico lo que sucedió antes de la lesión, y si el problema es crónico o es un caso aislado.

●**El examen físico de la articulación.** El médico debe manipular el miembro afectado para comprobar si hay alguna limitación en el rango del movimiento.

●**El examen de los sistemas.** Preguntar sobre los síntomas en los distintos sistemas del cuerpo, como fiebre o pérdida de peso, es la única manera de asegurarse de que no existe una enfermedad subyacente, como la gota o una infección en la articulación.

El médico puede sacar una radiografía de la articulación para verificar si hay hinchazón o anormalidades anatómicas, como un cartílago desgastado. Si se necesita una imagen más detallada, el médico debe solicitar una resonancia magnética ("MRI").

La mayoría de los casos de inflamación del tejido blando puede ser tratada por un médico de atención primaria de la salud.

Atención: Debido a que los médicos se ven presionados cada vez más por las aseguradoras, las lesiones en el tejido blando reciben frecuentemente un tratamiento superficial –se recomienda descanso y se recetan antiinflamatorios. Esto funciona en algunos casos, pero es así como problemas de corto plazo pueden transformarse en enfermedades crónicas de las articulaciones.

Si su dolor no responde al tratamiento dentro de unas pocas semanas, consulte a un ortopedista o a un reumatólogo.

PRIMERA LÍNEA DE TRATAMIENTO

Ante todo, es esencial interrumpir cualquier actividad que haya causado la lesión en primer lugar, por lo menos hasta que la inflamación haya desaparecido.

Su médico puede decidir poner en la articulación un cabestrillo durante unos días. Sin embargo, la inmovilización debe indicarse únicamente cuando sea absolutamente necesaria… y solo por unos pocos días. *La razón:* puede causar debilidad muscular.

Una bolsa de hielo a menudo ayuda durante las primeras 24 a 48 horas después de la aparición del dolor. Una vez que el dolor disminuye, usted puede usar una botella de agua caliente, una almohadilla de calor ("heating pad") o un baño caliente a fin de mejorar la movilidad de la articulación.

Para el dolor y la hinchazón, los médicos con frecuencia recomiendan aspirina u otro medicamento antiinflamatorio sin esteroides –generalmente *ibuprofeno* (Motrin), *naproxeno* (Aleve) o *indometacina* (Indocin). La indometacina es especialmente popular por su eficacia y su acción rápida.

El acetaminofeno (Tylenol) no es un medicamento antiinflamatorio. Actúa contra el dolor, pero no contra la inflamación. Es probable que no sea eficaz para lesiones causadas por el exceso de ejercicio.

Para lograr la máxima eficacia, los antiinflamatorios sin esteroides deben usarse en dosis elevadas. Debido a que puede causar malestar estomacal, hemorragias y otros efectos secundarios, este tratamiento requiere la supervisión cuidadosa de un médico.

LOS CORTICOESTEROIDES Y LA TERAPIA FÍSICA

Si los antiinflamatorios sin esteroides (NSAID por sus siglas en inglés) no disminuyen la inflamación, su médico puede inyectar cortisona u otro corticoesteroide en la bursa afectada. Aunque pueden ser eficaces, los corticoesteroides también pueden causar un aumento en la vulnerabilidad a la infección y otros efectos secundarios.

Algunos médicos suministran esteroides de inmediato. Yo prefiero esperar por lo menos diez días para ver qué efectos producen el descanso y los antiinflamatorios sin esteroides.

La fisioterapia ("physical therapy") es también muy útil. Hago que mis pacientes comiencen con leves ejercicios de rango de movimiento lo antes posible. Su médico puede mostrarle uno o más ejercicios apropiados para su lesión.

Algunas lesiones del tejido blando provienen de movimientos indebidos de las articulaciones, que con frecuencia son causados por una debilidad muscular. En tales casos, recomiendo ejercicios de fortalecimiento.

Cuando realiza ejercicios de fortalecimiento por primera vez, considere contratar a un fisioterapeuta para algunas sesiones –asegúrese de realizarlos de manera apropiada. *No comience sus ejercicios de fortalecimiento sin la supervisión de un médico.*

Para encontrar un terapeuta certificado en su zona, póngase en contacto con la American Physical Therapy Association llamando al 800-999-2782, *www.apta.org.*

CIRUGÍA

Para aliviar el dolor crónico o severo en las articulaciones –especialmente en las personas de edad avanzada– la cirugía ortopédica puede ser la única opción. Se emplean varios procedimientos, desde la cirugía artroscópica, mínimamente invasiva, hasta la reconstrucción completa de la articulación. *El costo:* varios miles de dólares.

PARA EVITAR LA REAPARICIÓN

Si el ejercicio causó su lesión, usted podría volver a su anterior nivel de actividad –pero solo gradualmente, a lo largo de varios meses… y únicamente después de analizar los problemas mecánicos que provocaron la lesión en primer lugar.

Si la inflamación provino de un problema anatómico, considere reemplazar la actividad que causó el problema por una que su cuerpo pueda soportar mejor. Cambie la actividad de correr por el ciclismo, por ejemplo, o reemplace el tenis con la natación.

Con respecto a las tendinitis o a las bursitis producidas por el trabajo, solicite a su médico que lo refiera a un terapeuta ocupacional ("occupational therapist"), quien analizará cuidadosamente los movimientos que realiza al trabajar y encontrará las maneras de reducir la presión en sus articulaciones.

Un cambio en el equipo frecuentemente puede ayudar. *Ejemplos:* usar calzado que tenga una buena amortiguación y un soporte firme del talón… jugar con una raqueta de tenis liviana que absorba los golpes… utilizar una almohadilla acolchada al arrodillarse… y usar una barra acolchada que sostenga sus muñecas al mecanografiar.

La curación de las migrañas

Fred Sheftell, MD, presidente del American Council for Headache Education y director y fundador del New England Center for Headache en Stamford, CT. Es autor de *Headache Relief for Women*. Little Brown & Co.

La migraña no es un simple dolor de cabeza. Es un dolor agudo y punzante que puede hacer que usted falte al trabajo, perturbar su vida familiar… y causarle una incapacidad significativa.

Las migrañas son muy comunes. De hecho, afectan al 18% de las mujeres y al 6% de los hombres en Estados Unidos. Si no se tratan, pueden repetirse año tras año.

Una migraña típica…

- **Ocurre en un lado de la cabeza.**

- **Es de intensidad moderada a severa.**

- **Interfiere con la actividad cotidiana.**

- **Se agudiza con la actividad física** como toser, caminar o subir escaleras.

- **Viene acompañada de náuseas,** vómitos o sensibilidad a la luz o al sonido.

La mayoría de las personas que sufren de migraña pueden reconocer lo que se denomina *pródromo* en las 24 horas previas a una migraña –depresión o euforia repentina, aumento o disminución del apetito, trastornos del sueño, etc.

Aproximadamente el 15% de las personas que padecen de migraña "ven" luces centellantes o formas extrañas apenas antes de que el dolor de cabeza ataque. Esas alucinaciones se conocen colectivamente como *aura*.

No hay una manera sencilla de dominar las migrañas. Pero cuando las personas que sufren de migraña tienen una buena atención médica y participan activamente en su tratamiento, 9 de cada 10 pueden reducir un problema debilitante a un inconveniente mínimo.

FACTORES QUE DESENCADENAN LAS MIGRAÑAS

Una migraña comienza con una actividad eléctrica anormal en la corteza cerebral, la parte del cerebro donde se piensa. Se propaga con rapidez al hipotálamo y al cerebro medio.

Los niveles de *serotonina*, una sustancia química del cerebro, se elevan y luego disminuyen drásticamente, lo que provoca la hinchazón e inflamación de los vasos sanguíneos.

Si bien la predisposición a la migraña es hereditaria, la mayoría de los ataques se desencadenan ya sea por factores relativos a la alimentación o al medio ambiente…

- **Alcohol** (en especial la cerveza y el vino tinto).

- **Hábitos alimentarios y/o de sueño irregulares.**

- **El edulcorante artificial *aspartame*** (NutraSweet).

- **El realzador de sabor *monosodio de glutamato*** (MSG).

- **Las carnes y otros alimentos procesados** que contienen los preservativos nitrato o nitrito.

- **Los quesos añejados**, el pan recién horneado, el hígado picado y otros alimentos que contienen el aminoácido *tiramina*… y el chocolate, que contiene *feniletilamina*.

- **El perfume o el humo del cigarrillo.**

- **Eliminación de la cafeína.** Para evitar problemas es mejor tomar no más de una taza de cinco onzas (140 ml) de café por día.

- **El estrés psicológico.** La mayoría de las migrañas pueden ocurrir cuando ha *concluido* el periodo de estrés. Es por ello que las migrañas son comunes *después* de los exámenes o de los días festivos.

CÓMO EVITAR LOS ATAQUES

El primer paso para controlar las migrañas es llevar un "diario de los dolores de cabeza". Registrar la frecuencia y la intensidad de sus ataques… así como los alimentos que usted consumió en las 24 horas anteriores a cada ataque. *Otras estrategias clave…*

●**Tenga horarios regulares.** Coma a la misma hora todos los días. Duerma la misma cantidad de horas los siete días de la semana. No duerma hasta tarde los fines de semana.

●**Tome suplementos vitamínicos** –vitamina E…* vitamina B-2, 400 mg por día… vitamina B-6, 50 mg por día. Los suplementos vitamínicos ayudan a estabilizar los niveles de estrógeno y de serotonina.

●**Programe horarios de descanso** en los que pueda escuchar música, leer, jugar con su perro o su gato, etc. –cualquier actividad que pueda disfrutar y sea relajante.

●**Practique una técnica de relajación** como yoga, meditación, respiración profunda o bioautorregulación ("biofeedback") una o dos veces por día durante 15 minutos.

Respiración profunda: Aflójese la ropa y siéntese en un lugar tranquilo. Inspire a medida que cuenta hasta cinco, luego espire mientras cuenta hasta cinco. En silencio dígase: "tomo aire para relajarme, desecho la tensión con el aire".

Bioautorregulación: Con esta relajación de alta tecnología, usted está conectado a una unidad mecánica que mide la temperatura de la piel o la tensión muscular. Con la práctica, aprenderá a elevar la temperatura y a aflojar los músculos. De cualquier modo, su cuerpo se relajará.

Cuando viaje: Tómese mucho tiempo para empacar. No lleve maletas pesadas con correas que cuelguen del cuello o del hombro. Evite el alcohol durante los viajes en avión.

●**Haga ejercicios con regularidad.** La actividad física alivia el estrés y estimula los niveles de *endorfinas*, las sustancias químicas que produce el cuerpo para aliviar el dolor. Por lo menos tres veces por semana haga ejercicios moderados y *no competitivos*. Los ejercicios competitivos estimulan su nivel de estrés.

EL MEDICAMENTO MÁS EFICAZ

Si las migrañas persisten a pesar de estos cambios en el estilo de vida, la medicación *diaria* podría dar buenos resultados.

*Pregúntele a su médico cuál es la dosis adecuada para usted.

Los medicamentos de venta libre sin receta médica, como acetaminofeno, ibuprofeno, aspirina y naproxeno son a menudo eficaces en el *tratamiento* de un ataque. Si usted no responde a ninguno de estos, la "combinación" de analgésicos como Excedrin o Anacin podría ayudar. Estos productos son mezclas de aspirina o acetaminofeno con cafeína, que constriñen los vasos sanguíneos hinchados e intensifican el alivio del dolor.

Si los remedios que se compran sin receta no le hacen efecto, pídale a su médico Tylenol con codeína… Fiorinal (aspirina con un sedante suave)… y Midrin (acetaminofeno más un relajante muscular y una droga para constreñir los vasos sanguíneos hinchados).

Para *prevenir* los ataques, el uso diario de betabloqueantes como *propranolol* (Inderal) y *nadolol* (Corgard) resulta frecuentemente eficaz. El bloqueante de canales de calcio *verapamilo* (Calan, Verelan) y los antidepresivos como *amitriptilina* (Elavil), *nortriptilina* (Pamelor) y *fluoxetina* (Prozac) también son eficaces.

Si bien el medicamento *metisergida* (Sansert) resulta con frecuencia eficaz, puede dejar marcas en los pulmones, los riñones y el corazón. Si debe ser usado durante más de cinco meses, deben hacerse periódicamente radiografías, resonancia magnética de los riñones y otros exámenes para asegurarse de que no se esté perjudicando el organismo.

¿Existen remedios alternativos? Algunas personas que sufren de migraña obtienen alivio con una dosis diaria de la hierba antiinflamatoria matricaria ("feverfew"), que se adquiere en las tiendas de alimentos naturales. Otras personas hallan alivio con los suplementos de aceite de pescado ("fish oil").

AL RESCATE

●**La digitopuntura** ("acupressure") puede brindar alivio a algunas personas que sufren de migraña. A la primera señal de dolor de cabeza, presione la membrana entre los dedos pulgar e índice, en el mismo lado del dolor de cabeza, durante cinco minutos.

●**Sumatriptan** (Imitrex) es el mayor adelanto para combatir la migraña que se ha alcanzado en más de un siglo. Una inyección que puede colocársela usted mismo, alivia la mayoría de las migrañas en el término de una hora. La píldora también es eficaz pero tarda más tiempo en surtir efecto.

Advertencia: No use sumatriptan si usted padece de una enfermedad del corazón –constriñe los vasos sanguíneos. Si usted tiene riesgo de contraer una enfermedad del corazón (hombres mayores de 40 años, historial familiar de ataques al corazón, fumador, presión arterial superior a 140/90, colesterol por encima de 220), el médico tal vez desee administrarle la primera dosis en el consultorio y controlar su electrocardiograma.

Es común sentir presión en el pecho después de una dosis de sumatriptan. Pero si la droga provoca *dolor* de pecho, no siga tomándola.

•**Dihidroergotamina** (Migranal) resulta tan eficaz como el sumatriptan pero le lleva más tiempo surtir efecto. La dihidroergotamina y el sumatriptan en sus presentaciones inhalable e inyectable resultan muy útiles cuando el vómito no permite retener las píldoras.

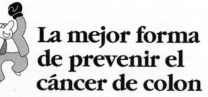

La mejor forma de prevenir el cáncer de colon

Samuel Meyers, MD, es profesor de medicina de la Mount Sinai School of Medicine en la ciudad de Nueva York. Es coautor del libro de texto para medicina *Bockus Gastroenterology.* W.B. Saunders.

Si alguien le dijera que un examen médico de 20 minutos podría salvar su vida, ¿no sería una tontería rechazarlo? Desgraciadamente, millones de estadounidenses hacen exactamente eso al no hacerse un examen periódico de detección del cáncer de colon.

Resultado: Cada año, hasta 57.000 estadounidenses mueren innecesariamente de esta enfermedad.

Esto es lo que usted debe saber para protegerse contra el cáncer de colon…

LOS EXÁMENES DE DETECCIÓN SÍ FUNCIONAN

Casi todos los tumores malignos del intestino grueso y del recto se manifiestan como *pólipos*

pre-malignos, puede tratarse de tumores inofensivos en forma plana o de hongo, pero también pueden transformarse en cancerosos. Si se detecta un pólipo y se extirpa, el cáncer *no* se desarrollará. Por ello la revisión periódica –los exámenes regulares para detectar pólipos o cáncer en sus etapas más tempranas– es imprescindible.

Las pautas de exámenes de detección más recientes, publicadas por la Multisociety Task Force on Colorectal Cancer de Estados Unidos en febrero de 2003, recomiendan exámenes de detección a *todos* los hombres y mujeres a partir de los 50 años. Si usted ya ha tenido cirugía por pólipos o cáncer de colon –o si tiene alguna enfermedad inflamatoria intestinal, como la colitis ulcerativa o la enfermedad de Crohn– su riesgo de padecer cáncer de colon es mayor, por lo que debe someterse a colonoscopias según lo determine su médico*.

Opciones de exámenes de detección…

•**Una colonoscopia cada diez años**. Este examen de detección es el más exacto y se ha demostrado que puede prevenir entre un 85% y un 90% de los tumores malignos de colon. En la actualidad, muchos planes de seguro médico cubren la colonoscopia, como también lo hace Medicare. Sin el seguro médico, el procedimiento cuesta aproximadamente $3.000.

Desgraciadamente, la colonoscopia tiene la reputación de ser vergonzosa y dolorosa. Ambas críticas son infundadas. La mayoría de los pacientes dicen que la colonoscopia no es tan mala como había esperado.

De qué se trata: Mientras usted está sedado, se introduce por el ano un tubo flexible de media pulgada (1 cm) de diámetro con una cámara de video digital y es conducido a través del intestino grueso, permitiendo que el médico observe el revestimiento interno de su colon en un monitor

*Las personas con un familiar cercano (padre, hermano o hijo) que ha tenido cáncer de colon o pólipos deben comenzar a someterse a exámenes periódicos de detección (colonoscopia) a los 40 años de edad (ó 5 años antes de tener la edad en que fue diagnosticado el familiar más joven). Si tiene dos familiares cercanos con la enfermedad, debe someterse a una colonoscopia cada 5 años. Si tiene 3 familiares, debe consultar a un asesor genético y posiblemente comenzar a someterse a colonoscopias a los 25 años de edad o antes.

de video. Generalmente el procedimiento en sí mismo no dura más de 20 minutos.

Muchas personas consideran que la etapa de preparación, que involucra laxantes para vaciar el intestino, es mucho más desagradable que la misma colonoscopia.

Hasta hace poco tiempo, el método tradicional de preparación del intestino suponía beber la noche anterior cuatro litros de una solución de sabor desagradable para la limpieza del colon, como *Golytely.* Actualmente, los nuevos productos hacen que el proceso sea menos desagradable…

• La *Phospho-soda* también tiene sabor desagradable, pero usted solamente toma algunas cucharadas disueltas en líquido la noche anterior y la mañana del procedimiento.

Consejo útil: Aunque usted puede mezclarlo con cualquier líquido transparente, la mayoría de los pacientes prefieren mezclarlo con "ginger ale" para hacerlo más aceptable al paladar.

• *Visicol* contiene el mismo ingrediente pero en forma de pastilla. En lugar de beber una solución líquida, usted se traga un total de 40 pastillas en varias dosis.

Consejo útil: Cualquiera que sea el método de preparación del intestino que usted escoja, consuma al menos tres vasos –de ocho onzas (225 ml) cada uno– de líquido la noche anterior para evitar la deshidratación. Usted puede beber cualquier líquido, pero Gatorade es recomendable porque contiene electrólitos.

• **Una sigmoidoscopia cada cinco años.** Esta prueba es menos invasiva que la colonoscopia y requiere menos preparación (un enema la noche anterior y la mañana del procedimiento) y no requiere sedantes. Debido a que el procedimiento es menos minucioso que la colonoscopia, solamente identifica el 50% de los tumores malignos de colon.

De qué se trata: El mismo tubo flexible que se usa en una colonoscopia es conducido a través de la tercera parte inferior del intestino grueso (colon sigmoide), donde aparece el 50% de todos los tumores.

La sigmoidoscopia es conveniente para las personas que no quieren ser sedadas. El procedimiento, que cuesta aproximadamente $400, es también menos costoso que la colonoscopia.

Importante: En los días subsiguientes, usted deberá regresar para hacerse un enema de bario, seguido de una radiografía, para examinar los otros dos tercios del colon. Una radiografía de bario cuesta aproximadamente $500.

Aunque la sigmoidoscopia combinada con una radiografía de bario examina todo el colon, sigue siendo menos exacta que la colonoscopia.

• **Un análisis anual de heces fecales para detectar sangre oculta ("fecal occult blood test").** Las personas que no quieren pasar por la colonoscopia o la sigmoidoscopia pueden optar por esta prueba. Es la alternativa de detección menos exacta y solamente reduce en un tercio la incidencia del cáncer de colon.

El costo usual: $5.

De qué se trata: Un químico aplicado a las muestras de heces detecta los vestigios de sangre, que indicarían la presencia de pólipos o tumores. No requiere preparación, pero para asegurar la exactitud de la prueba, usted debe evitar ciertas comidas (como carnes rojas y brócoli) durante tres días y medicamentos (como aspirina) una semana antes. Debido a que el examen detecta la sangre, tomar aspirina puede causar una hemorragia interna y provocar un falso diagnóstico positivo.

Algunas personas consideran que el procedimiento es desagradable, porque supone colocar pequeñas muestras de sus propias heces sobre un cartón especialmente preparado. Si se detecta sangre, usted necesitará hacerse una colonoscopia.

PRUEBA NUEVA

La colonoscopia virtual, realizada a través de la tomografía computarizada (CT), ofrece detalladas fotografías radiográficas del colon. Es relativamente no invasiva, no requiere ninguna sedación y puede efectuarse en el consultorio de su radiólogo. Requiere la misma clase de preparación que la colonoscopia.

Esta prueba es menos exacta que la colonoscopia convencional –detecta del 75% al 80% de los pólipos mayores de un centímetro, pero sólo del 40% al 50% de los más pequeños. Las compañías aseguradoras no cubren su costo.

El costo usual: $900.

Podría ser una buena alternativa para los enfermos del corazón o del pulmón, para quienes la sedación puede ser peligrosa.

La terapia de la aspirina reduce el riesgo de cáncer de colon

John Baron, MD, profesor de la facultad de medicina de la Universidad Dartmouth en Hanover, New Hampshire, y jefe de un estudio presentado en una reunión de la American Association for Cancer Research, sobre 1.121 personas a las que le extirparon pólipos durante un examen de detección de cáncer rutinario.

En un estudio reciente, el uso diario de aspirina para bebé –81 mg– redujo la recurrencia de pólipos de colon en un 19% a quienes les habían extirpado pólipos anteriormente. Los pólipos pueden transformarse en cancerosos.

Si tiene una historia familiar de cáncer de colon: Pregunte a su médico si usted debe tomar una aspirina diaria de dosis baja.

Atención: No empiece la terapia de la aspirina si es alérgico a la aspirina o tiene problemas de hemorragias.

Cáncer de próstata: lo que todo hombre debe saber ahora

E. Roy Berger, MD, médico oncólogo y especialista en cáncer de próstata afiliado a North Shore Hematology-Oncology Associates, en East Setauket, Nueva York. Es coautor de *Updated Guidelines for Surviving Prostate Cancer.* 1st Books Library.

Aunque es una glándula pequeña, la próstata causa grandes problemas. Este año, más de 200.000 hombres serán diagnosticados en Estados Unidos con cáncer de próstata.

La enfermedad mata casi a tantos hombres como el cáncer de mama mata a mujeres.

LOS EXÁMENES DE DETECCIÓN SON IMPRESCINDIBLES

Poco se sabe sobre qué *causa* el cáncer de próstata, aunque los hombres que ingieren una dieta de alto contenido en grasas parecen tener un mayor riesgo. Esa es la razón por la cual el *examen de detección* es esencial.

Detectado en sus etapas tempranas, el cáncer de próstata puede ser curado con cirugía o radiación, y posiblemente aliviado con la ayuda de fármacos. La clave es, por supuesto, descubrir el tumor *antes* de que se extienda.

Autodefensa: Una vez al año, a partir de los 50 años*, todos los hombres deben someterse a…

●**El examen digital rectal o tacto rectal** ("digital rectal examination"). El médico inserta un dedo en el recto para sentir la glándula de la próstata en busca de nódulos o protuberancias que puedan ser indicios de cáncer.

●**La prueba del antígeno prostático específico** ("prostate-specific antigen test" o PSA en inglés). Este análisis de sangre mide los niveles del antígeno prostático específico, que es una proteína segregada por la próstata. Los niveles de PSA elevados indican la necesidad de una evaluación adicional.

Es importante saber que los niveles de PSA aumentan con la edad. Un nivel normal de PSA para un hombre de 80 años, puede indicar cáncer de próstata en un hombre de 45 años.

Para los hombres de 51 años o mayores, un nivel por encima de 3,5 indica la necesidad de pruebas adicionales. Después de los 70 años de edad, el nivel es 6,5.

CÓMO HACER UNA BIOPSIA CORRECTA

Si su nivel de PSA es alto, o si el examen digital revela un bulto sospechoso, es prudente hacer una biopsia de la próstata.

El problema: Algunos médicos toman solamente una o dos muestras de tejido. Sin embargo, para estar seguro de encontrar cualquier tumor (y poder calcular su tamaño) se deben tomar al menos seis muestras de tejido.

OTRAS PRUEBAS IMPORTANTES

Algunos tumores de próstata crecen rápido y otros despacio. Un tumor de crecimiento lento podría no causar problemas durante años y no necesitar tratamiento alguno. Un tumor agresivo requiere una intervención agresiva inmediata.

*Hágase los exámenes a partir de los 40 años si su padre o hermano padecieron de cáncer de próstata o si es afroamericano. El riesgo es significativamente mayor en esos casos.

La ciencia no ha descubierto un método infalible para distinguir los distintos tipos de tumores. Sin embargo, la posición de un tumor en la *escala de Gleason* ("Gleason score") puede ayudarlo a escoger el tratamiento adecuado. La escala de Gleason es una indicación de lo "agresivas" que son las células cancerígenas.

Otras dos pruebas que son a menudo útiles para decidir el tratamiento…

●**El análisis de Ploidy** –indica la cantidad de ADN que contiene el tumor. Un tumor que tiene más o menos ADN que el valor normal es propenso a extenderse.

●**La prueba de reacción en cadena de la polimerasa.** ("polymerase chain reaction" o PCR por sus siglas en inglés). Esta prueba puede demostrar mucho antes que otras pruebas, si el tumor se ha extendido.

ESPERAR ATENTAMENTE

Si las pruebas indican que el tumor es pequeño y de lento crecimiento, el tratamiento podría ser innecesario.

Mientras los niveles de PSA se mantengan bajos y el tumor crezca despacio el "esperar atentamente" podría ser lo apropiado. Todo lo que usted tiene que hacer es hacerse un chequeo cada dos meses, incluyendo un examen rectal digital y una prueba PSA.

El esperar atentamente es en general más razonable para un hombre de 70 años –que probablemente fallecerá de otras causas antes que de un tumor perezoso que no lo molesta– que para un hombre de 50 años.

EL CASO PARA LA CIRUGÍA

Si el cáncer está limitado a la próstata, la extirpación quirúrgica de la glándula –un procedimiento llamado *prostatectomía radical*– es a veces curativo. Después de la cirugía, hasta el 70% de los hombres padece impotencia y hasta el 5% padece incontinencia urinaria.

La innovación: La prostatectomía preservadora de nervios. En este procedimiento, el cirujano tiene cuidado de no cortar los delicados manojos de nervios cercanos a la próstata que controlan la erección. La prostatectomía es como una compensación. Usted es menos propenso a sufrir impotencia, pero hay más riesgo de que algún tejido canceroso quede sin eliminar.

LO QUE OFRECE LA RADIACIÓN

En la radioterapia tradicional, una máquina bombardea la próstata con rayos X de alta intensidad.

Para el cáncer limitado a la próstata, esta *radiación de rayos externos* ("external beam radiation" o "EBR") podría ser tan eficaz como la cirugía. A diferencia de la prostatectomía, no requiere semanas de recuperación.

Hasta un 50% de los hombres que pasan por la terapia de radiación sufren de impotencia. La incontinencia urinaria generalmente no es un problema.

La *braquiterapia* es una forma de radiación que se realiza a veces sin internación. En este procedimiento, diminutas "semillas" de yodo o paladio radioactivos se implantan en la próstata.

Debido a que la braquiterapia causa menos daño a los tejidos cercanos, el porcentaje de impotencia es aproximadamente del 15%, y el de incontinencia urinaria cerca del 0%. La braquiterapia proporciona más radiación al tumor.

El método de radiación de semillas parece ser tan eficaz como la prostatectomía para curar la enfermedad.

TERAPIA HORMONAL

Para el cáncer de próstata que se ha extendido a otros tejidos, la cirugía de próstata y la radiación, probablemente no alargarán la vida.

En tal caso, la mejor estrategia es bloquear la acción de la *testosterona* y la *dihidrotestosterona*. Segregadas principalmente por los testículos y las glándulas suprarrenales, estas hormonas masculinas estimulan el crecimiento de las células de cáncer de próstata –donde quiera que aparezcan en el cuerpo.

Los médicos pueden "apagar" los testículos administrando medicamentos llamados *agonistas LHRH*… o extirpándolos quirúrgicamente en un procedimiento llamado *orquiectomía*.

Los médicos también recetan fármacos como el *flutamide* (Eulexin) o el *bicalutamide* (Casodex), que bloquean la acción hormonal a nivel celular. Esta terapia de hormonas combinadas es el tratamiento escogido para el cáncer de próstata metastásico.

En un estudio de hombres con cáncer metastásico, aquellos que siguieron la terapia combinada vivieron 1½ año más que aquellos que siguieron la terapia de una sola hormona. La terapia combinada también se usa –con cirugía o radiación– para tratar el cáncer que no está limitado a la próstata.

TRATAMIENTOS EXPERIMENTALES

En la *crioterapia*, la próstata es destruida por congelación. Incluso con un cirujano muy experimentado, esta terapia experimental frecuentemente causa impotencia. Debido a que nunca ha sido ampliamente usada, no hay estadísticas de supervivencia a largo plazo.

Las investigaciones indican que la *pectina cítrica modificada* ("citrus pectin"), un polvo derivado de cítricos, ayuda a detener la propagación del cáncer de próstata. Pero este potencial salvavidas no estará listo por varios años.

GRUPOS DE AYUDA

Cualquier hombre con cáncer de próstata debe averiguar sobre grupos de ayuda en su comunidad. Para encontrar un grupo de ayuda o un especialista de cáncer en su zona, póngase en contacto con Patient Advocates for Advanced Cancer Treatments (PAACT) llamando al 616-453-1477, *www.paactusa.org.*

Con todas las opciones de tratamiento, cualquier hombre con cáncer de próstata debe consultar a *tres* médicos: un cirujano urólogo, un médico oncólogo y un especialista en radiación familiarizado con la braquiterapia.

Lo esencial sobre la autodefensa en cáncer de colon

Peter McNally, DO, profesor de la división de gastroenterología del centro de ciencias de la salud de la Universidad de Colorado, y director de gastroenterología clínica y endoscopia del Denver Health Medical Center. Es autor del texto médico *GI/Liver Secrets*. Hanley & Belfus.

El cáncer de colon mata a más personas que cualquier otra enfermedad maligna menos el cáncer de pulmón. Uno de cada 20 estadounidenses tendrá cáncer de colon en su vida –usualmente después de los 50 años.

Trágicamente, el 90% de estos cánceres colorrectales, podrían evitarse si se detectaran a tiempo.

LA DETECCIÓN SIGNIFICA PREVENCIÓN

El cáncer de colon no aparece de repente. En la mayoría de los casos se origina de un pólipo, un crecimiento pre-maligno en el colon.

Los exámenes de detección periódicos ofrecen una oportunidad de detectar tumores temprano… y encontrar y extirpar pólipos cuando todavía son benignos. Para que un pólipo se torne canceroso pueden pasar de cinco a diez años. *Aquí tiene lo que se debe hacer…*

●**De 40 a 50 años de edad.** Hágase un *examen rectal digital* anualmente. El médico inserta un dedo enguantado dentro del recto y palpa en busca de crecimientos sospechosos.

●**Después de los 50 años.** Anualmente sométase a un examen rectal digital y hágase un *análisis de heces fecales para detectar sangre oculta* ("fecal occult blood test"). En esta prueba usted deberá poner un poco de materia fecal en una tarjeta especialmente tratada, por tres días consecutivos, mientras sigue una dieta especial.

Si el análisis muestra sangre o si usted tiene un alto riesgo de tener cáncer de colon, el médico examinará todo el largo de su colon con una cámara de video en un tubo flexible (colonoscopio) y extirpará cualquier pólipo que encuentre durante el procedimiento.

Debido a que la *colonoscopia* puede causar malestar, posiblemente le darán un calmante intravenoso como Demerol o Valium.

Sométase a una *sigmoidoscopia flexible* ("flexible sigmoidoscopy") cada tres años, salvo que le hayan hecho una colonoscopia recientemente. Se inserta un tubo corto y flexible en el recto para que el médico inspeccione la cuarta parte inferior del colon, donde se forman la mayoría de los tumores.

El procedimiento sólo causa un poco de molestia y comúnmente se hace sin calmantes.

QUIÉN TIENE ALTO RIESGO

El cáncer de colon se repite en las familias. Su riesgo es mayor que el promedio si uno o más de sus familiares directos (padres o hermanos) han tenido la enfermedad.

En tales casos es prudente hacerse una sigmoidoscopia flexible cada tres o cinco años, comenzando a los 35 años de edad.

Una rara condición hereditaria conocida como *poliposis adenomatosa familiar* ("familial adenomatous polyposis") aumenta drásticamente su riesgo de cáncer de colon. Si los análisis genéticos revelan que usted tiene esta condición –en la cual cientos de pólipos se forman en el colon– los exámenes deberían comenzar en la adolescencia.

Si le han extraído un pólipo, podrían surgirle más. Hágase una colonoscopia cada tres años.

La colitis ulcerativa y la enfermedad de Crohn también constituyen un riesgo elevado. Alguien que tenga una de estas condiciones por diez años o más debería someterse a una colonoscopia anual.

REDUCIR EL RIESGO CON LA ALIMENTACIÓN

El cáncer de colon es raro en regiones donde los vegetales y los cereales constituyen gran parte de la dieta. Es común en Estados Unidos y en otros países occidentales cuyas dietas están basadas mayormente en carnes.

Las implicaciones: Una dieta rica en frutas, verduras, frijoles ("beans") y cereales integrales previene el cáncer de colon. La American Cancer Society recomienda ingerir diariamente por lo menos cinco porciones de estos alimentos.

Aunque es difícil determinar con exactitud qué componentes de esta saludable dieta son los que protegen, las investigaciones apuntan a…

●**Pocas grasas.** Existe una clara relación entre la grasa de la dieta y el cáncer de colon. La grasa aumenta la producción de ácidos biliares, los cuales favorecen el crecimiento rápido de las células.

●**Mucha fibra.** La fibra, la parte indigerible de los alimentos provenientes de las plantas, hace mover rápidamente los alimentos a través de los intestinos –reduciendo su contacto con carcinógenos y ácidos biliares.

El salvado de trigo ("wheat bran") protege más que la fibra de la fruta y verduras. El salvado de avena ("oat bran") tiene un impacto pequeño en el riesgo de tener cáncer de colon, aunque sí reduce el nivel del colesterol.

Consuma por lo menos 25 gramos (g) de fibra dietética por día proveniente de panes y cereales de grano integral y de verduras, frutas y frijoles.

●**Calcio.** Algunos estudios sugieren que el calcio protege el colon al neutralizar los ácidos biliares y grasos.

Consuma por lo menos 1.000 mg de calcio al día –mejor en la dieta que en suplementos.

●**Antioxidantes.** Los bajos niveles en la sangre de vitaminas C y E y de betacaroteno parecen aumentar el riesgo de cáncer de colon.

Ingiera mucha fruta cítrica y vegetales verdes oscuros y amarillos –son las mejores fuentes de antioxidantes.

OTRAS COSAS QUE PUEDEN AYUDAR

●**Hacer ejercicios.** Una vida sedentaria aumenta el riesgo de cáncer de colon. Al igual que la fibra, la actividad física disminuye el riesgo al acelerar el pasaje de los desechos a través del cuerpo. También estimula el flujo de sangre al colon.

Camine rápidamente o haga otros ejercicios por lo menos 30 minutos, tres días a la semana.

●**Los medicamentos antiinflamatorios sin esteroides** (NSAID). Como varios estudios han demostrado, los individuos que toman aspirina o ibuprofeno regularmente durante años tienen un riesgo reducido de cáncer de colon.

Desgraciadamente, no existe suficiente evidencia que justifique tomar aspirina o NSAID únicamente para prevenir el cáncer.

●**Estrógeno.** Algunos estudios sugieren que las mujeres en el periodo posmenopáusico que toman estrógeno, son menos propensas a tener cáncer de colon que las que no lo toman, sin embargo, el riesgo de ataque al corazón, derrame cerebral, cáncer de mama y coágulos sanguíneos puede opacar estos beneficios.

ESTÉ ALERTA A LOS SÍNTOMAS

Consulte a un médico inmediatamente si sufre cambios en sus hábitos de evacuar… si hay sangre en su materia fecal… dolor en el recto… y/o dolores abdominales recurrentes.

Mientras más temprano se detecte el cáncer, mejores serán las posibilidades de curación.

Causas de la fatiga crónica frecuentemente ignoradas

Ronald L. Hoffman, MD, director del Hoffman Center en la ciudad de Nueva York. Es autor de *Tired All the Time: How to Regain Your Lost Energy.* Pocket Books.

Si usted se siente cansado todo el tiempo, no es el único. Cada año, los estadounidenses hacen 500 millones de visitas a los médicos buscando un tratamiento para la fatiga.

Muchas personas que frecuentemente se sienten cansadas temen padecer la condición debilitante llamada *síndrome de disfunción inmune de fatiga crónica* ("chronic fatigue and immune dysfunction syndrome" o CFIDS por sus siglas en inglés).

Si su fatiga ha persistido por más de seis meses o es acompañada de perturbaciones del sueño, dolores en las articulaciones, dolor de cabeza, dificultad en concentrarse o pérdida de la memoria inmediata, usted puede efectivamente padecer CFIDS.

En ese caso es mejor acudir a un especialista en CFIDS. Para obtener una lista de especialistas en su área comuníquese con la CFIDS Association of América, Box 220398, Charlotte, NC 28222. 704-365-2343, *www.cfids.org*.

Las buenas noticias: Solo alrededor del 10% de mis pacientes tiene CFIDS. El resto sufre de una variedad de fatiga producida por dormir muy poco, falta de ejercicios, hábitos de dieta inadecuados u otros problemas fáciles de corregir.

PROBLEMAS DE LA TIROIDES

Muchos casos de fatiga crónica son causados por el exceso o la falta de producción de tiroxina, que es la hormona de la tiroides que regula la forma en que las células del cuerpo consumen la energía.

Tiroides hiperactiva: Los síntomas de hipertiroidismo incluyen fatiga, ansiedad, insomnio, palpitaciones del corazón y ojos saltones. Esta condición es tratada con fármacos que bloquean la tiroxina... o con cirugía o yodo radioactivo para destruir la tiroides.

Tiroides hipoactiva: Sospeche hipotiroidismo si usted se siente deprimido o aletargado,

se enfría fácilmente, está aumentando de peso, o sufre de síndrome pre-menstrual (PMS por sus siglas en inglés), dolores musculares, piel seca, eczema, pérdida de cabello, baja libido, ronquera, resfriados o gripe frecuentes.

Si sufre cualquiera de estos síntomas es una buena idea controlar la temperatura basal de su cuerpo. Coloque un termómetro bajo su axila al despertarse, antes de levantarse. Anote los resultados por tres mañanas consecutivas.

Una temperatura basal de 97,4°F (36,3°C) grados o menor sugiere hipotiroidismo. Su médico puede hacerle un análisis de sangre para confirmar sus sospechas.

La mayoría de los médicos tratan el hipotiroidismo con tiroxina sintética (*Synthroid*). Sin embargo, algunos pacientes presentan una mejoría mayor cuando toman hormona tiroidea natural (derivada de la carne de res o de cerdo).

Si el Synthroid no alivia sus síntomas, pida a su médico que considere esa alternativa.

INSUFICIENCIA ADRENAL

Si su fatiga está acompañada de malestar, enfermedades frecuentes, alergias, tensión baja o niveles bajos de azúcar en la sangre, es posible que esté produciendo muy poco de la hormona adrenal *dehidroepiandrosterona* (DHEA).

La insuficiencia adrenal es generalmente causada por una enfermedad autoinmune... o por una lesión de la glándula adrenal provocada por el uso de cortisona durante un largo tiempo.

Si el análisis de sangre revela bajos niveles de DHEA quizás necesite tomarla en píldoras.

En Europa la DHEA se ha usado por mucho tiempo para estimular la función inmune y combatir la fatiga –aunque muy pocos médicos en EE.UU. tienen experiencia con el medicamento.

Para encontrar un endocrinólogo en su zona que esté familiarizado con la DHEA, llame al American College for Advancement in Medicine al 800-532-3688, *www.acam.org*.

DIABETES

La diabetes del adulto es frecuentemente ignorada como la causa de la fatiga persistente. Para descartar esta condición, pida a su médico que le haga un *análisis de sangre en ayunas para averiguar el nivel de glucosa* ("fasting blood glucose test").

El nivel normal de insulina va de 80 a 100 mg por decilitro de sangre. Si el suyo es mayor, seguir una dieta y hacer ejercicios regularmente puede ayudarle a reducir los niveles de azúcar. Esto aumentará su energía.

PROBLEMAS HORMONALES

En los hombres, la fatiga crónica puede ser causada por niveles anormalmente bajos de testosterona. Los hombres que sufren de este problema (que puede ser detectado con un simple análisis de sangre) pueden aumentar su nivel de energía tomando suplementos de testosterona.

Los problemas hormonales pueden causar fatiga también en las mujeres. Pero los análisis para detectar desequilibrios hormonales en las mujeres son frecuentemente inexactos.

En vez de recurrir a un análisis de sangre, las mujeres podrían sospechar que tienen un problema hormonal si…

●**Su fatiga es cíclica,** empeora antes de la menstruación y mejora después de ella.

●**Experimentan un aumento de peso** de más de 5 libras (2 kilos) antes de cada periodo.

●**Tienen ansias constantes de comer azúcar,** comidas picantes o chocolate.

●**Sufren migrañas** o dolores de pecho cuando toman píldoras anticonceptivas.

Para tratar la fatiga relacionada con las hormonas, las mujeres deben reducir el consumo de alcohol, carne de res y productos lácteos… ingerir más fibra, menos azúcar y alimentos refinados… tomar suplementos de ácido *gamma-linolénico* (GLA por sus siglas en inglés).

El GLA se encuentra en el aceite de prímula ("primrose"), el aceite de borago ("borage") y el aceite de semilla de pasas de corinto negras ("black currant"), disponibles en tiendas de alimentos naturales ("health food stores").

Las mujeres con extrema fatiga relacionada con el síndrome premenstrual (PMS) deberían preguntar al médico por el *"Meyer's cocktail"* (coctel de Meyer) que se administra una vez al mes, gota a gota de forma intravenosa y es una mezcla de calcio, magnesio y vitaminas B y C.

ALERGIAS CAUSADAS POR LOS ALIMENTOS

Las alergias leves y crónicas causadas por alimentos pueden provocar fatiga. Sospeche de alergias si usted tiene círculos oscuros bajo los ojos… está de mal humor frecuentemente… se siente abrumado o deprimido… o tiene infecciones frecuentes o piel reseca.

Las ansias por ciertos alimentos o los ciclos de energía y fatiga también sugieren alergias a los alimentos –especialmente al trigo y a los productos lácteos. Estos pueden causar que el cuerpo produzca una sustancia parecida a la morfina que debilita la energía.

Considere privarse de esos alimentos de uno a cuatro días con supervisión médica para ver si su energía aumenta. Agréguelos a su dieta solamente con el permiso del médico.

TOXINAS AMBIENTALES

Si usted no puede encontrar otras causas de fatiga, podría estar sufriendo de exposición a un ambiente interior contaminado, *los culpables usuales son…*

●**Benceno.** En linóleos y desengrasantes.

●**Formaldehído.** En alfombras y cortinados.

●**Plomo.** En el agua corriente y en algunas pinturas para la casa.

●**Mercurio.** En empastes dentales y en algunas pinturas para la casa.

●**Dióxido de nitrógeno.** Desprendido de estufas a queroseno, cocinas y calderas a gas.

●**Tricloroetileno.** Usado en la limpieza al seco.

Haga un examen de toxinas ambientales en su hogar. Para encontrar compañías que analizan el aire y el agua, busque en las *páginas amarillas* "Laboratories-Testing". Una buena opción es RCI Environmental, 17754 Preston Rd., Suite 101, Dallas 75252. 972-250-6608.

Si tiene un problema con toxinas instale filtros de aire y de agua a base de carbono. Asegúrese de que su hogar esté bien ventilado para que los gases puedan salir. Tenga plantas en la casa para que ayuden a filtrar el aire.

Hágase un análisis de sangre para rastrear posibles señales de contaminación… y de cabello en busca de plomo, mercurio u otros metales tóxicos. Si se encuentran rastros de toxinas, pregúntele al médico si puede agregar selenio, vitamina E, betacaroteno, ajo y alginato de sodio ("sodium alginate") a su dieta –ayudan al organismo a librarse de los metales tóxicos.

Para más información sobre toxinas ambientales, contacte a Human Ecology Action League, Box 29629, Atlanta 30359. 404-248-1898.

EL PAPEL DEL AZÚCAR

En muchos casos la fatiga es el resultado de ingerir mucho azúcar. El azúcar y los carbohidratos refinados aumentan el nivel de azúcar en la sangre. Esto impulsa al páncreas a producir insulina. Demasiada insulina conduce a la *hipoglicemia* (nivel bajo de azúcar en la sangre) que causa fatiga extrema.

Si usted sospecha que padece hipoglicemia sugiera al médico un análisis oral de *tolerancia a la glucosa* ("glucose-tolerance test" GTT). Si durante el análisis usted experimenta palpitaciones del corazón, confusión mental, fatiga extrema, mareos, o tiene temblores, sospeche problemas de azúcar –aún si su médico dice que sus niveles de azúcar en la sangre son normales.

El tratamiento es simple –deje de ingerir azúcar. *También puede ser útil:* comer seis pequeñas comidas al día en vez de las tres grandes habituales. Las comidas pequeñas y frecuentes ayudan a estabilizar los niveles de azúcar en la sangre.

Finalmente, pregunte a su médico si puede tomar suplementos generadores de energía ("ergogenic"), como Vitamina B15... L-carnitina... octacosanol, un extracto de germen de trigo... ginseng.

La alta presión arterial... el asesino silencioso

Vincent Friedewald, MD, profesor clínico de medicina de la facultad de medicina de la Universidad de Texas en Galveston. Es autor de *Ask the Doctor: Hypertension.* Andrews McMeel.

La alta presión arterial es el problema de salud que más pasa desapercibido en Estados Unidos. Se estima que solo 14 millones de los 70 millones de estadounidenses que tienen presión alta, reciben el tratamiento adecuado.

El resto puede *sentirse* bien pero tiene un mayor riesgo de sufrir un derrame cerebral (apoplejía), un ataque cardiaco, una disfunción de los riñones u otras dolencias.

Hablamos con el renombrado cardiólogo Vincent Friedewald sobre la detección y el tratamiento de este "asesino silencioso"...

• **¿Cuándo se considera que la presión arterial es alta?** La presión por encima de 120/80 es potencialmente problemática. Antes pensábamos que el segundo número correspondiente a la diástole era el importante. Ahora sabemos que el primero correspondiente a la sístole, también lo es.

La hipertensión se clasifica en 3 etapas...

	Sistólica	Diastólica
Prehipertensión	120 a 139	80 a 89
Etapa 1	140 a 159	90 a 99
Etapa 2	Mayor de 160	Mayor de 100

• **Mi presión arterial está un poco elevada, ¿debo preocuparme?** Aún en la etapa 1, la hipertensión puede causar serios problemas de salud. Yo pienso que todos debemos tratar de mantenerla por debajo de 120/80.

• **¿Qué causa la alta presión arterial?** No lo sabemos completamente. Sin embargo, la presión arterial es una medida del esfuerzo del corazón al bombear la sangre... y del tamaño de sus *arteriolas*, que son vasos sanguíneos especiales que actúan como porteros entre las arterias y los vasos capilares, los vasos sanguíneos más pequeños.

Las arteriolas se dilatan o contraen de acuerdo a las señales nerviosas del cerebro, que basa sus "decisiones" en los "mensajes" emitidos por las terminaciones nerviosas cercanas al corazón. Estas terminaciones nerviosas monitorean constantemente la presión arterial.

Este circuito de respuesta aumenta la presión cuando hace ejercicios o pasa por un estrés psicológico, y disminuye cuando está dormido o se relaja.

En la hipertensión, la presión arterial está *constantemente* más elevada de lo que debería estar –sin importar si está estresado o relajado.

El 90% de los individuos con alta presión arterial tiene hipertensión *primaria* (esencial). Esta condición parece ser principalmente hereditaria, aunque el peso excesivo, la falta de ejercicios, mucha sal en las comidas, bebidas alcohólicas y la edad también pueden ser factores que influyen.

●**¿Qué pasa con el 10% restante de los casos?** Son el resultado de otros problemas, generalmente enfermedad de los riñones, problemas en las glándulas tiroides o adrenal, o apnea del sueño. Una vez que se diagnostican los factores subyacentes, la presión arterial generalmente puede controlarse.

●**¿Cómo sé si tengo alta presión arterial?** Pídale a un médico que se la mida… o compre y use su propio medidor de presión ("blood-pressure monitor"). *El costo:* de $35 a más de $100. Pregunte a su médico para estar seguro si está apropiadamente calibrado.

Una sola lectura alta –especialmente si la diastólica es *más* de 90 o la sistólica es *más* de 140– puede ser causa de preocupación. Sin embargo, no necesariamente significa que usted tiene hipertensión.

Es posible que una sola medida no sea representativa de su presión arterial a lo largo del día. Además, una de cada cinco personas que visitan al médico presentan alta presión *simplemente porque están nerviosas.*

Su médico debe ser cauteloso en diferenciar una hipertensión real de una que es conocida como la de "bata blanca" o sea el nerviosismo en la sala del médico. Un tratamiento agresivo de esta condición puede ser peligroso.

Para verificar que su presión arterial es *consistentemente* alta, usted debe tomársela varias veces y anotar sus resultados durante un periodo de días o semanas.

Si usted es diagnosticado con hipertensión, su médico debería realizar un *examen físico completo que debe incluir un electrocardiograma, un análisis de orina y un análisis de sangre para detectar…*

- Lípidos sanguíneos
- Calcio
- Recuento completo de las células sanguíneas
- Glucosa
- Potasio
- Ácido úrico
- Creatinina

●**¿Qué puedo hacer para disminuir la presión?** Si solamente está un poco alta quizás pueda disminuirla a un nivel seguro haciendo unos pocos cambios en su estilo de vida…

●**Reduzca las bebidas alcohólicas.** El alcohol en todas sus formas aumenta la presión arterial. Tome solo 1 onza (30 ml) de alcohol por día, el equivalente a dos latas de cerveza, una copa de vino o una medida de whisky.

●**Haga más ejercicio.** De 30 a 60 minutos cada día, haga actividades moderadas –caminar, trotar, montar bicicleta, etc. Lograr un buen estado físico podrá bajar su presión en 6 ó 7 puntos.

●**Pierda peso.** Las personas con sobrepeso que pierden entre un 5% y un 10% del peso, con frecuencia bajan ampliamente su presión arterial.

●**Deje de fumar.**

●**Reduzca la sal que ingiere.** Algunas personas son sensibles a la sal, otras no. Mi consejo es dejar de usar el salero… y evitar los alimentos procesados que proveen dos terceras partes de la típica ingestión diaria de sal.

●**¿Existe una dieta especial que pueda ayudar?** Además de restringir su ingestión de sal, trate de consumir alimentos ricos en calcio y potasio (especialmente frutas, cereales y vegetales). Estos minerales promueven la excreción de sodio.

Ser vegetariano también parece que hace bajar la presión. Los vegetarianos no solamente comen más frutas y vegetales que los carnívoros, sino que también son más delgados. Algunas personas recomiendan suplementos de magnesio, aceite de pescado, ajo y otros remedios que supuestamente bajan la presión. Pero no hay evidencia definitiva acerca de su efecto benéfico.

●**¿Cuándo es indicado tratar la hipertensión con fármacos?** Si usted tiene unos pocos puntos más de lo normal, probablemente su médico le recetará un medicamento antihipertensivo además de cambios en su estilo de vida.

En la actualidad existe una vasta gama de antihipertensivos eficaces…

●**Diuréticos** remueven el sodio y el agua de la corriente sanguínea, bajando así el volumen de la sangre y dilatando las arterias. Los diuréticos son especialmente eficaces en afroamericanos y ancianos… y en individuos en los que la presión arterial es sensible a la sal. Los diuréticos pueden reducir los niveles de potasio, así que los pacientes que los tomen deben monitorear cuidadosamente sus niveles de potasio.

●**Betabloqueantes** reducen la intensidad de cada latido del corazón y bloquean las hormonas que aumentan la presión arterial. Los betabloqueantes pueden causar fatiga, insomnio y problemas sexuales. Deben ser evitados por aquéllos con asma o problemas cardiacos.

●**Inhibidores ACE** hacen más lenta las interreacciones químicas en la corriente sanguínea que conducen a la hipertensión. Relativamente libres de efectos secundarios, pueden causar tos y –raramente– hinchazón de la cara y las extremidades.

●**Bloqueantes de los canales de calcio** han estado en las noticias recientemente debido a que una forma de *nifedipina* (Procardia, Adalat) de *acción breve* ha sido relacionada con ataques cardiacos. Algunos médicos dudan en usar los bloqueantes de los canales de calcio como tratamiento primario para la hipertensión debido a que no parecen brindar los beneficios protectores de los betabloqueantes y los inhibidores ACE.

●**¿Se puede curar la hipertensión?** Una vez que tiene hipertensión esencial, ésta nunca desaparece. Usted deberá monitorear regularmente su presión arterial por el resto de su vida. Sin embargo, con una combinación de cambios en su estilo de vida y los medicamentos bien recetados, la mayoría de las personas puede bajar su presión a niveles seguros.

Novedosos tratamientos salvavidas para el derrame cerebral

Thomas Brott, MD, profesor de neurología de la Mayo Clinic en Jacksonville, Florida. Ayudó a establecer uno de los centros de emergencia para el tratamiento de apoplejías más exitosos en Estados Unidos.

No hace mucho tiempo el derrame cerebral (apoplejía, "stroke") era considerado intratable. Los médicos podían hacer poco por los 500.000 estadounidenses

que cada año sufrían de este devastador problema neurológico.

Ahora: Con un nuevo medicamento para "vencer los coágulos", los médicos pueden prevenir muchos de los daños al cerebro causados por la forma más común de derrame.

Hace poco hablamos con el doctor Thomas Brott acerca de los nuevos adelantos…

●**¿Cuáles son los tratamientos farmacológicos novedosos?** El primer acercamiento es un anticoagulante llamado *activador del tejido plasminógeno* ("tissue-plasminogen activator" o TPA en inglés), creado por la ingeniería genética para disolver los coágulos de sangre relacionados con el derrame. Esto lleva oxígeno a las células del cerebro cuya provisión de oxígeno había sido interrumpida por los coágulos.

En el segundo, el médico trata las células cerebrales con *neuroprotectores.* Estos fármacos experimentales previenen la "cascada" de reacciones químicas que matan las células cerebrales privadas de oxígeno por un breve periodo.

●**¿Cúan efectivos son estos tratamientos?** Todavía se está evaluando los neuroprotectores; algunos estudios realizados sugieren que el TPA aumenta las posibilidades de recuperación total, o casi total, de un derrame en un 35% a 55%.

El problema es que el TPA da buenos resultados solo si se administra dentro de las tres horas del comienzo del derrame. Anteriormente, como se pensaba que era poco lo que se podía hacer, los médicos solían "esperar y ver lo que pasa". Ahora que se dispone de un tratamiento efectivo, los médicos, y también los pacientes, deben tratar al derrame como una emergencia médica –igual que un ataque cardíaco.

●**¿Cómo puedo asegurarme de tener un tratamiento rápido y efectivo si sufro un derrame?** Conozca los síntomas reveladores del derrame cerebral y asegúrese de que los que viven con usted también los conozcan.

Los síntomas típicos incluyen una pérdida de equilibrio o coordinación… una repentina incapacidad de caminar… enmudecimiento y debilidad en los músculos, particularmente en un lado del cuerpo… y visión borrosa y disminuida, particularmente en un ojo o en un lado del campo visual de cada ojo.

Si el área del lenguaje del cerebro está afectada, puede haber incapacidad para hablar, tartamudez o dificultad en entender lo que se dice.

Si *uno* de estos síntomas está presente llame al número de emergencias 911 inmediatamente.

● **¿Hay algún procedimiento especial que se debe seguir?** Para determinar qué clase de derrame ha sufrido el paciente, los médicos deben pedir una *tomografía computarizada* ("CT scan") de la cabeza en el plazo de una hora de haber ocurrido el derrame.

Cinco de cada seis pacientes que sufren un derrame cerebral tuvieron un derrame que se conoce como *isquémico* ("ischemic") que es causado por un coágulo de sangre que interrumpe el paso de la sangre al cerebro.

La otra posibilidad es el derrame *hemorrágico*, que es causado por la ruptura de un vaso sanguíneo en el cerebro.

Si la tomografía CT y otras pruebas indican que el paciente ha sufrido un derrame isquémico, los médicos deben administrar enseguida el activador TPA.

● **¿Se puede conseguir el TPA fácilmente?** Casi todas las farmacias de los hospitales de EE.UU. tienen el TPA. Pero no todos los médicos de salas de emergencia saben administrarlo.

La administración del TPA es *complicada.* Alrededor del 6% de las personas que lo reciben experimentan hemorragias en el cerebro. Además, el TPA no puede ser administrado a muchos pacientes con alta presión arterial… a los que toman *warfarina* (Coumadin) u otros disolventes de la sangre… y a los que tienen problemas con la cantidad de plaquetas o con los niveles de glucosa en la sangre.

● **¿Cuándo estarán disponibles los fármacos neuroprotectores?** Varios medicamentos neuroprotectores ya están en la fase III de los ensayos clínicos (la última etapa antes de la aprobación por la FDA).

Otros neuroprotectores promisorios, entre ellos, *aptiganel, nalmefene, citicolina* y *antianticuerpos ICAMA-1*, posiblemente necesiten algunos años para lograr la aprobación.

● **¿Hay otros tratamientos promisorios en camino?** Otros fármacos que actualmente están en la fase III de los ensayos son la *prourokinasa*

que disuelve coágulos y *ancrod* derivado del veneno de víbora que diluye la sangre.

Otro tratamiento promisorio implica revertir temporalmente la dirección del flujo sanguíneo en las venas grandes del cuerpo. Los investigadores esperan que esta terapia de "retroceso" del flujo de la sangre sea aún más efectiva que el TPA para disolver los coágulos de los vasos sanguíneos en el cerebro.

● **¿Quién tiene mayor riesgo de sufrir un derrame cerebral?** El riesgo aumenta con la edad –duplicándose por cada década después de los 55 años. Por supuesto, usted no puede hacer nada con respecto a su edad, pero si tiene algunos de los factores de riesgo que causan un derrame, pídale a su médico un tratamiento para esos factores subyacentes.

También pregúntele a su médico si debería tomar aspirina u otro diluyente de la sangre.

La evidencia sugiere que la terapia de aspirina reduce el riesgo de derrame cerebral –especialmente en quienes tienen una anormalidad en los latidos del corazón conocida como *fibrilación auricular* ("atrial fibrillation").

● **¿Cuáles son los factores de riesgo para un derrame?** Alta presión arterial… colesterol elevado… fibrilación auricular… diabetes… ataque cardiaco previo… y depósitos de colesterol en las arterias carótidas del cuello. Un médico puede chequear estas obstrucciones usando ultrasonido ("ultrasound").

Para emergencias médicas serias

Stephan Lynn, MD, director del departamento de medicina de emergencia del centro hospitalario St. Luke's-Roosevelt en la ciudad de Nueva York. El Dr. Lynn es autor de *Medical Emergency!* Hearst Books.

Cuando se presenta una emergencia médica, nuestra primera reacción es el pánico. Esto pasa porque la mayoría de nosotros no sabemos qué hacer en tal situación.

Aquí tiene las condiciones médicas más serias y lo que debe hacer hasta que la ayuda llegue…

ATAQUE CARDIACO

El síntoma común de un ataque cardiaco es el dolor en el pecho, que ocurre cuando un coágulo de sangre obstruye una arteria. Esto detiene el flujo de la sangre que va al corazón y daña el músculo cardiaco.

Los síntomas: Dolor agudo en el medio del pecho, que puede propagarse a la mandíbula, el cuello, los hombros, la espalda y los brazos… falta de aliento… sudores… náuseas y/o vómitos.

Cómo ayudarse a usted mismo o a otra persona: Si los síntomas duran más de tres a cinco minutos, y son particularmente severos o no son aliviados con antiácidos…

●**Llame una ambulancia.** Nunca maneje usted mismo al hospital ya que existe una gran posibilidad de que se desmaye. Los paramédicos pueden proporcionar una atención médica rápida. La mayoría de las ambulancias tiene desfibriladores, máquinas que pueden restaurar un ritmo cardíaco normal y prevenir la muerte.

●**Tome una aspirina.** Se ha demostrado que puede limitar el daño causado por un ataque al corazón.

●**Acuéstese, respire lentamente y mantenga la calma.** La actividad y la ansiedad pueden incrementar el daño al corazón.

DERRAME CEREBRAL (APOPLEJÍA, "STROKE")

El derrame se produce de golpe –cuando un coágulo de sangre o una hemorragia afecta el cerebro impidiendo la circulación de la sangre y el oxígeno.

Los síntomas: Entumecimiento y debilidad inesperadas que generalmente afectan un lado del cuerpo… problemas en la visión… incapacidad de hablar.

Cómo ayudarse a usted mismo o a otra persona: Haga que la persona se siente inmediatamente para que no se caiga… llame una ambulancia… asegúrese de que el pasaje de aire esté abierto inclinando la cabeza hacia atrás y el mentón hacia arriba.

FALTA DE AIRE

Muchas condiciones pueden causar respiración dificultosa –pulmonía… bronquitis… asma… inhalación de gases o humos tóxicos… una obstrucción en el pasaje respiratorio… un coágulo en los pulmones… o un ataque cardiaco.

Los síntomas: Orificios nasales que se expanden… una nuez de Adán que se mueve hacia arriba cuando usted inhala… la necesidad de usar los músculos del cuello para respirar… molestias cuando usted inhala… mareos y/o desmayos.

Cómo ayudarse a usted mismo o a otra persona: Llame una ambulancia que le suministrará oxígeno durante el viaje al hospital… siéntese con la cabeza elevada… respire lenta y profundamente…y sobre todo trate de permanecer calmado.

REACCIONES ALÉRGICAS

Una reacción alérgica grave puede ocurrir al ingerir ciertos alimentos, al recibir una inyección, al tomar un medicamento o al sufrir la picadura de un insecto. Muchas veces la causa es desconocida.

Los síntomas: Severos o repentinos urticaria, picazón o sarpullido… irritación de la piel… hinchazón de tejidos alrededor de la boca y en el pasaje respiratorio… dificultades para respirar, tales como silbidos… debilidad física… náusea… mareo y/o colapso.

Cómo ayudarse a usted mismo o a otra persona: Llame a una ambulancia si sabe que es alérgico a algo y lleve consigo una inyección de *epinefrina*, aplíquesela inmediatamente usted mismo o hágasela aplicar.

Si usted no tiene *epinefrina* tome un antihistamínico. La *difenhidramina* (Benadryl) se puede comprar sin prescripción. Aplique unas compresas de hielo constantemente en el área afectada para reducir la hinchazón y la picazón. Acuéstese y repose.

FRACTURA

Sin rayos X es difícil distinguir una simple torcedura de una fractura más seria.

Los síntomas: Las fracturas se caracterizan por un dolor intenso e hinchazón, también por la incapacidad para usar una parte del cuerpo –la cadera, la muñeca, los dedos, el brazo, el hombro, el tobillo, la pierna– o por una deformación o ruptura obvias de una extremidad o parte del cuerpo.

Cómo ayudarse a usted mismo: Si tiene alguna duda vaya a la sala de emergencia del hospital. *Mientras se encuentre en camino, siga estas instrucciones…*

Descanse…

Ponga hielo en la parte afectada para reducir la hinchazón…

Compresión. Ponga un vendaje elástico alrededor de la extremidad para proporcionar soporte…

Levante la parte del cuerpo afectada para que la sangre y otros fluídos no se acumulen ahí.

Importante: Si usted no siente un dolor severo o no es obvio que tenga una fractura, puede seguir las recomendaciones anteriores por 24 a 48 horas y observar si mejora. De lo contrario vaya al médico.

Cómo ayudar a otra persona: No mueva ni ponga peso en la parte afectada. Usted puede entablillarla con una revista arrollada. Si tiene un dolor muy fuerte, heridas múltiples o hemorragia, llame la ambulancia.

EN LA SALA DE EMERGENCIA

Recibir la atención adecuada y que le den prioridad en una sala de emergencia depende de cómo "planificó su emergencia" y de su cuidadosa comunicación con el personal una vez que usted llegue allí.

●**Haga una lista para llevarla siempre consigo.** Incluya sus problemas médicos, sus medicamentos y sus alergias, y también su nombre, domicilio, número telefónico y la información sobre su seguro.

●**Sepa como llamar una ambulancia en su comunidad** y cuales son las mejores salas de emergencia para sus necesidades especiales.

●**Comuníquese efectivamente hablando con lentitud…** diciéndole al médico o a la enfermera exactamente lo que ocurrió. No espere que el personal médico ya sepa lo que le ha sucedido.

●**Entienda que una enfermera especializada** ("triage nurse") hará la evaluación inicial de los pacientes que se encuentran en la sala y decidirá el orden en el que serán atendidos. La enfermera procederá de acuerdo a la urgencia de sus necesidades comparadas con las de otros que están esperando.

Cómo ahorrar dinero en medicamentos recetados

Donald L. Sullivan, RPh, PhD, profesor adjunto de práctica farmacéutica de la Universidad Ohio Northern, en Ada, y autor de *The Consumer's Guide to Generic Drugs: The Complete Reference Book for Anyone Using Prescription Drugs.* Berkley.

Seguramente ya sabe que a menudo usted puede ahorrar en medicamentos costosos si le pide a su médico que le recete sus equivalentes genéricos. *He aquí cinco formas más de reducir el costo…*

●**Pida muestras gratis.** Los médicos están llenos de muestras de medicamentos que le dan los fabricantes –pero no siempre las distribuyen entre sus pacientes.

Pida, y quizás recibirá gratis, un medicamento costoso por una semana o más.

Atención: Vea la fecha de expiración. Tire los medicamentos que han estado en el consultorio del médico por un periodo demasiado largo.

●**Ordene por correo o por Internet** –pero solamente cuando sea apropiado. Adquirir medicamentos recetados por correo o por Internet puede ser una forma económica y conveniente de comprar medicamentos. Sin embargo, muchas de las farmacias que venden por correo no tienen farmacéuticos para preparar recetas.

A pesar de que un farmacéutico hace el chequeo final, la enorme cantidad de medicamentos que generalmente procesan puede dar lugar a equivocaciones.

Al ordenar por correo o por Internet usted pierde el beneficio de hablar cara a cara con el farmacéutico, quien le puede aconsejar sobre la interacción de los medicamentos o responder sus preguntas en el momento.

Lo más importante: Si usted quiere ordenar por correo o por Internet, compre solo medicamentos que ya conoce –aún mejor, solo los que ha tomado por largo tiempo. De esta forma se reduce el riesgo de tomar un medicamento equivocado o ser víctima de una interacción inesperada entre ellos.

●**No deje que su compañía de seguros le imponga límites** en el plazo de suministro de medicamentos recetados. Si su médico le da una receta por 90 días de suministro de píldoras, es posible que su seguro solo le apruebe el suministro por 30 días.

Limitar su receta en esta forma ayuda a su seguro a reducir gastos… pero para usted significaría un costo más alto y varios viajes más a la farmacia.

Escapatoria: Si usted necesita tomar píldoras por 90 días, pero su seguro cubre solamente 30 días, pídale a su médico que escriba en el récipe médico "según lo que se le ha indicado" ("take as directed") en lugar de escribir "tomar una por día".

Esto hace más difícil a la compañía de seguros calcular cuántas píldoras hay en un suministro de 30 días. Usted podrá conseguir la cantidad de píldoras para 90 días.

Atención: Averigüe con qué frecuencia debe tomar el medicamento y escríbalo usted mismo en la etiqueta.

●**Evite las fórmulas de absorción lenta ("time-release").** Muchos de los medicamentos recetados están disponibles en formas "time-release" y "non-time-release". Las píldoras de absorción lenta son más convenientes porque no tienen que tomarse tan seguido como las otras, pero también suelen ser más costosas.

●**Entérese sobre los programas de asistencia al paciente.** En estos programas –que son ofrecidos por la mayoría de las empresas farmacéuticas pero raramente dados a conocer al público– los individuos con poco poder adquisitivo debido a la pérdida de empleo u otro inconveniente financiero pueden cumplir los requisitos para obtener medicamentos recetados de forma gratuita.

En la mayoría de los casos solamente se requiere que su médico certifique que usted no puede pagar un medicamento costoso, pero necesario.

Llame directamente al fabricante para averiguar si un medicamento específico se puede conseguir a través de este programa –y cuáles son los requisitos.

La importancia de los grupos de apoyo en las enfermedades crónicas

David Spiegel, MD, profesor adjunto de psiquiatría y ciencias de la conducta de la facultad de medicina de la Universidad Stanford en California. Autor de *Living Beyond Limits: New Hope and Help for Facing Life-Threatening Illness.* Crown.

Si usted sufre de artritis, diabetes, cáncer u otra enfermedad grave o crónica, participar en un grupo de apoyo puede hacerle sentir mejor emocional y físicamente.

Desgraciadamente pocas personas que resultarían beneficiadas al participar en un grupo, lo hacen.

Algunos nos resistimos a pertenecer a un grupo de apoyo porque tememos sentirnos avergonzados de discutir nuestros problemas con extraños. Por supuesto, los miembros del grupo de apoyo dejan de ser extraños al poco tiempo.

Otros ven a los grupos de apoyo como una forma de ofrecer seguridad emocional a la gente que es débil e insegura.

En realidad, los participantes de los grupos no pasan mucho tiempo compadeciéndose unos a otros. Se ayudan mutuamente a afrontar los problemas –*y realmente obtienen resultados.*

LO QUE DEMUESTRAN LAS INVESTIGACIONES

●**Cáncer de mama.** En un estudio en la Universidad Stanford, 86 mujeres con cáncer de mama avanzado (metastásico) fueron divididas en dos grupos al azar.

Un grupo recibió un tratamiento médico estándar. El otro recibió un tratamiento idéntico *y también* participó en reuniones semanales con un grupo de apoyo. Al final del primer año, las participantes del grupo de apoyo se sintieron menos ansiosas y deprimidas que las que no participaron en él. También informaron tener la mitad del dolor físico.

Después de un seguimiento a largo plazo el estudio demostró algo aún más notable –las que pertenecieron al grupo de apoyo vivieron en promedio 18 meses más.

●**Melanoma maligno.** Los investigadores de la Universidad de California en Los Ángeles

(UCLA) condujeron al azar un experimento en 80 pacientes con melanoma.

Los 40 pacientes que estaban en el grupo de control recibieron atención médica normal. Los otros 40 pacientes del grupo experimental recibieron la atención médica normal y participaron en las reuniones semanales del grupo de apoyo.

Cuando fueron examinados seis semanas después, el grupo experimental informó tener menos ansiedad y depresión que el grupo de control. Seis años más tarde, 10 miembros del grupo de control habían fallecido. Solamente tres del grupo experimental habían muerto.

●**Diabetes.** Un estudio realizado por la Universidad de Chicago reveló que los hombres diabéticos que participaban en un grupo de apoyo estaban menos deprimidos que los que no participaban.

INMUNIDAD AUMENTADA

¿Qué es lo que provocó estos asombrosos resultados? Según una teoría, el apoyo social creado por el grupo mejoró el sistema inmune al disminuir la tensión psicológica asociada con enfermedades graves, lo que se sabe que interfiere con la inmunidad.

Esta teoría es corroborada por un estudio de UCLA que reveló niveles inusualmente altos de células del sistema inmune en los pacientes que participaron en el grupo de apoyo.

ÁNIMO MUTUO

Los miembros del grupo de apoyo también se animan mutuamente para cuidarse mejor físicamente. Algunos actúan como defensores de otros a fin de que tengan acceso a la información correcta y al tratamiento apropiado.

Los grupos luchan contra el aislamiento al dar a sus miembros la oportunidad de hablar con gente que entiende los problemas que están pasando –justo cuando los familiares y amigos tal vez no saben qué decir.

Finalmente, los grupos de apoyo ayudan a la gente a encontrar significado en su sufrimiento. Debido a que el grupo les da la oportunidad de usar su propia experiencia para ayudar a otros, muchas personas piensan que algo bueno surgió de una mala situación.

CÓMO ENCONTRAR EL GRUPO IDEAL

Si su médico o el trabajador social del hospital no sabe a qué grupo referirlo, llame a American Self-Help Clearinghouse al 973-326-6789. *Sitio Web: www.selfhelpgroups.org.*

El facilitador que dirige el grupo seguramente conoce las dinámicas de grupos y también su enfermedad específica y su tratamiento.

Busque un grupo dirigido por un médico, psicólogo, enfermera o trabajador social. La cuota de miembro debería ser razonable –no más de $40 por persona por sesión.

Si no puede encontrar un grupo en su zona, inicie uno usted mismo. Ponga una nota en un hospital, clínica o iglesia, buscando miembros que tengan la misma enfermedad. Al mismo tiempo, comience la búsqueda de un facilitador.

Muchos grupos exitosos son dirigidos por sus miembros (y no tienen un director). Sin embargo, un facilitador profesional está más capacitado para manejar a los miembros que se emocionan demasiado, que tratan de dominar la discusión o que evitan los asuntos importantes.

PARA OBTENER EL MÁXIMO BENEFICIO

Usted tendrá un mayor beneficio de su grupo si trata de asistir a todas las sesiones. Es mucho más fácil establecer un ambiente de confianza si todos los participantes se comprometen a ir a todas las sesiones.

No se sienta obligado a hablar. Sin embargo, piense que usted conseguirá más del grupo si habla más sobre lo que lo afecta… y si escucha con atención a los otros miembros.

2

Los remedios de cada día

La guía esencial de las enfermedades infecciosas

Winkler G. Weinberg, MD
Southeast Permanente Medical Group

Muchas de las enfermedades que surgen sin causa aparente, en realidad tienen su origen en nuestros hábitos personales. *Aquí tiene algunos datos para proteger a su familia y a usted de las enfermedades infecciosas…*

LÁVESE LAS MANOS

Los resfriados y las gripes no se contraen por estar *cerca* de una persona que está tosiendo o estornudando, sino por el *tacto*.

La autodefensa: Lávese las manos tan pronto como pueda después de tocar a alguien que está enfermo, después de tocar algo que una persona enferma haya tocado y regularmente si usted vive o trabaja con una persona infectada.

Hasta que no se haya lavado, no se toque los ojos ni la nariz, que son las principales puertas de entrada de los virus del resfriado. Lleve un paquete de toallitas húmedas con alcohol para cuando no disponga de lavamanos.

PREPARE LA COMIDA CUIDADOSAMENTE

Gran parte de la carne y de los huevos del mercado están contaminados con *salmonela*.

El *Escherichia coli* (E. coli) está presente hasta en un 4% de la carne molida de vaca, de cerdo, de aves y de cordero. También se encuentra en la leche sin pasteurizar, en los jugos y en otras bebidas.

Para evitar las intoxicaciones causadas por alimentos…

●**Refrigere la comida inmediatamente después de haberla preparado o servido.** Si

---

Winkler G. Weinberg, MD, jefe de enfermedades infecciosas del Southeast Permanente Medical Group en Atlanta. Es autor de *No Germs Allowed! How to Avoid Infectious Diseases at Home and on the Road.* Rutgers University Press.

se ha quedado afuera por más de una hora, descártela.

•Evite el bistec tártaro y los huevos crudos o no cocidos suficientemente. Evite la ensalada César, la mayonesa y el ponche navideño "eggnog" caseros. Si parte de la yema de un huevo contaminado queda líquida, la salmonela puede sobrevivir.

•Lave los utensilios y las superficies que han estado en contacto con carne o huevos crudos antes de usarlos de nuevo.

•Beba solo leche y jugos pasteurizados.

•Evite comer pescados que se alimentan del fondo del mar. El mero ("grouper"), el pargo (huachinango, "red snapper"), el chillo, el medregal y la barracuda pueden albergar *ciguatera*, una toxina que causa enfermedades.

•Cocine al vapor los mariscos con concha por lo menos durante 15 minutos. El vapor elimina el E. coli y otros agentes infecciosos que se encuentran por lo general en las almejas, ostras y mejillones.

CUÍDESE DE LAS PICADURAS DE GARRAPATAS ("TICKS")

La mayoría de las picaduras de garrapatas son benignas. Pero debido a que la enfermedad de Lyme y otras enfermedades que portan las garrapatas pueden ser difíciles de detectar y tratar, es mejor evitar la picadura.

En la estación de garrapatas (de abril hasta la primera escarcha), tome estas precauciones…

•Cuando camine por áreas con hierba y árboles, use camisetas de manga larga y pantalones largos y holgados dentro de los calcetines.

•Use repelente de insectos con DEET. Una concentración del 30% es lo mejor. Úselo en la ropa y en cualquier parte expuesta de la piel.

•Si sus mascotas están al aire libre, use polvo o atomizador anti-garrapatas. Su veterinario puede recomendarle una buena marca.

•Revísese a diario para ver si tiene garrapatas. Pida la ayuda de algún familiar para revisar el cuero cabelludo y otras partes difíciles de ver. Mire con cuidado, algunas garrapatas son del tamaño de una cabeza de alfiler.

Si encuentra una garrapata, *no* intente sacarla con alcohol, vaselina ni con un fósforo encendido. Esto puede hacer que la garrapata

regurgite bajo su piel, aumentando la posibilidad de contraer enfermedades.

Lo mejor: Con unas pinzas, agarre la garrapata suavemente y *sáquela*, tirando en la misma dirección en que está la garrapata.

Guárdela en un frasco con alcohol para que se pueda identificar después, en caso de que usted desarrolle un salpullido en forma de tiro al blanco u otros síntomas sospechosos.

PREVENGA LAS INFECCIONES URINARIAS

Las mujeres que son propensas a las infecciones del tracto urinario (UTI, por sus siglas en inglés) deberían considerar el uso de otro método de control de la natalidad que no fuera el diafragma. Las jaleas y las espumas espermicidas usadas en los diafragmas crean un ambiente propicio para las bacterias.

Las mujeres también deberían orinar después de tener relaciones sexuales para eliminar las bacterias que pueden causar infección. Son raros los casos de UTI entre los hombres.

EVITE LOS PARÁSITOS EN EL AGUA

En la mayoría de las regiones del país, el agua del grifo se trata con cloro para matar las bacterias. Pero ésto no mata el *Criptosporidium* ni otros parásitos.

La autodefensa: Si usted tiene deficiencia inmunológica, hierva el agua durante un minuto o instale un purificador de agua por ósmosis inversa ("reverse osmosis") bajo su fregadero.

TENGA CUIDADO CUANDO VIAJE

Verifique con sus médicos las vacunas recomendadas y póngaselas con antelación.

En EE.UU., Canadá, Europa Occidental, Australia, Nueva Zelanda y Japón, la comida y el agua por lo general son seguras. En otras regiones, coma solamente alimentos totalmente cocinados o recién pelados. Lleve su propia agua, o beba gaseosas o vino.

Tenga cuidado con los cubos de hielo y las bebidas mixtas.

Para purificar el agua: Hiérvala por lo menos un minuto. O agregue 2% de tintura de yodo (cinco gotas por litro –cuarto de galón– de agua), y déjela reposar por lo menos una hora. Este método es bueno para el agua del grifo y el agua de un arroyo o de un lago.

Si usted visita una región donde la malaria y/u otras enfermedades que portan los insectos son endémicas, use ropa liviana y holgada, mosquiteros, DEET en spray y quédese adentro lo más que pueda.

LA ENFERMEDAD O NEUMONÍA DEL LEGIONARIO

Los fumadores, las personas mayores y los individuos que toman medicamentos inmunosupresores están en riesgo de contraer la enfermedad del Legionario. Las bacterias que causan este tipo de neumonía están a menudo en las cabezas de la ducha, en los sistemas de aire acondicionado y en las torres de enfriamiento.

La autodefensa: Manténgase alejado de las torres de enfriamiento. Y antes de usar una ducha desconocida, esterilice la cabeza de la ducha dejando correr el agua lo más caliente posible durante cinco minutos.

¡Todo lo que debe saber sobre las bacterias!

Linda Gooding, PhD, profesora de microbiología e inmunología en la facultad de medicina de la Universidad Emory en Atlanta.

Aunque las bacterias son consideradas agentes de enfermedad, muchos de los millardos de microorganismos que viven en nuestro cuerpo son esenciales para la salud.

Las bacterias "amistosas" –como los cultivos bífidos y de lactobacilos del yogur– inhiben el crecimiento de hongos y otros organismos causantes de enfermedades. Incluso existen pruebas de que esas bacterias amistosas ayudan a bajar los niveles de colesterol.

El problema: Cada vez que toma un antibiótico, mata las bacterias del cuerpo –las amistosas y las enemigas. Eso eleva el riesgo de diarrea, candidiasis y la sensibilidad a algunas comidas.

La cortisona, la prednisona, las píldoras anticonceptivas, los antiácidos e incluso el estrés también eliminan las bacterias.

Al rescate: Una familia de suplementos conocidos como *probióticos*. Estas mezclas de bacterias con arroz o con leche en polvo hacen que las bacterias amistosas crezcan de nuevo en los intestinos.

En un estudio realizado en el Long Island Jewish Medical Center, las mujeres que ingirieron una taza diaria de yogur tuvieron menos infecciones vaginales que las que no comieron yogur. El efecto habría sido aún *más* significativo si las mujeres hubieran tomado probióticos.

Para mantener su flora intestinal saludable, recomiendo comer yogur regularmente. La mayoría de las marcas contienen cultivos activos. Lea las etiquetas si tiene dudas.

Tome probióticos *además* de yogur si usted tiene colesterol alto o sufre de candidiasis ("yeast infections") crónica, cuando esté de viaje o cuando esté tomando antibióticos, esteroides, píldoras anticonceptivas o antiácidos.

Puede encontrar los probióticos en las tiendas de alimentos naturales ("health food stores"). Escoja una marca que contenga por lo menos mil millones ("1 billion" en inglés) de organismos vivos por gramo. Verifique la fecha de vencimiento del envase.

Cómo mantenerse sano en su próximo vuelo

Adriane Fugh-Berman, MD, profesora clínica auxiliar, de los departamentos de medicina y ciencias de la salud de la facultad de medicina de la Universidad George Washington en Washington, DC. Es autora de *Alternative Medicine: What Works.* Lippincott, Williams & Wilkens.

Todo viaje largo es agotador. Pero un viaje en avión también puede causar problemas de salud –resfriados y otras infecciones respiratorias, dolores, desfase horario ("jet lag") e incluso una condición potencialmente fatal conocida como *embolia pulmonar.* Afortunadamente existen maneras fáciles de prevenir estos problemas.

LOS RESFRIADOS

Es muy fácil resfriarse cuando se viaja en avión. El aire del interior de la mayoría de los aviones recircula, al igual que los gérmenes que están en el aire.

Estar sentado lejos de alguien con tos no es suficiente. Como usted está en un espacio cerrado, la probabilidad de estar expuesto a los gérmenes es casi igual si la fuente que produce los gérmenes está a 20 filas que si está a su lado.

Para empeorar las cosas, la humedad en el interior de un avión moderno es habitualmente de 10% o más baja. Eso es menos húmedo que el aire del desierto. La baja humedad seca las membranas mucosas que recubren la nariz, la boca y las vías respiratorias facilitando el establecimiento de virus y bacterias.

Para defenderse de los "gérmenes aéreos" algunas personas usan máscaras quirúrgicas en los vuelos. Yo no lo recomiendo. Pero sí recomiendo fortalecer su sistema inmunológico. El día anterior, el día del vuelo y al día siguiente, tome medio gotero de tintura de *equinácea* ("echinacea tincture") y 2.000 miligramos de vitamina C (en dos dosis de 1.000 mg).

Beba 16 onzas (un medio litro) de agua o jugo justo antes de subir al avión y 12 onzas (un tercio de litro) *cada hora* que esté en el aire. Es conveniente llevar su propia botella de agua, en caso de que las azafatas estén demasiado ocupadas para servirle.

DOLOR DE ESPALDA Y DOLOR DE CUELLO

Apoye su espina lumbar poniendo una manta enrollada detrás de su espalda. Si espera dormitar, una almohada de cuello en forma de "U" es de gran ayuda. Yo prefiero las almohadas *inflables*, porque ocupan menos espacio en el equipaje de mano. Cuestan unos $10 y puede comprarlas en las tiendas de equipaje.

Dos ejercicios que también son útiles…

•**Círculos con los hombros.** Encoja los hombros arriba y abajo, luego gírelos hacia adelante y hacia atrás.

•**Círculos con la cabeza.** Incline la cabeza hacia un lado, lleve la oreja hacia el hombro. Sostenga brevemente, luego lleve la cabeza de nuevo hacia el centro. Incline hacia el otro lado y vuelva al centro. Deje caer la barbilla sobre el pecho, sostenga brevemente, vuelva la cabeza a la posición inicial. Incline la cabeza hacia atrás, sostenga y vuelva al centro.

DESFASE HORARIO ("JET LAG")

La mejor manera que he encontrado para luchar contra el desfase horario es restablecer el reloj biológico con melatonina después de la llegada. Dos horas antes de su nueva hora de ir a dormir, tome entre uno y tres mg. Tómela también los dos días siguientes, si tiene problemas para adaptarse a su nuevo horario. Exponerse a la luz natural del día después de su llegada también le ayudará a adaptarse.

EMBOLIA PULMONAR

Estar sentado durante horas casi sin moverse hace que su circulación sea más lenta y aumenta el riesgo de embolia pulmonar. En esta condición potencialmente mortal, se forma un coágulo de sangre en una pierna, luego se desprende y viaja hasta el pulmón –donde puede interferir con el suministro de oxígeno del cuerpo.

Para evitar que la sangre se estanque en sus extremidades inferiores, camine de vez en cuando durante el vuelo. Mientras recorra la cabina, póngase en puntas de pie y luego balancéese sobre los talones.

Si la señal del cinturón de seguridad está encendida, haga estos ejercicios en su asiento:

•**Movimientos de talón.** Siéntese con la espalda recta y los pies planos sobre el piso. Alce los talones, y muévalos hacia atrás. Luego, en forma alternativa, flexione y estire los dedos de los pies.

•**Levantamiento de piernas.** Presione hacia abajo el muslo izquierdo con la mano izquierda, y levante el muslo contra esta presión. Repita 20 veces. Cambie de lado y repita.

Hidroterapia para dolencias comunes

Dian Dincin Buchman, PhD, conferencista en hidroterapia y otras terapias alternativas con sede en Nueva York. Es autora de varios libros, entre ellos, *The Complete Book of Water Healing.* McGraw-Hill/Contemporary Books.

El hielo, las compresas calientes y frías, los baños medicinales y otras formas de terapia con agua fueron el soporte principal de la medicina popular durante siglos.

Hoy, la medicina de alta tecnología ha eclipsado los tratamientos a base de agua. Sin embargo, estos tratamientos –seguros, baratos y fáciles de usar– siguen siendo valiosos para aliviar malestares causados por dolencias comunes.

LOS BAÑOS MEDICADOS

Todos sabemos lo relajante que puede ser un baño caliente. Pero no todos sabemos que se pueden obtener beneficios *aún mayores* si agregamos ingredientes naturales al agua.

●**Vinagre de sidra de manzana ("apple cider vinegar").** Agregue una taza al agua del baño, y rocíela con la mano en los hombros, la espalda y el pecho. Eso le dará vigor cuando esté fatigado/a.

Esta técnica también ayuda a restaurar la acidez natural de la piel que mata los gérmenes y que se elimina continuamente con el baño.

Para aliviar las irritaciones causadas por la hiedra venenosa ("poison ivy") o por quemaduras solares, agregue *dos* tazas de vinagre.

●**El salvado ("bran").** Un baño de salvado alivia la comezón, la dermatitis y otras irritaciones de la piel y elimina las zonas resecas.

Ponga varios puñados de salvado de trigo o de avena ("oat bran") en una bolsa de estopilla ("cheesecloth"). Remoje la bolsa en agua caliente durante varios minutos, póngala en la tina llena de agua tibia. Apriete la bolsa hasta que el agua se ponga lechosa.

●**Extracto de pino ("pine extract").** Una tapita disuelta en un baño tibio ayuda a abrir los poros tapados, acelera la curación de salpullidos y alivia la fatiga muscular.

Puede encontrar extracto de pino en farmacias y en las tiendas de alimentos naturales ("health food stores"). No lo confunda con el *limpiador* con aroma a pino ("pine cleaner"), que le irritará la piel.

EL MASAJE DE SAL

Esta técnica energizante tonifica los tejidos, alivia el estrés y la fatiga… y puede ayudarle a prevenir un resfriado.

Siéntese en el borde de la tina llena de agua tibia. Vierta sal en la mano ahuecada en forma de copa. Lentamente agregue agua a la sal hasta que logre una pasta espesa.

Con movimientos firmes y circulares, frote la pasta por su cuerpo. Luego quítese la pasta remojándose brevemente en la tina o quítesela con una esponja y agua fría. Tenga cuidado de no frotar la sal en heridas, cortaduras, etc.

BAÑO DE MANOS

Para aliviar el calambre de escritor, remoje las manos en agua caliente. Para calentar las manos frías, remójelas alternadamente en agua caliente (tres minutos) y en agua fría (30 segundos). Repita varias veces, termine con agua fría.

Precaución: No deje las manos en el agua fría más que unos pocos minutos por vez.

CAMINAR EN AGUA FRÍA

Llene el fondo de la tina con agua fría hasta la altura del tobillo. Sosteniéndose de una barra firmemente fija, marche en el mismo lugar durante unos segundos o minutos (mientras lo pueda tolerar con comodidad). Luego frótese los pies enérgicamente con una toalla.

Hacer esto dos veces al día, otorga un notable sentido de bienestar… y es fabuloso para aliviar los calambres de las piernas relacionados con los ejercicios. Además, algunos creen que también aumenta la resistencia contra las enfermedades.

Caminar en agua fría por la noche promueve el sueño –pero si lo hace en la mañana tiene un efecto vigorizante.

COMPRESAS

Para prevenir o aliviar el dolor de cabeza, pliegue un paño por la mitad, sumérjalo en agua helada, sáquelo y exprímalo. Póngaselo en la cabeza o el cuello. Humedézcalo con frecuencia para mantenerlo frío.

Para aliviar el dolor de garganta o la laringitis, pliegue un paño de algodón en tercios, sumérjalo en agua helada, sáquelo y exprímalo. Enróllelo una vez alrededor del cuello y sujételo con un alfiler imperdible ("safety pin"). Ponga una bufanda de lana sobre el paño.

Mantenga la envoltura en su sitio el tiempo que quiera. Con el frío contra la piel conservado por la lana, el cuerpo continúa desviando más sangre tibia a la zona afectada –ayudando a eliminar la congestión.

Cómo sentirse y verse más joven

David Ryback, PhD, es consultor en reducción de estrés y anti-envejecimiento en Atlanta. Es autor de *Look 10 Years Younger, Live 10 Years Longer,* disponible en ediciones para hombres y para mujeres. Prentice Hall.

Estírese todas las mañanas. El estiramiento regular le ayudará a sentirse más flexible y por eso se sentirá y se verá más joven. Al estirarse se relajan los músculos, y los movimientos se hacen más elegantes y juveniles.

● **Manténgase recto.** Al mantener una buena postura, parecerá diez libras (unos cuatro kilos) más delgado/a. Practique delante del espejo, y notará que su estómago se ve más plano, su torso más largo y más delgado y no tendrá ese aspecto viejo y encorvado.

● **Haga por lo menos 15 minutos de ejercicios al día.** La actividad física alivia la depresión y mejora el ánimo. Además, envía más sangre a la piel, dándole a su cutis un brillo saludable, rosado y juvenil.

● **Coma más frutas y vegetales.** Una dieta vegetariana o incluso una semivegetariana que incluya muchas frutas, verduras y cereales le ayudará a mantener un nivel de energía estable. Comiendo de manera sensata, usted puede aumentar su nivel de energía rápidamente y puede sentirse más joven.

● **Reduzca el estrés.** Si no se controla, el estrés hace que sus órganos internos se desgasten innecesariamente y hace que usted parezca cansado/a y mucho más viejo/a.

Cómo dejar los malos hábitos

William Knaus, EdD, es autor de *Change Your Life Now: Powerful Techniques for Positive Change.* John Wiley & Sons.

Para dejar un hábito problemático, usted tiene que crear *la voluntad de cambiar* y no simplemente un esfuerzo por restringirse. El restringirse rara vez da buenos resultados contra los malos hábitos.

Ejemplo: Las personas que hacen dieta por lo general recuperan el peso que han perdido. Pero la voluntad de cambiar es un esfuerzo firme que permite experimentar con el cambio, aceptar su dificultad y seguir hacia adelante, aun después de una recaída inevitable.

Útil: Desvíe su atención del hábito hacia otra cosa.

Ejemplo: Guarde en el refrigerador una jarra con agua. Siempre que tenga la necesidad de un hábito –de cualquier clase– sírvase y beba a sorbos, lentamente, dos vasos de agua helada. Esto a menudo le dará tiempo para que pase el impulso.

Soluciones simples para la incontinencia

Kristene E. Whitmore, MD, profesora adjunta de urología clínica del Graduate Hospital en Filadelfia. Es coautora de *Overcoming Bladder Disorders.* Harper-Collins.

Más de 13 millones de estadounidenses tienen problemas para controlar sus vejigas. La incontinencia urinaria no es una enfermedad. Es un síntoma de un problema subyacente –diabetes, derrame cerebral, esclerosis múltiple, mal de Parkinson o incluso una infección de vejiga crónica.

Las personas obesas enfrentan riesgos más elevados de incontinencia; también los fumadores y las mujeres –sobre todo las que han dado a luz recientemente. Cuando el bebé pasa por el canal de parto a menudo daña los músculos abdominales responsables de retener y soltar la orina.

En los hombres, la incontinencia es habitualmente el resultado del daño de los nervios causado por una cirugía para tratar el agrandamiento o el cáncer de próstata.

Las buenas noticias: A menudo la incontinencia puede prevenirse o controlarse. Si usted es incontinente –o le preocupa que pueda volverse incontinente– evite la cafeína, el alcohol, las comidas picantes, el chocolate, los edulcorantes artificiales y otros irritantes de la vejiga, orine antes y después de las relaciones sexuales para expeler las bacterias que causan las infecciones y beba mucha agua.

No beba grandes cantidades de agua a la vez, si lo hace, la vejiga se llenará con demasiada rapidez. Tome un sorbo cada cinco o diez minutos a lo largo del día.

Para las mujeres: Para mantener fuertes los músculos de la parte inferior de la pelvis, haga los ejercicios de Kegel.

Las mujeres con infecciones de vejiga recurrentes deben tomar una píldora de arándano agrio ("cranberry") con cada comida. Las píldoras contienen compuestos que evitan que las bacterias que causan las infecciones se adhieran a las paredes de la vejiga.

Los arándanos agrios y el jugo de arándano agrio también contienen estos compuestos –pero en cantidades más bajas.

Para los hombres: Pregúntele a su médico si debe tomar un suplemento de cinc ("zinc") y extracto de palmito sierra ("saw palmetto extract"). Se ha demostrado que ambos previenen o alivian el agrandamiento de la próstata.

TIPOS DE INCONTINENCIA

En la actualidad, cuatro de cada cinco casos de incontinencia se pueden curar o mejorar. *El primer paso es identificar de cuál de los cuatro tipos se trata…*

●**La incontinencia de esfuerzo** está asociada con la debilidad del esfínter urinario, el músculo –parecido a una válvula circular– alrededor del cuello de la vejiga y de la uretra que controla el flujo de la orina.

Al toser, reírse, etc., se ejerce una mayor presión en la vejiga de la que el esfínter puede soportar, y la orina sale.

Las causas habituales: Las cirugías abdominales o pélvicas, los partos, la deficiencia de estrógeno. Ciertos medicamentos, incluidos los alfabloqueantes y los diuréticos, empeoran la situación.

●**La incontinencia de urgencia** ocurre cuando los nervios "sobreexcitados" causan la contracción involuntaria de los músculos de la vejiga. Usted tiene una urgencia repentina de orinar, pero no puede llegar al baño a tiempo.

Las causas habituales: El mal de Parkinson, la esclerosis múltiple, infecciones de la vejiga, la condición crónica de la vejiga llamada cistitis intersticial, problemas en la médula espinal y la quimioterapia.

●**La incontinencia por rebosamiento** ocurre cuando se hace difícil vaciar la vejiga, debido a músculos de la vejiga débiles o a una obstrucción urinaria. En algún momento la orina se desborda, como el agua por encima de un dique.

Las causas habituales: La diabetes, la próstata agrandada en los hombres, la vejiga o el útero prolapsado en las mujeres. También puede ser causado por los medicamentos de venta sin receta médica para el resfriado y para las alergias… o por el descongestionante *pseudoefedrina*.

●**La incontinencia funcional** es un problema transitorio asociado con la impactación fecal, la movilidad restringida, la irritación vaginal y otras condiciones.

EL ENTRENAMIENTO DE LA VEJIGA

El objetivo del entrenamiento de la vejiga es vaciarla *a tiempo* para que la orina no llegue al punto en el que puede ocurrir un accidente.

Al principio, orine cada 90 minutos. Gradualmente alargue el intervalo entre las idas al baño –no más de tres horas– hasta que usted encuentre un horario seguro y conveniente.

Útil: Un "diario de vaciado". Durante dos o tres días seguidos, registre la frecuencia con que orina –y cuándo se le escapa. Revise el diario con su médico.

EJERCICIOS DE KEGEL

La mayoría de las personas con incontinencia de esfuerzo y de urgencia logran un alivio parcial al fortalecer el esfínter urinario. *Para hacer los ejercicios de Kegel…*

●**Identifique el músculo que quiere entrenar.** Es el mismo músculo que se usa para controlar un movimiento intestinal. Si tiene problemas identificándolo, coloque un dedo en su vagina (si es mujer) o en el ano (si es hombre). Practique apretando solo el músculo alrededor de su dedo.

●**Durante los primeros tres a seis días,** apriete o contraiga el músculo durante tres segundos cada vez.

•**Durante las próximas semanas,** aumente gradualmente el tiempo hasta que pueda apretar el esfínter durante 10 segundos. Relaje el músculo durante 10 segundos después de cada contracción. Haga 50 todos los días.

LA BIOAUTORREGULACIÓN Y LAS PESAS

En la bioautorregulación ("biofeedback") se usa un tampón especial, que se inserta en la vagina o en el recto, para ayudarle a identificar los músculos que necesita fortalecer. Los tampones especiales deben ser adquiridos con receta médica.

Las mujeres cuya incontinencia es causada por músculos abdominales débiles, a menudo mejoran con "entrenamiento vaginal con pesas" vaginales. Se sostienen las pesas cónicas en la vagina durante 15 minutos, dos veces al día, mientras realiza sus actividades diarias.*

MEDICINAS ÚTILES

La terapia con medicinas brinda un alivio más rápido que los métodos sin medicinas de los que hablamos anteriormente, pero causan efectos secundarios.

El mejor método: Comenzar a tomar el medicamento cuando empiece el entrenamiento de la vejiga, la dieta y los ejercicios de Kegel. Gradualmente, cuando los métodos sin medicamentos empiecen a dar resultados, deje de tomar los medicamentos.

•*El oxibutinin* (Ditropan), la *propantelina* (Norpanth), los antidepresivos tricíclicos como el *imipramin* (Tofranil) son buenos para las incontinencias de esfuerzo y de urgencia. Entre los efectos secundarios se incluyen la boca seca, el estreñimiento y la piel seca.

•**Las píldoras para adelgazar** que tienen *pseudoefedrina* son buenas para la incontinencia de esfuerzo. Entre los efectos secundarios se incluyen la ansiedad, el insomnio y las sudoraciones. No las use si tiene la tensión arterial alta.

LA OPCIÓN QUIRÚRGICA

Cuando otros tratamientos no proporcionan alivio a la incontinencia, la solución puede ser la cirugía.

*Para averiguar dónde puede comprar éstos y otros productos para combatir la incontinencia, llame a la National Association for Continence al 800-252-3337.

Existen diferentes formas de cirugía disponibles, dependiendo de la naturaleza exacta del problema y de su gravedad.

La autodefensa contra las hemorroides

Mayo Clinic Health Letter, 200 First St. SW, Rochester, Minnesota 55905.

Coma alimentos con alto contenido en fibras –frutas frescas, vegetales y granos enteros, beba mucha agua –por lo menos seis vasos al día y manténgase activo/a, esto reduce la presión que se produce en las venas del ano y del recto por estar en una posición demasiado tiempo. Hacer ejercicios regularmente también ayuda a prevenir el estreñimiento.

Prevención y tratamiento de los problemas más comunes de los pies

Suzanne M. Levine, DPM, es podóloga clínica en el New York Hospital-Cornell Medical Center en Nueva York. Es la autora de *My Feet Are Killing Me!* (McGraw-Hill), *Walk It Off!* (Plume) y *50 Ways to Ease Foot Pain* (Signet).

El ochenta y siete por ciento de los estadounidenses tiene problemas en los pies: juanetes, callos, mal olor, etc. A pesar de ser muy comunes, estos problemas se pueden evitar. *La mayoría puede prevenirse siguiendo un régimen simple de cinco pasos...*

•**Remoje los pies al final del día.** Use agua tibia con Soap 'n Soak Instant Foot Bath de Dr. Scholl u otro producto que contenga *bicarbonato de sodio*. Este compuesto disminuye la acidez de la piel y la hace menos susceptible a los hongos y callos.

Después del remojo, seque sus pies completamente, sobre todo entre los dedos.

•**Dése masajes hidratantes en los talones después del remojo.** La hidratación ayudará a prevenir las fisuras y callosidades en la piel. Estos problemas son comunes en el verano, especialmente si usa sandalias con tacón.

● **Use polvo para los pies dos veces al día.** Después de remojarlos por la noche y de nuevo por la mañana, espolvoree sus pies con Deodorant Foot Powder de Quinsana u otro producto que contenga *cloruro de benzetonium,* que combate la transpiración.

El polvo para los pies es especialmente beneficioso en los meses de verano, cuando la transpiración de los pies es un gran problema.

● **Revísese las uñas de los pies una vez por semana.** Si están largas, córtelas en forma recta usando un cortaúñas largo. Cada vez que se corte las uñas, friéguese los dedos y las plantas de los pies para sacar las callosidades.

Para la piel seca, use Kerasal u otra máscara de pie que contenga *ácido salicílico* ("salicylic acid") u otro "agente queratolítico". Esto le quita a los pies el exceso de queratina, una proteína que repele la humedad de la piel.

● **Por la noche, haga ejercicios para los pies.** Antes de acostarse, pase unos minutos recogiendo un lápiz con los dedos de los pies, apretando un pedal de aceleración imaginario con cada pie y usando los dedos de los pies para trazar los contornos de las letras del alfabeto en el suelo.

Los ejercicios nocturnos de pies ayudan a minimizar la hinchazón de los pies que inevitablemente ocurre durante el día.

LOS JUANETES

Estas protuberancias óseas a los lados de los pies son causadas por zapatos apretados y/o por factores hereditarios. Pueden causar callos dolorosos, osteoartritis y/o dedos en martillo.

La autodefensa: Use zapatos holgados. Compre zapatos nuevos al mediodía, cuando los pies están ligeramente hinchados. Asegúrese de que quede un espacio del ancho de su dedo pulgar entre la punta del zapato y el dedo más largo de su pie.

Para reducir la hinchazón y la irritación: Use hielo alrededor del juanete.

La prueba del dedo: Si aparece un área blanquecina cuando usted hace presión en una

protuberancia, quizás no tenga un juanete sino bursitis, una condición que requiere atención médica.

LOS CALLOS

Estas zonas de piel amarillenta y gruesa encima de los dedos del pie o entre ellos pueden ser bastante dolorosas y normalmente son causadas por la fricción y la presión en el pie.

La autodefensa: Remoje los pies en agua con sal de higuera ("Epsom salt"). Después, aplique hidratante y cubra la zona con una envoltura plástica. Después de 15 minutos, quite el plástico y use una piedra pómez ("pumice stone") para aplanar el callo.

También son útiles: Las plantillas de gomaespuma ("foam insoles") y los ortóticos ("orthotics"). Los ortóticos que son hechos a medida cuestan $350 o más, pero por lo general los cubre el seguro médico. Las plantillas están disponibles en las farmacias por menos de $15.

DEDOS EN MARTILLO ("HAMMERTOES")

Este problema –dedos del pie torcidos o deformes que pueden superponerse sobre otro dedo– es común entre las personas que tienen los arcos altos.

La autodefensa: Alivie la presión en los dedos usando zapatos de punta ancha y cubriendo los callos con almohadillas para callos ("corn pads"), lana de cordero ("lamb's wool") o vendas. En casos graves, puede ser necesaria una cirugía ambulatoria.

LAS ESPUELAS DE TALÓN

Estos crecimientos óseos son protuberancias que van desde el hueso del talón hacia abajo y son causados típicamente por el aumento rápido de peso… o por jugar tenis u otro deporte que ejerza presión en los talones.

Con frecuencia se confunden las espuelas del talón con la *fascitis plantar*, que es causada normalmente por la tensión o presión excesiva en la fascia plantar, el tejido protector de las plantas de los pies.

La autodefensa: Ponga almohadillas de gomaespuma o de fieltro ("felt pads") en los zapatos, donde se apoya el talón, o compre plantillas ("insoles") para ayudar a levantar los arcos de los pies.

Cada vez que sienta dolor, eleve el pie y aplique hielo al talón durante 20 minutos. Los analgésicos de venta libre son eficaces tanto para las espuelas de talón como para la fascitis plantar.

También son útiles: Los ejercicios para estirar los tendones de Aquiles. Una vez al día, trate de recoger canicas ("marbles") con los dedos del pie, o levante los dedos del pie mientras mantiene los pies plantados firmemente sobre la tierra.

PIES FRÍOS

Esta condición normalmente deriva de las comidas, los medicamentos y/o las conductas que puedan haber afectado su circulación –comidas o bebidas con cafeína, supresores del apetito y el cigarrillo.

La autodefensa: Deje de fumar. Consuma menos comidas y bebidas con cafeína. Cambie de zapatos por lo menos una vez al día, póngase zapatos de diferente tacón. Cambie el peso de su cuerpo de un lado a otro mientras esté de pie. Cada noche, tome un baño de agua tibia.

Una vez al día, haga estos tres ejercicios para estimular la circulación…

Ejercicio Nº 1: Cruce las piernas a la altura de sus tobillos, luego intente separarlas mientras opone resistencia. Mantenga durante un minuto. Cambie de lado, y mantenga de nuevo.

Ejercicio Nº 2: Ponga las eminencias de los pies sobre una guía telefónica, con los talones descansando en el suelo. Empuje hacia arriba y hacia abajo. Este ejercicio puede hacerse sentado o de pie durante un minuto.

Ejercicio Nº 3: Acuéstese en el suelo con los pies presionados planos contra la pared. Durante aproximadamente un minuto, "escale las paredes" usando los pies.

HONGOS EN LAS UÑAS DE LOS PIES

Esta condición (*la onicomicosis*) puede causar la deformación y decoloración de las uñas de los pies.

La autodefensa: Haga una pasta con agua tibia y bicarbonato de soda ("baking soda"). Frótelo diariamente en la zona afectada. Luego enjuague y seque.

También útil: Usar calcetines de algodón, cambiarse los zapatos dos veces al día y usar polvo secante antibacteriano ("antibacterial drying powder") y desodorante para los pies ("foot deodorant"). Evite el ajo y otras comidas picantes si hacen que sus pies transpiren.

No use pinturas de uña opacas. Oscurecen la base de la uña, haciéndola vulnerable al crecimiento de hongos.

Si los síntomas persisten, pregúntele a su médico por el medicamento oral *itraconazola* (Sporonox).

PIE DE ATLETA

En la mayoría de los casos es causado por la *Cándida*, el hongo que provoca las infecciones vaginales, y/o por el hongo *T. rubrum*.

La autodefensa: Mantenga los pies secos. Cámbiese los calcetines por lo menos una vez al día. Evite los calcetines de colores –algunos están hechos con tintes que promueven el crecimiento de hongos. Use Tinactin, Halotex u otro ungüento o spray con un agente antimicótico ("antifungal ointment") de amplio espectro de la familia de la *azola*.

MAL OLOR EN LOS PIES

Esta condición es causada por bacterias que crecen en la piel húmeda y sudada. También pueden provocarla las comidas picantes que pueden causar que las glándulas sudoríparas se vuelvan hiperactivas.

La autodefensa: Coma menos comidas picantes y mantenga los pies secos. Cambie de zapatos por lo menos una vez al día. Airéelos después de usarlos.

También útil: Deodorant Foot Powder de Dr. Scholl y Odor-Eaters de Johnson & Johnson.

Alivio del dolor de talón

Carol Frey, MD, es profesora adjunta de cirugía ortopédica clínica en la facultad de medicina de la Universidad Southern California en Los Ángeles.

Las almohadillas ("pads") disponibles en las farmacias alivian el dolor de talón con mayor eficacia que las plantillas hechas a medida ("custom-made inserts"). Unos investigadores les dieron ejercicios de estiramiento de pie a 200 personas que padecían de una condición del talón llamada *fascitis plantar proximal aislada* ("isolated proximal plantar fasciitis").

Además, les proporcionaron diferentes dispositivos de amortiguación desde las plantillas de goma blanda y silicona que en las tiendas cuestan entre $9 y $40, hasta ortóticos hechos a medida que se insertan en el arco y que cuestan entre $300 y $500.

Los ejercicios de estiramiento junto con los dispositivos comprados en las tiendas ayudaron a entre el 81% y el 95% de los pacientes. Pero el estiramiento combinado con los ortóticos alivió a menos del 70%.

Lo que debe tener su botiquín de medicinas

Timothy McCall, MD, es internista en Boston, editor médico de la revista *Yoga Journal* y autor de *Examining Your Doctor: A Patient's Guide to Avoiding Harmful Medical Care.* Citadel Press. *www.drmccall.com.*

Cada botiquín de medicamentos debe tener estos elementos esenciales…

• **Acetaminofeno** o aspirina para el dolor y la fiebre.

• **Antihistamínico** para urticarias u otras reacciones alérgicas.

• **Ungüento con triple-antibiótico,** vendas adhesivas, gasa, y cinta adhesiva para heridas menores.

• **Jarabe de la ipecacuana** ("ipecac syrup") para inducir el vómito en ciertos tipos de envenenamiento. Antes de suministrarlo, llame a la oficina de control de envenenamientos (Poison Control).

• **Vendas Ace** para torceduras y esguinces.

• **Termómetro.**

• **Pinzas puntiagudas** para las astillas.

Alargue la vida de los zapatos deportivos

Carol Frey, MD, es profesora adjunta de cirugía ortopédica clínica en la facultad de medicina de la Universidad Southern California en Los Ángeles.

Ponga a airear los zapatos por 24 horas después de cada uso, sáquele las plantillas, rellénelas con periódicos o toallas de papel y colóquelas en un lugar bien ventilado. Nunca deje los zapatos deportivos al sol o en un auto caliente y nunca los lave en la lavadora.

Además: No intente resucitar los zapatos estropeados poniéndoles plantillas nuevas. La mayoría de los zapatos se daña en la suela media –la cuña amortiguadora entre la suela que va por fuera y la superior. Las plantillas están diseñadas para proporcionar apoyo, no para reemplazar la suela media.

Compresas de hielo de emergencia

Peter Bruno, MD, internista del equipo de básquetbol New York Knicks.

Si no tiene a mano cubitos de hielo, use una bolsa de guisantes congelados ("peas"). Se adaptará al contorno del cuerpo, aliviando el dolor y ayudando a sanar.

Importante: Envuelva la bolsa en una tela para prevenir que el hielo pueda quemar la piel… aplíquela diez minutos por vez.

Resucitación cardiaco-pulmonar (CPR) al rescate

Richard O. Cummins, MD, es profesor de medicina de la división de medicina de emergencia del centro médico de la Universidad de Washington en Seattle.

Los rescatadores deberían iniciar la RCP (CPR por sus siglas en inglés) antes de llamar al

911 cuando se intenta resucitar a un niño o a un adulto joven. Abra la vía de aire, haga un minuto de compresiones de pecho y *luego* llame al 911. Con personas mayores de 30 años, llame primero al 911.

La razón: Cuando se detiene el corazón de una persona mayor probablemente está experimentando fibrilación ventricular. Esta condición del corazón requiere tratamiento inmediato por el personal de emergencia. Pero cuando el corazón de una persona joven se detiene es posible que solo tenga una entrada de aire obstruida –que puede ser abierta por cualquiera que tenga un mínimo entrenamiento. Si no tiene entrenamiento en RCP, llame primero al 911, y regrese a tratar de ayudar a la víctima.

La música es buena contra el insomnio

Gail C. Mornhinweg, PhD, ARNP, es profesor de enfermería de la Universidad de Louisville, Kentucky. Su estudio de seis meses con 25 adultos con insomnio se publicó en el *Journal of Holistic Nursing*, 2455 Teller Rd., Thousand Oaks, CA 91320.

A 25 pacientes con problemas para dormir se les dieron dos casetes –uno de música barroca y otro de "new age". Después de escuchar las cintas a la hora de dormir, todos menos uno de los pacientes dijeron haberse dormido más rápido y por más tiempo de lo habitual.

Además: Los pacientes volvieron a sufrir de insomnio las noches que no escucharon música.

Cómo reducir su riesgo de cáncer

David Alberts, MD, es director de prevención y control del cáncer del Arizona Cancer Center en Tucson, Arizona.

Reduzca su riesgo de cáncer colorrectal siguiendo una dieta alta en fibra y calcio. A noventa personas con riesgo de sufrir de cáncer colorrectal se les dio diferentes dosis de calcio y de suplementos de fibra de salvado de trigo.

El resultado: El grupo que consumió la mayor cantidad de fibra (13,5 g por día) produjo un 52% menos de ácido bilioso que el grupo que consumió menos fibra. Aquéllos que consumieron más calcio (15.000 mg) tuvieron una disminución del 35% en la producción de ácido bilioso.

La teoría: La fibra y el calcio absorben estos ácidos promotores de cáncer. Una onza (30 g) de cereal All-Bran de Kellogg tiene 10 g de fibra… y una taza de leche tiene 300 mg de calcio.

¿No puede dormir?

Mark R. Pressman, PhD, director del Sleep Disorders Center del Lankenau Hospital and Medical Research Center en Wynnewood, Pensilvania. Su estudio sobre 80 pacientes fue publicado en *Archives of Internal Medicine*, 515 N. State St., Chicago 60610.

Los trastornos del sueño pasan a menudo sin ser diagnosticados. Si usted se despierta frecuentemente por la noche para ir al baño, vea a un médico para descartar la posibilidad de que se esté despertando por un trastorno del sueño. En un estudio, 79% de los pacientes que *pensaron* que se levantaban para orinar realmente se despertaban por una apnea de sueño, ronquidos o movimientos de la pierna.

Las buenas noticias: La mayoría de los trastornos del sueño pueden tratarse con éxito.

Ayuda para las personas que no pueden conciliar el sueño

Rituals of Healing: Using Imagery for Health and Wellness por Jeanne Achterberg, PhD, psicóloga e investigadora de cuerpo-mente, de Big Sur, CA. Bantam Books.

Es probable que simplemente decirle a su cuerpo que se duerma no le dé resultados.

En cambio, pruebe con la *imaginación activa* en la que usted usa imágenes que le traerán el sueño.

Ejemplos: Imagínese una escena calmada y repetitiva, como las olas que van y vienen en la orilla del mar. O permita que su mente se deje llevar por el recuerdo de cómo se siente cuando duerme.

Recuerde la posición en que duerme normalmente, y permítase sentir su cuerpo flotando o cayendo en estado cómodo y relajado.

La altitud y la respiración

Norman H. Edelman, MD, científico y asesor médico de la American Lung Association, 61 Broadway, Nueva York 10006.

Las personas con trastornos respiratorios se sienten mejor si se trasladan a lugares de menor altitud. Mientras más baja es la altitud, mayor es la cantidad de oxígeno en el aire y es más fácil la transferencia del oxígeno a la sangre. Algunas personas que viven en altitudes elevadas se beneficiarán al mudarse al nivel del mar.

Cómo controlar las alergias causadas por las mascotas

Martha V. White, MD, directora de investigaciones del Institute for Asthma & Allergy del Washington Hospital Center, 106 Irving St. NW, Washington, DC 20010.

Mantenga a su mascota afuera, alejada de sus muebles y de su habitación. En la mayoría de los casos, es la saliva y la caspilla –la piel muerta que se desprende en hojuelas y viaja a través del aire– y no el pelo de la mascota, lo que causa el problema de alergia. También considere lavar diariamente a su perro o a su gato con agua. Evite ponerle

champú frecuentemente –puede hacer que suelte la caspilla más rápidamente.

¿Se siente olvidadizo?

Barry Gordon, MD, PhD, profesor de neurología y ciencia cognitiva y fundador de la Memory Clinic de la Universidad Johns Hopkins en Baltimore, y autor de *Memory: Remembering and Forgetting in Everyday Life.* MasterMedia.

Mejore su memoria decidiendo lo que más necesita recordar y enfocándose en eso, prestándole más atención a algo que usted quiere memorizar, aprendiendo a recordar lapsos cortos de tiempo a la vez, no intentando recordar una gran cantidad de información de una vez.

También útil: Designe en su casa un *lugar determinado* para dejar las cosas, para que no tenga que molestarse recordando dónde puso las llaves del auto… o use un cuaderno de bolsillo o unas fichas para refrescar su memoria.

¿Beber café ayuda a controlar la fiebre del heno?

Vincent Tubiolo, MD, es especialista en alergia, asma e inmunología en Santa Bárbara, California.

En un estudio, se les dio 400 mg de cafeína (el equivalente a 18 onzas ó 500 ml de café) a víctimas de fiebre del heno ("hay fever") y reportaron una reducción del 51% de los síntomas, comparada con una disminución del 19% que registraron aquellos a los que se les dio un placebo. La cafeína bloquea la inflamación nasal causada por la fiebre de heno.

El problema: La cafeína puede elevar la presión arterial y el ritmo cardiaco. Este estudio *no* es una excusa para que las víctimas de fiebre del heno beban más café.

Todo lo que debe saber sobre las pruebas de diagnóstico caseras

Rosemary Soave, MD, es especialista en enfermedades infecciosas y profesora adjunta de medicina del New York Hospital-Cornell Medical Center en Nueva York.

Las pruebas de diagnóstico caseras son razonablemente confiables. Asegúrese de seguir las instrucciones cuidadosamente.

Para protegerse: Si usted no entiende algo, llame al número gratuito impreso en el paquete o consulte a su farmacéutico o a su médico antes de usar la prueba. Siempre lea las instrucciones cuidadosamente antes de empezar una prueba, verifique el paquete para asegurarse de que la prueba no está vencida y guarde los componentes de la prueba que son sensibles a los cambios de temperatura en un lugar oscuro fuera del calor y de la luz del sol. *Además*: cuando haga una prueba cronometrada, use un reloj que muestre claramente los segundos.

Primeros auxilios en caso de picadura de abeja

Recomendaciones de la American Academy of Allergy, Asthma and Immunology, 555 E. Wells, Milwaukee 53202.

Saque el aguijón, si está visible, raspando suavemente con un cuchillo romo (para mantequilla) o con una tarjeta de crédito. No apriete la zona ni trate de sacarlo con pinzas o con los dedos –puede soltar más veneno.

Después de quitar el aguijón, lave la zona con agua y jabón y aplique una compresa fría para reducir el dolor y la hinchazón.

Aunque raras, las reacciones alérgicas graves a las picaduras de abeja ocurren en cuestión de minutos. Si la persona que ha sido picada se desmaya, desarrolla urticarias, se le hinchan los labios o los ojos o tiene problemas para respirar, llame al 911 inmediatamente.

¡Dígale "sí" a la fruta picada!

Centro médico de la Universidad de Rochester en el estado de Nueva York

Mucha gente cree que el beneficio nutricional de la fruta fresca disminuye cuando ha sido cortada previamente.

Nuevo descubrimiento: Los nutrientes de la sandía ("watermelon"), el mango y otras frutas tienen la misma duración cuando las frutas están cortadas que cuando están enteras –siempre que hayan sido guardadas y refrigeradas en un envase hermético.

¡Beba!

Food and You de los editores de *Prevention* Magazine Health Books. Rodale.

Para beber las 64 onzas (casi dos litros) de agua recomendadas todos los días…

• **Beba un vaso al despertar** para recuperar los fluidos perdidos durante el sueño.

• **Beba un vaso antes de cualquier comida o merienda** para ayudar a controlar el apetito.

• **Compre un recipiente de 64 onzas y llénelo todos los días** y téngalo a mano en su escritorio del trabajo o en la mesa de la cocina, para que pueda ver cuánto está tomando.

• **Para tener agua fría todo el día** congele en la noche una botella plástica con un poco de agua y llénela con más agua en la mañana.

Tres masajes rápidos

Donna DeFalco, especialista en masajes, escribe para la revista *American Health*, 28 W. 23 St., New York 10010.

Fije los pulgares detrás de las orejas y haga círculos en el cuero cabelludo con los dedos.

Masajee las palmas de las manos con los pulgares opuestos empezando donde la mano se une a la muñeca y avance hacia los espacios entre los huesos de los dedos.

Cierre los ojos y coloque sus dedos anulares justo debajo de las cejas, cerca del puente de la nariz. Presione suavemente, vaya aumentando la presión lentamente durante cinco segundos, relaje y repita dos veces más.

La prevención del dolor de cabeza

Robert Ford, MD, es director de la Ford Headache Clinic en Birmingham, Alabama.

Tomarse cinco minutos para relajarse apenas sienta la primera señal de problema puede ayudar a detener un dolor de cabeza.

Ejemplos: Si se detiene ante una luz roja, relaje progresivamente la pierna izquierda, desde los dedos del pie hasta la nalga, mientras su pie derecho se mantiene en el pedal del freno. *En la oficina*: cierre los ojos por un minuto cada hora y respire profundamente.

A la primera señal de dolor de cabeza: Frote sus manos para crear calor y presione suavemente sus párpados con la base de las manos. Cierre los ojos y masajee brevemente la cara, el cuero cabelludo y el cuello. Mire hacia un punto fijo y lejano –o mire sus manos por un minuto.

Cómo evitar los desencadenantes del dolor de cabeza

Bob Niklewicz, PT, MA, fisioterapeuta con consultorio privado en Rohnert Park, California.

Un dolor de cabeza puede desencadenarse por sostener el cuello en una posición por un periodo prolongado –como trabajar en una computadora, manejar u observar pájaros.

La autodefensa: Si usted es propenso a los dolores de cabeza, pídale a su médico que le ayude a localizar con precisión la tensión en el cuello y otros desencadenantes del dolor de cabeza.

También útil: Aprenda respiración profunda y otras técnicas de relajación. Adopte una buena postura al estar de pie o sentado.

El alivio del dolor de cabeza

John G. Arena, PhD, profesor de psiquiatría y de comportamientos de la salud del Medical College of Georgia, en Augusta.

Relajar los músculos del cuello y de los hombros es la mejor manera de aliviar los dolores de cabeza causados por la tensión. En un estudio se encontró que las personas que aprendieron a relajar los músculos trapecios redujeron la intensidad y la duración de sus dolores de cabeza a por lo menos la mitad. Se demostró que era más eficaz relajar estos músculos que relajar los de la frente o usar métodos de relajación para relajar todos los demás músculos del cuerpo.

Las personas que sufrían de dolor de cabeza aprendieron a relajar los músculos del cuello y de los hombros por sugestión hasta que descubrieron lo que resultaba mejor para ellos.

Combata la acidez sin medicamentos

Marvin Lipman, MD, consejero médico jefe de Consumers Union, escribe en *Consumer Reports on Health*, 101 Truman Ave., Yonkers, NY 10703.

Evite las comidas que pueden provocar acidez –el alcohol, el chocolate, la menta peperita ("peppermint"), la menta verde ("spearmint") y las grasas. Evite la cafeína en las comidas y en los medicamentos para el dolor de venta sin receta. Evite las bebidas gaseosas. *Además:* si usted está pasado de peso, pierda peso… si usted fuma, debe dejar de fumar.

Para la acidez nocturna: Eleve la cabecera de su cama con bloques de madera de entre cuatro y seis pulgadas (entre 10 y 15 cm). También puede usar un apoyo en forma de cuña para elevar la mitad superior de su cuerpo. No se acueste con el estómago lleno.

Para manejar mejor con artritis…

Tammi Shlotzhauer, MD, es directora médica adjunta del Rochester Clinical Research en Rochester, Nueva York. Es autora de *Living with Rheumatoid Arthritis.* Johns Hopkins University Press.

Deténgase frecuentemente para salir del vehículo y estirarse a fin de evitar el agarrotamiento y el dolor.

Piense en poner palancas en la puerta y en las llaves de encendido para que sean más fáciles de girar, y en poner agarraderas en el borde del interior del techo del auto para facilitarle la entrada y la salida.

Guarde los medicamentos en la guantera, no en el maletero, para evitar exponerlos a temperaturas extremas. Lleve bocadillos y bebidas para que pueda tomar los medicamentos a tiempo. Cuando haga frío, pídale a alguien que le caliente el auto antes de que usted entre.

La artritis en la cocina

Arthritis: Stop Suffering, Start Moving por Darlene Cohen, terapeuta de movimiento certificada, de San Francisco. Walker & Co.

Si tiene los dedos y las muñecas agarrotados, usted querrá hacer las tareas de la cocina con la parte superior de los brazos, los hombros

y la espalda. Pero esto puede causar dolores de cuello y de hombros.

Mejor: Considere los quehaceres de la cocina como una manera de ejercitar esas articulaciones y mejorar su movilidad. Pero busque la manera de hacer los quehaceres sin presionar demasiado las zonas adoloridas.

Ejemplo: Use un buen cuchillo afilado y extrapesado para cortar y picar. Su peso puede facilitarle la tarea de cortar disminuyendo la dolorosa presión que tiene que hacer la muñeca.

Almohadilla de calor hecha en casa

Allison Scheetz, MD, y David Mathis, MD, instructores de medicina de la facultad de medicina de la Universidad Mercer en Macon, Georgia.

Llene un calcetín en forma de tubo ("tube sock") con arroz crudo, anude la parte de arriba, póngalo en el microondas, en alta potencia, por tres minutos.

Así tendrá una almohadilla que se amoldará fácilmente alrededor de cualquier articulación adolorida y que mantendrá el calor durante aproximadamente una hora –sin riesgo de quemaduras.

Cómo detener una hemorragia nasal…

Earl Schwartz, MD, portavoz del American College of Emergency Physicians en Dallas.

Apriete los orificios nasales y manténgalos unidos por cinco minutos. Incline hacia atrás la cabeza solo un poco… no tanto como para que la sangre baje a la garganta. Si la hemorragia no se detiene en cinco minutos, siga apretando los orificios nasales durante otros siete minutos. Si la hemorragia continúa, llame al médico.

Mejor uso del champú anticaspa

Richard Berger, MD, es profesor de dermatología clínica de la facultad de medicina Robert Wood Johnson de la University of Medicine and Dentistry of New Jersey, en New Brunswick, Nueva Jersey.

Aplique el champú dos veces. Deje la primera aplicación en su cabello uno o dos minutos, luego enjuague y vuelva a echarse champú. Deje la segunda aplicación entre tres y cinco minutos. Ese es el tiempo que el medicamento necesita para actuar.

Para los problemas de caspa graves: Pregúntele a su médico por Nizoral, un champú anticaspa potente de venta libre.

Raspado de la lengua

Ray Wunderlich, MD, es médico con práctica privada en St. Petersburg, Florida. Es especialista en medicina preventiva y nutricional, y autor de *Natural Alternatives to Antibiotics*. McGraw-Hill.

El limpiar la parte superior de la lengua dos veces al día con un dispositivo raspador es una manera simple y barata de controlar los casos más persistentes de mal aliento y de prevenir infecciones en la boca y sus alrededores.

Bacterias infecciosas, virus y hongos –junto a las partículas de comida y los desechos celulares– se reúnen todos los días en la superficie áspera en la parte de atrás de la lengua.

Desde este lugar, estos microorganismos lanzan infecciones que causan caries, enfermedades en las encías, dolores de garganta, resfriados, y también mal aliento.

¿Por qué no simplemente limpiar la lengua con un cepillo de dientes? Porque es menos eficaz para quitar los microorganismos, y puede causar atragantamiento.

Para obtener mejores resultados, use un raspador de lengua plástico, como el fabricado por Oolitt. Dóblelo en forma de U, con la parte abierta de la U apuntando hacia usted y el borde dentado contra su lengua.

Empiece por la parte de atrás de la lengua en el lado derecho, barra la lengua con el borde dentado hacia adelante hasta la punta. Enjuague cualquier desecho que quede en el raspador, y barra repetidamente hasta que no salgan más desechos. Entonces pase al lado izquierdo y repita.

Haga esto dos veces al día, después del desayuno y al acostarse, justo antes de cepillarse los dientes. Enjuague el raspador de lengua después de cada uso con agua oxigenada de 3%.

Si su dentista o farmacia no los vende, puede comprar una variedad de raspadores fáciles de usar para todas las edades en Oolitt Advantage, Inc., P.O. Box 273653, Tampa, Florida 33688. 877-332-7500, *www.oolitt.com. El costo:* $10,50 por un suministro de un año (seis raspadores), más manejo y envío.

Un mejor cepillado de dientes

Michael W. Davis, DDS, dentista con práctica privada en Brunswick, Maine.

Deslice la bobina plástica del rollo de papel de una máquina calculadora por el asa del cepillo de dientes. Esto agranda la superficie de agarre y facilita el cepillado.

Evite el mal aliento

Jon Richter, DMD, PhD, director del Richter Center for Treatment of Breath Disorders en Filadelfia.

Limpie su lengua con un raspador de lengua o con una cucharilla plástica con el cuenco hacia abajo, coma alimentos fibrosos como las manzanas, use pastillas de menta o chicle para promover el flujo de saliva.

Las causas comunes del mal aliento son: El goteo posnasal causado por resfriados o alergias; la sequedad de la boca, un efecto secundario de muchos antihistamínicos y otros medicamentos; hacer dieta, porque comer con menos frecuencia retarda el flujo de saliva; las comidas con sulfuros, como el ajo, las cebollas, el bróculi y la col (repollo, "cabbage"); la herencia, algunas personas simplemente tienen más olor en la boca que otras; y los cambios hormonales, especialmente justo antes de un período menstrual.

El alivio del dolor de mandíbula

Irwin Mandel, DDS, profesor emérito de la facultad de cirugía dental y oral de la Universidad Columbia en la ciudad de Nueva York.

Alivie el dolor de la mandíbula causado por el *trastorno temporomandibular* (TMJ) dando un descanso a su mandíbula durante los episodios dolorosos. Coma comidas suaves y evite los movimientos extremos de la mandíbula como aquéllos que se realizan al masticar chicle, bostezar con la boca muy abierta, comer sándwiches muy gruesos y cantar muy alto. Aplique compresas de hielo o calor húmedo –lo que le haga sentir mejor– a los músculos de masticación en los costados de la cara. Lleve un diario detallado del dolor que le ayude a identificar los causantes y evítelos. También puede ayudar el mantener unidos los labios y separados los dientes cuando tenga la boca cerrada.

Datos sobre el casco para ciclistas

Diane Thompson, epidemióloga del Harborview Injury Prevention and Research Center, en Seattle, que dirigió un estudio de más de 3.000 ciclistas tratados por lesiones en siete hospitales.

Los cascos de bicicleta previenen lesiones incluso en grandes colisiones.

El estudio: Usar un casco reduce el riesgo de lesión en la cabeza en un 69%... el riesgo de lesión cerebral grave en un 74%... y el riesgo de lesiones en los ojos, las orejas, la nariz y la frente en un 65%. Los cascos son importantes para todas las edades.

Alivio del dolor de cuello

Robert A. Lavin, MD, profesor adjunto de neurología de la Universidad de Maryland, en Baltimore. Su estudio se publicó en *Archives of Physical Medicine and Rehabilitation,* 330 N. Wabash Ave., Suite 2510, Chicago 60611.

Para aliviar el dolor de cuello, duerma con una almohada de agua. Los voluntarios que durmieron con almohadas rellenas de bolsas de agua ajustables durante dos semanas reportaron que habían dormido mejor y que se despertaron con menos dolor que los que durmieron con almohadas rellenas de plumón, de espuma o de rollo. Las almohadas de agua están disponibles en tiendas especializadas en el cuidado de la salud o el hogar. *El costo:* aproximadamente $50.

Filtros de aire naturales

Bonnie Wodin, propietaria de Golden Yarrow Landscape Design, una consultora sobre jardines, Box 103, Heath, MA 01346.

Las plantas para el interior del hogar pueden servir como filtros de aire naturales. Pueden eliminar los contaminantes aéreos de los interiores como el monóxido de carbono y el formaldehído.

Lo mejor: Áloe vera, ficus, perenne chino ("Chinese evergreen"), begonias de invierno ("elephant-ear philodendron"), hiedra inglesa ("English ivy"), poto ("golden pothos"), planta del maíz ("corn plant"), espatifilo o cala ("peace lily") y las cintas o malamadre ("spider plant").

3

Asuntos del corazón

Nunca es demasiado tarde para empezar a cuidar su corazón

Harvey B. Simon, MD
Facultad de medicina de la Universidad Harvard
Hospital Massachusetts General

Algunas personas creen equivocadamente que si han tenido malos hábitos de salud toda su vida, no ayudará el cambiar ahora. Pero usted puede prevenir e incluso, en algunos casos, curar el daño en su corazón, sin importar cuántos años tenga. Y como la enfermedad del corazón es la asesina número uno en Estados Unidos, tiene sentido que usted haga todo lo que pueda para prevenirla.

CUATRO GRANDES CAMBIOS EN SU ESTILO DE VIDA

Estos son los cambios que pueden representar una diferencia enorme en la prevención de la enfermedad del corazón…

●**Deje de fumar.** Fumar es el mayor factor de riesgo de sufrir la enfermedad de la arteria coronaria. Aumenta la probabilidad de ataque cardiaco en un 250%.

Aun si usted ha fumado por años, dejar de hacerlo mejorará su salud. El ritmo cardiaco y la presión arterial volverán a los valores normales, y el riesgo de un ataque cardiaco bajará hasta igualar el de las personas que nunca fumaron.

●**Reduzca el colesterol en la sangre.** La manera más eficaz de hacerlo es cuidar su dieta. No es sólo el colesterol en los alimentos lo que aumenta los niveles en la sangre –es también la grasa saturada que estimula al cuerpo para producir su propio colesterol dañino. El 37% de las calorías diarias que consume el estadounidense promedio proviene de la grasa. Un nivel mucho más saludable sería entre el 15% y el 30%.

Harvey B. Simon, MD, departamento de medicina interna y cardiología preventiva del hospital Massachusetts General en Boston. Está en la facultad de medicina de la Universidad Harvard y en la facultad del Massachusetts Institute of Technology. Es miembro fundador del Harvard Cardiovascular Health Center y autor de *Conquering Heart Disease.* Little Brown & Co.

Útil: Una nueva regulación para las etiquetas de los alimentos hace que sea más fácil estimar el contenido de grasa que usted consume.

Dieta para reducir el colesterol: Reduzca el consumo de postres y productos animales, como huevos, carne, queso y otros productos lácteos. Aumente el consumo de verduras, frijoles ("beans") secos y granos integrales. Cambie el uso de mantequilla o margarina al cocinar por pequeñas cantidades de aceite de oliva, que parece reducir el colesterol "malo" LDL pero no el colesterol "bueno" HDL.

•**El ejercicio.** El ejercicio beneficia al sistema cardiovascular mediante el fortalecimiento del músculo del corazón, mejorando la circulación, aumentando el colesterol HDL y disminuyendo el LDL, reduciendo la presión arterial y combatiendo la formación de coágulos de sangre.

El mejor tipo de ejercicio para el corazón es el aeróbico, el tipo de ejercicio que usa grupos de músculos grandes durante periodos de tiempo prolongados.

Ejemplos: Ciclismo, natación, caminata rápida, correr, subir escaleras, remo y deportes con raqueta.

Se puede decir que usted está esforzándose al nivel adecuado si llega a sudar pero no se siente sin aliento. Cualquier cantidad de ejercicio es útil, incluso una hora a la semana. Pero usted obtendrá mayores beneficios si se ejercita por lo menos de tres a cuatro horas por semana.

•**Baje su presión arterial.** Un cuarto de los estadounidenses adultos, y la mitad de aquéllos mayores de 60 años, tiene presión arterial alta, también conocida como hipertensión. La presión arterial alta fatiga el músculo del corazón y daña la pared arterial, haciendo que la gente con hipertensión tenga más del doble de probabilidades que otras personas de sufrir ataques cardiacos.

La mejor manera de bajar la presión arterial es hacer una dieta con la cantidad correcta de minerales.

•**Reduzca el sodio.** Trate de consumir menos de 1.500 miligramos de sodio por día. Verifique en las etiquetas de los alimentos la cantidad de sodio. El sodio se encuentra en varias formas: en la sal de mesa, así como en el polvo de hornear ("baking powder"), el bicarbonato de soda, el glutamato de monosodio ("MSG") y la salsa de soja. Los alimentos procesados y los refrigerios tienden a ser especialmente altos en sodio.

•**Aumente el potasio y el calcio.** Muchas verduras y frutas frescas son ricas en potasio, incluso los dátiles ("dates"), bananas, naranjas, melones, manzanas, pasas, papas, calabacines de invierno ("winter squash"), habas blancas ("navy beans"), remolachas ("beets") y brócoli. Entre los alimentos saludables ricos en calcio se incluyen: leche descremada, brócoli, espinaca, pescado y los productos de la soja, en particular el tofu.

OTRAS MANERAS DE AYUDAR A SU CORAZÓN

Además de estos cuatro cambios básicos en el estilo de vida, la investigación sugiere otras conductas que pueden ayudar a prevenir la enfermedad del corazón.

•**Tome aspirina.** La aspirina reduce la posibilidad de coágulos de sangre y se ha demostrado que disminuye el riesgo de un segundo ataque cardiaco. Es posible también que la aspirina ayude a prevenir un primer ataque cardiaco.

La dosis recomendada: Una aspirina para bebé al día, o una tableta de aspirina para adultos cada dos días.

Atención: Verifique con su médico antes de tomar aspirina regularmente. Las personas con úlceras o sangramiento excesivo o que están tomando otros medicamentos quizá tengan que evitar el consumo de aspirinas.

•**Coma fibra.** Numerosos estudios sugieren que la fibra soluble en agua –el tipo encontrado en la avena ("oat bran") y en la cebada ("barley"), las ciruelas, los frijoles y otras legumbres– baja el colesterol LDL en la sangre.

•**Coma pescado.** Consumir pescado dos o tres veces por semana puede reducir cerca del 40% el riesgo de la enfermedad del corazón.

El pescado contiene ácidos grasos omega-3, que bajan el LDL y aumentan el HDL, y también pueden reducir la posibilidad de coágulos de sangre e inflamaciones en las paredes arteriales.

•**Evite el humo del cigarro de segunda mano.** Se piensa que el fumar pasivamente causa hasta 35.000 muertes por ataque cardiaco en EE.UU. cada año. El riesgo más alto lo tienen las personas que viven con alguien que fuma o quienes trabajan en ambientes llenos de humo. Intente reducir su exposición tanto como sea posible. Pida que los fumadores consideren su seguridad, o incluso salga del cuarto si alguien está fumando, si es necesario.

●**Tome vitaminas antioxidantes.** Hay alguna evidencia de que las vitaminas C y F, y el betacaroteno –que parecen combatir los efectos peligrosos que causan las moléculas inestables en el cuerpo llamadas radicales libres– reducen el riesgo de enfermedad del corazón.

Si usted toma suplementos, hágalo en dosis moderadas por ejemplo: 1.000 miligramos de vitamina C, 400 unidades internacionales (IU) de vitamina E* y 10.000 unidades internacionales de betacaroteno.

Atención: Un estudio halló que los fumadores que tomaron suplementos de betacaroteno tenían un índice superior de muerte por cáncer pulmonar, por lo tanto hasta que se haga una investigación más extensa, los fumadores deberían evitar estos suplementos.

●**Aprenda a enfrentar el estrés.** La conexión entre la tensión emocional y la enfermedad del corazón es difícil de demostrar. Sin embargo, si usted es propenso a la ansiedad o a la depresión, aprenda más sobre cómo combatir el estrés mediante el yoga, la meditación, la respiración profunda o la psicoterapia. Así estará ayudando a su corazón y, ciertamente, disfrutará más de la vida.

Prevención de la enfermedad del corazón

Harvey B. Simon, MD, departamento de medicina interna y cardiología preventiva del hospital Massachusetts General en Boston. Está en la facultad de medicina de la Universidad Harvard y en la facultad del Massachusetts Institute of Technology. Es miembro fundador del Harvard Cardiovascular Health Center y autor de *Conquering Heart Disease.* Little Brown & Co.

Si se pregunta, cómo se puede minimizar el riesgo de la enfermedad del corazón, sepa

*Debido a la posible interacción entre la vitamina E y varios fármacos y suplementos, al igual que por otras consideraciones de seguridad, consulte a su médico antes de empezar un régimen de vitamina E.

que *la mayoría de los estadounidenses ya conoce los elementos esenciales…*

●**No fume.** El daño al corazón por el tabaco causa 150.000 ataques cardiacos fatales al año.

●**Coma menos grasa** (especialmente grasa saturada). Ingerir menos grasa significa niveles más bajos de colesterol y un menor riesgo de obesidad.

●**Vigile su presión arterial.** Una lectura de 135/85 eleva el riesgo de sufrir un ataque cardiaco y un derrame cerebral. Una en el rango normal (debajo de 120/80) es buena.

●**Haga ejercicio regularmente.**

Si usted ya está haciendo estos esfuerzos, estupendo. Pero hay mucho *más* que usted puede hacer para protegerse.

CUÁLES SON LAS CAUSAS DE LA ENFERMEDAD DEL CORAZÓN

La enfermedad del corazón ocurre en un proceso de tres pasos:

Paso 1: **Los niveles de colesterol "malo" LDL se elevan demasiado,** o los niveles de colesterol "bueno" HDL caen demasiado.

Idealmente, su colesterol total debe estar por debajo de 200. Su nivel de HDL debe ser por lo menos de 35. Su proporción de colesterol total y HDL debe ser de 4,5 a 1 ó menor.

Paso 2: **El revestimiento arterial se daña,** usualmente por fumar o tener altos los niveles de azúcar en la sangre o la presión arterial. Esta lesión facilita la entrada del colesterol de la sangre en la pared de la arteria.

Paso 3: **Se forma un coágulo de sangre.** Un depósito creciente de colesterol obstruye el flujo de sangre. Eso causa la formación de coágulos de sangre. Con el tiempo, un coágulo bloqueará la arteria, lo que causará el ataque al corazón.

Lección: Un programa completo de prevención de la enfermedad del corazón debe apuntar a cada paso.

CONSUMA MENOS SAL

Si usted tiene hipertensión, cuanto menos sal consuma, más tenderá a bajar su presión arterial. Y cuanto más baja sea su presión arterial, menor será su riesgo de sufrir la enfermedad cardiaca.

Desechar el salero es un buen comienzo. Pero el 75% del sodio en la dieta típica proviene de la sal oculta en los alimentos procesados.

La autodefensa: Lea las etiquetas. Una taza de sopa enlatada puede tener hasta 1.200 mg de sodio. Eso es la mitad del nivel diario de 2.400 mg recomendado por los expertos en salud.

MÁS POTASIO Y MÁS CALCIO

El potasio tiene el efecto contrario del sodio: mayor cantidad implica presión arterial más baja. Pero no hay ninguna evidencia que sugiera que se puede bajar la presión arterial tomando suplementos de potasio.

Lo mejor: Aumente el consumo de alimentos ricos en potasio, como bananas, naranjas, dátiles, habichuelas ("lima beans") y papas.

El calcio también parece desempeñar un papel dominante en bajar la presión arterial. Por ejemplo, los niveles de presión arterial tienden a ser extraordinariamente bajos entre las personas que viven en las áreas con agua dura (rica en calcio) y entre aquéllos que ingieren muchos productos lácteos.

Lección: Si usted está preocupado por su presión arterial, ingiera más productos lácteos sin grasa, verduras verdes oscuras y tofu (cuajada de frijol). *Además:* pregúntele a su médico si debe tomar Tums u otro suplemento de calcio.

CONSUMA MAS FIBRA DIETÉTICA

La fibra dietética ayuda a prevenir la enfermedad del corazón bajando el colesterol, la presión arterial y el azúcar en la sangre.

Lamentablemente, la mayoría de los estadounidenses consumen sólo un tercio de los 30 gramos (g) diarios de fibra recomendados.

Las fuentes de fibra dietética: Frijoles, remolachas ("beets"), ciruelas, frutas cítricas y granos. Una buena idea es empezar el día con un cereal en el desayuno que contenga por lo menos 10 g de fibra por porción.

COMA PESCADO DOS VECES POR SEMANA

La enfermedad del corazón es muy rara entre quienes comen mucho pescado. Se cree que ciertos ácidos grasos no saturados del pescado son responsables de este efecto protector.

Yo recomiendo a mis pacientes que coman por lo menos cuatro onzas (115 g) de pescado a la semana. *Lo mejor:* las especies ricas en grasas, como el pez azul (anchoa de banco, "bluefish"), la caballa ("mackerel"), el atún y el salmón.

¿Qué se puede decir acerca de los suplementos de aceite de pescado? Hay muy poca evidencia de que sean beneficiosos.

EL ALCOHOL Y LA ASPIRINA

Repetidos estudios han demostrado que una copa *ocasionalmente* aumenta los niveles de colesterol "bueno" HDL. Los hombres cuyo HDL está por debajo de 30 deberían considerar tomar una o dos copas diariamente (una para las mujeres). Una copa equivale a una copa de vino, o a un trago de licor destilado o a 12 onzas (350 ml) de cerveza.

La terapia de aspirina de baja dosis –media tableta al día– ha demostrado prevenir los ataques cardiacos en aquellas personas que tienen la enfermedad del corazón.

La aspirina también puede ser beneficiosa para los individuos con *riesgo* de sufrir la enfermedad del corazón. Esto incluye a los hombres mayores de 50 años y a las mujeres posmenopáusicas. No hay ninguna evidencia que afirme que la terapia de la aspirina sea beneficiosa para las personas con un corazón saludable.

Atención: Si es alérgico a la aspirina, tiene úlceras o es propenso a las hemorragias digestivas, la terapia de aspirina no es buena para usted.

CONSIDERE TOMAR ANTIOXIDANTES

El colesterol daña las arterias cuando se transforma, mediante una reacción química similar a la oxidación.

Afortunadamente, el cuerpo tiene enzimas que previenen la oxidación "barriendo" las moléculas inestables (los radicales libres) que causan la oxidación. Tres nutrientes antioxidantes –las vitaminas C y E, y el betacaroteno– dan un gran apoyo al sistema de defensa natural, sobre todo cuando se toman *combinadas*.

Los niveles suficientes de betacaroteno pueden obtenerse fácilmente comiendo verduras verdes y amarillas, y la vitamina C abunda en las frutas cítricas. Pero es difícil recibir suficiente vitamina E de las fuentes de la dieta, por lo que recomiendo tomar un suplemento diario.

¿QUÉ SE PUEDE DECIR SOBRE OTROS SUPLEMENTOS?

Se ha investigado mucho menos sobre el cromo que sobre los "tres grandes" antioxidantes. Pero en un estudio, voluntarios tomaron 200 microgramos del mineral tres veces por día.

Resultado: El nivel de colesterol "bueno" HDL subió un 16%. Eso indica una reducción del 20% en el riesgo de enfermedad del corazón.

Si su nivel de HDL está por debajo de 30, y no puede levantarse mediante la pérdida de peso, ejercicio o consumo moderado de alcohol, pregúntele a su médico por la opción de tomar suplementos de cromo.

Importante: El *factor de tolerancia a la glucosa* (*GTF* por sus siglas en inglés) parece ser más seguro que el suplemento más popular, el *picolinato de cromo* ("chromium picolinate").

En otro estudio que involucra a más de 15.000 médicos, los investigadores hallaron que aquéllos cuya sangre contenía niveles altos del aminoácido *homocisteína* eran más propensos a tener un ataque cardiaco. La homocisteína parece dañar las paredes de las arterias y causar la coagulación.

Para mantener bajos los niveles de homocisteína, tome un suplemento diario que contenga las vitaminas B-6 y B-12 y ácido fólico ("folic acid").

LAS PRUEBAS MÉDICAS

Cada vez que usted se haga un examen físico debe verificar su presión arterial, colesterol y los niveles de azúcar en la sangre. Debe hacerse una vez al año para las personas de 50 años o mayores y una vez cada dos o tres años para las personas de 35 a 49 años de edad.

Yo también sugiero hacer un electrocardiograma con cada chequeo. Las pruebas de esfuerzo no son necesarias a menos que usted sienta dolores en el pecho u otros síntomas de la enfermedad del corazón.

Coma lo apropiado para tener un corazón saludable y una larga vida

Joe D. Goldstrich, MD, director médico del Pritikin Longevity Center en Santa Mónica, CA, y autor de *Healthy Heart, Longer Life*. Ultimate Health Publishing.

Los investigadores han identificado tres mecanismos para reducir el riesgo de desarrollar la enfermedad del corazón…

• **Bajar la cantidad de colesterol "malo" LDL en la sangre.** Un nivel de LDL superior a 100 brinda un mayor riesgo de sufrir la enfermedad del corazón.

• **Bloquear** *la oxidación* **del colesterol LDL.** El colesterol LDL es benigno hasta que se oxida. Sólo entonces puede integrarse a obstrucciones de las paredes de las arterias coronarias. Estas obstrucciones se llaman *placas*.

• **Controlar la creación de coágulos de sangre.** Los ataques cardiacos ocurren cuando una placa se agrieta o quiebra, activando la formación de coágulos que bloquean el flujo de sangre al corazón.

¿Cómo se ponen estos mecanismos en marcha? Es esencial ejercitarse regularmente, evitar fumar, vigilar la presión arterial y mantener el peso bajo control. Pero ése es sólo el principio.

LOS ALIMENTOS PROTECTORES DEL CORAZÓN

Una dieta baja en grasas saturadas reduce los niveles de colesterol LDL. *Ciertas comidas tienen poder adicional para proteger el corazón…*

• **El aceite de oliva.** Aunque es una buena idea reducir el consumo de *todas* las clases de grasas dietéticas (incluyendo los aceites), sustituir otros aceites por aceite de oliva ayudará a mantener su corazón sano.

Las grasas monoinsaturadas del aceite de oliva reducen los niveles de colesterol LDL mientras aumentan los niveles del colesterol "bueno" HDL.

¿Qué hace a las grasas monoinsaturadas mejores que las grasas poliinsaturadas que se encuentran en la mayoría de los otros aceites vegetales? Ellas no facilitan la conversión del colesterol a su estado oxidado.

•**Nueces.** Las almendras y pistachos contienen el mismo tipo de grasas monoinsaturadas que se encuentran en el aceite de oliva. Las nueces tienen demasiadas grasas para comerlas todo el tiempo, pero un poco de almendras o pistachos podría ser bueno para su corazón.

•**El ajo.** Además de reducir el colesterol LDL y aumentar el HDL, el ajo ayuda a prevenir los coágulos de sangre.

Si no le gusta el sabor del ajo o le preocupa el mal aliento, tome ajo en cápsulas.

•**Pescado.** Numerosos estudios han demostrado que el aceite omega-3 presente en ciertos tipos de peces ricos en grasas (salmón, bacalao, lubina o "sea bass", atún, etc.) inhibe la formación de coágulos de sangre y baja el riesgo de muerte cardiaca súbita.

Intente comer pescado por lo menos una vez por semana. Las cápsulas de aceite de pescado pueden estar rancias, y el aceite rancio puede *acelerar* la oxidación del colesterol.

•**Los alimentos de soja.** El tofu, la sopa "miso", la proteína de verdura texturizada (TVP por sus siglas en inglés) y otros productos de la soja bajan los niveles de colesterol LDL. Los investigadores sospechan que un compuesto de la soja llamado *betasitosterol* es responsable del efecto reductor del colesterol.

•**El vino tinto.** El alcohol en cualquier forma aumenta el colesterol HDL y reduce la coagulación. El vino tinto tiene beneficios adicionales, si se consume con moderación (no más de dos vasos por día). El vino tinto contiene *bioflavonoides*, que son anticoagulantes, y *resveratrol*, un antioxidante poderoso que evita que el colesterol se oxide.

LOS SUPLEMENTOS VITAMÍNICOS

•**La vitamina E.** Como un potente antioxidante, la vitamina E impide al colesterol LDL convertirse en su forma tóxica. Consulte a su médico si debe tomar de 400 a 800 unidades internacionales (IU) diariamente.

De las muchas formas de vitamina E que ahora están disponibles, las cápsulas que contienen *succinato de tocoferol d-alfa* son las mejores. Estas cápsulas no se ponen rancias, como a veces sucede con las cápsulas de vitamina E rellenas de aceite.

•**La vitamina C.** Esta vitamina antioxidante protege el fino tejido que recubre el interior de las arterias coronarias contra las lesiones microscópicas causadas por la presión arterial alta, el fumar y el colesterol alto. Son estas lesiones las que se piensa que sirven de origen a las placas.

Los estudios sugieren que lo mejor es consumir diariamente por lo menos 500 mg de vitamina C.

La forma común de la vitamina C (ácido ascórbico) puede causar irritación en el estómago, por lo que es mejor obtener la vitamina C en la forma de *ascorbato de calcio* o de *ascorbato de magnesio*.

•**Las vitaminas B.** Las vitaminas B-6, B-12 y el ácido fólico reducen los niveles de *homocisteína* en la sangre. Los niveles altos de este aminoácido que fomenta coágulos están ligados a la enfermedad del corazón.

Es mejor simplemente tomar dosis diarias de las vitaminas B. Normalmente recomiendo 100 mg de B-6, 500 microgramos (mcg) de B-12 y 800 mcg de ácido fólico.

•**Los carotenoides.** El betacaroteno es el más conocido de la familia de los antioxidantes.

Los estudios sugieren que otro carotenoide llamado *licopeno* también ofrece protección contra la enfermedad del corazón. Los tomates son una fuente excelente de licopeno.

Es mejor conseguir los carotenoides en su forma natural: verduras rojas, amarillas o verdes frondosas. Si quiere tomar carotenoides en forma de suplemento, escoja uno que contenga carotenoides naturales mixtos.

LOS SUPLEMENTOS MINERALES

•**Selenio.** Este mineral es la materia prima usada por el cuerpo para hacer la *glutación* de la enzima antioxidante. Las personas que toman suplementos de selenio reducen el riesgo de sufrir la enfermedad del corazón y también el cáncer. La dosis normal es de 200 mcg al día.

•**Cromo.** Ayuda a mantener equilibrados los niveles de azúcar en la sangre. Los niveles elevados de azúcar estimulan al cuerpo a segregar insulina, y los niveles altos crónicos de insulina pueden llevar a la obesidad, presión arterial alta y triglicéridos altos. Todos aumentan el riesgo de sufrir la enfermedad del corazón.

Yo aconsejo a mis pacientes que tomen 200 mcg de *picolinato de cromo* o *polinicotinato de cromo*. Estas formas naturales de cromo son seguras y se absorben rápidamente.

●**Magnesio y potasio.** El magnesio ayuda a bajar la presión arterial relajando los músculos diminutos que recubren las paredes de los vasos sanguíneos. El potasio baja la presión arterial reemplazando el sodio, una causa comprobada de la presión arterial alta.

La mejor manera de obtener estos minerales es de las verduras y frutas. Las bananas y las frutas cítricas son fuentes especialmente buenas.

La enfermedad del corazón y el peso

Leslie Katzel, MD, PhD, profesor adjunto de medicina en la facultad de medicina de la Universidad de Maryland en Baltimore.

Si usted tiene sobrepeso, una clave para reducir el riesgo de la enfermedad del corazón es rebajar. Un estudio realizado en hombres halló que cuando perdieron un promedio de 18 libras (8 kilos) en 9 meses, su riesgo de enfermedad del corazón cayó en un 40%. Los investigadores encontraron que este beneficio no surgió automáticamente al cambiar simplemente la composición de la dieta. Fue necesario perder peso comiendo menos, cambiando a comidas sin grasas o bajas en grasa y haciendo ejercicio.

Cómo sobrevivir un ataque cardiaco

William Cole, MD, director de la Coronary Care Unit del hospital New York Downtown, y profesor clínico auxiliar de medicina en el centro médico de la Universidad de Nueva York (NYU), ambos en Nueva York.

El ataque al corazón mata a 600.000 estadounidenses cada año, haciéndolo la primera causa de muerte. Pero por cada ataque cardiaco fatal, muchos otros no ocasionan la muerte.

¿Por qué algunas personas sucumben mientras otras sobreviven? Para averiguarlo hablamos con el Dr. William Cole, un cardiólogo que dirige una de las unidades de cuidados coronarios más atareadas en EE.UU.

Según el Dr. Cole, podemos aprender lecciones importantes de los sobrevivientes de un ataque cardiaco.

NO IGNORE LOS SÍNTOMAS

Cuando las personas comunes piensan en un ataque cardiaco *(infarto al miocardio)*, tienden a imaginarse a alguien agarrándose el pecho, mientras cae al suelo y pierde el conocimiento. Esta situación describe en realidad el *fallo cardiaco*, que es cuando el corazón deja de latir. El ataque cardiaco típico es mucho menos dramático.

Problema: Las víctimas del ataque cardiaco son a menudo estoicas. Cuando tienen dolor en el pecho u otros síntomas que sugieren problemas del corazón, piensan que debió ser *algo que comieron*.

Muchos corredores de bolsa han buscado tratamiento en mi hospital sólo después de que han tenido que ser levantados del suelo de la bolsa de valores. Muchos habían soportado el dolor en el pecho durante horas.

¿Por qué el retraso en buscar tratamiento? En la mayoría de los casos, la persona está muy asustada para considerar la *posibilidad* de un ataque cardiaco, o teme pasar vergüenza al llamar una ambulancia para averiguar que el problema era sólo una acidez estomacal.

Estas personas esperan hasta llegar a un estado agónico antes de buscar ayuda. Cuando llegan a la sala de emergencias, a menudo ya se ha causado un daño irreversible.

El síntoma más común del ataque cardiaco es dolor en el pecho. Pero en algunos casos no hay ningún dolor, solo una sensación que se ha descrito como "alguien sentado en el pecho". El dolor puede extenderse al cuello y los brazos.

Otros síntomas: Sudoración súbita, respiración entrecortada, tensión en la mandíbula o náuseas.

En algunos casos, estos síntomas ocurren varios días antes de un ataque. Pero como las sensaciones van y vienen, los pacientes tienden a ignorarlas. Ése es un *gran* error.

Aquéllos que tienen un riesgo evidente de sufrir la enfermedad del corazón –fumadores, personas con sobrepeso e individuos con presión arterial alta o colesterol alto– deben estar especialmente alertas a estos síntomas.

Pero los ataques cardiacos también le ocurren –y causan la muerte– a personas *sin* factores de riesgo conocidos. Si usted o alguien que usted conoce nota los síntomas, aunque sean leves, *llame a un médico de inmediato.*

VAYA RÁPIDO AL HOSPITAL

Si el tratamiento comienza durante la primera hora después de sufrir el ataque cardiaco, llamada "hora dorada", la mortalidad es sólo entre el 1% y el 5%. Después de las primeras 4 a 5 horas, el índice de mortalidad se eleva al 12%.

Hace solamente 10 ó 15 años, la mortalidad asociada con las víctimas del ataque cardiaco que llegaban al hospital con vida era de 15% a 20%. Los médicos no podían hacer más que administrar oxígeno y morfina para hacer sentir al paciente más cómodo.

En la actualidad: El índice de mortalidad para estos pacientes es de 5% a 7%. Los médicos cuentan con fármacos que "destruyen los coágulos" y realmente restauran el flujo de sangre al corazón. Pero el paciente todavía debe llegar rápidamente al hospital.

Útil: Llame primero al 911. Después alguien debe llamar a su médico para que él pueda avisar al hospital que usted está en camino. Si el equipo de cuidados cardiacos está esperándolo, usted será atendido sin retraso.

RECIBA UN TRATAMIENTO AGRESIVO

Desde principios de los años 1980, los pacientes con ataque cardiaco han recibido *tratamiento trombolítico* (medicamentos intravenosos que disuelven los coágulos de sangre). Los más eficaces destructores de coágulos son el *activador tisular de plasminógeno* (TPA por sus siglas en inglés).

Además, casi todos los pacientes con ataque cardiaco reciben aspirina (para hacer la sangre más líquida) y *heparina* (para impedir que las arterias se cierren).

Si bien el tratamiento trombolítico ha logrado disminuir de forma significativa el índice de mortalidad por ataque cardiaco, podemos hacer *mucho* más. Los estudios sugieren que un procedimiento quirúrgico conocido como *angioplastia aguda* es aún más eficaz que los fármacos que disuelven los coágulos.

En este procedimiento, un examen de rayos X llamado *angiograma* se usa para identificar con precisión la arteria coronaria bloqueada. Después, un pequeño globo se inserta en la arteria a través de un catéter. El globo se infla, empujando el obstáculo a un lado y restaurando el flujo de sangre al corazón.

El problema: No todos los hospitales están equipados para hacer angioplastias. Si usted debe escoger entre dos hospitales que estén a una distancia similar, pida ser llevado al que esté mejor equipado para hacer la angioplastia aguda. Si esta opción retarda su viaje 15 minutos o más, probablemente es mejor ir al hospital más cercano.

PREPÁRESE PARA LAS EMERGENCIAS

Si un paciente tiene alto riesgo de fallo cardiaco, es una buena idea que sus familiares y compañeros de trabajo aprendan el método de resurrección cardiopulmonar (CPR). De hecho, *todos* deberíamos aprender CPR.

Entre los pacientes de alto riesgo se incluyen a las personas que han tenido episodios anteriores de fallo cardiaco, tienen débil el músculo del corazón como resultado de un ataque al corazón anterior o producto de una cirugía de desviación (bypass), o tienen un historial de irregularidades peligrosas en el latido del corazón (arritmias).

Estos pacientes podrían preguntarle a su médico si deben comprarse un desfibrilador. Éste es el dispositivo de dos planchas que usan los médicos para proporcionar una descarga eléctrica al corazón y llevarlo a un ritmo normal.

Los paramédicos normalmente llevan desfibriladores, y en muchos estadios deportivos han empezado a contar con sus propias unidades en sus instalaciones.

Los novedosos "modelos inteligentes" son lo bastante simples como para ser usados por casi todas las personas, incluso sin entrenamiento. Cuando se colocan en el pecho de la víctima, estos dispositivos supervisan automáticamente las arritmias y, de ser necesario, administran una descarga eléctrica.

Desgraciadamente, el costo coloca a los desfibriladores personales fuera del alcance de muchos pacientes.

Algunos pacientes de alto riesgo han sido equipados con desfibriladores *implantables*. *El costo:* aproximadamente $20.000.

El beneficio de tener amigos

Blair Justice, PhD, profesor de psicología en la facultad de sanidad pública de la Universidad de Texas en Houston. Es autor de *Who Gets Sick*. St. Martin's Press.

Las personas que viven aisladas –sin abrazos, apretones de manos u otro contacto físico– tienen tanta probabilidad de desarrollar la enfermedad del corazón como quienes fuman, siguen dietas altas en grasa y no se ejercitan.

La teoría: Las relaciones íntimas con otras personas relajan el estrés y mejoran el sistema inmune. Y el compartir los problemas es un mecanismo más sano que el hacerles frente comiendo excesivamente, bebiendo o fumando.

Útil: Discuta regular y abiertamente lo qué está pasando en su vida, ya sea con su pareja, un amigo o un familiar.

Un premonitor de los problemas del corazón

James A. Blumenthal, PhD, profesor de psiquiatría médica en la facultad de medicina de la Universidad Duke en Durham, Carolina del Norte.

Las pruebas de tensión mental ayudan a predecir, mejor que las pruebas de tensión física, quién tiene probabilidad de sufrir problemas del corazón. Los investigadores midieron el flujo de sangre en los corazones de 126 personas sometidas a pruebas de tensión mental, como resolver rápidamente problemas difíciles de matemáticas. Encontraron que el 27% de

quienes mostraron una respuesta anormal a la tensión mental sufrió un evento cardiaco en sus siguientes cinco años de vida (más del doble de los que mostraron una respuesta normal).

Una vida más larga

Datos del *American Journal of Epidemiology*.

El número aproximado de años que usted puede agregar a su vida al adoptar buenos hábitos que reducen los factores de riesgo que llevan a la enfermedad coronaria del corazón:

- **Evitar la diabetes**...................8 años
- **Ejercitarse regularmente**....5,5 años
- **Evitar la hipertensión**..........5 años
- **No fumar** ....3 años
- **Tener un peso saludable** .....2 años

Las señales que advierten sobre la angina de pecho

Richard Helfant, MD, profesor clínico de medicina de la división de cardiología de la Universidad de California en Irvine, 101 The City Dr., Bldg. 53, Rm. 100, Orange, CA. Autor de *Women, Take Heart*. Putnam.

La estrechez, presión, pesadez o constricción en el centro del pecho son síntomas de una angina de pecho. La incomodidad puede empezar en los hombros –usualmente en el izquierdo– o extenderse hacia los hombros desde el centro del pecho, bajando a los brazos o hacia el cuello o la mandíbula. Es probable que la incomodidad del pecho sea causada por una angina de pecho cuando los síntomas ocurren con la actividad física, y normalmente desaparecen minutos después de parar la actividad.

Advertencia: La angina de pecho es el síntoma inicial más común de la enfermedad del corazón en las mujeres. Si usted tiene los síntomas, vea a su médico inmediatamente.

La hipertensión... lo que usted necesita saber

Marvin Moser, MD, profesor clínico de medicina en la facultad de medicina de la Universidad Yale en New Haven, CT, y presidente de Hypertension Education Foundation, Inc. Es autor de *Clinical Management of Hypertension*. Professional Communications.

Algunos médicos han empezado a pensar otra vez acerca de los viejos puntos de vista sobre la relación existente entre la dieta y la presión arterial, gracias a dos estudios:

●**Un estudio dirigido por Michael H. Alderman, MD,** en el Albert Einstein College of Medicine en El Bronx, ciudad de Nueva York, sugirió que la restricción de sodio puede no ser beneficiosa –e incluso podría ser dañina– para las personas con presión arterial alta.

●**Un estudio patrocinado por los National Institutes of Health (NIH)** demostró que una dieta baja en grasa, rica en verduras y frutas podría bajar la presión arterial ligeramente alta incluso sin necesidad de medicación.

Para clarificar éstos y otros resultados en la materia, hablamos con uno de los principales especialistas en hipertensión del país, el Dr. Marvin Moser...

●**¿Son válidos los nuevos estudios?** El estudio del Dr. Alderman halló que los ataques cardiacos eran más comunes entre personas hipertensas que consumían muy poco sodio que entre aquéllas que consumían mucha cantidad de sodio.

Pero la gran mayoría de los 2.900 participantes en el estudio consumían niveles moderados de sodio, y no demostraron en absoluto ningún aumento en los ataques cardiacos.

Hay otros posibles problemas con el estudio, incluyendo una falta de datos en los tratamientos específicos usados. En vista de estos hechos no pienso que el estudio de Dr. Alderman deba ser considerado en las decisiones del tratamiento.

●**¿Si el estudio era defectuoso, por qué recibió tanta publicidad?** Porque el Salt Institute –el principal grupo de presión de la industria de la sal– está tratando de usar el estudio en un esfuerzo por persuadir al National Heart, Lung and Blood Institute (NHLBI) para que cambie sus recomendaciones de muchos años con respecto al consumo de sodio.

Las pautas del NHLBI recomiendan no consumir más de 2,4 gramos de sodio por día. Ésa es la cantidad contenida en aproximadamente 6 g de sal de mesa (aproximadamente 1¼ de cucharadita).

El estadounidense promedio consume de 10 a 15 g de sal al día, el equivalente de dos a tres cucharaditas.

●**Entonces, ¿qué es lo principal con respecto a la sal y a la presión arterial alta?** Para alguien con presión arterial normal, una dieta baja en sodio podría bajar la presión arterial tan solo uno o dos puntos. Este es un número pequeño para una persona, pero podría tener un gran impacto en la salud pública.

Si todos siguiéramos las pautas del NHLBI, la frecuencia de ataques caería un 7% aproximadamente.

●**¿No es difícil seguir una dieta baja en sodio?** Para nada. Yo les digo a mis pacientes que ellos pueden ayudar a mantener su presión controlada al reducir la cantidad de sal usada al cocinar y en la mesa, y minimizando el consumo de "chips", sopas enlatadas, "corned beef", perros calientes ("hot dogs") y otras comidas saladas.

●**¿Y los sustitutos de la sal?** Estos productos, que sustituyen el sodio por el potasio, son una muy buena forma de limitar el consumo de sodio. Pero el potasio tiene sabor amargo.

Afortunadamente, un sustituto de la sal llamado "Cardia Salt Alternative" tiene un sabor similar a la sal común. Onza a onza, contiene la mitad de sodio, además de un extra de potasio y magnesio que se cree tienen un efecto posiblemente beneficioso, aunque pequeño, en la presión arterial.

●**¿Y sobre el estudio de los NIH?** Yo creo que el estudio es válido. Halló que las personas que siguen una dieta baja en grasa y que consumen muchas verduras y frutas generalmente experimentan una caída de entre siete y 10 puntos en la presión arterial.

●**¿Qué explica la eficacia de ese tipo de dieta?** Las frutas y verduras contienen mucho potasio. Muchos médicos creen ahora que no es el sodio sólo, sino la proporción del potasio y el sodio en la dieta lo que afecta la presión arterial.

Idealmente, todos deberíamos consumir potasio y sodio en una proporción de uno a uno. La mejor manera de hacer esto es evitando los alimentos salados, como ya mencioné, y comiendo tantas verduras y frutas con alto contenido de potasio como sea posible.

Las mejores fuentes de potasio son las papas horneadas y las frutas, en especial las naranjas y el jugo de naranja, el melón y las bananas.

Se podrían tomar suplementos de potasio, pero esto sería bastante caro, porque se necesitarían varias píldoras al día.

•¿Sugiere el estudio del NIH que solo la modificación del estilo de vida es suficiente para controlar la presión arterial alta? En la mayoría de los casos, la respuesta es no.

Si se sigue una dieta saludable, se hace ejercicio regularmente, se reduce el consumo de alcohol y se evita fumar, se disminuirá el riesgo de sufrir la enfermedad del corazón y también se reducirá la probabilidad de *tener* una presión arterial alta.

Pero cuando se trata de reducir la presión arterial alta ya *existente*, estas estrategias por sí solas generalmente no son suficientes. Tres de cada cuatro personas con hipertensión (una presión arterial de 140/90 ó superior) deben tomar medicación antihipertensiva.

A los pacientes con presión arterial ligeramente elevada yo les doy un par de meses para que los cambios en el estilo de vida empiecen a funcionar antes de recetar los medicamentos. En los casos graves, generalmente receto los medicamentos enseguida.

•¿Qué medicamento para la hipertensión es más eficaz? Se han probado dos clases de medicamentos y se ha demostrado que reducen la mortalidad y las complicaciones a largo plazo en las personas con presión arterial alta: diuréticos y betabloqueantes.

Los diuréticos, en particular, se recetan menos de lo debido. La gran mayoría de los medicamentos antihipertensivos funcionan mejor cuando se usan en combinación con los diuréticos.

Los datos a largo plazo en una tercera clase de medicación antihipertensiva, los inhibidores ACE, todavía no están disponibles. Pienso que ellos también demostrarán una reducción en la tasa de mortalidad.

Esto puede o no ser cierto para el cuarto grupo de medicamentos, los bloqueantes de los canales de calcio. De hecho, los bloqueantes de acción rápida como el *nifedipino* (Procardia) parecen empeorar las cosas.

Sorprendentemente, los médicos prescriben los bloqueantes de los canales de calcio más que cualquier otro medicamento para bajar la presión arterial. Quizás sea porque éstos son muy publicitados por las compañías fabricantes.

Los errores de la presión arterial alta pueden evitarse fácilmente

Thomas Pickering, MD, director del programa integrado de salud cardiovascular y de la conducta en el hospital Mount Sinai en Nueva York. Es autor de *Good News About High Blood Pressure*. Fireside.

La presión arterial alta es un factor importante en el riesgo de sufrir un ataque cardiaco y un derrame cerebral, junto con el fumar y tener el colesterol alto.

Con el tratamiento apropiado, la presión arterial alta (hipertensión) puede controlarse.

Lamentablemente, tanto los médicos como los pacientes fallan a menudo en sus esfuerzos por hacerlo.

El error: **Ignorar la presión sistólica.** La presión arterial se expresa con dos números. El primero representa la presión *sistólica* (la presión arterial cuando el corazón se contrae). El segundo representa la presión *diastólica* (la presión arterial entre los latidos). La hipertensión se define como una presión arterial de 140/90 ó mayor.

Debido a que los primeros estudios que vincularon la enfermedad del corazón con la hipertensión se enfocaron en la presión diastólica, los médicos asumieron por mucho tiempo que solo el segundo número era importante.

Ahora sabemos que la presión sistólica es un factor aún mayor que la presión diastólica en la enfermedad del corazón.

El error: Basar un tratamiento estrictamente en los números. ¿A qué nivel la hipertensión se vuelve tan peligrosa que requiere un tratamiento? Algunos médicos insisten en tratar cualquier presión de 140/90 ó superior. Otros esperan hasta que la presión suba a 160/95.

Pero no hay ningún número mágico que se aplique a todos. Al decidir si el tratamiento es necesario, lo que más importa es el riesgo *total* de sufrir la enfermedad del corazón y un derrame cerebral.

Una persona diabética de 65 años de edad con el colesterol alto podría necesitar los medicamentos antihipertensivos para una presión de 140/90. Una persona saludable de 35 años de edad con una presión de 150/95 debería poder bajar esos números con cambios en su estilo de vida.

El error: Confiar en las lecturas de presión tomadas en la oficina del médico. La presión arterial fluctúa a lo largo del día. Uno de cada cinco pacientes caracterizados como hipertensivos tiene la llamada hipertensión de "bata blanca". Debido a la ansiedad, su presión marca nivel alto en la oficina del médico, pero es normal bajo otras condiciones.

La hipertensión de bata blanca normalmente no requiere ningún tratamiento, aunque debe vigilarse.

Para evitar el tratamiento innecesario, yo recomiendo *la supervisión en la casa*. Esto involucra la toma de la presión dos o tres veces al día para conseguir un cuadro más completo de la presión arterial.

Las lecturas de la presión arterial hechas en casa normalmente están cinco puntos por debajo de las lecturas hechas en la clínica.

Cuando la supervisión en la casa da resultados equívocos, yo sugiero un *control de 24 horas*. Un dispositivo tipo Walkman, llevado en la cintura y adjunto a un brazalete, graba automáticamente la presión arterial a intervalos de 30 minutos.

El error: Utilizar un medidor de presión arterial no confiable. Muchos medidores diseñados para el uso casero no son confiables. Sin embargo, nosotros hemos hallado que los medidores de Omron son fiables.*

Antes de usar su medidor, haga que su médico lo calibre. Haga también que su médico verifique su técnica de medición.

El error: No poder eliminar la hipertensión secundaria. Mayormente, la presión arterial alta es hipertensión *primaria*, es decir, no hay causa subyacente. En casi el 5% de todos los casos, sin embargo, la presión arterial alta es *secundaria* debido a enfermedades del riñón, un tumor en la glándula suprarrenal u otra dolencia. En estos casos, es primordial tratar la causa subyacente.

Su médico debe examinarlo cuidadosamente y realizar las pruebas clave para el diagnóstico. *Estas dos pruebas son especialmente importantes...*

• **El ecocardiograma**, un examen de ultrasonido no invasivo, muestra si la hipertensión ha causado agrandamiento del corazón. Si ha ocurrido, normalmente se requieren medicamentos.

• **La prueba del índice tobillo-brazo** es sencilla, pero a menudo no se usa. La presión arterial debería ser aproximadamente la misma si se mide en el brazo o en el tobillo. Una medición más baja en el tobillo hace pensar en una arteria bloqueada en la pierna. Tal obstáculo requiere el tratamiento inmediato para bajar la presión.

La prueba del tobillo-brazo es muy importante para las personas mayores de 65 años.

El error: Empezar muy rápido la terapia con medicamentos. Cuando la presión arterial solo es moderadamente alta y no hay ninguna señal de daño del riñón o agrandamiento del corazón, generalmente recomiendo seis meses de cambios en el estilo de vida: perder peso, dieta apropiada y ejercicio. Solo si estas estrategias *sin medicamentos* no hacen bajar la presión yo prescribo medicamentos para la presión alta.

La pérdida de peso es el cambio más importante en el estilo de vida. Si tiene sobrepeso, su

*Si usted tiene acceso a Internet, lea más sobre los medidores de presión arterial de uso casero en *www.bloodpressure.com.*

presión debería bajar cinco puntos por cada 10 libras (4½ kilos) que usted pierda.

El error: Beber alcohol. El hallazgo de que beber poco reduce el riesgo de enfermedad del corazón ha llevado a muchos a actuar como si no hubiera desventajas al beber. *Sí las hay.*

El alcohol puede elevar la presión arterial significativamente. Tomar cinco o más copas en un día aumenta la presión sistólica en aproximadamente 5 puntos, y la diastólica en unos 3. Yo les sugiero a mis pacientes que no tomen más de dos copas al día, preferiblemente de vino.

El error: No hacer ejercicios apropiadamente. Después del ejercicio vigoroso, los niveles de presión arterial se mantienen bajos durante horas. Y lograr un buen estado físico reducirá su presión arterial y su riesgo de enfermedad del corazón *permanentemente.*

Yo recomiendo por lo menos 20 minutos de correr, caminar, montar bicicleta, etc., al menos cuatro días a la semana.

Para un entrenamiento de fuerza, las máquinas de peso son más seguras que las pesas libres, debido a que las contracciones musculares elevan la presión arterial y con el uso de las máquinas, éstas no se mantienen por largo tiempo. Las flexiones de pecho ("push-ups") y otras calistenias están bien.

El error: Pensar que evitar la sal será la clave. Sólo cerca de la mitad de todas las personas hipertensas son sensibles a la sal. Su presión baja si reducen la sal y otras fuentes de sodio. Para el otro 50%, evitar la sal no cambia nada.

Para averiguar si su presión arterial cambia con la sal, evite totalmente la sal durante cuatro semanas. Observe si hay algún cambio.

El error: Ignorar el potasio. Ahora existe evidencia sólida que indica que una dieta con potasio reduce la presión arterial. Los alimentos ricos en potasio son las bananas, naranjas, frijoles (habichuelas, "beans"), calabacín ("squash") y las semillas de girasol ("sunflower seeds").

Tenga cuidado con los *suplementos* de potasio. Pueden elevar mucho los niveles de potasio en la sangre y causar perturbaciones peligrosas en el ritmo cardiaco.

El error: Ignorar los efectos de otros fármacos. La presión arterial puede subir por muchos medicamentos con o sin receta.

Ejemplos: La *seudoefedrina*, un descongestionante que tienen muchas pastillas contra el resfriado y la alergia, y los medicamentos antiinflamatorios sin esteroides (AINE o NSAID) como el *ibuprofeno* (Advil).

Si usted toma dosis elevadas de NSAID, pregunte a su médico si puede cambiar a aspirina o acetaminofeno. Para hacer un régimen antihipertensivo eficaz, su médico debe saber *todos* los medicamentos que usted está tomando.

El error: Tomar los medicamentos indefinidamente. La mayoría de las personas que necesita medicamentos para bajar la presión debe tomarlos de por vida. *Pero no todas.* Una vez que la presión arterial de un paciente está bajo control, pruebo retirar los medicamentos. En muchos casos, la presión se mantiene baja.

Sólo modifique su régimen de medicación para la hipertensión bajo supervisión médica, y con una estricta vigilancia en la casa. Si la presión sube de nuevo, retome el tratamiento.

El riesgo de la presión arterial al límite

Christopher J. O'Donnell, MD, MPH, director adjunto del Framingham Heart Study en Framingham, MA. Su análisis de datos de la salud en 18.682 hombres de 40 a 84 años de edad se publicó en *Circulation*, 6720 Bertner St., Houston TX 77030.

Incluso la presión arterial sistólica ligeramente alta aumenta el riesgo de un derrame cerebral y un ataque cardiaco. Los pacientes con niveles de presión sistólica (el número "superior") entre 140 y 159, y presión diastólica (el número "inferior") de 90 ó menos, tienen un 42% más de riesgo de sufrir un derrame cerebral, 56% más de riesgo de sufrir la enfermedad del corazón y un 26% más de probabilidad de tener un ataque cardiaco.

La presión sistólica representa la presión arterial durante las contracciones del corazón. La presión diastólica ocurre entre los latidos.

El mejor lugar para medir su presión arterial

Clarence E. Grim, MD, profesor de medicina clínica en el Medical College of Wisconsin, y director del centro de diagnosis y tratamiento de la presión arterial alta del hospital St. Michael, ambos en Milwaukee, Wisconsin.

Las mediciones de la presión arterial tomadas en la casa son más exactas que las mediciones hechas en el consultorio de un médico. El estrés de estar en el consultorio de un médico (el síndrome de "bata blanca") puede elevar mucho la presión arterial; tanto como un 23%.

Útil: Un medidor de presión arterial de uso casero está disponible en la mayoría de las farmacias. Tome las mediciones tres veces al día (mañana, tarde y noche) durante una semana. Promedie sus mediciones antes de su próxima cita con el médico.

La trampa de la angioplastia

James G. Jollis, MD, profesor adjunto del centro médico de la Universidad Duke en Durham, Carolina del Norte. Su informe de los archivos de 97.000 pacientes de Medicare fue presentado en una reunión de la American Heart Association.

Muchos cardiólogos realizan muy pocas angioplastias para alcanzar el estándar nacional.

La trampa: Hasta un 6,8% de los pacientes sufren complicaciones, incluso fatales, al ser tratados por médicos inexpertos. Sólo el 4,6% de los pacientes cuyas angioplastias son hechas por cirujanos experimentados desarrollan tales complicaciones. Para alcanzar las normas fijadas por el American College of Cardiology, un cardiólogo debe realizar por lo menos 75 angioplastias al año. La mitad de todos los cardiólogos realiza 40 ó menos al año.

Lección: Si usted tiene que someterse a una angioplastia, pregúntele a su cardiólogo por el nivel de experiencia que tiene.

¿Cuán eficaces son los desfibriladores implantables?

Eleanor Schron, RN, directora de proyectos del National Heart, Lung and Blood Institute en Bethesda, Maryland. Su estudio de 1.016 pacientes que padecen anormalidades graves de los latidos del corazón fue presentado en una conferencia de la North American Society for Pacing and Electrophysiology.

Los desfibriladores implantables son muy eficaces. En un estudio, los pacientes con un latido irregular del corazón a quienes se les implantó un dispositivo del tamaño de un casete de audio resultaron un 38% menos propensos a morir que pacientes similares que confiaron solo en una terapia de medicamentos. El desfibrilador, que proporciona descargas eléctricas al corazón para volverlo a la vida después de un fallo cardiaco, demostró ser tan superior a los medicamentos que el estudio fue interrumpido. Hasta 1.500 vidas podrían salvarse al año si los pacientes que escogieron el tratamiento de medicamentos recibieran en cambio un desfibrilador.

La enfermedad del corazón: cuando la cirugía es necesaria... y cuando no lo es

Steven F. Horowitz, MD, director de cardiología del hospital Stamford en Stamford, Connecticut.

Cuando los depósitos grasos estrechan las arterias del corazón las consecuencias pueden ser mortales.

Una reducción en el flujo de sangre priva de oxígeno al corazón, causando a menudo un gran dolor de pecho llamado *angina*. El paciente se cansa fácilmente y puede ser incapaz de hacer ejercicio. Y el riesgo de ataque cardiaco aumenta drásticamente.

Una técnica de cirugía conocida como el *implante de desviación (bypass) de la arteria coronaria* (CABG por sus siglas en inglés) ha demostrado ser muy eficaz al crear un desvío alrededor de estos obstáculos potencialmente mortales. Pero cualquier forma de cirugía, especialmente los procedimientos a corazón abierto como el CABG, es arriesgada. De hecho, de 1% a 2% de las personas que son sometidas a una cirugía de desviación mueren en el hospital.

El riesgo es especialmente alto para los diabéticos, los hipertensos y para aquéllos que ya han tenido un ataque cardiaco o han sido sometidos a la misma operación antes.

Las buenas noticias: Las arterias coronarias bloqueadas pueden destaparse a menudo con una terapia de medicamentos, o con procedimientos quirúrgicos menos invasivos, e incluso con cambios en el estilo de vida.

EVALUACIÓN DE LA OBSTRUCCIÓN

Si usted desarrolla dolor en el pecho o respiración entrecortada al esforzarse, o si tiene otros síntomas de la enfermedad de la arteria coronaria, su médico probablemente programará alguna prueba de diagnóstico no invasiva.

•El electrocardiograma de esfuerzo (la prueba de tensión cardiaca) mide la actividad eléctrica del corazón durante el ejercicio activo.

•El rastreo con talio ("Thallium scan") y la tomografía por emisión de positrones ("PET") chequean si ciertas áreas del corazón están privadas de sangre rica en oxígeno.

Si las pruebas revelan una obstrucción significativa, su médico probablemente recomendará una angiografía.

En este procedimiento de bajo riesgo, un tubo estrecho (catéter) se inserta a través de una incisión en la ingle y se desliza hasta las arterias coronarias. Un tinte especial inyectado a través del catéter hace a las arterias coronarias visibles en el equipo de radiografía.

TERAPIA CON MEDICAMENTOS

Si la obstrucción es grave, su médico puede recomendar la cirugía inmediata. *En la mayoría de los casos, sin embargo, el primer tratamiento es con medicamentos.*

•La nitroglicerina (Monoket, IMDUR). Las pequeñas pastillas que contienen este fármaco, comprobado durante mucho tiempo, pueden colocarse bajo la lengua a la primera señal de angina, o suministrarse todo el día mediante un parche superficial o píldoras. Este medicamento relaja las venas, mientras va disminuyendo la cantidad de sangre que retorna al corazón. Esto permite al corazón trabajar menos. También relaja las arterias coronarias.

•Los betabloqueantes (Lopressor, Tenormin, Inderal). Estos medicamentos de uso oral limitan la respuesta del corazón a la adrenalina en la sangre. Como el corazón bombea más despacio, necesita menos oxígeno.

•Los bloqueantes de los canales de calcio (Calan, Procardia, Cardizem). Esta familia de medicamentos de uso oral relaja las arterias y baja la presión arterial. Algunos de estos medicamentos no deberían usarse por personas con deficiencia cardiaca. La *nifedipina* (Procardia) de acción rápida quizá no debería utilizarse en absoluto si se sufre de enfermedad coronaria.

Otros tres grupos de medicamentos también pueden ser útiles…

•La aspirina puede reducir el riesgo de ataque cardiaco impidiendo que las plaquetas se peguen y formen coágulos.

•Los inhibidores ACE (Capoten, Vasotec, Prinivil) son especialmente valiosos para tratar o prevenir la deficiencia cardiaca después de un ataque cardiaco.

•Los medicamentos para bajar el colesterol (niacina, Mevacor, Zocor, Pravachol, Questran) funcionan principalmente bajando el colesterol "malo" LDL y, en algunos casos, elevando el colesterol "bueno" HDL.

Si su angina empeora a pesar de la terapia con medicamentos, su médico recomendará probablemente una cirugía de desviación (bypass) o una angioplastia.

LA ANGIOPLASTIA

En este procedimiento, se usa un catéter para introducir un globo diminuto en las arterias coronarias. El globo se expande para aplastar la obstrucción causada por los depósitos grasos en las arterias.

Si los obstáculos no son muy numerosos o lo bastante graves como para hacer necesaria la desviación (bypass), y los medicamentos realmente no están haciendo lo suficiente, entonces la angioplastia puede ser lo apropiado.

La angioplastia es menos dolorosa y de menor riesgo que la cirugía de desviación. Se puede estar fuera del hospital en unas horas, o a lo sumo en un par de días, y volver a la actividad diaria un poco después.

La desventaja: En un 50% de los casos, la arteria se cierra otra vez –a menudo en el plazo de seis meses– y el procedimiento debe repetirse.

En años recientes, una variación de la angioplastia se ha vuelto popular. Después de que la arteria bloqueada se abre, se inserta una malla tubular reforzada llamada "stent" o espiral coronario. Con un "stent", las probabilidades de que la arteria se cierre de nuevo se reducen un 50%.

LA DESVIACIÓN CORONARIA (BYPASS)

En la cirugía de desviación, se abre el pecho, se extienden las costillas y el corazón se mantiene detenido mientras una máquina de corazón-pulmón lo sustituye. Los vasos sanguíneos "recolectados" de la pierna o el pecho se unen con las arterias coronarias de manera que ellos lleven la sangre alrededor de la obstrucción.

La cirugía de desviación es la única opción razonable si las pruebas revelan una obstrucción de la arteria coronaria principal izquierda. La desviación también es la mejor opción si se obstruyen tres o más arterias coronarias y la función del ventrículo izquierdo disminuye.

La cirugía de desviación requiere por lo menos cuatro días de hospitalización y varias semanas de recuperación en casa. Puede tomar de dos a cuatro meses antes de que se pueda volver completamente a una vida activa. Los injertos generalmente quedan abiertos de cinco a 15 años pero pueden cerrarse antes.

CAMBIOS EN EL ESTILO DE VIDA

Todos sabemos que una dieta baja en grasa, el ejercicio y la reducción del estrés pueden ayudar a prevenir la enfermedad del corazón. También pueden mejorar la angina e incluso curar la enfermedad de la arteria coronaria.

Quizá haya oído del programa desarrollado por el Dr. Dean Ornish, del Preventive Medicine Research Institute en Sausalito, California. Su programa *no* sustituye la cirugía de desviación o la angioplastia si usted tiene una obstrucción arterial grave, o si tiene una angina inestable que no responde a los medicamentos.

Pero para los pacientes en la "zona gris" donde ningún injerto de desviación de arteria coronaria (CARG) ni la angioplastia ofrecen ninguna ventaja clara, la modificación en el estilo de vida puede ser la mejor opción.

El programa implica…

●**Una dieta vegetariana muy baja en grasa.** Para reducir la grasa total a 10% de las calorías, los participantes aprenden a cocinar sin aceite u otras formas de grasa. La American Heart Association recomienda que el 30% de las calorías provengan de las grasas, pero esto es demasiado alto.

●**Ejercicio aeróbico.** Caminata rápida, correr, trotar, subir escaleras o andar en bicicleta, por lo menos tres horas por semana.

●**Yoga, estiramiento y meditación,** una hora al día. Facilita la relajación profunda.

●**Terapia de grupo.** Para enseñar a las personas formas de expresar sus emociones y mejorar sus relaciones.

Durante los tres primeros meses, los participantes del programa van tres veces por semana a hacer ejercicio, a que les supervisen la dieta, reducir el estrés y hacer terapia de grupo. Durante los próximos nueve meses van una vez por semana.

Para entonces han incorporado la dieta, el ejercicio y la reducción del estrés en sus vidas.

Un nuevo procedimiento quirúrgico para las víctimas de deficiencia cardiaca

Anthony P. Furnary, MD, director adjunto del Starr-Wood Cardiac Group en Pórtland, Oregon. Su estudio de 12 meses de la cardiomioplastia en 68 pacientes con deficiencia cardiaca se publicó en el *Journal of the American College of Cardiology*, 415 Judah St, San Francisco 94122.

La *cardiomioplastia* ("cardiomyoplasty") implica el trasplante de tejido muscular de la espalda del propio paciente a los ventrículos del corazón en problemas. Un dispositivo como un marcapasos, que se implanta al mismo tiempo, estimula al tejido trasplantado a contraerse mientras ayuda al corazón en su función de bombear. La cardiomioplastia es especialmente prometedora en pacientes mayores que no responden a los tratamientos menos drásticos y que tienen otros problemas médicos que los descalifican para un trasplante del corazón.

Avance en la cirugía a corazón abierto

Karl Krieger, MD, profesor de cirugía cardiaca del New York Hospital-Cornell Medical Center en Nueva York.

La cirugía a corazón abierto puede realizarse ahora sin transfusiones múltiples. El medicamento *eritropoetina* aumenta la cuenta de glóbulos rojos antes de la cirugía, mientras que el *aprotinin* ayuda a detener el sangramiento posoperatorio.

Más: El cirujano usa una máquina para recoger la sangre perdida durante la cirugía y luego la transfiere de vuelta al paciente. Normalmente la cirugía a corazón abierto requiere hasta cuatro unidades de sangre, y cada una de ellas puede corromperse a causa de algún virus. Si usted tiene programada una cirugía, pregúntele a su médico por estas estrategias.

Salve su corazón sin cirugía de desviación y sin angioplastia

John A. McDougall, MD, es director médico del McDougall Program para controlar la enfermedad del corazón. Es autor de *The McDougall Program for a Healthy Heart*. Plume.

Para cualquier persona con la enfermedad del corazón, e incluso para cualquiera con *riesgo* de sufrir la enfermedad del corazón, puede parecer como si el tiempo se está terminando.

Pero habiendo tratado en mi clínica a miles de pacientes del corazón durante los últimos 10 años, yo sé que hay tiempo para recuperar la salud cardiovascular en nueve de cada 10 casos. Esto normalmente puede lograrse *sin* angioplastia ni cirugía de desviación.

Cualquier persona ávida de prevenir o curar la enfermedad del corazón debe aprender a evitar los alimentos grasosos y otros "venenos" en la dieta.

Me preguntan a menudo: "¿Con qué frecuencia puedo comer bistec y huevos sin dañar mi corazón?" Yo contesto: "¿Con qué frecuencia puede fumar sin causar daño en su cuerpo?" La única respuesta honrada a ambas preguntas es *nunca*.

LOS CAMBIOS DRÁSTICOS SON POSIBLES

La mayoría de las personas que participan en mi programa de dos semanas están gravemente enfermas. Muchas ya han tenido un ataque cardiaco. Otras toman medicamentos para el dolor del pecho (angina) o la presión arterial alta.

Cuando dejan nuestra clínica, a la mayoría le ha bajado considerablemente tanto el colesterol como la presión arterial, y han dejado de tomar los medicamentos. La inmensa mayoría continúa la vida plenamente.

Esta notable transformación implica tres simples pasos...

● **Elimine todo el exceso de grasa en su dieta.** Es decir, cambie las carnes rojas, el pollo, los productos lácteos, los huevos, los aceites, los pasteles, los dulces y las comidas refinadas o procesadas por frutas, verduras y granos.

● **Haga ejercicio aeróbico diariamente.** En mi programa se exige a los pacientes que caminen por lo menos 30 minutos al día.

● **Aprenda a manejar el estrés psicológico** sin recurrir a comer excesivamente u otra conducta autodestructiva. El masaje, la meditación y la discusión en grupo son maneras eficaces de lograrlo.

LO QUE USTED DEBE SABER SOBRE LA GRASA

El estadounidense promedio obtiene un enorme 40% de sus calorías diarias en forma de grasa. Ésta es la grasa que obstruye las arterias coronarias en forma de emplastes (placas) que causan el ataque cardiaco.

La grasa de su dieta puede poner en peligro su corazón por…

●**Causar que los glóbulos rojos en la sangre se agrupen.** Esto retarda la circulación, reduce el oxígeno en la sangre y aumenta la presión arterial.

●**Crear nuevas placas** y hacerlas propensas a la ruptura.

●**Causar crecimiento en las placas ya existentes.**

●**Causar una coagulación anormalmente rápida de la sangre.** Esto puede conducir a la obstrucción arterial si una placa nueva estalla.

●**Causar la descarga de compuestos de tipo hormonal.** Las llamadas *prostaglandinas* aceleran el efecto de agruparse.

Para impedir que se formen las placas, la American Heart Association (AHA) sugiere limitar el consumo de grasa diaria a 30% de las calorías. Pero los estudios muestran que incluso a este nivel de consumo de grasa se *continúan* formando nuevas placas. Increíblemente, la AHA mantiene su desacertada recomendación.

CÓMO OCURREN LOS ATAQUES CARDIACOS

Muchas personas piensan que un ataque cardiaco ocurre cuando una placa *vieja* crece tanto que obstruye una arteria coronaria.

En realidad, la mayoría de los ataques cardiacos ocurren a consecuencia de la ruptura de una placa *recién formada*, la cual contiene grasa líquida y colesterol.

Esta ruptura deja una herida en la pared de la arteria, la cual se tapa rápidamente con un coágulo de sangre. Este coágulo puede crecer rápidamente, volviéndose tan grande que obstruye la arteria y detiene el flujo de sangre al corazón.

¿Qué implica? Los ataques cardiacos pueden ocurrir aun cuando las arterias coronarias estén relativamente libres de placa. Como les digo a mis pacientes, usted juega a la ruleta rusa *cada vez que ingiere una comida grasosa.*

EL PROGRAMA MCDOUGALL

Mi dieta separa los alimentos en 3 categorías:

●**Coma todo lo que quiera:**

●**Arroz integral**, trigo, maíz ("corn"), avena ("oatmeal") y otros granos integrales.

●**Los productos integrales**, como los fideos ("noodles"), pan, panqueques y barquillos ("waffles"). Asegúrese de que no contengan grasa ni aceites.

●**Papas y batatas ("yams").**

●**Calabacines ("squash").**

●**Guisantes** ("peas"), lentejas, habas blancas ("lima beans") y judías verdes ("string beans").

●**Vegetales verdes y amarillos.**

●**Pepinos**, cebollas, pimientos ("peppers") y tomates.

●**Remolachas** ("beets"), zanahoria, nabos ("turnips") y otros tubérculos.

●**Especias y hierbas no muy picantes.**

●**Coma con moderación:**

●**Frutas**, jugos de frutas y frutas secas (hasta tres porciones al día).

●**Azúcar** y edulcorantes artificiales.

●**Sal.**

●**Alcohol.**

●**Comidas de plantas grasosas**, como nueces ("nuts"), mantequilla de maní ("peanut butter") y tofu.

●**Evite:**

●**Carnes rojas**, pollo, pescados, mariscos, huevos, leche y productos lácteos como mantequilla, queso, yogur y crema agria ("sour cream"). Incluso deben evitarse los productos lácteos descremados porque contienen proteínas que pueden accionar una inmunorespuesta perjudicial para las arterias.

Yo *sólo* permito los alimentos grasosos en ocasiones especiales: huevos en Pascuas… pavo en el día de acción de gracias… torta ("cake") en su cumpleaños.

●**El aceite para cocinar.** En su lugar, use una sartén que no se pegue ("nonstick") o un "wok". Sofría (saltee) con agua, salsa de soja, vino, jugo de tomate, jugo de limón, de lima o salsa Worcestershire.

Al hornear, reemplace el aceite de la receta por la mitad de la cantidad de puré de manzanas ("applesauce"), bananas pisadas o yogur de soja.

●**Los sulfitos.** Estos preservativos, usados en los vinos y en las barras de ensaladas, pueden causar una reacción alérgica.

Cuando compre comida empaquetada, lea cuidadosamente la etiqueta. Evite los productos que contengan grasas y aceites, incluidos los monoglicéridos, diglicéridos y grasas o aceites hidrogenados o parcialmente hidrogenados.

Antes de hacer cambios a largo plazo en la dieta, discuta sus necesidades nutricionales con un médico o nutricionista.

LA HISTORIA DE UN HOMBRE

Charles Schaefer de Santa Rosa, California, sufrió su ataque cardiaco a los 46 años de edad.

Después de someterse a una angioplastia de globo, le dijeron que probablemente necesitaría una cirugía de desviación (bypass). En ese momento su colesterol era de 220, promedio para los estadounidenses. Su peso y su presión arterial también eran normales.

Después de salir del hospital continuó con mi dieta. Su colesterol bajó inmediatamente a 180. Entonces visitó mi consultorio y lo mediqué para bajar el colesterol, con lo que llevó su nivel a 150. También comenzó a caminar o a andar en bicicleta varias veces por semana.

Cuatro años después, las pruebas de tensión en la maquina caminadora demuestran que sus arterias coronarias están abiertas de par en par. Su corazón está sano, y se siente en mejor forma que nunca.

"Si yo me hubiera quedado con la abundante dieta americana", dice el Sr. Schaefer, "hoy no estaría vivo".

Los peligros de la cirugía de desviación (bypass) son reales

Dennis Mangano, PhD, MD, profesor de anestesiología de la Universidad de California en San Francisco, y director del McSPI International Research Group.

La cirugía de desviación coronaria (bypass) ocasiona derrames y otros daños cerebrales más a menudo de lo que la gente se imagina. Uno de cada 15 pacientes que se someten a la cirugía, y uno de cada seis pacientes por encima de los 75 años de edad, sufrirán un daño grave.

Con mayor riesgo: Los pacientes mayores, las mujeres, las víctimas de un derrame anterior y las personas con diabetes o hipertensión.

Previo a la cirugía, asegúrese de que su cirujano usa técnicas diseñadas para reducir el riesgo de derrame cerebral –la ecocardiografía (para localizar el lugar más seguro para instrumentar la arteria principal) y los fármacos para prevenir la caída de la presión arterial –y mantener la atención en la temperatura de los fluidos usados para recalentar el corazón y el cerebro. Su cirujano debe vigilar dentro de los 90 minutos de la operación por cualquier evidencia de derrame cerebral y debe contar con un tratamiento rápido para las complicaciones.

Nuevas y mejores formas de controlar el colesterol

Daniel Rader, MD, director de cardiología preventiva del Sistema de Sanidad de la Universidad de Pensilvania en Filadelfia.

Por décadas, los cardiólogos han estado advirtiendo que un alto nivel de colesterol de *baja densidad de lipoproteína* (el colesterol "malo" LDL) implica un mayor riesgo de ataque al corazón.

En EE.UU., el promedio del nivel de colesterol total es 210, y el promedio del nivel de colesterol LDL es aproximadamente 140.

Pero ahora un número creciente de médicos cree que estos niveles promedio pueden ser *demasiado altos* para asegurar un corazón saludable.

Cada año, más de 800.000 estadounidenses sufren su primer ataque cardiaco. Y muchas de estas personas tienen lecturas promedio de colesterol.

Los médicos piensan ahora que su nivel ideal de colesterol LDL no debe ser mayor de 130. A ese nivel es más difícil que se formen los depósitos arteriales grasos (placas) que causan los ataques cardiacos.

CÓMO BAJAR LOS NIVELES ELEVADOS

Si su colesterol LDL es 130 ó superior…

•**Cambie a una dieta baja en grasa.** El estadounidense promedio recibe 37% de sus calorías de la grasa. Para bajar la cantidad de grasa en su dieta, coma menos carne y más frutas y verduras, sustituya la leche entera por leche descremada y coma más avena y otros tipos de fibras solubles. *Además*, consulte a su médico si debe tomar *psyllium* (Metamucil).

La grasa saturada no debe aportar más del 10% de su consumo calórico diario.

El cuerpo usa la grasa ingerida para hacer colesterol. Pocas personas se dan cuenta, pero ingerir mucha grasa es peor para el corazón que consumir mucho colesterol. No está mal comer huevos una o dos veces por semana.

•**Haga más ejercicio.** El ejercicio aeróbico –por lo menos 20 minutos, tres o cuatro veces por semana– reduce el colesterol LDL en forma moderada.

El ejercicio también aumenta los niveles de colesterol *lipoproteico de alta densidad* (HDL). Ésa es la forma "buena" asociada con la reducción del riesgo de ataque cardiaco.

¿NECESITA USTED TERAPIA CON MEDICAMENTOS?

¿Qué pasa si su nivel de colesterol LDL es 160 o más a pesar de que sigue una buena dieta y un régimen de ejercicios? Los medicamentos para bajar el colesterol pueden ser apropiados si usted fuma, tiene presión arterial alta, diabetes, o antecedentes familiares de ataques cardiacos. Incluso en ausencia de estos factores de riesgo, la terapia de medicación puede ser apropiada.

Tres pruebas pueden darle información sobre su riesgo…

•**Prueba de lipoproteína (a).** Los niveles altos de este componente sanguíneo, generalmente representado como Lp(a), se han relacionado con los ataques cardiacos. El nivel normal de Lp(a) es 20 ó menor.

•**Prueba de homocisteína** ("homocysteine test"). Las personas con niveles altos de este aminoácido en la sangre son propensas al ataque cardiaco. Su nivel de homocisteína debe ser de 10 ó menor. Los suplementos de ácido fólico ayudan a reducir los niveles de homocisteína.

•**Tomografía computarizada ultrarrápida** ("CT scan"). Esta prueba no invasiva de 20 minutos puede verificar el calcio en sus arterias coronarias. Las placas calcificadas son una señal segura de la enfermedad del corazón y pueden predecir un futuro riesgo de ataque cardiaco.

Si estas pruebas indican un riesgo elevado, su médico le puede recomendar medicamentos para bajar el colesterol.

¿CUÁL ES EL MEJOR MEDICAMENTO?

Los medicamentos más utilizados para bajar el colesterol son las estatinas ("statins"). Su médico le puede recomendar la *pravastatina* (Pravachol) o la *simvastatina* (Zocor). Ambas han demostrado, en estudios a gran escala, reducir los índices de ataque al corazón.

Su médico también le puede recomendar dosis elevadas de *ácido nicotínico* (niacina). Aunque es eficaz reduciendo el colesterol, la niacina puede causar enrojecimiento facial y niveles elevados de azúcar o ácido úrico en la sangre. Las personas que la toman deben ser supervisadas de cerca por un médico.

HDL Y LOS TRIGLICÉRIDOS

Los niveles bajos de colesterol HDL están asociados a un mayor riesgo de ataque cardiaco. Si su nivel de HDL es menor que 35, pregúntele a su médico qué puede hacer para aumentarlo.

Los estudios sugieren que el HDL puede aumentarse con una terapia de niacina, con el consumo moderado de alcohol (una o dos copas al día) y con ejercicio vigoroso.

Un nivel de triglicéridos de 250 ó más se asocia con un incremento del riesgo de ataque cardiaco, aunque los triglicéridos altos suponen una amenaza menor que el colesterol alto.

Los niveles de triglicéridos normalmente pueden bajarse con la pérdida de peso, el ejercicio y una dieta baja en grasa y, especialmente importante, en azúcar.

Si tiene los triglicéridos altos, consulte a su médico sobre sustituir los jugos de fruta, que tienen altos niveles de azúcar, por fruta fresca.

MÉTODOS ALTERNATIVOS

Las personas que comen mucho pescado tienen un menor riesgo de enfermarse del corazón. Pero no hay ninguna evidencia de que las cápsulas de aceite de pescado ("fish oil capsules") tengan el mismo efecto. En algunas personas incluso *aumenta* el LDL.

Las cápsulas de aceite de pescado pueden ayudar a reducir los triglicéridos muy altos (por encima de 1.000). Si usted tiene los triglicéridos altos, pregúntele a su médico si las cápsulas de aceite de pescado son apropiadas. Se ha demostrado que consumir mucho ajo reduce un poco el colesterol. Pero las *píldoras* de ajo no han dado buenos resultados. Tomarlas no causa daño, pero no sustituyen los medicamentos para bajar el colesterol.

¿HA SUFRIDO YA UN ATAQUE CARDIACO?

Si usted ha tenido un ataque cardiaco o tiene una enfermedad del corazón, su colesterol LDL debe ser menor que 100. Hay muchas probabilidades de que usted necesite medicación para alcanzar esa meta.

Los médicos están empezando a pensar que los medicamentos pueden ser apropiados para casi todos los sobrevivientes de un ataque cardiaco. Un estudio publicado en *The New England Journal of Medicine* sugiere que tienen razón. En este estudio, se suministró *pravastatina* o un placebo a más de 4.000 sobrevivientes de ataques cardiacos con un nivel promedio de colesterol LDL. Durante los siguientes cinco años, las personas que recibieron pravastatina sufrieron 24% menos ataques cardiacos que aquéllas que recibieron un placebo.

Lección: Si usted ha tenido un ataque cardiaco, reducir el colesterol puede reducir el riesgo de sufrir otro, incluso si su nivel de colesterol no es elevado. Su nuevo objetivo para el colesterol LDL debe ser 100 ó menor. En la actualidad, solamente uno de cuatro pacientes del corazón logra este nivel.

En definitiva: Reducir los niveles de colesterol previene los ataques cardiacos. Si no lo consigue con la dieta y el ejercicio, los medicamentos son eficaces y muy seguros.

Para un mejor ecocardiograma

Nelson B. Schiller, MD, director y profesor de medicina, anestesiología y radiología de la Universidad de California en San Francisco.

Para un mejor examen de ultrasonido del corazón (ecocardiograma) pregúntele al médico acerca de apretar una pelota de tenis durante el procedimiento. Esto hace que la presión arterial y el corazón se aceleren, resultando más fácil para el médico descubrir problemas del corazón y del sistema circulatorio. Los médicos normalmente usan los ecocardiogramas para calcular el daño sufrido por el corazón después de un ataque cardiaco.

La aspirina y el enojo

Murray A. Mittleman, MD, DPH, profesor adjunto de medicina de la facultad de medicina de la Universidad Harvard en Boston.

La aspirina puede reducir el riesgo de ataques cardiacos en las personas enojadas. Un estudio de 1.623 personas reveló que las personas enojadas eran más de dos veces más propensas a sufrir un ataque cardiaco en las dos horas siguientes de sentirse enfadadas, que en otros momentos.

Sin embargo, en los miembros del grupo que tomó aspirina regularmente no se encontró una conexión entre el enojo y los ataques cardiacos.

Por mucho tiempo se ha recomendado que las personas tomen una pastilla de aspirina (o media pastilla por día) para reducir el riesgo de ataque cardiaco. La aspirina hace menos probables los ataques cardiacos al minimizar la posibilidad de que se formen coágulos de sangre potencialmente peligrosos.

Los investigadores piensan que también funciona para neutralizar los efectos de la adrenalina y otras hormonas de la tensión generadas por el enojo y que hacen más probable la formación de coágulos.

Mejor que la aspirina

Michael Gent, DSc, departamento de epidemiología clínica y bioestadística del Henderson Research Centre en Hamilton, Ontario, Canadá. Su estudio de 19.185 voluntarios que habían sufrido ataques cardiacos, derrames cerebrales u obstrucción de las arterias en las piernas se publicó en *The Lancet*, 32 Jamestown Rd., Londres, NW1 7BY.

El anticoagulante *clopidogrel* es mejor que la aspirina para evitar ataques cardiacos y derrames cerebrales (apoplejía). El clopidogrel reduce el riesgo de nuevos ataques cardiacos y derrames a un tercio, comparado con un cuarto de la aspirina.

Más: Los pacientes voluntarios que tomaron este medicamento fueron menos propensos a sufrir hemorragias gastrointestinales que aquéllos que tomaron aspirina. El medicamento puede ser apropiado para pacientes con enfermedad del corazón o la enfermedad arterial periférica.

El peligro de un fármaco para el corazón

Bruce Yaffe, MD, internista con práctica privada, Yaffe & Ruden Medical Associates, 201 E. 65 St., Nueva York 10021.

Si su médico le ha prescrito Procardia o Adalac, asegúrese de que sea la fórmula de acción prolongada.

Actualmente la agencia federal Food and Drug Administration (FDA) requiere que los antiguos bloqueantes de los canales de calcio de acción rápida, recetados para la presión arterial alta o para la angina de pecho, tengan una etiqueta de advertencia, porque algunos estudios los han relacionado con el aumento del riesgo de ataque cardiaco.

Estos estudios tienen poca relevancia para las personas que toman los bloqueantes de los canales de calcio más nuevos, con fórmulas de acción prolongada. Los más recientes bloqueantes de los canales de calcio controlan la hipertensión manteniendo un nivel estable del medicamento en el cuerpo en lugar de permitir

que los niveles fluctúen rápidamente, lo que puede ser peligroso.

El horario de trabajo puede ser riesgoso

Ichiro Kawachi, MD, PhD, profesor de epidemiología social y director del Centro Harvard para la sociedad y la sanidad, de la facultad de sanidad pública de la Universidad Harvard en Boston.

En un estudio, el riesgo de ataque cardiaco fue superior al 70% entre las enfermeras que trabajaban rotando turnos que entre sus compañeras que trabajaban horas regulares.

El posible culpable: El estrés resultante de la interrupción del reloj biológico diario del cuerpo. Esto causa la descarga de hormonas del estrés como la epinefrina, la norepinefrina y el cortisol. Al mismo tiempo, estas hormonas elevan la presión arterial, reducen la tolerancia a la glucosa y aumentan el desgaste en el sistema cardiovascular.

Los beneficios de los medicamentos que reducen el colesterol

James Shepherd, MD, profesor de bioquímica patológica de The Royal Infirmary en Glasgow, Escocia.

La *pravastatina*, medicamento para reducir el colesterol, puede prevenir los ataques cardiacos en los hombres que tienen niveles elevados de colesterol pero sin historia de enfermedad del corazón.

Investigadores en Escocia estudiaron a más de 6.000 hombres aparentemente saludables entre las edades de 45 y 64 años con niveles altos de colesterol. En aquéllos que tomaron la medicina hubo un 28% menos muertes a causa de la enfermedad del corazón, y un 31% menos de ataques cardiacos no fatales que en un grupo similar que tomó un placebo.

Cómo ayudar a que los vasos sanguíneos funcionen adecuadamente

David G. Harrison, MD, director y profesor de medicina de la división de cardiología de la Universidad Emory en Atlanta.

Un estudio de personas con el colesterol alto halló que las paredes de sus arterias no se expandían cuando debían hacerlo (por ejemplo, después del ejercicio). Después de que los investigadores les dieron a estos pacientes los medicamentos para reducir el colesterol durante nueve meses, encontraron que las paredes de las arterias empezaron a dilatarse apropiadamente y la presión arterial había bajado. Las arterias que no se dilatan apropiadamente privan a la sangre de fluir lo bastante rápido a través del cuerpo en momentos de estrés, y están asociadas con los ataques cardiacos y otros problemas cardiovasculares.

El mejor tratamiento para la enfermedad del corazón

Nanette Kass Wenger, MD, profesora de medicina de la facultad de medicina de la Universidad Emory, y jefa de cardiología en el hospital Grady Memorial, ambos en Atlanta.

Los programas de ejercicio y dieta y otros tratamientos individualmente recetados para bajar el riesgo reducen un 25% los índices de mortalidad entre las víctimas de la enfermedad del corazón, pero menos de un tercio de los pacientes que podrían beneficiarse de tales programas se inscriben en ellos.

Por qué: Muchos médicos no refieren bien a los pacientes porque no conocen ningún programa local y muchos pacientes tienen una cobertura inadecuada del seguro. Los programas de ejercicio no representan ningún riesgo de salud, ni siquiera para los pacientes de edad más avanzada.

Útil: Puede conseguir el folleto gratis en inglés, *Recovering from Heart Problems Through Cardiac Rehabilitation*, #96-0674 en la Agency for Healthcare Research and Quality; llámelos al 800-358-9295, o visite el sitio Web *www.ahrq.gov*.

Un reductor fácil del riesgo de enfermedad

Ralph S. Paffenbarger, Jr., MD, profesor emérito de epidemiología de la facultad de medicina de la Universidad Stanford en California.

Un seguimiento al famoso estudio de 1978 de 1.120.000 graduados de Harvard confirmó sus resultados: los hombres de mediana edad y mayores que se ejercitaron moderadamente tuvieron la mitad de ataques cardiacos que sus contemporáneos que no se ejercitaron.

Un mundo sin fumadores

Alan Blum, MD, director del Center for the Study of Tobacco and Society de la Universidad de Alabama en Tuscaloosa. Es el fundador de Doctors Ought to Care (DOC), un grupo antitabaco reconocido por mucho tiempo por sus servicios a favor de la salud pública.

Más de 46 millones de personas han dejado de fumar. La mayoría de las personas que tienen éxito dejando de fumar solo lo consiguen después de hacer de tres a cinco intentos, así que fallar una o dos veces no es razón para rendirse. Después de dejar de fumar, la salud mejora sin importar cuánto tiempo uno haya fumado o cuántos años tenga. El riesgo adicional de sufrir la enfermedad del corazón por fumar disminuye un 50% en un año, luego continúa bajando hasta llegar a cero después de 15 años. Y después de cinco años, el riesgo de derrame cerebral enfrentado por los fumadores baja al nivel que afrontan las personas que nunca han fumado.

El tiempo es esencial

Charles Hennekens, MD, jefe de medicina preventiva del hospital Brigham and Women's en Boston.

Tomar una aspirina durante –o muy pronto después de– un ataque cardiaco reduce el riesgo de muerte significativamente. Un estudio mundial de más de 17.000 pacientes halló que los que tomaron aspirina dentro de las 24 horas desde la aparición de los primeros síntomas fueron 23% menos propensos a morirse de un ataque cardiaco que aquéllos que no lo hicieron.

Cuando la aspirina se tomó con *estreptoquinasa*, el medicamento para disolver coágulos, el índice de mortalidad disminuyó un 42%. Se cree que la aspirina previene la producción de prostaglandinas, sustancias que ayudan a la sangre a que se coagule. Los coágulos pueden bloquear los vasos sanguíneos que llevan el oxígeno vital al corazón dañado.

La estatura y la enfermedad del corazón

Donna Parker, ScD, profesora auxiliar (investigadora) de salud comunitaria de la Universidad Brown en Providence, Rhode Island, que dirigió un estudio de más de 6.500 personas.

Los hombres que miden más de cinco pies y diez pulgadas (1,78 m) tienen un 80% menos de riesgo de sufrir la enfermedad del corazón que los hombres que miden menos de cinco pies y cinco pulgadas (1,65 m).

Las posibles razones: Una nutrición infantil –o nutrición prenatal– deficiente puede impedir el crecimiento y afectar la salud adulta. Además, las arterias del corazón de una persona baja son más estrechas, lo que posiblemente incrementa el riesgo de obstrucción.

La autodefensa: Los hombres bajos deberían enfocarse en los riesgos controlables –el fumar, la presión arterial, el ejercicio, la dieta, el peso. Los resultados no fueron concluyentes para las mujeres bajas pero deberían tener las mismas precauciones.

La estatura promedio: Aproximadamente 5 pies y 9 pulgadas (1,75 m) para los hombres, y 5 pies y 4 pulgadas (1,62 m) para las mujeres.

Hasta un poco es demasiado

James Shepherd, MD, profesor y director del departamento de bioquímica patológica de la facultad de medicina de la Universidad de Glasgow, Escocia. Su estudio de cinco años de 6.595 hombres de 45 a 64 años de edad con los niveles de colesterol entre 250 y 300 se publicó en el *The New England Journal of Medicine*, 10 Shattuck St., Boston, MA 02115.

Hasta hace poco, la mayoría de los médicos estaba de acuerdo en que los medicamentos para bajar el colesterol debían reservarse solo para los pacientes con el riesgo más alto de sufrir la enfermedad del corazón.

Hallazgo: Los pacientes saludables en general pero con colesterol ligeramente elevado que tomaron *pravastatina* (Pravachol) tuvieron 31% menos ataques cardiacos que aquéllos que tomaron un placebo.

Los resultados de las pruebas pueden variar

Glen Griffin, MD, antiguo médico de cuidados primarios que actualmente dicta conferencias sobre dietas baja en grasas. Es coautor de *The New Good Fat, Bad Fat: Lower Your Cholesterol and Reduce Your Odds of a Heart Attack*. Perseus.

Los resultados de la prueba de colesterol pueden variar. Los factores que afectan los resultados pueden ser las enfermedades y el embarazo.

Útil: Haga que su médico realice dos o más pruebas antes de que usted haga cualquier cambio importante en su estilo de vida.

Importante: Las pruebas de colesterol deben incluir una determinación de su índice de HDL –la proporción de colesterol total al colesterol "bueno" HDL. Un índice saludable es *menos de cuatro*. Esta medida es mucho mejor para predecir el riesgo de la enfermedad del corazón que las lecturas globales de colesterol.

El ejercicio y
el ataque cardiaco

Wayne Chandler, MD, profesor de medicina de laboratorio de la Universidad de Washington en Seattle. Estuvo a cargo de un estudio de 44 hombres y mujeres de alrededor de 66 años de edad.

Los hombres y las mujeres que pedalearon en bicicleta, caminaron o trotaron tres veces por semana en un período de seis meses fueron menos propensos a sufrir coágulos de sangre –y potenciales ataques cardiacos fatales– que los que solo hicieron ejercicios de flexibilidad.

La sangre también era menos propensa a coagularse por la mañana, que es el momento del día en que los ataques cardiacos tienen mayor probabilidad de ocurrir. Este estudio puede ser el primero en explicar por fin con exactitud cómo el ejercicio ayuda a prevenir los ataques cardiacos.

Además: Aquéllos que alcanzaron mejor nivel de capacidad física durante el estudio fueron los menos propensos a sufrir coágulos de sangre, pero los beneficios desaparecieron una vez que detuvieron su rutina de ejercicio regular.

¿Más daños
que beneficios?

William E. Boden, MD, profesor de medicina de la facultad de medicina de la Universidad de Connecticut y director de cardiología en el hospital Hartford. Su estudio de 920 sobrevivientes de ataques cardiacos se presentó en una conferencia del American College of Cardiology.

Una prueba común del corazón causa más daños que beneficios para los sobrevivientes de un tipo de ataque cardiaco. La *angiografía*, un procedimiento de radiografía en que un catéter se lleva hasta el corazón, puede ser muy intrusivo para los sobrevivientes de ataques cardiacos sin onda Q.

El estudio: La mortalidad entre los sobrevivientes de un ataque cardiaco sin onda Q que se sometieron a la angiografía era un 34% mayor que la proporción entre aquéllos que recibieron en cambio una prueba de corazón no invasiva. Los médicos pueden distinguir un ataque cardiaco con onda Q de un ataque cardiaco sin onda Q a través de un simple electrocardiograma (EKG).

La relación de la dieta
de la madre con la
enfermedad del corazón

David J.P. Barker, MD, PhD, director de la Medical Research Council Environmental Epidemiology Unit de la Universidad de Southampton, Inglaterra.

El riesgo de sufrir la enfermedad del corazón y otras enfermedades se relaciona con la dieta de la madre durante el embarazo. Una madre desnutrida tiene mayor probabilidad de dar a luz a un bebé pequeño. El tamaño pequeño del recién nacido se relaciona con la resistencia a la insulina (una situación que puede llevar a la diabetes), la presión arterial alta y dos importantes factores de riesgo de sufrir la enfermedad del corazón: los niveles altos de los triglicéridos y los niveles bajos de colesterol "bueno" HDL.

El aceite de pescado y
los ataques cardiacos

Christine M. Albert, MD, profesora auxiliar de medicina de la facultad de medicina de la Universidad Harvard en Boston.

El pescado parece combatir el ataque cardiaco. En un estudio, los hombres que comieron pescado por lo menos una vez a la semana fueron 50% menos propensos a morirse de la enfermedad de la arteria coronaria que los hombres que comieron pescado menos de una vez al mes. Cuanto más pescado comieron, menor fue su riesgo.

La teoría: Los compuestos del pescado –probablemente los ácidos grasos omega-3– son beneficiosos para el corazón. *Sin embargo*, las cápsulas de aceite de pescado pueden no beneficiar al corazón ya que no contienen todos los compuestos que se encuentran en el pescado.

Cómo reducir los riesgos de muerte por un ataque cardiaco

Arthur Moss, MD, profesor de medicina del centro médico de la Universidad de Rochester en el estado de Nueva York. Líder del estudio de casi 200 sobrevivientes de ataques cardiacos, publicado en *The New England Journal of Medicine,* 10 Shattuck St., Boston, MA 02115.

Los desfibriladores del corazón implantados podrían reducir el riesgo de muerte en un 50% para las personas que han sobrevivido a un primer ataque cardiaco y tienen latidos erráticos del corazón. Los implantes, que funcionan con pilas (baterías), trabajan como los desfibriladores externos usados comúnmente por el personal de emergencia. Proporcionan una descarga eléctrica al corazón para volverlo a su ritmo normal durante un fallo cardiaco.

Los betabloqueantes y los ataques cardiacos

Stephen Soumerai, ScD, es profesor de prevención y cuidados ambulatorios de la facultad de medicina de la Universidad Harvard en Boston. Su estudio se publicó en *The Journal of the American Medical Association*, 515 N. State St., Chicago, IL 60610.

Los pacientes más viejos sobrevivientes de un ataque cardiaco a quienes les suministraron *betabloqueantes* vivieron más tiempo. Un estudio de cinco años de 5.300 pacientes de Medicare halló que aquéllos que usaron betabloqueantes después de los ataques cardiacos tuvieron 43% menos de probabilidades de morirse en los dos años siguientes que aquéllos que no lo hicieron. Algunos investigadores creen que si los médicos prescribieran los betabloqueantes para todos los pacientes elegibles, se salvarían aproximadamente 7.000 vidas por año. Los betabloqueantes retardantes del corazón sólo cuestan cerca de $3 por mes, mucho menos que los $30 a $50 por mes que cuestan los bloqueantes de los canales de calcio que se prescriben más frecuentemente, pero son menos efectivos.

La relación del ajo y el colesterol

Manfred Steiner, MD, PhD, profesor de medicina de la facultad de medicina de la Universidad East Carolina, cuyo estudio se publicó en *American Journal of Clinical Nutrition*, 3247 Meyer Hall, University of California, One Shields Ave., Davis, CA 95616.

Cuando hombres que en general eran saludables, pero que tenían el colesterol alto tomaron suplementos de ajo durante seis meses, sus niveles de colesterol bajaron un 5% o más. Los suplementos contienen siete gramos de ajo añejado –equivalente a 10 a 15 gramos de ajo cocinado o dos dientes de ajo fresco.

La posible explicación es que el ajo reduce el colesterol "malo" LDL, aunque no tenga efectos en el colesterol "bueno" HDL.

El peligro de la tensión psicológica

Debra K. Moser, DNSc, RN, profesora de enfermería cardiovascular de la facultad de enfermería de la Universidad de Kentucky en Lexington. Su estudio de nueve meses de 86 sobrevivientes de ataques cardiacos se publicó en *Psychosomatic Medicine*, 428 E. Preston St., Baltimore, MD 21202.

El estrés grave a consecuencia de un ataque cardiaco aumenta las posibilidades de sufrir complicaciones. Todos los sobrevivientes de un ataque cardiaco experimentan algo de ansiedad, pero algunas personas son más ansiosas que otras.

El estudio: Los pacientes que se sintieron más ansiosos después de un ataque cardiaco eran 4,9 veces más propensos a sufrir angina, espasmos del corazón, otro ataque cardiaco o arritmias peligrosas que los otros menos ansiosos. Casi el 20% en esta categoría de ansiedad alta sufrieron complicaciones, comparados con el 6% de pacientes de ansiedad baja.

La teoría: La ansiedad grave causa que el cuerpo produzca *catecolaminas* y otros químicos relacionados con el estrés que espesan la sangre.

Útil: Contacto frecuente con la familia y los amigos, y terapia de relajación.

Los niveles de triglicéridos

Michael Miller, MD, director del centro de cardiología preventiva de la facultad de medicina de la Universidad de Maryland en Baltimore. Su estudio sobre niveles de triglicéridos en 492 hombres y mujeres se presentó en una reunión de la American Heart Association.

Los niveles seguros de triglicéridos pueden no ser tan seguros después de todo. Las pautas actuales requieren que los triglicéridos no estén por encima de 200. Pero un estudio halló que las personas con los niveles entre 100 y 200 tenían el doble de riesgo de sufrir un ataque cardiaco que aquéllas con los niveles por debajo de 100. Ellas eran también doblemente propensas a necesitar una cirugía de desviación (bypass) u otro procedimiento para desbloquear las arterias coronarias.

Para mantener bajos los niveles de triglicéridos: Haga ejercicio regularmente, minimice el consumo de azúcar y grasa saturada y aumente el consumo de ácidos grasos omega-3. Las fuentes de ácidos grasos omega-3 son las sardinas, la caballa ("mackerel"), el atún, las cápsulas de aceite de pescado y el aceite de linaza ("flaxseed oil").

Cómo reducir el riesgo de derrame cerebral

Gregory W. Albers, MD, director del Stanford Stroke Center del centro médico de la Universidad Stanford en Palo Alto, California. Su estudio de fibrilación auricular en 309 pacientes ancianos se publicó en *Archives of Internal Medicine*, 515 N. State St., Chicago 60610.

Para reducir el riesgo de derrame cerebral (apoplejía, "stroke"), las personas que experimentan un tipo de latido irregular del corazón conocido como fibrilación auricular ("atrial fibrillation), normalmente deberían ser tratados con anticoagulantes como la aspirina o la *warfarina* (Coumadin). En un estudio, se encontró que el 82% de estos pacientes tenían un alto riesgo de derrame, y sólo el 64% estaba tratándose con alguno de esos medicamentos. Muchos médicos dudan en recetar Coumadin porque no están preparados para hacer la supervisión necesaria a los pacientes o temen complicaciones a causa de posibles hemorragias.

El tratamiento temprano es lo mejor

Eric Topol, MD, presidente del departamento de medicina cardiovascular de la Cleveland Clinic en Cleveland, Ohio.

Comenzar con el tratamiento más temprano podría reducir las muertes por ataque cardiaco en un 15%. En promedio, ahora el tratamiento empieza casi tres horas después de los síntomas del ataque.

La autodefensa: Si tiene síntomas de ataque cardiaco, busque tratamiento inmediatamente.

Los síntomas de peligro: Dolor o presión en el pecho que dura más de unos cuantos minutos, dolor que se extiende a los hombros, al cuello o a los brazos, mareo, náuseas y respiración entrecortada.

4

Su médico y usted

La manera inteligente de escoger a su médico

Timothy McCall, MD

Siempre ha sido importante encontrar un buen médico de cabecera ("primary-care physician"), especialmente ahora, cuando las organizaciones de mantenimiento de la salud (HMO, por sus siglas en inglés) juegan un papel cada vez más amplio en la administración de servicios de salud.

En la mayoría de las HMO y de otros planes de atención médica dirigida ("managed-care plans"), su médico de cabecera funciona como un "portero": es él/ella quien decide si usted debe ver a un especialista, someterse a terapia física, ser hospitalizado, etc.

Dado que los médicos de las HMO reciben incentivos financieros para mantener bajos los costos, es importante elegir uno que equilibre el deseo de la compañía de seguros de maximizar las ganancias y sus necesidades de salud.

¿Cómo encontrar a un buen médico? No importa si usted pertenece a una HMO o si cuenta con una cobertura de seguro tradicional; gran parte de la sabiduría convencional suele estar equivocada.

Algunos expertos recomiendan que se elija a un médico según la calidad de sus credenciales. Es sensato indagar a qué facultad de medicina asistió su médico y si ha sido acreditado por la junta médica. Sin embargo, un médico que haya asistido a una prestigiosa facultad de medicina, como la de la Universidad Johns Hopkins, pudo haberse graduado en el último lugar de su clase. Usted podría estar mejor con alguien que sobresaliera en la facultad de medicina de "Quién sabe dónde". Las credenciales pueden ser engañosas.

Otros expertos opinan que es mejor pedir recomendaciones a amigos y familiares. Pero esa no siempre es una buena idea.

Timothy McCall, MD, internista en Boston, editor médico de la revista *Yoga Journal* y autor de *Examining Your Doctor: A Patient's Guide to Avoiding Harmful Medical Care*. Citadel Press. *www.drmccall.com*.

Mucha gente acierta al juzgar el trato con los pacientes, y eso es importante. Pero algunos médicos de trato agradable no son buenos en la práctica de la medicina. Pocas personas están preparadas para juzgar las capacidades y criterios de un médico.

Una manera más confiable de encontrar un buen médico es conseguir la recomendación de alguien que esté dentro del sistema médico. Si usted conoce a alguien que trabaje en un hospital o en una clínica, esa persona probablemente sepa lo que se dice sobre los médicos locales; quiénes son buenos y, sobre todo, a quiénes hay que evitar.

¿Cómo puede elegir después de haber identificado algunos buenos candidatos?

La sabiduría convencional recomienda entrevistar a cada médico hasta encontrar uno con quien usted se sienta cómodo. Muchos médicos aceptan una breve sesión "para conocerse". No es mala idea. Usted podría aprender un poco acerca de cómo el médico trata a los pacientes y hasta quizás algo de su filosofía médica.

Finalmente, sin embargo, no son las credenciales, la reputación del médico o las cosas que dice lo que importa. Lo que importa es si ejerce bien la medicina. Al contrario de la creencia popular, casi cualquier persona es capaz de juzgar eso.

Empiece por investigar y leer acerca de cualquier condición que se le haya diagnosticado y cualquier medicamento que se le haya prescrito. Mientras más sepa, estará mejor preparado/a para evaluar el conocimiento y las capacidades de un médico.

Probablemente, lo más fácil de determinar es si su médico le dedica suficiente tiempo.

Una entrevista cuidadosa y un examen físico profundo son la base de una buena práctica médica, y eso toma tiempo, al igual que explicar y responder preguntas.

Dado que las clínicas y las HMO presionan a los médicos a dedicar menos tiempo a sus pacientes, creo que la cantidad de tiempo que un médico le dedica a sus pacientes es el mejor indicativo de cuánto le preocupa su salud. Un médico que esté dispuesto a enfrentarse al sistema para darle a usted el tiempo que necesita puede también estar dispuesto a echarle una mano si su asegurador intenta negarle algún servicio que usted necesite.

El proceso de evaluación de un médico debe ser continuo. Hay mucho que usted puede saber sobre un médico antes de su primera cita, pero sabrá mucho más después de un tiempo.

Es como escoger un trabajo o una universidad. Usted escoge la que le parece mejor, pero a menudo no sabe lo que escogió hasta que lo ha tenido por un tiempo.

Cómo sacar el mejor provecho de la relación médico-paciente

Bernard Lown, MD, profesor emérito de cardiología de la facultad de sanidad pública de la Universidad Harvard y médico senior en el hospital Brigham and Women's, ambos en Boston. Es autor de *The Lost Art of Healing.* Houghton Mifflin.

Su médico, ¿realmente se preocupa por usted, o únicamente le da el tratamiento? Como médico con más de 40 años de experiencia, puedo dar fe de que una buena relación médico-paciente reduce enormemente la ansiedad asociada al hecho de estar enfermo. También amplía la probabilidad de que usted obtenga una buena atención médica.

Lección: Vale la pena examinar el comportamiento de un médico con el mismo cuidado con el que se examinan los diplomas colgados en su oficina.

Aquí tiene siete señales de que usted ha llegado al consultorio correcto…

• **Usted habla con el médico antes de desvestirse.** Si apenas al llegar a su primera cita, se le lleva a una sala de examen y se le pide quitarse la ropa, usted está en una "fábrica" de pacientes, no en un consultorio médico.

Su primera visita al médico debería ser en su oficina privada, y usted debería estar vestido. El primer objetivo de su médico debería ser tranquilizarlo. La mejor manera de lograrlo es conversando unos minutos. Forzarlo a tiritar desnudo bajo una delgada bata no es la mejor manera.

•**El médico le da la mano.** Extender la mano para saludar es una señal de respeto pequeña pero significativa. No censuraría a los médicos que no estrechan la mano de sus pacientes, pero es un punto en su contra.

Del mismo modo, ¿su médico supone que está bien llamarlo por su nombre, o tutearlo? Hacerlo es una falta de respeto. Un buen médico pregunta a sus pacientes cómo desean que se les llame –y respeta sus deseos.

•**El médico es puntual.** Puede que el médico quiera *hacerle pensar* que está retrasado porque ha dado prioridad a otros pacientes más enfermos que usted: rara vez es ese el caso.

La impuntualidad constante es el resultado inevitable de una mala organización, del exceso de citas y/o de arrogancia e indiferencia ante el tiempo de los demás. Un buen médico muestra respeto por sus pacientes viéndolos a la hora acordada.

•**El médico no es interrumpido por llamadas telefónicas.** La concentración del médico se corta cada vez que atiende la llamada de su secretaria. Yo mismo le he prohibido a mi asistente que me interrumpa, salvo que sea una emergencia grave. Un buen médico responde las llamadas entre un paciente y otro.

•**El médico es optimista.** El estado de ánimo del médico influye no solo en el estado emocional del paciente, sino también en su desempeño médico. Las palabras pueden herir o curar, y un buen médico lo sabe.

Su médico debe mostrarse animado sin importar cuál sea su condición. *Siempre* puede hacerse algo para ayudar, incluso si se trata sólo de reducir su ansiedad. Siempre digo a mis pacientes que ya no tienen que preocuparse por su malestar porque de ahora en adelante soy yo quien se hará cargo.

•**El médico hace una historia clínica cuidadosa.** Setenta y cinco por ciento de la información necesaria para realizar un diagnóstico preciso procede de hacer una historia detallada del paciente.

Esto tiene sentido ya que el médico puede saber mucho acerca de una enfermedad en particular, pero sabe muy poco sobre la forma en que esa enfermedad se manifiesta en usted.

Sólo usted puede revelarlo, y solo si su médico está prestando atención a lo que usted le dice.

Su médico debe preguntarle no sólo acerca de su condición médica, sino también acerca de su trabajo, sus relaciones sociales y cualquier otro aspecto de su vida que pueda estar afectando su salud. Hacer una buena historia médica es la señal más importante de una buena práctica médica.

•**Usted se siente atendido.** Cada vez que salga del consultorio, debería sentirse mejor si no física por lo menos emocionalmente. Debe sentir que el médico tomó sus preocupaciones con seriedad y contestó todas sus preguntas.

El médico debería hablar en términos que usted pueda entender, pero sin hacerle sentir ignorante. Principalmente, usted debe tener confianza en el médico, no solo por su experiencia, sino porque se trata de otro ser humano que tiene el compromiso de cuidar de usted.

¿CÓMO ES SU MÉDICO?

Si usted se ha fracturado el pie y el mejor ortopedista de la ciudad es malhumorado y apresurado, no importa. Como usted estará bajo su cuidado solo por un período de tiempo limitado, su experiencia es más importante que su personalidad.

Pero no disculparía tan fácilmente una conducta inadecuada en mi médico de cabecera.

Si su médico no cumple con todos los criterios que hemos mencionado, dígaselo. Incluso entréguele una copia de este artículo –para empezar la conversación.

Cómo obtener la mejor atención de su médico

Richard L. Sribnick, MD, internista con práctica privada en Columbia, Carolina del Sur. Es coautor de *Smart Patient, Good Medicine: Working with Your Doctor to Get the Best Medical Care.* Walker & Co.

Aunque ciertamente los médicos más conscientes tratan de brindar una buena atención a todos los pacientes por igual, tienden a hacer un mejor trabajo con quienes se llevan mejor.

En la relación médico-paciente, como en cualquier otra, se requiere un esfuerzo para que funcione. *Estos son algunos datos para mejorar la suya...*

●**Hable claro y de manera concisa cuando describa sus síntomas.** Aun cuando luego le realicen un examen físico y pruebas de laboratorio, el primer –y a menudo el más crítico– ingrediente para un diagnóstico preciso es qué tan bien describe usted sus síntomas.

Una buena descripción reduce el riesgo de un diagnóstico equivocado, puede evitar pruebas de diagnóstico y procedimientos quirúrgicos innecesarios.

Útil: Prepare su discurso por escrito con antelación. Si espera a estar medio desvestido en el consultorio, podría pasar un mal rato intentando expresar sus ideas claramente. *Cuatro puntos clave...*

●**¿Cuándo** apareció por primera vez el problema?

●**¿Dónde** está localizado? Sea específico. "Dolor en la sien" es mejor que "dolor de cabeza".

●**¿Cómo** se siente? ¿Es un dolor agudo? ¿Palpitante? ¿Cuán a menudo lo siente? ¿Cuánto tiempo dura?

●**¿Qué** lo produce o qué lo empeora? ¿Qué lo alivia? ¿Qué otros síntomas experimenta al mismo tiempo?

Si tiene varios problemas, enumérelos todos apenas el médico entre a la sala de examen. Deje que *él/ella* decida cuál atender primero.

Digamos que usted ha estado sintiendo dolor en el pecho. ¿Cómo describiría sus síntomas al médico?

Incorrecto: "Algunas veces siento el pecho raro en la oficina. A lo mejor solo es el estrés".

Un médico ocupado podría descartar este problema por trivial y no seguir investigándolo.

Correcto: "Siento como un puño apretándome en el centro del pecho. Esta presión en el pecho empezó hace varias semanas y dura un par de minutos cada vez. La primera vez que lo noté fue en el trabajo, luego de subir dos pisos por las escaleras. Me sentí mejor luego de que me detuve a descansar".

Una descripción como ésta alertará al médico sobre la posibilidad de una enfermedad del corazón, y la necesidad de una prueba de diagnóstico como una angiografía.

●**Mantenga la calma, pero no sea estoico.** Si usted no demuestra dolor, el médico puede equivocarse al apreciar la intensidad de su dolor. Si usted toma un síntoma a la ligera, es posible que él también lo haga.

Importante: Comparta sus preocupaciones. Si usted teme que sus dolores de cabeza sean causados, por ejemplo, por un tumor cerebral, dígalo. Pero hágalo *luego* de haber descrito sus síntomas. De esa forma, no predispondrá al médico en cuanto a su diagnóstico.

No importa lo que haga: *no entre en pánico*. Si lo hace, el médico podría pedir procedimientos y pruebas innecesarios para aliviarlo.

●**Adopte una actitud positiva.** Algunos pacientes muestran una actitud negativa, casi acusatoria, cuando hablan con su médico. Es una actitud que se revela en frases como: "Estoy pagando por el servicio, así que espero que no escatime esfuerzos".

Una actitud como ésa pondrá al médico a la defensiva. Esto puede causar hostilidad, y es muy difícil para un médico brindar una buena atención si está molesto con usted.

Si usted tiende a salir del consultorio del médico sintiendo que no se le ha dedicado suficiente atención ni tiempo, tal vez necesite otro médico.

Si tiene el mismo sentimiento con varios médicos diferentes, entonces es posible que usted necesite un cambio de *actitud*. Discuta la situación con un amigo cuya opinión respete.

●**No acepte un trato descortés.** Si usted siente que no ha sido tratado bien por el médico o su equipo, dígaselo. Pero asegúrese de hacerlo con diplomacia. Aclare que su intención es resolver el problema de manera que puedan trabajar mejor juntos.

Incorrecto: "¿Por qué siempre tengo que esperar? ¡Mi tiempo también es importante!"

Correcto: "¿Cómo puedo minimizar mi tiempo de espera?"

Espere siempre hasta el *finai* de su consulta para expresar sus quejas. De esa forma, el médico puede concentrarse completamente en su problema médico, sin distraerse con su propia defensa.

•**Tome medidas para evitar frustraciones.** Reduzca al mínimo el tiempo de espera pidiendo que le programen las citas inmediatamente después de la hora de almuerzo del médico. Si ese turno no está disponible, pida la primera cita de la mañana.

Si el médico está de acuerdo en verlo entre citas, pregunte con antelación cuánto tiempo deberá esperar. Eso le dará mayor control y reducirá su frustración.

Estrategia telefónica: A menos que sea una verdadera emergencia, no espere hablar con el médico de inmediato.

Diga a la recepcionista que le gustaría que el médico le llamara tan pronto como le sea conveniente.

Por supuesto, si es una emergencia, no dude en pedir a la enfermera que interrumpa al médico.

Reposición de prescripciones: Llame en horas de oficina, no por la noche o los fines de semana. Llame desde su casa o el trabajo, no desde la farmacia. Pregunte al médico o a la enfermera aproximadamente cuándo le llamarán para avisarle que su prescripción está lista.

•**Muestre su agradecimiento.** Como todo el mundo, los médicos necesitan sentirse bien con respecto a su trabajo y sienten afecto por aquellos pacientes que expresan su agradecimiento por su esfuerzo.

No tenga miedo de decir "gracias" a su médico. Una nota sencilla puede animarle el día al médico, y mejorar la calidad de su atención.

Cómo obtener lo mejor de su HMO

Timothy McCall, MD, internista en Boston, editor médico de la revista *Yoga Journal* y autor de *Examining Your Doctor: A Patient's Guide to Avoiding Harmful Medical Care*. Citadel Press. *www.drmccall.com.*

Si usted aún no se ha inscrito en una organización de mantenimiento de la salud (HMO) o en un plan de atención médica dirigida ("managed-care plan"), es posible que lo tenga que hacer muy pronto. El 75% de los trabajadores estadounidenses están inscritos en algún plan de administración de cuidados (HMO, PPO o POS).

El número de seguros tradicionales en los cuales usted paga por servicios ("fee-for-service") se está reduciendo cada año y hasta estos planes están incorporando cada vez más funciones de atención médica dirigida.

Las reglas son diferentes en este nuevo sistema. Para obtener un buen servicio, usted debe entender cómo funciona la atención médica dirigida y adaptarse a esa realidad.

Lo primero que hay que entender es cómo han cambiado los incentivos financieros para los médicos. En el sistema de pago por servicios, las compañías de seguros pagaban a los médicos por cada servicio prestado. Los médicos recibían pagos cada vez que inyectaban, realizaban un cardiograma o extraían las amígdalas a alguien.

Lamentablemente, los médicos respondieron a este arreglo practicando millones de tonsilectomías y otros procedimientos innecesarios. Como resultado, los costos médicos se dispararon, y la atención médica consumía una porción cada vez más grande del Producto Nacional Bruto ("GNP" en inglés).

La llegada de las HMO cambió la manera de pagar a los médicos. Aunque se pueden utilizar docenas de sistemas diferentes, la idea principal en la mayoría de los planes es esta: *mientras menos hace el médico, más dinero recibe.*

Cada vez es más común que los médicos reciban una cuota mensual fija por cada paciente a su cuidado. Según este sistema, conocido como *capitación*, el costo de las pruebas de laboratorio, los procedimientos y otros servicios es pagado por el médico. Si el médico ordena una prueba de rayos X de $80, significa que se le reducirán $80 de su cheque de pago.

Con frecuencia las HMO otorgan bonos y asignan penalidades monetarias según la cantidad de dinero que gaste el médico. Por ejemplo, muchas HMO premian a los médicos que limitan el número de pacientes que hospitalizan o a los que minimizan el número de pacientes que son referidos a especialistas costosos. Utilizando una técnica llamada "credenciales económicas", los planes de atención médica dirigida despiden a médicos que hayan gastado demasiado en sus pacientes.

Para limitar los costos todavía más, las HMO han puesto obstáculos para la atención médica. En la mayoría de los planes de atención médica dirigida, usted no puede ir a un especialista sin haber sido referido por su médico de cabecera ("primary care doctor"). Las visitas a la sala de emergencias requieren una autorización previa. Y puede tomarle semanas o hasta meses conseguir una cita.

Dadas estas nuevas realidades, ¿cómo puede usted proteger sus intereses? Si usted está pensando en inscribirse en una HMO, o si ya está inscrito en una, infórmese todo lo posible acerca del plan. Lea los materiales de membresía cuidadosamente. Si es posible, hable con miembros actuales y ex miembros acerca de sus experiencias con la HMO en cuestión.

Como su médico de cabecera funciona como el "portero", que niega u otorga el acceso a los especialistas, escoger un buen portero puede ser vital. Usted quiere a alguien que, dado el caso, apele a su favor si usted necesita una prueba especial o un día extra en el hospital. Suele ser difícil decir mucho sobre un médico a partir de un folleto, por eso es importante que hable con otros miembros, incluso con la gente con la que se encuentre en la sala de espera.

Si usted siente que se le han negado injustamente los servicios que necesita, no tenga miedo de luchar por ellos. Si presentar cordialmente su caso al médico no da resultado, intente apelar a un administrador. Todas las HMO tienen procedimientos para presentar quejas formales.

Por último, mientras más sepa usted sobre cualquier condición médica que tenga, en mejor posición estará para sentirse seguro al respecto. Es difícil para los médicos de las HMO decir no a pacientes sensatos y bien informados.

No olvide, sin embargo, que muchos de los servicios médicos que esperamos obtener no son realmente necesarios. A veces usted ciertamente no necesita los rayos X de $80.

Cómo obtener la mejor atención médica posible

Peter H. Berczeller, MD, ex profesor de medicina clínica de la facultad de medicina de la Universidad de Nueva York (NYU). Fue internista desde 1960 hasta su retiro en 1992, y es autor de *Doctors and Patients: What We Feel About You*. Lisa Drew Books.

Visitar al médico puede resultar una experiencia estresante, independientemente de que se trate de un chequeo de rutina o de una visita para diagnosticar un síntoma problemático. Y con tanta información negativa acerca de la atención médica que se publica en la actualidad, pareciera que los pacientes están más ansiosos que nunca. Altos costos, pruebas innecesarias, diagnósticos incorrectos y médicos despreocupados son algunas de las quejas más importantes que los pacientes tienen hoy en día.

Como resultado de todo esto, aumenta la tensión, e incluso la hostilidad, entre médicos y pacientes.

En algunos casos esta tensión es beneficiosa para los pacientes, pues puede ser motivo para que ellos desempeñen un rol más activo en su tratamiento. En otros casos, la tensión médico-paciente lleva al paciente a actuar de maneras que resultan contraproducentes y perjudiciales para su atención médica.

Aquí tiene algunos datos para ser un buen paciente y para obtener lo mejor de su médico...

●**Escoja un médico que sea emocionalmente accesible.** Lo ideal es conseguir a alguien que transmita una preocupación, un interés y un compromiso verdaderos... y en quien usted sienta que puede confiar.

No escoja un médico únicamente por su experiencia técnica. Si yo tuviera que escoger entre un médico genio y uno medianamente competente pero cálido y amable, escogería a éste último.

La razón: Una comunicación fácil y abierta entre el médico y el paciente es imprescindible y esencial tanto para el diagnóstico como para el proceso curativo.

●**Dígale al médico todas sus preocupaciones.** Si es su primera visita, vaya preparado para brindar una historia médica completa. Si sus datos están en los archivos médicos de otro médico, asegúrese de que sean transferidos al nuevo médico. En las visitas siguientes, informe en detalle cualquier síntoma o cambio que usted haya experimentado desde su última cita. Si usted tiende a ser olvidadizo, lleve a la cita una lista por escrito de todas sus preocupaciones.

●**Vístase y compórtese apropiadamente.** Si bien el médico está trabajando para usted, es importante tratarlo con respeto. Una vestimenta apropiada y un comportamiento cortés son correctos y, además, pueden mejorar la atención médica. Tengo que admitir que, cuando yo veía a pacientes, solía escuchar un poco mejor a los pacientes bien vestidos que se expresaban bien.

Una vestimenta correcta y un comportamiento cortés de parte tanto del médico como del paciente ayudan a dignificar su interacción, lo cual es completamente apropiado, dada la seriedad del tema de conversación entre ambos.

●**Comuníquele al médico si usted no está satisfecho con su atención médica.** Ser honesto y directo ayuda a aclarar las cosas y mejora la relación.

Algunos pacientes guardan los pensamientos negativos para si mismos, temiendo que la queja contrariará al médico y que él tomará represalias ofreciendo una atención de inferior calidad. Esa idea es equivocada. De hecho, dado que la buena comunicación es esencial para recibir una buena atención médica, no hay nada que la mayoría de los médicos aprecien más que un paciente honesto y abierto.

Bono: Si usted revela sus sentimientos más profundos, le será más fácil a su médico ayudarlo a superar la ansiedad o el sentimiento de desamparo que a menudo acompaña la enfermedad. Decirle a su médico cómo se siente es un poco como hacer psicoterapia.

●**No espere que su médico sea perfecto.** Los médicos son humanos y cometen errores. Así como un error grave es motivo para cambiar de médico, los errores insignificantes no deberían alarmarlo.

La solución: Usted y su familia deben ser positivos, estar alerta y participar activamente en su cuidado. Cuestione atentamente los medicamentos que se le receten. Cualquier alergia que usted sufra debe estar en su historia médica, pero asegúrese de mencionársela al médico.

Si usted va a ser hospitalizado, pídale a sus amigos y familiares que le vigilen. Pídales que alerten al médico o a las enfermeras si usted no se ve bien.

●**No se sienta defraudado si su médico alguna vez parece dudar.** Lejos de ser un riesgo, la incertidumbre de un médico puede ser de mucha ayuda, incluso puede llevar a un mejor tratamiento. Los mejores médicos no intentan proyectar un sentido de omnisciencia. Más bien, se dan cuenta de que siempre hay algo nuevo que aprender… y de que siempre pueden mejorar su desempeño.

●**Sepa cuándo solicitar una segunda opinión.** Un hallazgo físico inusual, una prueba de laboratorio que no tiene sentido, un empeoramiento inesperado de su condición; todo sugiere la necesidad de una segunda opinión.

Problema: Algunos pacientes son muy tímidos para buscar una segunda opinión, porque sienten que hacerlo ofenderá a su médico. Hay algunos médicos que reaccionan a la defensiva ante la idea de una consulta externa, pero la mayoría está de acuerdo si el paciente quiere una segunda opinión.

Otros pacientes piden una segunda opinión demasiado pronto; a veces la buscan incluso antes de haber recibido la primera. Creo que es mejor esperar hasta que su médico haya tenido oportunidad de realizar un diagnóstico y haya planeado la estrategia de tratamiento.

Dé a su médico la oportunidad de examinar el panorama, para encontrarle un orden al conjunto aleatorio de síntomas y resultados, y para dar un nombre a su condición.

Para esto, el médico debe pedir las pruebas de diagnóstico apropiadas y observarlo por un período. Aunque sea difícil de creer, hay una lógica y un ritmo en cada enfermedad. Algunos tardan semanas o incluso meses en identificarlos, incluso si su médico es de primera categoría.

No hay sustituto para la imaginación, el entusiasmo, y lo más importante, la preocupación de un médico consciente que se ha comprometido con su cuidado desde el principio. Es por eso que el tiempo oportuno para otras opiniones es tan crítico.

●**No permita que los miembros de su familia se conviertan en obstáculos para su tratamiento.** Los seres queridos son invalorables como fuentes de respaldo emocional. Pero muchas veces obstaculizan el tratamiento al interferir con las decisiones del médico… o siendo hostiles con el médico en un intento equivocado de demostrar su amor por usted.

Un médico que pide a los parientes que salgan de la habitación del paciente no está tratando de demostrar su poder. Es posible que sólo quiera tener la oportunidad para hacerse su propia impresión del paciente, sin interferencia externa.

Es sorprendente cuánta información se puede obtener de un paciente si no hay nadie más que hable por él.

●**Desarrolle una relación sólida y atenta con un médico.** Si bien a veces es necesario "despedir" a un médico o pedir una segunda opinión, algunos pacientes van de médico en médico arbitrariamente. *Pasar de médico en médico…*

●**Le convierte en víctima fácil de curanderos** y otros practicantes deseosos de explotar su ansiedad y someterle a pruebas innecesarias y a tratamientos costosos.

●**Retrasa su diagnóstico.** El proceso requerido para un diagnóstico normalmente comienza de nuevo cada vez que usted consulta a un médico diferente.

●**Le llevará a obtener el diagnóstico que usted quiere escuchar,** en lugar del diagnóstico más preciso.

Para que usted tenga una verdadera curación, es esencial una relación atenta y cercana con su médico. Usted debe mantener la relación con su médico de cabecera aún si su condición requiere consultar a un especialista, o pedir una segunda opinión.

Los médicos no son magos. Dejar a uno, especialmente a uno que ha tenido un buen historial con usted, y buscar a otro no suele ser la respuesta. Probablemente el nuevo "mago" no le curará más rápido, y cambiar en medio de una enfermedad podría demorar más su mejoría.

Preguntas que hacer cuando su médico recomienda ver a un especialista

Charles B. Inlander, consultor de atención médica y presidente de la organización sin fines de lucro People's Medical Society, un grupo de defensa de los consumidores de servicios médicos en Allentown, Pensilvania. Es autor de varios libros, entre ellos, *The People's Medical Society Health Desk Reference*. Hyperion.

Encontrar al mejor médico especialista requiere mucho más que simplemente anotar el nombre y el número de teléfono que le da su médico de cabecera. *Estos son los pasos a seguir…*

●**Primero pregunte a su médico por qué le está recomendando ese especialista en particular.**

Trampa: Las recomendaciones a menudo son favores profesionales. Esto podría significar que un colega amigo probablemente no va a contradecir las recomendaciones de su médico; o que quizás usted no está recibiendo el nombre de la persona más indicada para confirmar un diagnóstico o tratar su condición.

Importante: Averigüe si su médico conoce el porcentaje de aciertos del especialista en el tratamiento de problemas como el suyo. Esta es información básica que su médico debería saber acerca del médico al cual lo está refiriendo.

●**Pida a su médico una lista de todas las causas médicas posibles de su condición**

antes de que usted consulte otra opinión. Pueden existir síntomas similares en problemas distintos. Averigüe cuáles son las causas más probables de su problema… y cuáles son las más remotas, según la opinión de su médico. Esta información le ayudará en el momento de buscar otra opinión.

Ejemplo: La pérdida de la audición puede indicar que usted tiene un daño en el tímpano, o un tumor cerebral. Pero los especialistas que pueden diagnosticar y tratar estas condiciones trabajan en campos muy diferentes. Uno es un otorrinolaringólogo y el otro es un neurólogo o un neurocirujano.

Usted puede ahorrarse mucho tiempo y dinero conociendo todas sus opciones, y ordenándolas por prioridad, antes de empezar su búsqueda.

● **Una vez que usted haya sido diagnosticado, averigüe cuántas veces el especialista ha tratado el mismo tipo de problema en el último año.** La cantidad es un punto clave, aunque la cantidad ideal depende del problema a tratar. En problemas comunes, como una operación de corazón, un especialista debería tratar a cientos de pacientes al año. En condiciones menos comunes, entre 10 y 20 casos es aceptable.

Si en el consultorio del especialista no están dispuestos a dar esta información, considere buscar tratamiento en otro lugar.

● **Consiga el nombre de un especialista que pueda darle una segunda opinión.** Hasta el 80% de las segundas opiniones sobre *tratamientos* no está de acuerdo con la primera opinión. Veinte por ciento de las segundas opiniones no está de acuerdo con el *diagnóstico.* Por eso es importante obtener varias opiniones.

Si se le hace difícil encontrar a alguien, llame a la oficina nacional principal de la asociación de la especialidad en cuestión y solicite algunos nombres.

Si usted vive en una zona rural o suburbana que no cuenta con una concentración de especialistas con la amplitud de experiencia que usted necesita, vale la pena tomar el auto o el avión y trasladarse a otro lugar.

● **Averigüe si existen otras opciones de tratamiento.** Obtenga un plan de tratamiento

de cada médico que visite en busca de opinión. Luego llame a una facultad de medicina prominente en su estado y pida hablar con la persona que dirige el departamento bajo el cual se encuentra su problema, por ejemplo, el departamento de cirugía ortopédica si se le ha recomendado cirugía para una rodilla lesionada. Esa persona podrá informarle acerca de los más recientes avances médicos en ese campo. También puede hacer su propia investigación en la biblioteca de la facultad de medicina local o buscando en una base de datos médicos en Internet.

Cómo encontrar un especialista de medicina alternativa

Si desea obtener una referencia gratuita a un especialista de medicina alternativa en su comunidad, contacte al American College for Advancement in Medicine, 23121 Verdugo Dr., Laguna Hills, CA 92653, *www.acam.org*. Incluya un sobre con su dirección ya escrita y una estampilla postal.

¿Su médico le escucha?

Robert A. Murden, MD, director de la división de medicina interna general de la Universidad Ohio State en Columbus. Su estudio de seis meses de 818 casos fue publicado en *Medical Care*, 227 E. Washington Sq., Filadelfia, PA 19106.

Los médicos no son buenos escuchando a pacientes de su misma edad. Si a usted le parece que su médico no le presta atención y tiene aproximadamente su edad, considere buscar un nuevo médico que sea mucho mayor o menor que usted.

Mejor comunicación médico-paciente

Timothy McCall, MD, internista en Boston, editor médico de la revista *Yoga Journal* y autor de *Examining Your Doctor: A Patient's Guide to Avoiding Harmful Medical Care*. Citadel Press. *www.drmccall.com*.

No se deje intimidar por la actitud de su médico. Decida lo que quiera decir antes de llegar a su cita –y haga una lista si es necesario. Mantenga contacto visual con su médico, tanto para mostrar que usted está participando en el proceso como para animar al médico a tratar más directamente con usted. No permita que el médico evite contestar sus preguntas o haga comentarios insensibles e incontrovertibles. Si sus esfuerzos por mejorar la comunicación fallan, piense en buscar a otro médico.

¿Su médico le está ocultando algo?

Timothy McCall, MD, internista en Boston, editor médico de la revista *Yoga Journal* y autor de *Examining Your Doctor: A Patient's Guide to Avoiding Harmful Medical Care*. Citadel Press. *www.drmccall.com*.

Los médicos dependen de sus pacientes para ser honestos y abiertos a la hora de discutir sus preocupaciones médicas. Pero hay algunas cosas que ciertos médicos prefieren que sus *pacientes* no sepan.

Estas son las cosas que su médico puede estar ocultándole…

●**"He sido demandado por mala práctica".** Muchos médicos que han sido demandados, incluso en varias ocasiones, continúan ejerciendo sin que sus pacientes tengan la menor idea. La mayoría de los arreglos por mala práctica se mantienen en secreto gracias a acuerdos que impiden que esa información se haga pública. Como los médicos tampoco desean revelar acciones disciplinarias impuestas en el pasado contra ellos, usted debería revisar la información recogida por el grupo de investigaciones sanitarias Public Citizen.

Este grupo de defensa del consumidor publica información sobre medidas disciplinarias contra médicos. Para obtener un informe acerca de medidas adoptadas contra médicos en su estado, llame al 202-588-1000 o visite el sitio en Internet, *www.citizen.org*. El informe cuesta $10.

●**"Hace años que no estoy actualizado".** La información médica prolifera tan rápidamente que ningún médico puede estar completamente al día. Pero algunos médicos lo logran mejor que otros.

Para saber si su médico está al día, aprenda todo lo posible acerca de la condición que le ha sido diagnosticada. Empiece por guías de salud para consumidores y artículos en revistas y boletines. Para obtener más información, busque en la biblioteca de su comunidad o investigue en Internet. Así, usted podrá determinar cuáles médicos están peligrosamente "desactualizados" o mal informados.

El gobierno federal estadounidense y cientos de organizaciones de consumidores ofrecen información de salud gratuita o a bajo costo. Y, pagando una cuota, las firmas privadas de investigación de servicios médicos pueden ofrecerle un informe detallado sobre su dolencia.

●**"La HMO me paga un bono si no lo refiero a un especialista".** La *mayoría* de las organizaciones de mantenimiento de la salud y otros planes de atención médica dirigida ("managed-care plans") dan a los médicos incentivos financieros a cambio de mantener bajos los costos. Los médicos obtienen bonos por cosas como disminuir el número de pacientes referidos a especialistas, mantener a los pacientes fuera del hospital, y reducir las resonancias magnéticas y otros servicios costosos.

Dado que es difícil obtener esta información directamente de los planes, recomiendo discutir el asunto con el administrador de beneficios de su empleador.

Si eso no funciona, pregunte directamente a su médico. Puede decirle: "No es que no confíe en usted, Dr. López, pero últimamente he estado leyendo mucho acerca de las HMO y quisiera saber si los médicos reciben incentivos financieros a cambio de limitar ciertos servicios". Algunos planes prohíben a los médicos revelar la forma en que se les paga. Si su médico dice que no le puede responder, es una mala señal.

● **"No soy lo que digo que soy".** Un estudio en *The New England Journal of Medicine* reveló que muchos médicos que se hacen llamar especialistas nunca han tenido el entrenamiento necesario o no han aprobado el riguroso examen que se exige para obtener la acreditación de la junta médica ("board certification"). En hospitales universitarios, los estudiantes de medicina muchas veces engañan a los pacientes presentándose como el "Dr. Fulano de tal".

Para saber si un médico en particular tiene acreditación, llame a la American Board of Medical Specialties (866-ASK-ABMS). Los mejores hospitales y HMO generalmente revisan las credenciales de sus médicos, pero no pierde nada si usted las revisa también.

Si usted es hospitalizado, insista en que cada persona que lo atienda le diga su nombre y su área de entrenamiento. Esto le ayudará a identificar a ayudantes poco entrenados que, en un intento de los hospitales por reducir costos, están sustituyendo a enfermeras certificadas.

Lo que usted no sabe, y lo que su médico podría estar ocultándole, pudiera hacerle daño, a menos que usted haga su tarea.

Cómo hacerse cargo de su atención médica

Richard N. Podell, MD, profesor de medicina familiar clínica de la facultad de medicina Robert Wood Johnson en New Brunswick, Nueva Jersey. Es autor de *When Your Doctor Doesn't Know Best.* Simon & Schuster.

Escoja un médico cuyas horas de oficina concuerden con su horario, y que esté disponible por teléfono. Investigue sus síntomas antes de pedir una cita y prepare una lista de preguntas. Tome nota de las respuestas. lleve un diario con las fechas de sus inyecciones, dolencias y enfermedades para ayudarle a señalar los problemas con precisión y más rápidamente. Pida ver y que le expliquen su historial médico.

Para controlar sus gastos médicos...

Charles B. Inlander, consultor de atención médica y presidente de la organización sin fines de lucro People's Medical Society, un grupo de defensa de los consumidores de servicios médicos en Allentown, Pensilvania. Es autor de varios libros, entre ellos, *The People's Medical Society Health Desk Reference.* Hyperion.

Negocie con su médico para mantener sus cargos a raya. Averigüe lo que otros médicos de su zona cobran por el mismo procedimiento. Mencione a su médico lo que ha investigado al respecto y pídale que acepte las tarifas que cobran sus colegas.

Además: Negocie las tarifas por tratamientos periódicos. Por ejemplo, que le cobren solo por la inyección, si la necesita regularmente, en lugar de pagar cada vez como si fuera una consulta. Y trate de obtener tarifas fijas para algunos procedimientos, como que se le cobre un solo precio por quitarle varios lunares, en lugar de una tarifa por cada lunar.

Los médicos generales a menudo se equivocan al recetar medicamentos psiquiátricos

Cecilia P. Kane, MD, departamento de psiquiatría de la facultad de medicina de la Universidad Emory en Atlanta.

Puede que los médicos generales (GP por sus siglas en inglés) no estén al día con las tendencias en la prescripción de medicamentos psiquiátricos... o es posible que receten dosis demasiado altas o demasiado bajas.

Alerta: De 145 recetas de *diacepan* (Valium) emitidas por médicos generales en un hospital, el 43% fue para pacientes de más de 65 años de edad, aún cuando el medicamento no se recomienda para pacientes de edad avanzada.

Cómo prevenir que le suba la tensión en el consultorio del médico

Claude Le Pailleur, MD, cardiólogo clínico del hospital Necker en París. Su estudio de 42 adultos con tensión arterial alta fue publicado en *Behavioral Medicine*, 1319 18 St. NW, Washington, DC 20036.

Limite la conversación con su médico antes de que le tome la tensión arterial.

Antecedente: Muchas personas cuya tensión arterial es normal en otros momentos, en el consultorio pueden experimentar una elevación repentina de la tensión. *Causa:* la ansiedad asociada con la interacción con el médico. Este efecto de "bata blanca" –llamado así por la bata del médico– dificulta obtener una lectura precisa de la tensión arterial.

Estudio: Los pacientes hipertensos que hablaron con el médico antes de que se les tomara la tensión arterial tuvieron una elevación repentina de la tensión. Este efecto fue más drástico cuando se habló del estrés y de enfermedades que cuando se habló de cosas banales. Durante los periodos de silencio, la tensión arterial disminuyó rápidamente.

Las manos sucias y los médicos

William R. Jarvis, MD, jefe adjunto de desarrollo de programas, división de promoción de la calidad de la atención médica del National Center for Infectious Diseases en Atlanta.

Los médicos se lavan las manos entre un paciente y otro sólo el 50% de las veces. Las manos sucias propagan cualquier cosa desde resfriados, gripes y diarreas, hasta neumonías y el síndrome de ataques tóxicos.

La autodefensa: Asegúrese siempre de que su médico se lave bien las manos antes de examinarlo.

Higiene médica

Jeffrey Jones, MD, profesor adjunto de medicina de la facultad de medicina de la Universidad Michigan State en East Lansing. Su estudio y su encuesta fueron publicados en los *Annals of Emergency Medicine*, 11830 Westline Industrial Dr., St. Louis 63146.

Los estetoscopios sucios pueden transmitir enfermedades. En una prueba realizada en 150 estetoscopios, se halló la bacteria estafilococo en 133 de ellos. Al preguntar con cuánta frecuencia limpiaban los estetoscopios, el 48% de los médicos dijo que a diario o semanalmente, el 37% dijo que mensualmente y el 14% respondió que una vez al año o *nunca*. Aún cuando no se ha informado de casos de infecciones propagadas por estetoscopios sucios, se han asociado brotes de bacterias resistentes a medicamentos con gérmenes relacionados con los brazaletes de medición de la tensión arterial, los termómetros, los guantes de látex y hasta las batas blancas de los médicos.

En mayor riesgo: Los pacientes con quemaduras o heridas abiertas. Siempre pregunte si el médico ha limpiado su estetoscopio.

¿Está actualizado su médico?

Charles B. Inlander, consultor de atención médica y presidente de la organización sin fines de lucro People's Medical Society, un grupo de defensa de los consumidores de servicios médicos en Allentown, Pensilvania. Es autor de varios libros, entre ellos, *The People's Medical Society Health Desk Reference*. Hyperion.

Averigüe si su médico ha sido acreditado o si su acreditación ha sido renovada llamando a la American Board of Medical Specialties, al teléfono 866-ASK-ABMS.

Pregunte a su médico de qué manera cumple con los requisitos de educación médica *continua* impuestos por todos los estados. Averigüe si su médico enseña o hace investigación en alguna facultad de medicina local, lo cual implicaría que posee un conocimiento actualizado.

Los médicos y la educación continua

99 Questions You Should Ask Your Doctor and Why por Paul Keckley, PhD, profesor adjunto de administración médica de la facultad de medicina de la Universidad Vanderbilt en Nashville, Tennessee. Rutledge Hill Press.

Continuar la educación médica es esencial para que el médico mantenga su destreza y entrenamiento en las investigaciones y procedimientos médicos más recientes. Pregunte a su médico cuántas horas de créditos de educación médica continua promedia en un año. Además, haga su propia investigación en las áreas de su interés particular, y ofrezca el material a su médico en caso de que él no lo haya visto.

Planifique con antelación las emergencias médicas

Managing Your Health Care: Making the Most of Your Medical Resources por Martin Gipson, PhD, profesor de psicología de la Universidad Pacific en Stockton, California, quien ha recibido tratamiento por cáncer de riñón desde 1989. Pathfinder Publishing.

Pregunte a su médico adónde llamar y adónde ir en caso de emergencia. Prevea las necesidades de atención médica antes del fin de semana; durante la semana no ignore los síntomas que puedan convertirse en emergencias el fin de semana. Si se comunica con los médicos por teléfono, de ser posible describa los síntomas usted mismo, no a través de alguien más.

El peligro de las prescripciones

Daniel Albrant, PharmD, presidente de Pharmacy Dynamics, una empresa de asesoría de atención médica en Arlington, Virginia.

Al escribir las recetas médicas, pocos médicos toman en cuenta el peso del paciente.

Trampa: La mayoría de las dosis estándares ha sido calibrada para personas de 155 libras (70 kilos).

Ejemplo: Una persona de 130 libras (60 kilos) necesita entre el 10% y el 15% menos de ciertos medicamentos. Tomar demasiado le puede causar náuseas, somnolencia o algo peor.

La autodefensa: Si usted pesa menos, o más, de 155 libras, hable con su médico para asegurarse de que le recete la dosis apropiada.

Cuándo buscar a un nuevo médico

John Connolly, EdD, presidente de Castle Connolly Medical Ltd. en Nueva York y editor de *America's Top Doctors.* Castle Connolly.

Si su médico no le brinda un trato adecuado, es evasivo y vago en sus explicaciones, no es puntual, no es capaz de elaborar un diagnóstico, pide demasiadas pruebas, no lo impulsa a buscar una segunda opinión, no protege la privacidad de sus pacientes y tiene un personal antipático.

Cómo diferenciar un buen dentista de uno malo

Marvin J. Schissel, DDS, vicepresidente del capítulo de Nueva York del National Council Against Health Fraud, 8639 Woodhaven Blvd., Woodhaven, NY 11421. Es coautor de *The Whole Tooth: What You Must Know to Find a Good Dentist, Keep Healthy Teeth, and Avoid the Incompetents, Quacks, and Frauds.* St. Martin's Press.

Para diferenciar un buen dentista de uno malo, esto es lo que usted debe buscar... y lo que debe *evitar*.

EL FACTOR TIEMPO

En cada chequeo, su dentista debería pasar cerca de 30 minutos examinando sus dientes y removiendo la placa y los depósitos minerales conocidos como sarro.

Empastar una caries podría tomar entre 15 y 60 minutos, dependiendo de la extensión y la ubicación de la misma.

Además: Un buen dentista no va y viene entre sus pacientes.

Esto le permitiría ver a unos cuantos pacientes más, pero ¿puede un dentista que revolotea por todo el consultorio concentrarse realmente en su trabajo? No es muy probable.

TRATAMIENTO DE LA GINGIVITIS

La gingivitis es causada por bacterias que se reproducen en "bolsillos" entre las encías y la raíz de cada diente. Su dentista debería medir la profundidad de estos bolsillos usando una *sonda periodontal* (instrumento específico para medir los bolsillos de las encías). Si su dentista no lo hace, recuérdeselo.

La mejor manera de prevenir la gingivitis y tratar los casos leves, es mediante una remoción meticulosa (raspadura) del sarro y de la placa dental, que albergan los organismos causantes de la enfermedad.

Pero algunos dentistas ahorran tiempo haciendo que sus pacientes se traten la gingivitis por su cuenta, haciendo gárgaras en casa con peróxido de hidrógeno y bicarbonato de soda ("baking soda").

Problema: No hay pruebas de que el peróxido o el bicarbonato de soda sean más eficaces que el cepillado normal. Ciertamente no eliminarán el sarro.

EL FACTOR EQUIPO

El hecho de que un dentista cuente con el equipo más novedoso no quiere decir que ofrezca una atención de avanzada. De hecho, algunos aparatos impresionantes tienen muy poco impacto cuando se trata del cuidado dental.

Ejemplo Nº 1: Algunos dentistas muestran a sus pacientes videos de tomas en primer plano de áreas con caries usando una cámara intraoral. Este sistema muestra imágenes dramáticas. Pero a menudo los dentistas inescrupulosos usan la cámara para persuadir a los pacientes de someterse a tratamientos innecesarios.

Ejemplo Nº 2: Algunos dentistas usan un "cavitron" para desincrustar el sarro de la línea inferior de la encía. Este aparato, que quiebra el sarro mediante vibraciones de alta frecuencia, puede ahorrar mucho tiempo cuando la formación es sólida. Pero aún si utiliza un "cavitron", un buen dentista siempre termina la remoción del sarro a mano.

LA VERDAD ACERCA DE LOS EMPASTES

Por años, los dentistas "holísticos" han instado a sus pacientes a remplazar sus antiguos empastes de plata (que contienen una amalgama de mercurio) con empastes hechos de un compuesto plástico.

Estos dentistas sostienen que el mercurio se separa de la plata, intoxicando el cuerpo y causando esclerosis múltiple y otras enfermedades.

Sin embargo, no existen pruebas contundentes que vinculen los empastes de plata con problemas de salud. Muy pocas personas son alérgicas al mercurio y rara vez desarrollan algo más que una leve irritación.

Si un empaste se resquebraja o se cae, por supuesto que debe ser remplazado. Pero evite a cualquier dentista que le insista en remplazar empastes intactos por razones de salud.

Los empastes de compuestos plásticos se mezclan con el color del diente, por lo que son buenos para dientes del frente de la boca. Pero las amalgamas cuestan menos y duran más que el compuesto plástico, por lo que siguen siendo la mejor elección para empastes en zonas no visibles.

EXTRACCIONES INNECESARIAS

Incluso los dientes muy cariados pueden salvarse con empastes o coronas (posiblemente junto con un tratamiento de conducto o "root canal").

Pero estos largos procedimientos son muy mal reembolsados por las compañías de seguro dental. En consecuencia, algunos dentistas inescrupulosos ahorran tiempo simplemente extrayendo los dientes afectados.

Si su dentista recomienda extraer un diente, pregúntele por qué no puede salvarlo. Si no le convence la explicación, busque una segunda opinión.

5

La verdad acerca
de los medicamentos

Dónde obtener
información sobre
los medicamentos
que usted toma

Timothy McCall, MD

Los efectos secundarios de los medicamentos representan más que una molestia. Son una de las causas más frecuentes de hospitalización en EE.UU. Algunos de estos efectos secundarios son el resultado de errores cometidos por un médico o farmacéutico. Otros ocurren cuando los pacientes toman sus medicamentos de manera incorrecta. En cualquier caso, lo mejor que puede hacer para protegerse es aprender todo lo posible acerca de todos los medicamentos que le son recetados.

Idealmente, su médico debe darle toda la información que necesita. Pero eso no siempre sucede. Muchos pacientes salen de la oficina del médico sin tener siquiera la información más básica. Por ejemplo, cuántas veces al día debe tomar el medicamento, si debe tomarlo con la comida, etc.

Bajo el sistema de atención médica dirigida ("managed care"), el problema de la información sobre los medicamentos se agrava. El tiempo promedio de las consultas médicas continúa disminuyendo y muchas de las citas duran ahora menos de diez minutos. Esto significa que el médico tiene menos tiempo para explicar las cosas.

Los buenos médicos todavía hacen el esfuerzo. Cuando usted sale del consultorio, debe saber los nombres genéricos y de las marcas de cualquier medicamento que se le haya recetado. También debe conocer la dosis, cómo tomarla y qué hacer en caso de que deje pasar una dosis.

El médico debe explicarle también los efectos secundarios más comunes, así como los

Timothy McCall, MD, internista en Boston, editor médico de la revista *Yoga Journal* y autor de *Examining Your Doctor: A Patient's Guide to Avoiding Harmful Medical Care.* Citadel Press. *www.drmccall.com.*

síntomas que reflejen un problema grave –y qué hacer si aparecen.

Muchos médicos y clínicas están ofreciendo folletos con explicaciones de los medicamentos. Estos folletos son una buena alternativa, siempre y cuando estén escritos en lenguaje sencillo y no sean un sustituto de una breve sesión de preguntas y respuestas que debe ser parte de cualquier cita médica.

Otra buena fuente de información es su farmacéutico. Él debería poder responder prácticamente todas las preguntas relacionadas con los medicamentos. Asegúrese de pedirle el "prospecto" ("package insert") que viene con el medicamento. Aun cuando el típico prospecto está escrito en un lenguaje médico incomprensible, échele un vistazo. Téngalo a mano, también, en caso de que se le presente algún problema más adelante.

Asegúrese de decirle a su médico y a su farmacéutico la lista de *medicamentos* que toma; incluyendo medicamentos de venta libre y preparaciones herbarias, puesto que éstos pueden interactuar –algunas veces de manera letal– con los medicamentos que los médicos recetan. Lo que su médico o el farmacéutico *no sepan* puede perjudicarlo.

Obtenga y rellene sus medicamentos en la misma farmacia –preferiblemente una con sistema computarizado de prescripciones. De este modo, toda su historia médica –incluyendo cualquier alergia que pueda tener– estará en un solo archivo. Esto facilitará a su farmacéutico detectar cualquier posible interacción entre medicamentos o cualquier reacción alérgica.

La atención médica dirigida está afectando tanto a farmacéuticos como a médicos. Las farmacias independientes, que ofrecen una atención más personalizada, están siendo reducidas por las grandes cadenas y casas que proveen el servicio por correo, las cuales ofrecen mayores descuentos a las HMO. Las cadenas de tiendas y las tiendas por correo pueden ahorrarle dinero, sin embargo, usted probablemente no obtendrá mucha información. Esto quiere decir que tiene tarea por hacer. Por fortuna se pueden conseguir varias y buenas guías de medicamentos.

Recomendados (en inglés): *Worst Pills, Best Pills* (Pocket Books) del Dr. Sidney M.

Wolfe, *The Essential Guide to Prescription Drugs* (HarperResource) del Dr. James Rybacki y *The People's Pharmacy* (St. Martin's Press) de Joe y Teresa Graedon (St. Martin's Press).

También puede buscar información confiable sobre medicamentos en Internet. Si tiene acceso a la red, puede visitar estos sitios: RxList en *www.rxlist.com* y US Pharmacopeia en el sitio de Aetna InteliHealth en *www.intelihealth.com.*

Medicamentos para el colesterol que previenen el cáncer, el mal de Alzheimer y más...

Majid Fotuhi, MD, PhD, profesor auxiliar de neurología de la facultad de medicina de la Universidad Johns Hopkins, y director de la unidad de desórdenes de la memoria del hospital Sinai en Baltimore. Autor de *The Memory Cure: How to Protect Your Brain Against Memory Loss and Alzheimer's Disease* (McGraw-Hill).

Sheldon Marks, MD, profesor clínico adjunto de urología y conferencista clínico de radiación oncológica de la facultad de medicina de la Universidad de Arizona en Tucson. Autor de *Prostate and Cancer* (Perseus). Además dirige la junta de mensajes sobre salud masculina del sitio *WebMD.com*.

Boris Draznin, MD, PhD, profesor de medicina de la facultad de medicina de la Universidad de Colorado en Denver, y director de investigaciones del centro médico Veterans Affairs en Denver. Autor de *The Thinking Person's Guide to Diabetes: The Draznin Plan* (Oxford).

El grupo de fármacos llamado *estatinas* reducen el colesterol LDL ("malo") y reducen en un 50% el riesgo de sufrir un ataque cardiaco y en un 25% el riesgo de sufrir un derrame cerebral –pero esto no es todo. Hay investigaciones recientes que sugieren que las estatinas también tienen otro notable beneficio en la salud.

Las estatinas –entre las que se incluyen la *atorvastatina* (Lipitor), la *pravastatina* (Pravachol), la *simvastatina* (Zocor) y otras– limitan la cantidad de colesterol producida en el hígado. Además, tienen poderosos efectos antiinflamatorios y antioxidantes que previenen el daño de las células y del tejido. La mayoría de los pacientes que las toman sienten pocos efectos secundarios –o ninguno. Sin embargo, estos medicamentos pueden ser peligrosos para ciertas personas.

Se necesitan más estudios antes de que los médicos puedan recomendar tomar estatinas solamente para el mal de Alzheimer y el cáncer, pero los diabéticos deben preguntar sobre la terapia de estatinas.

MAL DE ALZHEIMER
DR. FOTUHI

Amplios estudios observacionales sugieren que las personas que toman estatinas pueden reducir su riesgo de sufrir mal de Alzheimer entre un 30% y un 70%. Las estatinas también pueden retardar la aparición de los síntomas de Alzheimer.

Cómo funcionan: Los pacientes con Alzheimer acumulan niveles superiores a los normales de proteínas amiloides que forman en el cerebro una placa insoluble parecida a la goma de mascar. El sistema inmune detecta esta placa y descarga moléculas inflamatorias para tratar de destruirla. La inflamación persistente daña las células del cerebro circundantes sin eliminar la placa. Las estatinas pueden reducir el daño del cerebro controlando este proceso inflamatorio.

CÁNCER
DR. MARKS

Las estatinas pueden ayudar a prevenir el cáncer. En un estudio hecho en Israel con 3.342 pacientes se encontró que quienes tomaban estatinas tuvieron un 50% menos de probabilidades de sufrir cáncer de colon. Otros estudios indican que las estatinas pueden bajar el riesgo de sufrir cáncer de la próstata hasta en un 56% y el riesgo de cáncer de mamá en un 30%.

Cómo funcionan: Las estatinas pueden bloquear la activación de un complejo de enzimas *(proteasoma)* que descompone proteínas. Inhibir este proceso puede hacer que las células cancerígenas mueran en vez de proliferar. También es posible que las estatinas bloqueen las señales de las células que pueden desencadenar la división de las células cancerosas.

DIABETES
DR. DRAZNIN

Según las pautas recientes de la American Diabetes Association, la mayoría de los pacientes de diabetes debería considerar tomar una estatina. El estudio "Heart Protection Study" halló que los diabéticos pudieran reducir su riesgo de tener un ataque cardiaco o un derrame cerebral con estatinas, aun si el nivel de colesterol fuera normal. Las pautas recomiendan las estatinas para los diabéticos mayores de 40 años que tiene un colesterol total de 135 ó superior.

Antibióticos: ¿Demasiado de algo bueno?

Timothy McCall, MD, internista en Boston, editor médico de la revista *Yoga Journal* y autor de *Examining Your Doctor: A Patient's Guide to Avoiding Harmful Medical Care.* Citadel Press. *www.drmccall.com.*

El desarrollo de los antibióticos en los años cuarenta fue uno de los más grandes avances en la historia de la medicina. Muchas infecciones que habían sido mortales –neumonía, meningitis, heridas infectadas, tuberculosis– podían entonces ser tratadas.

Desafortunadamente, los antibióticos demostraron ser tan efectivos en tratar estas enfermedades *bacterianas* que muchos médicos empezaron a recetarlos para resfriados y otras infecciones *virales*, contra las que los antibióticos no tienen ningún efecto.

Los médicos deberían actuar correctamente –pero muchas veces están demasiado dispuestos a complacer a sus pacientes, quienes frecuentemente solicitan antibióticos.

En un estudio se halló que los médicos recetaban antibióticos a dos de cada tres pacientes con resfriados. Algunos recetaban antibióticos a prácticamente todos los pacientes con resfriados que iban a su consultorio.

Cuando se recetan antibióticos innecesarios, se desperdician miles de millones de dólares. Y cuando usted toma un antibiótico que no necesita, corre el riesgo de sufrir efectos secundarios; desde infecciones por hongos hasta reacciones alérgicas que ponen en riesgo la vida. Y como posiblemente usted ya haya escuchado, el uso excesivo de antibióticos contribuye al desarrollo de bacterias resistentes al medicamento.

Muchos antibióticos que fueron muy efectivos en algún momento ahora resultan inútiles, y el problema empeora cada vez más. Estamos corriendo el riesgo de volver a una época en la que no existía un tratamiento efectivo para ciertas infecciones.

La clave, por supuesto, es usar los antibióticos sólo cuando realmente los necesita. De ese modo, es más probable que funcionen. *Esto es lo que recomiendo...*

●**No le pida antibióticos a su médico.** Puesto que se recetan antibióticos tan frecuentemente, si su médico dice que usted no los necesita, lo más probable es que así sea. Si su condición empeora, siempre puede volver.

●**Si le recetan antibióticos, continúe el tratamiento completo hasta el final.** Muchos pacientes dejan de tomar los antibióticos cuando se sienten mejor. Eso es un gran error. Si la infección no está erradicada del todo, es probable que la bacteria desarrolle resistencia.

●**Si usted encuentra antibióticos sobrantes en su botiquín de medicamentos, tírelos.** Algunas personas que no terminan su tratamiento de antibióticos guardan las pastillas, con la idea de usarlas luego para otra enfermedad.

El tomar antibióticos antes de ver al médico impide que éste realice un diagnóstico correcto. De todas maneras, probablemente usted no tenga suficientes pastillas como para tratar la infección correctamente.

●**Tome antibióticos para un dolor de garganta sólo si le diagnostican que tiene estreptococos.** Si tiene dolor de garganta, su médico debe ordenar un cultivo de garganta y recetar antibióticos sólo si el cultivo indica la existencia de la bacteria estreptococo Grupo A. En los adultos, menos del 10% de los dolores de garganta son causados por estreptococos.

●**Si usted tiene más de 65 años o padece una enfermedad crónica, póngase una vacuna para la neumonía neumocócica.** La vacuna *Pneumovax* previene las principales causas de la neumonía bacterial –que es una de las principales causas de muerte.

●**Cuando se enferme, escuche su cuerpo.** Gran parte de los pedidos que me hacen de antibióticos innecesarios provienen de personas que rehusan disminuir su nivel de actividad cuando se enferman. Cuando usted está enfermo necesita descansar. Si va a trabajar cuando no está en condiciones de hacerlo, corre el riesgo de infectar a sus compañeros de trabajo y permanecer enfermo por más tiempo. Probablemente no pueda hacer mucho de su trabajo de todas maneras.

●**No deje que un médico le recete antibióticos sin haberlo examinado en persona.** En estos días de reducción de costos, los seguros HMO y algunos médicos tratan de reducir costos al *evitarle* acudir al consultorio para una cita. En cambio, le ofrecen por teléfono una prescripción para antibióticos, generalmente sin que sea necesaria. Esta estrategia es muy conveniente tanto para los médicos como para los pacientes –y buena para el negocio. Sin embargo, en términos generales, es una atención médica deficiente.

Se pueden evitar los errores en los medicamentos... fácilmente

Joseph Graedon, coautor de Deadly Drug Interactions: The People's Pharmacy Guide *y* The People's Pharmacy: Completely Revised and Updated! *St. Martin's.*

Cada año, los errores vinculados con medicamentos –con o sin prescripción– cuestan $20 mil millones a la economía de EE.UU. en gastos de hospitalización... y causan la muerte de 140.000 personas solo en este país.

Esta es la forma de evitar las "equivocaciones con los medicamentos", la ingesta del medicamento equivocado, una sobredosis, una reacción alérgica inducida por el medicamento, etc.

INTERACTÚE CON SU MÉDICO

Antes de cada cita, anote en orden de importancia todas sus preocupaciones médicas y/o los síntomas que experimente. Si sospecha que una erupción o algún otro nuevo síntoma está relacionado con el medicamento que está tomando, haga de eso una prioridad. Este tipo de problema podría poner en riesgo su vida.

La mayoría de los médicos tienen un tiempo muy limitado para dedicarle a cada paciente, así que es esencial empezar con el problema más urgente. Si usted divaga sobre otros problemas diversos –o se desvía del tema– el médico puede interrumpirle antes de llegar a hablar del tema realmente importante.

Ocasionalmente, el estrés psicológico causado por la visita al médico puede dificultarle el captar e internalizar todo lo que dice el médico. En tal caso, llévese un grabador de mano. De ese modo, puede grabar los comentarios del médico y analizarlos cuando esté más relajado.

Importante: Sea tan diplomático como pueda cuando haga sus grabaciones. Comuníquele al médico que usted simplemente quiere evitar cualquier confusión a la hora de seguir sus instrucciones.

Alternativa: Pídale a un amigo o familiar que le acompañe a las citas. Dígale que anote todas las instrucciones del médico.

PRESCRIPCIONES NUEVAS

Antes de aceptar alguna prescripción nueva, proporciónele a su médico esta información…

● **Una lista completa** de todos los medicamentos con o sin prescripción que usted esté tomando, así como cualquier tipo de sustancias recreativas, incluyendo vitaminas, remedios para resfriados, alcohol y tabaco.

● **Cualquier alergia o sensibilidad** que pueda tener a algún medicamento o alimento.

● **Cualquier dieta especial** que pueda estar siguiendo.

● **Cualquier condición** por la que ya esté recibiendo tratamiento médico.

Las mujeres: Infórmenle al médico si están embarazadas o si están intentando quedar embarazadas.

Pídanle al médico cualquier información escrita sobre el medicamento, sus efectos secundarios y cómo tomarlo. Si es posible, lean esta información antes de salir del consultorio –y pidan una copia para llevar a casa.

Preguntas que debe hacer: ¿Hay alguna precaución o advertencia que debo saber? ¿Debo evitar algún tipo de comida, medicamento o suplemento vitamínico mientras tome este medicamento?

El no tener respuestas a estas preguntas puede acarrear serios problemas, incluso la muerte.

Por ejemplo: Una familia de antidepresivos llamada inhibidores MAO (Marplan, Nardil y Parnate) es sumamente peligrosa cuando se toma en combinación con algunos otros antidepresivos, con queso o salsa de soja o con medicamentos para resfriados de venta libre.

Nunca tome ningún medicamento sin saber su función. ¿Es un medicamento para aliviar los síntomas? De ser así, ¿cuáles síntomas? ¿Es para curar alguna enfermedad? ¿Cuál?

Obtenga explicaciones explícitas sobre cómo se debe tomar el medicamento. Un simple "tres veces al día" no es suficiente. Averigüe la dosis correcta y a qué horas del día debe tomarlo.

Pregunte si el medicamento se debe tomar con las comidas o con el estómago vacío.

¿Qué sucede si omite una dosis? ¿Debe tomar la dosis tan pronto como se acuerde? ¿O debe simplemente saltar esa dosis y duplicar la siguiente?

Su médico debe verificar si hay posibles interacciones entre su nueva prescripción y cualquier otro medicamento que usted ya esté tomando. No es recomendable confiar en su memoria. En lugar de esto, debe consultar un texto de referencia o un programa de computadora especializado.

Si no tiene a mano la información correspondiente, pídale a su médico que llame por teléfono al fabricante del medicamento. También es una buena idea comprar un libro de referencia para verificar la información relacionada con el medicamento.

Si experimenta algún efecto secundario inesperado una vez que empiece a tomar un nuevo medicamento, avísele a su médico inmediatamente. Pídale a su médico que le informe cuáles efectos secundarios requieren atención inmediata.

Precaución: No suspenda el medicamento sin consultar al médico. Dejar de tomar ciertos medicamentos abruptamente puede desencadenar ritmos cardiacos irregulares, convulsiones o incluso un ataque al corazón.

EVITAR ERRORES EN LAS FARMACIAS

Algunos pacientes les piden rutinariamente a sus médicos que "ordenen sus prescripciones por teléfono" a una farmacia. Esto puede ser un grave error, especialmente cuando se trata de una nueva prescripción.

La razón: Los nombres de los medicamentos muchas veces suenan parecido, especialmente cuando se escuchan por teléfono en el ambiente ruidoso de una farmacia. El medicamento para la úlcera llamado *Zantac*, por ejemplo, puede confundirse fácilmente con el ansiolítico *Xanax*.

Su médico debe darle una prescripción escrita. Esta prescripción debe estar escrita claramente, en inglés, incluyendo la marca del medicamento y su nombre genérico, así como las instrucciones detalladas. No deben usarse abreviaturas.

No acepte una caligrafía ilegible. En una encuesta realizada, más del 50% de los farmacéuticos reconocieron que la escritura ilegible de los médicos les había ocasionado equivocaciones en la entrega de las recetas.

Ejemplo: A una paciente que debía tomar un medicamento antiinflamatorio llamado *Tolectin* le dieron en cambio *Tolinase*, un medicamento para la diabetes. Como consecuencia desarrolló una condición grave llamada seudoinsulinoma, que imita el exceso de producción de insulina.

En definitiva: Si usted no puede leer lo que dice su receta, lo más probable es que su farmacéutico tampoco pueda.

Para minimizar los errores al máximo, asegúrese de que el farmacéutico se haga cargo de su prescripción. Los técnicos en farmacia son más propensos a cometer errores, puesto que tienen menos entrenamiento que los farmacéuticos. Si no está seguro de quién está preparando su prescripción, pregunte.

Finalmente, visite su farmacia entre el mediodía y las 3 de la tarde. En la mayoría de las farmacias, ése es el horario del día con menos actividad. Evite que preparen sus medicamentos inmediatamente antes o después de los horarios de trabajo. Ése es el momento más agitado del día.

LA AUTODEFENSA CONTRA LA INTERACCIÓN DE MEDICAMENTOS

Use una sola farmacia para todas las prescripciones de su familia. De ese modo usted puede tener la seguridad de que el farmacéutico está familiarizado con todos sus medicamentos y alerta ante cualquier posible interacción.

De ser posible, encuentre una farmacia que use un sistema computarizado del perfil de los pacientes para guardar registro de los distintos medicamentos que están tomando los miembros de la familia. Pídale al farmacéutico que verifique en la computadora las posibles interacciones. Prepárese a esperar —o regresar en otro momento— si el farmacéutico necesita verificar su prescripción con su médico.

Su farmacéutico también debe verificar su nueva prescripción por posibles interacciones con el alcohol o con otros medicamentos de venta libre. *Estas interacciones pueden causar graves problemas...*

Ejemplo Nº 1: El antibiótico *tetraciclina* pierde su efectividad por una simple tableta Tums.

Ejemplo Nº 2: Beber alcohol, aunque sea en pequeñas cantidades, puede causar una seria reacción alérgica en personas que tomen antihistamínicos, tranquilizantes, sedantes o analgésicos.

Al igual que su médico, su farmacéutico debe brindarle instrucciones sobre cómo tomar el medicamento, los posibles efectos secundarios y las comidas o medicamentos que debe evitar.

Cómo medir las dosis correctamente

Michael Leff, editor de *Consumer Reports on Health*, 101 Truman Ave., Yonkers, Nueva York.

Use una cuchara de medir para determinar las porciones de su medicamento —no una cuchara de mesa. Las cucharas de mesa pueden contener desde la *mitad...* hasta el doble de la medida de una cuchara de medir.

Los ocho errores más comunes relacionados con los medicamentos... y cómo evitarlos

Harold Silverman, PharmD, farmacéutico y consultor de salud en Washington, DC. Es autor de *The Pill Book: The Illustrated Guide to the Most-Prescribed Drugs in the United States.* Bantam.

Sin saberlo, muchas personas reducen la efectividad de los medicamentos que toman –o peor aún, se perjudican– al no prestarle la debida atención a sus pastillas. *Estas son las trampas más comunes relacionadas con los medicamentos y cómo evitarlas...*

Trampa Nº 1: No verificar dos veces su prescripción. Los errores al preparar los medicamentos son poco comunes, pero pueden ocurrir.

En medio de su agitada rutina, un médico puede recetar el medicamento incorrecto o la dosis incorrecta. El farmacéutico puede malinterpretar la caligrafía del médico o tomar la botella de pastillas equivocada al preparar su prescripción.

La autodefensa: Antes de entregarle la prescripción al farmacéutico, escriba el nombre del medicamento y la dosis en un papel.

Cuando recoja sus pastillas, compare la etiqueta con sus notas. Si sospecha que hay un error, llame a su médico.

Además, considere tener a mano una copia de uno de estos libros (en inglés): *The Pill Book* (Bantam) o *Physicians' Desk Reference* (Medical Economics). Estos libros tienen fotografías de las pastillas.

Trampa Nº 2: No estar consciente de los efectos secundarios de un medicamento. Los médicos deben informar a sus pacientes sobre los posibles efectos secundarios de un medicamento. Pero no siempre lo hacen porque no quieren "asustar" a los pacientes.

Los medicamentos recetados pueden causar una serie de efectos secundarios problemáticos, incluyendo disminución del impulso sexual, impotencia, eyaculación retrógrada (en la que el semen se eyacula "hacia atrás", hacia la vejiga). Si no está al tanto de que su medicamento le está causando ese problema, puede preocuparse exageradamente.

La autodefensa: Antes de tomar *cualquier* medicamento recién recetado, pregúntele a su médico o farmacéutico sobre los efectos secundarios.

Si presenta algún problema, pregunte si puede tomar una dosis menor o cambiar por un sustituto.

Trampa Nº 3: Tomar un medicamento que interactúe con otro. Nueve de cada diez farmacias cuentan ahora con un programa informático sofisticado de entrega de medicamentos que verifica que no haya interacción entre los medicamentos.

Cada vez que usted llega con una nueva prescripción, el farmacéutico realiza una verificación en la computadora. Si el medicamento interactúa con algún otro que usted esté tomando, el farmacéutico lo alerta al respecto.

Pero estos sistemas sólo funcionan si usted hace preparar todas sus recetas en la misma farmacia.

Si usted compra en diferentes farmacias, corre el riesgo de someterse a efectos secundarios y/o a no recibir todos los beneficios del medicamento. Incluso puede no saber que tiene dos prescripciones de dos médicos distintos para el mismo medicamento –y está duplicando la dosis.

La autodefensa: Compre en una misma farmacia. Si está tomando varios medicamentos y no está seguro de cómo interactúan, ponga todos los medicamentos que toma en una bolsa y llévelos a su médico o a su farmacéutico. Revise los nombres y las dosis de cada medicamento y para qué sirve cada uno.

Asegúrese de programar esta "cita" con anticipación. De otro modo, el farmacéutico o el médico puede estar muy ocupado para pasar suficiente tiempo con usted.

Trampa Nº 4: Combinar ciertos medicamentos recetados con otros de venta libre. En los últimos años, varios medicamentos que solían conseguirse solamente con una prescripción médica han pasado a ser de venta sin receta.

Esto reduce el costo para el consumidor, pero dificulta a los médicos controlar a sus pacientes para estar alerta sobre combinaciones peligrosas de medicamentos.

Ejemplo I: En raros casos, algunos medicamentos antiinflamatorios sin esteroides (por sus siglas en inglés NSAID) como el *ibuprofeno* (Motrin), el *naproxeno* (Aleve) y el *ketoprofeno* (Orudis) pueden causar daños en el riñón. Si usted padece alguna enfermedad del riñón, evite consumir grandes dosis. No los tome por un periodo de tiempo prolongado.

Ejemplo II: El bloqueante de ácido *cimetidina* (Tagamet) interactúa con el medicamento contra la diabetes *sulfonilurea*, también con los tranquilizantes *benzodiazepinas* como el Valium y con los bloqueantes de los canales de calcio como Adalat y Procardia.

La autodefensa: Si está tomando algún medicamento recetado por un tiempo prolongado, pregúntele a su médico si conoce algún medicamento de venta libre que interactúe de alguna manera con él.

O compre sus medicamentos de venta libre en la misma farmacia donde le preparan sus prescripciones y verifique con el farmacéutico antes de tomarlos juntos.

Trampa Nº 5: Guardar sus medicamentos incorrectamente. No cabe duda de que ya ha escuchado que la humedad deteriora los medicamentos. Sin embargo, la mayoría de nosotros continúa guardando los medicamentos en el baño; el cuarto más caliente y húmedo de la casa.

Incluso si usted no puede percibir ningún deterioro, sus pastillas probablemente están perdiendo potencia.

La autodefensa: Guarde todos los medicamentos de venta libre y los recetados por su médico en un lugar seco y fresco: el armario de su dormitorio, por ejemplo (o en el refrigerador, si el medicamento debe estar refrigerado).

Si tiene niños, asegúrese de mantener los medicamentos fuera de su alcance.

Trampa Nº 6: No ajustar la dosis luego de una variación significativa en su peso. Si usted pierde mucho peso, una dosis que era correcta puede convertirse en una sobredosis perjudicial. Por el contrario, un incremento significativo de peso puede determinar una dosis insuficiente.

La autodefensa: Si usted gana o pierde más del 10% de su peso corporal, alerte a su médico para que pueda ajustarle la dosis de acuerdo a su nuevo peso.

Trampa Nº 7: Usar los medicamentos vendidos con receta sin supervisión médica. Muchas personas guardan las pastillas que no usaron, pensando que ahorrarán un poco de dinero –y un viaje a la farmacia– si vuelven a enfermarse.

Si experimenta los mismos síntomas de nuevo, auto-recetarse de esta manera puede resultar peligroso. Sus nuevos síntomas pueden ser producto de una enfermedad distinta, que requiere un tratamiento diferente.

La autodefensa: Si tiene pastillas sobrantes de un tratamiento completo, deséchelas. Si insiste en conservar las pastillas no usadas, por lo menos llame a su médico y obtenga su autorización antes de usarlas.

Trampa Nº 8: Desobedecer las órdenes del médico. Un número impresionante de personas simplemente no sigue las instrucciones de su médico, cuando se trata de medicamentos recetados.

Algunos pacientes toman más medicamentos de los recetados –bajo la premisa errónea que "más es mejor". Otros toman menos de lo que el médico les ordenó –en un esfuerzo inapropiado por evitar efectos secundarios. Los médicos llaman a esta conducta "incumplimiento del paciente".

La autodefensa: Tome todos sus medicamentos siguiendo las instrucciones. Si no se acuerda, cree un plan para refrescar su memoria en los momentos apropiados.

Escriba su régimen de dosis en su agenda, lleve su pastillero en los bolsillos del pantalón como un recordatorio constante, o compre una combinación de pastillero/alarma en su farmacia local.

Si omite una dosis, verifique con su médico o su farmacéutico qué debe hacer. En algunos casos es mejor continuar con el régimen como si no hubiera omitido la dosis. En otros, es mejor duplicar la dosis siguiente.

Interacciones peligrosas entre medicamentos

Joseph Graedon es uno de los principales expertos de EE.UU. en la interacción de medicamentos. Ha sido consultor de la FTC (Comisión Federal de Comercio) en publicidad de medicamentos de venta libre y como miembro de la junta asesora de la Drug Studies Unit de la Universidad de California en San Francisco. Es coautor, con Teresa Graedon, PhD, de muchos libros relacionados con temas de salud, incluyendo *Deadly Drug Interactions: The People's Pharmacy Guide* and *The People's Pharmacy: Completely Revised and Updated!* St. Martin's.

Cada año, cientos de personas combinan los medicamentos que están tomando con otros medicamentos o alimentos que producen reacciones adversas. En la mayoría de los casos, no estaban conscientes de que pudiera haber algún problema, puesto que el medicamento o el alimento en cuestión parecía inofensivo.

Aquí tiene algunas de las interacciones peligrosas más comunes entre medicamentos –y qué puede hacer para protegerse y proteger a su familia de algún daño.

INTERACCIONES DE MEDICAMENTOS CON ALIMENTOS

Seguro que su farmacéutico le debe haber advertido que evite tomar ciertos antibióticos con productos lácteos. Esta combinación puede reducir la efectividad de los medicamentos.

Pero muchos farmacéuticos y médicos no están al tanto de algunas interacciones raras entre medicamentos y alimentos. *Algunos alimentos que pudieran causar problemas con sus medicamentos son…*

●**La toronja y el jugo de toronja** contienen ciertos componentes que interactúan poderosamente con los medicamentos, y causan efectos secundarios devastadores.

Ejemplo: Los medicamentos para la presión arterial, tales como la *nifedipina* (Procardia y Adalat) y la *felodipina* (Plendil), son peligrosos cuando se combinan con la toronja ("grapefruit"), generando niveles más elevados en la sangre de medicamentos para la presión arterial. Los síntomas pueden incluir enrojecimiento de la cara, náuseas, mareo, confusión, palpitaciones o latidos irregulares del corazón.

●**Los vegetales de hojas verdes** tales como el bróculi, las coles de Bruselas y la col (repollo, "cabbage"), reducen la efectividad del anticoagulante *warfarina* (Coumadin), recetado comúnmente para prevenir coágulos sanguíneos. Estos alimentos son ricos en vitamina K, que ayuda a que la sangre coagule. El Coumadin, por su parte, actúa contrarrestando el efecto coagulante de la vitamina K.

El consumo diario de pequeñas cantidades de alimentos ricos en vitamina K probablemente no represente un problema. Pero si come demasiado, en un restaurante chino, por ejemplo, usted reduce la efectividad del medicamento y se expone al riesgo de tener un coágulo sanguíneo o sufrir un derrame cerebral.

●**La avena ("oatmeal") y otros alimentos ricos en fibra** pueden interferir con la absorción de la *digoxina* (Lanoxin), un medicamento recetado para controlar un ritmo cardiaco irregular, efecto que puede producir coágulos sanguíneos y derrame cerebral. Tome el Lanoxin dos o tres horas antes de consumir alimentos ricos en fibras.

●**Los sustitutos de la sal** los usan las personas con presión arterial elevada, pero tienen altas cantidades de potasio. Si se consumen con diuréticos que controlan el potasio como la *espironolactona* (Aldactone) –que se receta para la presión arterial alta o la insuficiencia cardiaca congestiva– pueden causar un aumento en los niveles de potasio, incrementando el riesgo de ataque al corazón.

●**El regaliz ("licorice") y el Lanoxin,** o un diurético como la *furosemida* (Lasix), pueden disminuir los niveles de potasio y causar ritmos cardiacos irregulares y ataque al corazón. Un trozo de regaliz probablemente no le hará daño, pero comer grandes cantidades de regaliz regularmente podría ser mortal.

INTERACCIONES ENTRE LOS MEDICAMENTOS RECETADOS

●**Antibióticos vs. anticoagulantes sanguíneos.** Los antibióticos como el *metronidazol* (Flagyl y Protostat) pueden causar problemas cuando se toman junto al anticoagulante sanguíneo Coumadin. Los antibióticos evitan que el cuerpo expulse el Coumadin y si los niveles de Coumadin se elevan demasiado, pueden ocurrir hemorragias que acarreen peligro de muerte.

Si está tomando metronidazol y Coumadin, debe ser muy bien supervisado por su médico y hacerse análisis de sangre frecuentemente.

INTERACCIÓN ENTRE MEDICAMENTOS CON Y SIN PRESCRIPCIÓN

No dé por sentado que los medicamentos de venta libre no son riesgosos. Si se juntan con ciertos medicamentos recetados, pueden causar serias complicaciones. *Ejemplos...*

•**Calmantes para el dolor.** La aspirina, el *ibuprofeno* (Advil y Nuprin), el *naproxeno* (Aleve) y el *ketoprofeno* (Orudis KT) pueden reducir la efectividad de los betabloqueantes, tales como el *propranolol* (Inderal) y el *metoprolol* (Lopressor), que son recetados para tratar la presión arterial alta.

Si esto sucede, la presión arterial puede elevarse, incrementando el riesgo de ataque al corazón y de derrame cerebral (apoplejía, "stroke"). Si usted está tomando betabloqueantes, verifique con su médico antes de tomar un calmante para el dolor. Si su médico le receta un betabloqueante y una aspirina, el/ella debe controlar su presión arterial.

•**Los antiácidos** pueden inhibir la absorción de los medicamentos para el corazón y la presión arterial *captoprilo* (Capoten) y *atenolol* (Tenormin), así como Lanoxin.

Y el carbón activado que le añaden para contrarrestar los gases puede reducir la efectividad de una serie de medicamentos, incluyendo los antidepresivos tricíclicos tales como el *amitriptilina* (Elavil) y los medicamentos para la diabetes *clorpropamida* (Diabinese) y *tolazamida* (Tolinase).

•**Los remedios para la alergia y la tos/resfriado** que contienen *seudoefedrina*, *efedrina* o *fenilefrina* no deben ser combinados con un antidepresivo inhibidor de monoamina oxidasa como la *fenelzina* (Nardil) o la *tranilcipromina* (Parnate). Su presión arterial podría elevarse, produciendo una crisis de hipertensión y un derrame cerebral.

RESGUÁRDESE CONTRA LA INTERACCIÓN

•**Infórmele a sus médicos sobre los medicamentos con y sin prescripción que esté tomando** y haga que sus médicos verifiquen alguna posible interacción. Antes de irse del consultorio, pídales que consulten libros y/o programas de computadora de referencias sobre medicamentos.

•**Haga preparar sus prescripciones en una sola farmacia,** preferiblemente una que tenga un sistema computarizado con toda la información sobre sus medicamentos y que pueda detectar posibles interacciones. Dígale a su farmacéutico qué otros medicamentos de venta libre está tomando.

•**Haga una lista de todas las preguntas clave que desea formular.** Cuando le receten un nuevo medicamento, no suponga que su médico o su farmacéutico están conscientes de todas las interacciones entre los medicamentos –y si lo están, que se acordarán de alertarle. Haga una lista con las siguientes preguntas y entrégueles una copia a su médico y a su farmacéutico para que cada uno las llene. Si uno contradice al otro, hable con ambos para obtener la respuesta correcta.

•¿Cuál es el nombre del medicamento?

•¿Cuál es la dosis?

•¿A qué hora(s) debo tomarlo?

•¿Debo tomarlo con la comida? ¿Antes o después de comer? ¿Por cuánto tiempo?

•¿Hay algún alimento que debo evitar?

•¿Hay alguna vitamina o suplemento que debo evitar o que debo tomar?

•¿Hay alguna precaución o advertencia que debo conocer?

•¿Hay alguna contraindicación que haga que este medicamento sea inapropiado?

•¿Qué otros medicamentos recetados debo evitar?

•¿Qué otros remedios de venta libre debo evitar?

•¿Qué efectos secundarios son comunes con mi medicamento?

•¿Hay algún efecto secundario que sea tan grave que deba llamarlo inmediatamente?

Si su médico o farmacéutico le dice que un medicamento no va a interactuar de forma adversa con otro medicamento o alimento, no suponga que no existe ninguna interacción. Aunque son casos raros, algunas interacciones que pueden ser mortales pasan inadvertidas por las empresas fabricantes de medicamentos, los establecimientos médicos y la agencia federal Food and Drug Administration (FDA) durante meses o incluso años después de que un medicamento está en el mercado.

Así que… si experimenta algún síntoma extraño que no puede ser explicado fácilmente, pídale a su médico que se ponga en contacto con el fabricante del medicamento y envíe un informe a la FDA.

Medicamentos de venta libre vs. medicamentos recetados

Patricia Wilson de Wilson & Associates, una firma consultora de servicios médicos en Rosemont, Pensilvania.

Si bien los medicamentos de venta libre son generalmente menos costosos que los recetados, los planes de seguro que cubren el costo total o parcial de los medicamentos recetados hacen que a menudo estos medicamentos sean más baratos para los participantes del plan, que los productos equivalentes de venta libre, que el seguro no cubre.

Ejemplo: Doscientos miligramos diarios del medicamento para la acidez estomacal *cimetidina* puede tener un precio tan bajo como $60 al año para los miembros de un plan HMO, mientras que el equivalente anual del medicamento de venta libre Tagamet HB puede costar $110 o más.

Desde 1972, más de 50 medicamentos con receta han pasado a los anaqueles de las farmacias para ser de venta libre; y cada año la agencia federal Food and Drug Administration (FDA) está considerando la aprobación de docenas de otros medicamentos.

Termine todo su tratamiento

Ted Ferry, EdD, profesor emérito del Institute for Safety and Systems Management de la Universidad Southern California. Autor de *Home Safety Desk Reference.* Career Press.

No deje de tomar las medicinas cuando se sienta mejor, a menos que su médico lo apruebe. Las medicinas recetadas le ayudan a sentirse bien antes de que la enfermedad subyacente esté curada. El fin de los síntomas no necesariamente es el fin de la enfermedad.

Alerta sobre la fecha de vencimiento

Timothy McCall, MD, internista en Boston, editor médico de la revista *Yoga Journal* y autor de *Examining Your Doctor: A Patient's Guide to Avoiding Harmful Medical Care.* Citadel Press. *www.drmccall.com.*

Algunos medicamentos, como la codeína, se vuelven más potentes al pasar el tiempo, mientras que otros pierden su efectividad. Tomar medicamentos vencidos no es una manera eficaz de ahorrar dinero.

Para que sus medicamentos duren la mayor cantidad de tiempo posible: No los guarde en el baño. La humedad y los gérmenes del baño pueden hacer que los medicamentos se deterioren prematuramente.

Uso excesivo de medicamentos para niños

James A. Taylor, MD, profesor del departamento de pediatría de la Universidad de Washington en Seattle.

Más de la mitad de los niños de tres años que participaron en una encuesta importante ha tomado al menos un medicamento de venta libre en los últimos 30 días.

La consecuencia: Muchos niños sufren efectos secundarios debido a los colorantes, los saborizantes y el alcohol presentes en algunos medicamentos para niños. Y los padres gastan su dinero en medicamentos inapropiados.

Autodefensa contra las medicinas recetadas I

Rosemary Soave, MD, especialista en enfermedades infecciosas y profesora adjunta de medicina del New York Hospital–Cornell Medical Center en Nueva York.

Para asegurarse de que sus prescripciones médicas se preparan correctamente, pídale a su médico que escriba en la prescripción, además del nombre del medicamento, el propósito de la misma.

La razón: Muchos medicamentos tienen nombres similares y la caligrafía de algunos médicos puede ser difícil de descifrar.

Autodefensa contra las medicinas recetadas II

Charles B. Inlander, consultor de servicios médicos y presidente de la organización sin fines de lucro People's Medical Society, un grupo de defensa de los usuarios de servicios médicos de Allentown, Pensilvania. Es autor de numerosos libros, entre ellos *The People's Medical Society Health Desk Reference*. Hyperion.

Diecisiete millones de veces al año se cometen errores con los medicamentos recetados por un médico. *Para asegurarse de que no tome el medicamento equivocado...*

Cuando su médico le recete un medicamento, pídale que le escriba en un papel –diferente al de la prescripción– el nombre exacto del medicamento, la dosis, el número de veces al día que debe tomarlo y cualquier efecto secundario por el que usted debiera llamarle. Cuando pida su prescripción, compare la etiqueta con la nota del médico y hable con su médico sobre cualquier discrepancia.

Precaución: Las compañías que hacen entregas por correo y los planes de atención médica dirigida ("managed-care plans") algunas veces sustituyen medicamentos. Obtenga la aprobación de su médico antes de tomar el sustituto.

Coméntele a su médico sobre todos los medicamentos que usa regularmente –incluyendo los medicamentos de venta libre.

Cómo ahorrar en sus medicamentos

Rick Doble, es editor del boletín *$avvy Discount$ Newsletter*, Box 96, Smyrna, NC 28579.

Compre pastillas de doble potencia (si su médico lo receta de esa manera) y córtelas por la mitad con un cortador de pastillas. Los cortadores de pastillas cuestan entre $8 y $10.

● **Compare precios** e incluya en su comparación una farmacia de descuento que despache pedidos por correo.

● **Siempre pida medicamentos genéricos.** Al hacer la reposición de su receta, pregunte si hay un genérico disponible. Nuevos genéricos ingresan al mercado periódicamente.

¿Aspirina? ¿Tylenol? ¿Advil? ¿Ninguno de los anteriores?

Timothy McCall, MD, internista en Boston, editor médico de la revista *Yoga Journal* y autor de *Examining Your Doctor: A Patient's Guide to Avoiding Harmful Medical Care*. Citadel Press. *www.drmccall.com*.

Puede ser difícil decidir qué calmante para el dolor tomar. La publicidad que pregona las ventajas de un medicamento mientras destruye la competencia es tan objetiva como la propaganda política.

Para el tratamiento de la fiebre, dolores de cabeza o molestias y dolores comunes, hay diferentes calmantes de venta libre cuya efectividad es similar. Pero hay diferencias importantes.

●**La aspirina** es la menos costosa de los calmantes de venta libre. Pero tiene más probabilidades de causarle malestar estomacal. Éste puede variar desde una indigestión sin importancia hasta hemorragias que pueden atentar contra su vida.

Sin duda usted habrá escuchado que bajas dosis de aspirina, tomadas regularmente, ayudan a prevenir ataques al corazón y el cáncer de colon. Si bien la aspirina ofrece algún tipo de protección contra estos males –otros calmantes no lo hacen– también parece elevar el riesgo de hemorragia cerebral (ataque hemorrágico, "stroke").

La terapia de aspirina para prevenir ataques del corazón es apropiada para personas de más de 50 años con factores de riesgo cardiaco (presión arterial alta, colesterol alto, etc.). Yo recomiendo usualmente una dosis diaria de 81 miligramos (una aspirina de "bebé"). Por supuesto, debe consultar con su médico.

●**El ibuprofeno** (Advil, Motrin) y otros medicamentos anti-inflamatorios sin esteroides más nuevos (por sus siglas en inglés NSAID) tienen menos probabilidades de descomponerle el estómago. El ibuprofeno es particularmente bueno para los dolores menstruales. Pero estos medicamentos –incluyendo el *naproxeno* (Aleve) y el *ketoprofeno* (Orudis KT)– no son, de ningún modo, perfectamente seguros.

Cada año, cerca de 10.000 estadounidenses son hospitalizados por hemorragias intestinales causadas por los anti-inflamatorios sin esteroides más nuevos. Mil de ellos mueren por esas hemorragias. Estos medicamentos pueden causar también problemas de riñón y reducir la efectividad de algunos medicamentos para la presión arterial.

●**El acetaminofeno** (Tylenol) es probablemente el más seguro de los analgésicos de venta libre. Pero no es absolutamente inofensivo. Tal como señalan correctamente los comerciales de Advil, el ingerir más de tres bebidas alcohólicas al día mientras se toma acetaminofeno puede causar daños en el hígado. Pero si ingiere esa cantidad de alcohol y toma ibuprofeno o aspirina, su riesgo de una hemorragia intestinal fatal también se acrecienta.

Para ciertas personas, algunos medicamentos son una mejor opción…

●**Cualquier persona con un historial de úlceras** debe evitar tomar aspirinas u otros medicamentos anti-inflamatorios. El acetaminofeno suele ser una mejor opción.

●**Cualquier persona con hepatitis crónica o algún otro problema del hígado** debe evitar el acetaminofeno. La aspirina o el ibuprofeno son mejores.

●**Las personas que beben en exceso** también deben evitar el uso regular de todos los analgésicos. Si necesita uno, debe tomarse en la menor dosis efectiva y con la menor frecuencia posible. Por supuesto, la mejor alternativa es reducir la ingesta de alcohol.

●**Las personas mayores** deben generalmente usar acetaminofeno para las molestias y dolores menores. Tomar aspirina para prevenir un ataque al corazón es un asunto diferente que debe ser discutido con un médico.

●**Para los niños,** el acetaminofeno y el ibuprofeno son más seguros que la aspirina. Cuando los niños con gripe toman aspirina, pueden desarrollar una enfermedad devastadora llamada síndrome de Reye.

Cualquiera sea el analgésico que escoja, acuérdese de usarlo con moderación. Todos los medicamentos pueden causar efectos secundarios. Si necesita una pastilla para el dolor, olvídese de las promesas publicitarias. La aspirina, el acetaminofeno y el ibuprofeno genéricos son tan efectivos como lo son Bayer, Tylenol y Advil.

Los peligros de los analgésicos

William L. Henrich, MD, profesor y presidente del departamento de medicina de la facultad de medicina de la Universidad de Maryland en Baltimore, y presidente de la Consensus Conference on Analgesics de la National Kidney Foundation.

La aspirina y el acetaminofeno, tomados juntos durante un largo período de tiempo pueden causar fallas en el riñón.

La autodefensa: Evite combinar calmantes para el dolor, como Excedrin y Vanquish... y no mezcle ni combine tabletas analgésicas. La organización National Kidney Foundation ha solicitado que se prohíban los medicamentos para la tos, el resfriado y el dolor de cabeza de venta libre que contienen ambos calmantes.

El insomnio y los analgésicos

S. Lori Brown, PhD, MPH, jefa de investigación científica de la agencia federal Food and Drug Administration (FDA) en Rockville, Maryland. Su estudio fue publicado en el *Journal of the American Geriatrics Society*, 350 Main St., Malden, MA 02148.

El insomnio puede ser causado por calmantes para el dolor de venta libre que contienen cafeína; *por ejemplo*, el Excedrin y el Anacin, que no contienen aspirina. En un estudio de 2.885 pacientes, era más probable que los que tomaron fórmulas de aspirina que contenían cafeína y acetaminofeno reportaran el doble de problemas para dormir que aquéllos que tomaron analgésicos similares sin cafeína.

Tabletas vs. líquidos

Malcolm Robinson, MD, profesor clínico de medicina de la facultad de medicina de la Universidad de Oklahoma en Oklahoma City. Su estudio de 65 pacientes que sufrían de acidez estomacal fue publicado en *Gastroenterology*, American Gastroenterology Association, 4930 Del Ray Ave., Bethesda, MD 20814.

Ciertos investigadores realizaron una comparación entre las tabletas de Tums E-X y Mylanta Double Strength con los líquidos antiácidos Mylanta II y Maalox Extra Strength. *El resultado*: las tabletas fueron más efectivas en el control de la acidez y el reflujo ácido.

La teoría: Al ser masticadas, las tabletas se mezclan con la saliva y crean una película protectora que se adhiere al esófago por más tiempo que los líquidos. *También*: la masticación promueve la producción de saliva que contiene sustancias que combaten los ácidos naturalmente.

Control económico del colesterol

J. David Spence, MD, director del Stroke Prevention and Atherosclerosis Research Centre de la Universidad de Western Ontario en Canadá.

El medicamento para reducir el colesterol *colestipol* (Colestid) puede usarse de manera más económica *y* efectiva cuando se mezcla con el suplemento natural de fibra *psillium* (metilcelulosa). Los pacientes que tomaron la mitad (2,5 g) de su dosis normal de colestipol, más 2,5 g de psillium, tuvieron descensos mayores en la importantísima relación de colesterol total a colesterol de alta densidad HDL (el llamado colesterol bueno) que cuando tomaron el colestipol únicamente. Con la mezcla, también se reportaron menos efectos secundarios. Consulte con su médico primero.

La controversia del colesterol

Bruce Yaffe, MD, internista y gastroenterólogo con práctica privada, 121 E. 84 St., Nueva York 10028.

Los beneficios de las medicinas que reducen el colesterol superan en gran medida cualquier riesgo de cáncer. Algunas investigaciones sugirieron que el uso prolongado de dos clases de medicamentos principales, los *fibratos* y los *estatinos*, puede producir un incremento en el riesgo de contraer cáncer. Para las personas con niveles de colesterol elevados, ese miedo es minimizado frente al riesgo inmediato de sufrir un ataque al corazón. Muchos años de experiencia demuestran que los medicamentos reducen los ataques al corazón en un 40%.

La aspirina reduce el riesgo de cáncer de colon

Edward Giovannucci, MD, es profesor adjunto de medicina de la facultad de medicina de la Universidad Harvard en Boston. Su revisión de cuestionarios de salud completados por 121.701 mujeres en 1976 fue publicada en *The New England Journal of Medicine*, 10 Shattuck St., Boston 02115.

Pero los efectos beneficiosos solamente se hacen manifiestos luego de una década o más de tomar el medicamento. Después de diez años, las mujeres que tomaron consecuentemente dos o más tabletas de aspirina por semana tuvieron un riesgo ligeramente menor de contraer cáncer de colon que otras mujeres. Después de 20 años, este riesgo se redujo casi a la mitad.

Importante: Consulte con su médico antes de tomar aspirina para reducir el riesgo de cáncer colorrectal.

La realidad sobre el temor a los medicamentos

Ralph E. Small, MD, profesor de farmacia y medicina del hospital del Medical College of Virginia , Box 980533 MCV, Richmond, VA 23298.

El temor a los medicamentos recetados proviene de noticias que afirmaban que el 25% de los estadounidenses mayores toma medicamentos que pudieran perjudicarlos en lugar de sanarlos.

La realidad: Están exagerando el riesgo. La mayoría de los problemas relacionados con los medicamentos recetados viene por no seguir las instrucciones del médico correctamente. En un pequeño número de casos, los medicamentos también pueden tener efectos adversos cuando se toman en combinación con remedios de venta libre u otros medicamentos que su médico no sabe que está tomando.

Importante: Siempre consulte a su médico o farmacéutico antes de combinar algún medicamento con otro.

Disponible el parche de testosterona

Adrian Dobs, MD, profesor adjunto de medicina y director de estudios clínicos de las instituciones médicas de la Universidad Johns Hopkins en Baltimore.

Se puede usar un parche de testosterona en el tratamiento de hombres con *hipogonadismo* –una condición en la que el cuerpo produce muy poca testosterona, provocando a menudo impotencia y osteoporosis. El parche está aprobado por la agencia federal Food and Drug Administration (FDA) y puede colocarse en la parte superior del brazo, en el abdomen, en la espalda o en el muslo –y libera testosterona continuamente. La marca del parche es *Androderm* y se vende sólo con prescripción médica. *Para mayor información* consulte a su médico.

Síndrome de dolor de cabeza diario

Robert Sheeler, MD, departamento de medicina de familia de la Mayo Clinic en Rochester, Minnesota.

El uso diario de aspirina, acetaminofeno, ibuprofeno y otros analgésicos puede crear un efecto de rebote llamado síndrome de dolor de cabeza diario.

Alternativas: Compresas de hielo, calor, masajes, terapia de relajación u otros métodos sin medicamentos. Use los medicamentos con poca frecuencia para dolores de cabeza muy fuertes.

Todo sobre los dolores de cabeza de rebote

Joel Saper, MD, FACP, director del Michigan Head-Pain and Neurological Institute en Ann Arbor, Michigan.

Los dolores de cabeza de rebote se están haciendo más comunes en la medida en

121

que las personas confían en medicamentos de venta libre sin consultar a su médico. Los medicamentos para el dolor de cabeza de venta libre pueden crear ritmos de dolores de cabeza que sólo pueden ser controlados con dosis cada vez mayores.

El resultado: Una forma de adicción que requiere desintoxicación. Ningún otro tratamiento funcionará hasta que no se eliminen estos medicamentos del organismo.

La autodefensa: Siga las instrucciones de la etiqueta cuidadosamente. La mayoría especifica que no se deben usar medicamentos de venta libre por más de diez días para aliviar el dolor o por más de tres días para controlar la fiebre, a menos que sea indicado por un médico. Verifique los ingredientes cuidadosamente. El uso prolongado de estos medicamentos por más de dos días a la semana de forma regular le hace vulnerable a un posible rebote.

No se automedique

Stuart Levy, MD, presidente de Alliance for the Prudent Use of Antibiotics en Boston, y autor de *The Antibiotic Paradox: How the Misuse of Antibiotics Destroys Their Curative Powers.* Perseus.

No tome antibióticos que le hayan sido recetados a otra persona —ni pastillas que a usted le hayan sobrado de un tratamiento anterior.

El peligro: El uso excesivo de antibióticos ha causado generaciones de bacterias que se hacen resistentes a los medicamentos, haciendo que los antibióticos pierdan su efectividad frente a muchas enfermedades infecciosas.

Importante: Si usted tiene una infección, pídale a su médico que le confirme si es bacteriana y si necesita antibióticos.

El peligro de los antidepresivos

Joseph Graedon, coautor de *Deadly Drug Interactions: The People's Pharmacy Guide* and *The People's Pharmacy: Completely Revised and Updated!* St. Martin's.

Existen alimentos comunes que pueden causar dolores de cabeza, fiebre, trastornos en la visión, confusión y un aumento peligroso de la presión arterial cuando los ingieren personas que toman antidepresivos recetados.

La autodefensa: Evite las comidas que contengan tiramina mientras esté tomando un inhibidor de monoamina oxidasa (MAO) —incluso durante varias semanas luego de haber dejado de tomar el medicamento. Entre los alimentos que contienen tiramina están: aguacates, bananas, boloña, judías de grano grande, quesos añejados, caviar, hígado de pollo (almacenado), sopa japonesa "miso", concentrado de carne (en salsa), arenques encurtidos ("pickled herring"), salame, salchicha, pepperoni, salsa de soja, vinos (Chianti y vermut) y extracto de levadura ("marmite").

Atención personas con artritis

Lineamientos del American College of Rheumatology y de la Arthritis Foundation en Atlanta.

El medicamento preferido para la osteoartritis es el *acetaminofeno*, que se encuentra en el Tylenol. Ha superado a la aspirina en popularidad como tratamiento para la artritis porque los médicos dicen que es menos probable que cause efectos secundarios graves.

Las guías para el tratamiento de la osteoartritis recomiendan tratar primero la enfermedad con acetaminofeno y si éste no brinda alivio adecuado al dolor, discutir con el médico la posibilidad de usar medicinas más fuertes.

También es útil: Hacer ejercicios para fortalecer los músculos y seguir una dieta adecuada para mantener el peso en un nivel que no agregue presión adicional en las coyunturas.

Rompa el ciclo de los estreptococos en la garganta

Gary Ruoff, MD, médico de familia e investigador del Westside Family Medical Center en Kalamazoo, Michigan.

Tome *todos* los antibióticos que le recete su médico.

La mayoría de las personas usa los antibióticos suficientes para aliviar los síntomas y después los dejan de tomar. Esto puede provocar una infección asintomática que causa daños ocultos (fiebre reumática), reaparición de los estreptococos en la garganta… o la transmisión de los estreptococos a otra persona.

Los ex fumadores y las gomas de mascar de nicotina…

Harlan Krumholz, MD, profesor de cardiología y epidemiología y sanidad pública en la facultad de medicina de la Universidad Yale en New Haven, Connecticut, y autor de *No If's, And's or Butts: The Smoker's Guide to Quitting.* Avery Publishing Group.

La goma de mascar Nicorette debe ser usada para ayudar a los fumadores a dejar el hábito del cigarrillo y no a largo plazo, como una fuente sin humo de nicotina –una de las drogas más adictivas que existen. Y no espere que la goma de mascar sea suficiente para hacerle dejar el hábito.

Lo más importante: Hacer el compromiso de dejarlo combinando todas las estrategias adicionales posibles, incluyendo terapia de grupo, ejercicios de visualización, apoyo de la familia, los amigos y los médicos. *Nota*: si bien existen riesgos asociados con el uso de la goma de mascar de nicotina, el riesgo derivado del hábito de fumar es muchísimo mayor.

Alivio de las convulsiones

Michael Privitera, MD, es profesor de neurología de la facultad de medicina de la Universidad de Cincinnati.

El medicamento *topiramato* (Topamax) ayuda a prevenir las convulsiones en un 30% de los pacientes con epilepsia que no responde a la *fenitoína* (Dilantin) ni a otros medicamentos tradicionales para prevenir las convulsiones. El topiramato puede reducir las convulsiones hasta en un 75% en algunos pacientes epilépticos. Los efectos secundarios –que incluyen mareos y problemas de coordinación– desaparecen en su mayoría con el tiempo. Cerca de un 30% de los pacientes con epilepsia –un total de 650.000 en Estados Unidos– sigue sufriendo convulsiones a pesar del uso de los medicamentos tradicionales para controlarlas.

Terapia de aspirina y problemas estomacales

Judith P. Kelly, MS, epidemióloga del centro de epidemiología Slone de la facultad de sanidad pública de la Universidad de Boston.

Las tabletas de aspirina con cubiertas protectoras ("enteric-coated" y "buffered") no resultan más suaves para el estómago que la aspirina normal. Es común hoy en día tomar una aspirina al día para ayudar a prevenir un ataque al corazón. En un estudio, fue tres veces más probable que los usuarios de "la terapia de aspirina" fueran hospitalizados por hemorragias estomacales que aquéllos que no tomaban aspirina regularmente. Todos tenían la misma probabilidad de sufrir hemorragias, independientemente del tipo de aspirina que usaran.

Para evitar problemas estomacales: Hable con su médico acerca de tomar un cuarto de tableta (o una aspirina de bebé) y tomarla con la comida.

El peligro del jugo de toronja

Paul B. Watkins, MD, director del General Clinical Research Center de la facultad de medicina de la Universidad de Carolina del Norte en Chapel Hill.

El jugo de toronja (pomelo, "grapefruit") estimula la capacidad de absorción del cuerpo de ciertas pastillas. El efecto es particularmente mayor con algunos sedantes y medicamentos para la presión arterial.

La autodefensa: Si usted ya está tomando su medicamento con jugo de toronja –y no tiene problemas– puede continuar haciéndolo. Pero no empiece a tomar jugo de toronja con sedantes o medicamentos para la presión arterial sin consultar primero con su médico.

Bloqueantes de los canales de calcio y su relación con el cáncer

Marco Pahor, MD, profesor y jefe de la sección de gerontología y medicina geriátrica de la facultad de medicina de la Universidad Wake Forest en Winston-Salem, Carolina del Norte. Su estudio sobre bloqueantes de canales de calcio en 5.000 personas mayores de 71 años fue publicado en *The Lancet*, 32 Jamestown Rd., Londres NW1 7BY.

Las versiones de acción rápida de esta clase popular de medicamentos para la presión arterial han sido relacionadas con el cáncer, así como con las hemorragias estomacales y los ataques al corazón. En un estudio, la *nifedipina* de acción rápida (Procardia) elevó el riesgo de cáncer en un 72% de los pacientes que la tomaban.

La autodefensa: Si está tomando Procardia, consulte con su médico sobre cambiar a un betabloqueante o a un diurético. Incluso si usted está tomando un bloqueante de canales de calcio de acción prolongada como *nifedipina* de acción prolongada (Procardia XL) o *amlodipina* (Norvasc), es una buena idea hablar con su médico.

Los asmáticos y los inhaladores

James Donahue, PhD, epidemiólogo del Epidemiology Research Center de Marshfield Medical Research Foundation en Wisconsin. Su estudio de 16.941 personas inscritas en HMO fue publicado en *The Journal of the American Medical Association,* 515 N. State St., Chicago 60610.

Los asmáticos que usaban esteroides inhalados tenían la *mitad* de las probabilidades de ser hospitalizados que los que usaban otro –o ningún– medicamento. Los esteroides inhalados son los más beneficiosos en el tratamiento de personas con asma severa.

La trampa del asma

Barbara P. Lukert, MD, directora de Osteoporosis Clinic del hospital de la Universidad de Kansas en Kansas City.

El uso regular de corticoesteroides inhalados para el asma interfiere con el metabolismo óseo y puede causar pérdida de densidad ósea.

La autodefensa: Si debe tomar corticoesteroides, pregúntele a su médico cómo contrarrestar estos efectos secundarios.

Las posibilidades: Una dieta diaria con al menos 1.500 mg de calcio, ejercicio regular y una dieta baja en sal. Es necesario evaluar los niveles de estrógeno en las mujeres y los niveles de testosterona en los hombres. *También:* pregunte a su médico sobre los medicamentos contra el asma con antileucotrieno, como *zafirlukast* (Accolate). Un vaso de leche contiene 300 mg de calcio.

Tratamiento de la culebrilla (herpes zoster)

Richard J. Whitley, MD, profesor de pediatría, microbiología y medicina de la Universidad de Alabama. Su estudio de 21 días con 208 voluntarios de 50 años de edad o mayores fue publicado en los *Annals of Internal Medicine*, Independence Mall West, Sixth St. at Race, Filadelfia 19106.

La culebrilla (herpes zoster, "shingles") responde bien a los medicamentos recetados que contengan *aciclovir* (Zovirax) y *prednisona* (Deltasone). Las ampollas causadas por este mal se curaron más rápidamente en pacientes que recibieron la combinación de ambos medicamentos, comparados con aquéllos que recibieron placebos.

¿Quién debe vacunarse contra la hepatitis A?

William S. Kammerer, MD, consultor de la división de medicina interna ejecutiva e internacional de la Mayo Clinic en Jacksonville, Florida.

Las personas menores de 50 años deben recibir la vacuna (Havrix, VAQTA) si esperan realizar dos o más viajes largos a Rusia, Europa Oriental y/o países tropicales en vías de desarrollo en los próximos diez años. Si sólo va a ir una vez y piensa quedarse diez días o menos, las inyecciones de *gamma globulina* son una alternativa más económica, aunque un poco menos efectiva. Los viajeros de 50 años o mayores deben consultar con su médico. La vacuna se pone en dos inyecciones, con un

intervalo de entre seis y 12 meses entre ambas. *Costo:* alrededor de $50 a $75 por dosis.

Reduzca su riesgo de contraer una úlcera

Robin I. Russell, MD, PhD, jefe de gastroenterología del Glasgow Royal Infirmary en Glasgow, Escocia. Su estudio de 285 pacientes con artritis fue publicado en el *New England Journal of Medicine*, 10 Shattuck St., Boston 02115.

Para evitar problemas estomacales, los pacientes con artritis que usan aspirina para el dolor deben consultar con su médico acerca de tomar también *famotidina* recetada de alta potencia (Pepcid).

El estudio: El riesgo de úlcera descendió más del 50% cuando los consumidores de aspirina también tomaron Pepcid.

Precaución: La famotidina de venta libre (Pepcid AC) no previene las úlceras y puede enmascarar los síntomas hasta que pasa a ser una úlcera grave.

6

Secretos de salud para la mujer

Secretos para una menopausia saludable y feliz

Wulf H. Utian, MD, PhD
Universidad Case Western Reserve

En la actualidad la mayoría de las mujeres pasará más de un tercio de su vida en el periodo posmenopáusico. La menopausia se asocia frecuentemente con síntomas incómodos como episodios de calor, resequedad vaginal y cambios de ánimo… y posiblemente con un mayor riesgo de enfermedades cardiacas y osteoporosis.

Las buenas noticias: Ahora existen muchas maneras de minimizar los efectos negativos de la menopausia.

CAMBIOS DEL ESTILO DE VIDA

Sin duda, los tres ingredientes más importantes de la salud antes, durante y después de la menopausia son…

•**Dieta apropiada.** La dieta puede ayudar enormemente a prevenir las dolencias relacionadas con la edad, como las enfermedades cardiacas, el cáncer y la osteoporosis. Cuando digo *apropiada*, me refiero principalmente a frutas, verduras y cereales; y poca grasa, sal y azúcar. Si sus hábitos alimenticios no son perfectos, tome un suplemento multivitamínico por día.

Para reducir el riego de osteoporosis, aumente su consumo de calcio a 1.500 mg diarios, al inicio de su menopausia. Y asegúrese de recibir un mínimo de 400 unidades internacionales (IU, por sus siglas en inglés) de vitamina D, a través de productos lácteos, suplementos vitamínicos y/o la exposición al sol (la piel produce vitamina D cuando se expone al sol).

La vitamina D aumenta la absorción del calcio por el cuerpo. Una taza de leche contiene unos 300 mg de calcio y 100 IU de vitamina D.

Wulf H. Utian, MD, PhD, profesor y titular de la cátedra de biología reproductiva de la facultad de medicina de la Universidad Case Western Reserve en Cleveland. Es coautor de *Managing Your Menopause*. Fireside Books.

●**Ejercicio.** Además de prevenir las enfermedades cardiacas y la osteoporosis, el ejercicio regular mejora el ánimo y el bienestar general.

Lo mejor: Actividades aeróbicas que hacen que los huesos soporten peso ("weight-bearing" en inglés) como caminar, bailar, correr, esquí de fondo… y levantamiento de pesas. Trate de hacer al menos tres sesiones semanales de 20 minutos.

●**Buenos hábitos.** Dejar de fumar y limitar la ingesta de alcohol, cafeína y comidas picantes puede ayudar a controlar los episodios de calor.

ALTERNATIVAS AL REEMPLAZO HORMONAL (HRT)

Si usted no desea seguir una terapia de reemplazo hormonal (HRT, por sus siglas en inglés), existen otras opciones para aliviar los problemas asociados con la menopausia…

●**Alendronato** (Fosamax). Cuando fue aprobada por la agencia federal FDA, este medicamento fue el primer remedio sin hormonas para la osteoporosis.

En dos extensos estudios, se suministró alendronato junto con suplementos diarios de calcio. *Resultado:* la densidad ósea aumentó un 8% en las caderas y la columna. La tasa de fracturas disminuyó un 63%.

●**Calcitonina de salmón** (Miacalcin). Este spray nasal es otra opción para la osteoporosis. Se recomienda a mujeres con más de cinco años de menopausia y baja densidad ósea. Dos estudios de dos años de duración demostraron que el medicamento aumenta rápidamente la densidad mineral ósea en la columna y más lentamente en el antebrazo o la cadera.

Para mayor efectividad, debe ser tomada con al menos 1.000 mg de calcio y 400 IU de vitamina D por día.

●**Progestina.** Si solo tiene episodios de calor, la progestina oral (sin estrógenos) puede ayudar. Pero no aliviará otros síntomas de la menopausia y podría aumentar su riesgo de enfermedades del corazón.

●**Relajación.** Para bajar la intensidad de los episodios de calor, puede usar bioautorregulación, respiración profunda, yoga y meditación.

●**Lubricantes vaginales.** Si usted experimenta incomodidades vaginales durante el coito, puede utilizar los lubricantes Replens o K-Y Jelly. *También útil:* tener relaciones sexuales regularmente.

UN TRATAMIENTO PROMETEDOR

Se ha demostrado que la ingesta combinada de una pastilla de fluoruro de absorción lenta ("slow-release fluoride") dos veces al día junto a 400 mg de calcio reduce las fracturas de columna en un 70% entre mujeres con osteoporosis y aumenta la masa ósea en la cadera y la columna entre un 2% y un 6% por año.

REMEDIOS DE EFICACIA NO COMPROBADA

Algunos médicos creen que las megadosis de vitaminas E y C reducen los síntomas de la menopausia y eliminan el riesgo de contraer enfermedades cardiacas o cáncer. La vitamina E también puede ayudar a aliviar los episodios de calor y la resequedad vaginal. Sin embargo, aún no se ha demostrado si aportan beneficios en el tratamiento de la menopausia, especialmente si se toman como suplemento. No las recomiendo.

Del mismo modo, se habla mucho sobre remedios a base de hierbas, como el *"dong quai"*, la *zarzaparrilla*, el *trébol rojo* ("red clover") o la *damiana*, pero su eficacia aún no ha sido comprobada.

El gran debate de las hormonas

Christiane Northrup, MD, médica con práctica privada en Yarmouth, Maine y ex profesora adjunta en la cátedra de ginecología y obstetricia clínicas en la facultad de medicina de la Universidad de Vermont en el centro médico Maine en Portland. Autora de *The Wisdom of Menopause.* Bantam Doubleday Dell.

Joyce Kakkis, MD, profesora adjunta de ginecología y obstetricia en la Universidad de California en Irvine. Con práctica privada en Long Beach, California, se especializa en el reemplazo hormonal (HRT) y es autora de *Confessions of an Estrogen Evangelist.* KMG, Inc.

Recientemente los medios han hecho hincapié en los peligros de la terapia de reemplazo hormonal. Pero dos eminentes ginecólogas, que han investigado la terapia hormonal personalmente, dicen que el asunto es un poco más complicado.

Hace mucho que los médicos recomiendan la terapia de reemplazo hormonal (HRT) no solo para evitar los episodios de calor y otros síntomas de la menopausia, sino también para frenar el riesgo de enfermedades cardiacas y la osteoporosis.

Pero cuando los investigadores detuvieron recientemente un importante estudio sobre los beneficios de la HRT, millones de mujeres se vieron forzadas a reevaluar sus opciones para el control de los síntomas de la menopausia.

Luego de cinco años de estudios, los investigadores de la Women's Health Initiative (WHI) descubrieron que entre las mujeres que tomaban una pastilla diaria de progesterona y estrógeno (Premarin) sintéticos, la tasa de cáncer de mama era 26% más alta que entre las mujeres que tomaban placebo; la tasa de ataques cardiacos, 29% mayor y la de derrames cerebrales, 41% mayor. Como resultado de estos hallazgos, se pidió a las 16.608 mujeres estudiadas que suspendieran la medicación de inmediato.

¿Es esta la última palabra sobre la HRT? Para averiguarlo, entrevistamos a dos expertas en salud femenina; médicas que se hicieron esta pregunta por sus pacientes y por ellas mismas.

Christiane Northrup, MD, de 53 años, es menopáusica (cese completo de sus períodos) y está a favor del uso de tratamientos naturales para los síntomas de la menopausia.

Joyce Kakkis, MD, de 46 años, es perimenopáusica (los años que preceden a la menopausia, cuando las menstruaciones empiezan a ser irregulares) y está a favor del uso de la HRT.

Esto es lo que dicen sobre la problemática actual que rodea la terapia HRT…

DRA. NORTHRUP

• **¿Qué opina del estudio que realizó el WHI?** Creo que el estudio tuvo importantes fallas desde el principio. Las mujeres tomaron una pastilla compuesta de estrógeno fabricado a partir de la orina de una yegua preñada, en combinación con una forma químicamente sintetizada de la hormona progesterona.

En todos los años de la evolución humana, salvo en los últimos 50, el ser humano nunca había ingerido estas sustancias químicas. Y se creía que esta supuesta medicina, recetada en la misma dosis a millones de mujeres, sin

importar si pesaban 110 ó 210 libras, iba a reducir el riesgo de enfermedades cardiacas, osteoporosis y otras enfermedades degenerativas crónicas en la mayoría de las mujeres que la tomaban. Dado que no se individualizaron las dosis de hormonas y que no coincidían con las cantidades halladas en mujeres, no me sorprende que tuvieran consecuencias adversas.

• **¿Alguna vez recomienda la HRT?** Sí. Algunas mujeres perimenopáusicas y menopáusicas necesitan hormonas para controlar los síntomas o sentirse mejor. Se debe realizar un control del nivel de hormonas en la mujer, y luego, la paciente y el médico deben decidir juntos el tratamiento adecuado. Algunos organismos femeninos, como el mío, producen niveles suficientes de hormonas. Otros no. Algunas mujeres se sienten mejor con la HRT, mientras que otras no. Las mujeres que se han sometido a una extracción de ovarios suelen necesitar la HRT por algunos años.

Si se recomienda el uso de hormonas, éstas deben ser *idénticas biológicamente*. Es decir, que sean químicamente idénticas a las hormonas producidas en el cuerpo femenino y no versiones animales patentadas o sustitutos sintéticos, tan usados hoy en día. Y el médico debería controlar los niveles de hormonas cada año, porque el cuerpo de la mujer cambia.

Yo misma no dudaría en usar hormonas si las necesitara, pero como mis niveles de hormonas son suficientes y no tengo problemas de salud, no las tomo. En cambio, uso tratamientos alternativos naturales para controlar mis síntomas de menopausia.

• **¿Qué usa en lugar de la HRT?** La soja ("soy") hace casi todo lo que hace la HRT sin ninguno de los efectos secundarios. Uso la soja para ayudar a controlar los síntomas, como los episodios de calor. La soja también ayuda a controlar el insomnio, la resequedad de la piel y del cabello, la depresión y la resequedad vaginal, además fortalece los huesos y el corazón.

El ingrediente activo de la soja son los *isoflavones*, un "fitoestrógeno" derivado de una planta que actúa como el estrógeno que se encuentra en el cuerpo. No tome isoflavones de soja en forma de píldora. Quedó demostrado en estudios recientes que este ingrediente en grandes cantidades puede aumentar el riesgo de cáncer de mama. Coma alimentos de soja, como frijoles de soja (edamame, "soybeans"), leche de soja, hamburguesas de soja y "tofu".

●¿Cómo se protege usted de las enfermedades cardiacas, la pérdida ósea y otras dolencias relacionadas con la edad? Además de consumir soja, sigo algunas estrategias sencillas. Para fortalecer los huesos, levanto pesas dos o tres veces por semana. Cada día, tomo 1.200 mg de calcio, 800 mg de magnesio y entre 400 y 800 mg de vitamina D, y tomo 15 minutos de sol sin protección solar, ya sea temprano en la mañana o al final de la tarde (uso protección solar el resto del día). Para proteger el corazón, hago una activa caminata de 30 minutos cinco veces por semana y llevo una dieta saludable, que incluye al menos cinco porciones diarias de frutas y vegetales de distintos colores.

DRA. KAKKIS

●¿Qué opina sobre el estudio que realizó el WHI? Creo que se exageró sobre los resultados negativos del estudio. Luego de analizar 10.000 mujeres que se trataban con la HRT, los investigadores encontraron que ocho mujeres más desarrollaron cáncer de seno o tuvieron un derrame cerebral y siete más presentaron enfermedades cardiacas por año, comparado con aquellas que no tomaron la HRT.

A la luz de estos hallazgos, *¿todas* las mujeres deberían suspender la HRT? No lo creo. Además, la mayoría de los expertos piensa que las mujeres que desarrollan cáncer de mama dentro de los diez años de haber iniciado la HRT ya tenían la enfermedad y que simplemente resultó acelerada por la HRT. En otras palabras, la HRT no es la causa del cáncer.

El estudio también mostró algunos beneficios de la terapia. Entre las mujeres analizadas, hubo seis menos que desarrollaron cáncer colorrectal y cinco menos que sufrieron fractura de cadera por año. ¿Deberían las mujeres con antecedentes de cáncer de colon y osteoporosis suspender su HRT? No lo creo.

Para terminar, en este estudio no se abordaron los temas relacionados con la calidad de vida, como los episodios de calor, el insomnio, la irritabilidad y la depresión. Yo no tengo intención de dejar de tomar hormonas basándome en los resultados de este estudio, ni tampoco se lo recomiendo a mis pacientes.

●¿Cuál es la mejor manera de tomar la HRT? Usar la dosis efectiva más baja, que minimice los riesgos. Normalmente, mis pacientes empiezan con un 25% al 50% de la dosis estándar de HRT. Luego superviso los síntomas cada seis semanas e incremento la dosis gradualmente solo si el nivel más bajo no está dando resultados. La terapia es personalizada.

Para seguir este tipo de tratamiento, las mujeres deben tratarse con un médico que conozca las distintas opciones disponibles de HRT. Estas comprenden geles, cremas, parches, pastillas y supositorios, así como dosis más bajas y fórmulas "compuestas", mezcladas especialmente por un químico farmacéutico.

Si usted no encuentra un médico experto, es probable que le receten la fórmula estándar que podría no ser adecuada para usted. La North American Menopause Society (NAMS) tiene una lista de médicos actualizados en las HRT. *Para encontrar un médico en su comunidad,* consulte el sitio Web de NAMS: *www.menopause.org.*

Una vez encontrado el médico apropiado, necesita hacerse exámenes de sangre para determinar los niveles de hormonas. Luego, el médico hará una reevaluación para ver si la terapia funciona y para ajustarla, si se necesita.

●¿Qué toma usted? Tomo píldoras anticonceptivas para controlar los síntomas perimenopáusicos. Aún soy fértil, así que la pastilla funciona como anticonceptivo, al tiempo que provee la mezcla de hormonas necesaria para evitar las fluctuaciones hormonales de una mujer perimenopáusica de mi edad. Mi intención es pasar de la píldora a una dosis baja de HRT, y tomarla por el resto de mi vida.

●¿Utiliza algún remedio natural? Como edamame (granos de soja, "soybeans"). Son deliciosos cocinados al vapor por 10 minutos. Como tres tazas por semana para controlar los síntomas perimenopáusicos.

También tomo vitamina E para controlar los episodios de calor y calcio para reducir los calambres musculares, estabilizar el ánimo y fortalecer los huesos.

La trampa del estrógeno

Graham Barr, MD, miembro del laboratorio Channing del hospital Brigham and Women's en Boston.

La terapia de reemplazo de estrógeno (ERT, por sus siglas en inglés) puede fomentar el asma. *Hallazgo reciente:* las mujeres menopáusicas sometidas a ERT tienen un riesgo 80% más alto de desarrollar asma que las mujeres que no toman hormonas. *Teoría:* el estrógeno afecta las células que participan en la respuesta alérgica o inflamatoria del cuerpo. *Importante:* las mujeres que estén pensando en someterse a terapia de estrógenos deben hablar con sus médicos sobre estos hallazgos. El riesgo de asma debe sopesarse en relación con los beneficios potenciales de la ERT.

Estrategias para evitar peligrosos quistes mamarios

Christiane Northrup, MD, médica con práctica privada en Yarmouth, Maine, y ex profesora adjunta de la cátedra de ginecología y obstetricia clínicas en la facultad de medicina de la Universidad de Vermont en el centro médico Maine en Portland. Es autora de *The Wisdom of Menopause*. Bantam Doubleday Dell.

El cáncer de mama recibe mucha atención por parte de los medios, como debe ser. Pero mucho más común es la presencia de *quistes fibrosos en los senos*. En algún momento de la vida, el 70% de las mujeres desarrolla bultos de líquido blandos o dolorosos en los senos, característicos de esta dolencia.

Le pedimos a la Dra. Christiane Northrup que respondiera las preguntas más comunes acerca de los quistes de seno...

•**¿Cuál es la causa de los quistes mamarios ("breast cysts")?** Durante la ovulación y justo antes de la menstruación, los fluctuantes niveles hormonales pueden hacer que las células de los senos retengan fluidos y por consecuencia crear quistes.

También parece ser que el desequilibrio entre el estrógeno y la progesterona promueve el desarrollo de quistes, pero los médicos no saben todavía cómo o por qué.

En algunos casos, los quistes están asociados a niveles de estrógeno demasiado altos. La causa suele ser la ingesta excesiva de grasa.

Otras mujeres desarrollan quistes de seno a pesar de tener niveles normales de estrógeno. *Las buenas noticias:* los bultos normalmente desaparecen con la menopausia.

•**¿Cómo se diferencia un tumor de un quiste?** Los quistes se sienten como un puñado de guisantes o uvas justo debajo de la piel. Un bulto doloroso es casi siempre un quiste. Los bultos cancerosos no suelen ser dolorosos.

•**¿El cáncer de mama es más común en las mujeres que desarrollan quistes de seno?** En la década de los 70, algunos estudios indicaron que era posible. Pero las investigaciones posteriores realizadas en el National Cancer Institute determinaron que la gran mayoría de los diagnósticos de quistes fibrosos en los senos ("fibrocystic breast disease") *no* implicaban un mayor riesgo de contraer cáncer.

Excepción: Cerca del 1% de las mujeres con senos fibroquísticos presentan *hiperplasia ductal atípica*. Estas células mamarias anómalas a veces se convierten en células cancerosas.

•**Si descubro un bulto en el seno, ¿qué debo hacer?** Pídale a su médico que lo examine de inmediato. Quizá le pida otras pruebas, como una mamografía, un ultrasonido o una punción/biopsia ("needle aspiration/biopsy").

Si el bulto contiene líquido, es posible que sea un quiste. Desaparecerá una vez que se elimine el líquido.

•**¿Algunas mujeres son más propensas a desarrollar quistes de seno?** Los senos fibroquísticos son más comunes entre mujeres sensibles a la cafeína y aquellas que tienen períodos abundantes, dolores menstruales severos y/o síndrome premenstrual.

•**Los bultos que tengo en los senos son muy dolorosos. ¿Qué puedo hacer para calmar el dolor?** Primero, evite todo lo que contenga cafeína. Esto incluye el chocolate, las bebidas gaseosas con cafeína, el café y el té. Y no se olvide de los calmantes y de los productos para bajar de peso de venta libre. Muchos contienen cafeína.

Para mantener un nivel de estrógeno adecuado, adopte una dieta rica en fibras y baja en grasas. Esta dieta no debe contener productos lácteos y debe ser rica en granos integrales, frutas, verduras y frijoles (habichuelas, "beans"). Si los productos lácteos son su principal fuente de calcio, asegúrese de tomar suplementos de calcio. Luego de tres meses, vuelva a incorporar alimentos lácteos a su dieta y observe si nota alguna diferencia.

• **¿Los suplementos nutricionales son útiles?** Muchas mujeres obtienen un alivio, al menos parcial, cuando toman un multivitamínico por día o una pastilla diaria con vitamina E.

También útil: Selenio (24 a 32 mcg por día)… vitamina A (1.000 a 5.000 IU por día)… cápsulas de aceite de prímula ("evening primrose"), aceite de linaza ("flaxseed") o de semilla de grosella negra (500 mg, cuatro veces al día).

• **Una amiga me sugirió probar los masajes. ¿Sirven?** Sí. El masaje alivia la incomodidad porque dispersa el exceso de líquido hacia las glándulas linfáticas, que lo expulsan del cuerpo.

Qué hacer: Frótese las manos hasta que estén tibias, luego dése un masaje en cada seno en círculos concéntricos por 30 minutos. Use ambas manos, con la punta de los dedos hacia el medio. Mueva la mano derecha en dirección de las agujas del reloj sobre el seno derecho y en la dirección opuesta, sobre el izquierdo.

Para los quistes de seno constantemente dolorosos, suelo recomendar automasaje con yodo tópico. El yodo parece afectar la capacidad del estrógeno de adherirse a las células mamarias.

Aplíquese un parche cuadrado de 3 pulgadas (8 cm) con tintura de yodo ("iodine tincture") sobre la parte superior del muslo o la parte inferior del abdomen. Si la mancha de yodo se desvanece al cabo de algunas horas, aplíquelo en otra zona de la parte superior del muslo o la parte inferior del abdomen.

Repita estas aplicaciones mientras las manchas se sigan desvaneciendo al cabo de unas horas. Cuando vea una ligera mancha que persiste por 24 horas, detenga el tratamiento.

Evaluación de los bultos en los senos

Ellen Mendelson, MD, directora del Breast Diagnostic Imaging Center en el hospital Western Pennsylvania en Pittsburgh.

La *ecografía de alta resolución* ("high-resolution ultrasound imaging"), una técnica para evaluar los bultos mamarios, puede reducir la necesidad de biopsias en un 40%. Este equipo se usa en muchos centros de mamografías. El ultrasonido se puede usar para distinguir bultos no cancerosos llenos de líquido de aquellos que son sólidos y requieren mayor evaluación. Las masas sólidas con márgenes delgados, nítidos y suaves suelen ser benignas; las que tienen bordes dentados o formas irregulares pueden ser malignas.

Sobrevivir al cáncer de mama: cómo se salvó la vida una ginecóloga

Barbara Joseph, MD, ginecóloga y obstetra con práctica privada en Stamford, Connecticut. Es autora de *My Healing from Breast Cancer: A Physician's Personal Story of Recovery and Transformation.* Keats Publishing.

En abril del año 1991, la doctora Barbara Joseph estaba amamantando a su hijo de ocho semanas cuando se sintió un bulto en el seno izquierdo. Días después, la ginecóloga y obstetra de 36 años de edad fue diagnosticada con cáncer de mama avanzado (etapa III).

En un principio, la Dra. Joseph entró en pánico. Pero ella sabía que ese era solo el comienzo de su camino, así que respiró profundamente y empezó a investigar qué opciones de tratamiento tenía.

Finalmente, la Dra. Joseph se sometió al tratamiento convencional, que comprendía cirugía y quimioterapia. Sin embargo, también atribuye su recuperación al uso de estrategias médicas holísticas.

La Dra. Joseph habló con nosotros sobre cómo deben reaccionar las mujeres ante un diagnóstico de cáncer de mama.

●**No se apresure en someterse a un tratamiento.** Cuando un tumor es lo suficientemente grande como para observarlo en una mamografía, es muy posible que se haya estado formando durante seis a ocho años. En general, el cáncer de mama no es una situación de emergencia.

Cuando me dieron el diagnóstico, una parte de mí quería empezar el tratamiento al día siguiente. Pero no es necesario actuar al día siguiente, ni siquiera la siguiente semana. Es mejor dedicar algunos días o semanas a considerar todas las opciones.

●**Busque el médico adecuado.** Su diagnóstico lo pudo haber hecho su ginecólogo o internista. Pero cuando se trata de cirugía de senos, se necesita un cirujano, quizás uno que se especialice en tratamiento de mamas.

Quizás también necesite consultar a un médico *oncólogo* (un especialista en cáncer que administra quimioterapia) y/o un *oncólogo de radiación* (que administra terapia de radiación).

Los antecedentes del médico son importantes, pero no es lo único que se debe tomar en consideración.

Usted debe sentirse cómoda con el plan de tratamiento que el médico le recomiende y con la capacidad del médico para comunicarse y escuchar.

¿Es compasivo? ¿Tiene afinidad con él? ¿Le dará apoyo en las decisiones que usted tome respecto al tratamiento, incluso si no son las convencionales?

No se apresure a seguir el primer tratamiento que le sugieran. *Siempre* pida una segunda opinión.

●**Aprenda todo lo que pueda acerca del cáncer de mama.** Hable con sus médicos y lea todo lo que llegue a sus manos.

Además de mi libro, le recomiendo *Dr. Susan Love's Breast Book* por Susan M. Love, y *Breast Cancer: What You Should Know (But May Not Be Told) About Prevention, Diagnosis and Treatment* por Steve Austin, ND, y Cathy Hitchcock, MSW.

Otra fuente de información actualizada es la Y-ME National Breast Cancer Organization (800-221-2141, *www.y-me.org/espanol*).

●**Considere la cirugía sin extracción de la mama.** Ahora sabemos que la *nodulectomía* (extracción del bulto solo o "lumpectomy") junto con la radiación es tan efectiva como la *mastectomía* (extracción del seno entero).

Sin embargo, la nodulectomía no siempre es posible.

Si el tumor está alojado en el centro del seno, por ejemplo, la mastectomía es mejor.

Estas son cosas que usted también debe investigar y hablar con su cirujano.

●**No deje la decisión de su tratamiento en manos del médico.** Es posible que se vea abrumada por todas las opciones, pero finalmente es usted quien debe decidir.

Ocuparse de la decisión la fortalecerá, tanto a nivel emocional como físico. Un estudio del Dr. Steven Greer mostró que las pacientes con cáncer de mama que demostraron un espíritu de lucha tuvieron dos veces más oportunidad de sobrevivir 15 años después, que las que se sintieron sin esperanzas.

●**Reevalúe su estilo de vida.** Aunque es difícil de probar, estoy convencida de que el cáncer es la respuesta del cuerpo a una serie de ataques que ha recibido a lo largo de los años.

Eso incluye grasa dietética y residuos de pesticidas en la comida, la contaminación del aire y del agua, el estrés psicológico y el enojo reprimido.

A menos que tome medidas para eliminar estas cosas es posible que el cáncer reaparezca.

Hasta el 60% de todos los cánceres en mujeres está relacionado con la dieta. Una mujer que coma la típica comida estadounidense tiende a ingerir enormes cantidades de carcinógenos: pesticidas, conservantes y otros agregados, así como también aceites parcialmente hidrogenados que producen cáncer.

Los senos de las mujeres son particularmente sensibles a estas toxinas. Esto se debe a que muchas toxinas se diluyen en la grasa corporal, y el tejido de los senos está compuesto de un gran porcentaje de grasa.

Desde que me diagnosticaron, escogí comer solo comidas orgánicas (cultivadas sin pesticidas). También incorporé a mi dieta algunos de los principios que aprendí de mi estudio de los *macrobióticos*. La dieta consiste principalmente de granos, proteínas vegetales y vegetales marinos ("kelp", "nori", etc.) y no incluye productos lácteos.

También como mucha soja: "miso", "tofu" y "tempeh". Estas comidas contienen fitoquímicos que protegen los senos.

•**Únase a un grupo de apoyo.** Creo que el enojo reprimido y otras emociones negativas interrumpen el proceso de curación.

La terapia individual y/o grupal puede ayudarle a desarrollar la fuerza emocional que necesita para dejar de invertir su energía en viejos resentimientos, ir hacia adelante y vivir el presente.

Hay pruebas fehacientes al respecto. En un estudio llevado a cabo por David Spiegel, MD, de la Universidad Stanford, las mujeres en etapa IV de cáncer de mama que asistieron semanalmente a sesiones de terapia de grupo sobrevivieron dos veces más tiempo que las mujeres que no asistieron, incluso cuando ambos grupos recibieron el mismo tratamiento médico.

Para encontrar un grupo de apoyo en su comunidad, llame a la Cancer Care Counseling Line (800-813-4673) o a la Y-ME National Breast Cancer Organization. O simplemente reúnase con otras pacientes de cáncer de mama. Las mujeres se curan al nutrirse unas de otras y los grupos de apoyo fomentan este proceso.

•**Tome suplementos nutricionales.** Los alimentos son la mejor fuente de nutrientes contra el cáncer. Pero algunos suplementos pueden ser importantes, en especial si la quimioterapia la dejó demasiado débil como para comer bien.

Pregúntele al médico (o nutricionista) si debe tomar...

•**Multivitamínicos/multiminerales diariamente.**

•**Antioxidantes.** Todos los días tomo betacaroteno y vitaminas C y E.

•**Aceite de linaza** ("flaxseed oil"). Cada día, añado una o dos cucharadas de un producto llamado Udo's Choice que provee los ácidos grasos esenciales.

La relación entre la leche y el cáncer de mama

Neal Barnard, MD, presidente de Physicians Committee for Responsible Medicine, 5100 Wisconsin Ave., Washington, DC 20016. Es autor de *Eat Right, Live Longer*. Harmony Books.

Se ha relacionado la leche con el cáncer de seno por una hormona de crecimiento que se da a las vacas. Mientras más leche usted beba, mayor es su riesgo.

Problemas en los niños: Diabetes, anemia y cólicos.

Problemas en los adultos: Artritis, cataratas, anemia, infertilidad de la mujer y cáncer de ovarios.

Mejores fuentes alternativas de calcio: Vegetales de hojas verde oscuro como el brócoli, la col rizada ("kale") y la berza ("collards") –no la espinaca–... frijoles (habichuelas, "beans")... y alimentos fortificados con calcio.

Evite los disipadores de calcio: Proteínas animales, como la carne, el pollo y el pescado... la cafeína... la sal... el tabaco... y un estilo de vida sedentario.

Sorprendente beneficio de los tacones altos

Suzanne Levine, DO, podiatra clínica adjunta del New York Hospital–Cornell Medical Center en Nueva York.

Los tacones altos pueden aliviar los dolores de arco y talón que a menudo experimentan las mujeres luego del embarazo o al subir de peso. Los tacones eliminan la presión de las áreas dolorosas y la llevan hacia la parte redondeada del pie.

Es útil: Usar tacones de diferentes alturas en distintos momentos del día para estirar los músculos y tendones. El tacón más alto debe ser de 2 pulgadas y media (6 cm). Además, evite los tacones muy delgados.

La mayoría de los bultos mamarios son normales

Christiane Northrup, MD, médica con práctica privada en Yarmouth, Maine, y ex profesora adjunta de la cátedra de ginecología y obstetricia clínicas en la facultad de medicina de la Universidad de Vermont en el centro médico Maine en Portland. Es autora de *The Wisdom of Menopause*. Bantam Doubleday Dell.

El tejido de los senos tiene muchos bultos por naturaleza. Pero el 20% de las mujeres entre 25 y 50 años presenta cambios fibroquísticos que producen bultos no deseados, a menudo dolorosos. Normalmente, estos bultos son benignos, pero podrían estar escondiendo la detección temprana de un cáncer de mama.

Autodefensa: Use un sujetador que sostenga bien para minimizar su incomodidad; detenga la ingesta de sal para reducir la inflamación por retención de líquidos; examínese los senos una vez al mes y consulte a un médico para asegurarse de que el bulto es normal y no un posible problema.

La trampa de los implantes de seno

Sherine E. Gabriel, MD, profesora adjunta de medicina y epidemiología de la Mayo Clinic en Rochester, Minnesota. Su revisión de las historias clínicas de 749 pacientes con implantes de seno fue publicada en *The New England Journal of Medicine*, 10 Shattuck St., Boston, MA 02115.

Una de cuatro mujeres con implante de seno necesita repetir la operación dentro de los ocho años siguientes.

Causas típicas: Formación de tejido duro alrededor del implante, implante roto, infección, dolor crónico, necrosis del pezón (tejido muerto).

Estas complicaciones son más comunes en los implantes realizados luego de un cáncer de mama (34% a los cinco años) que en los implantes estéticos (12% a los cinco años).

Cuándo programar una mamografía

Pamela A. Propeck, MD, radióloga, profesora adjunta del departamento de radiología de la Universidad de Wisconsin en Madison.

Programe la cita para una mamografía con suficiente antelación. Una mamografía de rutina puede tardar unas 8 semanas. *Las causas:* las bajas tasas de reembolso de los seguros han obligado a muchos centros de imágenes a reducir sus servicios o a cerrar; además, cada vez son más las mujeres que se realizan mamografías cada año en lugar de cada dos años.

Mujeres con sobrepeso y las mamografías

Matthew J. Reeves, PhD, epidemiólogo de enfermedades crónicas del departamento de sanidad de la comunidad del estado de Michigan en Lansing.

Las mamografías anuales son particularmente importantes para las mujeres con sobrepeso.

Un estudio de casi 3.000 mujeres con cáncer de mama reveló que entre las mujeres que detectaron su propio cáncer, los tumores eran más grandes y más avanzados en las mujeres con sobrepeso.

Los resultados de este estudio sugieren que es menos probable que las mujeres con sobrepeso encuentren bultos pequeños mediante las técnicas de autoexamen, en comparación con las mujeres más delgadas, lo que hace más importante que se realicen mamografías regularmente.

La mejor manera de detectar el cáncer de mama en una etapa temprana para mujeres de cualquier peso es someterse a mamografías y exámenes regulares con su médico.

Los antitranspirantes y las mamografías

Daniel Kopans, MD, director de la división de Breast Imaging del hospital Massachusetts General y profesor adjunto de radiología de la facultad de medicina de la Universidad Harvard, ambos en Boston.

Los antitranspirantes pueden interferir en las mamografías pues contienen aluminio y/u otros metales que se pueden confundir con depósitos sospechosos de calcio. En cambio, los desodorantes no interfieren con las mamografías pues no contienen metal.

Otras sustancias que interfieren en las mamografías son: Las cremas, aceites, talcos y óxido de zinc, usados a menudo por mujeres con senos grandes para tratar la irritación crónica.

La relación entre la incontinencia y el ejercicio

Ingrid Nygaard, MD, profesora adjunta de ginecología y obstetricia de la Universidad de Iowa en Iowa City. Su estudio de 18 mujeres de entre 33 y 73 años de edad se publicó en el *Journal of Reproductive Medicine*, 8342 Olive Blvd., St. Louis, MO 63132.

Una de cada tres mujeres experimenta incontinencia mientras realiza ejercicios.

Es útil: Usar un tampón en la parte baja de la vagina para soportar la uretra. Cincuenta y ocho por ciento de las mujeres que apelaron a este recurso informaron no haber tenido goteo urinario durante el ejercicio aeróbico. Humedezca el tampón para facilitar la inserción y para prevenir la resequedad vaginal.

Avance en la incontinencia urinaria

Jane Miller, MD, profesora adjunta de urología del centro médico de la Universidad de Washington en Seattle.

Un dispositivo uretral desechable redujo significativamente la incontinencia en el 98% de las mujeres que participaron en un estudio. Al inflarse, el dispositivo con punta en forma de globo se apoya en el cuello de la vejiga y bloquea el flujo de la orina. Para orinar, la mujer tira del cordón para desinflar el globo y luego extrae el dispositivo. Al principio, el dispositivo debe ser colocado por un médico.

Se vende en la mayoría de las farmacias con el nombre de *Reliance*.

Avance en la osteoporosis

Robert R. Recker, MD, profesor de medicina y director del centro de investigación de la osteoporosis de la facultad de medicina de la Universidad Creighton en Omaha, Nebraska.

Un medicamento de venta con receta llamado *alendronato* (Fosamax) redujo la incidencia de fracturas vertebrales casi en un 50% entre mujeres con osteoporosis. Durante un estudio de tres años, solo el 18% de las mujeres tratadas con alendronato sufrió más de una fractura, comparado con un 68% de mujeres que tomó un placebo.

Una milla al día...

Estudio de 238 mujeres posmenopáusicas realizado por Elizabeth Krall del Agricultural Research Service de la agencia federal USDA, en Washington, DC.

Caminar solo una milla (1.600 metros) al día puede retrasar hasta siete años la aparición de la osteoporosis.

Antecedentes: La mayoría de las mujeres pierden del 3% al 6% de masa ósea anualmente durante los cinco años que rodean la menopausia. Un estudio reveló que caminar puede retrasar la osteoporosis considerablemente. Las mujeres que caminaban con regularidad tardaron de cuatro a siete años más en perder tanta masa ósea como las mujeres que no caminaban para nada.

Cáncer y quimioterapia

Bernard Fisher, MD, distinguido profesor de cirugía de la Universidad de Pittsburgh.

La quimioterapia puede beneficiar a todas las pacientes con cáncer de mama. Durante años la quimioterapia ha sido el tratamiento común para todos los tipos de cáncer con *nódulo positivo* y aquellos con *nódulo negativo* y *receptor de estrógeno negativo*. Sin embargo, los cánceres con *nódulo negativo* y *receptor de estrógeno positivo* generalmente se tratan solo con la droga *tamoxifeno* (Nolvadex).

Hallazgo: Luego de cinco años, el 90% de las pacientes con tumores de este tipo que recibieron quimioterapia se curaron. Sólo el 84% de las pacientes que recibieron únicamente tamoxifeno no presentaron cáncer después de cinco años.

La pérdida de peso puede ser perjudicial para algunas mujeres

Jean Langlois, ScD, investigadora de epidemiología en el National Institute on Aging en Bethesda, Maryland.

Las mujeres de más de 50 años que pierden mucho peso tienen mayor riesgo de fractura de cadera. Un estudio de mujeres de 67 años y mayores reveló que las que habían perdido 10% o más de su peso luego de los 50 años tenían el doble de posibilidades de fracturarse la cadera. Los médicos sugieren que las mujeres de 50 años con sobrepeso deben esforzarse por lograr el peso apropiado y luego mantenerlo, porque las enfermedades cardiacas asociadas con el sobrepeso son más peligrosas que una fractura

de cadera. No obstante, deberían tomar suplementos de calcio y vitamina D para fortalecer los huesos y prevenir la osteoporosis.

El vínculo entre la depresión y la osteoporosis

David Michelson, MD, director médico del National Institute of Mental Health en Bethesda, Maryland. Su estudio de la densidad ósea en 48 mujeres, con una edad media de 41 años, se publicó en *The New England Journal of Medicine*, 10 Shattuck St., Boston 02115.

La depresión eleva el riesgo de osteoporosis en las mujeres. La densidad ósea de las mujeres jóvenes que habían sufrido de depresión fue entre un 6% y un 14% menor que en las mujeres que nunca habían estado deprimidas.

La teoría: La depresión ayuda a la síntesis de la hormona *cortisol*, que está relacionada con la pérdida ósea.

El beneficio de amamantar

Burris Duncan, MD, profesor de pediatría del departamento pediátrico del University Medical Center–Arizona Health Sciences en Tucson. Su estudio de 1.013 niños se publicó en *Pediatrics*, 141 Northwest Point Blvd., Elk Grove Village, IL 60009.

Los niños amamantados sufren menos infecciones en los oídos que los que fueron alimentados con biberones. Los niños que solo se amamantan durante los primeros cuatro meses tienen la mitad de las infecciones de oído que los que se alimentan con biberones y 40% menos infecciones que aquellos que son amamantados, pero que también reciben alimentación complementaria antes de los cuatro meses. Al menos algunos de los efectos positivos duran todo un año, aun si se deja de amamantar.

Embarazo y cigarrillo

Carolyn D. Drews, PhD, profesora adjunta de epidemiología de la Rolling School of Public Health de la Universidad Emory en Atlanta. Su estudio de las madres de 221 niños con retraso mental y 400 otras madres de un grupo de control se publicó en *Pediatrics,* 141 Northwest Point Blvd., Elk Grove Village, IL 60009.

Las mujeres embarazadas que fuman solo cinco cigarrillos por semana tienen 50% más posibilidades de dar a luz a niños con retraso mental. Cuanto más se fuma en el embarazo, más posibilidades tiene de que el bebé nazca con retraso mental. Fumar durante el embarazo se relaciona con un bajo peso al nacer, mayor mortalidad infantil y menor inteligencia en los niños. Este es el primer estudio que relaciona el cigarrillo con el retraso mental. Si estos números son correctos, el retraso mental se podría haber evitado en un tercio de los niños cuyas madres fumaron durante su embarazo.

El papel del ácido fólico en el embarazo

William F. Rayburn, MD, jefe de medicina materno-fetal y profesor de ginecología y obstetricia de la facultad de medicina de la Universidad de Oklahoma en Oklahoma City.

Vale la pena tener en cuenta los suplementos de ácido fólico para todas las mujeres en edad fértil. Esta vitamina B ayuda a evitar defectos cerebrales y de la espina dorsal en los recién nacidos. Para prevenir estos defectos, las mujeres deberían empezar a consumir 400 microgramos diarios al menos un mes antes de la concepción y continuar al menos tres meses después de ella.

El problema: Si las mujeres empiezan a tomar suplementos de ácido fólico *luego* de saber que están embarazadas, podría ser demasiado tarde para que los efectos benéficos del nutriente eviten los defectos de nacimiento.

Autodefensa para el malestar matutino

Miriam Erick, MS, RD, nutricionista del hospital Brigham and Women's en Boston. Autora de *Take Two Crackers and Call Me in the Morning: A Real-Life Guide for Surviving Morning Sickness.* Grinnen-Barrett Publishing Co.

Evite olores que normalmente provocan náusea: café, perfume o colonia, basura en descomposición, alimentos para mascotas, comidas calientes y olores corporales.

●**No mire los anuncios comerciales de comida en televisión.**

●**Sea cautelosa en el uso de transporte público y evite manejar en tránsito congestionado.** El movimiento espasmódico puede empeorar las náuseas.

●**Evite el movimiento visual** como por ejemplo un video musical muy veloz, ya que puede aumentar las náuseas.

●**Tome al menos diez vasos de agua o líquido diariamente** o ingiera alimentos con alto contenido de agua, porque la hidratación adecuada reduce las náuseas.

El embarazo y el pensamiento

T. Murphy Goodwin, MD, profesor adjunto de ginecología y obstetricia del centro médico de la Universidad Southern California en Los Ángeles.

El embarazo entorpece el pensamiento de las mujeres. En un estudio, las mujeres obtuvieron un puntaje 20% inferior en pruebas de inteligencia durante el último mes de embarazo que después de dar a luz.

Las áreas más débiles: Recordar información nueva y manejar más de una información al mismo tiempo.

La verdad acerca de la depresión posparto

John Studd, MD, DSc, ginecólogo consultor en el hospital Chelsea and Westminster en Londres. Su estudio de 61 mujeres con depresión posparto se publicó en *The Lancet*, 32 Jamestown Rd., Londres NW1 7BY.

Una de cada 10 madres se deprime luego del parto por una baja en los niveles de estrógeno. La tristeza puede durar meses. Los casos más graves pueden llevar al suicidio.

Las buenas noticias: Los parches de estrógeno para la piel eliminaron la depresión en tres meses en el 80% de las nuevas madres. La mayoría de aquellas que usaron parches de *placebo* continuaron deprimidas al menos cuatro meses.

¿Qué tan confiables son las ecografías durante el embarazo?

Sheryl Burt Ruzek, PhD, MPH, profesora de educación de la salud de la Universidad Temple en Filadelfia.

Aunque pueden brindar información muy importante acerca del feto en desarrollo, los ecosonogramas suelen dar lugar a malas interpretaciones. Por ejemplo, los médicos a menudo identifican defectos anatómicos que no existen o no detectan defectos que sí existen.

Alivio para el dolor de vejiga

Vicki Ratner, MD, cirujana ortopédica con práctica privada en San José, California. Sufre de cistitis intersticial. Es cofundadora de la Interstitial Cystitis Association, Box 1553, Madison Square Station, New York 10159.

El dolor de vejiga causado por el misterioso trastorno conocido como *cistitis intersticial* (IC, por sus siglas en inglés) puede controlarse con un medicamento oral llamado *polisulfato de pentosán* (Elmiron). Los pacientes dicen que sienten como si tuvieran vidrio roto dentro de la vejiga. El único medicamento previamente aprobado para tratar el IC, *sulfóxido de dimetilo* (DMSO), tenía que administrarse en la vejiga por medio de un catéter. Era incómodo y desagradable.

El estudio: El pentosán ayudó a cerca del 38% de los afectados que lo tomaron tres veces al día. Noventa por ciento de las 500.000 personas que sufren IC son mujeres.

La anorexia y las mujeres mayores

Paul L. Hewitt, PhD, profesor adjunto de psicología de la Universidad de British Columbia en Vancouver, Canadá. Su estudio de 10 millones de registros de defunción durante un periodo de cinco años se presentó en el International Congress of Psychology en Montreal.

Solo el 25% de las mujeres que murieron a causa de este trastorno alimenticio encuadran en el estereotipo de las mujeres jóvenes exitosas.

La realidad: Cuatro de cada cinco mujeres que mueren de anorexia nerviosa tienen 45 años o más.

Las mujeres y el calcio

Ethel Siris, MD, profesora de medicina clínica del College of Physicians and Surgeons de la Universidad Columbia en Nueva York.

Pocas mujeres consumen suficiente calcio. La ingesta recomendada es de 1.000 mg para las mujeres de 25 a 50 años y para aquellas mayores de 50 años que tomen estrógenos. Para las mujeres de 50 años o mayores que no toman estrógeno y para todas las mujeres de más de 65 años, se recomiendan 1.500 mg. Ocho onzas (225 ml) de leche (o yogur) contienen cerca de 300 mg de calcio.

Consumir suficientes minerales

Barbara S. Levine, RD, PhD, directora del Calcium Information Center del New York Hospital–Cornell Medical Center en Nueva York.

Las mujeres que toman calcio para evitar la osteoporosis deberían asegurarse de consumir suficiente magnesio también. El organismo intenta mantener ambos minerales en equilibrio. Sin el magnesio suficiente, el calcio simplemente es expulsado.

Sorprendente: Hasta el 70% de las mujeres tiene deficiencia de magnesio.

Útil: Si usted ya está tomando suplementos de calcio, pregunte a su médico si debe tomar también un suplemento de magnesio (200 mg diarios) o comer más comidas ricas en magnesio como las verduras, los vegetales de hojas, pan integral, cereales fortificados, frijoles de soja ("soybeans"), "tofu", leche o yogur.

La incontinencia y el cigarrillo

Richard C. Bump, MD, profesor adjunto de ginecología y obstetricia del centro médico de la Universidad Duke en Durham, Carolina del Norte. Su estudio de 606 mujeres se publicó en el *American Journal of Obstetrics and Gynecology*, 11830 Westline Industrial Dr., St. Louis 63146.

Las mujeres fumadoras, incluso las que habían dejado el hábito, mostraron ser entre dos y tres veces más proclives a sufrir incontinencia que las mujeres que nunca fumaron.

La teoría: La tos persistente y ronca daña permanentemente los músculos pélvicos que controlan el flujo de la orina. Los estudios en animales revelaron que la nicotina aprieta la vejiga y causa el goteo no intencional de orina.

Cómo burlar el furtivo mal que mató a Gilda Radner

M. Steven Piver, MD, director y fundador de The Gilda Radner Familial Ovarian Cancer Registry en el Roswell Park Cancer Institute, Elm and Carlton Streets, Buffalo, NY 14263. Es coautor, junto al ex esposo de Gilda Radner, el actor Gene Wilder, de *Gilda's Disease*. Prometheus.

En el otoño de 1985, la comediante Gilda Radner comenzó a experimentar fatiga, retortijones estomacales, gases y distensión intestinales y dolores punzantes en los muslos.

Gilda consultó ginecólogos, gastroenterólogos, médicos holísticos, hasta un acupunturista. Todos le aseguraron que sus síntomas no eran peligrosos.

Los médicos estaban equivocados. Los síntomas de Gilda empeoraron. Finalmente, el 23 de octubre de 1986, luego de muchas pruebas, le diagnosticaron cáncer de ovarios.

Durante los siguientes tres años, Gilda se sometió a 4 operaciones, además de agonizantes sesiones de quimioterapia y radiación. Nada funcionó. Gilda murió el 20 de mayo de 1989.

La historia de Gilda es trágica. Pero mucho más trágico es el hecho de que su caso de diagnóstico errado y tardío es típico del cáncer de ovarios.

Muchas de las 26.000 mujeres estadounidenses a quienes se les diagnostica la enfermedad cada año pasan meses o incluso años sin un diagnóstico certero. Cuanto más se tarde en obtener un diagnóstico correcto, menor será la posibilidad de sobrevivir.

FACTORES DE RIESGO

El cáncer de ovarios es una enfermedad furtiva y a menudo mortal, que los médicos suelen no tener en cuenta cuando realizan un diagnóstico. Se confunde fácilmente con muchas otras dolencias, como los fibroides uterinos y la colitis.

Ninguno de los médicos de Gilda sospechó de cáncer de ovarios hasta que ya era demasiado tarde, aun cuando ella reunía todos los factores de riesgo clásicos.

Gilda Radner...

- **Comía muchas grasas.** La grasa guarda relación con muchos tipos de cáncer, como el cáncer de mama, de ovarios y de colon.

- **No tenía hijos.** Algunos casos de cáncer de ovarios se vinculan con el daño a los ovarios que causa la ovulación durante años. Cuantas más veces ovula una mujer, mayor es el riesgo.

- **Usó medicamentos para mejorar la fertilidad.**

- **Usó productos de higiene personal que contenían talco.** Muchos jabones, desodorantes, condones y diafragmas anticonceptivos contienen talco. Las partículas de talco similares al amianto viajan por el cuello del útero, recubren el interior del útero y de las trompas de Falopio y así intoxican lentamente los ovarios.

- **Tenía varios parientes con cáncer de ovarios o de mama.** El gen del cáncer de ovarios puede heredarse por parte de la madre o del padre.

LA CONEXIÓN FAMILIAR

La predisposición al cáncer de ovarios se puede heredar *aun cuando ninguna mujer en la familia lo haya padecido.* Esto quiere decir que las mujeres con antecedentes familiares de ciertos tipos de cáncer (de mama, colon o próstata) tienen un riesgo mayor de contraer cáncer de ovarios.

PRUEBAS GENÉTICAS

Ahora es posible realizarse pruebas para detectar el BRCA1 y el BRCA2, dos de los genes que predisponen a las mujeres al cáncer de mama o de ovarios. Sin embargo, en la mayoría de los casos, no tiene sentido realizar las pruebas a menos que se tengan dos parientes cercanos con cáncer de ovarios.

Aun así, la prueba genética tiene un valor limitado. Saber que se tiene alto riesgo de sufrir cáncer de mama o de ovarios causa ansiedad y esto no ayuda a prevenir ninguna de estas enfermedades, salvo que se recurra a la extracción quirúrgica de los ovarios y las mamas.

SÍNTOMAS REVELADORES

A menudo se piensa que el cáncer de ovarios es una enfermedad que no produce síntomas hasta que ya está muy avanzada para ser curada. Esto no es cierto, aunque los síntomas tienden a ser poco específicos y, por ende, fáciles de malinterpretar.

Además de los síntomas abdominales y gastrointestinales que experimentó Gilda, también se presentan fiebre y dolor de espalda.

Cualquier mujer que sufra uno o más de estos síntomas durante tres semanas o más debería consultar a su médico de cabecera o a su ginecólogo. *No espere* hasta que el médico piense que puede ser cáncer de ovarios. Solicite un examen específico de inmediato.

Además de un examen pélvico, se debería incluir...

- **Análisis de sangre para detectar la CA125.** Esta proteína se eleva en el 50% de los casos tempranos de cáncer de ovarios y cerca del 95% de los casos avanzados.

- **Ultrasonido intravaginal.** Al colocar la sonda *dentro* de la vagina y no sobre el abdomen, como se hace tradicionalmente, el médico obtiene una mejor imagen de los ovarios.

Si el médico descubre algo sospechoso, debería realizar un ultrasonido transvaginal con tecnología Doppler de flujo de color (una forma avanzada de ultrasonido).

También debería realizar una tomografía computarizada ("CT scan") del abdomen y/o una laparoscopía. Este es un procedimiento quirúrgico en el cual el médico inserta un microscopio a través de una pequeña incisión en el abdomen.

CÓMO LOGRAR UN TRATAMIENTO EFECTIVO

La clave para sobrevivir al cáncer de ovarios es obtener un diagnóstico temprano y un tratamiento agresivo por parte de un médico especializado en la enfermedad. Para referencias de *ginecólogos oncólogos* en su comunidad, comuníquese con la Gynecologic Cancer Foundation al 800-444-4441, *www.wcn.org/gcf.*

El tratamiento de la mayoría de los casos de cáncer de ovarios consiste en la extracción de los ovarios y quimioterapia.

Hace poco se descubrió que las mujeres que toman una combinación de los fármacos *paclitaxel* (Taxol) y *cisplatin* (Platinol) viven casi tres veces más tiempo (38 meses) que las que se someten a la quimioterapia estándar (25 meses).

Si la enfermedad se diagnostica temprano, la tasa de supervivencia de cinco años se aproxima al 95%. Cuando el diagnóstico es tardío, la supervivencia se reduce entre un 5% y un 30%.

COMO PROTEGERSE

Además de llevar una dieta baja en grasa y evitar el uso del talco, las mujeres deberían tomar estas precauciones…

● **Hacerse exámenes regulares.** Las mujeres sin antecedentes familiares de cáncer de ovarios deberían realizarse un examen pélvico anual, a partir de los 18 años. Las mujeres con antecedentes familiares deberían hacerse un examen pélvico, una prueba de detección de la CA125 y un ultrasonido transvaginal dos veces al año, a partir de los 25 años.

● **Si usa métodos anticonceptivos, opte por la píldora.** Los anticonceptivos orales previenen el daño a los ovarios que se produce durante los años fértiles.

Las mujeres que toman la píldora durante cuatro años tienen un 40% menos de riesgo de contraer cáncer de ovarios. Diez años de uso reduce el riesgo en un 80%, y la protección dura 15 años luego de dejar de tomarla.

En mujeres con antecedentes familiares de cáncer de ovarios, la utilización de la píldora puede reducir el riesgo al mismo nivel que el que tienen las mujeres sin historial familiar de la enfermedad.

● **Quede embarazada y amamante a sus hijos.** El embarazo y la lactancia interrumpen la ovulación, lo que reduce el riesgo de cáncer de ovarios en un 40%.

● **Considere las esterilizaciones quirúrgicas.** Ligarse las trompas detiene la ovulación y el riesgo se reduce en un 71%.

● **Si usted tiene fuertes antecedentes familiares de cáncer de ovarios,** considere la extracción de ovarios. Si tiene más de 40 años y una histerectomía programada, es prudente que se haga extraer los ovarios junto con el útero, aun cuando no tenga antecedentes familiares de la enfermedad.

Cualquier mujer con dos o más parientes cercanos que hayan tenido cáncer de ovarios o cáncer de mama debería considerar inscribirse en The Gilda Radner Familial Ovarian Cancer Registry. Llame al 800-682-7426 o visite el sitio Web *www.ovariancancer.com.*

La trampa de la pérdida de peso

Jean Langlois, ScD, epidemióloga, publicó un estudio de más de 3.600 mujeres mayores de 67 años en el National Institute on Aging en Bethesda, Maryland.

Las mujeres que adelgazan demasiado pueden poner en peligro su bienestar.

La causa: Las mujeres que hacen cualquier cosa para eliminar la grasa corporal a menudo se sobrepasan. Los investigadores descubrieron que en las mujeres saludables, la grasa corporal debería estar entre el 16% y el 26% del peso total; el valor ideal es 20%.

Una manera rápida de saber si su peso está en el rango saludable: Mida la proporción entre la cadera y la cintura. Con una cinta métrica, mídase el contorno del cuerpo a la altura del ombligo. Anote el resultado. Luego mídase las caderas a la altura de las nalgas. Divida la medida de la cintura por la medida de las caderas. Si el resultado es inferior a 0,85 su peso es adecuado. Si es superior a 1,0 tiene sobrepeso y necesita adelgazar.

Tratamiento para las estrías

Joshua L. Fox, MD, dermatólogo especializado en cirugía láser en Fresh Meadows, Nueva York.

Pregunte a su dermatólogo o a un dermatólogo especializado en cirugía láser sobre el tratamiento de estrías con luz intensa pulsada ("pulsed-dye laser"). Las marcas no desaparecen por completo, pero se ven menos. Es posible que se requieran varias sesiones.

Histerectomía parcial del cuello del útero

Ernst G. Bartsich, MD, ginecólogo y obstetra adjunto del New York Hospital–Cornell Medical Center, NY.

Como una alternativa a la histerectomía común, solo se extrae la parte superior del útero. La histerectomía *supracervical* se usa para tratar tumores fibroides, el dolor pélvico, la hemorragia persistente y la endometriosis. Con este procedimiento es menos probable dañar los intestinos y/o la vejiga que con la histerectomía común, o causar prolapso vaginal (un cambio en la posición de la vagina), disfunción sexual o "sensación de pérdida", típica luego de una histerectomía común.

El peligro de las duchas vaginales

Donna Day Baird, PhD, epidemióloga del National Institute of Environmental Health Sciences, en Research Triangle Park, Carolina del Norte.

Luego de 12 meses de tratar de concebir, el 90% de las mujeres que nunca se había dado una ducha vaginal quedó embarazada, en comparación con el 73% de las mujeres que se daba duchas más de una vez por semana.

Además: Las duchas vaginales pueden incrementar el riesgo de contraer la enfermedad inflamatoria de la pelvis y otras infecciones, porque esparcen los gérmenes a las partes más altas del útero y las trompas de Falopio.

Cirugías riesgosas

John M. Thorpe, Jr., MD, es profesor adjunto de ginecología y obstetricia de la facultad de medicina de la Universidad de Carolina del Norte en Chapel Hill.

La cirugía para ampliar la abertura de la vagina durante el parto rara vez resulta útil. Este procedimiento quirúrgico común, que se conoce como *episiotomía*, no reduce el riesgo de desgarro de la vagina o el recto. De hecho, la episiotomía incrementa el riesgo de desgarro. Sin embargo las episiotomías todavía se utilizan en la mayoría de las madres primerizas en Estados Unidos. Muchos médicos que realizan episiotomías de rutina no conocen los problemas asociados con el procedimiento. La episiotomía puede ser necesaria en casos que impliquen sufrimiento para el feto o parto de nalga.

La relación entre el cáncer y los maridos infieles

Keerti V. Shah, MD, profesor de la facultad de higiene y sanidad pública de la Universidad Johns Hopkins en Baltimore, Maryland.

Las mujeres con maridos infieles tienen más posibilidad de contraer cáncer cervical. Un estudio de más de 1.200 hombres y mujeres reveló que las mujeres cuyos maridos tienen relaciones extramatrimoniales tienen una posibilidad de 5 a 11 veces mayor de desarrollar cáncer cervical que aquellas cuyos maridos son fieles. La incidencia fue ocho veces mayor en las mujeres cuyos maridos frecuentaban prostitutas. Los investigadores exponen la teoría de que los maridos contraen el virus de papiloma humano (HPV, por sus siglas en inglés) durante sus relaciones extramatrimoniales y luego lo transmiten a sus esposas. Se sabe que las infecciones genitales por HPV dan origen al cáncer cervical.

El sexo y las infecciones del tracto urinario

Thomas M. Hooton, MD, profesor adjunto de medicina de la Universidad de Washington en Seattle. Su estudio de seis meses de 796 mujeres se publicó en *The New England Journal of Medicine*, 10 Shattuck St., Boston 02115.

Las relaciones sexuales frecuentes elevan el riesgo de las mujeres de contraer infecciones en el tracto urinario (UTI, por sus siglas en inglés), como lo hace el uso de diafragma con espermicida.

El estudio: Las mujeres que tuvieron relaciones sexuales tres veces por semana resultaron tres veces más propensas a tener UTI que las mujeres que se abstuvieron. *Teoría:* el coito introduce bacterias vaginales en la vejiga. El espermicida mata las bacterias beneficiosas pero deja ilesas las que causan infecciones.

Alerta de infección UTI

Amee Manges, MPH, investigadora de epidemiología especializada en infecciones UTI de la facultad de sanidad pública de la Universidad de California en Berkeley. Su estudio de 302 mujeres con UTI resistentes a los medicamentos fue publicado en *The New England Journal of Medicine,* 10 Shattuck St., Boston 02115.

Casi el 18% de las infecciones del tracto urinario (UTI) es ahora resistente al antibiótico más recetado, *trimetroprim sulfametoxazole* (Bactrim), en comparación con el 10% de hace 5 años. Los síntomas de las UTI son: orina de color anormal o con sangre, micción frecuente o dolorosa y presión en la parte baja de la pelvis. Si el antibiótico no elimina los síntomas en 2 días, pregunte a su médico si necesita otro antibiótico. *Para evitar las UTI:* beba mucha agua, orine con frecuencia e inmediatamente después del coito y practique una buena higiene.

Anticonceptivo de emergencia

Roberto Rivera, MD, director de Family Health International, Box 13950, Research Triangle Park, NC 27709.

Los anticonceptivos orales son una manera razonablemente efectiva y segura de prevenir el embarazo si se toman poco después de haber tenido sexo "sin protección". Este uso de la píldora tiene una eficacia aproximada del 75% en la prevención del embarazo. El uso diario de la píldora tiene una eficacia del 97%.

Atención: El anticonceptivo de emergencia debe tomarse solo con supervisión de un médico.

Las píldoras anticonceptivas más seguras

James McGregor, MD, profesor de ginecología y obstetricia en el Centro de ciencias de la salud de la Universidad de Colorado en Denver.

Las píldoras anticonceptivas trifásicas son las más seguras porque proveen al cuerpo *dosis de estrógenos por peso más bajas* que las versiones anteriores de la píldora. Las píldoras que proveen más de 35 microgramos de estrógeno se han asociado con el aumento de las probabilidades de que se produzcan coágulos de sangre y derrame cerebral, particularmente en las mujeres mayores.

Otro beneficio: Las píldoras más nuevas, que proveen variados niveles de hormonas según las fases del ciclo menstrual natural del organismo, también producen menos manchas en muchas mujeres. Los médicos prescriben una fórmula inicial que toma en cuenta la edad de la paciente y otros factores, inclusive la susceptibilidad al acné. Los médicos pueden variar la dosis luego de observar sus efectos secundarios hasta que se determina la fórmula óptima.

Alivio para la infección de hongos

Estudio de 46 mujeres con vaginosis recurrente, por Eliezer Shalev del hospital Central Emek en Afula, Israel, publicado en *Archives of Family Medicine.*

El yogur alivia las infecciones recurrentes por hongos ("yeast infections"). En un estudio, las mujeres que comieron diariamente 5 onzas (140 g) de yogur con la bacteria viva lactobacillus acidófilus tuvieron 2 tercios menos de vaginosis recurrente que antes. Este es el primer estudio que demuestra estos efectos positivos del yogur con cultivos vivos. *Teoría:* se cree que la bacteria presente en el yogur protege contra la infección, al mantener un ambiente ácido en la vagina o al producir compuestos como peróxido de hidrógeno que aniquilan la bacteria dañina.

Los diafragmas y el riesgo de cistitis

Un estudio de casi 800 mujeres sexualmente activas realizado por investigadores de la facultad de medicina de la Universidad de Washington en Seattle, publicado en *The New England Journal of Medicine,* 10 Shattuck St., Boston 02115.

Las mujeres que usan diafragma con espermicidas como anticonceptivo cambian el ambiente interno de su organismo, lo cual permite la aparición de las bacterias que causan la cistitis. Cuanto más frecuentes sean las relaciones sexuales, más alto será el riesgo.

Si sufre de infecciones de vejiga frecuentes, piense en otra alternativa anticonceptiva.

Más sobre los tratamientos de fertilización

Zev Rosenwaks, MD, director del Center for Reproductive Medicine and Infertility del New York Hospital–Cornell Medical Center, Nueva York.

La cada vez más popular técnica de inyección *intracitoplásmica de esperma* (ICSI, por sus siglas en inglés), en la cual se seleccionan espermatozoides y se inyectan directamente en los óvulos, permite que los hombres con espermatozoides de baja calidad puedan ser padres. A los expertos en fertilidad les preocupaba que los espermatozoides seleccionados por los técnicos de laboratorio pudieran ser más propensos a transportar defectos genéticos que aquellos "elegidos" naturalmente.

Hallazgo: Solo 2,6% de los bebés nacidos mediante la técnica de ICSI presentaron defectos de nacimiento. Esta tasa es comparable a la de los niños concebidos normalmente.

Alivio para los dolores menstruales

Menstrual Cramps Self-Help Book por Susan Lark, MD, experta en cuidados de la salud femenina con práctica privada en Los Altos, California. Celestial Arts.

Evite ciertas comidas que puedan empeorar los dolores menstruales. Los productos lácteos, las grasas, la sal, el alcohol, el azúcar y la cafeína pueden provocar dolores más severos.

Tratamiento para el cáncer de ovarios

David Alberts, MD, profesor de medicina y farmacología de la Universidad de Arizona en Tucson.

Los médicos empezaron a administrar el medicamento para el cáncer *Cisplatin,* por medio de un catéter abdominal en lugar de una vena del brazo.

Los beneficios: La tasa de mortandad entre las mujeres que usan la vía abdominal es 24% menor. Además, es menos probable que pierdan el cabello, presenten deterioro nervioso y otros efectos secundarios.

Este método debería considerarse para pacientes con cáncer de ovarios a quienes haya quedado una pequeña cantidad de tumor luego de la cirugía inicial.

El riesgo del talco

Linda Cook, PhD, epidemióloga del Fred Hutchinson Cancer Research Center en Seattle, y líder de un estudio de 313 mujeres con cáncer de ovarios y 422 sin la enfermedad.

Las mujeres que usan talco en el área vaginal inmediatamente después del baño aumentan el riesgo de contraer cáncer de ovarios en un 60%. Las mujeres que usan talco desodorante en aerosol elevan el riesgo al 90%. *La causa:* se desconoce.

La autodefensa: Evite estos productos.

Los medicamentos para la fertilidad y el cáncer de ovarios

David L. Healy, MD, PhD, director del departamento de obstetricia y ginecología del centro médico Monash en Melbourne, Australia. Su estudio de nueve años de 10.358 mujeres infértiles se publicó en *The Lancet*, 32 Jamestown Rd., Londres NW1 7BY.

Los medicamentos para la fertilidad no aumentan el riesgo de contraer cáncer de ovarios. Durante mucho tiempo, los médicos pensaron que el *clomifeno* (Clomid), la *menotropina* (Pergonal) y otros medicamentos para la fertilidad favorecían el cáncer de ovarios. Sin embargo, un estudio reveló que no existen pruebas de que el riesgo aumente. De hecho, las mujeres que habían tomado medicamentos para la fertilidad presentaban una tasa de cáncer ligeramente menor.

La teoría: Las mujeres estériles prestan más atención a su salud. En consecuencia, es más factible que descubran quistes precancerosos más temprano.

Peligro de la extracción de los ovarios

Donna Kritz-Silverstein, PhD, profesora adjunta asociada de medicina familiar y preventiva de la Universidad de California en San Diego. Su estudio de 1.150 mujeres entre 50 y 89 años de edad se publicó en *Circulation*, St. Luke's Hospital, Texas Heart Institute, MC1-267, 6720 Bertner St., Houston 77030.

Las mujeres que se sometieron a una extracción quirúrgica de los ovarios enfrentan un riesgo mayor de enfermedades cardiacas, aunque el riesgo pueda no ser evidente por 20 años. En un estudio, los niveles totales de colesterol en mujeres que se sometieron a una histerectomía de *ambos* ovarios (histerectomía bilateral) resultaron siete puntos más altos que los de las mujeres con ovarios intactos.

La autodefensa: Antes de someterse a una histerectomía, consulte con su médico si la extracción de los ovarios es necesaria.

145

7

La familia saludable

Lo que necesita saber sobre el cuidado de la salud de sus hijos

Charles B. Inlander
People's Medical Society

Muchos padres se hacen las mismas viejas preguntas sobre la salud de sus hijos...

●**¿Cómo encontrar un buen médico para mi hijo/a?** Si bien un pediatra es la opción más evidente, los médicos de familia muchas veces también son muy buenos para atender a los niños.

Entreviste cuidadosamente diferentes tipos de médicos, luego escoja uno que cumpla con sus requerimientos, que sea amable, que demuestre interés, que esté dispuesto a hablar directamente tanto con su hijo/a como con usted, que tenga un consultorio limpio y ordenado y un buen sistema para atender llamadas fuera del horario convencional de trabajo. Asegúrese de que su hijo/a se lleva bien con el médico y que el médico acepta su plan de seguro médico.*

Atención: Si el médico forma parte de un grupo médico, asegúrese de que puede concertar citas con él/ella específicamente.

Pregunte si el médico puede darle material educativo o folletos relacionados con asuntos específicos de salud. Estos son de gran ayuda en caso de alguna enfermedad o durante la pubertad.

●**¿Necesita mi hijo/a una radiografía ("X ray")?** Además de ser costosas, las radiografías, tomografías computarizadas ("CT scans"), resonancias magnéticas ("MRI") y otras pruebas de

*Para obtener una lista de los pediatras en su comunidad, envíe un sobre con estampilla y su dirección a la American Academy of Pediatrics Pediatrician Referral, 141 Northwest Point Blvd., Elk Grove Village, IL 60007.

Charles B. Inlander, consultor de servicios médicos y presidente de la organización sin fines de lucro People's Medical Society, un grupo en Allentown, Pensilvania, que defiende a los usuarios de servicios médicos. Es coautor de varios libros sobre temas médicos, entre ellos *Take This Book to the Pediatrician with You.* People's Medical Society.

diagnóstico suelen ser aterradoras para los niños, riesgosas e innecesarias.

Deben realizarse solo si sus resultados tendrán consecuencia directa en el tratamiento de su hijo/a. Si su hijo tiene tos, por ejemplo, una radiografía del pecho es innecesaria, a menos que el médico tenga alguna razón para sospechar que existe cierta complicación seria en el pecho del niño. Antes de aprobar la realización de cualquier examen, pregúntele exhaustivamente al médico para asegurarse de que sea realmente necesario. *Preguntas clave...*

- **¿Cómo se llama el examen?**

- **¿Por qué es necesario?**

- **¿Qué puede revelar que usted ya no sepa?**

- **¿Qué pasa si no se realiza?**

- **¿Cuáles son los posibles efectos secundarios?**

- **¿Existe algún otro examen menos invasivo?**

- **¿Los resultados del examen tendrán un efecto en el tratamiento?**

- **¿Son seguras las vacunas que se aplican en la niñez?** La mayoría de los estados exige que todos los niños estén vacunados contra las siguientes enfermedades: difteria, tosferina (pertusis, "whooping cough"), tétanos, sarampión ("measles"), paperas ("mumps"), rubéola ("German measles"), poliomielitis y haemofilus influenza tipo B (meningitis bacterial). Los expertos ahora también recomiendan la vacuna contra la varicela (lechina, "chicken pox") y la hepatitis B.

Estas vacunas se administran generalmente entre los dos meses y los 16 años de edad y suelen ser bastante seguras.

Excepción: Tosferina. La mitad de los niños que reciben esta vacuna de cinco dosis desarrollan fiebre y hubo casos raros de niños que presentaron retraso mental y alguna otra incapacidad permanente. Sin embargo, puesto que la tosferina es una enfermedad tan severa, sigue siendo prudente inmunizar al niño contra ella.

Para minimizar el riesgo: Insista en que su niño reciba la vacuna acelular contra la tosferina ("acellular pertussis vaccine"). Es menos probable que ésta cause reacciones peligrosas que la vacuna anterior, que todavía está en uso.

La vacuna contra la tosferina no debe administrarse nunca a niños mayores de seis años, niños que tengan fiebre o que ya hayan tenido tosferina. Un niño que luego de la primera inyección de la vacuna contra la tosferina, tenga fiebre, se encuentre en estado de shock, llore constantemente, presente convulsiones o problemas neurológicos no debe recibir ninguno de los refuerzos ("boosters") de la vacuna.

- **Mi hijo/a sufre infecciones recurrentes de garganta. ¿Debemos quitarle las amígdalas?** La tonsilectomía no es ni necesaria ni particularmente efectiva para curar las infecciones recurrentes de garganta o de oído, aunque los médicos muchas veces insisten en la cirugía.

Cuándo es indicada: Solo si las amígdalas se inflaman tanto que afectan la respiración del niño o si una prueba de laboratorio determina la presencia de abscesos detrás de las amígdalas. En todos los demás casos, es mejor tratar las infecciones con antibióticos.

- **¿Y en el caso de infecciones de oído crónicas?** Las infecciones de oído (otitis media) son muy comunes entre los hijos de fumadores. Si usted fuma, deje de hacerlo. Las madres recientes deben evitar alimentar a sus niños con biberón. Las investigaciones sugieren que el amamantar ayuda a prevenir los dolores de oído. Más allá de esto, no hay ningún consenso real sobre el tratamiento de esta dolencia.

La American Academy of Pediatrics recomienda el uso de antibióticos orales (por lo general amoxicilina), aunque algunos estudios han presentado dudas sobre su efectividad. La inserción quirúrgica de tubos de drenaje en los tímpanos de los oídos de los niños (timpanostomía, "tympanostomy") puede causar serias complicaciones, como infecciones severas y pérdida de la audición.

El enfoque conservador (para comentar con su médico): A la primera señal de dolor, déle a su niño acetaminofeno (Tylenol) o algún otro calmante sin aspirina. *También útil:* una compresa caliente sobre el oído.

- **¿Los hospitales para niños ofrecen mejor cuidado pediátrico que los hospitales generales?** La atención en los hospitales para niños no es mejor que en los hospitales generales con buenos departamentos de pediatría. Si su hijo/a requiere cirugía no ambulatoria, escoja un hospital que lleve a cabo esa cirugía en forma rutinaria.

¿Sus vacunas están al día?

Timothy McCall, MD, es internista en Boston, editor médico de la revista *Yoga Journal* y autor de *Examining Your Doctor: A Patient's Guide to Avoiding Harmful Medical Care.* Citadel Press. *www.drmccall.com.*

La mayoría de nosotros nos aseguramos de vacunar a nuestros hijos contra enfermedades infecciosas como el sarampión, las paperas y la polio. Pero no somos tan eficientes cuando se trata de protegernos a nosotros mismos. Cada año, más de 60.000 adultos en EE.UU. mueren a causa de enfermedades que podrían haber sido evitadas con vacunas. Compárelo con menos de 1.000 niños por año.

Cerca de 20.000 adultos por año mueren de influenza (gripe, "flu"). Los lineamientos actuales exigen que todas las personas de 65 años o más se vacunen contra la influenza cada otoño, justo antes del inicio de la temporada de la enfermedad. Estos lineamientos también recomiendan la vacuna contra la influenza para personas que padecen de algún mal crónico, como insuficiencia cardiaca o renal, diabetes o infección por VIH. Se ha comprobado que esta vacuna también puede ser beneficiosa para las personas menores de 65 años.

Esta vacuna no siempre funciona en personas mayores o con alguna enfermedad crónica, cuyo sistema inmune tiende a ser más débil. Si usted tiene un amigo, familiar o compañero de trabajo de edad avanzada o que padece alguna enfermedad crónica, vacúnese. Al hacerlo, se asegura de que ellos no se van a contagiar con su gripe.

Una vacuna importante que pocas personas parecen conocer es aquella contra la bacteria *neumococo.* Cada año 500.000 estadounidenses se contagian de infecciones por neumococo, principalmente neumonía. Cuarenta mil personas mueren a causa de estas enfermedades.

Pienso que todas las personas mayores de 65 años deben vacunarse contra los neumococos. Al igual que las personas más jóvenes que sufren de enfermedad cardiaca o pulmonar crónica, enfermedad hepática o diabetes y las personas a quienes se les ha extirpado el bazo.

Las personas infectadas con el virus del SIDA deben vacunarse contra los neumococos en cuanto se enteren de que están infectados. A medida que su sistema inmune se debilita, la vacuna pierde efectividad. Al contrario de lo que sucede con la vacuna contra la influenza, esta vacuna contra la neumonía sólo necesita aplicarse una vez en la vida. Aun así, solo el 14% de las personas con alto riesgo de contraer la enfermedad se ha vacunado.

La otra vacuna que muchos adultos pasan por alto protege contra dos infecciones: el tétanos y la difteria. Las recomendaciones actuales sugieren que todo el mundo se coloque cada diez años un refuerzo contra tétanos/difteria ("tetanus/diphtheria booster") .

Antes, las personas solo se vacunaban contra el tétanos si se les infectaba una herida y acudían a la sala de emergencias. Hace poco los científicos descubrieron que muchas personas mayores –algunas de las cuales no habían recibido un refuerzo de la vacuna contra el tétanos en décadas– habían perdido la protección contra esta enfermedad potencialmente mortal.

Por eso, las recomendaciones han cambiado. Hoy los médicos de cabecera deben asegurarse de que sus pacientes están al día con su vacuna antitetánica, hayan o no sufrido una cortadura.

Algunas vacunas que no se recomiendan al público general son apropiadas para personas con mayor riesgo de contraer ciertas infecciones. Las mujeres en edad fértil deben tener cuidado con la rubéola ("German measles"). Puede causar graves defectos congénitos.

Las mujeres que *pueden* quedar embarazadas y no han recibido la vacuna contra la rubéola deben hacerse un análisis de sangre para verificar la presencia de anticuerpos de la rubéola. Si no hay anticuerpos presentes, deben vacunarse de inmediato y evitar quedar embarazadas por lo menos durante tres meses.

La hepatitis B causa menos muertes que el SIDA –cerca de 5.000 al año en EE.UU.– pero es casi 10 veces más fácil de contraer. Aun así, sólo el 10% de las personas con riesgo de contraer hepatitis B han recibido la vacuna. Las personas que consumen drogas por vía intravenosa, los hombres homosexuales sexualmente activos y cualquier persona expuesta al contacto con la sangre (trabajadores de la salud, pacientes de diálisis, etc.) deben ponerse esta vacuna, que es segura y efectiva. También deben vacunarse las parejas sexuales de las personas con hepatitis B.

Las vacunas son un gran logro de la medicina moderna, pero solo funcionan si se las coloca.

Sanas llamadas gratuitas

Matthew Lesko, coautor de *Free Stuff for Seniors*. Information USA, Inc.

Existen muchos grupos que ofrecen información telefónica gratuita sobre la salud…

•**Eldercare Locator** le brinda referencias sobre entrega de comida a domicilio, transporte, asistencia legal, opciones de vivienda, entre otras: 800-677-1116.

•**Programas de asistencia al paciente;** averigüe si sus ingresos le permiten obtener gratis directamente del fabricante los medicamentos recetados por su médico: 800-762-4636.

•**Servicios especiales para veteranos.** 800-827-1000.

•**Preguntas sobre Seguro Social**, duplicados de tarjetas, etcétera: 800-772-1213.

•**Información y problemas con su cobertura médica:** 800-633-4227 (800-MEDICARE).

Autodefensa contra la gripe ("flu")

El difunto Steven R. Mostow, MD, fue presidente del departamento de medicina del centro médico Rose en Denver, Colorado.

Vacúnese contra la gripe. La vacuna combate el virus en el 70% de los casos cada año.

•**Consulte a su médico de inmediato si siente que le está dando gripe.** Puede recetarle *amantadina* (Symmetrel) o *rimantadina* (Flumadine), o uno de los medicamentos más recientes como *oseltamivir* (Tamiflu) o *zanamivir* (Relenza), que minimizan el malestar y evitan complicaciones como bronquitis, infecciones de oído o neumonía.

•**Mantenga una actitud positiva.** Las emociones negativas debilitan el sistema inmune y lo predisponen a enfermarse.

Remedio para los dolores en la parte baja de la espalda

Louis Kuritzky, MD, profesor asociado de salud y medicina familiar de la Universidad de Florida en Gainesville.

La mejor forma de tratar la mayoría de los casos de dolores en la parte baja de la espalda es con actividad física –caminar, nadar, montar bicicleta, etc.–, *no* con medicamentos, descanso o físioterapia. Nueve de cada diez personas que sufren dolores en la parte baja de la espalda se mejoran solos, reciban tratamiento o no.

Prevenir lesiones en la espalda

Estudio de la Universidad de California en Los Ángeles (UCLA) sobre 36.000 trabajadores de The Home Depot en California, entre 1989 y 1994.

Las lesiones en la espalda se pueden prevenir con el uso de cinturones que brinden sostén a la espalda ("corsets"). A pesar de que estudios anteriores afirmaron lo contrario, las investigaciones más recientes revelan que el uso de los cinturones reduce las lesiones de la parte baja de la espalda en un tercio. Los más beneficiados fueron los hombres menores de 25 años de edad y mayores de 35, y aquellos que realizaban tareas de carga y descarga de materiales.

Guerra al asma

Richard N. Firshein, DO, profesor adjunto de medicina familiar en el New York College of Osteopathic Medicine y director médico de la Paul Sorvino Asthma Foundation, ambos en Nueva York. Es autor de *Reversing Asthma: Reduce Your Medications with This Revolutionary New Program.* Warner.

La incidencia del asma se ha incrementado drásticamente en los últimos años. En 1980, cinco millones de estadounidenses fueron diagnosticados con asma. Este año el número rondará los 20 millones; esto se debe, en parte, al aumento en los niveles de ozono y otros contaminantes del aire.

¿Cuál es la mejor manera de prevenir y tratar el asma? Para saberlo, hablamos con el Dr. Richard N. Firshein, un especialista en asma y asmático.

CAUSAS DEL ASMA

Para la mayoría de los médicos, el asma es un simple problema respiratorio causado por una obstrucción en las vías respiratorias. Para reducir esta obstrucción, los médicos suelen confiar en broncodilatadores, adrenalina u otros medicamentos recetados.

La trampa: Estos fármacos causan efectos secundarios severos, como dolor de cabeza, náusea y taquicardia… y no controlan el proceso inflamatorio crónico subyacente. Los medicamentos son solo una parte del tratamiento integral.

AUTOEXAMEN DE ASMA

1. ¿Respira usted mal? La técnica de respiración adecuada implica el uso del diafragma para expandir el vientre. Los asmáticos tienden a respirar desde el pecho y levantar los hombros al inhalar.

2. ¿Necesita más de una respiración para terminar cada frase cuando habla? Muchos asmáticos necesitan respirar en la mitad de una frase.

3. ¿Tiene el pulso acelerado? De ser así, puede deberse a la falta de oxígeno o tratarse de una alergia subyacente.

4. ¿Al respirar emite un silbido? El silbido al respirar es generalmente un signo de inflamación, estrechamiento de las vías respiratorias o exceso de mucosidad.

5. ¿Suele sentirse ansioso? El miedo a asfixiarse hace que muchos asmáticos sufran de ansiedad crónica.

6. ¿Sufre de dolor? Debido a que respiran con los músculos equivocados, los asmáticos muchas veces sufren de dolor en el abdomen o en el pecho o tienen sensibilidad en las costillas.

Si usted contestó "sí" a tres o más de estas preguntas, vea a un médico de inmediato y hágase un examen médico.

INVENTARIO DEL ESTILO DE VIDA

Como parte del examen médico, usted y su médico deben revisar ciertos aspectos clave…

- **Alergias y molestias intestinales.**

- **Medicamentos.** Dígale al médico todos los medicamentos que toma, tanto los de venta con receta como los de venta libre. Muchos medicamentos pueden exacerbar el asma, entre ellos las hormonas, los antibióticos, antidepresivos, antimicóticos, bloqueadores de ácido y antihipertensivos.

- **El ambiente de su casa.** Dígale al médico dónde nota que se le presentan más los síntomas, qué sistema de refrigeración y calefacción tiene en su casa, que tipo de revestimiento tiene en los pisos y qué productos de limpieza usa normalmente.

- **El ambiente de trabajo.** ¿Está expuesto al humo de cigarrillo, a sustancias químicas industriales, al polvo de copiadoras y a otros productos irritantes de los pulmones? ¿Está bien ventilada su oficina?

- **Prácticas dietéticas.** La falta de magnesio, vitaminas C y A y otros nutrientes antioxidantes en muchos casos contribuyen al asma .

- **Estado inmune.** ¿Se resfría frecuentemente? ¿Se despierta cansado luego de dormir toda la noche? Si es así, su sistema inmune puede estar comprometido.

Si al hacer este repaso se detecta una posible fuente de problemas, tal vez el médico le pida que se haga análisis de sangre o de piel para detectar alergias, evaluar el nivel de nutrientes en el organismo, examinar su respuesta inmune y/o analizar el tracto digestivo.

Una vez que el médico conozca todos los factores involucrados podrá ayudarle a diseñar un programa para controlar los síntomas.

TENGA UNA CASA A PRUEBA DE ASMA

Todos los asmáticos necesitan un "cuarto de seguridad", es decir, algún espacio donde ir durante un ataque de asma. Para la mayoría de las personas, la mejor opción es el dormitorio. *Aquí tiene la manera de preparar su cuarto de seguridad…*

●**Quite el polvo con frecuencia,** con un paño tratado especialmente para evitar que el polvo se disperse.

●**Elimine todas las alfombras.**

●**Póngale forros de vinilo sellados al vacío al colchón, al "box spring" y a las almohadas.** Esto ayuda a deshacerse del polvo y los ácaros, que pueden provocar un ataque de asma.

●**Elimine los goteos de agua** y otras fuentes de humedad.

●**Considere comprar** un filtro de aire de *alta eficiencia que atrapa las partículas* (HEPA, por sus siglas en inglés). *Costo:* desde $300.

●**Considere deshacerse de las plantas de interiores.** Si bien las plantas no son un problema en sí mismas, la tierra de las plantas muchas veces contiene moho, que puede provocar un ataque de asma.

EVITE ALIMENTOS CAUSANTES DEL ASMA

Muchas personas se sorprenden al saber que lo que comen influye en su respiración. En algunas personas, el asma es el resultado de alergias insospechadas o de alguna sensibilidad a alimentos que pueden provocar asma: huevos, mariscos, nueces, semillas, soja, etc. En otras, el culpable es el residuo de pesticidas o aditivos en los alimentos.

Como no hay dos personas iguales en este sentido, el médico puede pedirle que se realice pruebas de la piel para identificar causantes específicos del asma.

ANTIOXIDANTES AL RESCATE

A veces el asma es el resultado de daños pulmonares causados por los *radicales libres.*

Estas moléculas traidoras se encuentran en el aire contaminado y son producidas por el cuerpo durante el ejercicio vigoroso.

Al consumir más antioxidantes –que neutralizan los radicales libres– muchos asmáticos notan una rápida reducción en los síntomas.

Alimentos antioxidantes: Bróculi, coliflor, calabacines, zanahorias, ajo y cebollas.

A muchos asmáticos les hace bien tomar una cápsula diaria de aceite de pescado ("fish oil") o –si son muy sensibles al pescado– de aceite de linaza ("flaxseed oil"). Los aceites que se encuentran en el salmón, el atún y la caballa ("mackerel") frescos tienen un efecto antiinflamatorio en los pulmones.

Pregúntele a su médico si le conviene tomar extracto de semilla de uva ("grape seed extract") y un suplemento diario que contenga magnesio (250 mg), vitamina A (4.000 IU), vitamina C (1.000 mg) y vitamina E (400 IU).*

El magnesio reduce los niveles elevados de calcio, que pueden causar espasmos en los músculos respiratorios.

Alimentos ricos en magnesio: "Tofu", espinacas y remolachas (betabel, "beets").

Para el asma severa, puede requerirse magnesio intravenoso.

TRES ESTRATEGIAS RESPIRATORIAS

●**Respiración abdominal.** Tiéndase boca arriba en una colchoneta, con las rodillas flexionadas y los pies ligeramente separados. Colóquese un libro de tapa dura en la parte baja del estómago, con el lomo del libro tocando la parte inferior del tórax.

Respire por la nariz. Al hacerlo, levante el libro con el estómago tanto como pueda. Mantenga el pecho relajado y quieto.

Al exhalar, use los músculos abdominales para expulsar por completo el aire de los pulmones. Repita lentamente, inspirando unas cuatro veces por minuto.

●**Soplar la vela.** Inspire profundamente y lleve el aire al abdomen. Luego exhale con mucha fuerza como si estuviera soplando las velitas de una torta (pastel) de cumpleaños.

*Debido a la posible interacción entre la vitamina E y varios medicamentos y suplementos, así como otras consideraciones de seguridad, consulte a su médico antes de empezar un régimen de vitamina E.

• **Respiración relajadora.** Si su respiración se acelera por estrés emocional o un ataque de asma incipiente, respire con el abdomen.

Observe si hay tensión en la mandíbula, los hombros, el pecho o el cuello. Relaje esas partes del cuerpo.

Deje fluir las emociones, aunque sean negativas. No trate de detenerlas con respiraciones cortas y poco profundas o contrayendo los músculos.

Reflujo gastroesofágico: un nombre nuevo para un problema viejo

Timothy McCall, MD, es internista en Boston, editor médico de la revista *Yoga Journal* y autor de *Examining Your Doctor: A Patient's Guide to Avoiding Harmful Medical Care*. Citadel Press. *www.drmccall.com*.

En lo que parece un signo de la búsqueda sin fin de ponerle nombres complejos a problemas simples, ahora los médicos suelen diagnosticar enfermedad de *reflujo gastroesofágico* (GERD, por sus siglas en inglés). Antes lo llamábamos hernia hiatal o reflujo esofagal, o simplemente acidez estomacal.

Sea cual sea el nombre que se le dé, la GERD se produce cuando el contenido del estómago se devuelve al esófago, el tubo muscular que conecta la boca con el estómago. Los síntomas típicos son una sensación de ardor en la parte baja del pecho y sabor ácido en la boca.

Esta dolencia puede ser discapacitante y los casos graves pueden causar cáncer de esófago. Afortunadamente, la mayoría de los casos se controlan con cambios en el estilo de vida, medicamentos y, en circunstancias extremas, con cirugía.

La primera fase del tratamiento de la GERD es cambiar los hábitos alimenticios. Hay que evitar los alimentos que producen reflujo: chocolate, café (incluso el descafeinado), menta piperita ("peppermint") y otras mentas, frutas cítricas y alimentos picantes o muy grasosos. Beber alcohol y fumar también promueve el reflujo.

Algunos medicamentos empeoran la GERD, como la *teofilina* (para el asma), los antiinflamatorios como la aspirina y el ibuprofeno, los antidepresivos tricíclicos como la *amitriptilina* (Elavil) y los bloqueantes de los canales de calcio, que controlan las enfermedades cardiacas y la alta presión arterial. Si usted sufre de GERD y está tomando alguno de estos medicamentos, consulte con su médico sobre la posibilidad de reemplazarlos por algún otros.

Todo lo que hace presión sobre el abdomen estimula el regreso de los ácidos estomacales al esófago. La ropa muy apretada puede producir este efecto. También el sobrepeso o hasta comer mucho de una vez.

Cuando uno está de pie o sentado, la gravedad tiende a evitar que el contenido del estómago suba. Por eso, las personas que tienen tendencia a padecer de GERD deben evitar acostarse inmediatamente después de comer y no deben comer o beber nada –ni siquiera un vaso de agua– durante un par de horas antes de irse a dormir. Algunas personas encuentran beneficioso elevar la cabecera del colchón con una cuña de goma espuma ("foam") o colocar el cabezal de la cama sobre tablones de madera.

Si el cambio de vida no ayuda a mejorar la GERD, la terapia con antiácidos es la más usada. Éstos producen rápido alivio al recubrir el esófago y ayudar a neutralizar el ácido estomacal. La siguiente opción es un bloqueador de ácido de venta libre como *Zantac* 75 o *Pepcid AC*. Si estos medicamentos no ayudan a mejorar la dolencia, consulte con su médico sobre la posibilidad de tomar las versiones más fuertes de estos medicamentos, que se venden con receta médica. *Tagamet*, un medicamento similar, no es más efectivo que el Zantac o Pepcid y es más probable que interactúe con otros medicamentos.

Cisapride (Propulsid) y otros medicamentos vendidos con receta médica que promueven la "motilidad" (el movimiento de los alimentos por los intestinos) también pueden ser útiles. Estos medicamentos se pueden tomar solos o en combinación con otros.

El medicamento de venta con receta llamado *omeprazole* (Prilosec) también parece ser muy eficaz contra la GERD.

El último recurso para controlar la GERD generalmente es la cirugía. En un procedimiento quirúrgico, llamado *fundoplicación*, el cirujano envuelve la porción superior del estómago alrededor del extremo inferior del esófago. Esta operación suele ser muy efectiva, aunque no lo es siempre y los síntomas pueden reaparecer después de unos años.

Si toma este camino, recuerde preguntarle al médico sobre las técnicas laparoscópicas. Éstas requieren de incisiones más pequeñas y permiten una recuperación más rápida que la cirugía convencional. También verifique la trayectoria de su cirujano. Algunos tienen mucha más suerte que otros.

Lo que la mayoría de los médicos no saben sobre la acidez estomacal

Lauren Gerson, MD, profesora adjunta de medicina en la facultad de medicina de la Universidad Stanford y directora del Esophageal and Small Bowel Disorders Center de la facultad, ambos en Stanford, California.

La mayoría de médicos les aconsejan a sus pacientes de acidez estomacal que eviten las comidas picantes, el alcohol y el chocolate. Pero una nueva investigación ha demostrado que para la mayoría de las personas que sufren de acidez, cambiar a una dieta sosa no elimina el dolor que causa el reflujo gástrico.

UNA NUEVA Y SORPRENDENTE INVESTIGACIÓN

La acidez ocurre cuando ácido del estómago da marcha atrás (refluye) hacia el esófago por el esfínter esofágico (la válvula que previene que el ácido del estómago entre al esófago) que se ha aflojado. Durante décadas, los médicos le han dicho a los pacientes de acidez que dejen de comer alimentos que puedan causar que el esfínter ejerza menos presión, a saber: alimentos picantes, grasosos o fritos; así como cítricos y bebidas alcohólicas o con cafeína.

Sin embargo, la mayoría de mis pacientes que restringen severamente sus dietas buscando un alivio a la acidez, siguen teniendo reflujo. Con esto en mente, mis colegas y yo nos propusimos determinar si realmente tiene algún beneficio el evitar ciertos alimentos.

En un análisis recientemente publicado en *Archives of Internal Medicine*, revisamos más de 2000 estudios publicados entre 1975 y 2004 y no encontramos evidencia alguna de que eliminar de la dieta comidas y bebidas específicas, eliminara la acidez estomacal en la mayoría de las personas.

Es verdad que en un pequeño porcentaje de personas la acidez es causada por detonantes específicos. Por ejemplo, el vino tinto causa acidez inmediata en pacientes sensibles, posiblemente por su contenido ácido.

Algunos de los llamados detonantes de la acidez, como el chocolate, el café, el té y las gaseosas, han sido conectados al aflojamiento del esfínter esofágico. Sin embargo, nuestros descubrimientos sugieren que el esfínter se aflojará sin importar el tipo de comida que se coma. Por lo tanto, evitar alimentos con cafeína no eliminará la acidez estomacal.

También descubrimos que lo mismo es cierto para las comidas picantes, las bebidas alcohólicas e incluso el fumar –ningún estudio ha demostrado que eliminar estos "detonantes" cause una verdadera disminución de los síntomas de la acidez.

CAMBIOS EN EL ESTILO DE VIDA

Aunque la dieta no tiene ningún efecto en el alivio del reflujo, nuestra investigación halló que hay dos factores que pueden reducir la incidencia de la acidez –perder peso y elevar la cabecera de la cama. Pruebe estas opciones –y otras estrategias comprobadas– de cuatro a seis semanas antes de tomar medicamentos para la acidez, los cuales pueden causar dolor de cabeza, diarrea y otros efectos secundarios.

●**Pierda peso.** El exceso de peso ejerce presión adicional sobre el abdomen, lo que causa que el esfínter esofágico inferior se afloje.

Los investigadores del estudio de enfermeras "Nurses' Health Study" han descubierto que los participantes de peso promedio que aumentaron 20 libras (9 kilos) desarrollaron reflujo o sus síntomas existentes empeoraron. El riesgo incrementó si el aumento de peso era mayor.

Afortunadamente, los estudios han demostrado que perder peso proporciona alivio. Controlar la cantidad que se ingiere es más importante que los alimentos ingeridos.

●**Eleve la cabeza en la noche.** Subir la cabecera de la cama al menos seis pulgadas (15 cm), colocando ladrillos o bloques debajo de la base de la cama, ayuda a mantener el ácido fuera del esófago y brinda protección contra la acidez. Si no se siente cómodo elevando la cama, compre una almohada de goma espuma ("foam wedge") de un grosor de entre 6 y 8 pulgadas (15 y 20 cm) y colóquela debajo de su almohada. Se pueden comprar en farmacias o por Internet en sitios como www.medslant.com (800-346-1850)… o www.foamcenter.com. *El costo:* de $20 a $60.

●**Evite las comilonas.** Comer en exceso puede agravar la acidez ya que el estómago produce más ácido para la digestión. Además, las comidas grasosas pueden demorar el vaciado del estómago, lo que puede causar reflujo gástrico.

●**Deje de comer tres horas antes de acostarse.** Comer muy tarde puede causar problemas a algunas personas. Varios estudios han demostrado que, aunque la acidez no desapareció cuando se evitó comer tarde, el nivel de pH del ácido del esófago mejoró, indicando que había menos ácido.

●**Haga ejercicios.** La actividad física puede ayudarle a perder peso y aliviar la acidez. En algunas personas el ejercicio vigoroso puede empeorar la acidez porque hace más lento el vaciado del estómago e interfiere con la absorción gastrointestinal, pero el ejercicio de bajo impacto, como caminar, no tiene ese efecto.

MEDICAMENTOS PARA LA ACIDEZ

Si las sugerencias anteriores no le dan resultado después de unas semanas (o unos meses si está tratando de perder peso), intente con…

●**Antiácidos.** Primero pruebe con los antiácidos de acción rápida de venta libre, como Tums o Mylanta. Úselos para el reflujo intermitente, no como tratamiento a largo plazo (es decir, de seis semanas o más).

Advertencia: El calcio que contiene Tums puede causar estreñimiento, y el magnesio en Mylanta puede causar diarrea. Consulte con su farmacéutico si está tomando otros medicamentos, debido a que los antiácidos pueden interferir con la absorción de algunos medicamentos.

●**Bloqueantes de H2.** Si los antiácidos no le dan buenos resultados, considere los bloqueantes de H2, tales como *famotidine* (Pepcid) o *ranitidine* (Zantac), ambos disponibles sin receta. Los efectos secundarios, como dolor de cabeza y diarrea, son poco comunes.

●**Inhibidores de la bomba de protones ("proton pump inhibitors").** Si la acidez no se elimina con otros medicamentos, pruebe un inhibidor de la bomba de protones, tal como *omeprazole* (Prilosec) o *lansoprazole* (Prevacid). Los efectos secundarios, como dolor de cabeza y diarrea, son raros.

Una investigación reciente estudió si el uso de inhibidores de la bomba de protones estaba relacionado con la infección por *Clostridium difficile*, una bacteria que puede causar diarrea, fiebre y dolor abdominal. Estos medicamentos disminuyen el ácido en el estómago, por lo que los investigadores pensaron que algunas bacteria *C. difficile* que normalmente mueren en el estómago, podrían sobrevivir y causar problemas intestinales. Se requiere investigaciones adicionales.

ALTERNATIVAS SIN MEDICAMENTOS

Algunas personas que buscan alivio de la acidez sin medicamentos han probado jengibre ("ginger") o jugo de papaya. Ningún estudio ha investigado la relación de estos productos y la acidez, pero ingerirlos no debería causar ningún problema de salud.

EXÁMENES DE CÁNCER

Quienes han padecido acidez por mucho tiempo tienen mayor riesgo de desarrollar el síndrome de Barrett, una condición precancerosa causada por el reflujo gástrico regurgitado hacia el esófago durante años que puede llevar a cáncer de esófago. Las personas con reflujo crónico que ha durado de seis a 12 meses deben someterse a una endoscopia (en la cual el médico examina el sistema digestivo con un tubo flexible con linterna) para detectar dichas dolencias.

Cómo evitar la irregularidad

Adriane Fugh-Berman, MD, investigadora médica radicada en Washington, DC, especialista en salud femenina y medicina alternativa. Es autora de *Alternative Medicine: What Works.* Odonian Press.

Si se pregunta: ¿con qué frecuencia debe uno evacuar? En la facultad de medicina me enseñaron que las personas "normales" vacían los intestinos desde varias veces al día hasta una vez por semana.

Yo no creo más en eso. Evacuar más de una vez al día está bien, pero evacuar solamente una vez a la semana definitivamente no es normal, ni saludable. El estreñimiento crónico puede conducir a graves problemas de salud.

En primer lugar, el estreñimiento crónico promueve cambios precancerígenos en las células del colon. Se presume que esto se debe a que estas células están expuestas a los ácidos biliares y otras toxinas que se encuentran en los desechos intestinales por un período de tiempo más largo de lo debido.

El estreñimiento también puede derivar en hemorroides. La gente que sufre de estreñimiento muchas veces debe hacer un gran esfuerzo para evacuar y este esfuerzo causa una acumulación de presión en los vasos sanguíneos que recubren el canal anal. Las hemorroides son simplemente várices en el canal anal.

¿Qué produce el estreñimiento? Las causas más comunes son la falta de fibra en la dieta, consumo insuficiente de agua y un estilo de vida sedentario.

El estreñimiento también es un efecto secundario de algunos medicamentos. Entre los medicamentos que producen estreñimiento se encuentran la codeína y otros calmantes para el dolor a base de opio, antidepresivos tricíclicos como la *amitriptilina* (Elavil), la *seudoefedrina* (Sudafed) y otros descongestionantes, así como también Maalox y otros antiácidos a base de aluminio.

El calcio también puede causar estreñimiento. Si usted toma suplementos de calcio, debe tomar también suplementos de magnesio.

El magnesio, a la mitad de la dosis que toma de calcio, ayuda a contrarrestar el efecto constipador del calcio.

Ahora hablemos de cómo curar el estreñimiento. Ya oyó que aumentar el consumo de fibra en la dieta puede ayudarle a regularizarse. Pero quiero recalcar que también necesita beber mucha agua. De hecho, el comer más fibra sin aumentar simultáneamente la ingesta de agua puede hacer que el estreñimiento empeore en vez de mejorar. Yo recomiendo beber por lo menos ocho vasos de agua de ocho onzas (230 ml) por día.

La fibra dietética se encuentra en las frutas, los vegetales y los granos enteros. Si comer más alimentos ricos en fibra (y beber más agua) no soluciona su problema, considere tomar Metamucil o cualquier otro producto de semilla de psilio ("psyllium") de venta libre. La semilla de psilio es un agente dilatador y no un laxante (catártico) real. Sin embargo, es muy efectivo para combatir el estreñimiento.

A diferencia de los laxantes, el psilio puede tomarse sin riesgo todos los días. El uso diario de laxantes puede conducir a un intestino "perezoso" y a un estreñimiento aún peor, sin mencionar la deshidratación y los desequilibrios en el balance corporal de sodio y potasio, lo que puede poner en riesgo la vida. Los laxantes solo se deben usar de vez en cuando.

Uno de los pocos laxantes recomendados tanto por los médicos convencionales como por los que practican medicina alternativa es el té de *sen* (senna), una hierba que se vende en tiendas de alimentos naturales ("health food stores"). El té de sen es bastante eficaz, pero yo he encontrado un remedio aún más potente: *ciruelas secas* en sen ("sennaed prunes").

Para hacer las ciruelas en sen, vierta agua hirviendo sobre una taza de ciruelas hasta cubrirlas. Introduzca una bolsita de té de sen. Deje la bolsita entre cinco y 20 minutos (cuanto más tiempo lo deje, más fuerte será el té). Refrigere la mezcla de sen y ciruelas durante la noche antes de comerla.

Por otra parte, si bien es cierto que el café con cafeína tiene propiedades laxantes, el té negro regular contiene *taninos*, componentes que causan estreñimiento.

Prevención contra los mosquitos

Bernice Lifton, residente de Pasadena, California, investigó formas naturales de eliminar las plagas. Es autora de *Bug Busters*. Avery Publishing Group.

Para proteger su propiedad de los mosquitos, elimine cualquier acumulación de agua donde puedan criarse.

Ejemplos: Las canaletas combadas pueden acumular agua –hágalas revisar. Arregle cualquier grifo exterior que esté goteando, coloque drenajes junto a los equipos de aire acondicionado para que no se formen charcos debajo. Vacíe los baños para pájaros cada tres días. Si coloca agua afuera para que sus mascotas beban, cámbiela a diario.

También: Tire las llantas viejas y los juguetes abandonados y guarde las piscinas infantiles que no se usen.

Cortes y raspones

Alfred Lane, MD, profesor de dermatología de la Universidad Stanford en California.

Muchos médicos recomiendan a sus pacientes mantener secas las heridas para evitar infecciones. Sin embargo, en un estudio con bebés prematuros, las cortaduras tratadas con un ungüento a base de petróleo (*Aquaphor*) sanaban más rápido y se infectaban menos que las que no se trataban. Los investigadores dicen que ese mismo tratamiento también debería curar las heridas de los adultos.

Basta de ronquidos

Gary Zammit, PhD, director del Sleep Disorder Institute en Nueva York.

Los investigadores creen que los ronquidos se producen por la vibración de tejidos blandos en respuesta a un flujo turbulento de aire en las vías respiratorias superiores. Las tiras nasales ("nasal strips"), que se venden en las farmacias, son trozos angostos de plástico elástico envueltos en cinta adhesiva. Cuando se adhieren a la parte exterior de la nariz para hacer que los orificios nasales se abran, las tiras ayudan a abrir el paso del aire y reducir la turbulencia.

Atención: No se ha demostrado su efectividad en trastornos más serios como la apnea del sueño. Si usted sospecha que sufre de apnea del sueño, busque la ayuda de un especialista. Este desorden puede tener consecuencias graves.

Los niños y el sexo

Jan Faull, especialista en desarrollo y comportamiento infantil que reside en Seattle y escribió esto en el sitio Web *Family Planet*.

Hablar con los niños sobre sexo no debe ser una conversación de un solo día, ni tampoco estrictamente anatómica. El tema surgirá a medida que los niños vayan creciendo. Cuando un niño haga una pregunta directa, conteste clara y honestamente según la edad del niño, usando los nombres correctos para las partes del cuerpo. Luego responda a cualquier otra pregunta que surja.

En definitiva: Alégrese de que sus hijos le pregunten a usted; de lo contrario, irán a cualquier otro lugar a aprender sobre sexo. Si no contesta perfectamente la primera vez, puede reformular la respuesta más adelante.

Basta de hablar entre dientes

Ann Mitchell, licenciada en patología del lenguaje, del Rehability Center de Falls Church, Virginia.

Si usted tiende a hablar entre dientes, respire profundo y exhale lentamente mientras cuenta en voz alta. Siga contando a un ritmo constante, dejando aproximadamente medio segundo entre un número y otro. La mayoría de los adultos puede contar hasta 15 ó 20 antes de tener que inhalar de nuevo. Si usted no pasa de diez, necesita practicar para lograr respirar de manera más profunda y controlada mientras habla.

¿Tiene alergias primaverales?

Peter Boggs, MD, alergólogo con práctica privada en Shreveport, Luisiana, y ex presidente del American College of Allergy, Asthma and Immunology, en Arlington Heights, Illinois. Es autor de *Sneezing Your Head Off? How to Live with Your Allergic Nose.* Fireside.

Si sufre de alergias "estacionales" (las que se presentan en determinadas épocas del año), al igual que 22 millones de estadounidenses, hay tratamientos nuevos y convencionales que pueden aliviar sus síntomas de alergia sin producirle sueño o hacerlo quedar en casa.

CÓMO COMIENZAN LAS ALERGIAS

Las alergias se producen cuando se hereda una predisposición genética a desarrollar anticuerpos alérgicos al entrar en contacto con sustancias normalmente benignas.

Si su padre o madre sufre de alergias, usted tiene un 30% de probabilidad de ser alérgico también. Si ambos padres sufren de alergias, su riesgo se eleva entre el 50% y el 75%. Si ninguno de sus padres sufre de alergias, sus probabilidades disminuyen a un 13%.

Se hereda y se transmite solo la tendencia a las alergias, no la alergia en sí.

Ejemplo: Si su madre es alérgica a los gatos, tal vez usted no desarrolle la misma alergia, pero puede ser alérgico al polen.

Sin embargo, poseer material genético provocador de alergias no es suficiente para que se le irrite la nariz y empiece a estornudar. También debe verse expuesto a diferentes alergenos como ácaros, polen de árbol, hierba o maleza, animales, hongos, plumas, picaduras de insectos y ciertos alimentos. Hay alergenos en todas partes y son tantos que es imposible evitarlos.

Ejemplo: La causa más común de la fiebre de heno ("hay fever") al inicio de la primavera es el polen de los árboles. Más adelante en la primavera, el culpable generalmente es el polen de la hierba. Y en el otoño, el polen de la maleza provoca reacciones alérgicas en muchas personas.

CÓMO SE DEFIENDE EL CUERPO

Después de entrar en contacto con un alergeno, su cuerpo lo asume como un objeto extraño. Cuando el cuerpo detecta esta sustancia, el sistema inmune inicia un ataque intensivo para liberarse de ella. Durante esta ofensiva, se liberan sustancias químicas como la histamina, los leucotrienes y la prostaglandina D2.

Estas sustancias y la consiguiente inflamación nasal son los responsables de los síntomas de congestión alérgica: nariz que gotea, ojos llorosos, estornudos y picazón en la nariz, garganta, ojos y oídos.

TRATAMIENTOS TRADICIONALES

● **Evite los causantes de las alergias.** Es el medio más efectivo y económico de alejar los síntomas alérgicos. *Esta es la forma de hacerlo:*

● **Evite realizar actividades al aire libre entre las cinco y las diez de la mañana.** Este es el periodo de mayor cantidad de polen.

● **Dúchese y cámbiese de ropa cuando vuelva** de trabajar o jugar al aire libre. El polen se adhiere a la ropa y se posa en los muebles.

● **Cierre las puertas y ventanas y prenda el aire acondicionado de su casa y automóvil** para filtrar el polen del aire que respira. Evite los ventiladores de ventana y de ático pues atraen el polen hacia la casa.

● **Los antihistamínicos y descongestionantes** son la base del tratamiento para las alergias estacionales. Son muy efectivos para aliviar los síntomas rápidamente.

● **Los antihistamínicos** no evitan la reacción alérgica, pero detienen los síntomas, como estornudos y ojos llorosos, al interferir con la acción de la histamina. Hoy en día hay una gran cantidad de antihistamínicos de venta libre o con receta. Generalmente son efectivos, pero muchos producen somnolencia o mareo. *Precauciones...*

☐ **No tome ningún antihistamínico** si sufre de glaucoma, tos persistente o agrandamiento de la próstata.

●**Los descongestionantes,** de venta libre o con receta, alivian la congestión nasal al contraer los vasos sanguíneos de la nariz. Pueden causar mareos, ansiedad e insomnio. *Advertencias…*

□ **No use descongestionantes** si sufre de enfermedad cardiaca o tiroidea, alta presión arterial, diabetes o agrandamiento de la próstata, sin consultarlo antes con su médico.

□ **No use descongestionantes en forma de spray de venta libre** por más de cinco días. De hecho, pueden causar una congestión aún mayor.

●**Sprays nasales con esteroides.** Los sprays nasales de venta con receta, como Beconase, Flonase, Nasacort, Rhinocort y Vancenase, revierten la inflamación en la nariz y bloquean la reacción alérgica.

Cuando se aplican estos sprays nasales con esteroides en la nariz una o dos veces al día, también detienen la picazón que martiriza a quienes padecen de alergias y que predispone a la nariz a reaccionar frente a los alergenos e irritantes tales como el humo de cigarrillo y otros contaminantes.

Estos sprays con esteroides dan buen resultado cuando se combinan con antihistamínicos y descongestionantes. Sin embargo, si usted no tolera estos medicamentos, también se pueden usar solos.

Importante: Comience a usar los sprays nasales con esteroides una o dos semanas antes del inicio de la temporada de alergias para prevenir el proceso inflamatorio. Muchos pacientes los utilizan todos los días durante varios meses seguidos. Los sprays con esteroides tienen pocos efectos secundarios si se usan en las dosis recomendadas.

●**Inyecciones contra las alergias ("allergy shots").** Si tiene síntomas de alergia severos, asma, infecciones de oído frecuentes o no responde a los antialérgicos orales o nasales, la inmunoterapia es otra opción.

El procedimiento: Se le colocan una serie de inyecciones que contienen dosis cada vez mayores de extractos alergénicos.

Probablemente desarrollará inmunidad contra estos alergenos. Sin embargo, podrá seguir necesitando medicamentos orales o nasales para controlar los síntomas.

MEDICAMENTOS

●**Allegra** es un antihistamínico no sedante que se vende con receta.

●**Astelin** es un spray antihistamínico nasal. Sólo se vende con receta. El Astelin surte efecto luego de unos minutos de su aplicación, dura 12 horas, no causa somnolencia y tiene pocos efectos secundarios.

●**Claritin, en forma de Reditabs,** puede administrarse tanto a niños como a adultos que no pueden tomar otro tipo de pastillas, ya que se disuelven casi instantáneamente en la lengua.

●**Nasalcrom** es un spray nasal sin esteroides que se ha usado durante años y ahora es de venta libre. El Nasalcrom es sumamente seguro y efectivo para evitar una reacción alérgica, reduce la inflamación en la nariz y no causa somnolencia. La mayoría de los pacientes lo usan de tres a cuatro veces por día, una o dos semanas antes del inicio de la temporada de las alergias.

●**Zyrtec** es otro antihistamínico de venta con receta médica. Puede causar un poco de somnolencia, aunque no tanta como otros antihistamínicos de venta libre, es seguro y efectivo.

La vacuna contra la hepatitis B y los pre-adolescentes

Ann M. Arvin, MD, es profesora de pediatría y microbiología/inmunología de la facultad de medicina de la Universidad Stanford en California.

El virus de la hepatitis B, que puede ser transmitido sexualmente o por el uso de drogas intravenosas, es 100 veces más prevalente (y mucho más infeccioso) que el virus del SIDA. Todos los jóvenes entre los 11 y los 13 años de edad deben vacunarse, aunque sus padres crean que no son sexualmente activos o que no consumen drogas.

Los niños también sufren de úlceras

Mark A. Gilger, MD, profesor adjunto de pediatría y gastroenterología de la facultad de medicina de la Universidad Baylor en Houston.

Entre las causas se encuentran la infección con la bacteria *Helicobacter pylori*, la reacción a ciertos medicamentos, el estrés causado por una severa lesión, infección o enfermedad.

Los síntomas a los que los padres deben estar atentos son: Recurrente dolor abdominal, despertarse en la noche con dolor abdominal, vómitos recurrentes y vómitos de sangre. La mayoría de las úlceras puede tratarse con antiácidos y curarse con antibióticos.

Los niños pequeños no necesitan almohada

Jay Berkelhamer, MD, vicepresidente sénior de asuntos médicos de Children's Healthcare en Atlanta, y presidente de la American Academy of Pediatrics.

Los niños hasta los 2 ó 3 años parecen dormir mejor sin almohadas. Las almohadas, y otros artículos de cama blandos, pueden ser peligrosos para niños muy pequeños –pueden contribuir a la asfixia de unos 1.800 bebés cada año.

La música y los bebés

Jayne M. Standley, PhD, profesora de terapia musical de la Universidad Florida State en Tallahassee. Su estudio de 20 bebés prematuros fue publicado en *Pediatric Nursing*, E. Holly Ave., Box 56, Pitman, NJ 08701.

La música ayuda a fortalecer a los bebés prematuros. Cuando sonaron canciones de cuna en la unidad neonatal de un hospital, los niveles de oxígeno en la sangre de los bebés prematuros (una medida clave de su salud) subieron. Cuando la música paró, los niveles bajaron.

La dieta del bebé

Estudio realizado por investigadores en la Universidad de Illinois, Urbana-Champaign.

Cuando su bebé rechace algún alimento nuevo, intente dárselo nuevamente al día siguiente.

La causa: Es natural que los bebés rechacen sabores que no conocen. Pero, a la larga, la mayoría de los bebés adquiere el gusto por la mayoría de los alimentos. En un estudio, cuando se les ofreció a los bebés puré de guisantes (arvejas, "peas") o de judías verdes ("green beans") durante diez días consecutivos, en el décimo día comieron el doble que el primer día.

Alimentos que nunca deben comer los niños pequeños

Martha White, MD, directora de alergología pediátrica e investigación del Institute for Asthma & Allergy del Washington Hospital Center en Washington, DC.

El maní (cacahuates, "peanuts") es muy fácil de aspirar hasta los pulmones y es uno de los alimentos más comunes y peligrosos a los que se puede desarrollar alergia.

Quiénes corren más riesgo: Los niños de familias de alto riesgo, en la que ambos padres o un padre y un hermano son alérgicos a algún alimento. Incluso rastros de maní pueden causar un ataque alérgico.

Ejemplo: Un niño empezó a jadear al abrirse un tarro de mantequilla de maní ("peanut butter") cerca de él.

Útil: Informe a los maestros y a las otras personas que cuidan al niño de cualquier alergia a los alimentos, colóquele al niño un brazalete de Medic Alert (llame al 888-633-4298 para información en inglés); enséñeles a los niños mayores a usar las jeringas precargadas de epinefrina para evitar un ataque luego de haber ingerido sin darse cuenta algún alimento al que son alérgicos.

Los beneficios del ejercicio

James F. Clapp, MD, obstetra del centro médico MetroHealth de la Universidad Case Western Reserve en Cleveland. Su estudio sobre 65 bebés recién nacidos fue publicado en el *American Journal of Obstetrics and Gynecology*.

Los bebés fueron menos intranquilos y más despiertos si sus madres se ejercitaron regularmente durante el embarazo. *Nota:* consulte siempre a su médico antes de empezar cualquier programa de ejercicio.

Prevenga la caries infantil

Steven Grossman, DDS, co-director de odontología pediátrica del hospital Lenox Hill en Nueva York.

Asegúrese de que los dientes de sus hijos reciban tratamiento con flúor ("fluoride"); evite las sustancias dulces en los chupones; déle agua sola en el biberón a la hora de dormir; límpiele las encías y los dientes con un paño limpio después de comer; cepíllele los dientes una vez al día a partir de los dos años de edad o antes; y visite regularmente al dentista una vez que el bebé ya tenga su vigésimo diente.

El plomo y la obesidad

Rokho Kim, MD, DrPH, instructor de medicina de la facultad de medicina de la Universidad Harvard en Boston. Su estudio de 79 adultos jóvenes fue publicado en *Environmental Health Perspectives*, Mail Drop WC01 NIEHS, Box 12233, Research Triangle Park, NC 27709.

La exposición al plomo durante la niñez puede producir obesidad y menor estatura en la adultez. Cuanto mayor haya sido la exposición entre los siete y los 20 años, mayor será el aumento de peso en el futuro.

Hechos sobre el síndrome de muerte súbita infantil

E.A. Mitchell, MD, profesor adjunto del departamento de pediatría de la Universidad de Auckland, Nueva Zelanda; escribió esto para *The Lancet*, 32 Jamestown Rd., Londres NW1 7BY.

Dormir con un bebé incrementa el riesgo del Síndrome de Muerte Súbita Infantil (SIDS, por sus siglas en inglés). No se conoce la causa, pero puede estar relacionada con una obstrucción de las vías respiratorias o con respirar aire que los padres hayan exhalado.

Tienen un mayor riesgo: Los bebés de madres fumadoras. Una madre que fuma puede amamantar y tranquilizar a su bebé en la cama pero no debe permitir jamás que el bebé duerma con ella.

Logre que los niños coman frutas y vegetales

Tufts University Diet & Nutrition Letter, 203 Harrison Ave., Boston 02111.

Los niños comen más frutas y vegetales cuando estos son parte de la comida principal en vez de ser una guarnición.

Útil: Añada vegetales cocidos hechos puré a platos con carne de res molida, como pastel de carne ("meat loaf") y hamburguesas… sustituya parte o toda la carne molida en una lasaña por un guiso de zanahorias y calabacines "zucchini" rallados o espinacas picadas… añada vegetales y frutas desmenuzadas o en puré a "muffins", panecillos, galletas, tortas y bizcochos caseros… use puré de manzanas o peras horneadas como salsa para aves y piña (ananá) en trozos ("pineapple chunks") o en anillos sobre pechugas de pollo horneadas o a la parrilla… mezcle puré de manzanas ("applesauce") sin azúcar o manzanas frescas con cereal caliente.

Los niños y la seguridad con los anteojos de sol

Stephen Miller, MD, director del centro de cuidado clínico de la American Optometric Association en St. Louis, Missouri.

Los niños deberían usar anteojos (gafas) de sol en la playa, la piscina o siempre que la luz del sol se refleje en sus ojos.

La razón: Los ojos de un niño pequeño tienen menos pigmento filtrante de luz que los de un adulto; por lo tanto, son especialmente vulnerables al daño ocular acumulativo, producto de los dañinos rayos UV del sol.

Lo mejor: Anteojos de plástico resistente a los golpes o de policarbonato que bloqueen del 99% al 100% de los rayos UVA y UVB.

El valor de los amigos imaginarios

Jerome Singer, PhD, es profesor de psicología y estudios infantiles de la Universidad Yale en New Haven, Connecticut.

Los compañeros de juego imaginarios son el producto de las necesidades y la imaginación de los niños. Dos tercios de los niños en edad preescolar los tiene, y quienes los tienen tienden a ser más independientes, colaboradores con las maestras y los compañeros, más felices y menos agresivos que los niños que no los tienen. Estos compañeros de juego ayudan a los niños a compartir con los adultos ideas y sentimientos que quizás no se sentirían cómodos expresándolos de otra manera. Los padres deben aceptar a los compañeros imaginarios, aunque sin demasiado entusiasmo. Los niños necesitan sentir que tienen control total sobre sus amigos imaginarios.

El sueño y el comportamiento

Rafael Pelayo, MD, médico de la Sleep Disorders Clinic de la Universidad Stanford en California.

La falta de sueño puede ocasionar problemas de conducta en los niños. Los niños que tienen sueño tienden a buscar inconscientemente cosas que los estimulen. Esto puede originar conductas desordenadas.

En definitiva: Un niño hiperactivo puede, de hecho, estar sufriendo de falta de sueño.

Lineamientos: De ocho a doce horas de sueño por día desde la infancia temprana hasta la adultez.

Útil: Para lograr que los niños se acostumbren a dormir más temprano, adelanta la hora de dormir 15 minutos cada día.

Cuidado con las intoxicaciones

Mark Wortman, del boletín *Yale Children's Health Letter* editado por la facultad de medicina de la Universidad Yale en New Haven, Connecticut.

Principales causas de intoxicación en los niños: productos de limpieza, analgésicos como aspirina, acetaminofeno e ibuprofeno, productos cosméticos y de cuidado personal, plantas que se encuentran en el hogar y que son tóxicas si se ingieren.

Importante: Si sospecha que el niño se intoxicó o estuvo expuesto a algún veneno, llame de inmediato a su pediatra o al Centro de Control de Intoxicaciones (Poison Control Center) de su estado.

Los niños y la cafeína

Estudio de 400 niños en edad preescolar en la ciudad de Nueva York, publicado en *Eating Well*, Ferry Rd., Charlotte, VT 05445.

Un estudio de 400 niños en edad preescolar reveló que el 10% toma una cantidad de cafeína en bebidas cola y té helado por día equivalente a dos tazas de café para un adulto.

Posible resultado: Niños intranquilos y con falta de atención.

Lo mejor: Bebidas sin cafeína.

Los niños fumadores pasivos

Nancy J. Haley, MD, realizó un estudio mientras trabajaba para la American Health Foundation en Valhalla, Nueva York. El estudio de más de 500 niños entre uno y cinco años de edad fue publicado en *The New England Journal of Medicine,* 10 Shattuck St., Boston 02115.

Los niños expuestos al humo del tabaco o del cigarrillo son tres veces y media más propensos a desarrollar enfermedades respiratorias –en especial en las vías respiratorias superiores– que aquellos que no están expuestos al humo. Los niños expuestos al humo de fumadores tienen una concentración significativa de un derivado de la nicotina en la orina. Mientras más fumadores haya en la casa, mayor será la concentración de productos derivados de la nicotina en el cuerpo del niño y mayores serán las probabilidades de que presente problemas respiratorios.

Los niños y la deshidratación

Oded Bar-Or, MD, director del Children's Exercise and Nutrition Centre de la Universidad McMaster en Hamilton, Ontario, Canadá.

Los niños son más vulnerables que los adultos a la deshidratación. Los pequeños no transpiran tanto como los adultos, así que no pueden enfriar el cuerpo tan eficientemente.

El problema: Cuando un niño o niña tiene sed, probablemente ya esté en las primeras etapas de la deshidratación.

Los síntomas: Apatía, mareos, fatiga y náusea.

Útil: Para estimular a sus hijos a que beban suficiente líquido, ofrézcales jugos de frutas o bebidas deportivas diluidas en agua.

Evite: Jugos de frutas sin diluir y bebidas dulces carbonatadas, ya que sus altos niveles de azúcar pueden causar dolores estomacales.

Cuidado de la piel para los niños en la pubertad

Neal Schultz, MD, dermatólogo con práctica privada en Nueva York.

Coma muchas frutas frescas y vegetales, tome mucha agua, ejercítese regularmente y respire aire fresco, duerma lo suficiente, mantenga la piel limpia con un jabón suave y agua y use protector solar para protegerse de los dañinos rayos del sol.

No olvide a esta persona

Melanie Goldish, una madre que trabaja y reside en Hoffman Estates, Illinois. Autora de *How Was Your Day, Baby? A Childcare Journal for Working Parents.* Tracer Publishing.

Pídale a la persona que cuida a su hijo/a que vaya con usted al pediatra cuando su bebé tenga una cita. Ella/él habrá observado a su bebé con atención y puede tener información importante que comentarle al médico. También puede ser útil que la persona que cuida a su hijo o hija escuche lo que el médico tiene que decir.

El peligro de los globos

Frank Rimell, MD, otolaringólogo pediátrico en el departamento de otolaringología pediátrica de la Universidad de Minnesota en Minneapolis. Su estudio con más de 600 niños fallecidos o a quienes se les practicó endoscopia para extraer objetos que los asfixiaban se publicó en el *Journal of the American Medical Association*, 515 N. State St., Chicago 60610.

Los niños menores de tres años son los más propensos a asfixiarse con objetos cotidianos, pero los globos pueden ser peligrosos para niños de todas las edades.

Otros objetos peligrosos: Salchichas ("hot dogs"), nueces, semillas, pedazos de fruta y vegetales.

Preocupante: Algunos niños pueden asfixiarse con objetos que pasan las pruebas federales de riesgo por contener partes pequeñas, cuyo objetivo es mantener fuera del alcance de los niños los objetos peligrosamente pequeños.

La autodefensa: Vigile a los niños con atención. Sólo permita que los más pequeños jueguen con objetos que sean bastante más grandes que el tamaño mínimo permitido por las reglas de EE.UU., que es aproximadamente el diámetro de un rollo de papel higiénico. Lea las etiquetas de seguridad en los envases de los juguetes.

Los niños y la asfixia

David Darrow, MD, DDS, profesor adjunto de otolaringología pediátrica de la facultad de medicina de la Universidad Eastern Virginia en Norfolk.

Los objetos que más comúnmente matan: los globos y las salchichas ("hot dogs").

Los objetos más comúnmente inhalados: Semillas, nueces, en especial, el maní (cacahuates, "peanuts").

Los objetos que más comúnmente se atascan en la garganta: Las monedas. Un niño que inhala un objeto extraño que llega a los bronquios y los pulmones comúnmente sufrirá un episodio de tos, seguido de falta de aire. Un niño que tiene un objeto atascado en la garganta se quejará de dolor al tragar y tendrá vómitos severos. Si sospecha que su hijo/a

inhaló o se tragó algún objeto, llévelo a una sala de emergencias.

Ayude a sus hijos a divertirse en un campamento

Bruce Muchnick, EdD, psicólogo licenciado con práctica privada en Glenside, Pensilvania. Su trabajo incluye psicoterapia con niños y adultos, consultoría de gerencia y una "sub-especialidad" en psicología de campamentos. El Dr. Muchnick aconseja a los dueños, directores, profesionales de los campamentos y a los padres; y trabaja con el personal de los campamentos durante el verano.

El campamento de verano representa para los niños algo más que unas vacaciones en el campo. Allí aprenden a apreciar la naturaleza, desarrollar el compañerismo y adquirir destrezas que le refuerzan la confianza en sí mismos, la cooperación y la interdependencia. Estas destrezas los acompañarán durante toda la niñez y adultez.

El campamento también sirve como una especie de refugio donde los niños pueden liberarse de las presiones que sienten en la casa. El campamento los libera, hace fluir su creatividad y renueva su sentido de ser niños.

Para que su hijo/a disfrute del campamento de verano este año, recuerde…

• **Aprender a dejarlos solos** permite que los niños desarrollen autonomía y un sentido más fuerte de sí mismos. También les da a los padres la oportunidad de ocuparse de sí mismos y volver a conocerse. Cuando los niños regresan, los padres suelen sentirse renovados y dispuestos a brindarles toda su atención.

• **Prepárense juntos para el campamento.** Las decisiones sobre el campamento, tales como dónde ir y qué llevar, deben tomarse en conjunto, teniendo en cuenta el nivel de madurez del niño. Si el niño percibe que es parte del proceso de la toma de decisiones, habrá más posibilidades de que tenga una experiencia positiva.

●**No le compre todo un vestuario nuevo.** El campamento es más rústico que la vida en la casa. El niño no necesita ropa nueva; tener ropa muy usada y pertenencias familiares le ayudará en la transición. Esto es importante, especialmente para los que van al campamento por primera vez.

●**Hable de las inquietudes.** Al acercarse el primer día del campamento, algunos niños están intranquilos por irse de la casa. Se debe estimular al niño a que hable de estos sentimientos. Pregúntele cómo se siente en vez de actuar según lo que usted cree que él siente. Comuníquele su seguridad en las capacidades que él tiene de manejar el hecho de estar lejos de su casa y recuérdele lo bien que le fue en otras situaciones.

●**Tenga expectativas realistas.** El campamento, como el resto de la vida, tiene sus altas y sus bajas. No todos los momentos van a estar llenos de sorpresa y emoción. Habrá momentos en los que los niños se sentirán muy bien y otros en los que estarán tristes o aburridos. Y los niños no siempre se llevan bien entre sí.

La solución: Estimule a su hijo/a a tener una visión razonable y realista del campamento, discutiendo con anterioridad tanto las altas como las bajas. Las experiencias vividas en el campamento le brindarán oportunidades para resolver problemas, negociar, mejorar el conocimiento de sí mismos y desarrollar mayor sensibilidad hacia los demás. No envíe a su hijo/a al campamento con la presión de que tiene que irle bien. El propósito principal del campamento es que se relaje y se divierta.

CUANDO SU HIJO/A
ESTÉ EN EL CAMPAMENTO

●**No llame durante las primeras dos semanas** si el niño estará en el campamento durante todo el verano. Ese es el tiempo que les toma adaptarse a estar lejos y una llamada de la casa puede interrumpir ese proceso. Es difícil interpretar correctamente por teléfono cómo se está desenvolviendo un niño; esto puede intranquilizarlos a usted y al niño, así que es mejor no llamar.

●**Comuníquese por escrito.** Los campamentos de verano le ofrecen a los niños y a sus padres la oportunidad de desarrollar una destreza practicada con poca frecuencia: escribir cartas. Escriba tan a menudo como quiera. Tenga en cuenta que esta es la conexión del niño con su casa y su familia.

Sus cartas deben ser siempre optimistas. Está bien escribirle que lo extraña, pero no algo como *"la casa está demasiado tranquila sin ti"*.

Mejor: Hágale preguntas específicas sobre las actividades que realiza, la vida en el dormitorio, sus amigos, etc. Esto ayudará al niño a organizar las cartas que le escriba a usted.

●**De vez en cuando es bueno enviar una encomienda.** Pero no envíe comida –provoca desorden si algunos niños reciben paquetes con alimentos y otros no reciben nada. Recibir paquetes con comida puede ir en contra de la política del campamento. Si su niño le pide que le envíe paquetes de comida a escondidas, no lo haga. Aunque crea que la regla es tonta, el violar una regla del campamento puede interferir con el sentido del niño de lo que está bien y lo que está mal.

Mejor: Envíe tarjetas postales, caricaturas, artículos de periódicos y revistas, historietas, libros de juegos, rompecabezas y otros artículos que pueda compartir con sus amigos.

Ejemplo: Dígale al niño: *"entiendo que tengas hambre. Por eso tienes tres buenas comidas al día y las meriendas. Te enviaré algunas historietas. Espero que las disfrutes. ¿Por qué no las compartes con tus compañeros de dormitorio?"*

●**No haga cambios importantes en la casa.** Ésta no es la oportunidad para redecorarle la habitación o deshacerse de la serpiente que tiene como mascota. Cuando los niños regresan del campamento, les gusta encontrar su habitación y su vida tal como estaban cuando ellos se fueron.

●**Ayude al niño a desenvolverse en el campamento.** A la mayoría de los niños les toma algunos días adaptarse a la vida en el campamento y a estar lejos de casa. Durante este tiempo pueden extrañar su casa. Extrañan el ambiente familiar, a sus padres, sus mascotas y sus amigos.

La mayoría de los niños afronta estas preocupaciones y, con la ayuda del personal del campamento, construyen sistemas de apoyo. Si su hijo/a le escribe y le suplica que lo vaya a buscar de inmediato, resista la tentación de ir corriendo al campamento. Evite hacer tratos tales como *"quédate una semana más y si después no te gusta, regresas a casa".*

Mejor: Apoye los esfuerzos de su hijo/a por resolver los problemas con la ayuda del director y el personal del campamento.

Comuníquele su amor y la confianza que tiene en su capacidad de resolver los problemas. Recuérdele, si es necesario, que él/ella se ha comprometido por el verano. Sobreponerse al sentimiento de extrañar la casa, superar los problemas en la cabaña y aprender a cuidar de sí mismos son retos importantes con los que se enfrenta en el campamento.

Importante: Si usted siente que las quejas de su hijo/a son legítimas, hable honestamente con el director del campamento. Déles al director y al personal del campamento la oportunidad de aplicar su experiencia en ayudar a los niños a adaptarse a las rutinas de la vida en el campamento. Hágale seguimiento con otra llamada unos días después. La mayoría de los problemas de adaptación se resuelven.

●**Confíe en su instinto.** Si un niño verdaderamente no está disfrutando en absoluto, está pasando un mal rato y no se adapta para nada a la vida en el campamento, debe permitírsele regresar a casa luego de un período razonable de tiempo y esfuerzo.

Recuerde que algunos niños se sienten culpables cuando una experiencia como la del campamento no resulta exitosa para ellos. Suelen sentir que han defraudado a sus padres.

Si su hijo/a deja el campamento, hágale saber que no fue un fracaso y que habrá otros veranos y otras aventuras.

EL REGRESO A CASA

Luego de un verano de diversión, aventuras y libertad, volver a adecuarse a la familia y retomar responsabilidades puede ser difícil para algunos niños.

La estrategia: Bríndele tiempo y espacio para este proceso de readaptación. Apoye los cambios positivos que observe. Vuelva a introducir las "reglas de la casa" con paciencia y con la conciencia de que su hijo/a ha madurado un poco durante el verano.

Normas de seguridad para los niños en el campamento de verano

Publicado en la revista *Parents*, 685 Third Ave., Nueva York 10017.

Verifique: ¿están los juegos del parque bien mantenidos y se adaptan bien a las edades de los niños? ¿Se les exige a los acampantes que usen equipo de protección, como cascos y rodilleras, al hacer deportes? ¿Los salvavidas están certificados por el YMCA o la Cruz Roja? ¿El campamento tiene un encargado de salud a tiempo completo en el lugar, certificado en resucitación cardiopulmonar (CPR por sus siglas en inglés) y primeros auxilios y que pueda administrar medicamentos? ¿Hay algún hospital cerca para casos de emergencias? ¿Los autobuses y camionetas del campamento están equipados con cinturones de seguridad?

Los niños y las verrugas

Karl Beutner, MD, PhD, profesor clínico adjunto de dermatología en la Universidad de California en San Francisco.

Aproximadamente uno de cada seis niños en edad escolar tendrá verrugas ("warts") en algún momento. Si bien existen tratamientos, no es necesario hacer nada. A menudo, las verrugas desaparecen solas. En los niños, el 66% desaparece sin tratamiento al cabo de dos años.

Tratamientos: El tratamiento que menos asusta es con medicamentos de venta libre que contengan ácido salicílico y que eliminan la verruga en 12 semanas; o un dermatólogo puede cauterizarlas con nitrógeno líquido; quemarlas ligeramente con una sonda eléctrica; cortarlas; o recetar ácidos tópicos que son más fuertes que los de venta libre. El tratamiento más efectivo depende de la edad del paciente, el número de verrugas que tenga y dónde estén localizadas.

Ayude a sus hijos a relajarse

Playwise: 365 Fun-Filled Activities for Building Character, Conscience and Emotional Intelligence in Children por Denise Chapman Weston, MSW, es licenciada en terapia de juego en North Attleboro, Massachusetts. Tarcher.

Enséñeles a sus niños a respirar profundamente; esto es muy importante para el desarrollo del hábito de la relajación. Cuando haga burbujas, pídale a su hijo/a que respire profundamente y luego sople lentamente en la varita. O sujete con cinta adhesiva una tira de papel de seda de cuatro pulgadas (10 cm) al marco de unos anteojos (gafas) de sol para niños, de modo que cuelgue frente a la nariz del niño; luego pídale que sople para ver cuánto tiempo puede mantener la tira sin que le toque la cara. O pídale que escoja una canción corta que pueda cantar o tararear en un solo respiro. O pídale que inhale y exhale en una armónica y vea cuánto tiempo aguanta.

Desórdenes de ansiedad en la familia

Vanessa E. Cobham, PhD, oradora de la facultad de psicología de la Universidad de Queensland en Brisbane, Australia.

Más del 80% de los niños ansiosos tiene por lo menos uno de los dos padres con una historia personal de ansiedad.

Las buenas noticias: La terapia cognitivo-conductual muchas veces es útil para estos niños, pero solo si el padre o la madre también se somete a la terapia. Para referencias sobre un terapeuta cognitivo-conductual en su comunidad, comuníquese con la American Psychological Association al 800-374-2721, *www.apa.org*.

Cómo hacer que un niño deje de mojar la cama

Marla R. Ullom-Minnich, MD, médica de familia con práctica privada en Moundridge, Kansas.

Recompense al niño por las noches secas, haga que él mismo cambie las sábanas cuando tenga un accidente, pídale que practique aguantar la orina durante el día por periodos de tiempo cada vez más largos.

También útil: Un cobertor ("mattress pad") con una alarma que suena cuando el niño moja el colchón. *Costo:* aproximadamente $100.

Alerta de productos para no mojar la cama

Rudi A. Janknegt, MD, jefe del departamento de urología del University Hospital en Maastricht, Holanda. Su estudio de 24 semanas con 66 niños que mojaban la cama fue publicado en el *Journal of Urology*, 1120 N. Charles St., Baltimore, MD 21201.

El spray nasal para evitar mojar la cama ("anti-bed-wetting nasal spray") a veces no es efectivo si el niño tiene gripe o resfrío. La congestión impide que el medicamento, la *desmopresina*, se absorba.

Las buenas noticias: Las *pastillas* de desmopresina son efectivas en un 90% para ayudar a dejar de mojar la cama, incluso si el niño está congestionado.

Alivio para el trastorno de déficit de atención e hiperactividad

Timothy Wilens, MD, profesor adjunto de psiquiatría de la facultad de medicina de la Universidad Harvard en Boston.

El trastorno de déficit de atención e hiperactividad (ADHD, por sus siglas en inglés) se puede controlar a menudo con *desipramina* (Norpramin). En un estudio, el 68% de los adultos que sufrían de ADHD y que recibieron este antidepresivo experimentaron una reducción significativa en 12 de 14 síntomas (entre ellos, la capacidad de concentración reducida). Ninguno de los pacientes de ADHD que recibieron un placebo mostraron mejoría. La desipramina es el único medicamento no estimulante que ha demostrado su efectividad en pruebas controladas contra el ADHD en adultos. Los estimulantes, entre ellos el *metilfenidato* (Ritalin) y la *dextroanfetamina* (Dexedrine), siguen siendo los medicamentos convencionales para el ADHD.

Infecciones de oído

Matti Uhari, MD, profesor adjunto de pediatría de la Universidad de Oulu, Finlandia.

Las infecciones de oído en los niños pueden prevenirse con goma de mascar (chicle, "gum") sin azúcar, endulzada con *xilitol*.

El estudio: Sólo el 12% de los niños que masticaba esta goma cinco veces al día sufrió de infecciones de oído, en comparación con el 21% que masticó goma endulzada con azúcar regular (sucrosa).

La teoría: El xilitol bloquea el crecimiento de los *Streptococcus pneumoniae*, una bacteria que aparentemente causa el 30% de las infecciones de oído.

¿Infecciones de oído en los niños?

Elizabeth Barnett, MD, profesora adjunta de pediatría del hospital Boston City. Su estudio sobre infecciones de oído con 484 niños de tres meses a tres años de edad fue publicado en *Pediatrics*, 141 Northwest Point Rd., Elk Grove Village, IL 60009.

Una sola inyección del antibiótico *ceftriaxone* (Rocephin) es tan eficaz como diez días de medicación oral. Cerca de dos tercios de todos los niños tiene al menos una infección de oído antes de su primer cumpleaños. Si bien los antibióticos orales siguen siendo la primera opción, una inyección puede ser apropiada para niños que presentan vómitos o que vomitan el medicamento, que se rehúsan a tomar medicamentos orales o que asisten a guarderías donde no tienen permitido dar medicamentos. Los padres deben discutir con el pediatra cuál es la mejor opción para el pequeño.

Síndrome de piernas inquietas… afecta a casi cinco millones de personas… cómo saber si usted es uno de ellas y qué hacer al respecto

Arthur S. Walters, MD, profesor adjunto de neurología en la University of Medicine and Dentistry of New Jersey–Robert Wood Johnson Medical School en New Brunswick. Experto en trastornos del sueño, es editor de *Sleep Thief, Restless Legs Syndrome* por Virginia N. Wilson. Galaxy Books.

Si usted tiene problemas para dormir debido a una sensación de quemazón, picazón ú "hormigueo" en las piernas, puede que sufra del *síndrome de piernas inquietas* (RLS, por sus siglas en inglés).

Este trastorno neurológico afecta a un 2% de la población; a algunos, de manera tan severa que no pueden mantenerse sentados el tiempo suficiente para hacer un viaje en auto o en avión o ir al cine a ver una película.

El RLS no es peligroso, pero puede alterar seriamente el sueño y la calidad de vida.

SÍNTOMAS QUE LO EVIDENCIAN

Las personas que sufren de síndrome de piernas inquietas generalmente sienten mayores molestias en las piernas cuando están sentadas o acostadas que cuando están de pie. La molestia en las piernas empeora durante la noche y produce insomnio.

Algunos pacientes patean mientras están dormidos. Todos sienten un deseo casi incontrolable de mover las piernas.

El RLS puede sobrevenir a cualquier edad, pero la mayoría de los casos ocurre luego de los 40 años. Generalmente empeora con el paso del tiempo. No se conoce la manera de prevenir el RLS.

De un tercio a la mitad de los casos de RLS parecen ser hereditarios. También se puede deber a daños en los nervios de las piernas, generalmente como resultado de la diabetes, una enfermedad renal o un nervio lumbar comprimido, deficiencia de hierro o, teóricamente, deficiencia del neurotransmisor *dopamina*.

CONTROLAR LOS SÍNTOMAS

Algunas personas que sufren de RLS obtienen alivio al tomar suplementos de hierro. La dosis típica es 300 mg tres veces al día, pero consulte primero con su médico para asegurarse de que estos suplementos son apropiados para usted.

Para otros son muy buenos los suplementos de vitaminas E y B-12, y foliato. Sin embargo, mis pacientes con afecciones más graves generalmente *no* sienten alivio con estos suplementos vitamínicos.

¿Y las terapias sin medicamentos? *Hay dos que parecen ser particularmente beneficiosas:*

●**Revise sus horarios de sueño.** Trate de dormir cuando sus síntomas de RLS son menos pronunciados. Tal vez logre llegar a un acuerdo de tiempo flexible con su empleador para acomodarse a este horario.

●**Evite la cafeína y el alcohol.** Éstos empeoran los síntomas del RLS.

CONSULTE A UN MÉDICO

Si los síntomas persisten, consulte a un médico que tenga experiencia en el tratamiento de pacientes con RLS. Lamentablemente, el RLS suele recibir un diagnóstico erróneo de ansiedad, estrés, depresión o un tipo común de insomnio. Con frecuencia, los médicos no reconocen el RLS, pues es raro que el paciente tenga este síntoma cuando se encuentra en el consultorio del médico.

Sin embargo, una vez que ha sido diagnosticado apropiadamente –bien sea por un médico de cabecera o por un neurólogo especialista en trastornos del sueño o del movimiento– el RLS puede tratarse con éxito.

Pruebas clínicas bien controladas dan como resultado que el 80% de las personas que sufre de RLS experimenta alivio de los síntomas gracias al uso prolongado de uno o más de estos medicamentos:

●*L-dopa*, *pergolide* (**Permax**) o *bromocriptine* (**Parlodel**). Estos medicamentos incrementan los niveles de dopamina. *Posibles efectos secundarios:* náusea, vómitos, mareos y desmayos y síntomas de "rebote" durante las horas del día.

●*Clonazepam* (**Klonopin**) y otras benzodiazepinas. *Posibles efectos secundarios:* somnolencia y abatimiento mental.

●**Acetaminofeno con codeína**, *oxycodone* (**Percocet**) y otros opiatos. *Posibles efectos secundarios:* estreñimiento.

Las benzodiazepinas y los opiatos pueden ser adictivos, pero el riesgo es pequeño si se toman bajo estricta supervisión medica.

PARA MAYOR INFORMACIÓN

Envíe un sobre con una estampilla de 57 centavos de dólar y su dirección a la Restless Legs Syndrome Foundation, Dept. WWW, Box 7050, Rochester, MN 55902.

Hechos de la pubertad

Marcia E. Herman-Giddens, DrPH, profesora adjunta de sanidad pública de la Universidad de Carolina del Norte en Chapel Hill.

Las niñas estadounidenses alcanzan la pubertad a una edad tan temprana como los ocho años. A los ocho años, cerca de la mitad de las niñas afroamericanas y el 15% de las niñas blancas comienzan a desarrollar senos y/o vello púbico.

La teoría: El inicio de la pubertad puede deberse, en parte, a componentes similares al estrógeno que hoy se encuentran en todas partes, desde pesticidas hasta envoltorios plásticos.

El peligro de los cordones

Dorothy A. Drago, MPH, consultora de seguridad de productos de Gaithersburg, Maryland. Su estudio sobre accidentes con cordones fue publicado en *Archives of Pediatrics and Adolescent Medicine*, 535 N. Dearborn St., Chicago 60610.

Para reducir el riesgo de estrangulamiento accidental en los niños, retire todos los cordones de los cuellos y capuchas de las chaquetas u otras prendas y corte los cordones de la cintura y de los ruedos de los pantalones a tres pulgadas (8 cm). Entre 1985 y 1995, ocho niños estadounidenses se ahogaron cuando los cordones de su ropa se engancharon en los toboganes de los parques, en los pasamanos de los autobuses o en las puertas.

 # Tres creencias erróneas sobre los dos tipos de diabetes

David M. Nathan, MD, director del centro de la diabetes del hospital Massachusetts General en Boston y autor de *Diabetes*. Times Books. Es presidente del Diabetes Prevention Program (DPP), un estudio que analiza si se puede prevenir la diabetes tipo II.

La diabetes es la enfermedad crónica grave más común en EE.UU. Es la primera causa de ceguera y de insuficiencia renal. Puede causar daños en los nervios que lleven a la amputación de un miembro. Además, la diabetes incrementa en gran medida el riesgo de enfermedad cardiaca y de derrame cerebral.

A pesar de los serios problemas que crea la diabetes en nuestra sociedad, mucha gente tiene ideas erradas acerca de la enfermedad…

Error Nº 1: La diabetes es una enfermedad que se desarrolla en la *infancia;* si no la desarrolló en la niñez, no tiene por qué preocuparse ahora.

Error Nº 2: La diabetes es una enfermedad de personas *mayores*; las personas de edad media no tienen por qué preocuparse.

Error Nº 3: Cuando las personas mayores desarrollan diabetes, es leve.

DOS TIPOS DE PROBLEMAS DIFERENTES

Ambos tipos de diabetes implican niveles altos de azúcar en la sangre, así como la metabolización anormal de las grasas y las proteínas.

La diabetes tipo I aparece con más frecuencia en la adultez temprana. Pero este tipo de diabetes (antes llamada *diabetes juvenil*) se presenta solo en un 5% de los pacientes diabéticos.

La diabetes tipo II ataca entre el 8% y el 10% de los adultos en algún momento de su vida. Si bien la diabetes tipo II se desarrolla después de los 45 años, la mitad de los diabéticos la contraen antes de los 60 años.

Antecedentes: El azúcar en la sangre está regulado normalmente por la insulina, una enzima sintetizada por células beta en el páncreas.

En la diabetes tipo I, una reacción autoinmune destruye las *células beta* y deja al cuerpo imposibilitado de producir insulina. Sin las inyecciones de insulina, puede sobrevenir la muerte en cuestión de días.

En la diabetes tipo II, muchas veces asociada con la obesidad, las células beta no producen suficiente insulina. Como los diabéticos tipo II no siempre necesitan insulina, la gente supone erróneamente que la enfermedad no es seria.

El comienzo de la diabetes tipo I suele ser evidente. Los síntomas más comunes son: sed extrema, necesidad de orinar frecuentemente, visión borrosa o pérdida de peso inexplicable.

Con la diabetes tipo II, los niveles de glucosa en la sangre se elevan tan lentamente que los síntomas tardan más en aparecer o se desarrollan de manera tan gradual que las personas los notan solo cuando ya empiezan a presentarse las complicaciones.

La mitad de las personas que sufre de diabetes tipo II ni siquiera sabe que la tiene. Y mientras más tiempo pase la diabetes sin ser tratada, mayor es el riesgo de complicaciones.

LINEAMIENTOS DE EVALUACIÓN

Los lineamientos actuales de evaluación dictados por la American Diabetes Association instan a todos los estadounidenses de 45 años o más a hacerse un examen para descartar diabetes por lo menos una vez cada tres años.

La prueba exploratoria recomendada por estos lineamientos es más sencilla y menos desagradable que la antigua prueba oral de *tolerancia a la glucosa*. Esa prueba, realizada luego de ayunar toda la noche, requería que el paciente bebiera un jarabe dulce, seguido de una prueba de sangre dos horas después.

La prueba de *glucosa en plasma* ("fasting plasma glucose test") también requiere ayunar toda la noche, pero el paciente no tiene que beber el líquido dulce o esperar dos horas.

Según los antiguos lineamientos, a cualquiera que en ayunas tenía un nivel de azúcar en la sangre de 140 ó más –o a aquéllos cuyo nivel de azúcar luego de las dos horas era de 200 ó más– se le diagnosticaba diabetes.

Con los lineamientos actuales, el límite es 126. Las investigaciones revelan que las complicaciones empiezan a desarrollarse cuando el nivel de azúcar en la sangre se eleva por encima de ese nivel.

OBTENER EL MEJOR TRATAMIENTO

Desde hacer dieta y ejercicio hasta nuevos medicamentos, existen ahora varias formas de controlar la diabetes tipo II y los problemas asociados a ella, como alta presión arterial, triglicéridos elevados, colesterol "bueno" HDL bajo, etc.

Con un diagnóstico temprano, la diabetes tipo II a menudo se puede controlar tan sólo con cambios en la dieta y ejercicios.

El ochenta por ciento de los diabéticos tipo II tiene exceso de peso. Una vez que estos pacientes pierden peso, aunque sea algunas libras, mejoran los niveles de azúcar en la sangre y el estado metabólico. Lo mismo sucede con la presión arterial y los niveles de colesterol.

A diferencia de los diabéticos tipo I, que deben controlar atentamente el equilibrio entre los carbohidratos y los demás alimentos que componen cada comida, los diabéticos tipo II pueden concentrarse principalmente en reducir las calorías.

La mejor manera es reducir la ingesta de grasas saturadas e incrementar el consumo de granos, frutas y vegetales.

¿Y comer menos azúcar? Eso es menos importante para los diabéticos tipo II que para los tipo I. Sin embargo, dado que reducir el consumo de azúcar ayuda a mantener bajo control el azúcar en la sangre, vale la pena hacerlo.

El ejercicio reduce la necesidad de insulina del cuerpo al estimular la sensibilidad de las células a la insulina. Para comenzar, camine 20 minutos cada tarde o suba las escaleras en vez de tomar el elevador en su trabajo, al ir de compras, etc.

Atención: Si no está acostumbrado a la actividad física, consulte primero a su médico.

Cuando el ejercicio y la dieta no son suficientes, es hora de la terapia con medicamentos. *Existe ahora una variedad de medicamentos que pueden ayudar a mantener bajo control la diabetes tipo II...*

•**Las sulfonilureas** (SFU) estimulan el páncreas a producir insulina. Entre los efectos secundarios se encuentran la *hipoglicemia* (bajo nivel de azúcar en la sangre) y el aumento de peso.

•**Las biguanidas,** incluso la *metformina* (Glucophage), reduce la cantidad de azúcar que libera el hígado. Esto disminuye los niveles de azúcar en la sangre a niveles similares a los que se alcanzan con las SFU, pero sin los efectos secundarios de hipoglicemia y de aumento de peso.

•**Los inhibidores de la alfaglucosidasa,** incluso la *acarbosa* (Precose), hacen más lenta la digestión de los carbohidratos y bloquean su absorción.

Como su efecto sobre el azúcar en la sangre no es tan poderoso como el de las SFU y las biguanidas, estos medicamentos son más recomendables para diabetes leves.

INYECCIONES DE INSULINA

Cuando la terapia con medicamentos orales no controla totalmente la diabetes, las inyecciones de insulina pueden reducir drásticamente los niveles de glucosa.

La mayoría de los pacientes que aprende a inyectarse insulina sin ayuda se sorprende de lo sencillo e indoloro que resulta el proceso.

La diabetes tipo II rara vez requiere inyecciones tan frecuentes como las necesarias para controlar la tipo I: una o dos veces al día suele ser suficiente.

Alivio para las llagas en la boca

Spotswood Spruance, MD, profesor de medicina de la facultad de medicina de la Universidad de Utah en Salt Lake City.

Antes, las personas con llagas en la boca ("cold sores") tenían que esperar que desaparecieran solas.

El antiviral recetado *penciclovir* (Denavir) acelera la curación de las llagas en la boca.

Bono: El ungüento de penciclovir reduce el periodo de contagio del virus que causa las llagas en la boca.

Los ejercicios Kegel combaten la incontinencia en la mujer

Consumer Reports on Health, 101 Truman Ave., Yonkers, NY 10703.

Los ejercicios Kegel fortalecen los ligamentos inferiores de la pelvis que rodean las aberturas de la uretra, la vagina y el ano.

Qué hacer: Contraiga los músculos pélvicos durante cinco segundos y relájelos por cinco segundos. Repita 12 veces, ocho veces al día.

Para identificar sus ligamentos pélvicos: Practique interrumpir el flujo de orina al orinar.

Cómo detener las hemorroides recurrentes

Bruce Yaffe, MD, internista y gastroenterólogo con práctica privada, 121 E. 84 St., Nueva York 10028.

Consuma regularmente unos 30 gramos de fibra y por lo menos 48 onzas (1 litro y un tercio) de agua al día.

También útil: Pruebe tomar un regulador intestinal de venta libre como *Colace* o un laxante estimulador del peristaltismo como *Metamucil*, no haga mucha fuerza ni aguante la respiración al defecar, límpiese con toallitas húmedas en vez de papel higiénico y aplique en la zona una pasta de óxido de zinc, jalea de petróleo, compresas frías o algún ungüento de venta libre como *Balneol*.

Si se inflaman las hemorroides: Pruebe con baños tibios y use ropa interior de algodón y prendas holgadas.

Cómo prevenir que las heridas dejen marcas

Alan Engler, MD, profesor clínico adjunto de cirugía plástica y reconstructiva del Albert Einstein College of Medicine y cirujano plástico con práctica privada en Nueva York.

No lave la herida con peróxido de hidrógeno. Lubríquela con vaselina o un ungüento tópico como *bacitracin*.

•**Vende la herida para minimizar la exposición al aire.** Cambie la venda una o dos veces al día.

•**Evite la exposición a la luz del sol** para evitar que la piel se oscurezca.

Remedios caseros de los pediatras

Norman Weinberger, MD, pediatra con práctica privada en Norwalk, Connecticut. Es médico senior en el hospital Norwalk y miembro de la facultad de medicina de la Universidad Yale. El Dr. Weinberger es autor de *You Just Don't Duct Tape a Baby: True Tales and Sensible Suggestions from a Veteran Pediatrician*. Warner Books.

Aquí tiene algunos de los problemas sobre los que me consultan mis propios hijos adultos sobre sus hijos y lo que les recomiendo hacer.

EL RESFRIADO COMÚN

•**Prepare una taza de té de especias descafeinado.** Agréguele limón y miel y déjelo enfriar un poco. El té es calmante y el calor combate la congestión y abre las vías nasales. La miel en el té también ayuda a calmar el dolor de garganta. El limón alivia y recubre la garganta con vitamina C.

●**Prepare sopa de pollo tradicional,** o use sopa enlatada baja en sodio. La sopa no sólo hará que su hijo/a se sienta mejor, sino que hacer la sopa lo mantendrá a usted demasiado ocupado como para preocuparse.

●**Ofrézcale líquidos divertidos.** Mientras más líquido tome un niño enfermo, mejor. Los líquidos ayudan a limpiar el organismo.

Prepare agua de gelatina ("Jell-O") de colores duplicando la cantidad de agua de la receta de la gelatina, ofrézcale atractivos helados de agua o Gatorade diluido con agua.

FIEBRE

La fiebre no suele ser algo tan aterrorizante como muchos padres creen. Es una señal de que el cuerpo está combatiendo una infección.

Si usted está preocupado, tome la temperatura del niño y asegúrese de decirle al médico cómo y cuándo la tomó.

Si una fiebre alta no responde al acetaminofeno (Tylenol), pruebe darle un baño tibio, que disipará el calor corporal.

No hay razón para bañarlo con agua fría. Además de ser desagradable para el niño, un baño helado puede ser peligroso. Yo he visto a un niño entrar en estado de shock por haber tomado un baño muy frío. Tampoco hay que frotarle el cuerpo con alcohol.

SARPULLIDOS

No olvide decirle al médico…

●**Cuándo empezó el sarpullido.**

●**En qué parte del cuerpo empezó.**

●**Cuánto tardó en extenderse.**

●**Si causa escozor o no.**

●**De qué color es.**

●**Si las lesiones son planas,** elevadas o contienen líquido.

Haga también un poco de trabajo de investigación. ¿Cambió hace poco de detergente para lavar la ropa? A menudo, sólo se trata de la reacción a algún nuevo alimento, loción o bloqueador solar con PABA.

QUEMADURAS DE SOL

Para aliviar las quemaduras del sol durante las vacaciones de invierno, pruebe con bolsitas de té. Sumerja las bolsitas en agua hervida durante cinco minutos. Luego, una vez frías, aplique las bolsitas húmedas sobre la piel.

8

Reduzca el estrés, alargue la vida

Cómo lograr que el estrés le ayude

Kenneth Pelletier, MD, PhD
Facultad de medicina de la Universidad Stanford

El estrés es un hecho lamentable de la vida. Pero tener un saludable sentido de control –confianza en su capacidad de influir en el curso y el destino de su vida– puede ayudarlo a cambiar el estrés reduciéndolo o evitándolo por completo.

Cómo reducir los diferentes tipos de estrés:

EL ESTRÉS EN EL TRABAJO

Las exigencias de la carrera causan un tipo específico de estrés denominado *tensión de trabajo* ("job strain"). Sucede cuando un trabajo tiene grandes exigencias psicológicas pero permite poco o ningún control, autonomía o discreción en las tareas.

La estrategia: Sea más proactivo, y trate de dividir su carga de trabajo en bloques de tiempo manejable. Programe las tareas más difíciles para las horas en que mejor trabaja. Si es posible, pase una o dos horas todas las mañanas sin atender llamadas telefónicas. Utilice esas horas para terminar su papeleo.

Ejemplos: Si usted corre constantemente para cumplir plazos, coloque una marca de color en uno de los números del reloj de su oficina. Cada vez que el reloj señale esa hora, respire profundamente para liberar el estrés acumulado y aclarar su mente. Si trabaja frente a la computadora todo el día, descanse los ojos y la mente volteando la mirada periódicamente hacia el rincón del cuarto o hacia fuera de la ventana.

EL ESTRÉS EN EL HOGAR

El tiempo que usted le dedica a su familia es tiempo de autosanación. Pero a pesar de la cercanía física, los integrantes de la familia se sienten solos o aislados con demasiada frecuencia, porque no hay una *interacción positiva*.

La estrategia: Mejorar los lazos familiares es la clave para controlar el estrés y lograr una

Kenneth Pelletier, MD, PhD, profesor adjunto de medicina clínica de la facultad de medicina de la Universidad Stanford en California. Autor de *Sound Mind, Sound Body*. Simon & Schuster.

vida más feliz y saludable. Reduzca las distracciones externas apagando el televisor o la radio *por lo menos* una vez a la semana, y utilice ese tiempo para conversar o para realizar alguna actividad que pueda disfrutar toda la familia.

Ejemplo: Salgan de paseo, vayan al parque o a la biblioteca. Programe reuniones familiares semanales para discutir los problemas y las preocupaciones o para celebrar los logros de los integrantes de la familia.

EL ESTRÉS Y LAS OBLIGACIONES PERSONALES

El estrés en el hogar no siempre es causado por problemas familiares; de hecho, con frecuencia se debe a un exceso de cuentas por pagar, diligencias y tareas del hogar.

La estrategia: Pregúntese, *¿Vale la pena morir por esto?* A menudo, le damos demasiada importancia a tareas triviales (como llegar a la lavandería antes de que cierre). La clave es priorizar lo que tiene que hacer y concentrarse en lograrlo, en vez de enfocarse en lo que puede esperar (lo cual produce más estrés).

Quizás también desee agrupar tareas y hacer las más importantes juntas.

Para reducir la acumulación de cuentas por pagar, trate de identificar lo que verdaderamente *necesita*, no lo que *quiere*, en relación con su nivel de ingresos y deudas.

EL ESTRÉS Y LA PAREJA

Las relaciones de pareja requieren tiempo, compromiso y energía. Estos esfuerzos y exigencias pueden ser particularmente estresantes cuando en otros aspectos de su vida usted tiene exigencias similares. Sin embargo, podemos transformar estas debilidades o inseguridades en beneficios y fortalecer nuestra capacidad de alcanzar una salud óptima al admitirlas ante nosotros y ante nuestra pareja.

La estrategia: Dedicar periodos de tiempo a discutir temas que les preocupan a usted y a su pareja. En vez de dar por sentado que una persona está en lo "correcto" y la otra está "equivocada", póngase en el lugar de la otra persona y actúe desde su perspectiva.

La mayoría de las discusiones se dan en momentos de transición durante el día –cuando llegamos a casa del trabajo, por ejemplo. Así que tómese su tiempo para dejar que las tensiones se disipen mientras se cambia de ropa, toma una ducha o camina afuera un rato antes de enfrentar o dedicar su atención a la pareja.

SECRETOS DE LA RELAJACIÓN

Las personas verdaderamente exitosas nunca se sienten agobiadas por el estrés. Esto se debe en gran parte a que perciben el estrés como una oportunidad para aprender, creen que tienen control sobre sus vidas y su destino e invierten en altruismo, reconociendo la necesidad de ver más allá de sus necesidades personales y de dedicar tiempo a ayudar a otros.

Algunas investigaciones han mostrado que la *actitud* hacia uno mismo y hacia el mundo es la clave para manejar el estrés. Entonces, disfrutar lo que sucede "ahora" puede permitir que se mantenga en el momento y libere su mente de preocupaciones y tensiones acumuladas.

Aunque las habilidades para manejar el estrés son solo parte de un programa completo de estilo de vida para mantenerse sano, éstas pueden permitir que el cuerpo y la mente se relajen y dejen ir las tensiones acumuladas.

EJERCICIOS QUE AYUDAN A MANEJAR EL ESTRÉS

Ejercicio Nº 1: Sentado en una posición equilibrada y cómoda, tense y luego relaje cada grupo de músculos. Enfóquese en la mano y el brazo izquierdos, dígase tres veces en silencio: *mi brazo izquierdo está caliente y pesado.*

Repita con el brazo derecho y luego fije su atención en la cabeza y en la cara, imaginando una brisa fresca.

Finalice el ejercicio llevando sus manos al pecho mientras inhala lentamente y estira sus piernas al exhalar.

Ejercicio Nº 2: Visualice un lugar, preferiblemente al aire libre, donde se sienta seguro y sin distracciones. Permita que ese lugar se vuelva lo más real posible, prestando mucha atención a los detalles como la hora del día, los colores, los olores y los sonidos.

Imagine que lo que desea cambiar aparece frente a usted y luego transforme esa imagen de una manera positiva. Gradualmente permita que la imagen desaparezca y regrese a su lugar seguro.

Cómo transformar el estrés en fortalezas

Bruno Munro, PhD, director de medicina del comportamiento en el Institute of Stress Medicine–Jackson Hole, Box 279, Wilson, Wyoming 83014. Es coautor, con el difunto Dr. Robert Eliot, de *From Stress to Strength: How to Lighten Your Load and Save Your Life*. Bantam Books.

Las sensaciones de estrés son desencadenadas por nuestros mecanismos naturales de supervivencia. Aunque pocos de nosotros encontremos tigres dientes de sable en nuestra rutina diaria, muchos de nosotros estamos tan estresados como nuestros antepasados cavernícolas cuando luchamos con los tigres de papel de nuestros trabajos modernos.

Mucho de nuestro estrés tiene que ver con la diferencia entre nuestras expectativas y la realidad. A medida que las presiones de la vida y sus cargas aumentan, las presiones resultantes pueden tener un efecto catastrófico en la salud. El daño cardiovascular es el resultado más común del estrés –la presión arterial alta, los derrames cerebrales ("strokes") y los infartos pueden estar directamente relacionados con la cantidad de estrés en su vida cotidiana.

Las buenas noticias: Hay medidas que puede tomar para disminuir el estrés –incluso en las situaciones más difíciles. Usted puede elegir su manera de reaccionar mucho más de lo que usted cree.

Estas son algunas maneras de identificar y controlar el estrés que pueden cambiar su modo de reaccionar y alargar su vida…

TENGA UN ALMA GEMELA

Sabemos que hasta los 70 años, el matrimonio reduce el riesgo de muerte prematura y de invalidez en un 50%. No tenemos estudios acerca de quienes viven juntos, pero presumiblemente funciona de la misma manera. Tener un amigo, un amante o un compañero para compartir su vida y sus sentimientos es una de las pólizas de seguro de salud más importantes que usted puede tener.

También útil: Tener una mascota que le permita relacionarse emocionalmente. Cuidar a su mascota también lo distraerá y evitará que el estrés se acumule.

HAGA AMISTADES

¿Tiene a alguien –además de su pareja– que se interese y se preocupe de verdad por usted y que escuche sus problemas a cualquier hora?

Este tipo de amistades sólidas es especialmente importante para los hombres, ya que los hombres no son por naturaleza tan buenos para hacer amigos como las mujeres. El entrenamiento desde pequeños para ser competitivos inhibe sus esfuerzos en la amistad.

Ejemplo: Cuando un grupo de mujeres se junta a almorzar, usualmente todas ellas participan en la conversación. En una mesa de hombres, sin embargo, lo que se ve generalmente es a un hombre hablando, mientras los demás hombres solo esperan su turno para hablar.

Los amigos de verdad se hacen uno a la vez y a menudo cuando se comparten actividades. Si es un hombre, es posible que deba esforzarse un poco más en cultivar amistades –pero el tiempo y la energía valen la pena.

Si tiene amigos que disfrutan de su compañía tal como usted es y con los que puede actuar naturalmente, tiene una protección adicional. Ellos le añaden más tiempo y alegría a su vida.

CONEXIÓN RELIGIOSA

Las personas con conexiones religiosas *satisfactorias* también tienen una ventaja de salud. Note que he dicho satisfactorias. Lo que cuenta es cómo usted se siente con respecto a sus conexiones religiosas, no lo que los demás piensen de ellas. Incluso si usted va a los servicios religiosos porque cree que debe –o si lo hace por mantener las apariencias, o por sus hijos– eso también cuenta.

Si sus creencias espirituales son una fuente de apoyo –si participar en oraciones, meditaciones o servicios religiosos le nutren– tiene menos posibilidades de morir antes de los 70 años.

EVITE EL PERFECCIONISMO

La mayoría de las personas exitosas creen que deben hacer todo a la perfección. Los perfeccionistas son duros con ellos mismos y es horrible trabajar para ellos. Porque nada de lo que hacen es lo suficientemente bueno, proyectan su insatisfacción y lo culpan a usted. Nada de lo que usted haga tampoco será lo suficientemente bueno.

¿Cómo saber si usted es un perfeccionista? Si se sorprende diciendo frecuentemente, *yo debería, yo debo o yo tengo que.*

Solución: Aprenda a priorizar su perfeccionismo. Escoja dos o tres cosas en su trabajo o en su vida y centre su perfeccionismo en ellas. Recuerde constantemente que está bien hacer otras cosas en una manera menos que perfecta.

SEA ASERTIVO

Una persona que no es asertiva es una persona complaciente –alguien a quien no le gusta decir "no" por miedo a que los otros no la aprecien. Si usted siente que tiene que decirle que "sí" a muchas cosas, quedará sobrecargado/a.

Las personas no asertivas usualmente tienen rabia por *dentro.* Cuando se sobrecargan, se enojan y explotan. Otros perciben esta rabia, se sienten incómodos y apartan a estas personas.

Sea asertivo para que su vida laboral marche bien. Si hay problemas en el trabajo, decida qué necesita cambiar y cómo. Luego hable con su jefe/a. Dígale que necesita su perspectiva para lograr un mejor desempeño.

EL VALOR DE LOS VALORES

Mi definición de valores es saber qué desea que guíe su vida. Una persona que no tiene valores y no sabe hacia dónde va o no le importa lo que hace nunca progresará.

Hans Selye, el médico que originó el estudio del estrés, dijo una vez que *ninguna brisa sopla a favor de un barco sin dirección.*

Estar consciente de lo que le guía puede tener un impacto profundo en todos los aspectos de su vida. Benjamín Franklin era un fracasado a los treinta y pico de años. Sencillamente no podía poner su vida en orden. Finalmente, dio en el clavo con la estrategia de anotar lo que quería de la vida. Revisaba su lista con frecuencia. Gracias a este proceso fue capaz de hacer grandes avances y de incrementar su contribución a la vida del país.

Útil: Anote 30 ó 40 cosas que desee lograr en tarjetas de 3 por 5 pulgadas (8 x 13 cm), un punto por tarjeta. Repase la lista y escoja las seis metas más importantes. Lleve consigo esas tarjetas durante el día y remítase a ellas por lo menos dos veces al día para ver cuánto ha logrado avanzar en cada tarea.

DIVERSIFIQUE SU VIDA

Es importante no tener solo una o dos áreas de interés. Todos necesitamos varias distracciones, así que si algún área de interés se vuelve estresante o se estropea, habrá otras que estarán bien y se pueden aprovechar al máximo.

Las personas de vida muy estresada limitan el enfoque de su vida a una o dos áreas. Pero si en alguna de esas áreas se crea un problema, existe el peligro de que no tendrán otros intereses que las respalden. Si una persona tiene un rango de intereses, los otros pueden sostenerlo durante cualquier reorganización que se haga.

Ejemplos: El trabajo voluntario es particularmente enriquecedor para la vida. No solo le distrae de pensar en su propia ansiedad, sino que también le permite canalizar su energía de manera positiva. Los ejercicios aeróbicos acondicionan nuestro cuerpo y crean una sensación de bienestar. El cuerpo libera químicos naturales (hormonas) que crean optimismo y mejoran nuestra resistencia al estrés y a la enfermedad.

EL HUMOR PROLONGA LA VIDA

Tenemos que ser capaces de reírnos de nosotros mismos y de las diferentes situaciones graciosas que se presentan a diario. Si usted ha perdido esta capacidad, está en apuros.

Útil: Trate de ver programas de comedia en la televisión o mire películas divertidas. La risa es una medicina muy poderosa. Le prescribo una dosis diaria hasta que haya recobrado su sentido de disfrutar la vida.

Elimine el estrés ahora... 16 técnicas rápidas

Ed Boenisch, PhD, ex adjudante general del departamento militar del estado de Wyoming en Cheyenne. Es coautor de *The Stress Owner's Manual.* Impact.

Practique el ejercicio de relajación de seis segundos. Siempre y cuando sienta tensión, inhale profundamente por dos segundos, luego exhale por cuatro segundos.

Dígase: "me estoy relajando". Deje caer sus hombros y su mandíbula. Una ola de relajación fluirá hacia abajo.

●**Vea menos televisión.** No pase de canal en canal sin ningún propósito. No vea programas violentos o deprimentes.

Busque la programación y seleccione cuidadosamente qué ver. Haga énfasis en programas educativos y que le levanten el ánimo –por ejemplo, los de Discovery Channel y PBS.

●**No lleve el trabajo a casa...** ni lleve la casa al trabajo. "Descomprímase" mientras hace la transición de una parte de su vida a la otra –de manera que la angustia de una no contamine la otra.

Cante con la radio, camine, tome una siesta, sumérjase en la bañera...

●**Busque lo gracioso de cada situación.** Tómese usted a la ligera y su trabajo con seriedad. Lea cosas divertidas –tiras cómicas, dibujos animados, chistes– y luego compártalas.

●**Cultive una actitud de "puedo hacerlo".** Como dijo Norman Vincent Peale, "Usted no es lo que usted piensa que es... sino que es lo que usted piensa".

●**Deje de suponer lo peor.** Si alguien se le cruza en la vía, no dé por sentado automáticamente que la persona lo hace para molestarlo. Quizás él o ella esté yendo de prisa al hospital a ver un ser querido que está muy enfermo.

●**Tómese un descanso de diez minutos.** Al menos una vez por hora, levántese de la silla, estírese y muévase. Hacer esto ayudará a prevenir la rigidez y la tensión.

●**Escuche música relajante.** Pase el día escuchando música clásica, instrumental o Nueva Era.

Buenas opciones: George Winston, David Lanz, Enya, The Narada Collections.

●**"Encajone" sus preocupaciones.** Categorice sus preocupaciones en cosas que usted puede o no puede controlar y en cosas que son o no son importantes. Si algo es importante y usted puede hacer algo al respecto, actúe. Si no es importante y/o no puede hacer nada al respecto, deje de preocuparse.

●**Tome unas vacaciones de un minuto.** Deténgase a disfrutar los pequeños y efímeros placeres de la vida, la fragancia de una flor, el murmullo de un arroyo, la serena belleza de la nieve recién caída, el acogedor aroma de una fogata. Note y trate de disfrutar lo que le rodea.

●**Practique la "terapia de punto".** Coloque puntos adhesivos donde necesite una pista para relajarse –en el espejo retrovisor del auto, en el auricular del teléfono, en el monitor de la computadora...

Siempre que vea un punto, haga el ejercicio de seis segundos de relajación.

●**Dése una dosis aromática.** Lleve flores al trabajo. Disperse perfume en el aire. Encienda una vela de olor. Las fragancias florales disminuyen la ansiedad (incluso en el consultorio del dentista), los olores fríos como los mentolados activan la energía, la lavanda es relajante.

●**Eleve su ego.** Lleve consigo una tarjeta de 3 x 5 pulgadas (8 x 13 cm) con todas sus cosas buenas anotadas. Cuando comience a sentirse abrumado, mire la tarjeta.

Pídale a la gente que le quiere que contribuya a la lista.

●**Establezca metas realistas** –y visualícese alcanzándolas. Si usted es un vendedor, visualícese cerrando un trato con el cliente que tiene pautado para ese día. Estará menos ansioso cuando vaya a la reunión.

●**Hágale cariño a un gato o a un perro.** Esto tiende a bajar el ritmo cardiaco y la presión arterial –la suya y la del animal al que acaricia.

●**Elija ser feliz.** Abraham Lincoln dijo: "La mayoría de la gente es tan feliz como decide serlo".

Cada día, haga un esfuerzo consciente de enfatizar lo positivo e ignorar lo negativo. Escoja siempre la felicidad y pronto se hará un hábito.

¡Sólo relájese!

Janice Kiecolt-Glaser, PhD, profesora de psicología de la Universidad Ohio State en Columbus, y una de las autoridades líderes en la medicina cuerpo-mente.

Docenas de estudios han demostrado que el estrés emocional deteriora el sistema inmunológico. La relajación reduce este estrés, ayudando a aumentar la inmunidad. En un estudio, los hombres y las mujeres que aprendieron técnicas de relajación tuvieron un aumento significativo en la actividad de las células asesinas naturales, un indicador clave de la salud del sistema inmunológico.

La relajación puede controlar los ataques de epilepsia

Epilepsy: A New Approach por Adrienne Richard, una epiléptica que usa técnicas de cuerpo-mente en vez de anti-convulsionantes, y Joel Reiter, MD, neurólogo de Santa Rosa, California. Walker & Co.

Es posible que un epiléptico que practica respiración diafragmática profunda a diario en la meditación pueda detener un ataque.

Útil: Un compañero puede encauzar al epiléptico en las técnicas de relajación. Si alguien le recuerda que se relaje y respire profundo, el epiléptico puede usar las técnicas de relajación y minimizar los efectos del ataque.

Destructores rápidos del estrés

Jon Kabat-Zinn, PhD, director de la Stress Reduction Clinic del centro médico de la Universidad de Massachusetts en Worcester.

Una sesión de 5 minutos baja la presión arterial, reduce los niveles de hormonas del estrés y aumenta los sentimientos de bienestar.

Qué hacer: Siéntese cómodamente, derecho, concientice su respiración, visualice una escena de montaña, note todos los detalles, imagine que se producen cambios, que el sol atraviesa el cielo, que hay tormentas violentas, enfóquese en la serenidad de la montaña y lleve la calma de estos eventos consigo todo el día.

Dormir vs. estrés

Angela Clow, PhD, conferencista y coautora de un estudio de 42 personas en la Universidad Westminster en Londres.

Dormir hasta tarde reduce el estrés. En un estudio, las personas que se despertaron después de las 7:21 a.m. tuvieron niveles más bajos en la sangre de *cortisol*, la hormona del estrés, que las que se levantaron más temprano. Incluso si se les despertó de repente, más tarde, o si se acostaron más tarde de lo usual. *La posible razón:* el "reloj" natural del cuerpo.

El estrés afecta los niveles de colesterol

Catherine M. Stoney, PhD, profesora adjunta de psicología de la Universidad Ohio State en Columbus. Sus estudios de 127 pilotos de líneas aéreas y 100 estudiantes de medicina fueron presentados en el International Congress of Behavioral Medicine en Washington, DC.

En los hombres, los niveles del colesterol de baja densidad LDL (malo) aumentaron en un 5% durante periodos de estrés alto. Las mujeres no mostraron un aumento en el colesterol LDL relacionado con el estrés. En otro estudio, los estudiantes que obtuvieron puntuaciones altas en pruebas para medir la exactitud, tuvieron niveles de colesterol de alta densidad HDL (bueno) alrededor de 4% más altos que aquellos con puntuaciones más bajas.

Bueno para el corazón

James A. Blumenthal, PhD, profesor de psicología médica en la facultad de medicina de la Universidad Duke en Durham, Carolina del Norte.

Aprender a reaccionar mejor ante el estrés es bueno para el corazón. La conclusión viene de descubrimientos experimentales que afirman que las personas cuyos corazones son menos capaces de bombear sangre en respuesta al estrés mental, tienen tres veces más posibilidades de sufrir un ataque cardiaco o una cirugía cardiaca en los próximos cinco años, que aquellos cuyos corazones son más capaces de bombear sangre. Hacer ejercicio regularmente y reaccionar ante el estrés en una forma más relajada, quizás respirando profundo, son maneras de deshacerse de los efectos negativos del estrés.

Combata el estrés a toda hora y en todo lugar

Alice Domar, PhD, investigadora del hospital Deaconess y de la facultad de medicina de la Universidad Harvard, ambos en Boston, y autora de *Healing Mind, Healthy Women*. Henry Holt.

Si usted practica ejercicios simples de respiración, podrá combatir el estrés en cualquier lugar y a cualquier hora. *La razón:* cuando la gente esta enfadada tiende a respirar rápido y poco profundamente.

Mucho mejor: Practique la respiración diafragmática profunda. Haga un esfuerzo consciente por relajar sus músculos y respirar profundamente. Practique esta forma de respiración regularmente, varias veces al día. Hágalo cada vez que se sienta estresado o tenso. Esto alivia la ansiedad y le facilita enfrentar el problema que causa su tensión.

Las plantas y el estrés

Ashley Craig, PhD, profesora adjunta de ciencias de la salud de la University of Technology en Sydney, Australia.

Las plantas del hogar ayudan a reducir el estrés psicológico. En un estudio, se midió la actividad de las ondas cerebrales de 31 voluntarios que miraban por dos minutos una planta, una escultura abstracta o un panel blanco.

El resultado: Aquellos que miraron la planta tuvieron un incremento del 20% en las ondas alfa. Estas señales eléctricas son señales de

relajación. Aquellos que miraron la escultura no tuvieron cambios en la actividad de las ondas alfa.

Probablemente, su incapacidad de "entender" la escultura impidió la relajación. La gente que miró el panel blanco también tuvo un aumento en las ondas alfa, pero el efecto de mirar la planta fue mucho más poderoso.

Reductor máximo del estrés

Karen Allen, PhD, científica investigadora de la facultad de medicina de la Universidad de Buffalo en el estado de Nueva York. Dirigió un estudio de 480 personas bajo condiciones de estrés.

Los perros son el mejor reductor del estrés. Las personas que atravesaban situaciones estresantes tuvieron los niveles más bajos del ritmo cardiaco y la presión arterial si estaban con sus perros –incluso más bajos que aquellos que estaban con sus cónyuges.

Posible razón: Se considera que los perros son completamente incapaces de juzgar o criticar.

La música y el estrés

Cheryl Dileo-Maranto, PhD, profesora de terapia musical de la Universidad Temple en Filadelfia, y presidenta de la World Federation of Music Therapy.

La música es un rápido alivio para el estrés. Escuche música de diez a 20 minutos. *Útil:* siéntese en una silla cómoda, lejos de las molestias, con las luces tenues. Escoja música que conozca bien, en lugar de una pieza nueva que pueda mantenerlo alerta… pero evite melodías que causen tensión o le recuerden cualquier cosa desagradable.

La música instrumental es preferible a las canciones con letras. *La razón:* éstas pueden distraerlo de relajarse y estimular la actividad cognoscitiva. Si los pensamientos que lo estresan durante el día interfieren con esta actividad, haga el esfuerzo de seguir llevando su mente de vuelta a la música.

Escribir ayuda

Energy Secrets: For Tired Mothers on the Run por B. Kaye Olson, enfermera y asesora en estrés de Lansing, Michigan. Health Communications.

Escriba las preocupaciones que más lo atormentan. En una hoja de papel haga dos columnas, una titulada "Preocupaciones por las que puedo hacer algo" y la otra "Preocupaciones por las que no puedo hacer nada". Acepte los problemas que usted no puede resolver y las cosas que no puede cambiar y encuentre soluciones para aquellos que usted sí puede controlar.

Exterminadores de estrés muy sencillos

Charles B. Inlander, consultor de servicios médicos y presidente de la organización sin fines de lucro People's Medical Society, un grupo de defensa de los usuarios de servicios médicos de Allentown, Pensilvania. Es autor de numerosos libros, entre ellos *63 Ways to Relieve Tension and Stay Healthy.* Walker.

El costo que tiene el estrés para la salud y las finanzas de nuestro país es desalentador. *Encuestas del National Institute of Mental Health y otros grupos revelan que...*

●**El estrés contribuye a la mitad de todas las enfermedades en Estados Unidos.**

●**Al menos el 70% de todas las visitas al médico** se deben a enfermedades relacionadas o inducidas por el estrés.

Esas son las malas noticias. *La buena noticia es que hay medidas simples que usted puede tomar para aliviar y prevenir el estrés...*

●**Ríase más.** La risa es uno de los antídotos más saludables contra el estrés. Cuando nos reímos, aumenta el flujo de sangre hacia el cerebro, se liberan las endorfinas (las hormonas que dan la sensación de bienestar) y los niveles de hormonas estresantes disminuyen dramáticamente.

Investigaciones realizadas en la Universidad de Loma Linda demostraron que mirar programas de comedia bajaba la presión arterial y reducía el riesgo de otros problemas cardiovasculares.

El difunto autor Norman Cousins puso en práctica esta investigación para combatir una artritis irreversible que lo había inutilizado. Alquilaba películas divertidas todos los días y se reía lo más posible. *Resultado:* su enfermedad disminuyó y sobrevivió a todas las expectativas médicas.

●**Sea más sociable.** Cuando estamos estresados, nuestros instintos nos dicen que nos retraigamos de actuar y nos aislemos. Según los expertos en estrés nada podría ser peor.

La razón: El aislamiento permite que nos concentremos más en nuestros problemas y perpetúa pensamientos negativos –intensificando el estrés, en vez de aliviarlo.

Algunas investigaciones muestran un vínculo claro entre aislamiento y fracaso al enfrentarse inadecuadamente con el estrés, junto con una alta vulnerabilidad a las enfermedades.

Cuando se sienta estresado, llame a sus amigos, o rodéese de niños pequeños –ellos harán que olvide sus preocupaciones.

Hacer trabajo voluntario es también un buen exterminador del estrés. Un estudio de diez años en la Universidad de Michigan halló que los hombres que no hacían trabajo de voluntariado tenían el doble de tasa de mortalidad que aquellos que hacían voluntariado una vez a la semana.

●**Sea más decisivo.** La indecisión le impide actuar –reduciendo su sensación de tener el control y, por ende, aumenta el estrés.

Cómo sobreponerse a la indecisión: Primero, anote el problema y haga una lista de sus posibilidades. Incluya la posibilidad de no hacer nada. Luego, pruebe el *pensamiento lateral* –método que toma en cuenta alternativas inusuales y sus pros y contras.

Útil: Esté dispuesto a negociar. No existe casi ninguna decisión que no pueda ser modificada más adelante.

●**Aprenda a ser más asertivo.** Muchas personas suelen asociar incorrectamente el ser asertivo con la hostilidad o la agresión. Pero ser asertivo simplemente significa expresar sus emociones, dejarle saber a los demás sus creencias y opiniones y actuar en su propio beneficio.

El psicólogo James Mills, PhD, autor de *Coping with Stress*, sugiere estas maneras para ser más asertivo…

●**Exprese su opinión** cuando sienta que es propicio.

●**Inicie conversaciones** con otros.

●**Concéntrese en hacerle saber a los demás sus deseos y necesidades.**

●**Haga un esfuerzo por buscar e iniciar amistades.**

●**No tenga miedo de discrepar** con otros.

●**Haga –y acepte– cumplidos.**

●**Pida información.**

●**Hable sobre usted con otra persona.**

●**Rompa el ciclo estrés-falta de sueño.** Un adulto necesita entre siete y ocho horas de sueño promedio por noche. La falta de sueño suficiente puede hacer que una persona esté irritable, furiosa y que sea más vulnerable al estrés y a la enfermedad. *Para acabar con la falta de sueño…*

●**Desarrolle una rutina regular al acostarse,** lo que indicará a su mente que es hora de dormir.

●**Evite el alcohol, la cafeína y el tabaco** –todos estos estimulantes tienen efectos negativos sobre el sueño.

●**Haga algo relajante antes de ir a la cama.** Y evite hacer cosas que puedan agitarle. Por ejemplo, no vea una película violenta justo antes de acostarse.

●**No use su alcoba para nada que no sea dormir o tener relaciones sexuales.**

●**Antes de retirarse,** reserve un tiempo para relajarse.

●**Dígase a usted mismo cosas alentadoras.** Si tiende a culparse por sus problemas, puede que sus conversaciones con usted mismo sean negativas, lo que causa estrés.

Mejor: Háblese positivamente. Dígase: "buen trabajo" o "manejaste bien esa situación difícil". Practique frente a un espejo, si es necesario. Eventualmente este diálogo positivo se volverá una respuesta automática.

●**Dése una recompensa.** Las recompensas son un componente crítico del manejo del estrés. Aquellos que se recompensan a sí mismos después de haber completado una tarea dedicándose a algo placentero, logran un estímulo de su sistema inmunológico que puede durar varios días.

Técnica simple de manejo del estrés: Planifique por lo menos una actividad placentera cada día para recompensarse.

●**Haga una lista de sus emociones encajonadas.** Si se encuentra bajo estrés emocional, registrar sus emociones en un diario puede ayudarle a aliviar el problema –incluso cuando implica dificultades maritales o de empleo.

Esto es especialmente cierto si usted tiene problemas para hablar de preocupaciones o de temas emocionales, o si no tiene cerca a una persona que le escuche. La clave puede ser el simple acto de revelar.

●**Tómese las cosas con calma.** Trate de moverse, hablar y comportarse en una forma relajada. Puede que sienta como se va alejando un poco de su estrés. *Stephan Rechtschaffen, MD, presidente del Omega Institute for Holistic Studies, también sugiere estos consejos para relajarse…*

●**Maneje a una velocidad diez millas por hora más despacio** que lo habitual.

●**Espere un poco en la mesa antes de comenzar a comer.** Cuando coma, mastique la comida más lentamente de lo normal.

●**Cuando llegue en su auto a la casa,** espere alrededor de cinco minutos en el garaje antes de entrar. Escuche la radio, o solo relájese para facilitar la transición.

●**Tome una ducha cuando llegue del trabajo a casa.** Lo ayudará a relajarse, y también indica un cambio respecto al ambiente de trabajo.

●**Deje que el teléfono suene un par de veces antes de contestarlo.** Correr por el cuarto para tomar el teléfono desata más estrés.

9

Información útil sobre cirugías y hospitales

Cómo lograr una hospitalización más feliz y saludable

Theodore Tyberg, MD
Kenneth Rothaus, MD
New York Hospital–Cornell Medical Center

Para asegurarse de recibir la mejor atención posible en el hospital…

El primer paso es convertirse en un paciente bien informado. Tener conocimiento sobre su condición y su tratamiento le hará sentirse más confiado y relajado, y por ende más agradable.

Aunque no sea algo que a los médicos y a las enfermeras les guste admitir, ellos tienden a dar un mejor trato a los pacientes que les agradan.

Hay una línea delgada entre estar bien informado y ser desagradable. Trate de no pasar esa línea, pero *no deje* que lo ignoren ni maltraten.

Estas son otras estrategias para asegurarse la mejor atención médica…

ANTES DE INGRESAR

●**Asegúrese de que su hospitalización sea necesaria.** Haga una cita con su médico para analizar su estado de salud y sus opciones de tratamiento. Muchos procedimientos que antes requerían hospitalización hoy en día pueden hacerse sin peligro como paciente ambulatorio.

Ejemplos: Corrección de hernia, extracción de cataratas y biopsia de pecho.

●**Haga que su médico le explique el tratamiento que recibirá.** Averigüe cuánto tiempo durarán la operación y la recuperación, y discuta situaciones hipotéticas que puedan surgir durante su estancia en el hospital.

Un cirujano podría decidir, por ejemplo, *durante* una angioplastia coronaria, que usted necesita una cirugía de desviación coronaria

Theodore Tyberg, MD, profesor auxiliar de medicina, y Kenneth Rothaus, MD, profesor auxiliar de cirugía, ambos del New York Hospital–Cornell Medical Center. El Dr. Tyberg y el Dr. Rothaus son los autores de *Hospital Smarts: The Insider's Survival Guide to Your Hospital, Your Doctor, the Nursing Staff—and Your Bill!* William Morrow.

(bypass). Usted y su cirujano deberían estar de acuerdo en cómo manejar estos diversos escenarios antes de entrar a la sala de operaciones.

No espere que su médico le dé una explicación detallada, paso a paso, del tratamiento. Si desea obtener detalles, pídale que le recomiende artículos o libros relevantes. Puede que la biblioteca médica del hospital esté abierta a los pacientes.

●**Conozca a cada médico que estará involucrado en su cuidado.** Si tiene cirugía programada, le convendrá conocer al cirujano y al anestesiólogo. *Preguntas clave…*

●**¿Están ambos acreditados por la junta médica?**

●**¿Cuántos casos como el mío manejan en un año?** Si la respuesta es 25 ó menos, pregúntele a su médico por qué. Considere buscar a un médico o un hospital nuevo.

●**¿Es éste el hospital apropiado para mi caso?** Para problemas médicos comunes y operaciones quirúrgicas de bajo riesgo, un hospital comunitario está bien. Pero los hospitales universitarios tienen más experiencia con situaciones graves y operaciones complejas y de alto riesgo.

Ejemplo: Una mujer fue llevada apresuradamente a la sala de emergencia de su hospital comunitario con un gran dolor de cabeza, y se le diagnosticó aneurisma cerebral. El neurólogo de allí había tratado esta dolencia, capaz de hacer peligrar la vida, sólo tres veces. Después de un par de llamadas, el esposo de la mujer hizo que la transfirieran a un hospital universitario donde se efectúan 20 correcciones de aneurisma cerebral cada año.

●**Aprenda las rutinas del hospital.** Llame al hospital alrededor de una semana antes de su ingreso para informarse sobre los procedimientos de admisión, regulaciones de estacionamiento, cargos por televisión y teléfonos, etc.

Pregunte acerca de la rutina al darle de alta. ¿Estará en una silla de ruedas? ¿O en muletas? ¿Necesitará acompañante? ¿Deberá continuar con una dieta especial u otras restricciones después de volver a casa? Confirme los detalles con su médico.

●**Asigne un representante de servicios médicos.** El trabajo de este amigo o familiar es el de hablar por usted en caso de que usted no pueda hacerlo (durante la recuperación de la cirugía, por ejemplo). Seleccione a alguien sensato y *seguro*.

Para darle más autoridad a su representante, firme un poder legal ("proxy"). Obtenga un formulario del departamento de servicios para pacientes del hospital o de su abogado.

Si tiene un testamento de vida ("living will"), un documento en el que expresa su voluntad de vivir o no en caso de enfermedad terminal, su representante debe asegurarse de que su médico respete sus deseos. Los médicos suelen ignorar estos documentos a menos que el representante del paciente insista en que se cumplan.

●**Empaque sabiamente.** Lleve los archivos médicos necesarios, una lista de las alergias que tiene y una provisión de los medicamentos que toma usualmente. No olvide libros y revistas y una lista de números de teléfono de amigos, familiares y médicos.

¿Y la ropa? Traiga pantuflas y una bata de baño. Los pijamas no son necesarios. Usted recibirá una bata de hospital limpia al menos diariamente. Deje las joyas y otras cosas de valor en casa.

DURANTE SU ESTANCIA

●**Interésese activamente en su cuidado.** Cuando personas desconocidas entren en su cuarto, pregunte quiénes son y qué van a hacer. Acceda a exámenes y procedimientos sólo *luego* de haberlos discutido con su médico.

Cada vez que vea a su médico, pregúntele qué va a pasar después, y cuándo podrá recibir su próxima visita. Deje las preguntas acerca de la comida, el correo, etc., para una enfermera o algún otro miembro del personal que no sea médico.

●**Protéjase de errores relacionados con los medicamentos, la comida, etc.** Recuérdele al personal sobre su situación médica y el tratamiento que espera. Pídale a alguna persona que identifique cada medicamento antes de ser administrado.

Ejemplos: "¿Es éste el anticoagulante?" "¡Otra bolsa intravenosa! ¿Qué hay en ésta?"

Si su médico le dice que no coma antes de la cirugía y el personal del hospital le trae una bandeja de comida, pídale una explicación a una enfermera.

Un paciente nuestro al que operamos recientemente se puso una etiqueta en la pierna que decía: "operen ésta". A nadie en la sala de operaciones le pareció una tontería.

●**Insista en que el personal se lave las manos y utilice guantes de hule ("rubber gloves").** Esto es especialmente importante si usted tiene una incisión quirúrgica reciente. No tema decir: "preferiría que se pusiera guantes".

●**No sufra en silencio.** Dígale al personal si siente alguna incomodidad. Puede ser sintomático de una condición que requiera atención.

Indicativos de un buen hospital

John Connolly, EdD, ex presidente del New York Medical College en Valhalla, Nueva York, y autor de *How to Find the Best Doctors, Hospitals, HMOs for You and Your Family.* Castle Connolly Medical Ltd.

●**Acreditación** por la Joint Commission on Accreditation of Healthcare Organizations.

●**Médicos acreditados** por la junta médica ("board certified"). Al menos el 70% de los médicos debería estar acreditado por la junta médica.

●**"Jefes" asalariados.** Al jefe de cada departamento médico (medicina, cirugía, pediatría, etc.) se le debe pagar el tiempo extra usado en supervisar el departamento.

●**Enfermeras registradas.** Al menos el 60% del equipo de enfermería debería ser registrado ("Registered Nurse" o "RN").

●**Instalaciones bien mantenidas.** Las instalaciones sucias o mal mantenidas pueden representar peligros para la salud y la seguridad.

●**Equipos actualizados.** Los mejores hospitales tienen las máquinas más modernas de resonancia magnética ("MRI"), cirugía láser, equipos de mamografía, etc.

Cómo salir victorioso del hospital

Charles B. Inlander, consultor de servicios médicos y presidente de la organización sin fines de lucro People's Medical Society, un grupo en Allentown, Pensilvania, que defiende a los usuarios de servicios médicos. Es autor de numerosos libros, entre ellos, *Take This Book to the Hospital with You: A Consumer Guide to Surviving Your Hospital Stay.* People's Medical Society.

Excepto para la cirugía por la que optamos, usualmente no podemos controlar cuándo será necesaria la hospitalización por enfermedad u operación. Pero si hay que hospitalizar, hay pasos que usted puede seguir para disminuir el riesgo de heridas e infecciones, y maximizar su comodidad y cuidado.

ANTES DE IR

●**Asegúrese de que necesita el tratamiento.** Todos los procedimientos –y estancias en el hospital– implican riesgos. Obtenga una segunda opinión de otro especialista antes de someterse a cualquier operación. Si el segundo médico no está de acuerdo con el primero, consiga una tercera, o una cuarta opinión.

Ejemplo: Si su primer médico sugiere cirugía de desviación coronaria (bypass), pero otros dos o tres especialistas cardiacos piensan que su enfermedad puede ser eficazmente tratada con dieta y medicamentos, probablemente sería sensato que usted aceptara la recomendación de la mayoría.

●**Pregúntele a su cirujano cuántas operaciones similares efectúa al año.** Un número adecuado depende de la operación.

Ejemplo: Si usted necesita una cirugía de bypass, busque un cirujano que haya hecho 100 cirugías de bypass durante el último año.

●**Pregúntele a su médico cuál es su tasa de éxito en el quirófano.** Pregúntele cómo se compara con cifras nacionales de la misma operación. Y confirme esto con el director médico del hospital.

●**Asegúrese de que el hospital que escoja su médico es el mejor para su condición médica.** Diferentes tipos de hospitales hacen distintos tipos de operaciones.

Por lo general, los hospitales comunitarios locales son adecuados para operaciones poco complicadas como la remoción de la vesícula biliar, partos, histerectomías, etc.

Pero para una operación más grave, como cirugía a corazón abierto o un trasplante, sería mejor acudir a un hospital afiliado a una universidad importante que tenga buenos especialistas con extensa experiencia en el tipo de cuidado médico que usted requiere.

●**Hágase todos los exámenes preoperatorios antes de ser internado,** preferiblemente con varios días de anticipación. Es un gran inconveniente ir al hospital y descubrir que un examen de sangre o unos rayos X indican que su cirugía debe ser pospuesta. Esto prolonga innecesariamente su estancia en el hospital, lo que, además, aumentará sus costos.

●**Reúnase con su anestesiólogo o enfermero-anestesiólogo** *antes* **de ser internado.** Déle una lista de todos los medicamentos recetados y de venta libre que usted esté tomando. Infórmele sobre cualquier condición médica que usted pueda tener.

EN EL HOSPITAL

●**Elimine los costos innecesarios de hospital llevando todo lo que le haga falta,** incluidos pañuelos, cremas de cuerpo y manos, vitaminas y medicamentos para enfermedades crónicas. Asegúrese de que estos artículos no aparezcan en su cuenta.

Trate de tener a un amigo o familiar que lo visite cada día para acompañarlo y para hablar con el equipo médico por usted si usted no puede. Los estudios muestran que los pacientes que hacen la mayor cantidad de preguntas o que tienen familiares que hacen preguntas, obtienen una mejor atención y mejores resultados que los que no lo hacen.

●**Entienda que usted puede decirle** *no* **a cualquier cosa.** Uno de sus derechos más importantes como paciente es su derecho a rehusar tratamiento o servicios que usted no desea o no entiende.

Ejemplo: Si usted descansa bien por la noche sin tomar pastillas para dormir, puede rehusarse a tomar los sedantes que usualmente se administran a los pacientes.

●**Cuestione todos los exámenes.** A veces a los pacientes se les hacen exámenes de rutina que son innecesarios, tales como rayos X o

exámenes de sangre, o exámenes que corresponden a otros pacientes.

La clave: Pídale a su médico que le avise sobre todos los exámenes por adelantado. Si no se le advirtió sobre un examen, pregúntele a la persona enviada a hacerlo si su médico lo ordenó, por qué se esta haciendo el examen y cuáles son los riesgos.

●**Reduzca su riesgo de percances por medicamentos.** Pídale a su médico que le muestre los medicamentos que le está recetando durante su estancia en el hospital. Anote las formas, colores y tamaños.

Si la enfermera trata de darle una pastilla o un líquido con el cual no está familiarizado, rehúsese a tomarlo hasta que se contacte al médico para identificar y aprobar el medicamento.

Además, pregúntele a su médico para qué es cada pastilla y con qué frecuencia debe ser administrada. Mantenga una lista para que no se le olvide.

●**Disminuya el riesgo de infección** pidiéndole cortésmente a cualquiera que lo toque –médicos, enfermeras, técnicos– que se laven las manos en el lavamanos de su habitación. Las manos sin lavar son la principal causa de infecciones en los hospitales, ya que las enfermeras y médicos comúnmente van de cuarto en cuarto llevando gérmenes.

Si usted debe recibir fluidos de forma intravenosa, pida que la bolsa intravenosa ("IV bag") sea mezclada por el equipo farmacéutico, no por una enfermera o técnico. Las bolsas intravenosas que son abiertas por enfermeras o técnicos tienen un mayor riesgo de ser contaminadas por los microorganismos que circulan en el hospital.

●**Insista en que limpien y desinfecten su baño diariamente,** en especial si usted comparte una habitación.

INSISTA EN SUS DERECHOS

●**Pídale al personal que reorganice sus horarios para adaptarse a sus necesidades.** Si su médico quiere tomar un examen de sangre cada ocho horas, pídale a los técnicos que le saquen la sangre a las 11 p.m., cuando usted está a punto de irse a dormir, y después a las 7 a.m., cuando se levante, en vez de a las 8 p.m. y a las 4 a.m.

Si los empleados de mantenimiento limpian su cuarto a las 2 de la mañana –lo que no es extraño– pídales que vuelvan entre las 7 a.m. y las 9 p.m.

●**Si no quiere ser molestado por pasantes y estudiantes de medicina** entrando a su habitación durante sus rondas, dígale a la enfermera o al representante de pacientes (un empleado del hospital que actúa como árbitro entre usted y el hospital) que anote sus deseos en su tabla.

●**Si su medicamento no controla su incomodidad suficientemente,** pídale a una enfermera que llame a su médico y que apruebe un incremento del medicamento.

También útil: Pregunte sobre métodos alternativos de control del dolor más baratos que puedan estar disponibles en el hospital, incluyendo acupuntura, técnicas de relajación y bioautorregulación ("biofeedback").

Cómo sobrevivir una estancia en el hospital

Charles B. Inlander, consultor de servicios médicos y presidente de la organización sin fines de lucro People's Medical Society, un grupo en Allentown, Pensilvania, que defiende a los usuarios de servicios médicos. Es autor de numerosos libros, entre ellos, *Take This Book to the Hospital with You: A Consumer Guide to Surviving Your Hospital Stay.* People's Medical Society.

Algunos hospitales de EE.UU. están entre los mejores del mundo. Otros son muy, muy buenos. Pero eso no significa que no tengan riesgos.

La mejor manera: Usted puede reducir mucho la probabilidad de que algo salga mal en un hospital. Para obtener atención especializada de sus médicos y enfermeras, tome unas pocas precauciones sencillas y use información interna sobre cómo funcionan los hospitales. *Tácticas de supervivencia...*

PROTECCIÓN CONTRA LAS INFECCIONES

El diez por ciento de los pacientes en los hospitales contraen una infección después de ser internados, sumando de $4.000 a $10.000 a una cuenta típica.

Ejemplos: Alrededor de 300.000 pacientes al año contraen neumonía en un hospital de EE.UU. Otras infecciones comunes en los hospitales atacan los sistemas respiratorio y urinario. Las infecciones por estafilococos ("staph") también son un gran problema.

La razón principal: Los hospitales admiten un alto porcentaje de personas infectadas, muchas de las cuales tienen sistemas inmunes débiles. *Precauciones...*

●**Asegúrese de que todos los miembros del personal se laven las manos antes de tocarlo.** No tema preguntar. Es su derecho.

●**Además, pídale al personal que se ponga guantes nuevos** antes de tocarlo.

●**Si tiene un catéter, insista en que el personal del hospital lo controle por lo menos tres o cuatro veces al día.** Un catéter defectuoso es una puerta abierta para la entrada de infecciones.

TRABAJO DE EQUIPO

Como probablemente usted no estará muy despierto durante su estancia en el hospital, pídale a algunos amigos que lo ayuden a controlar el tratamiento que recibe.

Lo mejor: Pídale a dos o tres amigos que se turnen para quedarse con usted todo el día.

Su sola presencia mantendrá a los médicos y enfermeras atentos, aumentando la probabilidad de que reciba una atención por encima del promedio.

Mito: Se permiten invitados solo durante horas de visita.

Realidad: Los hospitales *esperan* que los pacientes crean esto, pero *la ley* permite que haya visitantes a cualquier hora del día siempre que no interfieran con su tratamiento o el de algún otro paciente de la habitación.

Si su estancia en el hospital es por más de un par de días, considere hacerla más agradable decorando su cuarto con algunas fotos de su hogar u otros objetos familiares.

Deje los objetos de valor en casa. Muchas personas tienen acceso a su habitación, por lo que existe un gran riesgo de robo.

ATENCIÓN A LOS MEDICAMENTOS

Como cientos de pacientes reciben múltiples medicamentos cada día, hay una gran posibilidad de que se cometa algún error en el tipo de medicamento que se le da, en su dosis o en la frecuencia con que es administrado.

El índice de error promedio es entre el 2% y el 3%, lo que quiere decir que en un hospital de 300 camas pueden haber seis errores de medicamento por hora. *Precauciones…*

●**Cada vez que reciba medicamentos,** revise para ver si es el mismo que le dieron la última vez. Si no lo es, insista al personal para que vuelva a revisar las indicaciones.

●**Así mismo, si usted nota algún cambio en la frecuencia de los medicamentos** pídale a los miembros del personal que le expliquen la razón.

●**Pregúntele a su médico si la comida que le sirven tendrá algún efecto adverso en su medicamento.** Si es así, dígale que ordene una dieta apropiada.

RECHACE LO DESCONOCIDO

Si usted no entiende un procedimiento o un tratamiento, no lo acepte hasta que lo *entienda*. La mayoría de los hospitales enviará un miembro del personal más experimentado para darle una explicación apropiada.

Mito: La planilla que usted firma al ingresar al hospital ("release form") implica que usted renuncia prácticamente a todos sus derechos.

Realidad: Usted no renuncia a ningún derecho. Puede aceptar o rechazar cualquier tipo de tratamiento así como cualquier médico que le sea asignado.

Excepción: En casos de vida o muerte, los hospitales están obligados a darle el tratamiento apropiado.

Ante todo, si usted sospecha que un médico, una enfermera u otro miembro del personal es incompetente o negligente, llame la atención de las autoridades del hospital.

Si los administradores del hospital no corrigen la situación, pídale consejo a un abogado especializado en negligencia médica. Si es necesario, cambie de médico o incluso de hospital.

Muchos pacientes no se dan cuenta de que tienen el derecho de despedir a su médico y de dejar el hospital en cualquier momento.

PROTECCIÓN EN EL QUIRÓFANO

Si está en el hospital para que lo operen…

●**Asegúrese de que todos los involucrados en su cirugía sepan exactamente de qué se trata.** Si a usted le están retirando una catarata del ojo derecho, por ejemplo, recuérdeles a las enfermeras, los asistentes, el anestesiólogo y el cirujano qué ojo debe operar.

Algunos pacientes usan un marcador para señalar la parte correcta del cuerpo con una flecha o un círculo. Esta medida puede parecer exagerada, pero no está de más asegurarse.

●**Escoja un cirujano que efectúe frecuentemente la operación.**

La norma: Unas 100 cirugías de desviación coronaria (bypass) al año y una frecuencia aún más alta para operaciones más comunes, como una extirpación de apéndice. Esto no es una garantía para obtener un cirujano competente, pero es una manera fácil de deshacerse de aquéllos a quienes les falta experiencia.

●**Reúnase con su anestesiólogo antes de la operación.** Esta simple reunión puede ayudar a que lo traten mejor porque hace que lo vean como una persona real. Usted pasará de ser el "paciente de vesícula biliar de la habitación 305" a ser una persona a la que el anestesiólogo conoce por su nombre.

En la reunión, pregúntele al anestesiólogo cuántas veces ha efectuado este tipo de procedimiento. Si es inexperto, pida otro anestesiólogo. Háblele también acerca de todas sus enfermedades, incluyendo las alergias, pues éstas pueden tener un efecto en la anestesia.

SEGUIMIENTO A LOS CONFLICTOS

No todos los errores en un hospital son razón para demandar. Pero si el error causa daños graves y usted sospecha que hubo negligencia o (en pocos casos) intención, consúltelo con un abogado.

Busque un abogado que solo se dedique a mala praxis médica ("malpractice"). Pida recomendaciones de su abogado personal, de la asociación de abogados locales o llame a la Association of Trial Lawyers of America (800-424-2725 o 202-965-3500, *www.atla.org*).

Los abogados respetables que se dedican a casos de negligencia médica pueden estimar su probabilidad de tener una demanda exitosa.

No permita
que lo echen
del hospital

Timothy McCall, MD, internista en Boston, editor médico de la revista *Yoga Journal* y autor de *Examining Your Doctor: A Patient's Guide to Avoiding Harmful Medical Care.* Citadel Press. *www.drmccall.com.*

En un esfuerzo por aumentar sus ganancias, las organizaciones de mantenimiento de la salud (HMO) y otros planes de atención médica dirigida están reduciendo en forma drástica la duración de la estancia de sus pacientes en el hospital. Para seguir siendo competitivas, muchas compañías aseguradoras tradicionales están adoptando tácticas similares.

Ya sea cirugía de bypass o quimioterapia, la duración de la estancia en el hospital se ha acortado radicalmente. Para las cirugías de bypass, era común una estancia de dos semanas hace solo unos pocos años atrás. Ahora se ha reducido a cuatro días. Las mujeres operadas de histerectomía pueden pasar tan solo dos días en el hospital.

Esto no es malo del todo. Existe buena evidencia científica de que las estancias en el hospital eran *demasiado largas* en el pasado. Bajo el viejo sistema, los médicos y hospitales tenían un incentivo financiero para mantener a los pacientes hospitalizados por el mayor tiempo posible. En el nuevo mundo de la atención médica dirigida, los médicos pueden ser penalizados –o incluso despedidos– si sus pacientes se quedan más tiempo del que la HMO considera necesario.

Lamentablemente, la lógica usada por las HMO parece ser: "si reducir el costo un poco fue bueno, reducirlo más es todavía mejor". A pesar de haber hecho reducciones radicales, las HMO siguen reduciendo las estancias en el hospital.

Tomemos el caso del parto, la mayor causa de hospitalización. En 1970, las mujeres con partos normales se quedaban un promedio de cuatro días. En 1992, eran dos días. Sin embargo, un par de años después, algunos planes en California estaban sacando a las madres del hospital luego de solo ocho horas.

En respuesta, se redactaron leyes que obligan a las aseguradoras a pagar por estancias de 2 días en partos normales y 4 días si es cesárea. Lamentablemente, estas leyes no ayudan a la gente que está hospitalizada por otras razones.

¿Cómo prevenir que a usted o a sus seres queridos los echen demasiado pronto del hospital? *Sea asertivo.* Piense que al calcular cuándo mandarlo de vuelta a casa, los planes de atención médica dirigida se basan en el supuesto más optimista. Esté preparado para explicar por qué su caso no debería entrar en esa definición.

Si se pasaron los días que tenía asignados, pero usted no se siente lo suficientemente bien como para irse a casa, dígale a su médico (o pida a un familiar que lo haga por usted). Aunque ellos no siempre se lo dicen a sus pacientes, los médicos tienen la opción de desafiar las decisiones de dar de alta de las compañías aseguradoras y de los evaluadores de utilización de recursos del hospital. Si es necesario, lleve su caso al defensor del paciente ("ombudsman") del hospital.

El factor determinante más importante de si usted está bien para irse a casa es su estado de salud. Usted no debe tener fiebre. Debe ser capaz de alimentarse por vía oral. No debe sentirse tan confuso o mareado que pueda tener el riesgo de caerse cuando vaya al baño. Si ha sido operado, debería ser capaz de orinar por su cuenta, y su dolor debe ser controlable con medicamentos orales.

Otro factor importante es la situación en casa. ¿Es el ambiente apropiado para recuperar la salud? ¿Habrá alguien allí que lo cuide? ¿Se encargará su asegurador de asignar enfermeras ("visiting nurses") o algún otro tipo de cuidado en su casa ("home care")? ¿Hay previsiones adecuadas para el caso de que surja un problema? Si estas condiciones no se cumplen, alerte a su médico y a la compañía de seguros.

Muchas personas prefieren recuperarse en casa, de ser posible. El ambiente es familiar, y hay más privacidad. Y dado el riesgo de contraer infecciones o desarrollar otras complicaciones en el hospital, tiene sentido ser dado de alta lo más pronto posible.

Pero la decisión debería basarse en lo que tenga más sentido *clínicamente*, y no en las ganancias de la HMO. Si piensa que se están aprovechando de usted, no se quede callado. Dígale a la persona que quiere darle de alta antes de que usted esté listo, que lo hace personalmente responsable si algo sale mal.

Las salas frías y los ataques al corazón

Steven Frank, MD, es profesor adjunto de anestesiología en la facultad de medicina de la Universidad Johns Hopkins en Baltimore.

Las salas de operación frías pueden causar ataques al corazón en pacientes quirúrgicos. Las salas de operaciones se mantienen frescas para los cirujanos, a quienes se les calienta el uniforme a menudo.

La trampa: La mezcla de anestesia, las temperaturas bajas, los fluidos intravenosos frescos y una incisión abierta pueden bajar la temperatura del cuerpo del paciente. En un estudio, pacientes a los que se les dio fluidos intravenosos calientes y se les caldeó el ambiente con un calentador de aire pulsado, sufrieron complicaciones cardiacas solo un 1% de las veces. Pacientes que tuvieron el tratamiento usual sufrieron tales complicaciones el 6% de las veces.

La autodefensa: Pida que lo mantengan caliente durante la cirugía.

Errores comunes en la facturación de los hospitales

John Connolly, EdD, ex presidente del New York Medical College en Valhalla, Nueva York y autor de *How to Find the Best Doctors, Hospitals, HMOs for You and Your Family.* Castle Connolly Medical Ltd.

Hasta un 95% de las facturas de los hospitales contiene errores, y la mayoría de estos errores favorecen al hospital. *Fíjese en cosas como...*

●**Códigos incorrectos de facturación.** Hay más de 7.000 códigos de cinco dígitos para exámenes de diagnóstico, procedimientos quirúrgicos, etc. No confíe en el número. Busque la descripción de cada procedimiento.

●**Facturas duplicadas.** Éstas ocurren con frecuencia con exámenes de orina y otros exámenes comunes.

●**Exámenes repetidos o mal hechos.** No debe pagar por rayos X que no estén claros, exámenes de sangre dañados por muestras inadecuadas o cualquier examen que se deba repetir por un error del laboratorio del hospital.

●**Gastos no autorizados.** Los hospitales a veces cargan gastos a su tarjeta de crédito sin su aprobación. Insista en que le pidan su aprobación. No pague nada que usted no haya aprobado, aunque haya recibido el tratamiento.

●**Gastos fantasmas.** Los hospitales cobran a menudo por procedimientos que –aunque a usted no se los hayan hecho– son usualmente parte de la rutina de la atención del paciente. Tenga cuidado con cargos por exámenes que hayan sido ordenados y luego cancelados.

●**Artículos no solicitados.** A menudo, éstos tienen nombres confusos, por lo que pasan desapercibidos. Un "kit de terapia termal" de $15 puede ser una bolsa de hielo. Un "orinal" de $5 puede ser un vaso plástico.

●**Desglose.** A veces, procedimientos rutinarios son facturados por separado, y la suma de estas partes suele ser mayor que el todo.

●**Errores aritméticos.** Pueden ser verdaderos errores, pero el hospital no los corregirá a menos que usted les llame la atención. No pague la cuenta inmediatamente después de ser dado de alta del hospital. Llévesela a casa y revísela cuidadosamente.

La verdad sobre los hospitales y los errores en los medicamentos

Charles B. Inlander, consultor de servicios médicos y presidente de la organización sin fines de lucro People's Medical Society, un grupo en Allentown, Pensilvania, que defiende a los usuarios de servicios médicos. Es autor de numerosos libros, entre ellos, *Take This Book to the Hospital with You: A Consumer Guide to Surviving Your Hospital Stay.* People's Medical Society.

Los errores en medicamentos pueden promediar unos 50 por hora en un hospital de tamaño mediano.

La autodefensa: Antes de tomar un medicamento en un hospital o dejar que le pongan o le cambien un medicamento intravenoso, pregunte si su médico lo ordenó, y repita su nombre para asegurarse de que es para usted. Si no cuenta con un ser querido que pueda hacer estas preguntas –amigos o familiares no están disponibles las 24 horas del día– pague por un asistente para que lo haga. *Además:* si un medicamento se ve diferente o llega a una hora distinta, pida ver la orden del médico para el cambio.

Tiempo de recuperación más corto

James A. Kulik, PhD, profesor de psicología de la Universidad de California en San Diego. Su estudio de cirugía de bypass en 84 pacientes masculinos fue publicado en *The Journal of Personality and Social Psychology*, 750 First St. NE, Washington, DC 20002.

Los pacientes de cirugía vuelven a casa más rápido cuando se les asigna un cuarto semi-privado.

El estudio: Pacientes de cirugía de bypass fueron dados de alta en promedio con dos días de anticipación cuando antes de la cirugía compartieron la habitación con un paciente posoperatorio de cirugía de bypass, comparado con pacientes que tenían habitaciones privadas o que la compartían con alguien que esperaba cirugía.

La teoría: Los pacientes mejoran más rápido cuando pueden hablar con alguien que ha pasado por la misma experiencia.

Útil: Si usted no tiene un compañero de habitación posoperatorio, busque otros pacientes en el hospital que hayan pasado recientemente por el mismo procedimiento quirúrgico.

Preguntas que debe hacer sobre la cirugía del corazón

Julian Whitaker, MD, un cirujano que fundó y dirige el Whitaker Wellness Institute, el cual explora alternativas a la cirugía. El Dr. Whitaker es autor de *Is Heart Surgery Necessary? What Your Doctor Won't Tell You.* Regnery Publishing, Inc.

En mi opinión, el *90%* de las cirugías del corazón son innecesarias. Yo solo recomiendo cirugía en el 1% ó 2% de los pacientes con enfermedades del corazón.

Optar por la cirugía del corazón no es como tomar vitamina C cuando se siente venir un resfriado. Usted no puede simplemente decidir probarla y ver qué pasa. Usted podría sufrir una enorme cantidad de daños innecesarios.

Si la cirugía del corazón no lo ayuda, le hará daño. La cirugía del corazón duele mucho, cuesta mucho y lo debilitará por largo tiempo.

La realidad: Incluso la cirugía necesaria puede ser frecuentemente pospuesta mientras prueba terapias alternativas. La inmensa mayoría de los pacientes a quienes se les recomienda una cirugía de desviación (bypass) pueden esperar y salen mejor parados si lo hacen.

Estas son las preguntas que usted debería hacerle a su médico sobre la cirugía del corazón y las respuestas que yo daría a mis pacientes.

● **¿Por qué recomienda la cirugía?** Cualquiera de estas situaciones es una buena razón para una cirugía de desviación.

● **Bloqueo significativo en la arteria coronaria principal izquierda.** Como esta arteria mide sólo una pulgada (2,5 cm) de largo, el bloqueo puede cortar el suministro de sangre a todo el lado izquierdo del corazón.

● **Bloqueo significativo en tres o más arterias,** *sumado* a una disminución de la función ventricular izquierda (qué tan bien está funcionando el ventrículo izquierdo del corazón), *más* una fracción de eyección (porcentaje de sangre eyectada del corazón en cada latido) de menos del 50%.

•Dolor en el pecho que incapacita, no mejora con medicamentos y limita sus actividades.

Hay otras pocas justificaciones para la cirugía de bypass.

•¿Cuál es estadísticamente mi verdadero riesgo de muerte u otro daño grave (incluidos nuevos bloqueos de arterias) a causa de la cirugía misma? ¿Cómo se compara ese riesgo con el riesgo de otras terapias? La cirugía del corazón puede matarlo, ya sea que usted necesite la cirugía o no. Pídale a su médico que le muestre los resultados de las pruebas controladas en Estados Unidos que estén más cercanas a su propia situación.

En los dos estudios más amplios de cirugía del corazón hasta la fecha, casi a ningún grupo le fue mejor después de la cirugía que a los grupos tratados con formas alternativas. Además, la tasa de mortandad con técnicas no quirúrgicas fue menor.

•¿Cuál es la tasa real de mortandad? La tasa de mortandad para la cirugía de desviación varía en EE.UU. del 0% al 52%, dependiendo del hospital. El promedio nacional es del 3% al 5%. Después de los 65 años de edad, hay una probabilidad de *un tercio* de ataque al corazón, coma, derrame cerebral, insuficiencia renal o muerte.

Incluso el muy común proceso de angioplastia, en el cual un catéter se inserta en una arteria en la ingle y "culebrea" a través de los bloqueos, tiene una tasa de mortandad del 2% al 4%, y lleva a cirugía de desviación de emergencia en un 5% de las veces.

•¿Cuánto tiempo durarán los efectos de mi cirugía? La cirugía del corazón no es eficaz en todos los casos para toda la vida. Las arterias tratadas con angioplastia se vuelven a cerrar en el 35% de los casos en un plazo de seis meses. En alrededor de un 70% de los pacientes de cirugía de desviación, el dolor del pecho (angina) vuelve en un lapso de cinco años.

•¿Hay alguna manera de evitar la cirugía? Si su médico dice simplemente que no,

tenga cuidado. *Siempre* vale la pena discutir al menos una vez las opciones alternativas.

Obtenga una copia del novedoso artículo de Thomas B. Graboys, MD, un cardiólogo de la facultad de medicina de la Universidad Harvard (*Journal of the American Medical Association* 1987, 258: 1611–1614). Lleve la lista de cinco pasos del Dr. Graboys a su médico para discutir si usted cumple los requisitos definidos por este grupo de investigadores, llamado Grupo Lown (del Lown Cardiovascular Center en Boston).

Si todos los siguientes se aplican a usted, probablemente *no necesita* cirugía.

•Su ventrículo izquierdo no está deteriorado ni dañado y su fracción de eyección es más del 50%.

•Su angina puede ser causada por algo que puede remediarse sin cirugía.

•Una amplia prueba de esfuerzo ("stress test") en una caminadora no muestra arritmias inducidas por el ejercicio.

•Es posible establecer un programa de terapia no quirúrgica.

•Su arteria coronaria izquierda no está bloqueada en más de un 70%.

•¿Qué pasos puedo tomar para reducir mi necesidad de cirugía del corazón? Yo llamo a estas medidas los cuatro pilares de la terapia para revertir las enfermedades del corazón sin cirugía.

•Dieta. Especialícese en comidas muy bajas en grasas. Las grasas no deberían sobrepasar el 15% del total de calorías ingeridas en un día. Éste puede ser el paso más importante que pueda tomar. Perderá peso y disminuirá la tensión en su corazón.

•Suplementos nutricionales. Aumente la cantidad de magnesio y potasio en su dieta.

Con el permiso de su médico, tome hasta 1.000 miligramos de gluconato de magnesio ("magnesium gluconate") en pastillas diariamente. El magnesio corrige las irregularidades del corazón, disminuye el colesterol y ayuda a controlar la presión arterial. *Atención:* es peligroso para gente con insuficiencia renal.

Alimentos que son fuente de magnesio: Frutas frescas, verduras de hojas verdes, nueces, arroz integral ("brown rice").

Cuando el potasio se agota, el cociente del sodio con respecto al potasio aumenta, subiendo la presión arterial. Usted puede obtener suficiente potasio de la comida. *Buenas fuentes:* bananas, legumbres secas (frijoles, habichuelas, "beans"), lentejas, naranjas, mandarinas.

●**Ejercicio progresivo.** Ejercítese 20 minutos al día, tres veces a la semana. Poco a poco, aumente la dificultad y el tiempo. Bajará su presión arterial, diluirá su sangre y purgará el exceso de sodio a través del sudor. Pídale a su médico que lo refiera a un instructor profesional que pueda personalizar un régimen para su situación.

●**Terapia de quelación ("chelation").** Para reducir o eliminar el dolor de la angina, considere la terapia de quelación, que libera al cuerpo de venenos dañinos. En cada tratamiento de una serie de 20 a 30, que cuestan alrededor de $100 cada uno, una proteína sintética llamada en inglés EDTA (ácido etileno diamino tetracético) se administra de forma intravenosa. El EDTA se liga a los iones de los metales pesados tóxicos y los ayuda a disolverse en la sangre.

Por qué esto ayuda: El cobre y el hierro son en parte responsables al convertir el colesterol en una sustancia dañina. El plomo y el mercurio interfieren con las funciones normales de las enzimas que ayudan a evitar la formación de placas.

Muchos cardiólogos que siguen las corrientes principales no aprueban la terapia de quelación, efectivamente una técnica no tradicional. Para averiguar más, contacte al American College for Advancement in Medicine, 23121 Verdugo Dr., Suite 204, Laguna Hills, CA 92653, 949-583-7666 o 800-532-3688, *www.acam.org.*

●**Quizá pertenezca al pequeño porcentaje que realmente necesita cirugía del corazón. ¿Cómo puedo saberlo?** Las personas que realmente necesitan cirugía saben que están muy enfermas. Quizá hayan tenido algunos ataques al corazón. Sus síntomas pueden incluir fuertes dolores de pecho que vienen y van, respiración entrecortada frecuente, dificultad para subir escaleras sin descansar, pies hinchados y varios otros signos de alerta relacionados.

●**Me gustaría una segunda opinión. ¿Dónde puedo obtenerla?** *Siempre* busque una segunda opinión sobre la cirugía propuesta, ya sea que su compañía de seguros la requiera o no.

No consulte a un cirujano que sea colega de su médico. Los cirujanos que operan todo el día tienden a pensar que cortar es una buena idea. En su lugar, pida al American College for Advancement in Medicine o a alguna otra organización reconocida de medicina alternativa, el nombre de un médico en su zona que practique medicina preventiva con especialidad en enfermedades cardiacas.

Cómo prepararse para ser un paciente de cirugía ambulatoria

Charles B. Inlander, consultor de servicios médicos y presidente de la organización sin fines de lucro People's Medical Society, un grupo en Allentown, Pensilvania, que defiende a los usuarios de servicios médicos. Es autor de numerosos libros, entre ellos, *Take This Book to the Hospital with You: A Consumer Guide to Surviving Your Hospital Stay.* People's Medical Society.

La noche previa a la cirugía ambulatoria, note cualquier enfermedad y comuníquesela a su médico. Éste quizá quiera posponer el procedimiento.

●**No coma ni beba nada después de la media noche,** a menos que su médico lo haya aprobado.

●**Use ropa cómoda** para ir al hospital.

●**No use maquillaje,** ya que esto hace dificultoso para los anestesiólogos notar los cambios de tono en la piel.

●**Lleve cualquier medicamento que use** para que el anestesiólogo y el cirujano sepan exactamente qué está tomando.

●**Haga arreglos de transporte para después de la cirugía** y de ayuda en su casa por el periodo que su médico recomiende.

Secretos para sanar rápidamente después de la cirugía

Mehmet C. Oz, MD, cirujano cardiólogo y cofundador y director ejecutivo del Complementary Care Center del centro médico Columbia–Presbyterian en Nueva York.

Un cirujano de primera puede ser el ingrediente más importante para una cirugía exitosa, pero la habilidad del cirujano es sólo uno de los muchos factores que afectan la rapidez y la facilidad con la cual el paciente se recupera después de una operación. *Para acelerar la curación…*

● **Enfréntese a la cirugía como si fuera una competencia atlética.** El cirujano será su compañero de equipo. Asegúrese de que sea miembro del American College of Surgeons (800-621-4111, *www.facs.org*). *Además, asegúrese de que le responda "sí" a estas preguntas…*

● **¿Recomienda usted recibir visitas después de la cirugía?**

● **¿Está bien usar audífonos durante la cirugía?**

● **¿Puede mi familia traerme comida hecha en casa?**

● **¿Le importaría si un masajista viniera después de la operación?**

● **Preste atención a las instrucciones del cirujano sobre la dieta y los medicamentos.** Pregúntele sobre el uso de un suplemento vitamínico a diario por un período de siete a 14 días previos a la operación. Este suplemento debe contener betacaroteno (hasta 25.000 IU) y vitamina C (de 2 a 3 gramos [g]).

Para pacientes del corazón, yo también recomiendo 1 g diario de magnesio.

Atención: Deje de tomar vitamina E al menos una semana antes de la cirugía. Esto puede causar que la sangre se diluya.

● **Ejercítese regularmente en las semanas previas a la cirugía.** *No* recomiendo ejercicios vigorosos a alguien que está a punto de someterse a una cirugía del corazón. Sin embargo, ejercicios suaves como el yoga o caminar lo benefician sin elevar peligrosamente el ritmo cardiaco.

● **Pida ayuda a sus seres queridos.** Incluso antes de la cirugía, puede que la presencia de sus familiares le reconforte cuando se discutan las opciones de tratamiento.

Algunos miembros de la familia prefieren no esperar en el hospital durante la cirugía. Pero pueden averiguar por anticipado cuándo se espera que usted despierte, y planear estar allí en ese momento.

● **Evite en lo posible la comida del hospital.** Cuando estoy enfermo, no quiero comida de hospital. Quiero la comida de mi esposa. Comer comida a la que estoy acostumbrado me hace sentir mejor. Cuando es apropiado, yo insto a mis pacientes a traer comida casera al hospital.

Atención: Asegúrese de que la comida casera no viole ninguna de las restricciones en su dieta.

● **Escuche música que lo calme durante la cirugía.** Muchos pacientes de cirugía tienen algo de conciencia incluso cuando están bajo anestesia general. El sonido de los instrumentos quirúrgicos o las conversaciones entre el equipo de cirujanos puede ser estresante, aunque puede que los pacientes no recuerden este estrés después de la operación.

Cuando opero, les ofrezco música relajante a mis pacientes para escuchar con audífonos, o los dejo traer su música favorita.

● **Si fuma, deje de hacerlo.** Por lo menos, deje de fumar dos semanas antes de la cirugía.

● **Practique el control del estrés.** Varios reductores de estrés comprobados y eficaces pueden adaptarse para usarse en el hospital.

● **Yoga.** La mayoría de los pacientes puede practicar ejercicios suaves de yoga unos pocos días después de la cirugía. El yoga estimula la fortaleza y mejora el rango de movimientos, y le permite silenciar sus preocupaciones por un tiempo.

● **Masajes.** Algunos hospitales tienen masajistas entre el personal. Otros permiten a sus pacientes hacer sus propios arreglos para masajes en las habitaciones.

● **Hipnosis.** La autohipnosis disminuye la ansiedad previa a la cirugía y también el dolor posterior.

Pídale a su médico o a un trabajador social del hospital que le recomiende un psicólogo que haga hipnosis u otras técnicas de relajación.

Datos sobre la recuperación de la cirugía del corazón

Thomas E. Oxman, MD, es director de psiquiatría geriátrica de la facultad de medicina de la Universidad Dartmouth en Lebanon, New Hampshire.

El apoyo social y la religión ayudan a la gente a sobrevivir la cirugía del corazón. Entre las personas que escogieron cirugía de corazón abierto, el riesgo de morir fue cuatro veces mayor en pacientes que no participaban en grupos sociales, y tres veces mayor para aquéllos que no tenían fuertes creencias religiosas. Para los pacientes que *carecían* tanto de apoyo social como de fuertes creencias religiosas fue 14 veces más probable que murieran en los seis meses siguientes a la cirugía que los pacientes que sí tenían ambos.

Este procedimiento común puede ser inseguro

Alfred F. Connors, Jr., MD, director del departamento de medicina del centro médico Metro Health de la Universidad Case Western Reserve y profesor de medicina en la facultad de medicina de dicha universidad, ambos en Cleveland. Su estudio de 5.700 pacientes gravemente enfermos fue publicado en *The Journal of the American Medical Association*, 515 N. State St., Chicago 60610.

El procedimiento llamado *cateterización de la arteria pulmonar* ("pulmonary artery catheterization") se utiliza para diagnosticar y tratar las deficiencias del corazón y otras enfermedades graves. Esto implica pasar un catéter hasta el corazón a través de una vena localizada en el cuello.

Hallazgo: Los pacientes que se sometieron al procedimiento tuvieron una tasa de muerte

superior y estancias más largas en el hospital que los que no lo hicieron.

La autodefensa: Antes de someterse al procedimiento, los pacientes deberían discutir las ventajas y desventajas con el médico.

Primero investigue y compare

Donald Palmisano, MD, JD, profesor clínico de cirugía y jurisprudencia médica de la facultad de medicina de la Universidad Tulane en Nueva Orleans.

Investigar y comparar para conseguir un hospital puede tener como resultado una mejor atención y ahorrarle dinero en procedimientos que no están cubiertos o están solo parcialmente cubiertos por el seguro. Muchos médicos tienen privilegios de admisión en dos o más hospitales. Usted puede simplemente preguntar a cada hospital por un precio estimado. Si está en un plan de atención médica dirigida y quiere ir a un hospital que no está en el plan, pregúntele a su médico si lo puede ayudar a negociar para que el hospital acepte lo que el plan vaya a pagar. Debido a la creciente competencia, algunos hospitales accederán.

El peligro de la cirugía del talón

G. Andrew Murphy, MD, instructor de ortopedia en la Universidad de Tennessee en Memphis.

La cirugía para el dolor crónico del talón puede causar arcos caídos y una sensación de debilidad en el pie. La operación llamada *liberación de la fascia plantar* implica cortar una banda de tejido en el extremo del talón.

Lo mejor: Un acercamiento conservador con pastillas para el dolor, estiramientos y, de ser necesario, inyecciones de cortisona. La cirugía debe ser considerada solo si el dolor persiste por más de un año.

Trampa de la transfusión

Karen Shoos Lipton, JD, presidenta de la American Association of Blood Banks, 8101 Glenbrook Rd., Bethesda, MD 20814.

Los pacientes que donan sangre para su propio uso durante la cirugía –*donación de sangre autóloga* ("autologous donation")– no siempre llegan a usarla.

La autodefensa: Su médico debería notificar al servicio de transfusiones del hospital cuando sea admitido. Justo antes de la transfusión es necesario volver a chequear el tipo de sangre del paciente.

La anestesia y las operaciones

Norig Ellison, MD, profesor de anestesia de la facultad de medicina de la Universidad de Pensilvania en Filadelfia.

Muchas operaciones pueden realizarse con anestesia local. Éstas incluyen la cesárea, la corrección de la rodilla, apendicectomía, histerectomía y muchos otros procedimientos que solían requerir anestesia general.

Los beneficios: Con la anestesia local, el paciente permanece despierto y usualmente ofrece una mejor oportunidad para una recuperación rápida y sin incidentes.

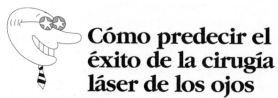

Cómo predecir el éxito de la cirugía láser de los ojos

Milton M. Hom, OD, optometrista con práctica privada en Azusa, California.

Lentes de contacto especiales pueden ayudar a la gente que está considerando cirugía láser correctora de la vista a determinar *por anticipado* si el procedimiento les va a funcionar. *Antecedentes:* muchos oftalmólogos ahora usan un procedimiento ambulatorio de diez minutos conocido como *queratomileusis in situ asistida con láser* (LASIK, por sus siglas en inglés) para corregir problemas de la vista relacionados con la edad (presbicia). Comúnmente, LASIK se usa para corregir la visión cercana en un ojo y la visión a distancia en el otro. Algunas personas pueden adaptarse a la disparidad entre los ojos. Otras no. Sin embargo, al pasar de siete a 14 días usando lentes de contacto que simulan el efecto de la cirugía LASIK, la gente puede determinar fácilmente si serán capaces de adaptarse. Los lentes de contacto pueden ser recetados por un optometrista.

Advertencia sobre la cirugía LASIK

R. Doyle Stulting, MD, profesor de oftalmología en la Universidad Emory en Atlanta.

Para que la cirugía LASIK corrija los problemas de miopía se requiere un cirujano muy experimentado para minimizar las complicaciones. La LASIK corrige los problemas de miopía usando un rayo láser para eliminar una delgada capa de tejido de la cornea para aplanarla. Un estudio de 547 pacientes que se sometieron a una LASIK halló que las complicaciones ocurrieron alrededor de un 5% de las veces, y hubo pérdida de visión grave en tres casos. Las complicaciones fueron más frecuentes cuando la operación la llevó a cabo un cirujano inexperto.

Endoscopia: ¿Es su médico competente?

Paul Jowell, MD, médico encargado de gastroenterología del centro médico de la Universidad Duke en Durham, Carolina del Norte.

Por mucho tiempo los gastroenterólogos se consideraron a sí mismos competentes para practicar un procedimiento de endoscopia siempre y cuando lo hubieran hecho al menos 50 veces.

Ahora: Las investigaciones sugieren que la habilidad adecuada se alcanza solo cuando han hecho el procedimiento al menos 180 veces.

La autodefensa: Si un médico recomienda una endoscopia, pregunte por su experiencia antes de decidir someterse al procedimiento.

Para reducir los riesgos de las transfusiones

Neil Blumberg, MD, director de transfusiones médicas del hospital Strong Memorial en Rochester, Nueva York.

Pregúntele a su cirujano si usted puede ser un *donante autólogo* y/o sobre *la cirugía sin sangre*. Un donante autólogo dona su propia sangre para su uso posterior. Esto elimina prácticamente el riesgo de infecciones causadas por la sangre. En la cirugía sin sangre se usan láseres y medicamentos para controlar el sangrado durante la cirugía. Así pierde menos sangre y es menos propenso a necesitar una transfusión.

Los principales riesgos en los hospitales y cómo evitarlos

Sheldon Blau, MD, profesor clínico de medicina de la State University of New York (SUNY) en Stony Brook. Es coautor de *How to Get Out of the Hospital Alive: A Guide to Patient Power.* Macmillan.

La mayoría de la gente supone ciertas cosas cuando ingresa en un hospital. "Estoy a salvo aquí", piensa. "Puedo confiar que estas personas van a cuidarme bien".

Pero los errores ocurren, y a veces con consecuencias graves e incluso fatales.

He sido médico por más de 35 años, pero no llegué a sentir lo peligrosos que pueden ser los hospitales hasta que hace tres años fui hospitalizado para una angioplastia.

Una arteria se rompió durante el proceso, y me tuvieron que hacer una cirugía de corazón abierto de emergencia para repararla. Luego tuve una fuerte infección por estafilococo debido a un catéter insalubre. Para colmo, me vino una flebitis en un brazo por tantos pinchazos de las agujas. La inflamación tardó meses en sanar.

Mi experiencia no fue única. Algo similar podría pasarle a usted. *Pero puede protegerse si sabe de qué cuidarse…*

•***Trampa Nº 1:*** **Ser confundido con otro paciente.** Esto ocurre más a menudo de lo que usted se imagina. Una vez que tenga su habitación asignada, pregunte si otro paciente en esa zona tiene el mismo apellido o uno similar al suyo. Si es así, pida ser trasladado a otra zona. Tal solicitud puede no caer bien, pero su vida podría estar en peligro.

Tan pronto como se traslade a su habitación, coloque un letrero con su nombre y número de habitación directamente sobre su cama. Pídale a un amigo o a un familiar que pase el mayor tiempo posible con usted durante su estancia en el hospital, haciendo preguntas, insistiendo en que usted reciba la atención adecuada, etc.

Su "defensor" debe dejar claro que espera ser consultado en todas las decisiones de tratamientos. Durante mi estancia en el hospital, mi esposa estuvo a mi lado las 24 horas del día. Su persistencia salvó mi vida.

Si va a operarse: Ha ocurrido alguna vez que cirujanos han operado el lado incorrecto del cuerpo o han extraído órganos equivocados, etc. Para evitar errores como estos, reúnase con el cirujano la noche anterior a la operación. Discuta con él el procedimiento en detalle y la parte exacta del cuerpo que será operada.

Para tener absoluta seguridad: Unas pocas horas antes de la cirugía, use un marcador para escribir "CORTE AQUÍ" en el lugar de la incisión.

•***Trampa N° 2:*** **Contraer una infección.** Uno de cada cinco pacientes contrae algún tipo de infección mientras está hospitalizado. Cada año, 80.000 pacientes mueren como resultado de *infecciones* en hospitales.

Las mayores amenazas: Infecciones por estafilococos y neumonía. Los estafilococos pueden ser mortales, especialmente si usted se enferma por una de las nuevas familias resistentes a los antibióticos.

¿Por qué hay una incidencia tan alta de infecciones en los hospitales en EE.UU.? Manos y equipos sucios son los culpables usuales.

Solo uno de cuatro médicos se lava las manos de forma constante entre pacientes. Y una proporción aún menor lava su estetoscopio entre pacientes. La American Medical Association ha lanzado un alerta sobre "estetoscopios asesinos".

La autodefensa: Lávese las manos con frecuencia, e insista en que todos los médicos y enfermeras se laven las manos antes de tocarlo. Sea educado, pero no se preocupe de estar ofendiendo a alguien.

Avise de inmediato si su habitación se ve sucia o si se acaba el jabón o las toallas.

Asegúrese de que todos los equipos que entren en contacto con su piel hayan sido limpiados con alcohol (o cubiertos con un plástico desechable en forma de protección). Esto es válido para estetoscopios, termómetros, otoscopios (para ver los oídos), bombas de infusión, equipo de diálisis y catéteres urinarios.

Especialmente peligroso: Las unidades de terapia intensiva. Como las camas están tan cerca entre sí, el riesgo de infección es mucho mayor allí que en cualquier otra habitación privada o semiprivada.

●**Trampa N° 3:** Recibir el medicamento equivocado. Una enfermera puede darle el medicamento equivocado sin darse cuenta, o darle el correcto en una dosis u hora equivocada o a través de la vía equivocada.

Cada año, decenas de miles de pacientes hospitalizados mueren como resultado de estos errores en la medicación.

Según un estudio de Harvard, los errores causan un 40% de todas las reacciones adversas a medicamentos en los hospitales de EE.UU.

La autodefensa: Aprenda los nombres, las dosis y la vía correcta de administración de los medicamentos que le hayan sido recetados. Verifique esta información con la enfermera cada vez que le den la medicación.

Aprenda también el horario de las dosis. Las enfermeras a veces se retrasan, y hay que recordárselo.

Si le suministran una pastilla o líquido (o fluido intravenoso) que difiere de lo que le han estado dando, verifíquelo nuevamente con la enfermera antes de tomarlo.

Alerte a la enfermera *de inmediato* si tiene cualquier reacción adversa al medicamento, como dolor o sensación de ardor, respiración entrecortada, mareo, confusión, presión en el pecho, adormecimiento o picazón. Si tiene alergias, asegúrese de que estén listadas en su cuadro médico.

Recursos útiles: El libro *The Johns Hopkins Handbook of Drugs* (Random House).

●**Trampa N° 4:** Ser robado o asaltado. Con todos los trabajadores, pacientes, familiares, gente que hace entregas, etc., dando vueltas por el hospital, es difícil para los guardias de seguridad del hospital seguirle la pista a todo el mundo.

Especialmente peligroso: Salas de emergencia. Más de la mitad de toda la violencia en los hospitales ocurre en las salas de emergencia. Uno de cada tres pacientes de emergencia está armado. Uno de cada cuatro está bajo los efectos de alguna droga ilícita.

Si va a la sala de emergencia lleve a un acompañante. Mientras esté allí, no hable ni mire a nadie que se vea tenso, ruidoso o beligerante. En cambio, alerte a un guardia de seguridad disimuladamente.

Los estacionamientos de los hospitales pueden ser peligrosos también. Si se siente nervioso, pídale a un guardia de seguridad que lo escolte desde y hacia el auto.

Si se está quedando en una habitación del hospital, averigüe con anticipación sobre la seguridad. Antes de irse a dormir, asegúrese de que la luz del baño esté encendida y que el botón para llamar a la enfermera esté a su alcance.

La mejor opción para la cirugía de hernia

Robert Kozol, MD, es jefe de cirugía del centro médico de la Veterans Administration en Detroit. Su estudio de dos años de 62 pacientes de hernia fue publicado en *Archives of Surgery*, 1411 E. 31 St., Oakland, CA 94602.

La cirugía de hernia de antaño puede ser mejor que la nueva cirugía de laparoscopia.

Ventajas de la laparoscopia: Requiere solo una pequeña incisión, causa menos dolor, permite una rápida recuperación, y el cirujano puede corregir una hernia bilateral (doble) en un solo procedimiento.

Desventajas de la laparoscopia: Requiere anestesia general, mientras que la cirugía de incisión abierta permite anestesia local, es más difícil de ejecutar que la cirugía de incisión abierta y es más cara.

El bebedor de café y la trampa de la cirugía

Joseph Weber, MD, profesor auxiliar de anestesiología de la Mayo Clinic en Scottsdale, Arizona.

Los bebedores de café que enfrentan una cirugía pueden evitar el dolor de cabeza posoperatorio al recibir cafeína de forma intravenosa después de la cirugía. Los cirujanos usualmente les avisan a sus pacientes que eviten el café durante las dos horas previas a la operación. Como consecuencia, estas personas experimentan dolores de cabeza por falta de cafeína cuando llegan a la sala de recuperación.

Hallazgo: Los pacientes a quienes se les dio cafeína intravenosa después de la cirugía tuvieron un menor riego de dolor de cabeza: 10% en lugar del 25% para quienes no recibieron cafeína.

Consecuencia: Cualquier bebedor de café que vaya a operarse debe preguntarle al médico sobre la cafeína intravenosa posoperatoria.

10

Secretos de salud para el hombre

Prevención contra la pérdida del cabello, su reemplazo y cómo hacerlo crecer de nuevo

David Orentreich, MD
Facultad de medicina Mount Sinai

Hombres y mujeres han batallado contra la pérdida del cabello durante milenios. Los antiguos egipcios probaron untar sus espacios calvos con grasa animal, mientras que Julio César llevaba su famosa corona de laurel baja para esconder el retroceso de la línea del cabello.

Estas medidas nos pueden parecer tontas ahora, pero los métodos que se han probado desde entonces –desde las lociones recetadas hasta el cabello falso en spray– no han sido mucho mejores para hacer que el cabello crezca.

¿Existe una manera verdaderamente eficaz para detener la pérdida de cabello? *Para averiguarlo, hablamos con el especialista en cabello David Orentreich, MD.*

● **¿Qué causa la pérdida del cabello?** A los 50 años de edad, la pérdida de cabello afecta a más del 50% de los hombres y del 25% de las mujeres. La mayoría de ellos tiene lo que se conoce como *alopecia androgénica*.

En los hombres, esta condición hereditaria (también conocida como calvicie masculina o "male pattern baldness") hace que el pelo retroceda desde la frente hacia la corona. En las mujeres, hace más ralo el pelo de toda la cabeza.

En la raíz del problema están –literalmente– las hormonas masculinas *testosterona* y *dihidrotestosterona*. Estos andrógenos, presentes en hombres y mujeres, hacen que el crecimiento del cabello se "apague".

David Orentreich, MD, profesor clínico auxiliar de la facultad de medicina Mount Sinai y dermatólogo con práctica privada, ambas en Nueva York.

●¿Qué se sabe sobre otras causas? La segunda causa principal de la pérdida de cabello es la *alopecia areata*. Este desorden del sistema autoinmune, del que poco se sabe, inflama los folículos del pelo y causa parches calvos en el cuero cabelludo –y a veces también en otras partes del cuerpo.

Otras causas de la pérdida del cabello son los problemas de la tiroides, el embarazo y otras afecciones que perturban el equilibrio hormonal del organismo.

Algunos casos de pérdida de cabello se deben a peinados con trenzas como el "corn-rows", que estiran con firmeza el cabello, cortando el flujo de sangre a los folículos y causando un retroceso en la línea del cabello.

●¿Es cierto que algunos medicamentos causan la pérdida del cabello? Sí. Algunos diuréticos, antidepresivos y agentes de quimioterapia para el cáncer pueden causar una pérdida de cabello temporal.

A veces hasta dejar de tomar píldoras anti-conceptivas causa la caída repentina del pelo.

●¿Cuál es el mejor tratamiento para la pérdida de cabello? Eso depende de la causa de la pérdida de cabello. A veces todo lo que hay que hacer es cambiar de medicamento o de peinado, o tratar una afección subyacente.

Si la culpable es la alopecia areata, a menudo ayudan las inyecciones del fármaco antiinflamatorio *cortisona*.

Un dermatólogo inyecta cantidades diminutas de cortisona en forma de cuadrícula en el cuero cabelludo. Esto bloquea la reacción inmune subyacente en la pérdida del pelo, permitiendo que el cabello vuelva a crecer.

Si le tiene miedo a las inyecciones, la crema recetada de cortisona, que es de 100 a 1.000 veces más concentrada que la que se vende sin receta médica, podría dar buenos resultados.

●¿Y si es alopecia androgénica? No existe remedio para esta forma de calvicie. Pero, la mayoría de las veces se puede impedir que empeore con un tratamiento agresivo.

He averiguado que el medicamento para la pérdida del cabello *minoxidil* (Rogaine) –que eleva el flujo de sangre a los folículos– no es la cura milagrosa que esperábamos.

La crema de minoxidil funciona a menudo al principio, pero pronto pierde su efectividad. Eso es porque el flujo deficiente de sangre a los folículos es solo una pieza del rompecabezas.

El problema real es la presencia de andrógenos. Para eso se necesita un medicamento que bloquee los andrógenos, como la *finasterida* (Proscar), que se desarrolló originalmente para tratar el agrandamiento de la próstata.

He notado que, a menudo, la pérdida del cabello puede detenerse a largo plazo mezclando minoxidil con finasterida y la hormona de la tiroides u otro medicamento que estimule el metabolismo del cabello.

El paciente tiene que frotarse este "coctel" de tres medicamentos en el cuero cabelludo todos los días.

Si un dermatólogo le ha recomendado solo minoxidil, pregúntele si puede usarlo con estos medicamentos. Ni los hombres que están intentando engendrar ni las mujeres embarazadas o que intentan concebir deben usar finasterida.

●¿Qué se sabe sobre el crecimiento de cabello nuevo? Si la pérdida de pelo se ataca suficientemente pronto, el coctel de los tres medicamentos puede hacer crecer suficiente cabello como para que se note menos.

Esto es particularmente cierto para las mujeres. Como sus niveles de andrógeno son solo el 10% del de los hombres, es más fácil que la finasterida de resultados.

Cuando se trata de hombres que han estado perdiendo pelo por más de diez años, la terapia tópica raramente es suficiente. Cuando mis pacientes masculinos me dicen que quieren que el cabello les vuelva a crecer, les digo que la finasterida *oral* es su mejor opción.

Claro que la finasterida no funciona en todos los casos. Incluso cuando funciona, no podemos prometer que le crecerá el cabello en un 100%. Pero desde que la finasterida está a la venta, puedo hacer más por mis pacientes que nunca antes.

●¿Hay alguna otra opción para que el cabello crezca otra vez? Pues está la opción de los trasplantes de cabello.

El procedimiento básico de trasplante de cabello lo desarrolló mi padre, Norman Orentreich, MD, en 1953. Aunque desde entonces la cirugía se ha refinado mucho, el concepto básico es el mismo. Se "cosecha" cabello sano de la parte de atrás de la cabeza del paciente y se trasplanta a las zonas calvas de arriba y de adelante.

Antiguamente, los injertos eran tan grandes que a menudo dejaban un aspecto de "amontonamientos". Ahora uso microinjertos que no contienen más de dos pelos cada uno.

Con los microinjertos, la apariencia es tan natural que después de que el trasplante ha crecido, a menudo el paciente no puede decir exactamente dónde fue. Se requieren varias sesiones de entre dos y cuatro horas. *El costo:* entre $1.000 y $6.000 por procedimiento.

• **¿Qué nos dice sobre las extensiones tejidas ("hair weaves")?** Las extensiones son simplemente pelucas que se cosen al cabello. Con frecuencia las extensiones se ven bien inicialmente, pero son difíciles de mantener.

Un trasplante no necesita ningún cuidado especial. Una extensión requiere limpieza y apretado regular. Eso significa que tendrá que ir con frecuencia al salón que instaló la extensión.

Los hombres dominantes mueren antes

Michael Babyak, PhD, investigador del centro médico de la Universidad Duke en Carolina del Norte, dirigió un estudio de 750 hombres durante más de 22 años.

Los hombres con características vocales fuertes, como intentar interrumpir las conversaciones y responder rápidamente, tuvieron un 60% más de probabilidades de morir antes que los que hablaban más bajo y eran más tranquilos.

La teoría: Los hombres socialmente dominantes necesitan tener el control en todo momento. Esto aumenta los niveles de hormonas de estrés en la sangre, y con el tiempo esto puede dañar el corazón y el sistema inmune.

El riesgo de la panza

Eric B. Rimm, ScD, profesor auxiliar de nutrición y epidemiología de la facultad de sanidad pública de la Universidad Harvard en Boston. Su estudio de cinco años de 28.643 hombres de entre 40 y 75 años de edad fue publicado en el *American Journal of Epidemiology*, 111 Market Pl., Baltimore, MD 21202.

Los hombres con panza enfrentan un riesgo elevado de derrame cerebral.

El factor crítico: La relación cintura-cadera ("waist-to-hip ratio" o "WHR" por sus siglas en inglés). En un estudio, los hombres con el WHR más alto (por encima de 0,98) sufrieron de dos a tres veces el número de derrames que los hombres con el WHR más bajo (0,89). Para calcular su WHR, divida la medida de su cintura entre la de su cadera.

Casi todos los hombres pueden ser padres

Richard J. Sherins, MD, director del programa de infertilidad masculina del Genetic & IVF Institute en Fairfax, Virginia.

Los hombres que no tienen espermatozoides viables en el semen casi siempre tienen espermatozoides inmóviles en sus testículos. Si esos espermatozoides se inyectan en un óvulo, pueden fertilizarlo. Esto solía requerir una cirugía cara y dolorosa para obtener los espermatozoides.

En la actualidad se aspiran con una aguja delgada en un procedimiento que es suficientemente sencillo como para hacerlo en un consultorio médico.

Los factores de la infertilidad

Emmett F. Branigan, MD, profesor auxiliar de obstetricia y ginecología de la facultad de medicina de la Universidad de Washington en Seattle. Su estudio de un año de 95 parejas con infertilidad inexplicable se publicó en *The Journal of Reproductive Medicine*, 8342 Olive Blvd., St. Louis, MO 63132.

La infertilidad inexplicable es a menudo el resultado de *leucocitospermia*, una afección en la que los glóbulos blancos de la sangre del hombre afectan negativamente sus espermatozoides.

Las buenas noticias: En un estudio, el índice de fertilidad aumentó *ocho veces* cuando el hombre y la mujer empezaron a tomar el antibiótico *doxiciclina*. La terapia de antibióticos cuesta mucho menos que la fertilización in vitro, que cuesta aproximadamente $12.000.

La infertilidad y las infecciones

Harry Fisch, MD, director del Male Reproductive Center del centro médico Columbia–Presbyterian, 944 Park Ave., Nueva York 10028.

Muchos problemas de infertilidad masculina provienen de infecciones. Las bacterias y los glóbulos blancos que combaten las infecciones presentes en el tracto reproductor, pueden afectar severamente la producción y la movilidad de los espermatozoides, causando problemas de fertilidad. Muchas de estas infecciones pueden ser tratadas en forma sencilla y eficaz con antibióticos.

Además: La causa de una cantidad baja temporal de espermatozoides puede ser una enfermedad… o podría ser un antiguo vestigio de una enfermedad transmitida sexualmente contraída años atrás, pero que nunca fue curada completamente. Los antibióticos también pueden solucionar rápidamente este problema.

La ropa interior apretada y la infertilidad masculina

Carolina H.J. Tiemessen, MD, especialista en fertilidad del hospital St. Elizabeth en Tilburg, Holanda. Su estudio de calidad del esperma en nueve hombres fue publicado en *The Lancet*, 32 Jamestown Rd., Londres NW1 7BY.

La ropa interior apretada puede contribuir a la infertilidad masculina. Durante seis meses, los hombres usaron calzoncillos tipo "boxer" y pantalones holgados; además, evitaron los baños calientes, los saunas y las mantas eléctricas. Durante otro período de seis meses, los hombres usaron calzoncillos tipo "brief" y no evitaron estas fuentes de calor.

El resultado: Los hombres tuvieron menor cantidad de espermatozoides y la movilidad de los mismos se redujo durante el periodo en que usaron los "brief".

La teoría: Los calzoncillos apretados aumentan la temperatura en el escroto, perjudicando la formación de espermatozoides.

Ayuda para la eyaculación precoz

Janet Lever, PhD, profesora adjunta de sociología de la Universidad California State en Los Ángeles, y Pepper Schwartz, PhD, profesora de sociología de la Universidad de Washington en Seattle.

La eyaculación precoz es el problema sexual masculino más común. La mayoría de los casos puede remediarse fácilmente con una técnica de arrancar y parar en la que el hombre se vuelve más consciente de su propio modelo de excitación y aprende a cambiar su técnica.

Más información: Consulte a su médico internista o a un urólogo.

La alternativa más segura para revertir las vasectomías

Harry Fisch, MD, director del Male Reproductive Center del centro médico Columbia–Presbyterian, 944 Park Ave., Nueva York 10028.

Los hombres que se han hecho una vasectomía pero que luego quieren tener hijos ya no necesitan operarse para revertir la vasectomía. Ahora se puede quitar una pequeña cantidad de tejido que contenga esperma usando anestesia local. Es un procedimiento que tarda alrededor de un minuto en el consultorio del médico, comparado con las casi tres horas en la sala de operaciones que dura revertir la vasectomía. El esperma se inyecta luego en los óvulos de la esposa a través de la fertilización in vitro. Alrededor de 500.000 hombres por año se hacen vasectomías, y entre el 1% y el 2% la revierte, un porcentaje que está en aumento.

Ayuda para el pene encorvado

Tom F. Lue, MD, profesor de urología de la Universidad de California en San Francisco.

Se puede reparar un pene encorvado con cirugía. La afección, llamada *enfermedad de Peyronie*, ocurre cuando el tejido eréctil de una parte del pene se cicatriza como resultado de un trauma físico –normalmente durante el coito– o de un trastorno genético. En un procedimiento se cose el tejido eréctil del lado opuesto al tejido del problema. El procedimiento se realiza con anestesia local y toma unos 30 minutos.

Las estrategias para superar la impotencia

Irwin Goldstein, MD, profesor de urología en el centro médico de la Universidad de Boston. Es autor de *The Potent Male* (Regenesis Cycle Publishing) que se vende con el video "Reversing Impotence".

La impotencia puede ser un problema difícil, pero *no* porque no haya un tratamiento eficaz. En años recientes se han introducido una gran cantidad de tratamientos gracias a los cuales la mayoría de los hombres puede obtener ayuda para esta dolencia.

El problema es que la impotencia es una fuente de vergüenza tal, que muchos de los 30 millones de hombres estadounidenses que la padecen no están dispuestos a buscar ayuda.

Decirle a un médico un secreto que nunca ha compartido con nadie –tal vez ni siquiera con su esposa– es demasiado difícil para algunos hombres.

El único consejo que tengo para los hombres que son demasiado orgullosos para buscar ayuda para la impotencia es que *dejen de lado* el orgullo. Después de todo, ¿no prefiere soportar unos minutos de vergüenza en el consultorio del médico a olvidarse de la satisfacción sexual por el resto de su vida?

CÓMO CONSEGUIR AYUDA

El primer paso debería ser encontrar a un urólogo especializado en el tratamiento de la impotencia.

Los especialistas afiliados a las universidades tienden a estar más actualizados en tratamientos para la impotencia que los que no lo están.

Los hombres que padecen impotencia deberían ir a la cita inicial con su pareja sexual.

Antes los médicos pensaban que nueve de cada diez casos de impotencia provenían de factores completamente psicológicos.

Ahora está claro que aunque la ansiedad causada por el desempeño sexual y otros problemas psicológicos tienen a menudo un papel, la mayoría de los casos tiene causas fisiológicas.

Ejemplos: Vasos sanguíneos lastimados en la ingle; aterosclerosis de las arterias del pene.

Por esta razón, para diagnosticar impotencia se requiere un examen físico por un médico *y* una evaluación psicológica.

Si su médico no lo puede referir a un terapeuta sexual, puede obtener una referencia enviando un sobre con estampilla y con su dirección a la American Association of Sex Educators, Counselors and Therapists, Box 5488, Richmond, VA 23220, o use el localizador en línea del sitio Web *www.aasect.org*.

Un pequeño porcentaje de hombres supera la impotencia con terapia sexual o con cirugía microvascular para reparar los vasos sanguíneos del pene dañados por lesiones en la ingle.

Tratamientos para la impotencia masculina

J. Francois Eid, MD, profesor adjunto de urología de la facultad de medicina Weill de la Universidad Cornell y director del centro de función sexual en el hospital New York-Presbyterian, ambos en Nueva York.

La impotencia masculina –o disfunción eréctil, como los médicos prefieren llamarla– es uno de los problemas médicos sin tratar más comunes en el mundo.

En EE.UU., unos 20 millones de hombres pueden tener problemas para alcanzar o mantener una erección.

La prevalencia del trastorno aumenta con la edad. Solo el 5% de los hombres de 40 años sufre disfunción eréctil. La proporción a los 70 años está entre el 15% y el 30%.

Sin embargo, de los hombres afectados solo uno de cada 20 busca ayuda médica. *Esto es una desgracia por dos razones…*

●**La pérdida consistente de la erección no es normal a ninguna edad,** y realmente puede ser síntoma de una enfermedad.

●**Con tantos tratamientos eficaces disponibles en la actualidad** y con muchos más en camino, se puede tratar la disfunción eréctil casi siempre con éxito.

Más del 80% de toda disfunción eréctil puede remontarse a una causa física, normalmente la incapacidad para mantener la sangre en el pene después de la erección.

Un porcentaje mucho menor de casos tiene origen psicológico. Estos pacientes tienden a ser más jóvenes y a no tener ninguna erección en absoluto con la pareja, aunque quizá sean capaces de tener una erección cuando están solos, viendo una película erótica, por ejemplo. Cuando el trastorno es físico, normalmente el paciente tendrá por lo menos una erección parcial.

EL TRATAMIENTO PARA LA DISFUNCIÓN ERÉCTIL

Aunque su incidencia es más alta entre los hombres mayores, la dificultad para mantener una erección no es parte normal del envejecimiento. Un varón saludable con una pareja dispuesta puede esperar tener una o dos erecciones utilizables a la semana a los 80 años.

Una pérdida ocasional de la erección no es nada de qué preocuparse. Pero si pasa de forma constante, vea a un médico con amplia experiencia en el tratamiento de la disfunción eréctil, ya sea un internista especializado en disfunción eréctil (que constituya por lo menos la mitad de su práctica médica) o un urólogo.

La diferencia principal: Sólo un urólogo puede implantar una prótesis quirúrgicamente.

¿QUÉ PUEDE ESPERAR?

Lo primero que el médico debería hacer es un historial médico que incluya todos los aspectos psicológicos y sexuales de la disfunción.

También debe hacerle un chequeo físico completo para identificar cualquier posible enfermedad subyacente. La dificultad para tener o mantener una erección a menudo es un indicativo de problemas vasculares en otra parte del cuerpo, incluidas enfermedades del corazón. *Otros factores que pueden afectar su erección…*

●**El colesterol alto.**

●**Fumar cigarrillos** (estrecha los vasos sanguíneos que van al pene).

●**El consumo excesivo de alcohol.**

●**La diabetes** (el 60% de los hombres diabéticos puede tener problemas de erección en algún momento).

●**Ciertos medicamentos recetados,** en particular los medicamentos para la presión arterial y para las enfermedades cardiovasculares, y algunos tranquilizantes y antidepresivos.

•**La terapia de radiación.**

•**La cirugía de la pelvis.**

•**Derrame cerebral o alguna enfermedad neurológica,** incluidos el mal de Parkinson, el mal de Alzheimer y la esclerosis múltiple.

Con frecuencia, el tratamiento de estas causas subyacentes puede resolver el problema. Si la disfunción es psicológica, probablemente se le referirá a un terapeuta sexual certificado. Si el problema resulta ser un simple asunto de comunicación con su pareja, un terapeuta podría ayudar a resolverlo en forma relativamente rápida.

Cuando la disfunción involucra aspectos arraigados más profundamente, como inhibiciones o ansiedad en cuanto al desempeño relacionadas con la educación o con antecedentes religiosos y sociales, el tratamiento tiende a ser más difícil y más largo.

TODO ESTÁ EN LOS MÚSCULOS

La mayoría de los problemas de erección crónicos, sin embargo, no están en la mente del hombre, sino en las células del músculo. Noventa por ciento de la disfunción física ocurre porque, con el tiempo, el pene pierde flexibilidad y elasticidad, hasta que se daña su capacidad de retener y mantener la sangre. No importa cuánta sangre fluya dentro del pene, nunca se retiene.

Esto pasa porque las células del músculo en el pene se hacen más delgadas con la edad, mientras que la red de apoyo de colágeno (el tejido conectivo) ya no se renueva tan rápidamente como cuando se era más joven, y se hace menos elástica. Como consecuencia, los músculos del pene son incapaces de relajarse totalmente, lo cual es necesario para que puedan retener la sangre en el pene.

CINCO TRATAMIENTOS

En la actualidad se usan cinco tipos de tratamiento para combatir la disfunción eréctil. Usted debe decidirse por un tratamiento luego de discutir cada opción en detalle con su médico y con su pareja.

Para lograr un buen resultado es vital tratar la disfunción eréctil como un problema de las dos personas, e incluir a su pareja en todos los aspectos del tratamiento. Creo que una pareja que lo apoye es el factor más importante para recobrar una vida sexual plena y saludable.

•**Los medicamentos orales.** *Sildenafilo* (Viagra) fue aprobado por la agencia federal FDA en 1998 y representa un nuevo hito en el campo de la disfunción eréctil. Viagra aumenta el flujo de sangre al pene y hace que los músculos del pene se relajen. No comienza una erección, pero ayuda a mantener el fluido en el pene en respuesta al estímulo sexual al neutralizar el químico corporal que disminuye la erección.

La FDA también ha aprobado *vardenafilo* (Levitra) y *tadalafilo* (Cialis), dos medicamentos más para el tratamiento de la impotencia.

Además, otros dos medicamentos orales están en periodo de pruebas clínicas, *apomorfina* y *Vasomax*, que probablemente no serán tan eficaces como Viagra, Levitra o Cialis. En mi opinión, la *yohimbina* (un vasodilatador), otro medicamento oral muy popular, no sirve para nada.

Se ha hallado que tomar el fármaco antidepresivo *trazodona*, una hora antes del sexo, prolonga la erección en hombres que pueden lograr, pero no mantener, una erección durante el coito. Sin embargo, la trazodona es mucho menos eficaz que Viagra o Levitra.

•**Cremas tópicas.** El sistema uretral medicado para la erección (*MUSE* por sus siglas en inglés), que contiene una crema de prostaglandina que se aplica en la abertura de la uretra justo antes del coito, también ha dado buenos resultados en las pruebas clínicas. Esta crema es un vasodilatador, es decir, hace que los vasos sanguíneos se expandan, promoviendo el flujo de sangre hacia el pene. Sin embargo, la respuesta de los pacientes ha sido decepcionante. Con la aprobación de Viagra, este método se ha vuelto menos popular.

•**La terapia con inyecciones.** Antes de que la FDA aprobara Viagra, ésta era la forma más nueva de tratamiento que había surgido en los últimos 20 años, y actualmente todavía es el tratamiento disponible más eficaz. Se inyecta un medicamento en la base del pene 20 minutos antes del coito, usando una aguja muy pequeña. Como las cremas, el medicamento dilata los vasos sanguíneos. El resultado normalmente es una erección muy natural y de alta calidad.

Cuando se usó en los años ochenta por primera vez, la opción preferida era una mezcla de *papaverina* y *fentolamina*. Las inyecciones tienen algunos efectos secundarios, entre las que se encuentran cicatrices por repetir las inyecciones, y a veces una erección dolorosamente prolongada (que se resuelve al reducir la dosis).

La *prostaglandina E1* (Alprostadil), aprobada por la FDA en 1995, es una sustancia que se encuentra naturalmente en el tejido del pene. Es un medicamento que puede inyectarse usted mismo en casa. Las pruebas demuestran que las cicatrices por la prostaglandina E1 son mínimas (ocurrió sólo en 1% de los casos), y el índice de satisfacción es muy alto. Actualmente éste es el único método aprobado por la FDA para inyecciones en el pene.

Ocho de cada diez hombres que la probaron dijeron haber tenido una erección útil y relaciones sexuales satisfactorias. También parece funcionar bien en algunos casos de trastorno psicológico.

●**El dispositivo de vacío.** Éste es el método menos invasivo de todos, ya que no implica ni medicación ni cirugía. Se coloca un tubo al final del pene. El dispositivo crea un vacío que hace que la sangre fluya, creando una erección. Luego se coloca un anillo de goma sobre la base del pene.

Aunque la tasa de éxito de los dispositivos de vacío es muy alta, solo un tercio de los hombres que los compran terminan usándolos. *Las quejas:* es demasiado difícil de manejar y la erección que causa puede ser un poco dolorosa y normalmente no es realmente tan firme como una normal.

●**La prótesis.** Si ni las inyecciones, ni las píldoras ni las cremas le funcionan, usted puede pensar en implantarse una prótesis a través de un procedimiento de cirugía menor en que se hace una abertura pequeña en la piel entre los testículos. Se puede hacer con anestesia local.

Actualmente el dispositivo más popular es una prótesis inflable que tiene un depósito de fluido y una bomba pequeña que el paciente activa para tener una erección. La prótesis no interfiere con la sensación normal o con la eyaculación. Después de implantado, el paciente ni siquiera puede sentirlo ni verlo, y a menudo su pareja no podría decir que está allí. Sin embargo, una vez que el paciente selecciona la opción de la prótesis ya no serán apropiados ni la terapia de inyección ni el dispositivo de vacío. Afortunadamente, el grupo de pacientes con prótesis tiene una tasa de satisfacción sumamente alta.

La impotencia predice enfermedades del corazón

Kenneth Goldberg, MD, director del Male Health Center en Lewisville, Texas.

El veinticinco por ciento de los hombres que va al médico por impotencia causada por problemas vasculares tiene un ataque cardiaco o un derrame cerebral dentro de los cinco años desde el comienzo de la impotencia. *La razón:* la impotencia sexual es causada con frecuencia por los mismos problemas que causan los problemas del corazón, incluyendo la diabetes, la presión arterial alta, el cigarrillo y los altos niveles de colesterol.

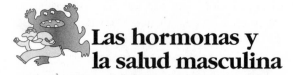

Las hormonas y la salud masculina

Alvin C. Powers, MD, jefe de endocrinología y diabetes en el centro médico Veterans Affairs en Nashville, y profesor adjunto de medicina en la facultad de medicina de la Universidad Vanderbilt en Nashville.

Cuatro millones de hombres estadounidenses sufren de bajos niveles de testosterona (*hipogonadismo*), pero solamente 200.000 reciben tratamiento para esta afección. Si no es tratado, el hipogonadismo puede causar impotencia, depresión, fatiga, exceso de grasa corporal y osteoporosis. Muchos hombres no mencionan estos síntomas a su médico.

El estudio: Durante seis meses, 227 hombres con bajos niveles de testosterona recibieron tratamiento con la hormona. Un grupo la recibió en forma de gel tópico. El otro usó un parche, la forma más usada de suplemento de testosterona.

Ambos grupos mejoraron el deseo y la función sexual, así como la fuerza muscular. La pérdida ósea se redujo también en ambos grupos.

Sin embargo, 66% de los usuarios del parche presentó irritación cutánea. Solo el 6% de los usuarios del gel experimentó tal irritación.

El grupo del gel también presentó un mayor aumento de la masa muscular y una disminución de la grasa corporal.

La implicación: El gel de testosterona se tolera mejor y puede ser más eficaz que el parche.

Todos los hombres que padecen depresión o trastornos sexuales deben medirse el nivel de testosterona. Si el nivel es bajo, el médico debe considerar recetar testosterona.

MENOS SÍNTOMAS DE LA PRÓSTATA

Muchos hombres mayores de 50 años padecen agrandamiento de la próstata. Esta afección no cancerosa –*hiperplasia prostática benigna* (BPH por sus siglas en inglés)– causa micción frecuente (particularmente por la noche), a menudo con flujo disminuido y goteo.

La teoría: Dos factores que contribuyen a la BPH pueden ser el consumo insuficiente de cereales, frijoles (habichuelas, "beans") y otros alimentos con isoflavona, y el consumo excesivo de grasa animal y proteínas.

El estudio: Durante tres meses, 29 hombres de entre 50 y 75 años tomaron un suplemento diario de 40 mg de isoflavonas (lo que contiene una taza de leche de soja). Los hombres experimentaron una disminución del 29% en la frecuencia de micción nocturna y un 10% de aumento en el nivel de flujo urinario.

Se necesitan más investigaciones para comparar este tratamiento con los tratamientos tradicionales con medicamentos y determinar su seguridad y efectividad.

Los beneficios del palmito sierra

Leonard S. Marks, MD, profesor clínico adjunto de urología de la facultad de medicina de la Universidad de California en Los Ángeles (UCLA). Su estudio de 44 hombres con hiperplasia prostática benigna se publicó en el *Journal of Urology*, 1120 N. Charles St., Baltimore 21201.

La efectividad del palmito sierra ("saw palmetto") para contrarrestar los problemas urinarios asociados con el agrandamiento de la próstata ha sido probada en numerosos estudios en otros países alrededor del mundo. Pero en el primer estudio estadounidense de este tipo, se demostró que el palmito sierra reduce el tejido hinchado de la próstata, y así alivia la frecuente necesidad de orinar, la dificultad para orinar y la incapacidad de vaciar la vejiga totalmente.

Más buenas noticias: El palmito sierra no tuvo efectos en los niveles de testosterona. Esto sugiere que el uso de esta hierba no reduce el deseo sexual. La disminución de la libido es un efecto secundario muy común de ciertos medicamentos usados en el tratamiento del agrandamiento de la próstata.

El tratamiento para los problemas de la próstata

Muta M. Issa, MD, profesor adjunto de urología de la Universidad Emory en Atlanta, y jefe de urología del Centro médico Veterans Affairs en Atlanta, Georgia.

La hiperplasia prostática benigna (BPH) es una afección común relacionada con el envejecimiento en la que la próstata se inflama, impidiendo el flujo de la orina por la uretra. En un tratamiento llamado *ablación ultrasónica de la próstata* (TUNA por sus siglas en inglés), se calienta la próstata con ondas de radio emitidas por una antena en forma de aguja que se inserta dentro de la glándula. La TUNA requiere solo anestesia local, y es hasta un 70% menos costosa y es tan eficaz como la cirugía tradicional.

Tiempo de recuperación: Un día (comparado con los tres o cuatro días que tarda la cirugía tradicional).

Para la próstata agrandada

John Kabalin, MD, profesor de urología de la facultad de medicina de la Universidad de Nebraska en Scottsbluff. Su estudio de prostatectomía láser en 227 hombres fue presentado en un encuentro de la American Urological Association, 1120 N. Charles St., Baltimore, MD 21201.

A los hombres con próstata agrandada se les facilita orinar después de la cirugía láser. La *prostatectomía láser* disipa el tejido no deseado tan eficazmente como la cirugía tradicional, en la que el cirujano usa un alambre en espiral o un escalpelo para remover el tejido, y prácticamente no causa ninguna hemorragia y requiere menos anestesia. El láser "cocina" la parte de la próstata que envuelve la uretra. Este tejido se desintegra y sale por la orina.

El mejor momento para un examen de próstata

William J. Catalona, MD, profesor de urología de la facultad de medicina Feinberg y director del programa clínico de cáncer de próstata en el Robert H. Lune Comprehensive Cancer Center, ambos en la Universidad Northwestern en Chicago.

Es mejor hacerse el examen de antígeno prostático específico (PSA) al menos 48 horas después de las relaciones sexuales. La eyaculación puede causar saltos en la lectura del PSA y por eso la prueba podría indicar un posible cáncer de próstata. Las lecturas dºe PSA vuelven a la normalidad 48 horas después de la eyaculación.

La programación del examen de próstata

H. Ballentine Carter, MD, profesor adjunto de urología de la facultad de medicina de la Universidad Johns Hopkins en Baltimore. Su estudio fue publicado en el *Journal of the American Medical Association*, 515 N. State St., Chicago 60610.

A los hombres se les aconseja que se hagan su primer examen anual de *antígeno prostático específico* (PSA) a los 50 años. Pero hay nuevos estudios que sugieren que es mejor hacerse el primer examen a los 40 años, luego otro a los 45 años y desde los 50 años, uno cada dos años. Los expertos creen que este nuevo programa de exámenes debería salvar vidas al descubrir los tumores cuando todavía son pequeños, están confinados a la glándula de la próstata y el tratamiento es más eficaz.

Los mejores tratamientos para el agrandamiento de la próstata

Patrick C. Walsh, MD, jefe de urólogos del hospital Johns Hopkins y director del departamento de urología de la facultad de medicina de la Universidad Johns Hopkins, ambos en Baltimore. El Dr. Walsh desarrolló el procedimiento de prostatectomía radical protectora de nervios para el tratamiento del cáncer de próstata. Es coautor de *The Prostate: A Guide for Men and the Women Who Love Them*. Warner Books.

El cáncer de próstata tiene bastante cobertura en los medios, pero el agrandamiento de la próstata es más común.

La afección, conocida técnicamente como *hiperplasia prostática benigna* (BPH), afecta a más de la mitad de los hombres mayores de 50 años, y al 80% de los hombres de 80 años.

La próstata es una glándula del tamaño de una nuez que rodea la uretra en la base de la vejiga. Produce un componente del fluido seminal y ayuda a propulsar el fluido por la uretra durante el orgasmo.

Por causas desconocidas, a menudo la próstata empieza a agrandarse cerca de los 40 años.

El tejido agrandado presiona contra la uretra, causando a menudo problemas urinarios.

Síntomas leves: Dificultad para empezar a orinar, un chorro débil, que la orina se detenga y vuelva a fluir, y goteo después de orinar.

Síntomas graves: Una necesidad urgente de orinar hasta varias veces en una hora, sensación constante de tener la vejiga llena, y levantarse con frecuencia por la noche para ir al baño.

CÓMO DIAGNOSTICAR LA BPH

Aunque la BPH no está relacionada con el riesgo de un hombre de desarrollar cáncer de próstata, es prudente ver a un urólogo si se está experimentando cualquier dificultad urinaria.

La razón: La BPH y el cáncer de próstata tienen síntomas similares. Además, si la BPH no recibe tratamiento puede ocasionar infecciones del tracto urinario o daños en la vejiga o el riñón.

Después de revisar sus síntomas y su historial médico, el urólogo debe tomar una muestra de orina para verificar si hay infección. Luego debe realizar un examen digital rectal para sentir si hay agrandamiento de la próstata.

El médico también debe ver su nivel de *antígeno prostático específico* (PSA) en la sangre. Un nivel alto hace pensar en cáncer de próstata.*

Para la BPH leve, el médico probablemente recomendará *la espera vigilante.* Eso significa simplemente que se debe estar pendiente de los síntomas y hacerse chequeos por lo menos una vez al año para asegurarse de que no se ha desarrollado ninguna complicación.

Atención: Los antihistamínicos y los descongestionantes pueden empeorar los síntomas. Si usted tiene BPH, pregúntele a su médico si debe evitar estos medicamentos.

LA MEDICACIÓN PARA LA PRÓSTATA

Si es obvio que su BPH empeora, si los síntomas le causan una incomodidad moderada, o si usted ha tenido que restringir su vida para lidiar con ellos (como tener que estar siempre

*La American Cancer Society recomienda un examen de PSA anual para todos los hombres a partir de los 50 años (45 años para los hombres afroamericanos y con historia familiar de cáncer de próstata). Si el cáncer de próstata se descubre a tiempo puede ser curable con radiación y/o cirugía.

cerca de un baño), puede requerirse un tratamiento más agresivo. *Se usan dos clases de medicamentos para tratar la BPH…*

●**Alfabloqueantes** como la *terazosina* (Hytrin) y la *doxazosina* (Cardura). Estos fármacos –usados también en el tratamiento de la hipertensión– relajan el músculo de la próstata.

●**Inhibidores de la 5-alfa reductasa** como la *finasterida* (Proscar). Achica la próstata al bloquear el efecto estimulante de la próstata de la dihidrotestosterona.

Al momento de decidir el tipo de medicamento apropiado, es importante entender que la próstata está hecha de dos tipos diferentes de tejido: un *tejido glandular*, que se agranda y produce una obstrucción mecánica, y un *tejido muscular blando* que aprieta para que se cierre la uretra.

El mejor medicamento para su BPH dependerá de cuál de los dos tipos de tejido es el verdadero culpable.

Si la próstata está agrandada: La finasterida puede ayudar a achicarla. Es posible que tenga que tomarla por seis meses o un año antes de que los síntomas empiecen a mejorar.

Efectos secundarios: La impotencia ocurre en menos del 5% de los hombres que toma finasterida. La potencia generalmente vuelve cuando se deja de tomar la medicación.

Si su próstata es de tamaño normal: Achicarla no servirá de nada. La opción preferida es un alfabloqueante.

Efectos secundarios: Debilidad, vértigo y adormecimiento ocurren en hasta el 10% de los hombres que toma un alfabloqueante. Para evitar estos problemas, pregunte al médico sobre ajustar la dosis y tomar el fármaco al acostarse.

LA CIRUGÍA DE LA PRÓSTATA

Si los medicamentos no lo alivian, la cirugía puede ayudar. El "patrón oro" de los tratamientos quirúrgicos de la BPH –el considerado más eficaz– es la *resección transversal de la próstata* (TURP por sus siglas en inglés).

En este procedimiento, el cirujano inserta un instrumento diminuto con una luz llamado *resectoscopio* en la uretra. El tejido excesivo del "anillo interno" de la próstata se corta pedazo a pedazo.

La TURP es atractiva para los pacientes porque no hay incisión, el dolor posoperatorio es mínimo y la estancia en el hospital es de menos de tres días (seguida por una semana de descanso en casa).

Si la próstata es de tamaño normal, el tratamiento quirúrgico preferido es la *incisión transuretral de la próstata* (TUIP por sus siglas en inglés).

Como en la TURP, se inserta un resectoscopio a través de la uretra. Pero en lugar de cortar el tejido del anillo interno, el cirujano hace dos cortes diminutos en la parte muscular de la próstata. Esto relaja su agarre en la uretra.

Muchos hombres temen sufrir de incontinencia o de impotencia como resultado de la cirugía. Pero menos del 4% de los hombres a los que se les practica una TURP o una TUIP experimenta estos problemas.

Sin embargo, tres de cada cuatro hombres a los que se les practica la TURP (y una proporción ligeramente menor en los casos de TUIP) sufren eyaculación retrógrada. En esta afección, el esperma liberado en el orgasmo se devuelve a la vejiga en lugar de ser expelido por el pene.

La eyaculación retrógrada puede hacer infecundo a un hombre. Sin embargo, no es peligrosa ni tampoco interfiere con el goce sexual del hombre.

MÁS PROCEDIMIENTOS QUIRÚRGICOS

Dos procedimientos recientes destruyen el tejido excesivo de la próstata administrando calor con un catéter.

●**La ablación ultrasónica** (TUNA) usa ondas radiofónicas para producir calor.

●**La termoterapia transversal de microondas** (TUMT por sus siglas en inglés) usa microondas.

La TUNA y la TUMT tienen ventajas reales sobre la TURP y la TUIP. Pueden ser ambulatorias, y los riesgos de eyaculación retrógrada, impotencia e incontinencia son menores.

Medicamentos para el cáncer de próstata

Glenn S. Gerber, MD, profesor adjunto de cirugía y urología de la facultad de medicina Pritzker de la Universidad de Chicago.

El medicamento *mitoxantrona* (Novantrone) es muy eficaz para detener el dolor causado por el cáncer de próstata que se ha extendido a los huesos.

El estudio: Tomada en combinación con esteroides, la mitoxantrona redujo significativamente el dolor en el 38% de los hombres con cáncer avanzado. Esto puede compararse al 21% que fue tratado exclusivamente con esteroides.

Además: El grupo de la mitoxantrona se mantuvo sin dolor por un promedio de ocho meses, en comparación a los dos meses del grupo que solo se trató con esteroides.

¿Qué es mejor para el cáncer de próstata en su etapa temprana: radiación o cirugía?

Patrick Kupelian, MD, director de investigaciones clínicas del M.D. Anderson Cancer Center en Orlando, Florida.

El cáncer de próstata en su etapa temprana responde tan bien a la radiación como a la cirugía, aunque los médicos con frecuencia consideran que la cirugía es el tratamiento más apropiado. En un estudio, el 75% de los pacientes tratados con radiación eliminó el cáncer después de cinco años. Eso es prácticamente equivalente al 76% que eliminó el cáncer después de la remoción quirúrgica de la próstata. Al escoger entre las dos terapias, los hombres deben considerar los efectos secundarios asociados con cada una: hemorragias rectales por la radiación, e incontinencia por la cirugía.

Una consideración especial: Debido a posibles problemas del corazón, puede que los hombres mayores no puedan operarse.

Más noticias sobre la próstata

Glenn S. Gerber, MD, profesor adjunto de cirugía y urología de la facultad de medicina Pritzker de la Universidad de Chicago.

La cirugía es muy exitosa para tratar el cáncer de próstata en su etapa temprana. Un estudio de casi 2.700 hombres de entre 48 y 79 años con cáncer de próstata en su etapa temprana a quienes se les extirpó la próstata quirúrgicamente entre 1970 y 1993, halló que aquéllos con la forma menos agresiva del tumor tuvieron un 94% de probabilidad de sobrevivir diez años.

Aquéllos hombres con tumores *medianamente agresivos* tuvieron un índice del 80% de supervivencia de diez años, mientras que la tasa comparable para los hombres con los tumores *más agresivos* fue del 77%.

Los investigadores creen que en años más recientes, el índice de éxito ha aumentado.

Sin embargo, como la cirugía a veces produce impotencia e incontinencia urinaria, los médicos a veces sugieren que los hombres mayores con un cáncer de crecimiento lento simplemente esperen y vean cómo se desarrolla el cáncer antes de decidir operar.

La autodefensa contra el cáncer testicular

Mark Seal, MD, profesor clínico auxiliar de urología en el Medical College of Ohio, y urólogo privado en Toledo, Ohio. Autor de *The Patient's Guide to Urology*. High Oaks.

Aunque no es muy publicitado, el cáncer testicular es la enfermedad más común en hombres de entre 15 y 45 años.

Los médicos no saben cómo prevenir la enfermedad. Sin embargo, afortunadamente ahora es fácil de detectar y de curar.

Hace treinta años, el cáncer testicular demostró ser fatal en el 90% de sus víctimas. Hoy el índice de *curación* es del 90%, incluidos los casos avanzados.

Para reducir la amenaza de cáncer testicular, todos los hombres deberían examinarse los testículos mensualmente. Los autoexámenes mensuales deben empezar en la pubertad y continuar hasta los 50 años. El cáncer testicular es raro entre los hombres mayores.

Además, los hombres de esta edad deben asegurarse de que su médico les realice un examen testicular en cada chequeo.

El cáncer testicular es especialmente común en los hombres que tuvieron un testículo que no les bajó (sin importar si fue o no corregido quirúrgicamente) y en los hombres con una historia personal o familiar de cáncer testicular.

CÓMO EFECTUAR UN AUTOEXAMEN

El mejor momento para hacerse un autoexamen es mientras se ducha. Sujete suavemente su testículo derecho con su mano derecha, y pase su dedo índice izquierdo por las superficies frontal y laterales del testículo.

Luego, use ambas manos para chequear la parte de atrás del testículo. Apriete suavemente la estructura tubular blanda (el epidídimo) que sube hacia el abdomen bajo.

Repita este proceso con el testículo izquierdo, usando su mano izquierda y el dedo índice derecho. El autoexamen debe tomar solo entre 15 y 30 segundos por lado.

Si usted encuentra un bulto o una zona sensible, informe inmediatamente a su médico.

Útil: Antes de empezar los autoexámenes mensuales, haga que su médico supervise su técnica. Esto también le dará una guía contra la que puede comparar los futuros autoexámenes.

Si es tímido como para tocarse a usted mismo –muchos hombres lo son– considere pedirle a su esposa o a su pareja que lo examine.

Uno de cada tres casos de cáncer testicular es descubierto por la pareja del paciente.

Las buenas noticias: La mayoría de los bultos del escroto son benignos. *Entre los bultos no cancerosos del escroto se encuentran...*

• **Venas varicosas en el escroto** (varicocele). El varicocele se siente en parte como tener una bolsa de gusanos bajo la piel.

• **Quiste lleno de esperma** (espermatocele). Es una masa del tamaño de un guisante (arveja, chícharo, "pea") claramente separado del testículo.

●**Acumulación de fluido** en el escroto (hidrocele).

●**Hernia.**

Al examinar un bulto escrotal, su médico usará sus manos para verificar si puede ser "separado" del testículo en sí. Si es así, probablemente sea benigno.

Si el bulto es intrínseco al testículo, hay una gran probabilidad de que sea canceroso. En ese caso, el médico debe realizar análisis de sangre para verificar la presencia de proteínas asociadas al cáncer testicular.

También podrá hacer un examen de ultrasonido para ver si el bulto es sólido (posiblemente canceroso) o lleno de líquido (probablemente benigno).

EL TRATAMIENTO DEL CÁNCER TESTICULAR

El cáncer testicular toma varias formas. El tratamiento debe hacerse a la medida de la forma en particular, aunque todos los casos requieren la remoción quirúrgica del testículo, de las estructuras adjuntas (el epidídimo) y del cordón (los vasos sanguíneos).

La quimioterapia y/o la terapia de radiación también pueden ser apropiadas, sobre todo si el cáncer se ha extendido hacia el exterior del testículo. Un tipo de tumor testicular, llamado *seminoma*, es especialmente vulnerable a la radiación.

El divorcio y los hombres

El difunto David B. Larson, MD, MSPH, fue presidente del National Institute for Healthcare Research en Rockville, Maryland.

El divorcio aumenta el riesgo del hombre de desarrollar cáncer.

Los hombres divorciados son 21 veces más propensos que los hombres casados a ser admitidos en un hospital psiquiátrico. Los niños de padres divorciados tienen un 30% más de probabilidad de morir jóvenes que los niños de padres casados.

El cáncer de seno ataca también a los hombres

Bonnie S. Reichman, MD, profesora adjunta de medicina clínica de la facultad de medicina de la Universidad Cornell en Nueva York.

Cada año 1.400 hombres estadounidenses desarrollan cáncer de seno.

En mayor riesgo: Los hombres con un historial familiar de cáncer de mama, ya sea femenino o masculino.

Señales de advertencia: Una masa en el pecho normalmente no dolorosa en un costado, un pecho hinchado o doloroso, trozos de piel arrugada, irritada o reseca en el pecho, un bulto firme o un endurecimiento en el pecho, un pezón con costra o retraído, y secreción del pezón.

Las dietas bajas en grasas y los hombres

William J. Kraemer, PhD, profesor de quinesiología, profesor de fisiología y neurobiología, y profesor de medicina de la Universidad de Connecticut en Farmington. Su estudio de las dietas y las rutinas de ejercicio de 12 hombres fue publicado en el *Journal of Applied Physiology*, 9650 Rockville Pike, Bethesda, MD 20814.

Las dietas muy bajas en grasas pueden causar una caída en los niveles de testosterona en la sangre que es necesaria para la masa muscular y la fuerza.

En mayor riesgo: Los luchadores y otros atletas que intentan reducir drásticamente el consumo de grasas.

En definitiva: El cuerpo necesita un equilibrio de nutrientes, incluida la grasa.

11

Consejos sobre nutrición para estar más sano

Los secretos del Dr. Dean Ornish para una alimentación más sana

Dean Ornish, MD
Preventive Medicine Research Institute y Universidad de California en San Francisco

Hay cada vez más información que documenta los beneficios de comer una mayor cantidad de vegetales y de reducir sustancialmente el consumo de carnes rojas y otros productos animales.

Incluso el gobierno ha avalado por primera vez lo saludable de una dieta vegetariana en una nueva edición de guías nutricionales.

Estos son los grandes beneficios para la salud que le brinda una dieta vegetariana –y mis estrategias para hacer el cambio…

¿POR QUÉ UNA DIETA VEGETARIANA?

Una dieta basada en plantas está relacionada no sólo con tasas más bajas de enfermedad cardiaca y derrames cerebrales, sino también con tasas significativamente menores de los tipos de cáncer más comunes. Éstos incluyen el cáncer de seno y de ovario en la mujer, el cáncer de próstata en el hombre y el cáncer de colon y de pulmón.

Las dietas vegetarianas con bajo contenido de grasa también pueden reducir la incidencia de osteoporosis, diabetes de comienzo en la adultez, hipertensión, obesidad y muchas otras enfermedades.

Por el contrario, una dieta basada en carne es alta en grasa saturada, la que su cuerpo convierte en colesterol. Este tipo de dieta también es alta en hierro, un oxidante que oxida el colesterol y le hace más propenso a obstruir sus arterias.

Dean Ornish, MD, presidente y director del instituto sin fines de lucro Preventive Medicine Research en Sausalito, California, y profesor clínico adjunto de medicina de la facultad de medicina de la Universidad de California en San Francisco. El Dr. Ornish ha comprobado las ventajas saludables de una dieta vegetariana en una serie de estudios durante los últimos 20 años y es autor de varios libros, entre ellos, *Everyday Cooking with Dr. Dean Ornish*. HarperCollins.

El hierro también ocasiona la formación de *radicales libres*, los cuales promueven el cáncer y el envejecimiento. Una dieta basada en carnes es baja en los antioxidantes que ayudan a prevenir que esto suceda. *Además:* no hay colesterol en una dieta basada en plantas y, con pocas excepciones (aguacates, semillas, nueces y aceites), esta dieta contiene pocas grasas en general y poca grasa saturada.

Una dieta basada en plantas también es baja en oxidantes como el hierro (tiene suficiente hierro sin tener demasiado) y es alta en antioxidantes como el betacaroteno y las vitaminas A, C y E. Asimismo, la carne contiene casi ninguna fibra dietética, la cual es elevada en una dieta basada en plantas.

Durante los últimos años, los científicos han descubierto y documentado nuevas clases de sustancias químicas que ayudan a prevenir enfermedades y hacen que el proceso de envejecimiento sea más lento. Estos incluyen los bioflavonoides, carotenoides, fitoquímicos y otras sustancias que se encuentran en una dieta basada en plantas y son escasos en una dieta basada en carne. En otras palabras, existen más y más razones para seguir una dieta basada en plantas.

La razón principal para cambiar su dieta y su estilo de vida, sin embargo, no es solo vivir más tiempo o reducir el riesgo de problemas del corazón más adelante. Es mejorar su calidad de vida *ahora mismo*.

Para mí, no tiene sentido abandonar algo que disfruto a menos de que obtenga a cambio algo que sea aún mejor.

MI EXPERIENCIA

Comencé a hacer cambios en mi propia dieta cuando tenía 19 años de edad. Mi colesterol y mi presión arterial no eran un problema; siempre han estado bajos. Cambié mi dieta y mi estilo de vida porque me ayudó a sentirme mucho mejor emocionalmente.

Hoy en día tengo más energía y pienso más claramente. También tengo un mejor sentido de bienestar general. Con una dieta vegetariana puedo comer cada vez que tengo hambre hasta quedar satisfecho. Puedo comer alimentos sabrosos –y no tengo que preocuparme por mi peso.

CÓMO HACER EL CAMBIO

●**Comience por abandonar la carne *por completo*.** A pesar de lo que dice la sabiduría popular, es más fácil hacer grandes cambios en la dieta y el estilo de vida –todos de una vez– que hacer pequeños cambios graduales.

Primero, no tiene que esperar mucho por los beneficios. La mayoría de las personas se siente mucho mejor tan rápidamente que las opciones se vuelven más claras y cobran más sentido –no por el temor a morir, sino más bien para aumentar el gozo de la vida.

Segundo, su paladar se adapta rápidamente cuando hace cambios importantes en su dieta y usted empieza a *preferir* los alimentos vegetarianos bajos en grasa.

●**Reduzca la grasa en su dieta.** La carne y la grasa son gustos adquiridos. ¿Alguna vez ha cambiado la leche entera para tomar leche descremada o baja en grasa? Al principio la mayoría de las personas siente que la leche descremada sabe como agua y no es muy buena. Luego de una semana o dos, sabe bien. Si entonces sale a comer afuera y le sirven leche entera, le va a saber muy grasosa y muy pesada.

La vaca no cambió… su paladar simplemente se adaptó. Si siempre hubiera bebido un poco de leche entera y un poco de leche descremada, la descremada nunca le hubiera sabido bien. Es más fácil si hace un cambio grande y deja de tomar leche entera por completo.

De igual manera, si bien comer menos carne es un paso en la dirección correcta, quizá le resulte más fácil abandonarla por completo y consumir más alimentos saludables. De otro modo, usted tiene lo peor de los dos mundos –sigue comiendo lo suficiente como para que le siga gustando, pero no está comiendo realmente todo lo que desearía… y no se sentirá mucho mejor.

Algunas personas suponen erróneamente que una dieta vegetariana automáticamente reducirá el exceso de peso y prevendrá la acumulación de colesterol en las arterias. Pero también es posible llevar una dieta vegetariana rica en grasas y en colesterol, especialmente si consume mantequilla, leche entera, huevos, aceites, aguacates, semillas y nueces.

●**Concentre su dieta en frutas y vegetales, cereales y granos,** supleméntela con cantidades moderadas de claras de huevo (que contienen mucha proteína y muy poca grasa y colesterol) y productos lácteos sin grasa como quesos, yogur y leche descremados.

●**Para lograr una salud óptima y perder peso elimine** *todos* **los aceites.** Probablemente ha leído que el aceite de oliva es bueno para el corazón.

La realidad: *Todos* los aceites son 100% grasa –incluido el aceite de oliva. El aceite de oliva también contiene 16% de grasas saturadas... y su cuerpo convierte la grasa saturada en colesterol. El aceite de oliva *no* es bueno para usted, aunque es menos perjudicial que la manteca, la mantequilla o los aceites que contienen cantidades aún mayores de grasa saturada.

Además, mientras más aceite de cualquier tipo consuma, más peso aumentará. Usted probablemente perderá peso si no hace otra cosa más que eliminar de su dieta los aceites y los productos que contengan aceites.

Por ejemplo: En vez de usar aceite para preparar la salsa para pasta, use un caldo de sopa de vegetales, salsa de tomate o el "jugo" que se obtiene al cocinar tomates frescos en una sartén antiadherente ("nonstick").

●**No renuncie al sabor.** Un error común es que usted tiene que elegir entre comidas "gourmet" a base de carne, ricas en grasa, que son sabrosas, presentadas hermosamente y que no son saludables... y comidas vegetarianas con poca grasa que son aburridas y sosas, y que pueden prolongarle la vida –o tal vez hacer que la vida *parezca* más larga.

No tiene que elegir entre comida buena y buena salud. Las comidas ricas en grasa basadas en carnes pueden saber mal si están mal preparadas... y las comidas vegetarianas con poca grasa pueden saber deliciosas si se preparan bien.

La dieta "saludable" puede en realidad ser mala para usted

Barry Sears, PhD, ex miembro del personal científico del Massachusetts Institute of Technology y presidente de Surfactant Technologies, una empresa de biotecnología en Marblehead, Massachusetts. Ha registrado 12 patentes para tratamientos de cáncer y control dietético de respuestas hormonales y es autor de *The Zone*. HarperCollins.

Los malos hábitos alimenticios han provocado una epidemia de obesidad en EE.UU. Hoy en día, uno de cada tres estadounidenses adultos es obeso, comparado con uno de cada cuatro hace un poco más de una década.

Incluso personas que siguen la sabiduría convencional para una alimentación saludable –muchos carbohidratos, pocas grasas y proteínas– muchas veces fallan en sus intentos por perder peso. ¿Por qué? Porque hormonalmente hablando, estas guías están *completamente equivocados*.

Cuando se trata de obesidad, comer carbohidratos es un problema más grande que comer grasas.

EL PROBLEMA CON LOS CARBOHIDRATOS

Los humanos modernos son genéticamente idénticos a nuestros ancestros de la Edad de Piedra. Nuestro sistema digestivo, como el de ellos, evolucionó para asimilar una dieta basada en proteínas, frutas y vegetales que contienen mucha fibra.

Los cereales –la fuente principal de carbohidratos en las dietas modernas– eran desconocidos hasta el advenimiento de la agricultura, hace 10.000 años. Eso fue apenas ayer en términos evolutivos.

El problema: Los carbohidratos causan un aumento agudo de los niveles de azúcar en la sangre. En respuesta, el cuerpo produce más insulina, la hormona que reduce los niveles de azúcar y le "dice" al cuerpo que almacene el exceso de calorías como *grasa*.

La insulina también afecta la síntesis del cuerpo de los *eicosanoides*. Estas potentes "superhormonas" controlan prácticamente todas las funciones fisiológicas del cuerpo, desde la circulación de la sangre hasta la digestión.

Para tener una salud óptima, los eicosanoides deben estar equilibrados. Sin embargo, los niveles elevados de insulina hacen que el cuerpo produzca más eicosanoides "malos" que "buenos".

Esto puede provocar un aglutinamiento de las plaquetas, presión arterial alta, reducción de la inmunidad y otras condiciones potencialmente peligrosas.

UNA MANERA DE COMER MEJOR

Durante los últimos 14 años, he desarrollado un plan de alimentación sencillo pero preciso, que le permite regular sus niveles de insulina y otras hormonas... y alcanzar un estado metabólico ideal.

Los atletas llaman a este estado la "Zona" pero en realidad es simplemente un control óptimo de la función hormonal. Usted no tiene que ser un atleta para darse cuenta de los beneficios. Mi programa ha sido probado en pacientes cardiacos, en gente "común" y en atletas de élite, incluyendo jugadores profesionales de fútbol americano y de baloncesto.

Todos han reportado mayor concentración mental y energía, mejor resistencia física, pérdida de peso fácil y mejoría en las funciones cardiovasculares.

¿Cómo se alcanza la Zona? Tenga por sus alimentos el mismo respeto que tiene por sus medicamentos.

Específicamente, usted debe regular *la cantidad, la proporción y la velocidad de entrada en el torrente sanguíneo* de todos los nutrientes que consume. Y tiene que hacerlo *cada vez* que come. Entonces no es necesario contar las calorías.

CÓMO COMER EN LA ZONA

Mi plan de alimentación tiene cinco componentes principales...

●**Proteínas.** Además de funcionar como constituyentes para cada célula, las proteínas dietéticas producen la liberación de *glucagón*. Esta hormona actúa en oposición a la insulina y trabaja para mantener los niveles de azúcar en la sangre.

Para mantener los niveles apropiados de glucagón es importante ingerir la cantidad correcta de proteínas.

Una fórmula fácil: En cada comida coma tanta proteína como le quepa en la palma de la mano. Para la mayoría de las personas esto se traduce en unas tres o cuatro onzas (85 a 115 g) de proteína baja en grasa.

Los alimentos de origen animal contienen *ácido araquidónico*, un ácido graso que el cuerpo usa para elaborar eicosanoides "malos". Mientras más grasosa sea la carne, mayor será el contenido de ácido araquidónico. Por eso es mejor quedarse con el pollo, el pescado, las presas de caza (o animales criados en granja), el tofu y otras fuentes de proteínas bajas en grasa... y evitar por completo las carnes de órganos.

●**Carbohidratos:** Para un equilibrio hormonal óptimo, cada comida debe contener la proporción correcta de carbohidratos y proteína: 4 gramos (g) de carbohidratos por cada 3 g de proteína.

Enfatice los carbohidratos "favorables" como frutas, vegetales y legumbres ricos en fibra. Puesto que éstos son absorbidos en el torrente sanguíneo lentamente, los niveles de azúcar en la sangre aumentan lentamente... y la producción de insulina es moderada.

Evite los carbohidratos "desfavorables" como el pan, el arroz, la pasta, las frutas tropicales, las frutas secas y los jugos de frutas... y los vegetales con almidón o dulces como el maíz (elote, "corn"), las papas, calabacines ("squash"), zanahorias, guisantes (arvejas, chícharos, "peas") y remolachas. Estos alimentos entran en el torrente sanguíneo rápidamente, iniciando una respuesta de insulina drástica.

Si usted come cereales, quédese con los cereales *integrales* siempre que sea posible. Su elevado contenido de fibra dietética significa una absorción más lenta en el torrente sanguíneo.

¿Y qué tal los postres? Una golosina ocasional está bien, siempre y cuando equilibre su ingesta de carbohidratos y grasas, consumiendo una "dosis" de proteína justo antes –unas pocas onzas de requesón ("cottage cheese") o pavo (guajolote, "turkey") rebanado, por ejemplo.

•**Grasa:** Aunque se le trata frecuentemente como villana dietética, la grasa en *cantidades moderadas* reduce la tasa de absorción de los carbohidratos y por lo tanto ayuda a moderar la respuesta de la insulina.

La grasa también envía una señal de saciedad al cerebro, haciéndolo sentir tan satisfecho que *deseará* dejar de comer.

Su proporción de gramos de grasa y proteína de la dieta debe ser de 1 a 3. Las grasas favorables para la Zona son primordialmente monoinsaturadas: aceite de oliva, aceite de canola, almendras ("almonds"), nueces macadamias, mantequilla de maní ("peanut butter") natural y aguacates ("avocados").

Evite la mantequilla, las carnes rojas y otras fuentes de grasa saturada.

•**Restricción calórica.** No coma más de 500 calorías por comida. Demasiadas calorías de cualquier fuente pueden elevar los niveles de insulina.

•**Tiempo:** Excepto por el tiempo que se pasa dormido, no deje pasar más de cinco horas entre comidas o meriendas favorables a la Zona.

Esto resulta en tres comidas pequeñas y dos meriendas al día. Si usted desayuna a las 7 a.m., almuerce no más tarde del mediodía. Si no cena hasta las 6:30 p.m. coma una merienda de media tarde. Coma también una pequeña merienda antes de irse a dormir.

Vital: Las meriendas deben seguir la misma proporción de 4 a 3 a 1 de carbohidratos, proteínas y grasas.

Ejemplos: Una onza (30 g) de queso duro (o dos onzas –60 g– de requesón –"cottage cheese") y media manzana… o un "muffin" pequeño horneado de una mezcla a la que le añadió proteínas en polvo y sustituyó la mantequilla por aceite de oliva.

¿"Curry" curativo?

Bandaru S. Reddy, PhD, jefe de la división de carcinogénesis nutricional de la American Health Foundation en Valhalla, Nueva York.

Las ratas expuestas a una sustancia química que comúnmente causa cáncer de colon desarrollaron muchos menos tumores cuando fueron alimentadas con una dieta alta en *curcumina*. Ése es el ingrediente que le da al "curry" su color anaranjado brillante.

Los tumores que se formaron en las ratas alimentadas con curry fueron menos propensos a crecer o propagarse.

La trampa de los alimentos sin grasa

Walter Willett, MD, DrPH, profesor de epidemiología y nutrición de la facultad de sanidad pública de la Universidad Harvard en Boston.

Usted no puede comerse una caja de refrigerios sin grasa y esperar no subir de peso.

La razón: Ya provenga de la grasa o de los carbohidratos, una caloría es una caloría. Coma suficientes galletas, "pretzels", etc., sin grasa y su cuerpo convertirá el exceso de calorías en grasa casi con tanta eficacia como si hubiese comido la misma cantidad de golosinas ricas en grasa.

Sorprendente: Si usted come 100 calorías adicionales de grasa su cuerpo almacenará 97 de ellas. Coma 100 calorías adicionales de carbohidratos y su cuerpo almacenará entre 80 y 90.

Mejor que la mantequilla

Alice Lichtenstein, DSc, profesora auxiliar de nutrición del centro de investigación sobre los efectos de la nutrición en el envejecimiento del departamento de agricultura de EE.UU. (USDA) en la Universidad Tufts en Boston.

Aunque es mejor evitar por completo la mantequilla, una crema para untar hecha con partes iguales de mantequilla y aceite tiene alrededor de la mitad de la grasa saturada de la mantequilla. Tiene mucha grasa monoinsaturada "buena para el corazón" y poca grasa transaturada "mala". Mezcle mantequilla y aceite en un procesador de alimentos. Guarde en el refrigerador.

Los huevos pueden ser parte de una dieta saludable

Barbara Retzlaff, MPH, RD, dietista investigadora de la Northwest Lipid Research Clinic de la Universidad de Washington en Seattle.

Si bien pueden ser parte de una dieta saludable, cualquier persona con *hiperlipidemia combinada* (niveles elevados de colesterol y triglicéridos) debe evitarlos. Cuando los pacientes con hiperlipidemia combinada comieron dos huevos al día por tres meses, su colesterol total se elevó de 238 a 250... mientras que el colesterol "malo" LDL subió de 149 a 162. En los pacientes que comieron huevos que solo tenían elevados los niveles de colesterol, éstos se mantuvieron sin cambiar. *Nota:* se considera conveniente que el colesterol esté por debajo de 200.

Una hamburguesa muy costosa

Neal D. Barnard, MD, es presidente del Physicians Committee for Responsible Medicine, 5100 Wisconsin Ave. NW, Suite 404, Washington, DC 20016.

El apetito de los estadounidenses por la carne causa un gasto adicional de entre $29 y $61 millardos por año en costos de salud. Las personas que comen carne de res, cerdo, pollo o pescado se enfrentan a un mayor riesgo de presión arterial alta, enfermedad del corazón, diabetes, enfermedad de la vesícula, obesidad y osteoartritis, intoxicación por comidas... y cáncer de colon, pulmones, ovarios y próstata.

Las proteínas y las enfermedades renales

Ping H. Wang, MD, profesor auxiliar de medicina de la Universidad de California en Irvine.

A los pacientes renales se les ha dicho siempre que limiten la cantidad de proteínas que consumen. Un análisis de diez estudios en el que participaron 1.521 pacientes confirma que la restricción de proteínas ciertamente reduce significativamente el riesgo de insuficiencia renal, o la muerte, en pacientes no diabéticos con enfermedades renales. También retrasa el progreso de la enfermedad renal en pacientes con diabetes dependientes de la insulina.

Dos son mejores que uno

Estudio de casi 6.000 adultos, reportado en el boletín *Tufts University Diet & Nutrition Letter*, 53 Park Pl., Nueva York 10007.

Las personas que viven solas consumen menos nutrientes que las personas que viven acompañadas. Es menos probable que las personas que viven solas cumplan con la ingesta diaria recomendada de muchos nutrientes. Pero los que viven solos limitan mejor el consumo de grasa, colesterol y sodio –probablemente porque las personas tienden a comer menos cuando comen solas.

 # Los alimentos pueden cambiar su estado de ánimo

Judith J. Wurtman, PhD, científica investigadora del departamento de ciencia cognitiva y del cerebro del Massachusetts Institute of Technology en Cambridge. Es autora de *Managing Your Mind & Mood Through Food*. HarperCollins.

Los carbohidratos dulces y feculentos estimulan los niveles de una sustancia química en su cerebro que "alivia el estrés", la serotonina, haciéndole sentir relajado y en control emocional. *Por ejemplo:* "bagels", pastas, papas horneadas.

Los alimentos ricos en proteínas pueden ayudarle a aumentar su estado mental de alerta cuando tiene poca energía mental. *Por ejemplo:* pescado, pollo y productos lácteos.

Zonas peligrosas de los alimentos

Stephen P. Gullo, PhD, presidente del Institute for Health and Weight Sciences en Nueva York, que ofrece entrenamiento personalizado para modificar los hábitos alimenticios.

Los sitios problemáticos con los alimentos son lugares donde las personas tienden a comer en exceso. Hay quienes se ven tentados en el cine, otros tienen problemas en la oficina.

La autodefensa: Entienda sus debilidades y protéjase contra ellas. Si usted sucumbe frente a la máquina expendedora de golosinas en el trabajo, haga una pausa para una merienda planificada y coma algo saludable como una banana.

Vigile la sal

N. Nicole Spelhang, editora gerente del boletín *Mayo Clinic Health Letter*, 200 First St., Rochester, MN 55905.

Si usted está tratando de reducir el consumo de sodio en su dieta, tenga presente estos datos sobre la sal: el agua mineral gasificada tiene sólo 3 mg de sodio por 12 onzas (350 ml), la soda ("club soda") tiene 75 mg... el pavo (guajolote, "turkey") fresco tiene menos de 20 mg de sodio por onza (1 onza = 30 g), pero la variedad del pavo y del jamón de la fiambrería ("deli") tiene más de 300 mg... incluso la salsa de soja ligera ("light soy sauce") tiene más de 600 mg de sodio por cucharada comparada con los 234 mg por cucharada de la salsa Worcestershire.

Para comprar pasta mejor

Maggie Riechers, es editora de *Healthy Decisions*, Georgetown University Medical Center, 3800 Reservoir Rd., Washington, DC 20007.

Compre pasta envasada en cajas, no en celofán, y consérvela en la despensa, no en un recipiente de vidrio sobre el mostrador de su cocina. *La razón:* la exposición a la luz le quita rápidamente a la pasta gran parte de su riboflavina.

La fibra añadida ayuda

Bruce Yaffe, MD, internista y gastroenterólogo con práctica privada, 121 E. 84 St., Nueva York 10028.

Los suplementos de fibra son eficaces para las personas que no consumen suficiente fibra en su dieta. Mejoran la regularidad, a la vez que solidifican las evacuaciones de los que sufren de deposiciones flojas. Las personas que no comen suficientes fuentes naturales de fibra, tales como frutas y vegetales, deben considerar tomar un suplemento de fibra como el Metamucil. Otras fuentes suplementarias de fibra son el salvado de avena ("oat bran") y el Citrucel.

Importante: Cuando toma los suplementos como el Metamucil también debe beber mucho líquido.

La relación entre el tomate y el cáncer de próstata

Edward Giovannucci, MD, profesor auxiliar de medicina del departamento de nutrición de la facultad de medicina de la Universidad Harvard en Boston. Su estudio de nueve años de 47.000 hombres con edades entre 40 y 75 años fue publicado en *The Journal of the National Cancer Institute*.

Comer tomates cocinados reduce el riesgo de cáncer de próstata en un 50%.

En un estudio de casi 50.000 hombres se halló que los que comieron dos o más porciones de productos con tomates cocinados por semana tuvieron un tercio menos de riesgo de desarrollar cáncer de próstata que los que raramente comían productos con tomates cocidos.

Los hechos: Alrededor del 10% de los hombres desarrolla cáncer de próstata. En otro estudio se halló que los hombres que comían diez ó más porciones de tomate por semana se beneficiaban del alto contenido de *licopeno*, un antioxidante. Otros antioxidantes como el betacaroteno y la vitamina A no tuvieron efecto sobre el riesgo de cáncer de próstata. Y los productos con tomates cocinados parecían tener más licopeno que los crudos.

Si bien los tomates son la mejor fuente de licopeno, existe una amplia variedad de otros alimentos que también previenen el cáncer y que deben ser incluidos en su dieta, como el brócoli, la col (repollo, "cabbage"), los frijoles de soja ("soybeans") y las zanahorias.

Las carnes rojas y el linfoma no Hodgkin

Brian C.H. Chiu, MS, departamento de medicina preventiva de la facultad de medicina Feinberg de la Universidad Northwestern en Chicago.

El consumo de carnes rojas aumenta el riesgo de desarrollar linfoma no Hodgkin. Un estudio de más de 35.000 mujeres demostró que las que comían más carnes rojas eran casi dos veces más propensas a desarrollar este tipo de cáncer que las mujeres que comían menos carne. Las mujeres que comían más grasa animal tenían 1½ veces más riesgo de desarrollar la enfermedad que las que comían menos grasa.

El vegetarianismo puede enmascarar la anorexia

David Herzog, MD, director del Harvard Eating Disorder Center del hospital Massachusetts General en Boston.

Las personas con trastornos alimenticios tienden a pasar mucho tiempo categorizando los alimentos como "seguros" e "inseguros". Una dieta vegetariana automáticamente elimina muchos alimentos inseguros –particularmente los grasosos, ricos en calorías.

Pregunta clave: ¿Es su dieta rígida y lo aísla socialmente? La mayoría de los vegetarianos puede "arreglárselas" al comer en restaurantes y en casa de familiares o amigos. Sin embargo, las personas que sufren trastornos alimenticios tienden a evitar las ocasiones sociales en las que la comida juega un papel importante.

Prevenga asma, cataratas, piedras en la vesícula e insuficiencia cardiaca al comer los alimentos apropiados

Isadore Rosenfeld, MD, profesor de medicina clínica distinguido con la orden Rossi en el Weill Medical College de la Universidad Cornell en Nueva York. Es autor de varios libros, entre ellos *Doctor What Should I Eat?* (Warner) y *Dr. Isadore Rosenfeld's Breakthrough Health* (Rodale).

Casi todas las principales condiciones médicas son causadas o afectadas por lo que comemos. Sin embargo, muy pocos médicos están al tanto de esta situación. Como resultado, rara vez le dan consejos de nutrición –ni siquiera cuando ciertos alimentos pueden ayudar a mejorar los síntomas o a corregir problemas subyacentes tan bien o *mejor que* los medicamentos recetados.

A continuación se encuentran los mejores tratamientos alimenticios para cuatro enfermedades comunes…

ASMA

Esta enfermedad respiratoria afecta casi a 20 millones de estadounidenses y cada vez es más común, se presume que a causa del empeoramiento en la contaminación ambiental.

Los mejores alimentos: Chiles (ajíes, pimientos, "chili peppers")… pescado… y café.

Las personas que consumen regularmente salsas picantes o pimientos picantes pueden sufrir ataques de asma menos frecuentes –y menos severos. La *capsaicina,* la sustancia química que hace que los pimientos piquen, puede estimular las terminaciones nerviosas ayudando a que las vías respiratorias se mantengan abiertas.

Los ácidos grasos en los peces de agua fría, como el salmón, el atún y las sardinas, reducen los niveles de *prostaglandinas* y *leucotrienes*, sustancias químicas que aumentan la inflamación de las vías respiratorias.

Útil: Tres o más porciones de dos a tres onzas (85 g) de pescado por semana pueden reducir la frecuencia de los ataques de asma.

Los médicos tradicionalmente han recomendado tomar una taza de café fuerte al comienzo de un ataque de asma, si no se dispone de ninguno de los medicamentos tradicionales. Uno de los ingredientes activos, la *metilxantina*, relaja los músculos de las vías respiratorias.

Los adultos asmáticos que toman varias tazas de café descafeinado por día tienen un 30% menos de ataques de asma que los que no toman café. Recomiendo de tres a cuatro tazas al día, si usted no tiene ninguna úlcera activa o arritmias cardiacas.

CATARATAS

La catarata es una nubosidad (opacidad) en el cristalino del ojo, que resulta en el deterioro de la visión. Gran parte del daño es causado por radicales libres, moléculas de oxígeno dañinas que se producen como un subproducto alternativo del metabolismo.

Los mejores alimentos: Frutas y vegetales de colores intensos –en especial los calabacines ("squash"), espinacas, bróculi, naranjas y batatas ("sweet potatoes"). Son ricos en vitaminas C y A, y en betacaroteno, que reducen el daño ocular.

Útil: Coma cinco o más porciones al día.

INSUFICIENCIA CARDIACA CONGESTIVA

Ocurre cuando una condición subyacente –como una infección viral, hipertensión, una válvula cardiaca estrecha, etc.– inhibe la capacidad del corazón de bombear sangre.

Los mejores alimentos: Arroz integral, espinacas… legumbres tales como frijoles (habichuelas, "beans") y guisantes (arvejas, chícharos, "peas")… papas y bananas. Son ricos en magnesio y potasio, los cuales mejoran la función cardiaca.

Advertencia: Estos minerales frecuentemente son diluidos por el uso de diuréticos –los fármacos tradicionales para el tratamiento de la insuficiencia cardiaca.

Útil: Ingiera dos porciones diarias de alimentos ricos en magnesio y potasio.

Además: Ingiera de cuatro a seis comidas pequeñas por día en lugar de tres grandes. El flujo de sangre al estómago después de grandes comidas aumenta la demanda de energía del corazón.

Limite el consumo total diario de sodio a menos de 2.000 mg al día (un poco menos de una cucharadita). La sal excesiva aumenta la retención de líquidos y reduce la capacidad del corazón de bombear sangre.

CÁLCULOS EN LA VESÍCULA

Casi la mitad de los 20 millones de adultos estadounidenses con cálculos biliares (piedras en la vesícula, "gallstones") no tiene síntomas. En el resto de los pacientes, este grupo de cristales sólidos en la vesícula o conductos biliares puede causar un dolor severo bajo el esternón o en el lado superior derecho del abdomen, especialmente después de las comidas.

La presencia de esos cristales puede irritar la vesícula y promover infecciones. Además, una sola piedra grande que se desarrolle en la vesícula predispone al órgano para el cáncer.

Los mejores alimentos: Frutas, legumbres y vegetales –cualquier alimento con poca grasa. Los alimentos grasosos estimulan las contracciones de la vesícula y pueden precipitar los ataques.

Bono: La fibra en los alimentos basados en plantas interactúa con la bilis de la vesícula y reduce la formación de piedras. Una dieta rica en fibra puede disolver las piedras existentes y también ayuda a perder peso.

Advertencia: Las personas que solo tienen un 10% de sobrepeso son doblemente propensas a desarrollar piedras en la vesícula en comparación con las personas que mantienen un peso saludable.

Útil: Consuma de 35 g a 45 g de fibra diariamente. Ingiera por lo menos 5 porciones diarias de frutas y vegetales, junto con pasta y panes de harina integral, legumbres y otros alimentos ricos en fibra.

Buenas opciones: Una taza de frijoles horneados (13 g de fibra), una papa mediana al horno (4 g), una manzana grande (5 g) o una media taza de cereal All-Bran (10 g).

Coma todo su cereal

Richard Wood, PhD, profesor adjunto de nutrición del centro de investigación humana de la Universidad Tufts en Boston.

Beba toda la leche que queda en el plato del cereal. *La razón:* algunas de las vitaminas y minerales de los cereales reforzados se disuelven en la leche mientras come.

Receta de panqueques sin grasa

Brand Name Fat-Fighter's Cookbook escrito por Sandra Woodruff, RD, asesora de nutrición que reside en Tallahassee, Florida. Avery Publishing Group.

En una mezcla, sustituya cada cucharada de aceite con tres cuartos de cucharada de suero de leche ("buttermilk") o yogur descremado, o puré de manzanas o de bananas.

Ejemplo: Si una receta indica dos cucharadas de aceite, use una cucharada y media del sustituto de grasa preferido. *También:* sustituya cada huevo entero con tres cucharadas de clara de huevo o de un sustituto de huevo sin grasa ("fat-free egg substitute").

Las aguas gasificadas pueden ser azucaradas

Environmental Nutrition, 52 Riverside Dr., Nueva York 10024.

Algunas bebidas claras son en realidad refrescos azucarados –pero están colocados en los anaqueles de los supermercados cerca del agua embotellada común y de las aguas con sabor a frutas.

La autodefensa: Lea la etiqueta para ver el contenido calórico. El agua no tiene calorías. Los refrescos pueden contener 50 ó más calorías por cada medida de seis a ocho onzas (175 a 235 ml).

Intolerancia a la lactosa

Michael D. Levitt, MD, jefe adjunto del personal de investigaciones del centro médico Veterans Affairs en Minneapolis.

En un estudio se sugiere que solo una fracción de aquellos que creen que tienen intolerancia a la lactosa la tienen en realidad. Los otros simplemente se han dejado llevar por la tan difundida publicidad sobre la condición. En un estudio de 30 personas que pensaban que sufrían de intolerancia a la lactosa, todas pudieron consumir hasta ocho onzas (235 ml) diarias de leche sin problemas significativos.

 # Los antioxidantes y la reducción de problemas de salud

Maureen Callahan, MS, RD, de Clearwater, Florida, escribe frecuentemente sobre nutrición y salud. Es coautora de *The Miracle Nutrient Cookbook: 100 Delicious Antioxidant-Enriched Recipes and Menu Suggestions for Optimum Health.* Simon & Schuster.

Los alimentos que consumimos tienen gran impacto en nuestra salud –tanto positiva *como* negativamente.

Numerosos estudios indican que los antioxidantes –las sustancias químicas que combaten las enfermedades y que están presentes de forma natural en muchos alimentos– tienen ciertas propiedades que pueden estimular el sistema inmune. También reducen el riesgo de problemas de salud –particularmente la enfermedad cardiaca y el cáncer.

Si bien los antioxidantes betacaroteno, y las vitamina C y E, están disponibles en forma de suplementos, los investigadores recomiendan obtenerlos naturalmente de los alimentos que comemos.

ALIMENTOS RICOS EN ANTIOXIDANTES

Es muy prudente mantener una dieta apropiada con una combinación de alimentos. Hay varios alimentos que contienen los tres antioxidantes. *Por ejemplo...*

•**Mangos:** Contienen 57 mg de vitamina C –casi toda la dosis diaria recomendada (RDA, por sus siglas en inglés)– así como grandes cantidades de vitamina E y betacaroteno. Ninguna otra fruta tropical brinda las tres.

•**Batatas (boniatos, camotes, papas dulces, "sweet potatoes"):** Contienen pocas calorías y están repletas de betacaroteno y vitaminas C y E. Una o dos batatas –con o sin la piel– casi cumplen con la RDA de los tres nutrientes.

OTRAS BUENAS FUENTES

•**El betacaroteno se encuentra comúnmente en las plantas de hojas verdes.** La mayoría de las organizaciones de salud recomienda comer por lo menos cinco porciones de frutas o vegetales al día, lo que significa una dieta que contenga 6 mg de betacaroteno.

El betacaroteno es "soluble en grasa" –lo que quiere decir que se necesita comer una pequeña cantidad de grasa con el betacaroteno para poder absorberlo. Los científicos todavía no han determinado la cantidad de grasa necesaria, pero no es mucha. Éste es un ejemplo de cómo la grasa, en cantidades moderadas, es importante para mantener la buena salud.

•**La vitamina C.** La RDA de vitamina C es 60 mg. Pero los investigadores dicen que se necesita entre 100 mg y 500 mg al día para combatir las cataratas y otras enfermedades como el cáncer y la enfermedad cardiaca. *Fuentes ricas…*

•**Una papaya** (188 mg).

•**Medio pimiento dulce (ají, "pepper") crudo, ya sea rojo, verde o amarillo** (170 mg).

•**Una taza de bróculi** –cocido al vapor o en el microondas (98 mg).

•**Entre 10 y 12 fresas (frutillas, "strawberries")** (85 mg).

•**8 onzas (235 ml) de jugo de naranja** (124 mg).

La vitamina C es altamente sensible al calor y la cocción. Así que al cocinar vegetales use una olla a presión o cocínelo ligeramente al vapor o en el microondas.

•**La vitamina E** es uno de los antioxidantes más potentes para combatir enfermedades.

Los estudios indican que la RDA actual de vitamina E –30 unidades internacionales (IU)– es probablemente muy baja para que pueda brindar gran protección contra las enfermedades. Algunos expertos creen que entre 100 y 400 IU diarios de vitamina E pueden ofrecer una mejor protección.

La vitamina E se encuentra comúnmente en alimentos altos en grasa, como aceites vegetales y nueces.

Otros ejemplos: Semillas de girasol ("sunflower seeds")… germen de trigo ("wheat germ")… y mantequilla de maní ("peanut butter").

La vitamina E también puede encontrarse en algunos vegetales de hoja –y en las batatas.

Aunque algunos expertos recomiendan que se complemente la vitamina E de su dieta con suplementos (la recomendación opuesta para otros antioxidantes), tenga en cuenta que la vitamina E sintética en algunos suplementos no es tan eficaz como la vitamina E natural que de los alimentos.

Una golosina congelada saludable

The Healthy Gourmet por Cherie Calbom, experta y conferencista en los temas de la dieta y la nutrición, que reside en Lake Ariel, Pensilvania. Clarkson Potter Publishers.

Congele bananas peladas. Cúbralas con yogur natural bajo en grasa ("plain low-fat yogurt"). Déle vueltas a las bananas en nueces picadas y vuelva a congelar.

Controle su colesterol sin medicamentos

Kenneth H. Cooper, MD, MPH, presidente y fundador del Cooper Aerobics Center, 12200 Preston Rd., Dallas 75230. Es autor de numerosos libros sobre salud y fitness, incluido *Controlling Cholesterol the Natural Way*. Bantam.

Los medicamentos de estatinas para reducir el colesterol están entre los medicamentos más recetados en EE.UU.

Si bien las estatinas son seguras para la mayoría de las personas, pueden causar diarrea, dolor muscular o daños en el hígado en 2% a 10% de los pacientes. Estos medicamentos también cuestan hasta $1.800 por año y deben tomarse de por vida.

Por eso, yo receto estatinas solamente cuando el colesterol total es alrededor de 240 mg/dl o más alto… o cuando los pacientes ya sufren de enfermedad cardiaca o tienen un alto riesgo de desarrollarla debido a que son fumadores, sufren de alta presión arterial u otros factores de riesgo coronario.

Las empresas farmacéuticas no publicitan esto, pero la mayoría de las personas puede reducir su colesterol sin tomar medicamentos.*

El mejor enfoque: Ingiera alimentos con propiedades antioxidantes. Junto a otros cambios básicos en el estilo de vida, la dieta apropiada puede reducir efectivamente el colesterol a niveles seguros.

Bono: Si usted necesita, eventualmente, una estatina para reducir sus niveles de colesterol aún más, estos alimentos le permitirán tomar la dosis más baja posible.

LA DIETA QUE CURA

Incluso las personas con niveles moderados de colesterol alto (mayor a 200) deben seguir una dieta baja en grasas. Esto significa limitar las calorías provenientes de la grasa a un 30% o menos de su ingesta total de grasa. La grasa saturada que se encuentra en la mantequilla, las carnes y los dulces deben sumar no más de un 10% de las calorías totales.

Sin embargo, las dietas bajas en grasa no son la solución perfecta. Incluso con este tipo

*Consulte con su médico sobre el tratamiento más adecuado para usted para reducir el colesterol.

de dieta, el colesterol rara vez baja más de 50 puntos, lo cual no es suficiente para algunas personas. Asimismo, una dieta baja en grasa reduce los niveles de colesterol de la beneficiosa lipoproteína de alta densidad (HDL, por sus siglas en inglés) junto con la perjudicial lipoproteína de baja densidad (LDL).

Para compensar, quienes tienen colesterol alto necesitan comer alimentos "funcionales" diariamente. Estos son alimentos tanto naturales como modificados en laboratorios que inhiben la absorción del colesterol o promueven su expulsión del cuerpo. *Recomiendo a los pacientes que coman ambos tipos de alimentos para reducir el colesterol al máximo…*

●**Alimentos funcionales tradicionales**. La fibra soluble en algunos granos, legumbres y frutas se disuelve y forma un gel en el intestino. Este gel atrapa las moléculas de colesterol y previene su absorción en el torrente sanguíneo. Las personas que comen de 7 a 8 gramos (g) de fibra soluble diariamente pueden reducir su colesterol total de un 5% a un 8%. *Las mejores opciones…*

●Psilio ("psyllium"). Es un antiguo grano de la India que se le añade a algunos cereales para el desayuno así como a laxantes de venta libre. En un estudio se halló que tan solo 3 g de psilio diariamente reducen el colesterol total en un 15% y el LDL en un 20%.

Muchos cereales para el desayuno, incluidos el Kellogg's All-Bran, Bran Buds y los cereales multigranos, contienen psilio. O puede tomar tres cucharadas de Metamucil diariamente, lo que equivale a unos 10 g de fibra soluble.

●Salvado de avena y arroz. Nuevos estudios demuestran que las personas que comen tres onzas (85 g) de salvado de avena ("oat bran") por día pueden mejorar la proporción de colesterol LDL "malo" y HDL "bueno" en un 24%.

El salvado de arroz ("rice bran") reduce el LDL casi tanto como el salvado de avena en quienes comen unas tres onzas (85 g) diarias.

●Pescado. Comer pescado de dos a tres veces a la semana reducirá el LDL y los triglicéridos, grasas que también han sido asociadas con enfermedades cardiacas.

En un estudio de 20.000 estadounidenses, los médicos hallaron que una comida de salmón, atún u otro pescado rico en aceites omega-3 a la semana reduce en un 52% el riesgo de sufrir un ataque al corazón fatal.

Los suplementos de aceite de pescado ("fish oil") son una opción para las personas que no comen pescado, pero quizá no brinden tantos beneficios para la salud como el pescado. *Dosis típica:* entre 1 y 3 gramos al día.

●**Alimentos funcionales elaborados.** Las transgrasas ("trans-fats") en las margarinas tradicionales elevan el colesterol casi tanto como las grasas saturadas. El benecol, una margarina reductora de colesterol, contiene esteres de estanol, extractos de plantas modificados químicamente que disminuyen el colesterol tan efectivamente como algunos medicamentos.

Ingerir tres cucharadas de Benecol (el equivalente a tres medidas) diariamente reduce el LDL en un 14%. El Benecol también está disponible en tabletas en gel para quienes quieren la conveniencia de los suplementos o que no consumen margarina.

Útil: Una versión baja en calorías, Benecol Light, contiene alrededor de 50% menos calorías. Se puede untar en tostadas, "bagels", etc., pero no debe usarse para cocinar. Sin embargo, sí se puede cocinar con el Benecol común.

ESTRATEGIAS ADICIONALES

Además de seguir una dieta baja en grasa y comer alimentos funcionales, las personas con colesterol alto deben considerar…

●**Vitaminas.** Ciertas vitaminas antioxidantes reducen el riesgo de ataque al corazón al bloquear los cambios químicos (oxidación) que hacen que el colesterol LDL se adhiera a las paredes arteriales y promueva la aterosclerosis (acumulación de grasa en las arterias).

●Vitamina E. Tome al menos 200 IU de la forma natural (d-alfa-tocoferol) diarias, pero consulte con su médico primero.

●Vitamina C. Al igual que la vitamina E, inhibe la oxidación de moléculas LDL. Las personas que consumen mucha vitamina C en su dieta o en suplementos son menos propensas a morir de una enfermedad cardiovascular que las que consumen menor cantidad. *La dosis:* 500 mg dos veces al día, en forma de suplemento.

●**Ejercicio.** Solíamos pensar que solo los ejercicios vigorosos elevaban los niveles del colesterol HDL beneficioso.

Nuevas investigaciones: Caminar o trotar a una intensidad baja o moderada –por ejemplo, caminar una milla (1.600 metros) en unos 14 minutos– puede elevar el HDL en un 9%.

Les recomiendo a mis pacientes que caminen vigorosamente 30 minutos por lo menos tres días a la semana y después de dos semanas, que añadan algún otro ejercicio, como calistenia y entrenamiento con pesas.

Bono: Combinar una dieta saludable con ejercicios aeróbicos puede reducir el LDL hasta en 20 puntos.

●**Pérdida de peso.** No está claro porqué, pero muchas personas que pierden peso también reducen sus niveles de colesterol LDL. El colesterol total desciende típicamente en aproximadamente 5% por cada cinco a diez libras (2 a 4½ kilos) de peso que se pierden.

●**Niacina.** Altas dosis de esta vitamina B (entre 1,5 y 3 g diarios) pueden reducir el colesterol LDL entre un 15% y un 30% y elevar el HDL entre un 10% y un 40%.

La niacina puede tomarse sola pero normalmente se añade si las estatinas no reducen los triglicéridos o elevan el HDL lo suficiente. Pero en dosis elevadas, la niacina puede causar efectos secundarios, como sonrojamiento, problemas del hígado e irregularidades en el ritmo cardiaco. Debe usarse sólo bajo la supervisión de un médico.

Mejores desayunos

Brand Name Fat-Fighter's Cookbook, escrito por Sandra Woodruff, RD, asesora de nutrición que reside en Tallahassee, Florida. Avery Publishing Group.

Los cereales más sanos para el desayuno tienen como primer y principal ingrediente de la lista los granos integrales. *La razón:* los granos integrales contienen ácidos grasos esenciales, vitamina E y otros nutrientes importantes. También verifique la etiqueta de nutrición para ver el contenido de azúcar. Un límite prudente de azúcar es 50 gramos diarios (cuatro gramos son una cucharadita). Busque cereales con poca grasa –no necesariamente *sin grasa* ("no-fat").

Comidas cremosas sin crema

Brand Name Fat-Fighter's Cookbook por Sandra Woodruff, RD, asesora de nutrición en Tallahassee, Florida. Avery Publishing Group.

Sustituya la crema indicada en la receta por una cantidad igual de leche descremada evaporada.

Alternativa: Sustituya una taza de crema espesa de leche ("heavy cream") con una taza de leche descremada y añada una tercia taza de leche descremada instantánea en polvo ("instant nonfat dry milk powder"). Estas sustituciones funcionan bien en *quiches*, salsas, guisos, flanes y otros platos tradicionalmente altos en grasa.

Lo que usted debería saber acerca de la cafeína

Timothy McCall, MD, internista en Boston, editor médico de la revista *Yoga Journal* y autor de *Examining Your Doctor: A Patient's Guide to Avoiding Harmful Medical Care*. Citadel Press. *www.drmccall.com.*

A lo largo de los años se ha escrito información contradictoria acerca de los riesgos de la cafeína. Los estudios muestran que el consumo de café ha sido relacionado con cáncer pancreático… colesterol alto… ataques al corazón… y defectos congénitos.

La realidad: Los resultados de estos estudios han sido cuestionados por expertos en salud. Esto es porque las personas que toman mucho café tienden también a tener otros malos hábitos, como fumar o no ejercitarse –que pueden ser los culpables.

LA CAFEÍNA Y LA OSTEOPOROSIS

Si bien la cafeína en el café, té, cola, chocolate y algunos medicamentos puede causar nerviosismo, temblor, irritabilidad e insomnio, los estudios no han fundamentado la mayoría de las alusiones sobre los *efectos negativos a largo plazo* de la cafeína.

La excepción: Parece haber una conexión entre consumir altos niveles de cafeína y la osteoporosis –el adelgazamiento de los huesos que puede producir fracturas de cadera, especialmente en mujeres mayores. Los factores de riesgo para la osteoporosis incluyen el ser mujer, delgada, blanca –particularmente de ascendencia del norte de Europa o asiática… no hacer ejercicio… fumar… y tener antecedentes familiares de la enfermedad.

La autodefensa: Si usted está en alto riesgo de desarrollar osteoporosis, debe reducir significativamente su consumo de cafeína y asegurarse de incluir suficiente calcio en su dieta. En un estudio, las mujeres que tomaban por lo menos un vaso de leche al día estuvieron protegidas contra las consecuencias del adelgazamiento de los huesos que tiene la cafeína.

Si no puede tomar leche, tome un suplemento de calcio. El carbonato de calcio ("calcium carbonate"), que puede comprar en los supermercados, farmacias y tiendas de alimentos naturales, es una fuente económica y eficaz.

Las mujeres que están en etapa premenopáusica deben tomar 1.200 mg por día… las mujeres en etapa posmenopáusica, 1.500 mg por día. Para una mejor absorción, no tome más de 500 mg a la vez.

ABSTINENCIA DE CAFEÍNA

Las personas que están acostumbradas a tomar varias tazas de café al día pueden desarrollar dolores de cabeza, dificultad para concentrarse, fatiga y depresión si eliminan la cafeína de sus dietas.

Si usted decide que quiere reducir su consumo de cafeína, lo mejor es hacerlo poco a poco. Reduzca cerca de un 20% por semana durante un mes –o más.

La reducción lenta de la cantidad de cafeína en su sistema previene las reacciones a la abstinencia. Si desarrolla dolores de cabeza u otros síntomas, aumente ligeramente su consumo, luego continúe disminuyéndolo lentamente con el tiempo.

Los suplementos nutricionales líquidos no son sustitutos de la comida real

Bonnie Liebman, MS, directora de nutrición del Center for Science in the Public Interest en Washington, DC.

Los suplementos nutricionales líquidos, incluso las marcas como Boost, Ensure, Resource y Sustacal, fueron creados originalmente para los enfermos y los ancianos. Hoy, se promueven con comerciales atractivos para personas mayores activas así como para personas saludables más jóvenes que no tienen tiempo de comer tres buenas comidas al día.

La realidad: La mayoría de los suplementos contiene una mezcla de agua, aceite, azúcar, soja y proteínas de la leche, con vitaminas y minerales añadidos. *Las mejores opciones:* frutas y vegetales, panes de granos integrales, yogur. Estos alimentos tradicionales también contienen fibra y sustancias como los fitoquímicos, que se cree que ayudan a prevenir el cáncer y la enfermedad cardiaca.

Es seguro tomar el agua destilada

Richard P. Maas, PhD, profesor adjunto de estudios ambientales de la Universidad de Carolina del Norte en Asheville.

El agua destilada brinda un grado de protección aún mayor que las otras aguas embotelladas para las personas que sufren debilidades del sistema inmune, quienes necesitan hacer esfuerzos adicionales para evitar el parásito *Criptosporidium*.

Lo que debe saber sobre las alergias a los alimentos

Thomas Brunoski, MD, médico con práctica privada en Westport, Connecticut. El Dr. Brunoski se especializa en el tratamiento de problemas médicos con terapias nutricionales y de alergias en vez de medicamentos.

Cada año, cientos de personas que sufren de dolencias crónicas –como dolores de cabeza, ansiedad, asma, enfermedad cardiaca, artritis, cambios de estados de ánimo y otros– buscan mi ayuda.

Una de las primeras preguntas que les hago es: *¿qué come usted?*

La razón: El factor más básico de nuestra salud es la comida, puesto que cada célula de nuestro cuerpo viene de lo que comemos. Muchos de mis pacientes están esforzándose por comer bien, pero sus dietas parecen traicionarlos.

En muchas personas, existe la presencia de alergias insospechadas que pueden causar o agravar varios problemas. Si esto parece probable, entonces realizo una serie de pruebas de alergia para determinar qué alimentos pueden estar detonando sus síntomas particulares. Puesto que es casi imposible que una persona identifique por sí misma cuáles alimentos le hacen daño, los hallazgos muchas veces resultan sorprendentes, no sólo para mis pacientes sino también para mí.

Una vez que descubro los alimentos que están enfermando a un paciente –o empeorando su condición– puedo prescribirle una dieta que puede mejorar significativamente su salud.

A continuación les presento las historias de unos pocos pacientes que se han beneficiado simplemente por cambiar su dieta.

EL ASMA Y LAS ALERGIAS

Una mujer de 30 años con un historial de asma me comentó que su condición estaba empeorando, aun cuando su médico le había recetado cuatro potentes medicamentos para el asma. No tenía energía, se jadeaba todo el tiempo y no podía dormir porque la tos la mantenía despierta. Su médico le dijo que quizás tendría que tomar pastillas de esteroides orales, que tienen efectos secundarios desagradables y dañinos.

La solución: Primero, le insistí a esta señora que eliminara todos los azúcares procesados. Podía comer frutas porque contienen fibra. La fibra retiene el azúcar, liberándola en un período largo de tiempo de modo que el cuerpo pueda digerirla más lentamente.

Le expliqué que estudios realizados en los años treinta en la clínica Mayo sugerían una relación entre el consumo de azúcar y el asma. En estos estudios se halló que una dieta sin azúcar puede ayudar a controlar o hasta curar el asma en muchos niños (también le aconsejé eliminar la cafeína, que parece empeorar los ataques de asma).

Debido a que el asma es una enfermedad alérgica, le hice pruebas para determinar alergias alimentarias y descubrí que era sensible a una variedad de alimentos, incluidos carne, leche, huevos, maíz, tomates, trigo y maní.

El resultado: En dos semanas, la paciente dejó de consumir azúcar, cafeína y sus "alimentos alergénicos" específicos y manifestó sentirse estupendamente. Tenía más energía… su sueño había mejorado… y su esposo también estaba durmiendo más ya que ella no lo despertaba con su tos constante.

Durante el año pasado, ella dejó de usar todos los medicamentos para el asma y no ha tenido un solo ataque.

LA OSTEOARTRITIS Y LAS ALERGIAS

Hace seis años, vino a verme un hombre de mediana edad luego de haber sido diagnosticado con osteoartritis. Sufría de dolores en muchas articulaciones y tomaba analgésicos recetados y de venta libre, pero su condición estaba empeorando.

La solución: Le aconsejé que eliminara toda la comida chatarra ("junk food") y que empezara a comer alimentos saludables, incluso ensaladas. Si existe un "alimento milagroso", estoy convencido de que es la ensalada de hojas verdes oscuras. La lechuga romana ("romaine lettuce"), la arúgula y la lechuga roja, están llenas de vitaminas, minerales y nutrientes –flavonoides y retinoides– que combaten enfermedades.

También le hice pruebas de alergias a los alimentos y descubrí que era alérgico a muchas

cosas, entre ellas las semillas de soja, naranjas, papas, maíz y cebollas. Luego de seguir una dieta sin estos alimentos por dos meses, el paciente regresó diciendo que se sentía mejor, pero que todavía tenía dolor.

Le pregunté qué había estado comiendo y contestó que *mucho pollo y bróculi*. Así que le hice más pruebas y descubrí que era muy alérgico a ambos alimentos. El bróculi me sorprendió ya que nunca había oído de nadie que fuese alérgico a bróculi.

El resultado: Dejó de comer pollo y bróculi y comenzó a sentirse mejor inmediatamente. También dijo que tenía muy poca o ninguna inflamación en las articulaciones. Si cedía a su pasión y comía estos dos alimentos, al día siguiente sentía dolor.

Finalmente traté a este hombre con inmunoterapia oral (tratamiento líquido para la alergia que se administra debajo de la lengua y que "insensibiliza" a las personas de sus alergias a los alimentos y a otros alergenos). Ahora puede comer pollo y bróculi sin problema.

LAS MIGRAÑAS Y LAS ALERGIAS

Una mujer de 27 años tenía migrañas una o dos veces al mes. Los síntomas eran severos –dolor extremo, náuseas, vómitos y trastornos de la vista. También se sentía fatigada la mayor parte del tiempo. Ella mencionó que tenía un historial infantil de alergias, lo que es común en los pacientes con migrañas. Pero no podía señalar ningún detonante de los dolores de cabeza –alimentos en particular que pudieran desatar un ataque.

La solución: Debido a que el azúcar y la cafeína son detonantes reconocidos de las migrañas, le aconsejé eliminarlos de inmediato. También eliminó las comidas procesadas ya que los aditivos, incluidos los colorantes artificiales y los preservativos –nitritos y sulfitos– pueden causar un ataque de migraña. Los exámenes revelaron que mi paciente era alérgica a una amplia variedad de alimentos. Le sugerí que también dejara de comerlos.

El resultado: A las cuatro semanas de haber empezado su nueva dieta, no había tenido un solo dolor de cabeza. Un año más tarde todavía sigue sin dolores de cabeza. Y con la insensibilización a la alergia ahora puede comer de nuevo los alimentos que le causaban alergia –pero nada de comida chatarra.

Comidas energizantes... alimentos que lo hacen más productivo

Judith J. Wurtman, PhD, es científica investigadora del departamento de ciencia cognitiva y del cerebro del Massachusetts Institute of Technology en Cambridge. Es autora de *The Serotonin Solution* (Ballantine) y *Managing Your Mind and Mood Through Food* (Rawson Associates).

Ya sea usted un pájaro madrugador o un ave nocturna, puede mantener un alto nivel de energía todo el día al comer el tipo de comida apropiado en el momento adecuado del día.

CÓMO FUNCIONAN LAS COMIDAS PODEROSAS

Los alimentos proteínicos, tales como carnes, pescados, aves, productos lácteos, frijoles (habichuelas, judías) y huevos, contienen el aminoácido *tirosina*. Éste estimula el cerebro a producir *norepinefrina* y *dopamina*, dos sustancias químicas que permiten estar alerta. Cuando se comen solos o con carbohidratos, como pan, productos de cereales, frutas y vegetales, los alimentos con proteínas estimulan la atención mental y la energía.

Nunca *empiece* una comida con un carbohidrato si planea trabajar después de la comida, porque éstos pueden causar somnolencia.

La razón: Los carbohidratos tienen el aminoácido *triptofan* que detona la producción de *serotonina*, una sustancia química tranquilizante.

ALIMENTOS ENERGIZANTES

Todos los alimentos proteínicos bajos en grasa producen resultados rápidos en la modificación del estado de ánimo y en el estímulo de energía. *Para la mayoría de las personas, tres o cuatro onzas de los siguientes alimentos funcionan muy bien...*

Alimentos bajos en grasa y bajos en carbohidratos, como mariscos, pescado, pollo (sin piel), ternera, carne extra-magra, frijoles (habichuelas, judías) y legumbres. *También son buenos:* el requesón ("cottage cheese"), el yogur, la leche o el tofu bajos en grasa.

QUÉ COMER

El "reloj biológico" del cuerpo juega un papel importante en la forma como los alimentos nos energizan. Este reloj hace que nos sintamos más enérgicos y menos estresados durante las primeras seis horas luego de despertarnos.

A partir de allí, nuestro nivel de energía desciende lentamente hasta el final del día –generalmente durante la hora anterior al momento que acostumbramos acostarnos– cuando nos apagamos mentalmente.

La clave para mantener altos niveles de desempeño es comer alimentos que sean energizantes cuando sus ritmos biológicos comienzan a disminuir. *Guías alimenticias...*

●**Desayuno:** Un desayuno nutritivo o una merienda antes del mediodía le previene de comer demasiado a la hora del almuerzo. Para obtener óptimos resultados, coma en las tres horas siguientes a levantarse.

Lo mejor: Desayune alimentos ricos en proteínas, vitaminas y minerales y bajos en grasas.

Ejemplo: Una porción de fruta fresca (o de media a tres cuartos de taza de bayas –"berries") mezclada con ocho onzas (235 ml) de yogur natural... un "muffin" de salvado ("bran") con una o dos cucharaditas de mermelada o margarina dietética... una taza de café (negro o con leche descremada).

●**Almuerzo:** Su comida de mediodía puede mantener su estado de alerta de la mañana o acelerar la caída de su nivel de energía.

Lo mejor: Una comida rica en proteínas, baja en grasas y sin alcohol.

Ejemplos: Entre 3 y 5 onzas (85 y 140 g) de carne, pollo, mariscos o pescado; 8 onzas (235 ml) de yogur o requesón ("cottage cheese") descremados; 2 onzas (60 g) de queso bajo en grasa como mozzarella, ricotta o feta o dos huevos. *Además:* una porción de frutas rebanadas (o de entre media y tres cuartos de taza de bayas –"berries") y dos rebanadas de pan de grano integral.

El mito: Comer pasta en el almuerzo aumenta su energía física y mental.

La realidad: La mayoría de los atletas se llena de pasta antes de un evento que requiera de resistencia prolongada porque el cuerpo la convierte en *glicógeno*, el cual sirve de combustible para los músculos… no para el cerebro.

●**Cena:** Su comida de la noche se hace en un momento en el que sus ritmos biológicos le están diciendo a su cuerpo que se apague. Para mantenerse alerta en proyectos nocturnos, ingiera alimentos ricos en proteínas y bajos en carbohidratos.

>*Ejemplo:* De cuatro a cinco onzas (entre 115 y 140 g) de pollo horneado sin huesos ni piel; una taza de vegetales mixtos salteados (bróculi, castañas en agua, cebollas, etc.); tres cuartos de taza de arroz al vapor y una naranja fresca. Nunca comience con un carbohidrato –pan, galletas saladas, vegetales fritos, etc.

Alerta con la cafeína: Sus células cerebrales están más sensibles a la cafeína a primera hora de la mañana. *Recomendación:* limite su consumo diario a una o dos tazas de café o té cuando se levante (el efecto durará hasta seis horas) y otra taza a media tarde.

>*Importante:* Evite la cafeína después de las 4:30 de la tarde si se despierta durante la noche. Sin embargo, si tiene que trabajar hasta tarde o está combatiendo el desfase horario, una taza de café con la cena puede mantenerle despierto un rato más.

ALIMENTACIÓN PARA EL DESEMPEÑO

Los alimentos que ingiere antes de dar una charla, un discurso, una conferencia u otra presentación pública pueden hacer que todo salga bien… o mal…

●**Nunca se presente con el estómago vacío.**

●**Coma moderadamente** –si es posible, dos horas antes de su presentación.

●**Escoja alimentos bajos en calorías** y en grasas.

●**Tome suficiente café o té** para mantener el nivel habitual de cafeína en su cuerpo durante su presentación. *Precaución:* si usted toma poco café o té, no empiece ahora. Solamente conseguirá ponerlo más nervioso.

●**Beba poco o nada de alcohol** y no beba nada de alcohol en las tres horas anteriores a su presentación.

La autodefensa contra el cáncer

Ronald Estabrook, PhD, profesor O'Hara de bioquímica del centro médico Southwestern de la Universidad de Texas en Dallas, quien dirigió un estudio de más de 200 sustancias cancerígenas que se encuentran en la dieta.

Las mayores amenazas de cáncer son comer demasiada grasa… demasiadas calorías… y beber demasiado alcohol –son amenazas de cáncer mucho mayores que el consumir alimentos cancerígenos.

La razón: La mayoría de los carcinógenos, sean naturales o sintéticos, están presentes en niveles tan bajos que el riesgo de cáncer que plantean es insignificante.

La autodefensa: Mantenga una dieta balanceada que incluya muchas frutas y vegetales. Este tipo de dieta no solo es mejor para su cuerpo, sino que también lo ayuda a protegerse contra los carcinógenos naturales. Y, por supuesto, no fume.

Exterminador poco conocido de coágulos de sangre

John Folts, PhD, profesor de medicina de la facultad de medicina de la Universidad de Wisconsin en Madison. Su estudio de 15 personas fue publicado en el *Journal of the American College of Cardiology*, 415 Judah St., San Francisco 94122.

El jugo de uva morada previene los peligrosos coágulos sanguíneos de manera más eficaz que la aspirina. Los *flavonoides* presentes en el jugo reducen la "pegajosidad" de las plaquetas en aproximadamente un 40%.

Los investigadores creen que se pueden obtener los mismos beneficios del vino tinto y otros tipos de jugo de uva –pero no de las uvas ni de las "bebidas de uva" que no son 100% jugo. Las propiedades del jugo de uva que combaten los coágulos son especialmente beneficiosas para ciertos pacientes con enfermedades cardiacas.

La mejor parrillada de verano

Chris Schlesinger, chef principal y copropietario del East Coast Grill en Cambridge, Massachusetts. Es coautor de *The Thrill of the Grill* y *License to Grill*. Morrow.

Al llegar el verano todo el mundo quiere cocinar al aire libre. Pero como la carne de res y las hamburguesas están prohibidas en muchas parrillas debido a su alto contenido de grasa, ¿hay alguna otra cosa que valga la pena asar a la parrilla?

Por supuesto, afirma Chris Schlesinger, un chef de Boston, reconocido por recetas de parrilla. Aves, mariscos, pescado, vegetales e incluso frutas son excelentes alternativas.

Aquí tiene las seis reglas de Schlesinger para una parrillada saludable. Juntas, llevan a una excelente comida al aire libre.

EVITE LAS BRIQUETAS DE CARBÓN

Las briquetas ("charcoal briquettes") contienen compuestos a base de petróleo que pueden ir a parar a su comida. El carbón de trozos de madera ("lump hardwood charcoal") –vendido en supermercados y ferreterías– es una mejor opción.

Estos trozos irregulares de carbón puro son más fáciles de encender que las briquetas y no tienen productos de petróleo.

Las parrilleras a gas son fáciles de usar, pero la comida cocida a gas no sabe tan bien como la cocida al carbón de madera.

ENCIENDA UN FUEGO DE DOS NIVELES

Si no tiene cuidado, la comida asada a la parrilla puede terminar quemada por fuera y cruda por dentro. Para evitar esto, encienda un fuego con un área de calor alto para cocinar a la brasa y un área de calor bajo para continuar cocinando la comida por completo.

Encienda su fuego en un costado de la parrilla. Una vez que los carbones estén al rojo vivo, utilice unas pinzas para mover *algunos* hacia el otro costado. Deje que la comida se dore bien antes de moverla hacia el lado de menos calor.

USE UN ENCENDEDOR DE CHIMENEA

El líquido inflamable ciertamente da buenos resultados, pero un encendedor de chimenea cuesta menos y es igualmente conveniente.

Llene la base del encendedor con papel de periódico arrugado, luego colóquelo en la rejilla *inferior* de su parrillera, no la que toca la comida. Llene la parte superior con carbón y encienda el papel de periódico.

Una vez que los carbones estén al rojo vivo, páselos a la rejilla para el fuego. Use unos guantes largos a prueba de fuego para mover el encendedor. Vuelva a colocar la parrilla (la superficie para cocinar). Espere hasta que los carbones estén cubiertos de ceniza gris antes de asar. Los encendedores de chimenea se pueden comprar en las ferreterías.

EVITE LOS MARINADOS A BASE DE ACEITE

Los adobos a base de especias, fáciles de hacer, son más sabrosos que los marinados tradicionales a base de aceite, y no tienen grasa.

Adobo de parrilla para toda ocasión: Mezcle un tercio de taza de pimienta negra recién molida, sal "kosher", azúcar morena no muy empaquetada ("lightly packed brown sugar"), paprika y comino ("cumin"). Agregue dos cucharadas de pimienta de cayena, pimienta de Jamaica ("allspice") molida y jengibre molido. Frote el adobo con sus manos por el pollo o los mariscos antes de asarlos.

USE CARNE CON MODERACIÓN

Si usted ama la carne pero le teme a su alto contenido de grasa, úsela como acompañamiento en vez de plato principal. Por ejemplo, agregue pequeños pedazos de bistec a una ensalada. Añada unos hongos portobello cocinados a la parrilla para obtener un sabor y una textura muy parecidos a la carne, que incluso los amantes del bistec encuentran satisfactorio.

BAÑE SUS COMIDAS CON SALSAS

Las salsas caseras naturales son tan sabrosas como las salsas para barbacoa tradicionales –y mucho mejores para la salud. Pruebe cubrir un pollo o pescado a la parrilla con una mezcla de tomates picados, cilantro ("coriander") fresco y jugo de lima (limón verde, "lime").

Dietas peligrosas

Stephen P. Gullo, PhD, presidente del Institute for Health and Weight Sciences en Nueva York y autor de *Thin Tastes Better.* Carol Southern Books.

Tenga cuidado con las dietas que hacen una o más de estas cosas…

• **Anuncian una pérdida de más de una o dos libras (2 a 4 kilos) de peso por semana.**

• **Promueven alimentos o suplementos milagrosos.**

• **Restringen o recomiendan grandes cantidades de alimentos específicos,** en lugar de una dieta balanceada.

• **Dan a entender que usted puede perder peso –y mantenerse delgado– sin hacer ningún cambio en su estilo de vida o sin hacer ejercicios.**

• **Se apoyan firmemente en estudios de casos, testimoniales y anécdotas** –pero no presentan ningún estudio científico que sustente sus afirmaciones.

• **Prometen generalmente una "garantía de devolución de su dinero".**

Si necesita usar huevos…

Franca B. Alphin, MPH, RD, LDN, directora de nutrición del Diet and Fitness Center de la Universidad Duke en Durham, Carolina del Norte.

Para reducir el colesterol y la grasa en las recetas que incluyen huevos, use dos claras de huevo en lugar de un huevo entero. Eso reduce todo el colesterol y 5 gramos de grasa –y el plato sabrá casi igual. Si la receta incluye más de un huevo, sustituya dos claras de huevo por el primer huevo y una clara de huevo por cada huevo adicional.

Más sobre los flavonoides

Paul Knekt, PhD, jefe de laboratorio del National Public Health Institute en Helsinki. Su estudio de 26 años con 2.748 hombres y 2.385 mujeres con edades de 30 a 69 años fue publicado en el *British Medical Journal,* Tavistock Square, Londres WC1H 9JR.

Las frutas, los vegetales, el vino tinto y el té son buenas fuentes de estos poderosos antioxidantes. Recientemente los investigadores han sugerido que las dietas ricas en flavonoides reducen el riesgo de enfermedad cardiaca.

Ahora: Las dietas ricas en flavonoides parecen reducir la tasa de mortalidad, *sin importar* la causa. En un estudio, los individuos que consumían más flavonoides tenían de un 25% a un 30% menos de riesgo de muerte prematura, que los que consumían menos.

Elimine la reincidencia de piedras en los riñones

Robert A. Hiatt, MD, PhD, director de ciencias de la población y director adjunto de la Universidad de California en San Francisco, y profesor de epidemiología y bioestadística de dicha universidad. Su estudio de cinco años de 99 pacientes con cálculos renales fue publicado en el *American Journal of Epidemiology,* 2007 E. Monument St., Baltimore, MD 21205.

Desde hace mucho tiempo, los médicos le han recomendado a sus pacientes con piedras en los riñones que adopten una dieta baja en proteínas, rica en fibras y en líquidos. Pero un estudio sugiere que lo más importante es beber mucha agua –entre seis y diez vasos de ocho onzas (235 ml) al día.

Marinado de carne más seguro

Presentado en el boletín *Wellness Letter* de la Universidad de California en Berkeley, Box 412, Prince St. Station, Nueva York 10012.

Siempre marine la carne en el refrigerador en vez de a temperatura ambiente.

La razón: Dejar la carne fuera del frío permite el crecimiento de bacterias.

No vuelva a poner la carne cocinada en un marinado crudo ni lo use como salsa a menos que caliente el marinado a punto de ebullición por lo menos durante un minuto.

La razón: El marinado usado puede estar contaminado por bacterias de la carne cruda.

Elimine la grasa

Cut the Fat! More than 500 Easy and Enjoyable Ways to Reduce Fat from Every Meal por la American Dietetic Association. HarperPerennial.

Coloque los caldos, estofados y frijoles horneados en el refrigerador por 30 minutos antes de abrirlos. Destápelo y quítele la grasa solidificada. Esto también funciona con sopas y guisos *caseros* –enfríelos y elimine la grasa que aparece en la superficie.

Una dieta comprobada para aliviar el dolor por artritis

James Scala, PhD, investigador de nutrición y salud por más de 30 años. Reside en Lafayette, California, y ha enseñado en universidades y facultades de medicina en EE.UU y en el extranjero. Es autor de varios libros, entre ellos, *The New Arthritis Relief Diet.* Plume.

Si usted sufre de artritis y piensa que los medicamentos son su única esperanza, piense de nuevo. Un plan dietético sorprendentemente sencillo ha reducido los síntomas de artritis en personas de todas partes del mundo que lo han seguido al pie de la letra. Por lo menos 15 importantes estudios clínicos han mostrado que este enfoque dietético funciona efectivamente.

DESECHE LOS ANTIINFLAMATORIOS

Los sujetos de este estudio –la mayoría de los cuales había sufrido de artritis muchos años– redujeron el uso de medicamentos antiinflamatorios sin esteroides (NSAID por sus siglas en inglés), los más comunes para tratar

la artritis. Eso quiere decir que muchos, y tal vez la mayoría, pudieron dejar de tomarlos por completo y todos ellos pudieron estar bien con menos medicamentos.

Esta es una buena noticia porque los NSAID tienen efectos secundarios potencialmente graves que empeoran con el tiempo. Por ejemplo, elevan la presión arterial e incrementan el riesgo de úlceras en un 15%. Con el uso prolongado, pueden causar daño.

Si usted comienza esta dieta, sus malestares por artritis deben empezar a mejorar en un par de semanas.

Importante: Pasarán tres meses antes de que la dieta produzca su impacto completo.

CÓMO DEVOLVERLE EL BALANCE QUÍMICO AL CUERPO

Su meta es mejorar el balance entre dos *prostaglandinas* (sustancias parecidas a las hormonas que fabrican las células del cuerpo) de manera que usted propicie la que reduce la inflamación en lugar de la que la aumenta.

La mejor manera de reducir la prostaglandina dañina es con *ácido eicosapentaenoico* (EPA, por sus siglas en inglés). El EPA es un ácido graso omega-3 que se encuentra casi exclusivamente en los aceites de pescado y animales marinos. El pescado es bueno para usted. Le brinda la mayor cantidad de proteínas con el menor número de calorías y posee la forma de grasa más saludable.

Precaución: La mayoría de la comida rápida ("fast-food") y el pescado cocinado congelado contiene ingredientes que contrarrestan el efecto beneficioso al cubrirlo bajo un empanado frito poco saludable.

En los restaurantes, pida pescado horneado, hervido ("poached") o asado. El jugo de limón es un sustituto sabroso de la mantequilla.

Consuma todo el aceite omega-3 que pueda. Además de sus propiedades para reducir la inflamación, también inhibe el desarrollo de placa arterial que conduce a enfermedad cardiaca y al derrame cerebral. *Buenas fuentes de aceites omega-3…*

•**Pescado:** Especialmente el pescado de agua fría de alta mar. *Excelente:* salmón, arenque ("herring"), caballa ("mackerel"). *Bueno:* anjova (pez azul, "bluefish"), eperlano ("smelt"), atún y lavareto ("whitefish"). Si no consigue pescado fresco, coma pescado congelado, enlatado o de granja (siluro –"catfish"–, trucha criada en granja –"farm-raised rainbow trout"–, perca –"perch"–, bacalao –"cod"– y lucio –"pike"–).

●**Suplementos de aceite de pescado:** Se consiguen en tiendas de alimentos naturales y farmacias.

●**Aceite de linaza ("flaxseed oil"):** Se consigue en tiendas de alimentos naturales y en supermercados. Este poderoso aceite, que el cuerpo convierte en EPA, no sabe a nada, es de color amarillo dorado y se añade fácilmente a los alimentos como los cereales fríos o calientes, el aderezo para ensaladas, la ensalada de atún o los jugos. Una cucharada o tres cápsulas de aceite de linaza es equivalente a una cápsula de EPA de un gramo.

La meta: Consuma por lo menos tres gramos de EPA por día (lo mejor sería cinco) en pescados ricos en proteínas y en cápsulas como suplementos alimenticios.

ESTRATEGIA ALIMENTICIA

●**Coma como un vegetariano** –pero sin limitar la cantidad de pescado.

●**El pollo (sin piel)** se puede aceptar con moderación.

●**Está bien comer venado y conejo,** pero evite las demás carnes. Si quiere darse un gusto, coma carnes rojas bajas en grasa no más de una vez al mes.

●**Elimine la leche y los huevos** excepto la leche descremada y las claras de huevo.

●**Busque proteínas bajas en grasa,** de productos vegetales como el tofu.

Un salmón al día: Si usted come sólo una comida de salmón por día y no come carne o productos animales, se sentirá mejor.

Precaución: Las plantas solanáceas –tomates, papas, berenjenas y pimientos ("peppers", ajíes) rojos y verdes– causan inflamación a muchas personas que sufren de artritis, pero no a todas ellas. Para descubrir si las solanáceas le afectan, anote en un diario de alimentos cada vez que coma una solanácea, luego no las coma por tres o cuatro días. Si tiene alguna reacción en las articulaciones en las siguientes ocho horas de haberlas comido, pruebe el alimento de nuevo. ¿El mismo resultado? Evite el alimento indefinidamente.

PERDER PESO

Perder peso no lo es todo contra el dolor de artritis, pero definitivamente es un aspecto importante. El sobrepeso corporal empeora la artritis… no sólo en las partes del cuerpo que soportan el peso, como las caderas y rodillas, sino también en lugares comunes como las manos. Nadie está seguro del porqué.

Lo mismo sucede con las enfermedades inflamatorias en general, incluidas las migrañas, la enfermedad de Crohn y la esclerosis múltiple.

VITAMINAS, MINERALES, FIBRAS Y MÁS

Tome un multivitamínico y hasta 500 miligramos de vitamina C al día.

Cada día coloree su plato –en forma de vegetales rojos, anaranjados y amarillos.

Ciertas sustancias presentes en algunos alimentos o que son producidas por el cuerpo pueden estimular una respuesta del sistema inmune contra las membranas en las articulaciones, exacerbando la artritis. Para ayudar a su cuerpo a excretar estas sustancias, ingiera suficiente fibra para evacuar cada 24 a 36 horas.

Excelentes fuentes de fibra: Granos integrales como cereal de salvado ("bran") y pan de trigo integral… frutas y vegetales. Además, también ayuda tomar un suplemento de fibra en polvo, usualmente hecho de la cáscara de semillas de psilio ("psyllium"). Asegúrese de beber mucha agua cuando tome suplementos de fibra.

No fría… mejor sofría o saltee revolviendo ("stir-fry"). Cuando cocine con aceite, use aceite de oliva o de canola. Los aceites de maní (cacahuates, "peanuts") y de soja son aceptables –pero no son tan buenos. Evite el aceite de maíz ya que ayuda al cuerpo a producir la prostaglandina mala.

SÍGALE LA PISTA A TODO LO QUE COME

Ayude a su médico –alguien que tiene interés y experiencia en nutrición– a tratar su artritis con dieta. Preséntele los hechos en un diario de alimentos. Registre todo lo que coma y beba, la cantidad, la hora y por qué lo comió (comida principal, merienda, si sintió decaimiento, en qué evento social).

Cada mañana y cada tarde describa qué percibe de la artritis.

Ejemplos: Inflamación, dolor, manos entumecidas, incapacidad de abrir un frasco de puré de manzana.

Por la noche, evalúe si su dieta fue equilibrada ese día, si comió suficientes alimentos apropiados, muy pocos o demasiados.

En definitiva: Comemos una cantidad enorme de comida durante nuestra vida –un bocado a la vez. Haga que cada bocado trabaje para usted, no en su contra.

La trampa de los jugos de fruta

Barbara A. Dennison, MD, profesora adjunta de pediatría clínica en el College of Physicians and Surgeons de la Universidad Columbia en Nueva York. Su estudio de 116 niños de dos años y 107 niños de cinco años fue publicado en *Pediatrics*, 141 NW Point Rd., Elk Grove Village, IL 60009.

Demasiados jugos de fruta pueden hacer que los niños engorden. Fue más probable que los niños que bebieron más de 12 onzas (350 ml) de jugo de fruta al día estuvieran más gordos y/o más pequeños que los que bebían menos.

La teoría: El jugo de fruta es rico en azúcares simples, densos en calorías, como la fructosa y la glucosa. Los niños no deben consumir más de dos vasos de seis onzas (175 ml) de jugo al día.

Coma menos grasa... fácilmente

De la revista *Men's Health*, 33 E. Minor St., Emmaus, PA 18098.

Limpie la grasa de la superficie de la pizza con una servilleta. Esto eliminará por lo menos una cucharadita de grasa.

●**Deje la última media pulgada (1 cm) de comida china que lleve a su casa en el recipiente** y así comerá menos salsa.

●**Haga el puré de papas con suero de leche ("buttermilk")** –o leche descremada y aderezo con sabor a mantequilla– en vez de usar mantequilla y leche entera.

●**Saltee (sofría) la carne y los vegetales en jugo de fruta** o salsa Worcestershire en vez de en aceite.

●**No beba alcohol con el estómago vacío.** El alcohol aumenta los antojos por comer y puede detonar una sesión de comida alta en calorías.

Otras fuentes de calcio

Barbara S. Levine, RD, PhD, directora del Calcium Information Center del New York Hospital–Cornell Medical Center en Nueva York.

El bróculi, la col rizada ("kale"), la col china "bok choy" y otros vegetales de hojas verdes son ricos en calcio... así como las sardinas en lata y el jugo de naranja fortificado con calcio, el tofu y la leche de soja. Si a usted le preocupa su consumo de calcio, pregúntele a su médico si debe tomar un suplemento de calcio diario.

¿Acidez estomacal o no?

M. Michael Wolfe, MD, jefe de gastroenterología de la Universidad de Boston y del centro médico de Boston. Autor de *The Fire Inside*. W.W. Norton.

Una ligera acidez estomacal ocasional en respuesta a comidas picantes es normal. Pero si usted sufre continuamente de acidez más de dos o tres veces por semana o si le causa gran incomodidad, debe consultar con un médico. Esta sensación de ardor, causada por el ácido que se devuelve del estómago, puede ser asociada con otros síntomas, tales como dificultad al tragar, dolor agudo en el pecho o ronquera. Esos síntomas pueden indicar problemas médicos más graves como asma... o hasta cáncer del esófago.

Cerveza, "ales" y alcohol

Nick Funnell, jefe destilador de Great American Restaurants en Centreville, Virginia.

Las cervezas livianas ("ales") tienen menos alcohol que la cerveza común, pero más sabor a cerveza que las cervezas sin alcohol. Las cervezas livianas tienen alrededor de 3% de alcohol. La cerveza común tiene casi 5%. Las etiquetas no siempre indican la forma de consumir menos alcohol. La cerveza ligera generalmente tiene menos calorías pero no mucho menos alcohol. Las cervezas oscuras pueden tener un sabor más fuerte que las cervezas normales pero no necesariamente más alcohol.

Cómo cocinar con queso saludablemente

Skinny Italian Cooking de Ruth Glick, creadora de recetas y miembro de la International Association of Cooking Professionals, Columbia, MD. Surrey Books.

Para cocinar con queso más saludablemente, sustituya por las variedades bajas en grasa –y reduzca la cantidad. Use queso "mozzarella" rallado en vez de rebanadas –rinde más– o espárzalo sobre la comida en lugar de mezclarlo. El queso parmesano *fresco rallado* tiene un sabor distintivo, así que un poco rinde mucho –una cuarta taza tiene sólo siete gramos de grasa.

La trampa de los medicamentos

Jerry Avorn, MD, profesor adjunto de medicina en la facultad de medicina de la Universidad Harvard en Boston. Su estudio de 3.500 beneficiarios de Medicaid en Nueva Jersey fue publicado en el *American Journal of Medicine*, 105 Raiders Ln., Belle Mead, NJ 08502.

La rigidez, los temblores y otros síntomas atribuidos al mal de Parkinson pueden ser en realidad efectos secundarios de medicamentos usados para tratar la demencia, problemas psiquiátricos o dolencias gastrointestinales.

El peligro: Los médicos que no reconocen este problema pueden recetar medicamentos *adicionales* para controlar los síntomas. El nuevo medicamento puede exacerbar los temblores –y producir alucinaciones y/o psicosis.

La autodefensa: Antes de recetar un nuevo medicamento a alguien con síntomas parecidos al mal de Parkinson, el médico debe retirarle el medicamento inicial para ver si los síntomas mejoran.

Más trampas de los alimentos sin grasa

Martin Katahn, PhD, profesor emérito de la Universidad Vanderbilt, y Lee Fleshod, PhD, ex director de Servicios Nutricionales del Departamento de Sanidad Pública del estado de Tennessee.

Los fabricantes de alimentos sin grasa generalmente compensan la falta de sabor añadiendo más cantidad de azúcar –aumentando significativamente el total de calorías.

Las calorías adicionales del azúcar pueden aumentar su peso y su nivel de los triglicéridos en la sangre, lo cual eleva el riesgo de enfermedad cardiaca.

Además: En los análisis independientes de alimentos "sin grasa" ("fat-free") se encuentran frecuentemente contenidos de grasa muy superiores a los que legalmente pueden ser etiquetados como "sin grasa".

Cómo reducir el riesgo de un ataque al corazón

Martha L. Daviglus, MD, PhD, profesora auxiliar de medicina preventiva en la facultad de medicina de la Universidad Northwestern en Chicago. Su estudio fue publicado en *The New England Journal of Medicine,* 10 Shattuck St., Boston 02115.

Comer aunque sea una pequeña cantidad de pescado puede reducir significativamente sus posibilidades de sufrir un ataque al corazón. En un estudio de 30 años con más de 1.800 hombres se halló que los que comían apenas siete onzas (200 g) de pescado a la semana tenían un riesgo de sufrir un ataque mortal al corazón 40% menor que los que no comían pescado. Los investigadores creen que todas las clases de pescado son beneficiosas, incluidos el atún y el salmón enlatado. Recomiendan a las personas que deseen evitar la enfermedad cardiaca que coman pescado por lo menos dos veces a la semana.

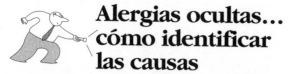

Alergias ocultas... cómo identificar las causas

Janice M. Joneja, PhD, directora del programa de nutrición y alergia en el Vancouver Hospital and Health Sciences Centre en Vancouver, Columbia Británica. Es coautora de *Understanding Allergy, Sensitivity and Immunity* (Rutgers).

Si alguna vez ha tenido un sarpullido, un problema estomacal o un malestar respiratorio que no pudo ser diagnosticado, quizás haya sufrido una reacción alérgica oculta.

Hasta el 1% de los adultos y el 7% de los niños menores de cinco años tiene por lo menos una *alergia* alimentaria –una respuesta anormal del sistema inmune, detonada por la exposición a proteínas "foráneas".

Las alergias alimentarias pueden producir síntomas graves. Los casos graves pueden provocar un shock anafiláctico.*

Las principales causas de alergias a los alimentos son: Pescado (incluidos los mariscos)... leche de vaca... huevos... trigo (incluidos el pan y la pasta)... fresas... frambuesas ("raspberries")... maní ("peanuts")... tomates... espinacas... naranjas... mangos.

*Una condición potencialmente mortal caracterizada por una baja en la presión arterial, ansiedad, enrojecimiento e hinchazón de la cara, a veces urticaria, presión en el pecho y cuello, dificultad para respirar. Alguien que experimente estos síntomas necesita atención médica inmediata.

Se estima que entre el 5% y el 50% de los adultos sufre de un problema relacionado llamado *intolerancia* a los alimentos. Esta reacción adversa no está relacionada con el sistema inmune, pero produce síntomas similares.

Muchos casos de intolerancia a los alimentos son causados por una falta de una o más enzimas digestivas. Esta deficiencia entorpece la capacidad del cuerpo de procesar ciertas proteínas de los alimentos.

Las principales causas de intolerancia alimentaria: Lactosa, sulfitos, colores artificiales, aditivos de la comida como *glutamato monosódico* ("MSG"), *histaminas* (compuestos en alimentos fermentados como queso, chucrút "sauerkraut", bebidas alcohólicas y vinagre), *tiramina* (un aminoácido que se encuentra en quesos añejados, extractos de levadura, vino, cerveza, frambuesas y bananas) y preservativos de los alimentos como el *ácido benzoico* y el *benzoato de sodio*.

CÓMO DETERMINAR LA REACCIÓN A LOS ALIMENTOS

Las alergias y las intolerancias a los alimentos se manifiestan de forma diferente en cada persona. Un alimento que puede provocarle a una persona un sarpullido puede darle a otra persona dolor estomacal.

Naturalmente, es difícil para los médicos determinar el problema. Los diagnósticos errados son muy comunes.

Si usted sospecha que ciertos alimentos le están haciendo daño, pídale a su médico que lo refiera a un especialista en alergias alimentarias –alguien con experiencia en el uso de la "dieta de eliminación y reto".

Esta dieta –la única manera segura de determinar reacciones a los alimentos– tiene dos fases. En la fase de *eliminación*, que dura cuatro semanas, se prohíben todas las comidas sospechosas. Por lo general, los síntomas empiezan a aliviarse durante esta fase.

Durante la siguiente fase de *reto*, que dura de unas semanas a unos pocos meses, los alimentos sospechosos se reincorporan uno por uno. El paciente observa cuidadosamente si los síntomas regresan.

Aquí tiene cuatro historias clínicas que ilustran las alergias e intolerancias alimentarias más comunes –y más pasadas por alto…

HISTORIA CLÍNICA Nº 1

Juan, un vendedor de 48 años, tenía un largo historial de dolores de cabeza, hinchazón, gases y dolor abdominal. Por lo general, sus síntomas empezaban alrededor de una hora después del desayuno y duraban todo el día. También se quejaba de fatiga constante y tenía dificultades para concentrarse.

Juan no mostraba ninguna señal de enfermedad gastrointestinal y evacuaba regularmente. Empezó una dieta que excluía el trigo, centeno, avena, cebada, maíz y los productos lácteos. (Tomó un suplemento de calcio de 800 mg para compensar la pérdida de calcio). Además, no comía frutas o vegetales crudos –solamente se le permitían los cocidos o enlatados– y nada de nueces enteras o semillas.

Luego de cuatro semanas, Juan empezó el "reto" con cada uno de los alimentos antes mencionados. Resultó ser alérgico al trigo, a las frutas y vegetales crudos y a los alimentos muy fermentados (queso, vinos, cerveza).

Ahora que Juan evita estos alimentos, sus síntomas han desaparecido y comenta que su energía ha aumentado al triple.

HISTORIA CLÍNICA Nº 2

María, una enfermera de 50 años, sufría de estreñimiento, cambios de estados de ánimo y calambres en las piernas. También estaba preocupada por el mal estado de sus uñas y dientes.

Ella tomaba varios medicamentos –incluidos suplementos herbales y un antidepresivo. Nada parecía ayudar.

Los síntomas de María indicaban una intolerancia o alergia a varios alimentos *diferentes*. De hecho, una dieta de eliminación reveló alergias a los aditivos de los alimentos, al trigo y a los productos lácteos.

Luego de no ingerir estos alimentos por tres meses, su salud física y mental mejoró. A los seis meses, María ya no estaba estreñida. Se sentía mejor de lo que se había sentido en diez años.

HISTORIA CLÍNICA Nº 3

Virginia, una empleada de una compañía telefónica de 62 años, tenía un historial de asma y fiebre de heno desde la niñez. También sufría de malestar estomacal, tenía la piel de las manos y los pies escamosa y un nivel de colesterol peligrosamente alto.

Aunque había seguido una dieta estricta, Virginia no podía librarse de sus síntomas. Luego, una serie de pruebas de "eliminación y reto" revelaron sensibilidad a ciertas nueces y semillas, al trigo y a los productos lácteos.

A pocos meses de haber dejado estos alimentos, los síntomas de Virginia habían desaparecido y su nivel de colesterol se había normalizado.

HISTORIA CLÍNICA Nº 4

Rita, de 56 años trabajaba en computación y sufría de diarrea, gases y dolor abdominal. Padecía estos problemas desde la niñez, pero se habían intensificado en el último año.

Cuando un examen exhaustivo no reveló ninguna enfermedad subyacente, Rita se sometió a una dieta que excluía granos, cereales, harinas y azúcar.

En las cuatro semanas siguientes, reportó haber tenido sólo dos episodios de diarrea y cada uno de ellos ocurrió luego de que ella se saliera de la dieta. Retos subsiguientes demostraron que reaccionaba de forma adversa a los alimentos con azúcar refinada.

Al renunciar a ellos para siempre, Rita ya no presenta síntomas.

La dieta y la conexión con el mal de Alzheimer

William B. Grant, PhD, investigador científico senior jubilado del Langley Research Center de la NASA en Hampton, Virginia, y director del Sunlight, Nutrition and Health Research Center, *www.sunarc.org*

Las dietas altas en grasa pueden aumentar el riesgo de desarrollar el mal de Alzheimer.

Si bien este tipo de demencia se ha atribuido desde hace mucho a factores genéticos, un análisis de patrones dietéticos hecho en todo el mundo sugiere que la grasa dietética también puede jugar un papel. *Lo que encontró el análisis:* 5% de los estadounidenses de más de 65 años desarrollan Alzheimer. Pero el Alzheimer afecta solo a un 1% de la población de más de 65 años en China y Nigeria, donde las dietas típicas contienen mucha menos grasa.

Datos sobre el beber socialmente

Jeff Cameron, MEd, es asesor de consumo de alcohol en el programa de intervención temprana DrinkWise, 157 Delhi St., Guelph, Ontario, Canadá N1E 4J3.

Los bebedores sociales toman en promedio no más de 12 copas a la semana… y no más de cuatro copas al día en los hombres, tres en las mujeres. Tomar más de eso aumenta su riesgo de tener problemas. Una copa equivale a una cerveza de 12 onzas (350 ml), a cinco onzas (150 ml) de vino, a 1½ onza (45 ml) de bebidas espirituosas o a tres onzas (90 ml) de vino fortificado.

Para moderar la bebida: Absténgase por lo menos dos días por semana. Hacerlo le ayudará a pensar sobre su modo de beber y a evitar patrones habituales. *Modere su ritmo.* Beber más de una copa por hora aumenta su riesgo de emborracharse. *Rastree la causa y el efecto.* ¿Qué lo motiva a beber? ¿La visita de un amigo? ¿Mirar deportes? Planifique estrategias para beber menos o no beber del todo.

El resto de la historia sobre la dieta y el cáncer… grasa vs. fibra… y las mejores fuentes de fitonutrientes para combatir el cáncer

Keith I. Block, MD, profesor auxiliar de investigación de dietética médica y nutrición en la Universidad de Illinois, y director médico del Cancer Institute del centro médico Edgewater, ambos en Chicago.

A pesar de la "guerra" de 30 años que lucha Estados Unidos contra el cáncer, los niveles de incidencia de cáncer en el país siguen aumentando. En general, según una estimación publicada en *The New England Journal of Medicine* las probabilidades de morir de cáncer son 6% *más altas* hoy de lo que eran en 1970.

Las buenas noticias: Comer los alimentos adecuados reduce significativamente su riesgo de cáncer. Esto es cierto si usted no tiene cáncer… o si ha tenido cáncer y está tratando de evitar su recurrencia.

Considere las personas en China y en otros países cuyos hábitos alimenticios típicos son más saludables que los nuestros. Tienen *mucho* menos cáncer de seno, ovario, próstata y colon.

LA GRASA DIETÉTICA Y EL CÁNCER

Si usted es como el típico estadounidense, el 40% de su ingesta de calorías es en forma de grasa.

Pero su riesgo de desarrollar cáncer (o de tener recurrencia) se multiplica por cuatro u ocho por cada diez puntos porcentuales de calorías provenientes de la grasa.

Ejemplo: Si usted sigue una dieta con 30% de grasa, su riesgo de cáncer es ocho veces mayor que si usted siguiera una dieta con 20% de grasa.

Para mantener bajo su riesgo de cáncer, la grasa no debe constituir más del 15% de sus calorías. Además, las grasas que usted sí consume deben ser monoinsaturadas o poliinsaturadas. Buenas fuentes de estas grasas son el salmón, el bacalao ("cod"), los aceites de canola, de oliva y de linaza ("flaxseed oil").

Se deben evitar las grasas saturadas –como las que se encuentran en las carnes, los productos lácteos enteros y los aceites de palmiste ("palm kernel oil"). Las grasas saturadas debilitan el sistema inmune, permitiendo la formación de tumores.

LA IMPORTANCIA DE LA FIBRA

Una dieta rica en fibra –la parte indigerible de los granos, frutas y vegetales– reduce el riesgo de desarrollar cáncer, especialmente cáncer de colon.

En Suecia, las tasas de cáncer son bajas a pesar de que la mayoría de los suecos sigue una dieta alta en grasa. Los investigadores piensan que su consumo de pan de centeno ("rye"), rico en fibra, los protege.

¿Cuánta fibra debe comer? Está bien 25 gramos al día, pero 40 gramos es ideal. Asegúrese de comer tanto fibra *insoluble* (el tipo que se encuentra en los productos de trigo integral) como fibra *soluble* (la que se encuentran en el salvado de avena).

Para asegurarse de que consume suficiente fibra, su dieta debe incluir…

●**Dos o tres tazas de alimentos de grano integral** –pan, arroz integral ("brown rice"), productos de avena ("oat"), cereal con fibra, etc.

●**Una taza y media de frijoles (habichuelas, "beans") y otras legumbres.**

●**De cuatro a cinco tazas de vegetales frescos**, incluidos vegetales de hoja verde, vegetales crucíferos, vegetales de raíz y frutas.

Evite los caramelos, tortas, pasteles y otros dulces que contienen azúcar refinada. El azúcar refinada puede suprimir el sistema inmune, dejándolo vulnerable al cáncer.

ALIMENTOS QUE COMBATEN EL CÁNCER

Prácticamente todas las formas de alimentos naturales son buenas para usted, pero ciertas frutas, vegetales y granos tienen poderes especiales para prevenir el cáncer. Son ricos en *fitonutrientes*, componentes que se ha demostrado desactivan carcinógenos e incluso reducen los tumores.

En su dieta debe darle importancia a estos alimentos densos en fitonutrientes…

●**Vegetales crucíferos.** El bróculi, coliflor, col (repollo, "cabbage") y las coles de bruselas ("Brussels sprouts") contienen *indol-3carbinol* y *sulforafano*, componentes que regulan los niveles de hormonas de tal modo que reducen el riesgo de cáncer de seno.

Estos compuestos también ayudan a proteger el ADN celular contra el ataque de los carcinógenos, incluidos los del humo del tabaco.

●**Frutas cítricas.** Las naranjas, toronjas, limones y limas (limones verdes, "limes") contienen más de 50 fitonutrientes diferentes. Éstos incluyen *flavonoides*, que impiden que los carcinógenos entren en las células.

●**Pasas de Corinto (grosellas, "currants"), moras ("blackberries"), manzanas, uvas y ciruelas.** Estas frutas contienen *saponinas* y *quercetina*. Estos flavonoides ayudan a neutralizar los carcinógenos, inhiben el crecimiento de tumores y protegen las células contra el ataque de los *radicales libres* –moléculas renegadas producidas durante el metabolismo normal, que pueden convertirse en células malignas.

●**Vegetales amarillos, rojos y verde oscuro.** Contienen *carotenoides* que protegen las células contra la oxidación y destruyen las sustancias químicas cancerígenas.

Los tomates son una fuente especialmente rica en fitonutrientes, incluidos el *licopeno*, el *ácido glutámico* y el *ácido turmérico*. Estos compuestos bloquean la formación de *nitrosaminas* cancerígenas y protegen contra el cáncer de estómago y de próstata.

●**Ajo, cebolla, puerro ("leeks") y chalote (cebolleta, "shallots").** Al aumentar la actividad de las células del sistema inmune llamadas *células asesinas*, estos alimentos ayudan a destruir las células tumorales.

Golpe uno-dos: Después de que los vegetales ricos en carotenoides destruyen los carcinógenos, el ajo, las cebollas, etc., los eliminan del organismo.

●**Alimentos a base de soja.** Además de las saponinas, los alimentos hechos de soja ("soybeans") contienen el isoflavona *genistein*, un fitoquímico que mitiga la respuesta de las células a las hormonas promotoras de cáncer.

El consumo de soja ha sido relacionado con la reducción de las tasas de cáncer de seno, de colon y de próstata.

Sustituya los productos lácteos por leche y queso de soja. Un producto de soja fermentado llamado *tempeh* es alto en proteínas y particularmente rico en genistein. Su textura parecida a la carne lo hace ideal para guisos y sofritos de vegetales.

●**Hongos (champiñones).** Los shiitakes y los reishis, populares en la cocina china, contienen *betaglucan* y otros fitoquímicos que estimulan la inmunidad.

●**Vegetales marinos.** Las algas verde oscuro como el *kombu* y el *wakame* están llenas de oligoelementos que mantienen fuerte el sistema inmune. También contienen "agentes quelatantes" que eliminan las toxinas del cuerpo.

●**Té verde.** Esta tradicional bebida japonesa inhibe la formación de nitrosaminas, previene la mutación genética y bloquea la creación de tumores.

●**Cúrcuma ("turmeric").** Esta especia que se encuentra en los "curry" contiene un antioxidante poderoso que se llama *curcumina*. Ha sido relacionado con tasas más bajas de cáncer de colon.

Su dieta y su sistema inmune

Elinor Levy, PhD, profesora adjunta de microbiología en la facultad de medicina de la Universidad de Boston. Coautora de *The 10 Best Tools to Boost Your Immune System*. Houghton Mifflin.

Para mantenerse sano –y para recuperarse rápidamente de la enfermedad– su sistema inmune debe estar también sano.

¿Qué puede hacer para optimizar la función inmunológica? El ejercicio y la reducción del estrés ayudan. Pero hay evidencia que sugiere que el contribuyente más importante a la función inmunológica es lo que usted come.

EL ESCUDO ANTIOXIDANTE

Probablemente usted ya haya escuchado sobre los radicales libres. Estas moléculas ubicuas hacen que las células colapsen, acelerando el proceso de envejecimiento, promoviendo la enfermedad cardiaca y el cáncer y debilitando el sistema inmune.

No hay manera de evitar los radicales libres. Éstos se producen en el cuerpo como resultado de los procesos metabólicos normales. *Pero ciertos compuestos antioxidantes destruyen los radicales libres…*

●**Vitamina E.** Este potente antioxidante anticipa la declinación gradual de la función inmunológica producto del envejecimiento. Estimula la síntesis de los anticuerpos y promueve la reproducción de células clave, llamadas *linfocitos*, que combaten infecciones.

Las personas que toman suplementos de vitamina E cuentan con una reacción inmunológica más fuerte contra los virus y las bacterias invasores. También disfrutan de un menor riesgo de cáncer.

Los granos integrales, las semillas y aceites vegetales son buenas fuentes de vitamina E. Ya que es imposible obtener suficiente vitamina E de fuentes alimenticias para una protección total contra los radicales libres, yo les digo a mis pacientes que tomen un suplemento que contenga 200 unidades internacionales (IU) de vitamina E.

●**Carotenoides.** Estos antioxidantes aumentan el número de linfocitos y células asesinas. Hay suplementos disponibles, pero las mejores fuentes son las frutas y los vegetales, especialmente las zanahorias, la col rizada ("kale"), los tomates y los melones.

●**Vitamina C.** Energiza al sistema inmune para que reaccione más vigorosamente frente a las células cancerígenas y los microbios. Las dietas ricas en vitamina C han sido relacionadas con la reducción del riesgo de cáncer de seno, colorrectal y de próstata.

La ingesta óptima de vitamina C es 200 miligramos (mg) al día. Puede obtener suficiente de su alimentación. Las frutas cítricas, los melones ("cantaloupes") y los pimientos verdes ("peppers") son buenas fuentes de vitamina C.

Precaución: Dosis mayores pueden causar problemas estomacales, piedras en el riñón y, en algunas personas, problemas con el metabolismo del hierro.

241

MINERALES

Los minerales se necesitan para la síntesis de las proteínas, que son componentes clave de todas las células y las enzimas corporales…

•**Zinc.** El mineral más importante para la función inmunológica, el zinc estimula el número de linfocitos y ayuda a las células asesinas a que ataquen el cáncer.

La persona típica necesita 15 mg de zinc al día. Las dosis más altas parecen debilitar la función inmunológica.

Una porción de cereal fortificado (verifique las etiquetas) brinda todo el zinc que usted necesita. Las carnes (en especial las ostras –"oysters"– cocinadas) y los granos integrales también son buenas fuentes. Generalmente *no* se necesitan suplementos de zinc.

•**Hierro.** Una *deficiencia* de hierro aumenta el riesgo de infección al debilitar muchos tipos distintos de células inmunológicas. Demasiado hierro también puede debilitar la función inmunológica.

Las mujeres en edad de concebir necesitan 15 mg de hierro al día. Los hombres necesitan 10 mg. Las carnes, los frijoles y el tofu son buenas fuentes.

Las pastillas de hierro son una buena idea *solo* si un médico le encontró una deficiencia de hierro.

•**Selenio.** Este mineral promueve el crecimiento de células inmunológicas y estimula la producción de anticuerpos.

Los granos (cereales), las nueces, las semillas y el pescado son buenas fuentes de selenio. Puesto que demasiado selenio puede causar problemas digestivos y neurológicos, los suplementos generalmente *no* son una buena idea.

UNA DIETA BAJA EN GRASA

El exceso de grasa alimenticia impide que las células reconozcan los virus y las bacterias, afectando su respuesta inmunológica. Incluso una dieta que es *moderadamente* alta en grasa (41% de calorías) puede reducir a la *mitad* la capacidad de eliminar el cáncer de sus células inmunológicas.

La autodefensa: Limite su consumo de todas las grasas a 25% de su ingesta calórica total.

Para la mayoría de las personas, esto significa entre 44 y 55 gramos de grasa al día.

Evite la leche entera (8 g de grasa por cada ocho onzas ó 235 ml, la margarina (11 g por cucharada), la carne grasa (14 g en tres onzas ó 85 g de carne magra molida) y las nueces (18 g por onza ó 30 g de pecanas –"pecans").

ESTIMULADORES DE INMUNIDAD

Las investigaciones empiezan a confirmar lo que los curanderos tradicionales han sabido desde hace tiempo –que ciertos alimentos y hierbas estimulan la función inmunológica…

•**Hongos shiitake.** Los estudios hechos en Japón muestran que estos hongos estimulan la función inmunológica e inhiben la multiplicación viral. En Japón, un derivado del shiitake llamado lentinan es usado como medicamento para combatir el cáncer.

Los shiitakes son sabrosos en sopas, guisos y platos con vegetales. Coma entre dos y seis shiitakes por semana.

•**Hongos reishi.** Estos hongos chinos estimulan la reproducción de los linfocitos y detonan la producción de "mensajeros" químicos que coordinan la actividad del sistema inmune. Coma de dos a cuatro reishis por semana.

•**Ajo.** El ajo es una buena fuente de selenio y de ciertos compuestos con propiedades antiinfecciosas y anticancerígenas.

Sazone la comida con ajo por lo menos tres veces a la semana.

•**Equinácea.** Esta hierba popular estimula la capacidad de las células inmunológicas de devorar las células infectadas con virus y estimula la producción de compuestos que coordinan la respuesta del sistema inmune contra las infecciones de hongos.

El extracto de equinácea debe tomarse por no más de tres días seguidos –cuando tiene gripe o está resfriado, o siente que se va a resfriar. La dosis usual es de 30 gotas de tintura de equinácea, dos veces al día.

Súper bloqueador de grasa

Arnold Fox, MD, internista y cardiólogo con práctica privada en Beverly Hills, California. Coautor de *The Fat Blocker Diet: The Revolutionary Discovery that Lowers Cholesterol, Reduces Fat, and Controls Weight Naturally.* St. Martin's.

En mis 40 años de práctica médica he visto todo tipo de dieta que se puedan imaginar. Pero cuando se trata de producir una pérdida de peso duradera, no he visto nada como el *chitosan* (pronunciado CAI-to-san en inglés).

Este suplemento alimenticio natural –hecho del caparazón de langostas– forma un gel en el estómago. Este gel se mezcla con cualquier grasa que esté presente, formando "cúmulos" de grasa indigeribles. Estos cúmulos son expulsados del cuerpo en las heces.

Estudios con animales demuestran que tomar chitosan antes de la comida bloquea la absorción de hasta el 50% de la grasa consumida.

En un estudio de doble ciego en Italia se halló que las personas que seguían una dieta baja en grasa y usaban el chitosan perdían un promedio de 16 libras (7 kilos), comparado con las siete libras (3 kilos) que perdieron los que siguieron la dieta baja en grasa sin el chitosan.

Normalmente les recomiendo a mis pacientes con sobrepeso que se planteen un peso meta, luego que tomen 1.000 miligramos (mg) de chitosan 30 minutos antes del almuerzo y de la cena. Una vez que alcancen la meta pueden dejar de tomar el chitosan.

Tomar chitosan *no* le da permiso de comer lo que quiera. Pero le dará un empujón adicional en la dirección correcta.

No hay evidencia de que el chitosan cause algún efecto secundario –pero consulte con su médico antes de probarlo para estar seguro, especialmente si está tomando algún otro medicamento.

Precaución: Evite el chitosan si tiene alergia a los mariscos, está embarazada o amamantando. No tome las vitaminas A, D o E en las cuatro horas siguientes a haber tomado el chitosan. Si lo hace, perderá los beneficios de las vitaminas.

Las pastillas de chitosan están disponibles en la mayoría de las farmacias.

Suplementos contra el colesterol

James W. Anderson, MD, profesor de medicina y nutrición clínica de la Universidad de Kentucky en Lexington. Su estudio de los niveles de colesterol en 248 hombres y mujeres se presentó en una reunión de la American Academy of Family Physicians.

Cualquier persona con niveles de colesterol elevados debe preguntarle a su médico si debe tomar Metamucil u otro suplemento que contenga el agente formador de volumen *psilio* ("psyllium"). *El hallazgo:* los niveles de colesterol total de los voluntarios que agregaron 5 gramos (una cucharadita colmada dos veces al día) de psilio a sus dietas diarias disminuyeron sus niveles en un 4,7% después de 24 a 26 semanas. El colesterol malo LDL bajó un 6,7%. *Bono:* el psilio combate el estreñimiento. *Precaución:* el psilio no debe ser considerado un sustituto de los medicamentos que reducen el colesterol.

12

Guía de vitaminas y minerales

Todo lo que usted quiere saber sobre las vitaminas y los minerales... o casi todo

Jeffrey Blumberg, PhD
Universidad Tufts

 on tantos los estudios contradictorios sobre vitaminas que no es de extrañar que haya tanta confusión acerca de cuáles suplementos tomar y, por supuesto, cuáles evitar.

Para aclarar la confusión, hablamos con el Dr. Jeffrey Blumberg de la Universidad Tufts...

●**¿El betacaroteno previene el cáncer, o lo produce?** El cuerpo convierte el betacaroteno en vitamina A. Pero el betacaroteno también es un antioxidante que neutraliza los "radicales libres" en la sangre. Si no se controlan, estos compuestos altamente reactivos pueden dañar los tejidos y células y provocar enfermedades como el cáncer.

Más de 200 estudios sugieren que el betacaroteno desempeña una función en la *prevención del cáncer*. Un estudio realizado en China con 30.000 personas reveló un importante descenso en la incidencia del cáncer y la mortalidad en quienes tomaron una combinación de betacaroteno, vitamina E y selenio.

El conflicto surgió con la aparición de tres estudios importantes que contradijeron los resultados establecidos...

●**En dos estudios ampliamente publicitados** se halló que tomar un suplemento diario de entre 30 y 50 miligramos (mg) de betacaroteno puede aumentar el riesgo de cáncer de pulmón. Lo que no se mencionaba en detalle en los medios de comunicación era que quienes desarrollaron cáncer eran fumadores y bebedores frecuentes, y/o trabajaban con asbesto.

●**En el otro estudio importante** se hizo un seguimiento de 22.000 médicos y se encontró

Jeffrey Blumberg, PhD, profesor de nutrición y jefe del Antioxidants Research Laboratory de la Universidad Tufts en Boston. Es un destacado experto en suplementos vitamínicos y ha participado en varios comités de asesoría sanitaria a nivel nacional.

que aquellos que habían tomado 50 mg de betacaroteno cada dos días durante 12 años no habían aumentado el riesgo de cáncer, pero tampoco lo habían disminuido.

Sin embargo, este estudio se basó en hombres pertenecientes al nivel socioeconómico más alto en Estados Unidos, médicos con acceso total a servicios de salud y más proclives a llevar un estilo de vida sano. Las pruebas sugieren un modesto efecto del betacaroteno, que es poco probable encontrar en un grupo de bajo riesgo.

La estrategia: Dado que no estamos seguros si altas dosis de betacaroteno aumentan el riesgo de cáncer de pulmón en fumadores o grandes bebedores (los que beben más de dos copas por día), estas personas deben evitar los suplementos de betacaroteno. Pero los no fumadores que no beben mucho pueden tomar entre 10 mg y 20 mg de betacaroteno al día para reducir su riesgo de cáncer.

● **¿Los suplementos de hierro causan ataques al corazón?** Un estudio realizado en Finlandia reveló una correlación entre la ingesta de hierro y un aumento en el riesgo de enfermedades cardiovasculares en adultos mayores.

La realidad: En varios estudios subsiguientes, la mayoría llevada a cabo en Estados Unidos, no se apreció relación alguna entre la ingesta de hierro y las enfermedades cardiacas.

La estrategia: Las personas mayores de 50 años que toman un suplemento de vitaminas y minerales de la dosis diaria recomendada por EE.UU. (RDA por sus siglas en inglés) de hierro –10 mg– no deben preocuparse de que esta cantidad mínima desencadene un ataque al corazón.

De cualquier forma, debido a que los mayores de 50 años no necesitan grandes cantidades de hierro, es mejor no tomar suplementos de hierro en altas dosis, como los que contienen más de 25 mg, promocionados erróneamente como "energizantes" para mayores de 50 años.

Las mujeres premenopáusicas deben tomar 15 mg de hierro al día, los hombres adultos solo 10 mg diarios.

● **¿Es el ácido fólico necesario solo para las mujeres embarazadas?** Cuando se toma en las semanas previas a la concepción y en los dos primeros meses de embarazo, el ácido fólico ayuda a prevenir problemas en el tubo neural y otros defectos congénitos.

Pero el ácido fólico es un suplemento importante para todos. Un estudio sugirió que el ácido fólico puede prevenir más de 50.000 muertes al año causadas por enfermedades cardiovasculares en adultos.

El ácido fólico baja los niveles sanguíneos de un aminoácido tóxico llamado *homocisteína*, que se produce normalmente en el metabolismo de las células. Los niveles altos de homocisteína aumentan considerablemente el riesgo de ataques al corazón y de derrame cerebral.

El ácido fólico también puede proteger del cáncer de colon.

La estrategia: Todos los adultos necesitan consumir 400 microgramos (mcg) de ácido fólico al día. Las espinacas y lechugas de hojas oscuras, como la romana ("romaine lettuce"), son buenas fuentes… pero usted debe comer alrededor de dos tazas de espinacas al día para obtener los 400 mcg.

Alternativa: Un suplemento multivitamínico que contenga 400 mcg de ácido fólico.

● **¿La vitamina E previene enfermedades graves?** Probablemente no con la dosis diaria recomendada actualmente en Estados Unidos, que es de 30 unidades internacionales (IU).

Numerosos estudios relacionan dosis considerablemente más altas de vitamina E con un riesgo reducido de algunos tipos de cáncer, cataratas y degeneración macular.

En un estudio realizado en el Reino Unido con 2.000 personas que habían sufrido ataques al corazón, se halló que las que tomaron entre 400 IU y 800 IU de vitamina E al día por dos años tuvieron una reducción del 77% en la incidencia de un segundo ataque.

Ya que es casi imposible obtener suficiente vitamina E de una dieta baja en grasas (las fuentes más ricas son los aceites vegetales y las nueces) podría ser necesario tomar suplementos.

● **¿Es verdad que el calcio es el factor principal para prevenir la osteoporosis?** Casi todas las principales organizaciones sanitarias recomiendan que las personas tomen su dosis diaria recomendada de calcio. Este mineral ayuda a prevenir la osteoporosis y puede reducir el riesgo de cáncer de colon y la tensión arterial alta.

El problema es que la absorción de calcio depende de los niveles adecuados de vitamina D en el cuerpo. El organismo fabrica vitamina D al exponerse a la luz solar. La vitamina D también se encuentra en la leche enriquecida y en los suplementos multivitamínicos.

A medida que envejece, el cuerpo va perdiendo la capacidad de producir vitamina D. Alrededor del 80% de las mujeres mayores de 60 años (y casi la misma cantidad de hombres mayores) obtiene menos de dos tercios de la dosis diaria recomendada de este nutriente.

La estrategia: Asegúrese de que consume la dosis diaria recomendada de calcio: entre 1.200 y 1.500 mg por día.

Para las personas mayores de 60 años, se recomienda un suplemento diario de vitamina D de 400 IU.

• ¿La vitamina C previene los resfriados? Si bien no existe evidencia confiable de que la vitamina C *previene* los resfriados, algunos estudios demuestran que tomar un suplemento diario de 1.000 mg a 2.000 mg puede *reducir* la severidad y duración del resfriado. La razón es que la vitamina C tiene un efecto antihistamínico.

Además, numerosos estudios han relacionado incluso una ingesta más baja de vitamina C con una reducción del riesgo de algunas formas de cáncer y enfermedades del corazón y de los ojos.

La estrategia: Un estudio de los National Institutes of Health sugiere que la dosis diaria recomendada RDA de 60 mg de vitamina C es demasiado baja, y que una dosis de 200 mg se acerca más a nuestro requerimiento diario para una salud óptima.

Para reducir su riesgo de tener enfermedades graves, consuma entre 250 mg y 1.000 mg al día en las comidas o en suplementos.

• ¿Los suplementos de cromo ayudan a perder peso? Los fabricantes de alimentos naturales sostienen que este oligoelemento ayuda a los culturistas a aumentar su volumen y a los que tienen exceso de peso a perder algunas libras. Sin embargo, las pruebas que existen al respecto son poco contundentes.

Las investigaciones recientes sugieren que el cromo puede jugar un papel importante en la prevención de una de las primeras causas de mortalidad en EE.UU. –la diabetes adulta o de tipo II– ya que el cromo ayuda a regular los niveles de glucosa (azúcar).

La estrategia: Para las personas con riesgo de sufrir diabetes adulta por antecedentes familiares, los estudios sugieren un suplemento al día de 200 mcg de cromo. El adulto típico consume solo entre 25 y 30 mcg al día, cantidad que puede no ser suficiente para prevenir la diabetes si usted está en riesgo.

Importante: Tomar suplementos nutricionales puede ser beneficioso para la salud, pero demasiada cantidad de un nutriente puede ser peligroso. Asegúrese de no exceder las dosis sugeridas y de hablar con su médico sobre cualquier suplemento que tome.

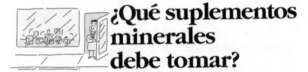

¿Qué suplementos minerales debe tomar?

Timothy McCall, MD, internista en Boston, editor médico de la revista *Yoga Journal* y autor de *Examining Your Doctor: A Patient's Guide to Avoiding Harmful Medical Care*. Citadel Press. *www.drmccall.com.*

Los minerales –hierro, calcio, cromo, zinc, etc.– son componentes esenciales de una dieta sana. Pero las creencias acerca de sus beneficios van mucho más allá de lo que se ha demostrado. Al igual que con las vitaminas, es importante recordar la diferencia entre tomar suplementos minerales para prevenir o tratar deficiencias nutricionales o tomarlos en dosis más altas para mejorar la salud de otras formas.

Ha habido mucha controversia acerca del *picolinato de cromo* ("chromium picolinate"). Este suplemento nutricional se ha hecho popular entre culturistas y personas en programas de pérdida de peso. Pero a pesar de todo lo que se ha dicho, hay pocos indicios de que el picolinato de cromo sea efectivo en estos casos.

Un estudio ha planteado dudas acerca de la *seguridad* del picolinato. Cuando los científicos expusieron células extraídas del ovario de un hámster a altas concentraciones de picolinato de cromo, descubrieron que ocasionaba graves daños en los cromosomas. Esto hizo pensar que el suplemento mineral podía ser cancerígeno.

La industria que fabrica el suplemento dio su respuesta a este estudio a los pocos días, criticando la forma como había sido conducido y afirmando que, si se toman en las dosis recomendadas, los suplementos de cromo son perfectamente seguros. Uno tendría que preguntarse, sin embargo, si estos críticos están más preocupados por cuidar sus márgenes de ganancias que por su salud.

Existe menos controversia acerca del calcio, el hierro y el zinc. Los suplementos de calcio, especialmente al combinarse con vitamina D, ejercicio y/o suplementos de hormonas, ayudan a prevenir parte del debilitamiento de los huesos que ocurre a medida que la mujer entra en la menopausia. Sin embargo, más importante aún es construir huesos fuertes tomando suficiente calcio mientras todavía se es joven.

Los adolescentes y adultos jóvenes, especialmente las mujeres, deberían tomar 1.200 mg de calcio al día. La mayoría toma menos de la mitad de esa cantidad. Las mujeres ancianas deberían tomar 1.500 mg al día. Un vaso de leche o un yogur contiene alrededor de 300 mg de calcio.

Las personas que no obtienen suficiente calcio de su dieta deben tomar un suplemento. Normalmente es más barato comprar un suplemento por separado, como el carbonato de calcio, que intentar obtener la cantidad total de calcio en un multivitamínico.

Las mujeres con edad de concebir, sobre todo las que donan sangre o tienen menstruaciones abundantes, a menudo necesitan más hierro. Su médico puede hacerle un sencillo examen de sangre para determinar si necesita hierro. Es mejor hacerse este examen antes de empezar a tomar hierro. Un exceso de hierro en su organismo puede ser peligroso.

Según un estudio, el estadounidense promedio consume solo el 80% de la cantidad diaria recomendada de zinc. Si usted sospecha que no está consumiendo suficiente zinc en su dieta (algunas fuentes son los mariscos, la carne, las nueces, y los frijoles y habichuelas), tome un multivitamínico que contenga la cantidad diaria recomendada.

Cuando escuche afirmaciones fantásticas acerca de los poderes curativos de los suplementos minerales, tenga en cuenta que la industria multimillonaria que los fabrica está detrás de gran parte de la promoción. Como con las vitaminas, la mejor forma de asegurarse de que consume los minerales que necesita es seguir una dieta balanceada. Un simple multivitamínico que contenga la *dosis diaria recomendada* de vitaminas y minerales es seguro y lo protege de posibles deficiencias en su dieta.

Tenga cuidado con las dosis más altas. Hasta que nuevos estudios respondan a las interrogantes acerca de su efectividad y seguridad, los riesgos y beneficios simplemente no se conocen. Mientras tanto, usted elige si quiere ser un Conejillo de Indias. Personalmente, pienso permanecer en el grupo de control.

Suplementos nutricionales: lo que usted realmente necesita para una salud óptima

Jeffrey Blumberg, PhD, profesor de nutrición y jefe del Antioxidants Research Laboratory de la Universidad Tufts en Boston. Es un destacado experto en suplementos vitamínicos y ha participado en varios comités de asesoría sanitaria a nivel nacional.

Hoy en día cuando va a una farmacia o tienda de productos naturales se encontrará rodeado de suplementos nutricionales, desde vitaminas hasta polen de abejas.

¿Tomar suplementos tiene algún beneficio para la salud? Sin duda, afirma el Dr. Jeffrey Blumberg, nutricionista de la Universidad Tufts.

Incluso aunque usted no esté enfermo, dice Blumberg, algunos suplementos bien elegidos pueden hacerlo sentir muchísimo más sano…

Hecho Nº 1: Pocos estadounidenses consumen la dosis diaria recomendada por EE.UU.

(RDA por sus siglas en inglés) de todos los nutrientes. Solo un 9% sigue las recomendaciones del Departamento de Agricultura.

Hecho N° 2: La RDA está basada en la cantidad de cada nutriente *necesaria* para prevenir enfermedades relacionadas con su deficiencia: escorbuto, beriberi, raquitismo, etc. Sin embargo, cientos de estudios confirman que el riesgo de enfermedades crónicas como el cáncer se puede minimizar solo tomando estos nutrientes en niveles que *exceden* la RDA.

Hecho N° 3: Es casi imposible obtener suficiente cantidad de algunos nutrientes clave solamente a través de los alimentos, incluso en las dietas más sanas.

NUTRIENTES CLAVE

●**Ácido fólico.** Esta vitamina B (también llamada folato), reduce los niveles de *homocisteína* en la sangre. Las investigaciones han relacionado los niveles altos de este aminoácido (un subproducto del metabolismo de la sangre) con ataques al corazón y derrames cerebrales.

El ácido fólico también protege contra el cáncer de colon y defectos congénitos.

Debido a que estos defectos tienen lugar dentro de los primeros 2 meses del embarazo, toda mujer que *piense* que puede quedar embarazada debería tomar un suplemento diario que contenga 400 microgramos (mcg) de folato.

Fuentes: Vegetales de hojas verdes, pan integral, nueces, guisantes (arvejas, chícharos, "peas"), y frijoles (habichuelas, "beans"). *RDA:* 400 mcg.

●**Vitamina B-6.** Esta vitamina, junto con el ácido fólico, descompone la homocisteína. Si todos los estadounidenses aumentaran su consumo diario de ácido fólico y B-6, cada año morirían 50.000 personas menos por ataques al corazón y derrames cerebrales.

Fuentes: Carne de res, aves, pescado, hígado, productos integrales, la mayoría de las frutas y verduras. *RDA:* 2 mg.

●**Vitamina D.** Esta vitamina facilita la absorción de calcio en la dieta. Es esencial para tener huesos sanos.

Fuentes: Productos lácteos enriquecidos, cereales y pan enriquecidos, hígado, huevos y aceite de hígado de bacalao. También se sintetiza en la piel durante la exposición al sol. *RDA:* 400 unidades internacionales (IU).

●**Vitamina E.** Junto con la vitamina C y el betacaroteno, la vitamina E es un potente antioxidante. Neutraliza los "radicales libres", fragmentos moleculares que circulan por el cuerpo y son dañinos para las células.

Las dosis diarias de vitamina E pueden reducir el riesgo de cáncer de esófago, estómago y pulmones… y cataratas y otras enfermedades oculares.

Lamentablemente, es difícil consumir suficiente vitamina E en una dieta sana baja en grasas, así que los suplementos son necesarios.

Fuentes: Aceite vegetal, germen de trigo ("wheat germ") y nueces. *RDA:* 30 unidades internacionales (IU).

●**Betacaroteno.** Más de 200 estudios han demostrado que este antioxidante juega un papel esencial en la prevención del cáncer.

Fuentes: Bróculi, melón, zanahorias. *RDA:* no existe para el betacaroteno.

●**Selenio.** Es otro antioxidante que combate el cáncer. Un estudio realizado en China con 30.000 personas halló un nivel increíblemente bajo de riesgo de cáncer en individuos que tomaban suplementos de vitamina E, betacaroteno y selenio.

Fuentes: Pescado, mariscos, carne de res, cereales integrales, productos lácteos. *RDA:* no existe para el selenio.

●**Vitamina C.** Los estudios han relacionado este antioxidante con una reducción en el riesgo de cáncer de pulmón, colon y cánceres gastrointestinales. También puede prevenir enfermedades cardiacas y oculares.

La dieta estadounidense típica proporciona 120 mg al día de vitamina C. Es el doble de la RDA, pero un estudio de los National Institutes of Health sugirió que la RDA es *demasiado baja*. Es mejor tomar 250 mg al día.

Fuentes: Frutas cítricos, pimientos (ajíes, "peppers") verdes, bróculi, col ("cabbage"), coliflor, papas, tomates. *RDA:* 60 mg.

●**Calcio.** Este mineral es imprescindible para la prevención de la osteoporosis –y *no* solo para las mujeres mayores. Una ingesta alta de calcio, junto con suficiente vitamina D, es importante a toda edad para construir los tejidos óseos y mantenerlos.

Los adultos necesitan entre 1.200 y 1.500 mg de calcio al día. Para obtener esta cantidad de los alimentos, usted tendría que beber unos cinco vasos de leche... o comer varias porciones de yogur, queso o brócoli. Para la mayoría de las personas, es más fácil tomar un suplemento diario.

Fuentes: Productos lácteos, vegetales de hojas verdes y frijoles ("beans"). *RDA:* 800 mg.

LA ESTRATEGIA DE LAS TRES PÍLDORAS

Todo adulto debe tomar suplementos nutricionales con el desayuno. Este régimen de tres píldoras al día brinda niveles altos de los principales nutrientes con mayor comodidad.

Píldora Nº 1: **Multivitamínico/multimineral.** Debe contener entre el 100% y el 200% de la RDA de las vitaminas antes mencionadas.

Revise la fecha de caducidad. Las píldoras pierden potencia con el tiempo.

Píldora Nº 2: **Vitamina E.** Tome una píldora que contenga entre 100 y 400 IU.* O si lo prefiere, tome una píldora que combine las vitaminas E y C, betacaroteno y selenio.

Píldora Nº 3: **Calcio.** La persona promedio obtiene solo 750 mg de calcio por día de fuentes alimenticias. Debido a que esta cantidad es solo la mitad de lo que se necesita para tener huesos fuertes, tome una píldora de 600 a 700 mg de calcio al día.

¿Qué vitaminas?
¿Qué minerales?
Esto es lo que yo hago

Timothy McCall, MD, internista en Boston, editor médico de la revista *Yoga Journal* y autor de *Examining Your Doctor: A Patient's Guide to Avoiding Harmful Medical Care.* Citadel Press. *www.drmccall.com.*

A la hora de hablar con mis pacientes intento basar mis recomendaciones en datos científicos. Todavía no existen estudios definitivos acerca de los suplementos vitamínicos, pero voy a decirles lo que yo hago basándome en las pruebas existentes.

Cada mes salen docenas de informes sobre las vitaminas y los minerales. A pesar de toda esa información, quedan muchos vacíos de información. Sabemos, por ejemplo, que las personas que siguen dietas altas en ciertos nutrientes como el betacaroteno y la vitamina C tienen tasas más bajas de algunos tipos de cáncer. ¿Eso significa que tomar un suplemento que contenga estas vitaminas reducirá su riesgo de padecer cáncer? Nadie puede estar seguro.

Muchos médicos expertos dicen que está mal que los médicos recomienden algo a sus pacientes antes de que existan pruebas científicas de su eficacia. El problema es que las personas no pueden esperar. En el "mundo real", a menudo tenemos que elegir basándonos en informaciones incompletas. Incluso si la ciencia no ha dado un veredicto, la gente quiere saber qué tiene más sentido ahora.

Muchos expertos no reconocen que puede haber consecuencias graves si *no se hacen* recomendaciones hasta que haya pruebas. Considere esto: en 1979, siendo estudiante de primer año de medicina, le pregunté a un profesor que acababa de darnos una clase sobre la enfermedad del corazón si él recomendaría una dieta baja en grasas a las personas propensas a un ataque cardiaco. No, respondió, todavía no había evidencia suficiente.

Yo pensé que tal vez no la había para él, pero para mí sí. En ese entonces, yo ya llevaba un par de años con una dieta baja en grasas. La había estado siguiendo basándome en la teoría de que las grasas contribuyen a la acumulación de colesterol en las arterias coronarias; una teoría que parecía haber sido confirmada por varios estudios preliminares.

Piense en todos los pacientes cardiacos que se habrían beneficiado si los médicos de entonces les hubiesen recomendado una dieta baja en grasas. Después de todo, el riesgo que conlleva disminuir las grasas es muy bajo.

La situación es semejante con los suplementos vitamínicos hoy en día. Existen razones teóricas para tomar antioxidantes (incluyendo

*Debido a la posible interacción entre la vitamina E y varios fármacos y suplementos, al igual que por otras consideraciones de seguridad, consulte a su médico antes de empezar un régimen de vitamina E.

las vitaminas C y E, y el mineral selenio). Éstos eliminan los radicales libres, moléculas ubicuas que se piensa contribuyen al desarrollo del cáncer y la enfermedad del corazón. Y la evidencia indica que el riesgo de tomar dosis moderadas de estas vitaminas es muy bajo.

Bajo esta premisa, esto es lo que creo. Cada mañana, además de un multivitamínico con minerales, tomo 250 miligramos (mg) de vitamina C, 400 unidades internacionales (IU) de vitamina E natural y 200 microgramos de selenio. Siempre que puedo, compro las marcas genéricas de las tiendas que son más baratas.

Aún cuando yo tomo estos suplementos, creo firmemente que una dieta sana es más importante. Si usted come mal, no creo que pueda solucionar el daño tomando vitaminas. De acuerdo con esto, durante años he sido un vegetariano no demasiado estricto, y consumo sobre todo granos integrales, frutas, legumbres, vegetales, un poco de pescado y algunos productos lácteos descremados como el yogur. Para mí, las vitaminas son una seguridad extra.

Mis creencias podrían estar equivocadas, así que esté pendiente y entérese. Nuevas evidencias pueden sugerir los beneficios de algunas vitaminas que antes no se habían comprendido, mientras desacrediten otras.

Como yo, muchos médicos toman suplementos alimenticios, aún cuando no se los recomienden a sus pacientes. En ese caso, puede que usted quiera hacer lo que nosotros hacemos, y no lo que decimos.

Alerta sobre las vitaminas de absorción lenta

The Vitamin Revolution in Health Care por Michael Janson, MD, American College for Advancement in Medicine. Arcadia Press.

Evite las vitaminas y minerales de absorción lenta ("timed-release").

La razón: Cuestan más, pero pueden ser menos eficaces que las normales. Muchas vitaminas, como la C, funcionan mejor cuando están presentes en la sangre en niveles altos. Esto puede ser difícil de lograr con píldoras de absorción lenta, ya que se disuelven muy lentamente. *Además:* algunas vitaminas pueden no disolverse a tiempo o en el lugar adecuado para ser absorbidas correctamente por el tracto intestinal.

Excepciones: La vitamina B3, o niacina, que puede ocasionar un enrojecimiento temporal de la piel y el hierro, que puede causar estreñimiento e indigestión, deberían tomarse en sus versiones de absorción lenta.

Dónde no debe guardar nunca sus vitaminas

Michael Janson, MD, del American College for Advancement in Medicine, y autor de *The Vitamin Revolution in Health Care*. Arcadia Press.

Nunca guarde las vitaminas en el refrigerador. Cada vez que usted abra la botella, el aire caliente del exterior se mezclará con las vitaminas frías, causando condensación. Con el tiempo las píldoras se volverán pegajosas y empezarán a disolverse. *Además:* no las guarde en el baño, donde el calor y la humedad pueden acortar su vida útil.

Mejor: Guarde las vitaminas en un mueble o en la mesa de la cocina, donde permanecerán secas y a temperatura ambiente.

Excepciones: Suplementos de flora intestinal, como *lactobacilos* o *bifidobacterias*, que deben guardarse en el refrigerador.

La relación entre la depresión y la vitamina B

Maurizio Fava, MD, profesor adjunto de psiquiatría de la facultad de medicina de la Universidad Harvard, y director del programa clínico y de investigación de la depresión del hospital Massachusetts General, ambos en Boston.

La depresión que no responde a los antidepresivos puede indicar una deficiencia de vitamina B o *ácido fólico* (folato). En un estudio de 213 personas con depresión, el antidepresivo *fluoxetina* (Prozac) fue menos eficaz en las personas que tenían niveles bajos de folato que en las que tenían un nivel normal.

La autodefensa: Si usted no responde a un antidepresivo, pídale a su médico que compruebe su nivel de folato.

El calcio es barato

Timothy McCall, MD, internista en Boston, editor médico de la revista *Yoga Journal* y autor de *Examining Your Doctor: A Patient's Guide to Avoiding Harmful Medical Care.* Citadel Press. *www.drmccall.com.*

Se puede obtener las dosis recomendadas de calcio, multivitamínicos y vitaminas C y E por solo 12 a 21 centavos de dólar al día.

La clave: Compre las marcas genéricas de las tiendas que con frecuencia son fabricadas por las mismas empresas que fabrican las marcas de suplementos más costosas y populares.

Alerta sobre la vitamina B-12

El difunto Victor Herbert, MD, JD, fue profesor de medicina del Mount Sinai-New York University Health Systems y del centro médico Veterans Affairs, en El Bronx, Nueva York, y editor de *Total Nutrition: The Only Guide You'll Ever Need.* St. Martin's Press.

Las personas mayores de 50 años necesitan complementar su dieta con al menos 25 microgramos al día de vitamina B-12.

Tome una pastilla que solo tenga vitamina B-12, o combinada con ácido fólico. No la tome en pastillas que tengan otras vitaminas o minerales. *La razón:* cuando la píldora se disuelve en el estómago, la vitamina B-12 se destruye.

Importante: No tome otras vitaminas recetadas por un profesional de la salud dentro de la hora siguiente de haber tomado la vitamina B-12.

La vitamina C al rescate

Scott T. Weiss, MD, profesor adjunto de medicina en la facultad de medicina de la Universidad Harvard en Boston.

La vitamina C puede ayudar a prevenir el asma, la bronquitis y otros problemas pulmonares. Cuando los investigadores estudiaron las dietas y las funciones pulmonares de más de 2.500 pacientes, hallaron que las personas que consumieron la mayor cantidad de vitamina C tenían los pulmones que mejor funcionaban. La diferencia entre el funcionamiento pulmonar de aquellos cuya dieta diaria contenía una cantidad de vitamina C equivalente a la contenida en 10 onzas (300 ml) de jugo de naranja (99 mg) y la de aquellos que casi no consumían esta vitamina era tan grande como la existente entre no fumadores y fumadores que han fumado un paquete de cigarrillos al día durante cinco años.

Peligro de la vitamina C

Sheldon Nadler, DMD, dentista con consulta privada en Nueva York.

La vitamina C (ácido ascórbico) masticable puede ser dañina para sus dientes. Las pastillas de menta, chicles (gomas de mascar), etc., enriquecidos con vitamina C se venden en la actualidad como una forma fácil de obtener su dosis diaria de este nutriente clave.

Peligro: La exposición frecuente a cualquier ácido –incluso el ácido ascórbico–, puede corroer el esmalte de los dientes. *Lo más dañino:* el uso habitual de productos que contengan más de 500 mg de vitamina C por pieza.

La vitamina C y la artritis

Tim McAlindon, MD, profesor adjunto de medicina en la facultad de medicina de la Universidad de Boston.

El desarrollo de la artritis en la rodilla se puede desacelerar significativamente con la vitamina C. Un estudio de ocho años con 640 personas reveló que la osteoartritis de rodilla avanzaba tres veces más lento en quienes consumieron la mayor cantidad de vitamina C que en quienes consumieron la menor cantidad.

Los científicos ofrecen dos posibles teorías para explicar este efecto. Una, es que las propiedades antioxidantes de la vitamina C eliminan los dañinos radicales libres que se liberan en la articulación de la rodilla inflamada. La segunda teoría es que la vitamina C ayuda al cuerpo a sintetizar las proteínas que reparan el daño causado por la artritis. De cualquier forma, usted sale ganando.

El peligro de la vitamina C

Sheldon Nadler, DMD, dentista con consulta privada en Nueva York.

La vitamina C (ácido ascórbico) masticable puede ser dañina para sus dientes. Las pastillas de menta, chicles (gomas de mascar), etc., enriquecidos con vitamina C se venden en la actualidad como una forma fácil de obtener su dosis diaria de este nutriente clave.

Peligro: La exposición frecuente a cualquier ácido –incluso el ácido ascórbico–, puede corroer el esmalte de los dientes. *Lo más dañino:* el uso habitual de productos que contengan más de 500 mg de vitamina C por pieza.

Posible protección contra la úlcera

Joel A. Simon, MD, MPH, profesor adjunto de medicina y medicina interna general del departamento de servicios médicos del centro médico Veterans Affairs en San Francisco.

La vitamina C puede ser una forma eficaz de prevenir úlceras. Las personas con niveles sanguíneos altos de ácido ascórbico (el nombre químico de la vitamina C) tuvieron menos probabilidades de mostrar señales de infección por *Helicobacteria pylori*, una causa común de úlceras. Procure obtener de 250 a 500 mg de vitamina C al día de los alimentos y suplementos.

Buenas fuentes alimenticias: Naranjas, pimientos (ajíes, "peppers") rojos, fresas.

Bienestar en climas fríos

John H. Weisburger, PhD, es científico sénior de la American Health Foundation en Valhalla, Nueva York.

Para obtener la vitamina C que usted necesita para el invierno, mantenga alto su consumo de frutas y vegetales, preferiblemente al mismo nivel que durante los meses de verano. La vitamina C, junto con otras vitaminas, es necesaria para una salud óptima; y los estudios demuestran que reduce el riesgo de enfermedad cardiaca y algunos tipos de cáncer.

Lo mejor: Un mínimo de cinco porciones al día, frescos o enlatados.

Alternativa: Dos tabletas de 250 mg de vitamina C todos los días, una con un desayuno, alto en fibra, y una con la cena. Pero estos suplementos no le aportan los nutrientes adicionales o la fibra de las frutas y vegetales.

Alivio para el resfriado

Michael L. Macknin, MD, presidente del departamento de pediatría general de la Cleveland Clinic Foundation.

Alivie los síntomas y reduzca la duración de los resfriados chupando pastillas de zinc. Se pueden adquirir sin receta médica en las farmacias.

Resultado de un estudio: Una muestra de personas resfriadas se dividió en dos grupos, uno de los cuales recibió pastillas de zinc. Este grupo afirmó que el resfriado duró en promedio 4,4 días, comparado con los 7,6 días del grupo que recibió placebos. El grupo que recibió pastillas de zinc también dijo haber tenido síntomas más leves.

Dosis: El grupo tomó un promedio de cinco pastillas de 13,3 mg de zinc, en total unos 65 mg de zinc al día. Las pastillas estudiadas eran gluconato de zinc y glicina (*Marca:* Cold-eeze).

El cáncer de vejiga y la vitamina C

Barbara Bruemmer, PhD, analista nutricional, división de investigación clínica del Fred Hutchinson Cancer Research Center en Seattle. Su estudio de 667 hombres y mujeres de entre 45 y 55 años fue publicado en el *American Journal of Epidemiology*, 111 Market Pl., Baltimore 21202.

El riesgo de cáncer de vejiga puede reducirse en un tercio al consumir mucha vitamina C, frutas y un suplemento multivitamínico al día.

Lo que eleva el riesgo: Comer frituras y fumar.

La vitamina C y su relación con las arterias

Haruo Tomoda, MD, profesor clínico de cardiología del Tokai University Hospital en Kanagawa, Japón. Su estudio de rebloqueo en 101 pacientes de angioplastia fue publicado en el *Journal of the American College of Cardiology*, 655 Avenue of the Americas, Nueva York 10010.

La vitamina C ayuda a evitar que las arterias coronarias se obstruyan. Solo un 25% de los pacientes de angioplastia que tomaron 500 mg de vitamina C al día sufrieron rebloqueo de las arterias (un proceso llamado *restenosis*). Pero la restenosis afectó al 43% de los pacientes de angioplastia que no tomaron vitamina C. *La teoría:* la vitamina C evita la restenosis al mantener baja la oxidación del colesterol "malo" LDL. El colesterol LDL debe oxidarse antes de que pueda fijarse a las paredes de las arterias. Todo el que se someta a una angioplastia debe preguntarle a su médico si debe tomar vitamina C.

La vitamina D y la diabetes

Stanley Mirsky, MD, profesor clínico adjunto en la facultad de medicina Mount Sinai en Nueva York.

La vitamina D puede desempeñar un papel en la prevención de la diabetes. En un estudio realizado en Suecia se halló que los hombres con niveles bajos de vitamina D tenían la tensión y los triglicéridos altos y una mayor resistencia a la insulina, todos ellos factores relacionados con la diabetes de tipo II o adulta. Cuatro vasos de ocho onzas (235 ml) de leche tienen suficiente vitamina D para proveer las 400 unidades internacionales de la dosis diaria recomendada RDA.

Los adultos y la vitamina D

Un estudio de 250 mujeres de entre 50 y 69 años, realizado por Bess Dawson-Hughes, MD, jefa del laboratorio de calcio y metabolismo óseo del centro de investigación humana de la Universidad Tufts en Boston.

Los adultos necesitan más de la dosis diaria recomendada de vitamina D. En un estudio de dos años, las mujeres que recibieron la cantidad diaria recomendada (RDA) de vitamina D, tanto de la alimentación como de suplementos, perdieron el doble de masa ósea en la cadera que las mujeres que recibieron 800 unidades internacionales (IU) al día. Considere tomar suplementos de vitamina D si piensa que no está obteniendo suficiente cantidad del nutriente a través de su dieta, o si no se expone al sol lo suficiente, ya que el sol permite que el cuerpo fabrique vitamina D por sí solo.

La vitamina E protege los pulmones

Lindsey Dow, MD, profesora y asesora sénior en cuidados geriátricos de la Universidad de Bristol en Inglaterra. Su estudio sobre 178 personas mayores de 70 años fue publicado en el *American Journal of Respiratory and Critical Care Medicine*, 1740 Broadway, New York 10019.

L a vitamina E protege los pulmones. En un estudio se halló que las personas mayores que consumían más de esta vitamina antioxidante tenían mejor funcionamiento pulmonar.

Advertencia: Los investigadores aún desconocen cuánta vitamina E se necesita para mejorar el funcionamiento pulmonar o si es mejor en suplementos o en alimentos. Algunas fuentes son las nueces, los vegetales frescos y el aceite vegetal.

La vitamina E y el ejercicio

Kenneth H. Cooper, MD, MPH, presidente y fundador del Cooper Aerobics Center, 12200 Preston Rd., Dallas 75230. Es autor de numerosos libros sobre salud y fitness, incluido *Dr. Kenneth H. Cooper's Antioxidant Revolution*. Thomas Nelson.

L a vitamina E puede reducir el dolor muscular y el daño producido por el ejercicio vigoroso. Los estudios hallaron estos beneficios en las personas que tomaron altas dosis de vitamina E en las 24 horas anteriores o posteriores al ejercicio vigoroso.

Dosis recomendada: 400 unidades internacionales (IU)* al día para adultos. Los médicos creen que este efecto proviene de la capacidad de la vitamina E para combatir los radicales libres liberados por el ejercicio que son dañinos para el ADN. Otros investigadores están estudiando la relación existente entre el ejercicio y otras vitaminas, incluida la riboflavina (vitamina B-2) y la vitamina C.

*Pregúntele a su médico cuál es la dosis adecuada para usted.

Las vitaminas vs. los defectos congénitos

Quanhe Yang, PhD, división de defectos congénitos y discapacidades del desarrollo del National Center for Environmental Study, en los Centers for Disease Control and Prevention, en Atlanta. Su estudio de madres de 117 bebés fue publicado en *Epidemiology*, One Newtown Executive Park, Newtown Lower Falls, MA 02162.

L os médicos han insistido durante mucho tiempo en que las mujeres embarazadas deben tomar un multivitamínico al día para prevenir malformaciones en el feto. *Estudio:* tomar vitaminas en el mes anterior a la concepción disminuye aún más el riesgo de estas malformaciones. *La autodefensa:* cualquier mujer que pueda quedar embarazada debe tomar a diario un multivitamínico que contenga ácido fólico.

La relación entre la vitamina E, la aspirina y el derrame cerebral

Manfred Steiner, MD, PhD, profesor de medicina de la facultad de medicina de la Universidad East Carolina en Greenville, Carolina del Norte.

E l poder comprobado de la aspirina contra los derrames cerebrales se multiplica cuando se toma conjuntamente con vitamina E. En un estudio de 100 personas que habían sufrido *pequeños* derrames ("mini-strokes"), a menudo antecesores de derrames *mayores*, se halló que el consumo diario de vitamina E junto con aspirina redujo el número de derrames que permiten que se formen coágulos peligrosos en los vasos sanguíneos en un 80%, comparado con la ingesta de aspirina solamente.

La vitamina E y las cortaduras

James M. Spencer, MD, MS, director de cirugía dermatológica de la facultad de medicina Mount Sinai en Nueva York. Su estudio de tres meses fue presentado en un encuentro de la American Society for Dermatologic Surgery.

A pesar de la creencia popular, la vitamina E *no* ayuda a que los cortes y heridas cicatricen en menos tiempo.

Estudio: Quince voluntarios aplicaron un ungüento de vitamina E a la mitad de una herida, dos veces al día. Después de tres meses, no había diferencia en la curación de la parte tratada y la no tratada. Además, seis de los voluntarios abandonaron la prueba quejándose de enrojecimiento, hinchazón e irritación en la piel en el lugar donde aplicaron la vitamina E.

Selenio vs. cáncer: las verdades

El difunto Larry C. Clark, MPH, PhD, fue profesor adjunto de epidemiología del Arizona Cancer Center en Tucson. Su estudio de ocho años sobre 1.312 pacientes de cáncer de piel de 18 a 80 años de edad fue publicado en el *Journal of the American Medical Association*, 515 N. State St., Chicago 60610.

El selenio puede ayudar a prevenir el cáncer. En un estudio de 8 años, con más de 1.300 personas se halló que las que tomaron 200 microgramos (mcg) de selenio en suplementos diarios redujeron a la mitad su riesgo de sufrir cáncer de próstata, colon y pulmón, en comparación con las que no tomaron el suplemento.

El selenio se encuentra en el pollo, la carne, el pescado, los cereales, las yemas de huevo, los champiñones (hongos), las cebollas y el ajo.

La ingesta diaria promedio en adultos de EE.UU. es de solo 108 mcg, de manera que el suplemento eleva el total a unos 350 mcg al día, una cantidad máxima que se considera segura. Pero no se exceda –la ingesta de 1.000 mcg puede tener efectos secundarios como la pérdida del cabello y uñas frágiles.

Se realizó un estudio para probar si los suplementos de selenio previenen el cáncer de piel.

Lo que hallaron: El selenio *no* afectó el riesgo de cáncer de piel, pero sí redujo las muertes por cáncer de pulmón, colon, recto y próstata. Los pacientes con cáncer de piel que tomaron selenio desarrollaron un 63% menos de cáncer de próstata; un 58% menos de cáncer colorrectal y un 46% menos de cánceres de pulmón. Pregúntele a su médico si debe tomar suplementos de selenio.

Más beneficios del selenio

Li Li, MD, PhD, división de Prevención y Control de Cáncer, del National Cancer Institute en Bethesda, Maryland.

El selenio puede proteger el cuerpo contra la enfermedad del corazón y el cáncer.

En un estudio de 2.600 personas en Finlandia, se halló que las tasas de incidencia de estas dos enfermedades bajaron un 60% a medida que los niveles de selenio aumentaron de 60 a 103 mcg por litro. Las mejores fuentes del mineral son el pescado, los cereales, la carne fibrosa y las nueces del Brasil.

No obstante, *no* tome suplementos de selenio sin consultar antes con su médico –es muy fácil excederse, lo cual es peligroso.

Los beneficios del ácido fólico

Meir J. Stampfer, MD, profesor de nutrición y epidemiología de la facultad de sanidad pública de la Universidad Harvard en Boston; dirigió uno de los estudios citados.

El ácido fólico puede proteger contra los ataques cardiacos y los derrames cerebrales. Una ingesta inadecuada de ácido fólico se relaciona con niveles altos de homocisteína, un aminoácido que, según los hallazgos de más de 20 estudios, incrementa el riesgo de derrames cerebrales y enfermedades cardiacas.

El ácido fólico, una vitamina del grupo B, se encuentra en los frijoles, cereales integrales enriquecidos, vegetales de hojas verdes, maní, hígado y jugo de naranja. Los investigadores señalan que las personas que consumen cinco raciones de frutas y vegetales al día reciben suficiente ácido fólico (400 microgramos) para mantener los niveles de homocisteína bajos.

El magnesio combate las migrañas

Andreas Peikert, MD, neurólogo de la clínica Munich-Harlaching en Munich, Alemania. Su estudio de 16 semanas con 81 pacientes con migraña fue publicado en *Cephalalgia,* Henry Ford Hospital, 2799 W. Grand Blvd., Detroit 48202.

En un estudio, un grupo de personas que padecía de migrañas recibió suplementos de magnesio, mientras que a un segundo grupo se le suministró placebos.

Resultado: 56% del grupo que recibió magnesio informó tener menos migrañas, en comparación con 31% del segundo grupo.

Advertencia: Los suplementos de magnesio no se deben tomar en caso de problemas renales.

El peligro del picolinato de cromo

Walter G. Wasser, MD, jefe de la división de nefrología del hospital North General en la ciudad de Nueva York.

Este popular adelgazante puede causar insuficiencia renal. *Un caso:* una enfermera de 49 años desarrolló una insuficiencia renal después de tomar tres veces la dosis recomendada de picolinato de cromo ("chromium picolinate") durante seis semanas. *En definitiva:* ya que el riesgo de la deficiencia de cromo es bajo y no está claro cuál es la dosis ideal, no hay razón alguna para tomar suplementos de cromo.

13

Para una vida sexual sana

El poder sanador del buen sexo

Paul Pearsall, PhD
Henry Ford Community College

El sexo implica mucho más que la procreación –o la recreación. Tal como indican infinitos estudios, una relación íntima sexualmente satisfactoria reduce el riesgo de cardiopatías, depresión, migrañas, síndrome premenstrual y artritis. También estimula el sistema inmune.

Pero el sexo es genuinamente curativo *solo* si trasciende la variante mecánica de placer personal que promueven los "expertos" en sexo.

De hecho, el objetivo central de la curación sexual no debería ser el orgasmo, sino *la conexión con su pareja.*

FISIOLOGÍA DEL SEXO SANADOR

El sexo sanador trae una marcada disminución de los niveles de *adrenalina* y *cortisona* en la sangre. Estas hormonas del estrés provocan ansiedad y disminuyen las funciones inmunes.

En un estudio, las mujeres que estaban felizmente casadas tuvieron niveles más altos de células asesinas naturales y linfocitos T auxiliares que aquéllas en vínculos infelices.

El sexo sanador también es un potente antídoto contra el aislamiento social, lo que ha sido relacionado con serias enfermedades y muerte prematura.

Un estudio de 194 pacientes cardiacos realizado en la Universidad Yale halló que aquéllos sin cónyuge en casa tenían el doble de posibilidad de morir prematuramente que aquéllos con cónyuge.

EL SEXO SANADOR NO ES COMÚN

La mayoría de las parejas nunca llegan a experimentar sexo sanador, porque renuncian

Paul Pearsall, PhD, es profesor de psicología en el Henry Ford Community College en Dearborn, Michigan, y ex director de educación del instituto Kinsey en la Universidad de Indiana en Bloomington. Autor de *A Healing Intimacy* (Crown) y *The Pleasure Prescription* (Hunter House).

a su relación demasiado pronto. Toma al menos *cuatro* años lograr la intimidad necesaria para el sexo sanador. La mayoría de las parejas se separa luego de tan solo tres años. ¿Por qué se separan tantas parejas? Por falta de intimidad. La intimidad no es algo que simplemente ocurre. Se logra tratando a la pareja con cariño y afecto genuino, y tomándose el tiempo para conectarse de verdad… tanto en las conversaciones casuales como en el sexo.

Tres factores son centrales para una relación sexual curativa…

•Compromiso. Los romances casuales y las relaciones sexuales inestables *no* son curativos porque las dos personas nunca llegan a formar un lazo significativo.

•Consideración. El lazo entre dos personas debe extenderse más allá de la cama. Cada uno debe expresar cariño y afecto hacia el otro continuamente –sonriendo… tocando… siendo cortés… halagando y mostrando respeto.

•Honestidad. En una relación no debe haber secretos –solo conexión y confianza absolutas.

CÓMO FORJAR UNA RELACIÓN SEXUAL CURATIVA

•Pasen tiempo juntos. Siéntense o recuéstense juntos por lo menos cinco minutos al día, solo ustedes dos. Abrácense con cariño. Hablen. Dejen que sus cuerpos se sincronicen.

•Escuchen más, hablen menos. Irónicamente, las buenas relaciones se caracterizan por hablar poco. Las parejas se comunican por medio de su propio lenguaje privado: sutiles movimientos corporales, gestos, expresiones y una sensación de conexión que surge solo entre los amantes que se acercan todavía más como resultado de las crisis compartidas.

•Haga algo especial por su pareja. Si pasan el día separados, llámense periódicamente durante el día y díganse cosas como: "Cariño, he estado pensando en ti. Tengo ganas de verte".

Si es necesario, programe un reloj despertador para que le recuerde periódicamente que debe llamar a su pareja.

Usted empieza a sentir amor si actúa amorosamente, por lo que los actos más simples de

conexión pueden traducirse en intensos sentimientos sexuales.

•Hagan el amor sólo cuando les parezca "bien". Confíen en sus sentidos. Si confían en sus "sentidos del sexo" por un mes, pronto verán que cuando tienen relaciones sexuales, es más sensual y satisfactorio.

•Seduzca a su pareja. En lugar de vestirse con un traje sexy, tal como recomiendan los terapeutas sexuales, use "el poder de la mente".

Envíe a su pareja "mensajes" mentales todo el día. Por la noche, acuéstese quieto en la cama y continúe enviando más "ondas sexuales". Se sorprenderá de lo seductor que puede ser su cerebro.

•Tenga fantasías sobre su pareja. Ponga una música sensual y acuéstese en la cama con los ojos cerrados. Use su mente (no un vibrador ni sus manos) y visualícese haciendo el amor a su pareja.

Puede que se excite, o hasta puede que tenga un orgasmo, pero el sexo mental puede ser sorprendentemente satisfactorio aunque usted no llegue a eso.

PLAN DE 50 MINUTOS PARA UNA BUENA SALUD SEXUAL

Mi plan de buena salud sexual, que usted puede agregar a su régimen de ejercicios semanal, contiene tres elementos…

1. Risa compartida. Veinte segundos de risa producen los mismos beneficios cardiovasculares que tres minutos de ejercicio aeróbico, según indican los estudios.

Los estudios también indican que una buena carcajada fortalece el sistema inmune al bajar los niveles de cortisona y elevar los niveles de endorfina. Además, las parejas que ríen juntas se vuelven más cercanas y están en mejor sintonía.

2. Llanto compartido. Ver una buena película de las que hacen llorar refuerza la intimidad, y a veces lleva a la excitación sexual. Las lágrimas, que contienen hormonas de estrés y otras sustancias químicas, pueden ser la manera natural de eliminar las toxinas del cuerpo.

3. "Aeróbicos eróticos" en pareja. Estas sugerencias de ejercicios sexuales pueden parecer extrañas, pero incrementan su capacidad para responder al contacto físico íntimo…

- **Sexo simulado.** Realice los movimientos del coito, con la ropa puesta.
- **Masajes genitales.** Esto estimula el flujo de sangre en esa área.
- **Bailar música de forma erótica.** Utilice los músculos que usaría si estuviera teniendo relaciones sexuales.
- **Coquetear.** Arquee su espalda, balancee sus caderas y saque el pecho. Practique también miradas y sonrisas sexuales. Ambas pueden hacer que se sienta más sensual.

 # Cómo tener excelentes relaciones sexuales todo el tiempo

Edward W. Eichel, MA, psicoterapeuta con práctica privada en Nueva York y creador de la técnica de alineación coital (CAT por sus siglas en inglés). La CAT se describe en detalle, y de forma ilustrada, en su libro *The Perfect Fit*. Signet. Para más información sobre un video de autoayuda de la CAT, llame al 212-989-1826.

De todas las preocupaciones expresadas por las mujeres en terapia sexual, ninguna es más común –o emocionalmente perturbadora– que la dificultad de lograr el orgasmo durante el coito.

Solo alrededor del 30% de las mujeres logra el orgasmo regularmente durante el coito.

Algunas mujeres pasan años teniendo relaciones sexuales sin un solo orgasmo coital. Típicamente, la mujer depende de una pareja que haga todo lo posible para hacerla llegar a ese ideal, pero nunca lo consigue.

El resultado: La sexualidad, sin su espontaneidad y regocijo, se convierte más en una tarea que en un placer.

AL RESCATE

Una variante, conocida como la técnica de alineación coital (CAT), de la tradicional posición del "misionero", no sólo ayuda a la mujer a tener un orgasmo durante el coito, sino que también aumenta las posibilidades de que ella y su pareja lleguen al orgasmo simultáneamente.

Los hombres que se han considerado por mucho tiempo como sexualmente ineptos, así como las mujeres preocupadas de ser frígidas, pueden empezar a experimentar el sexo con todo su placer físico y su intimidad emocional.

Los beneficios: Como el buen sexo suele ser sinónimo de buena comunicación, esta mejora en la vida sexual de una pareja a menudo trasciende a otros aspectos de su relación, ofreciendo nuevos niveles de intimidad, satisfacción y –lo que es muy importante en esta era del SIDA– compromiso.

A diferencia de otras técnicas alternativas para hacer el amor, la CAT es relativamente sencilla. Las parejas difieren en el tiempo necesario para dominar la técnica, pero con persistencia, la mayoría lo ha logrado. Una vez dominada, es extraordinariamente eficaz, y muy confiable.

El estudio: La respuesta sexual se midió en parejas en relaciones de compromiso, antes y después de recibir entrenamiento en la CAT. Antes de aprender la CAT, sólo el 23% de las mujeres reportó haber logrado el orgasmo con regularidad durante el coito. Luego de la CAT, ese número subió al 77%. Antes de la CAT, ninguna mujer reportó haber llegado al orgasmo con regularidad al mismo tiempo que su pareja. Luego del entrenamiento, un tercio de las mujeres reportó haberlo logrado.

Casi todos los participantes reportaron por lo menos una mejora en sus vidas sexuales luego del entrenamiento en la CAT. De hecho, los únicos participantes que no se beneficiaron fueron aquéllos cuyas relaciones ya estaban en riesgo por factores no sexuales.

LOS ELEMENTOS BÁSICOS DE LA CAT

La CAT combina cinco elementos distintos, cada uno diseñado para maximizar el contacto entre el pene y el clítoris, con lo que se maximiza la respuesta sexual de ambos amantes…

1. Posición. La mujer se acuesta boca arriba. El hombre se acuesta sobre ella, dándole la cara como en la posición del misionero, pero con su pelvis más adelantada que la de ella.

El hombre debe insertar el pene en la vagina, con el cuerpo esponjoso presionado firmemente contra el monte de venus de la mujer, el suave montículo de carne que cubre el hueso púbico arriba de la vagina. Ella abraza los muslos de él con sus piernas dobladas a un ángulo que no exceda los 45 grados y sus tobillos reposando en las pantorrillas de él.

Importante: Él debe dejar que todo su peso caiga sobre ella y debe evitar usar sus manos o codos para soportar su peso. Aunque es posible que a ella le parezca incómodo este peso al principio, es esencial evitar que la pelvis de él resbale y se aleje de la de ella.

2. Movimiento limitado. El coito tradicional requiere en gran medida de empujar, tirar y apoyarse en piernas y brazos. El coito usando la técnica CAT se concentra apenas en el movimiento pélvico de la pareja. De hecho, muy poco movimiento adicional es posible durante la CAT, debido a la posición de la pareja. Si fuera posible realizar movimientos adicionales, entonces la posición es incorrecta.

3. Presión-contrapresión. Durante el coito tradicional, el hombre impone el ritmo mientras que la mujer se mueve poco o nada. En cambio, la CAT implica un movimiento rítmico que es casi idéntico para ambos.

Procedimiento: Ella empuja hacia arriba, forzando la pelvis de él hacia atrás. Él permite que su pelvis se mueva pero mantiene una contrapresión continua sobre la pelvis de ella (y su clítoris).

En el movimiento hacia abajo, el patrón del movimiento se realiza a la inversa, con el hombre empujando hacia abajo y la mujer manteniendo la contrapresión contra el pene. Al moverse la pelvis de ella hacia atrás y hacia abajo, el cuerpo esponjoso del pene se mueve hacia adelante contra el monte de venus, deslizándose a una posición superficial en la vagina.

Nota: Aunque la fuerza de presión-contrapresión es muy intensa durante la CAT, el movimiento de la pareja es sorprendentemente leve.

4. Contacto genital completo. El empuje repetido del pene dentro y fuera del orificio de la vagina, típico de la tradicional posición del misionero, proporciona muy poca estimulación directa del pene o el clítoris.

El resultado típico: El orgasmo de él, aunque se perciba como placentero, dista de ser tan poderoso como debiera, y ella, habiendo tenido muy poca o ninguna estimulación del clítoris, no

logra el orgasmo en absoluto. En la CAT, el pene y el clítoris se mantienen estrechamente juntos por la presión y contrapresión, y la conexión de pene y clítoris se mece hacia arriba y hacia abajo de forma acompasada al estilo palanca. Este movimiento vibratorio prácticamente garantiza orgasmos para ambos.

Los beneficios: Los orgasmos producidos por la CAT son significativamente diferentes de los producidos por las relaciones sexuales convencionales. Mientras que el orgasmo convencional se limita a una sensación de pulsaciones, el orgasmo de la CAT combina esto con una sensación de "derretimiento".

Entre los participantes del estudio, el 90% de las personas dijo que la CAT intensificó su orgasmo, y el 60% dijo que incrementó su deseo de tener sexo con más frecuencia.

5. Orgasmo "pasivo". En el coito tradicional, el hombre empuja más rápida y profundamente al estar más excitado, mientras que la mujer baja o hasta detiene su movimiento por completo. En el momento del orgasmo, los movimientos de la pareja suelen desconectarse y caer en una completa falta de sincronía.

El resultado: Orgasmos incompletos o incluso arruinados.

Lo mejor: La CAT propone una coordinación completa del movimiento de la pareja, hasta y más allá del momento del orgasmo. En otras palabras, ninguno de ellos hará esfuerzos para "alcanzar" el orgasmo, sino que dejará que el orgasmo le llegue y lo sobrepase.

La transición entre el movimiento voluntario que precede al orgasmo, a los movimientos involuntarios y reflexivos, típicos del orgasmo en sí mismo, es por lo tanto completamente coordinada. La posibilidad de un orgasmo incompleto se limita drásticamente.

Lo crucial: Un esfuerzo consciente de ambos amantes de no aguantar la respiración ni suprimir los sonidos naturales. Respirar libremente y dar rienda suelta a los gemidos, palabras y otras vocalizaciones facilitan en gran manera el orgasmo, tanto para el que emite los sonidos como para el que los escucha.

Algunas parejas reportaron que la CAT "al revés" es una variación eficaz de la CAT, si el hombre es mucho más pesado que su pareja.

Lo último
acerca del herpes

Anna Wald, MD, MPH, profesora adjunta de medicina de la Universidad de Washington en Seattle.

El herpes genital puede diseminarse incluso si no hay llagas genitales. En un estudio de 110 mujeres con herpes genital, el 65% de ellas "diseminó" partículas del virus en algún momento, con o sin la presencia de llagas.

Para reducir el riesgo: Use condones a menos que usted esté seguro de que su pareja no está infectada. *Además:* la diseminación del virus puede reducirse tomando los medicamentos con receta *aciclovir* (Zovirax), *valaciclovir* (Valtrex) y *famciclovir* (Famir).

Cómo reanimar
su vida sexual

Judith Seifer, PhD, RN, profesora clínica adjunta del departamento de psicología, obstetricia y ginecología de la facultad de medicina de la Universidad Wright State en Dayton, Ohio. Es la presentadora y cocreadora de la serie de videos "*Better Sex*".

Dígame: ¿recuerda la época cuando tenía relaciones sexuales cada dos días, o incluso *diariamente?* La mayoría de las parejas hacen el amor con menos frecuencia a medida que la relación progresa.

Pero su vida sexual no tiene por qué ser aburrida, sin importar su edad o cuánto tiempo lleva en su relación.

A continuación están los problemas comunes que roban al sexo su gozo y satisfacción, y cómo solucionarlos.

PÉRDIDA DEL DESEO

Los periodos de poco deseo se relacionan normalmente con el uso de antidepresivos o tranquilizantes, la depresión, la fatiga o la desilusión, la ira y otras emociones negativas que afectan a todas las relaciones de vez en cuando.

¿Cómo se puede intensificar la libido? Primero, asegúrese de que su pareja no piensa que el problema está en sí misma. Admita que *usted* ha perdido su deseo.

Si es su pareja quien ha menguado su deseo sexual, anímela sutilmente a hablar al respecto.

Las buenas noticias: Hablar sobre el problema normalmente conduce a su solución. Si no es así, pida a su doctor que descarte causas físicas, tales como la pérdida de estrógeno durante y después de la menopausia.

Muchas mujeres menopáusicas notan que su deseo vuelve a aparecer si se someten a terapia de reemplazo de hormonas (HRT por sus siglas en inglés), y los investigadores están evaluando la terapia de reemplazo de testosterona para hombres *y* mujeres que sufren de baja libido.

DESEQUILIBRIO DEL DESEO

Los viejos clichés son ciertos. Las mujeres ven la intimidad en términos de aceptación, apoyo y afecto, mientras que los hombres piensan en términos de relación sexual. Muchas parejas pasan años luchando contra este desequilibrio.

El error: Tratar de hacer que su pareja piense de la misma manera que usted.

En vez, busque la manera de satisfacer tanto la necesidad masculina del coito *como* la necesidad femenina de abrazos y charlas. Incorpore la variedad a sus encuentros íntimos. Busque a veces un encuentro veloz, y otras una sesión más larga y pausada. Otras veces, límite sus caricias al masaje mutuo.

IMPOTENCIA*

Los hombres que tienen problemas persistentes de erección, y sus parejas, empiezan a ver las relaciones sexuales con ansiedad y con una seriedad abrumadora. Esto hace que el buen sexo sea casi imposible.

Un hombre que sea impotente en más de la mitad de sus encuentros sexuales debería someterse a un chequeo médico completo. Podría tener diabetes o alguna enfermedad cardiaca.

Otras causas comunes: El agotamiento, el haber comido mucho, el alcohol, el cigarrillo, la alta presión arterial o ciertos medicamentos, como antidepresivos, antihipertensivos y agentes contra la ansiedad.

*La definición de la impotencia es "la incapacidad consistente de obtener o mantener una erección de suficiente rigidez para lograr el coito satisfactorio". Si una pareja goza de las relaciones sexuales a pesar de la incapacidad del hombre de lograr una erección –eso no es impotencia.

Por fortuna, la mayoría de los problemas de erección son curables, gracias en parte a un medicamento de vía oral llamado *sildenafil* (Viagra)… los fármacos inyectables *papaverine* (Regitine) y *alprostadil* (Caverject)… y los implantes de pene.

En muchos casos, la mujer puede provocar una erección a su pareja simplemente mediante felación o presionando suavemente la parte gorda de su pulgar en el perineo (el área firme debajo del escroto). Estas técnicas estimulan la próstata, glándula que está estrechamente relacionada a la función sexual.

Lo más importante: No tome el sexo con tanta seriedad. A lo largo de su vida, usted probablemente podrá contar sus encuentros sexuales más apasionados con los dedos de una mano. Hasta las parejas más apasionadas tienen relaciones sexuales mediocres el 20% de las veces.

SEQUEDAD VAGINAL

Las mujeres de todas las edades pueden experimentar una inadecuada lubricación de la vagina. Este problema puede producir dolor durante el coito y –eventualmente– el deseo de evitar las relaciones sexuales por completo.

Las causas usuales: El desequilibrio hormonal provocado por el embarazo, la lactancia, la menopausia o el coito poco frecuente.

Para provocar la lubricación, las parejas deben dedicar más tiempo a la estimulación previa, y usar un condón lubricado o un lubricante vaginal hidrosoluble como Erogel o Slip.

Cualquier mujer menopáusica que esté experimentando sequedad vaginal debería preguntar a su doctor sobre la terapia de remplazo hormonal HRT. El estrógeno normalmente restaura la humedad de la vagina. Para las mujeres que no quieran someterse a la terapia HRT, también hay preparaciones tópicas.

ABURRIMIENTO SEXUAL

Si usted suele tener relaciones sexuales el mismo día, a la misma hora, en la misma habitación, y en la misma posición durante años, la verdadera pregunta es: "¿cómo es posible que no se aburra?"

No culpe a su pareja de su aburrimiento. Halle la manera de restituir la pasión a sus encuentros sexuales. *Qué hacer…*

●**Hagan el amor en un lugar inusual:** El auto, otra habitación, la ducha, etc.

●**Planifiquen hacer el amor en un momento diferente del día.** Si normalmente lo hacen de noche, intenten ponerse románticos en la mañana. O haga una cita para una tarde en un hotel local.

●**Busque maneras de expandir su repertorio sexual.** Si usted aún no practica sexo oral, debería intentarlo.

Las parejas mayores de 55 años tienen un 50% menos de probabilidad de practicar sexo oral que las parejas más jóvenes. Eso es lamentable. La *felación* y el *cunnilingus* pueden aumentar la intimidad y el gozo para ambos.

La felación puede ayudar a un hombre a tener una erección. Y la mayoría de las mujeres halla que la estimulación del clítoris (con la lengua, los dedos o un vibrador) es la manera más confiable de llegar al orgasmo.

El cunnilingus puede preparar a mujeres mayores para el coito, ayudándolas a lubricar. También puede ser un sustituto del coito sexualmente satisfactorio si la impotencia o algún otro problema lo hace imposible.

Otras maneras de expandir su repertorio sexual…

●**Fantasía.** Si se sienten cómodos compartiéndolas, las fantasías sexuales le dan sabor a su vida sexual pues le ofrecen a usted y a su pareja nuevas ideas. Si tiene la fantasía de ser atado y acariciado con una pluma, dígaselo a su pareja. Esto podría llevar a una experiencia sensual y excitante para ambos.

Está bien imaginarse que está teniendo relaciones con otra persona mientras hace el amor con su pareja. Es normal y saludable.

●**Afrodisíacos.** El mejor afrodisíaco hoy en día son los *tallos de avena sativa* ("green oat straw"). Tomado a diario, este remedio homeopático de vía oral estimula el deseo, pues incrementa los niveles de testosterona en circulación tanto en los hombres como en las mujeres. Se consigue en las tiendas de alimentos naturales ("health food stores").

Las ostras, el ginseng, el chocolate, el alcohol y otras drogas recreativas *no* estimulan el impulso sexual.

●**Videos eróticos.** Los hombres no son los únicos que disfrutan de mirar a otros teniendo relaciones sexuales. Según la Video Retailer's Association, el 40% de los videos para adultos lo alquilan mujeres.

Una mujer cuya excitación decae con pornografía explícita, podría estar interesada en pornografía moderada ("soft-core"), material erótico para mujeres o videos de instrucción sexual.

●**Juguetes sexuales.** Los vibradores, consoladores, aceites para masajes, etc., pueden aumentar drásticamente su placer sexual. *Importante:* para evitar que el hombre se sienta "reemplazado" por un vibrador, las parejas deberían usarlo para la estimulación mutua.

Fuentes discretas de juguetes sexuales: Eve's Garden, *www.evesgarden.com,* 800-848-3837 o Good Vibrations, *www.goodvibes.com,* 800-289-8423. Puede solicitar sus catálogos por correo o hacer su pedido por Internet.

●**Masturbación.** Tanto los hombres como las mujeres suelen hallar muy placentero tocarse a sí mismos durante las relaciones sexuales con su pareja, u observar a sus parejas tocarse.

La masturbación también es una herramienta poderosa de autoaprendizaje para lograr el orgasmo, de manera que pueda guiar mejor a su pareja.

RENUEVE SU COMPROMISO

En la semana o el mes próximo, trate a su pareja de forma romántica, tal como a usted le gustaría que lo/la tratara.

Ejemplo: Llame a su pareja a la oficina solo para decir *"te amo".* Deje notas románticas en su maletín o en la gaveta de su ropa íntima. Lleve flores a casa. Empiecen a tocarse a menudo de manera afectuosa.

Para nueve de cada diez parejas, estos gestos cambian drásticamente su satisfacción psicológica y sexual.

El amor y el sexo después de los 60

Robert N. Butler, MD, profesor de geriatría de la facultad de medicina Mount Sinai en Nueva York. El Dr. Butler fue director del National Institute on Aging. Es coautor de *Love and Sex After 60.* Ballantine Books.

A pesar de que persiste el mito de que el gozo del sexo es solo un recuerdo para las personas de 60, 70 ó más años de edad, la realidad es muy diferente. Mientras usted y su pareja estén saludables y deseosos, *no existe límite de edad para la satisfacción sexual.* Hemos conocido gente de 90 años que llevan vidas sexuales activas y satisfactorias.

Sin embargo, demasiada gente mayor se ve privada de este placer vital por problemas físicos corregibles, estilos de vida deficientes y actitudes derrotistas.

Evada estos obstáculos y probablemente encontrará que el sexo es igual de bueno, o incluso mejor, que antes.

QUÉ TIENE DE DIFERENTE EL SEXO

A los 75 años, usted ya no es el hombre o la mujer que era a los 25, ni física, ni emocional… ni sexualmente.

Para los hombres, en particular, la diferencia sexual es mayormente una cuestión de *tiempo.* Toma más tiempo tener una erección… más tiempo llegar al orgasmo… y la fase refractaria (el intervalo entre erecciones) es más larga.

Pero las buenas noticias son que la experiencia de toda su vida, y su madurez, enriquecerán la calidad de sus encuentros sexuales. Mientras que el sexo en la primera adultez es atlético, incluso explosivo, es también egoísta.

Las parejas que han sobrevivido a las tormentas de la vida (o las que se han enamorado siendo mayores), por lo general se han vuelto más sensibles a las necesidades de la otra persona. El sexo se vuelve un asunto mutuo de dar y compartir.

Importante: No se juzgue a sí mismo según estándares juveniles. Aprecie lo que tiene hoy. Es diferente, pero no es inferior a lo que tenía antes.

ELIMINE LOS OBSTÁCULOS

Si su vida sexual no es satisfactoria, una enfermedad, y no su edad, puede ser la causa.

La diabetes, la depresión o una tiroides poco activa pueden despojarlo de su deseo sexual.

La inflamación de la próstata puede hacer muy incómodo el acto sexual. Estas condiciones se pueden remediar.

Las enfermedades del corazón pueden tener un impacto *indirecto* en el sexo. La gente que sufre de angina (dolor en el pecho) o que han tenido ataques al corazón suelen sentir ansiedad a causa del sexo, o evitarlo por completo. Pero el riesgo de daño es en realidad muy bajo: menos del 0,3% de las muertes por ataques al corazón ocurren durante el encuentro sexual. Consulte a su médico.

Luego de la menopausia, los tejidos vaginales se hacen más delgados y las secreciones naturales se secan. Esto hace que el sexo sea doloroso para algunas mujeres mayores. El reemplazo de estrógeno puede corregir el problema, pero estudios recientes están cuestionando la seguridad del uso a largo plazo del estrógeno.

Si usted prefiere renunciar a las hormonas, un lubricante vaginal de venta sin receta como Replens también podrá ayudar a restaurar el placer del sexo.

Algunos medicamentos pueden reducir el impulso sexual y desmejorar el desempeño (especialmente en los hombres). Los medicamentos para la presión arterial, los antidepresivos, los tranquilizantes y los diuréticos son los culpables más comunes.

Casi siempre, su doctor podrá recetarle un medicamento alternativo que tendrá la misma eficacia sin afectar su vida sexual.

MEJORE SU ESTILO DE VIDA

●**Haga ejercicios.** Si su resistencia es limitada, no tendrá mucho vigor al hacer el amor –otra buena razón para hacer ejercicios regularmente. Intente ejercitarse al menos 20 ó 30 minutos, entre tres y cinco veces por semana.

Una caminata con brío es el mejor ejercicio para la mayoría de la gente mayor. Empiece por caminar rápidamente hasta cansarse, luego descanse, y empiece de nuevo a un paso relajado hasta el punto de inicio. Aumente gradualmente la distancia y el ritmo. *Una buena meta:* entre dos y tres millas (3-5 km) en 45 minutos.

Si ha estado inactivo por años, o tiene una enfermedad del corazón, consulte al médico antes de empezar un programa de ejercicios.

●**Descanse lo suficiente.** Un cuerpo bien descansado está más deseoso y dispuesto para desempeñarse sexualmente. Intente dormir 7 ó más horas al día. Tome siestas o dése descansos en la tarde si los necesita. Busque ayuda médica si tiene problemas persistentes para dormir.

●**Evite el alcohol.** Algunas bebidas pueden relajarlo y darle ánimo para el sexo, pero también pueden disminuir su habilidad a la hora del desempeño. Incluso cantidades pequeñas de alcohol lo afectan ahora más que cuando usted era joven.

Lo mejor: Evite el alcohol por completo, o limítese a una sola bebida varias horas antes de tener relaciones sexuales.

●**No fume.** Los órganos sexuales –tanto masculinos como femeninos– se llenan de sangre en el momento de la excitación, y la nicotina interfiere con este proceso pues estrecha los vasos sanguíneos vitales. Los hombres que fuman pueden además tener niveles más bajos de testosterona.

●**Manténgase sexualmente activo.** Si no está sexualmente activo, el deseo y la habilidad mermarán. Manténgase en forma sin pareja con la masturbación.

Si han pasado años desde que usted era sexualmente activo, preste atención en especial al estilo de vida, sea paciente (y pida lo mismo de su pareja)… y tenga en cuenta que puede tomarle algunos meses volver a la práctica.

PREPARE EL ESCENARIO

Usted no es nunca demasiado viejo para una vida sexual más satisfactoria, más romántica y más excitante. El hábito tiende a hacer la vida sexual aburrida y rutinaria. *El antídoto:* la flexibilidad, la creatividad y el cariño.

●**Cree un ambiente romántico.** Una pareja tiene una "cita" en casa: se visten bien, cenan a la luz de las velas y luego se retiran al dormitorio, que han acomodado provocativamente con flores frescas y luces bajas.

Unas vacaciones a un sitio nuevo y emocionante es siempre una buena manera de recargar sus baterías sexuales.

●**Esté abierto al cambio y la experimentación.** Intente nuevas posiciones y técnicas. Si usted nunca ha leído sobre sexualidad, es un buen momento para empezar.

●**Estimule y déjese estimular.** Al envejecer, la mayoría de los hombres necesita estimulación física directa del pene para alcanzar una erección. Para las mujeres, una estimulación previa pausada y cariñosa, que incluya la estimulación del clítoris, incrementa el placer y promueve el orgasmo.

Ver videos eróticos y compartir sus fantasías puede hacer el sexo más excitante para ambos.

Importante: Comuníquense. Dígale a su pareja lo que le gusta y lo que no.

●**El momento justo es clave.** El sexo no tiene por qué ser solo una actividad a la hora de ir a la cama, en particular si usted está jubilado y tiene más tiempo.

No deje de tener relaciones sexuales cuando ambos estén energéticos y con ánimo. Mucha gente está más descansada y relajada en la mañana (y los hombres son generalmente más potentes en ese momento). O descuelgue el teléfono, baje las persianas y disfrute de una función de matiné.

HAGA EL ESFUERZO
PARA TENER UNA BUENA RELACIÓN

El sexo es solo una parte de una relación madura. Los sentimientos cariñosos y generosos aumentan el placer, mientras que la ira y el resentimiento se interponen en su camino.

El deseo y el desempeño sexual son especialmente sensibles al ambiente emocional.

Esfuércese por responder a los sentimientos y necesidades de su pareja, y no solo en la cama. Exponga sus resentimientos y desilusiones, y ponga lo mejor de sí para resolverlos.

No dé como un hecho el vínculo con su pareja, debe hacer un esfuerzo por ser interesante y estar interesado. Si el aburrimiento ha aparecido en su relación, busque en los sentimientos más profundos que usted tiene por su pareja, y expréselos sexualmente.

Los ejercicios pueden aliviar la impotencia

E. Douglas Whitehead, MD, urólogo y director de la Association for Male Sexual Dysfunction, 24 E. 12 St., Nueva York 10003.

Los simples ejercicios de los músculos pélvicos llamados ejercicios Kegel –conocidos desde hace tiempo por controlar la incontinencia urinaria en hombres y mujeres– pueden también aliviar la impotencia en algunos hombres. La causa más común de la impotencia es un deterioro en la circulación, que lleva a la pérdida de la habilidad de retener suficiente sangre en el pene. Los investigadores dicen que los ejercicios Kegel pueden funcionar tan bien como la cirugía.

Medicamentos recetados que afectan el sexo

Deborah Carson, PharmD, es profesora adjunta de práctica farmacéutica de la Medical University of South Carolina en Charleston.

Mucha gente no se da cuenta de que los medicamentos pueden afectar su vida sexual. *Estos son algunos medicamentos comunes y sus efectos secundarios…*

●**Antidepresivos.** Los antidepresivos tricíclicos como Elavil e inhibidores de la reabsorción de la serotonina como Prozac y Zoloft pueden suprimir el deseo sexual e interferir con el orgasmo y/o la eyaculación.

●**Medicamentos para las úlceras.** Tagamet y Zantac en grandes dosis pueden causar impotencia, pérdida de la libido y dolor de mama o agrandamiento.

●**Diuréticos.** Los diuréticos tiazídicos como Anhydron y Lasix pueden interferir con la eyaculación, disminuir el deseo sexual y causar impotencia.

●**Medicamentos ansiolíticos.** Los tranquilizantes como Valium y Xanax pueden causar impotencia y reducir la libido, además de interferir con el orgasmo y/o la eyaculación.

●**Betabloqueantes.** Inderal y Tenormin pueden causar impotencia y reducir el deseo sexual.

Atención: Puede ser difícil distinguir un efecto secundario de un medicamento de una condición médica subyacente. Nunca deje de tomar un medicamento sin haber consultado primero a su médico.

Los medicamentos afectan a las personas de maneras diferentes. A menudo, medicamentos diferentes para los mismos síntomas podrían tener menos probabilidad de inhibir el deseo.

El sexo y los ataques al corazón

James E. Muller, MD, profesor adjunto de medicina de la facultad de medicina de la Universidad Harvard en Boston. Su estudio de 858 hombres y mujeres que sobrevivieron ataques cardiacos fue publicado en el *Journal of the American Medical Association*, 515 N. State St., Chicago 60610.

Un estudio halló que el riesgo de ataques cardiacos por actividad sexual es solo de dos en un millón. Esto puede compararse con uno en un millón, si la persona no tuvo actividad sexual durante la hora anterior al ataque. Los pacientes cardiacos que hacen ejercicio regularmente (entendiendo por esto que simplemente subieron vigorosamente una colina leve por 30 minutos al día) no tuvieron incremento en el riesgo debido a actividad sexual.

El sexo puede aliviar el dolor de la artritis

Warren Katz, MD, jefe de la división de reumatología del centro médico Presbyterian en Filadelfia.

El setenta por ciento de las personas en un estudio dijo que su dolor de artritis se aliviaba hasta por seis horas luego del coito.

La posible explicación: El sexo hace que se liberen la cortisona y las beta endorfinas naturales, dos sustancias químicas que alivian el dolor de manera natural.

Útil: Un baño o ducha caliente antes del sexo para aliviar cualquier rigidez inicial.

Medicamentos para la eyaculación precoz

Stanley E. Althof, PhD, profesor adjunto de psicología de la facultad de medicina de la Universidad Case Western Reserve en Cleveland. Su estudio de 2 meses sobre la eyaculación precoz en 15 parejas fue publicado en el *Journal of Clinical Psychiatry*, Box 752870, Memphis 38175.

Retrase la eyaculación precoz con el fármaco recetado *clomipramina* (Anafranil). Tomada seis horas antes del acto sexual, la clomipramina retrasó la eyaculación de un promedio de sólo 81 segundos luego de la penetración vaginal hasta un promedio de 419 segundos. Las parejas reportaron una mayor satisfacción sexual mientras el hombre tomó el medicamento.

Hacer el amor es mucho más que sexo

Real Moments for Lovers por Barbara DeAngelis, PhD, especialista en relaciones humanas y desarrollo personal que reside en Los Ángeles. Delacorte Press.

Limitar el hacer el amor solo a los momentos sexuales pone mucha presión en la vida sexual y confunde el tipo de conexión que los verdaderos amantes desean. La conexión física del sexo es solo una parte de la intimidad de los verdaderos amantes. *Lo mejor:* trate de encontrar verdaderos momentos de amor con su pareja, momentos para sentir completamente su amor y disfrutar su relación. Hacer el amor de verdad significa suscitar los sentimientos que constantemente fluyen entre ustedes.

Medicamento para el herpes genital

Bruce Yaffe, MD, internista y gastroenterólogo con práctica privada, 121 E. 84 St., Nueva York 10028.

Los pacientes que sufren de episodios recurrentes de estas dolorosas llagas encontrarán alivio en seis horas con *famciclovir* (Famvir), un medicamento que se toma solo dos veces al día cuando se desarrollan los síntomas. Otro medicamento llamado *aciclovir*, también puede detener la aparición de llagas, pero se debe usar cinco veces al día, y no alivia el dolor.

Los secretos para el sexo fabuloso de la Dra. Ruth

La terapeuta sexual Ruth Westheimer, PhD, entrevistada en *Investor's Business Daily*, 12655 Beatrice St., Los Ángeles 90066.

Verdaderamente querer a su pareja, comunicarse bien, y poder pedirle todo lo que usted desea.

El sexo no es únicamente para los que están completamente sanos

Robert Butler, MD, director del International Leadership Center on Longevity and Society del centro médico Mount Sinai en Nueva York, y autor de *Love and Sex After 60.* Ballantine Books.

Generalmente, no hay razón médica por la cual alguien que esté enfermo deba abstenerse del contacto sexual.

Ejemplo: Los pacientes de ataques cardiacos, luego de pasar un periodo inicial de recuperación, normalmente pueden tener relaciones sexuales sin problema, y la mayoría, de hecho, se beneficia de ello.

Útil: Tome medidas preventivas antes de hacer el amor, tales como hallar una posición cómoda para ambos y tomar nitroglicerina. Consulte con su médico sobre las precauciones adecuadas para su estado de salud.

Cómo mejorar la comunicación

Sexual Healing: How Good Loving Is Good for You— and Your Relationship, por Barbara Keesling, PhD, terapeuta sexual de Los Ángeles. Hunter House.

Para más intimidad, reserve un momento en particular para usted y su pareja para practicar cómo pedir *explícitamente* lo que cada uno quiere. La mitad del tiempo, usted pide, y la otra mitad, su pareja.

El beneficio: No necesita adivinar más sobre lo que usted o su pareja desea.

El sexo y los dolores de cabeza

Fred Freitag, DO, director adjunto de la Diamond Headache Clinic en Chicago.

Los dolores de cabeza asociados al sexo afligen ocasionalmente a alrededor del 3% de las mujeres.

La causa habitual: Tensión muscular del cuello y los hombros o aumentos rápidos de la presión arterial por una sobrecarga hormonal.

La autodefensa: Manténgase en forma: el sexo requiere energía y resistencia... tómese su tiempo —extender la estimulación previa permite que los niveles hormonales y la frecuencia cardiaca se eleven gradualmente, no de golpe... cambie las posiciones —ciertas posiciones provocan mayor tensión muscular y esfuerzo que otras.

La histerectomía y el sexo

Kristen H. Kjerulff, PhD, profesora adjunta de ciencias de evaluación de la salud en la facultad de medicina de la Universidad Penn State en Hershey, Pensilvania. Dirigió un estudio de dos años con 1.100 mujeres, publicado en el *Journal of the American Medical Association*.

La histerectomía no disminuye la sexualidad de la mujer. La mayoría de las mujeres sometidas a histerectomías reportan más actividad sexual y mayor placer luego de la operación que antes de ella.

La razón probable: Los síntomas que usualmente llevan a la histerectomía –incluido dolor y sangramiento profuso– alejan a la mujer del pleno disfrute del sexo *antes* de la operación.

La frecuencia sexual

Domeena Renshaw, MD, fundadora y directora de la clínica de disfunción sexual de la Universidad Loyola en Maywood, Illinois.

Las parejas casadas de hoy en día tienen relaciones sexuales con menos frecuencia que las parejas de hace 60 años. En aquel entonces, hombres y mujeres casados de 30 años de edad hacían el amor alrededor de tres veces por semana. Ahora el promedio es de dos veces por semana.

Las posibles razones: Los matrimonios en los que ambos tienen carreras profesionales y otros elementos de la estresante vida moderna.

Kits para la prueba casera de VIH

Frederick Hecht, MD, profesor auxiliar de medicina en el programa contra el SIDA de la Universidad de California en San Francisco.

Los kits para la prueba casera de VIH dan resultados casi tan precisos como las pruebas de sangre tomadas en el consultorio del médico. Luego de comprar el kit, el comprador pincha su dedo para tomar una pequeña muestra de sangre y la envía al laboratorio de la compañía. Se le entrega un código, de manera que solo la persona con el código podrá obtener los resultados, que estarán disponibles por teléfono en eso de una semana. Si el resultado es positivo, la llamada se dirige automáticamente a un consejero provisto por la misma compañía. *El costo de un kit y el trabajo de laboratorio:* alrededor de $50.

Masaje sensual sencillo

A Lover's Guide to Massage por Victoria Day, masajista terapéutica y partera registrada, de Bristol, Inglaterra. Ward Lock, distribuido por Sterling Publishing Co.

Empiece un masaje sensual poniendo aceite en sus manos y aplicándolo a su pareja con caricias amplias y suaves. Sea muy cariñoso al principio, luego empiece a sentir en sus dedos dónde puede presionar con mayor fuerza. Mantenga sus dedos relajados. Use toda su palma y los dedos para el masaje. Mantenga las caricias seguras y rítmicas, para que el masaje se sienta como una secuencia continua aunque usted se mueva de una parte del cuerpo a otra.

Todo sobre la fertilización in vitro

Jonathan Scher, MD, obstetra y ginecólogo con práctica privada en Nueva York, y coautor de *Preventing Miscarriage: The Good News*. HarperPerennial.

Las parejas con incapacidad para concebir que estén buscando un donante de óvulo o de esperma deben contactar primero un grupo de apoyo o un programa de fertilización in vitro. Estos programas explican exactamente cómo proceder y lo que se debe saber acerca del donante. Localizar un donante por medio de un aviso es riesgoso dado que se desconoce el pasado genético de quienes respondan. También podría causar futuros problemas legales.

Los programas filtran a los donantes para que usted pueda especificar factores tales como la edad preferida, antecedentes étnicos y educación. *Costo por intento:* para esperma, alrededor de $200; por óvulos, de $1.000 a $3.000. Los costos adicionales varían entre $6.000 y $10.000.

Preguntas que mantienen vivo el amor

Instant Insight: 200 Ways to Create the Life You Really Want, por Jonathan Robinson, psicoterapeuta y director de seminarios de Santa Bárbara, California. Health Communications.

Pregunte a su pareja: ¿Qué te ayuda a sentir que te amo?… ¿Sabes qué cosas haces que me hacen sentir que me amas?

Pregúntese: ¿Qué acto de amor o bondad puedo realizar por mi pareja esta semana? ¿Qué problemas tenemos de los cuales no estamos hablando? ¿Cómo podemos hablar de ellos?

Útil: Planeen pasar tiempo dedicado uno al otro al menos dos veces por semana. Piense acerca de lo que realmente le gusta de su pareja… y qué cosas divertidas pueden hacer juntos. Luego, hagan los planes juntos.

Eminente terapeuta sexual revela su arma secreta contra los problemas sexuales

Barbara Bartlik, MD, psiquiatra y médica de terapia sexual en el programa de sexualidad humana del centro médico New York Hospital–Cornell en Nueva York. Estudió con la fallecida doctora Helen Singer Kaplan, la renombrada terapeuta sexual, y también formó parte de su consultorio.

Para la mayoría de nosotros, el material erótico ha sido siempre un tabú –un vicio vergonzoso. Pero destacados terapeutas sexuales han descubierto que una

nueva generación de videos y literatura "de buen gusto" puede constituir un poderoso aliado para las parejas que enfrentan problemas sexuales… o para las parejas que quieran enriquecer su relación sexual.

Incluso las parejas que encuentran ofensivo el "porno" en general, suelen descubrir que les gustan estos nuevos productos eróticos sensibles, y que se benefician de ellos.

Estos materiales –que presentan situaciones interesantes y relaciones realistas y afectuosas– han sido diseñados para excitar y educar. *Han comprobado ser de mucha ayuda para resolver problemas sexuales comunes…*

ABURRIMIENTO SEXUAL

El uso más obvio del material erótico es el de dar sabor al sexo para las parejas que han caído en la rutina.

La fallecida pionera de la terapia sexual, Helen Singer Kaplan, MD, usó el término "monogamia apasionada" para describir a las parejas que buscan aventuras sexuales dentro del matrimonio. Esto se hace usando juguetes eróticos, ropa íntima sexy; y actuando, leyendo y observando material erótico juntos.

ANSIEDAD POR EL DESEMPEÑO

La pornografía tradicional suele enfocarse exclusivamente en el acto sexual, enfatizando las destrezas sexuales y anatomías de proporciones improbables. Esto puede exacerbar los sentimientos de insuficiencia en hombres (y mujeres), contribuyendo a la impotencia y la ansiedad por el desempeño.

Muchos videos recientes presentan gente ordinaria disfrutando del sexo en el contexto de sus vidas normales. Esto da a los que los ven un estándar más realista contra el cual compararse, ayudándolos a sobrellevar los miedos a la incompetencia.

Algunos materiales eróticos presentan parejas expresando pasión *sin* llegar al coito. Aprender formas de satisfacerse mutuamente sin llegar al coito puede eliminar la presión, reconstruir la confianza y frenar la ansiedad –aminorando así las preocupaciones sobre el desempeño.

MALA COMUNICACIÓN

A muchas personas les resulta difícil pedir lo que realmente desean en la cama: felación o cunnilingus, estimulación anal, etc. Simplemente no son asertivos, o sienten miedo de que sus parejas se sientan humilladas.

El material erótico ofrece atajos para hablar de este problema. Uno puede decir: "vamos a probar lo que ellos hicieron" o "me encantaría que hiciéramos eso".

En algunos videos, como los de la *serie Femme* (descritos a continuación), se muestra a las parejas haciéndose sugerencias y comentarios de manera sensible y de buen humor. Observar estos "personajes modelo" puede lograr que hablar de sexo resulte más cómodo.

INHIBICIÓN SEXUAL

Aun en nuestra era de liberación sexual, muchos adultos provienen de familias estrictas que les enseñaron que el sexo es sucio y que la gente buena no disfruta del sexo. Muchas de estas personas nunca aprendieron maneras eficaces de dar y recibir placer sexual.

El material erótico demuestra una variedad de maneras de mejorar la estimulación previa y el coito. Y los más recientes videos con situaciones muestran personas de todas las edades y de distintos niveles de vida disfrutando del sexo. Esto puede ayudar a los observadores a sentirse más cómodos con su propia sexualidad.

RELACIONES EN CONFLICTO

La ira reprimida u otros conflictos con la pareja pueden llevar a la pérdida del deseo. Esto inicia una espiral descendente en la relación, puesto que el sexo no satisfactorio puede producir una mayor frustración.

Para detener esta espiral, las parejas deben confrontar estos conflictos directamente, por medio de la conversación sincera y quizás con ayuda de un consejero.

Mientras las parejas están tratando sus dificultades, el material erótico puede ayudar a reencender el interés sexual, fortaleciendo el lazo entre ellos.

FALTA DE CONCENTRACIÓN

Algunas personas tienen problemas para concentrarse en sus parejas y se dan cuenta de que no son capaces de lograr el orgasmo.

Normalmente, están distraídos por presiones en el trabajo, preocupaciones acerca de su imagen corporal o la privacidad, etc.

El material erótico puede compensar estas distracciones "subiendo el volumen" de la excitación sexual.

ALGUNOS PROBLEMAS NO RESPONDEN AL MATERIAL ERÓTICO

El material erótico no es de ayuda para…

●**La eyaculación precoz.** Los hombres con este problema deben concentrarse en sus propias sensaciones, no en imágenes de otros.

●**Aversión sexual.** Para este problema, en el cual el sexo es un provocador de ansiedad extrema o desagradable, la pareja o ambos necesitan exponerse gradualmente a la actividad sexual.

●**Algunas personas con antecedentes de abuso sexual.**

Incluso problemas menores pueden requerir a veces terapia sexual profesional. Si el problema no mejora, busque ayuda profesional.

Recurso útil: American Association of Sex Educators, Counselors and Therapists, 804-752-0026, *www.aasect.org.*

DÓNDE ENCONTRAR MATERIAL ERÓTICO

Alquile videos eróticos en una tienda de videos de su vecindario… o vea televisión por cable.

O explore entre los clásicos de la literatura erótica en la sección de "sexualidad" de la librería. Le recomiendo *Un espía en la casa del amor* de Anaïs Nin, *Trópico de Cáncer* de Henry Miller, y *El amante de Lady Chatterley* de D.H. Lawrence.

Si la privacidad es esencial, considere usar una de estas compañías que envían material por correo…

●**Critic's Choice Video & DVD,** 800-993-6357, *www.ccvideo.com.* Cuenta con una selección de videos eróticos, incluyendo las series de Playboy y Playgirl.

●**Femme,** 800-456-5683. Esta compañía productora de videos, que comenzó la ex estrella de cine adulto Candida Royale, presenta videos eróticos orientados hacia las mujeres.

●**Sinclair Intimacy Institute,** 800-955-0888, *www.bettersex.com.* Cuenta con la serie Better Sex Video, con parejas realistas en ambientes elegantes.

Entrar en sincronía

Al Cooper, PhD, director clínico del San Jose Marital and Sexuality Centre en San José, California, escribe en Internet en la revista *Selfhelp, www.selfhelpmagazine.com.*

Sincronice su deseo sexual con el de su pareja descubriendo qué es lo que los saca de sincronía –una agenda demasiado ocupada, resentimientos reprimidos, preocupaciones acerca de su físico o el de su pareja– o cualquier otra cosa. Tome decisiones que les permitan planear cuándo estar juntos.

Ejemplos: Ir a la cama más temprano o más tarde... o turnarse en la ambientación de sus sesiones para hacer el amor, para que cada uno pueda tener la oportunidad de hacerlo a su manera.

Las posiciones al dormir y las relaciones

David Fogel, MD, director médico del Human Sexuality Institute en Washington, DC.

La manera en que las parejas duermen puede dar una idea del estado de su relación. Los cambios en la posición al dormir de una pareja pueden señalar ira, vulnerabilidad, deseo, perdón, preocupación u otros sentimientos.

Atención: No todos los cambios en las posiciones al dormir son significativos. Algunos pueden ser simplemente el resultado de un cambio de temperatura en la habitación.

14

Cómo envejecer más sano

La clave para envejecer con éxito

Joseph A. James, MD
Centro médico Beth Israel

L as novedades en el buen mantenimiento de la salud física mientras se envejece no son los nuevos descubrimientos en tecnología médica sino la forma como los médicos tratan ahora a sus pacientes mayores.

Los nuevos objetivos: Durante muchos años, los pacientes iban al médico por un problema específico. Pero si usted visita hoy a un médico experimentado, es más probable que él o ella le haga un examen general de las funciones físicas y mentales, con el fin de prevenir enfermedades, tratando cada problema de salud tan pronto como surja la primera señal.

ESTRATEGIAS PARA ENVEJECER BIEN

•**Ahora se recomienda** que los médicos vean a sus pacientes mayores (de 59 años en adelante) al menos *tres veces al año* –y que una vez al año hagan una evaluación completa del estado físico y mental del paciente.

•**Esta evaluación se efectúa con un enfoque multidisciplinario:** El médico rápidamente refiere al paciente al especialista adecuado si cualquier examen preliminar sugiere un problema.

•**Se enfatiza la medicina preventiva,** incluidas las vacunas y pruebas de diagnóstico.

•**El médico es un consejero activo en cuanto a la nutrición y el ejercicio.**

•**Si** *surge* **algún problema de salud** –aunque parezca pequeño– los médicos ahora serán mucho más agresivos en su tratamiento que en el pasado, cuando "se esperaba" que los pacientes mayores se enfermaran.

CÓMO ENCONTRAR UN BUEN MÉDICO

Muchos médicos de cabecera cuentan ahora con el equipo para realizar una evaluación completa en su consultorio.

Joseph A. James, MD, jefe de la división Yarmon de medicina geriátrica en el centro médico Beth Israel en la ciudad de Nueva York.

Si usted está buscando un médico, busque a alguien que trate a muchos pacientes mayores. Para los mayores de 70 años con varios problemas médicos, recomiendo ver a un geriatra (un médico de atención primaria especializado en asuntos de salud relacionados con la edad, "geriatrician" en inglés).

LA EVALUACIÓN ANUAL COMPLETA

Los estudios indican que las personas mayores se mantienen más sanas si se someten a evaluaciones exhaustivas cada año. Las puede efectuar un médico o un enfermero geriatra. *Las revisiones deben incluir...*

●**Una evaluación de sus actividades diarias.** ¿Tiene dificultades para vestirse, cocinar e ir de compras solo? ¿Hay algún problema de movilidad o equilibrio que se deba evaluar?

●**Un examen cognitivo y psicológico** para comprobar cualquier señal de demencia precoz, alcoholismo (que afecta a una de cada tres personas mayores de 75), efectos secundarios de medicamentos o infección (ambos pueden causar delirios) y señales de depresión, un problema común entre los mayores, a menudo no diagnosticado, y que puede ser tratado muy eficazmente.

●**Evaluación del riesgo nutricional.** Esto es muy importante. Muchas personas mayores no comen como deberían, por una serie de razones. El dinero puede ser una de ellas, o quizá no tengan acceso a buenos mercados. Una discapacidad física como la artritis también puede dificultar el acto de cocinar.

Lo mismo ocurre con la depresión, o algún otro problema médico subyacente. Si existe una deficiencia nutricional, los suplementos nutricionales y una cuidadosa planificación del menú pueden ayudar a corregir el problema.

●**Evaluación de la visión.** Si se diagnostica un problema, el médico deberá referirlo a un oftalmólogo.

●**Examen de la audición,** a través de un audímetro. Si hay una deficiencia, deberán referirlo a un audiólogo.

●**Evaluación de la continencia urinaria y de esfínteres.** Si hay algún problema por pequeño que sea, es conveniente saberlo. Hay muchas cosas que su médico o un urólogo puede hacer para tratar la incontinencia.

●**Evaluación dental básica.**

●**Evaluación social completa** que incluya un vistazo a la forma como se sostiene su grupo de apoyo de amigos y familiares, cuál es su situación financiera en general, así como decisiones clave que tendrá que tomar –como redactar su testamento en vida.

LA EXPLORACIÓN AGRESIVA Y EL CUIDADO PREVENTIVO

"Prevenir... o descubrirlo y tratarlo a tiempo" es ahora el lema de los médicos que tratan a pacientes mayores. Su médico deberá asegurarse de que usted está al día en todas las pruebas de diagnóstico y vacunas, entre ellas:

●**Vacuna neumovax.** La neumonía puede ser fatal en las personas mayores, particularmente las que viven en ciudades. Esta vacuna es una buena protección contra la neumonía neumocócica.

●**Vacuna contra el tétanos.** Esta deberá renovarse cada diez años –algo que muchos adultos olvidan.

●**Una prueba regular de tuberculosis.**

●**Una mamografía anual,** para buscar señales de cáncer de mama en las mujeres.

●**Un análisis de sangre de antígeno prostático específico** (PSA por sus siglas en inglés) para buscar señales de cáncer de próstata en los hombres.

●**Una sigmoidoscopia flexible.** Este procedimiento revisa si hay pólipos en el colon, y debe practicarse cada tres años.

●**Un examen pélvico anual,** para ver si hay señales de cáncer cervical u ovárico en las mujeres.

●**Un examen de la tiroides.**

●**Un análisis anual de los niveles de colesterol y triglicéridos en la sangre.**

●**Un análisis de vitamina B-12 y folato** para ver si hay deficiencias que puedan conducir a una declinación de las funciones mentales.

●**Una vacuna contra la gripe** ("flu shot") cada otoño. Esto es importante para todo adulto. Los estudios demuestran que la vacuna contra la gripe detiene enfermedades graves en adultos de todas las edades.

TRATAMIENTO AGRESIVO

Los exámenes enumerados anteriormente pueden parecer caros a corto plazo, pero cuestan muchísimo menos que el tratamiento de una enfermedad grave más adelante.

Por eso las empresas aseguradoras y las organizaciones de mantenimiento de la salud (HMO) están empezando a adoptar la filosofía preventiva de ver a la persona como un ser entero –hacerlo les ahorra dinero.

Otro aspecto de este nuevo enfoque es el tratamiento agresivo de cualquier enfermedad, por leve que sea.

Los médicos actualizados dan más atención ahora a problemas crónicos como la hipertensión, la diabetes, la osteoporosis o los problemas de movilidad. También usan una gama más amplia de tratamientos, incluidos la fisioterapia y los programas de ejercicio y nutrición.

Del mismo modo, el tratamiento agresivo y rápido es ahora la norma para problemas agudos como infecciones respiratorias o afecciones de huesos o músculos. La visión es que cualquier cosa que obstaculice su capacidad general de vivir su vida diaria es una amenaza.

Finalmente, si alguno de sus exámenes tiene resultados dudosos, exija que su médico lo refiera inmediatamente a un especialista. A medida que envejecemos se hace más importante obtener –cuanto antes– la opinión de un especialista calificado.

La autodefensa contra el mal de Alzheimer

Peter V. Rabins, MD, MPH, profesor de psiquiatría en la facultad de medicina de la Universidad Johns Hopkins en Baltimore. Es coautor de *The 36-Hour Day,* una guía para los que cuidan a pacientes de Alzheimer. Warner Books. Para mayor información, contacte a la Alzheimer's Association (800-272-3900, *www.alz.org*).

L a enfermedad de Alzheimer –la causa más común de deterioro progresivo de las funciones mentales– afecta actualmente a cuatro millones de estadounidenses.

Entrevistamos al doctor Peter V. Rabins, un líder en este campo, para que nos diera la información actualizada.

●**¿Cuál es la causa del mal de Alzheimer?** Hay varias teorías. *Dos de las más populares, sin embargo, han sido ampliamente desmentidas...*

●**El aluminio.** A pesar de que a menudo se encuentran niveles altos de aluminio en los cerebros de pacientes de Alzheimer, no existen pruebas de que este metal cause la enfermedad. Es seguro usar ollas de aluminio y beber de latas de aluminio.

●**El zinc.** Como con el aluminio, las pruebas son insuficientes para indicar que un exceso de zinc en la dieta causa el mal de Alzheimer. Pero en un estudio sí se encontró una conexión entre el zinc y la acumulación de proteínas en el cerebro, una afección relacionada con el mal de Alzheimer.

Considerando este estudio, creo prudente seguir las recomendaciones federales de EE.UU. para el consumo diario de zinc: 15 mg para los hombres y 12 mg para las mujeres.

●**Si el aluminio y el zinc no son el problema, ¿entonces cuál es?** Puede ser la herencia. Los investigadores han identificados varios genes del mal de Alzheimer, incluidos tres que causan el tipo que ataca antes de los 65 años.

Los investigadores también han descubierto un gen que produce una proteína llamada APOE4. Un estudio publicado en *The Lancet* sugiere que si usted hereda una copia de este gen de uno de sus padres, tendrá un 35% más de probabilidades de desarrollar Alzheimer antes de los 90 años de edad.

●**¿Es la herencia la única causa del mal de Alzheimer?** No. *Los estudios sugieren que algunos casos de Alzheimer se relacionan con...*

●**Traumatismos en la cabeza.** Una historia de lesiones en la cabeza duplica su probabilidad de padecer mal de Alzheimer. Por ello es de suma importancia el uso de cinturones de seguridad, comprar automóviles con airbags y usar un casco al conducir una motocicleta (o mejor aún, evitarlas por completo). También es buena idea evitar el boxeo y otros deportes que puedan conducir a un traumatismo en la cabeza.

●**La circunferencia de la cabeza.** Los investigadores han descubierto que las personas que desarrollan Alzheimer tienden a tener la cabeza más pequeña. Si se confirma este interesante descubrimiento, algún día los médicos podrán evaluar el riesgo de un paciente midiéndole la cabeza y otros factores de riesgo.

●**La educación.** Los pacientes de Alzheimer suelen tener menos estudios formales que aquellos sin la enfermedad. Una educación formal puede retrasar el comienzo de la enfermedad en cuatro o cinco años.

●**¿Cómo se diagnostica el mal de Alzheimer?** Ningún examen puede diagnosticar el mal de Alzheimer con absoluta certeza. Los médicos realizan un diagnóstico probable basándose en exámenes físicos, psicológicos y neurológicos.

Primero, hacemos pruebas de laboratorio para descartar otras posibles causas de demencia. La lista de afecciones que la ocasionan incluye derrame cerebral, problemas de tiroides, enfermedades renales y hepáticas, deficiencias vitamínicas, depresión y el uso prolongado de tranquilizantes, agentes contra las úlceras y fármacos para la hipertensión y el corazón.

Si debe tomar uno o más de estos medicamentos, asegúrese de que su médico le haya recetado la dosis efectiva más baja.

Después, observamos al paciente para ver si hay señales de que la demencia progresa lentamente. La demencia de progreso rápido suele sugerir otro problema y no el mal de Alzheimer.

Finalmente, comprobamos si hay pérdida de memoria y dificultades en una o más áreas de las funciones mentales, como el habla, la percepción visual y el desenvolvimiento en las tareas rutinarias. El mal de Alzheimer implica una *combinación* de deficiencias.

●**¿Cómo puedo evaluar mi riesgo de desarrollar el mal de Alzheimer?** *Existen dos pruebas experimentales que han sido noticia recientemente…*

●**La prueba de las gotas en los ojos.** Los ojos del paciente se dilatan con unas gotas. En individuos con el mal de Alzheimer (o con predisposición a la enfermedad), las gotas hacen que las pupilas se dilaten mucho más que en las personas con bajo riesgo.

Problema: No a todas las personas con Alzheimer se les dilatan las pupilas con las gotas… y a muchas personas sin Alzheimer sí.

●**Un análisis de APOE4.** Con este examen de sangre, los médicos pueden determinar si usted ha heredado uno o más copias de los genes de Alzheimer.

No recomiendo este examen a mis pacientes, ni siquiera a aquellos con síntomas o con un historial familiar del mal de Alzheimer.

Lo único que puedo decirle es que si usted hereda dos copias del gen, tendrá 2,5 veces más probabilidades de desarrollar el mal de Alzheimer que aquellos que no han heredado el gen.

Pero la verdadera pregunta, desde luego, es: ¿por qué *querría* alguien saber su riesgo de mal de Alzheimer, si aún no existe una forma eficaz de prevenirlo?

●**¿Qué puedo hacer para disminuir mi riesgo?** El riesgo de mal de Alzheimer parece ser menor en las personas que toman aspirina, ibuprofeno u otro medicamento antiinflamatorio sin esteroides de manera regular.

●**He leído que la actividad mental ayuda a prevenir el mal de Alzheimer. ¿Es verdad?** No tenemos la certeza, pero estimulo a mis amigos, familiares y pacientes a que se mantengan activos mental y físicamente, por si acaso.

Leer, hacer crucigramas u otras actividades que constituyan un desafío para la mente estimula las células del cerebro. Esto puede aumentar las conexiones entre las células y desacelerar la pérdida de memoria relacionada con el envejecimiento.

●**¿Qué tal las comidas y medicamentos "inteligentes"?** Algunas personas están tomando los llamados *"estimulantes cognitivos"*: medicamentos y nutrientes como el deprenil, DHEA, ginkgo biloba y acetil l-carnitina. Pero no existen pruebas sustanciales de que estos agentes prevengan el mal de Alzheimer.

●**¿Se puede revertir el mal de Alzheimer?** A pesar de los reportajes de curaciones milagrosas, no hay ni un caso documentado de mejoría en ningún paciente con mal de Alzheimer.

Desde luego, los pacientes que han sido diagnosticados *erróneamente* con Alzheimer pueden experimentar una recuperación de la memoria cuando la causa subyacente –normalmente depresión u otra enfermedad o efecto de un medicamento– ha sido controlada.

Los descubrimientos más recientes para vivir más tiempo

Michael F. Roizen, MD, profesor de anestesiología y medicina interna en la Upstate Medical University de la Universidad del Estado de Nueva York (SUNY) en Syracuse. El Dr. Roizen ha publicado más de 150 informes científicos revisados por colegas y 100 capítulos de libros de texto. Es autor de *RealAge* y *The RealAge Makeover*. HarperCollins.

Todo el mundo sabe que el ejercicio y una dieta balanceada pueden retrasar los efectos del envejecimiento –pero eso es sólo una parte del asunto.

El concepto de edad real "RealAge" es una forma científica de calcular un número que refleja su estado *general* de salud, en vez de simplemente su edad cronológica.

Por ejemplo: Una persona de 50 años puede tener las arterias y el sistema inmune típico de alguien de 75. O una persona de 80 años que cuida adecuadamente su salud puede tener el cuerpo de alguien de 65.

Lo nuevo: Nuestro equipo científico ha examinado más de 33.000 estudios médicos para establecer cómo los estilos de vida afectan el envejecimiento. *Estos son los descubrimientos más recientes…*

UTILICE PLATOS DE 9 PULGADAS (22 CM)

Reducción en "RealAge": 3,1 años.*

Cómo ayuda: Los franceses, a pesar de su dieta tradicional alta en grasas, sufren menos enfermedades del corazón que los estadounidenses. Antes, los investigadores atribuían esto únicamente a su alto consumo de vino tinto.

Nuevo hallazgo: Las porciones de alimentos en Francia son la mitad del tamaño que en Estados Unidos. Solo el 6% de los franceses son obesos, comparado con el 18% en EE.UU. ¿Cómo lo hacen? Utilizan platos de nueve pulgadas en lugar de los platos de 11 ó 13 pulgadas (27 ó 32 cm) típicos de EE.UU.

Mi consejo: Además de usar platos de nueve pulgadas, deje espacio entre las diferentes

*Todas las reducciones en edad real "RealAge" están basadas en una persona de 55 años de edad. Si usted es más joven o mayor, las reducciones pueden ser un poco más o un poco menos, respectivamente.

comidas, coma despacio y deje de comer tan pronto como se sienta lleno.

COMA FIBRA EN LA MAÑANA

Reducción en "RealAge": 0,6 años.

Cómo ayuda: Los alimentos vegetales son buenos para la salud por su alto contenido de fibra. Las personas que consumen 25 gramos de fibra al día tienen una edad real "RealAge" hasta tres años menor que aquellos que consumen el promedio nacional de 12 gramos.

Nuevo hallazgo: Consumir fibra por la *mañana* es particularmente útil porque previene la subida del azúcar (glucosa) en la sangre que puede dañar las arterias y aumentar el riesgo de acumulación de depósitos de grasas y enfermedades del corazón.

Mi consejo: Coma fibra en el desayuno para que el estómago se vacíe más lentamente. Esto aumenta la saciedad, así que es menos probable que usted coma meriendas entre comidas y consuma excesivas calorías durante el día.

COMA ALIMENTOS RICOS EN FLAVONOIDES

Reducción en "RealAge": 3,2 años.

Cómo ayuda: Los flavonoides son sustancias químicas de las plantas que inhiben los efectos de los radicales libres –las moléculas corporales que dañan las células en las arterias, el cerebro y el sistema inmune.

Nuevo hallazgo: La gente que bebe mucho té verde, que es rico en flavonoides, tiene una tasa menor de cáncer de mama y próstata. Otros estudios han relacionado el té verde con una reducción del riesgo de cardiopatías.

Mi consejo: 31 mg de flavonoides al día.

Las mejores fuentes alimenticias: Té verde (8 mg por taza), brócoli y fresas (ambos contienen 4,2 mg por taza).

COMBINE LAS VITAMINAS C Y E

Reducción en "RealAge": Hasta 1 año.

Cómo ayuda: Las vitaminas C y E son antioxidantes que previenen el daño celular causado por los radicales libres… reducen el riesgo de cáncer… y mantienen la elasticidad de las arterias. Tomadas por separado, sin embargo, cada una tiene un beneficio muy limitado a la hora de alargar la vida.

Nuevo hallazgo: Las vitaminas C y E son mucho más poderosas cuando se toman en combinación. Eso se debe a que cada vitamina protege partes distintas de las células, la C protege las partes acuosas y la E las partes grasosas.

Mi consejo: Tome 400 mg de vitamina C tres veces al día y 400 unidades internacionales (IU) de vitamina E al día.

RÍASE MÁS

Reducción en "RealAge": De 1,7 a 8 años.

Cómo ayuda: La risa reduce el estrés –y las personas más tranquilas tienen niveles más bajos de enfermedades del corazón y sistemas inmunes más fuertes, lo que puede disminuir el riesgo de cáncer. Para calcular su edad real "RealAge", vaya a *www.realage.com.*

Errores de los médicos al tratar a pacientes mayores

Robert Butler, MD, profesor de geriatría y director del International Longevity Center en la facultad de medicina Mount Sinai en Nueva York. Es ex director del National Institute on Aging. En 1976, el doctor Butler ganó el premio Pulitzer por su libro *Why Survive? Being Old in America.* HarperCollins.

A medida que envejece, usted tiene más probabilidades de tener problemas de salud que requieran un cuidado médico excelente. Sin embargo, como muchos ancianos han descubierto, puede resultar difícil encontrar un médico adecuado para tratar *sus* necesidades especiales.

¿Cómo pueden asegurarse los mayores de obtener una buena atención médica? Le hicimos esa pregunta al doctor Robert Butler, un renombrado luchador por los derechos de los ancianos. *Él explicó lo importante que es estar alerta ante los errores comunes que cometen los médicos al tratar a pacientes mayores...*

Error: No apreciar los cambios físicos que vienen con la edad. La mayoría de los médicos hoy en día saben poco acerca del envejecimiento del cuerpo y sus enfermedades.

El programa geriátrico que iniciamos en Mount Sinai en 1982 fue el primero del país.

Una enfermedad que produce un conjunto de síntomas en un joven puede manifestarse de manera muy distinta en un anciano. No todos los médicos se dan cuenta de ello. Y un médico que no esté al tanto puede fácilmente equivocarse en el diagnóstico.

Ejemplo Nº 1: Si un hombre de 30 años sufre un ataque al corazón, es probable que sienta un fuerte dolor en el pecho. Pero ese dolor está presente en menos del 20% de las víctimas de ataques al corazón de mayor edad. En cambio, esas víctimas mayores se pueden sentir débiles o confusas.

Ejemplo Nº 2: Una persona mayor que sufra de tiroides hiperactiva puede mostrar apatía en vez de hiperactividad, que es el síntoma clásico.

Error: Instar a las personas mayores a que "se lo tomen con calma". Este es un pésimo consejo. Aunque haya quedado incapacitado por un derrame cerebral u otro problema médico, llevar una vida activa le ayudará a mantenerse sano y feliz.

Los investigadores de la Universidad Tufts han demostrado que las personas de 80 y 90 años pueden desarrollar músculos grandes y poderosos con un programa de levantamiento de pesas. Tal programa puede literalmente hacer levantar a una persona que antes se quedaba en cama.

Error: Apresurarse a echar la culpa a la edad por los problemas de salud. Los médicos a menudo suponen que los problemas de salud son inevitables en los ancianos, y muestran una actitud derrotista del tipo: "¿y usted qué puede esperar a su edad?".

Ordenan menos exámenes de diagnóstico y generalmente tratan la enfermedad de forma menos agresiva que en personas jóvenes.

Ejemplo: Una anciana parece confusa y desorientada. *Asumiendo* que tiene mal de Alzheimer, su médico no le manda los exámenes que podían demostrar que el verdadero culpable es la reacción a un medicamento, algo que se puede remediar fácilmente.

Error: No darle suficiente tiempo al paciente. Un buen médico se tomará el tiempo de preguntarle acerca de su estatus laboral y estilo de vida así como por sus problemas médicos y, en general, le hará *sentir* que se preocupa por usted.

En cada consulta, el médico debe preguntarle por los síntomas que usted le reportó en el pasado. También debería examinar su reacción a los medicamentos y preguntar si existen nuevos problemas.

Si usted tiene un *problema auditivo*, no tema pedirle a su médico que suba la voz.

En su primera visita a un nuevo médico se debe realizar un historial médico completo, y practicar un examen físico y pruebas de laboratorio. Esto puede tomar más de una hora.

Una vez que se hace este examen exhaustivo, no necesitará hacerse otro examen hasta el año siguiente –a menos que haya una crisis de salud.

Error: No recomendar medidas preventivas. Algunos médicos parecen pensar: "¿para qué molestarse en tratar de bajar el colesterol de un paciente mayor? Igual va a empeorar".

De hecho, sabemos que los pacientes cardiacos de *cualquier* edad pueden beneficiarse por cambios en la dieta y en el estilo de vida, y –si es necesario– con medicamentos o cirugía.

Error: Recetar medicamentos inapropiados. Los médicos se apresuran a recetar tranquilizantes y antidepresivos a sus pacientes mayores, pensando, erróneamente, que la psicoterapia es inútil. Y a menudo no se dan cuenta de que los organismos más viejos responden a los medicamentos de forma distinta.

Ejemplo Nº 1: A una persona mayor le puede tomar el doble de tiempo "limpiar" su organismo de *diazepam* (Valium) que a una persona joven. Una dosis adecuada para un joven puede ocasionar somnolencia en un anciano.

Ejemplo Nº 2: Los mayores a menudo deben tomar varios medicamentos al mismo tiempo. Si el médico no toma en cuenta todos los medicamentos, puede haber interacciones peligrosas.

Si no está seguro de que su médico sabe todos los medicamentos que *usted* está tomando, póngalos todos (incluidos los que compra sin receta) en una bolsa y llévelos a su próxima consulta.

Tratamientos para el mal de Parkinson

Abraham N. Lieberman, MD, jefe de trastornos del movimiento en el Barrow Neurological Institute en Phoenix, Arizona, y director clínico de la National Parkinson Foundation, 1501 NW Ninth Ave., Miami 33136. Es coautor de *Parkinson's Disease: The Complete Guide for Patients and Caregivers*. Fireside Books.

Más de un millón de estadounidenses han sido diagnosticados con mal de Parkinson, un trastorno cerebral progresivo y degenerativo. Se piensa que un número igual de personas tiene el trastorno –pero no lo sabe.

Un uno por ciento de las personas mayores de 60 años tiene Parkinson –y un 2% de las mayores de 70. Pero el trastorno puede atacar a cualquier edad.

No existe cura para el mal de Parkinson. Los medicamentos siguen siendo el pilar principal del tratamiento, aunque la cirugía se ha convertido en una opción.

LOS SÍNTOMAS

La mayoría de las personas recibe la primera alerta sobre la posibilidad de tener mal de Parkinson por parte de los amigos o familiares que notan…

- **Temblor.** Es más evidente cuando la mano o el pie está relajado. La mayoría de los temblores relacionados con el mal de Parkinson son más pronunciados en un lado del cuerpo.

- **Movimientos lentos** (*bradiquinesia*). Las personas con Parkinson mueven menos los brazos al caminar y toman más tiempo en lavar los platos, sacar la basura, etc.

- **Rigidez.** Los músculos se entumecen y se resisten al movimiento.

- **Equilibrio malo.** Debido a que tienen dificultades para saber cuándo están de pie erguidas, las personas con Parkinson son propensas a caerse.

QUÉ PRODUCE EL MAL DE PARKINSON

El mal de Parkinson surge de daños en la *sustancia negra*, la región del cerebro que produce el neurotransmisor *dopamina*, que es vital para la función de otra área cerebral llamada *estriato* –que controla el movimiento.

No está claro qué es lo que destruye la sustancia negra. La herencia parece ser un factor. Estudios recientes sugieren que los pesticidas también pueden influir.

La existencia de grupos donde el mal de Parkinson es común, como en la isla de Guam, sugiere que podrían intervenir factores ambientales, pero se desconoce cuáles son los agentes.

En definitiva: No se conoce una forma de prevenir la enfermedad.

EL TRATAMIENTO MÁS RÁPIDO

El principal tratamiento es con un medicamento llamado *L-dopa* (Sinemet).

El L-dopa es muy efectivo para controlar los síntomas del mal de Parkinson. Pero hay un problema –los niveles fluctuantes del medicamento en el cerebro. Cuando los niveles son bajos, los síntomas del mal de Parkinson reaparecen. Los niveles altos pueden causar tics, espasmos y otros efectos secundarios.

Para mantener el nivel adecuado, muchos pacientes de Parkinson toman L-dopa de acción prolongada ("time-release").

El medicamento *selegilina* (Eldepryl) ayuda a mantener los niveles adecuados de dopamina al bloquear la acción de una enzima que descompone la dopamina.

Con o sin selegilina, el L-dopa funciona bien solo durante un tiempo. Después de cinco a diez años, la mayoría de los pacientes tiene un aumento en los efectos secundarios y una respuesta menos eficaz al medicamento.

Los médicos ahora tienen un nuevo fármaco contra el mal de Parkinson: la *tolcapona* (Tasmar), aunque su utilidad puede estar limitada porque causa toxicidad en el hígado.

Si usted o alguien que usted conoce está interesado en participar en una prueba clínica de estos medicamentos, contacte la National Parkinson Foundation (teléfono: 800-327-4545, *www.parkinson.org*).

LA CIRUGÍA

La cirugía se ha utilizado para tratar el mal de Parkinson desde la década de 1930, y las técnicas han mejorado enormemente.

La cirugía más común es la *palidotomía*. En este procedimiento, el cirujano inserta una pequeña sonda a través del cráneo y luego aplica corriente eléctrica para destruir una región del cerebro llamada *núcleo pálido*.

La palidotomía no cura el mal de Parkinson. Pero si se realiza correctamente, reduce de manera drástica los temblores y mejora la capacidad de movimiento. Puede ser muy útil para pacientes que no responden bien a los medicamentos.

Ya que el globo pálido se encuentra en el cerebro a gran profundidad, la palidotomía es arriesgada. Incluso con un buen cirujano, existe de un 1% a un 2% de probabilidades de sufrir un derrame cerebral hemorrágico.

El procedimiento también puede causar confusión y desorientación temporal o incluso permanente.

Si usted está considerando una palidotomía, pídale a su neurólogo que lo remita a un neurocirujano experto.

TRASPLANTE FETAL

Algunos cirujanos han estado extrayendo tejido de los cerebros de fetos abortados de nueve a 12 semanas de edad para implantarlo en los cerebros de pacientes de Parkinson.

Este tejido trasplantado empieza a producir su propia dopamina, que compensa la falta de dopamina en los cerebros de los pacientes.

Como con la palidotomía, el transplante fetal conlleva un pequeño pero significativo riesgo de derrame cerebral. Pero los trasplantes fetales a menudo son muy efectivos –sobre todo en menores de 60 años (a medida que usted envejece, es menos probable que el transplante prenda y crezca). Después de la cirugía, algunos pacientes se dan cuenta de que ya no necesitan los medicamentos.

Problema: Debido a que el trasplante fetal se considera experimental, el costo del procedimiento –alrededor de $50.000– no está cubierto por la mayoría de los seguros de salud.

Y debido a las objeciones políticas al uso de tejido fetal, la operación solo se practica en algunos estados.

El hospital Good Samaritan en Los Ángeles y el centro de ciencias de la salud de la Universidad de Colorado en Denver tienen la mayor experiencia en trasplante fetal.

Las deficiencias vitamínicas y la memoria

Robert M. Russell, MD, director adjunto del centro de investigación Jean Mayer sobre los efectos de la nutrición en el envejecimiento del departamento de agricultura de EE.UU. (USDA) en la Universidad Tufts en Boston.

La pérdida de la memoria en las personas mayores a veces se debe a una deficiencia de vitamina B-12.

La autodefensa: Si usted tiene más de 60 años, haga que su médico compruebe su nivel de B-12. Si es menor de 300, tomar un suplemento de vitamina B-12 debería solucionar el problema. Algunas personas necesitan inyectarse la vitamina. Consulte a su médico.

Las vitaminas sí ayudan

Un estudio realizado por las National Research Foundations y la Memorial University of Newfoundland presentado en la revista *Money*, 1271 Avenue of the Americas, Nueva York 10020.

Se halló que las personas mayores de 65 años que toman multivitamínicos diariamente contraen enfermedades infecciosas con la *mitad* de la frecuencia que las personas que no toman vitaminas.

La detección del cáncer de colon

Marion Nadel, PhD, epidemiólogo en la división de prevención y control del cáncer de los Centers for Disease Control and Prevention en Atlanta.

Todos los mayores de 50 años deben someterse a exámenes de cáncer colorrectal. De acuerdo con la junta asesora del servicio de salud pública de EE.UU., los métodos efectivos incluyen el análisis de heces fecales para detectar sangre oculta y la sigmoidoscopia (o ambos).

Ancianos más fuertes

Estudio de residentes de asilos para ancianos de entre 72 y 98 años de edad –más del 80% de los cuales requería un bastón, andadera o silla de ruedas–, dirigido por Maria Fiatarone, MD, jefa del laboratorio de nutrición y fisiología del ejercicio del centro de investigación Jean Mayer sobre los efectos de la nutrición en el envejecimiento del departamento de agricultura de EE.UU. (USDA) en la Universidad Tufts en Boston.

El entrenamiento de fuerza en las personas mayores proporciona movilidad y combate la debilidad muscular y la fragilidad –a cualquier edad. En un estudio de 100 residentes de asilos para ancianos de edad promedio de 87 años, se halló que la fuerza muscular se duplicaba en 10 semanas con un programa de entrenamiento de resistencia progresiva para los músculos de la cadera y las rodillas. El ejercicio produjo beneficios sustanciales incluso para las personas que usaban bastones, andaderas o sillas de ruedas.

En definitiva: El ejercicio ayuda a las personas de cualquier edad a aumentar su fuerza y movilidad.

Tener un perro puede alargar su vida

Erika Friedmann, PhD, profesora de la facultad de enfermería de la Universidad de Maryland en Baltimore.

Un estudio de 369 personas que habían sufrido ataques al corazón arrojó como resultado que aquellas personas que tenían perros tenían muchas menos probabilidades de morir durante el primer año después del ataque que las personas que no tenían perros. Los perros hacen que sus dueños se sientan queridos y necesitados. Además, los dueños de perros también deben sacarlos a pasear regularmente, y por ello también están obligados a hacer ejercicio.

Levantar peso con seguridad

Elizabeth Myers, PhD, profesora auxiliar del departamento de cirugía ortopédica del hospital Beth Israel en Boston.

Las personas con huesos frágiles deben tener mucho cuidado al levantar objetos.

Las actividades diarias como levantar a los nietos o sacar del auto las bolsas del supermercado pueden causar fracturas dolorosas por compresión vertebral.

Los investigadores aconsejan a las mujeres con osteoporosis o a otras personas con huesos frágiles que nunca levanten peso con los brazos extendidos o que se doblen desde la cintura mientras lo hacen.

La mejor forma: Mantenga los brazos lo más pegados posibles al cuerpo y no doble la cintura.

Cómo mantener al máximo la capacidad mental a medida que envejece

Richard M. Restak, MD, profesor clínico de neurología en la facultad de medicina y ciencias de la salud de la Universidad George Washington en Washington, DC. Es autor de *Older & Wiser* (Simon & Schuster) y *The New Brain* (Rodale).

Casi todos experimentamos un deterioro en la memoria y la velocidad de reacción después de los 40 años. Pero una rica red de *conexiones neurales* (uniones entre las células cerebrales que les permiten comunicarse) puede ayudar a compensar estas pérdidas.

Esta extensa red neural puede incluso ayudar a evitar que el mal de Alzheimer incapacite a las personas.

Tener conexiones neurales extensas parece actuar como una especie de *reserva cognitiva,* permitiéndole a una persona funcionar por más tiempo con la enfermedad que alguien cuyos recursos mentales son menos extensos.

Las buenas noticias: Las células cerebrales pueden formar nuevas conexiones a *cualquier* edad. Tengo 55 años, y he decidido tomar medidas *ahora* para mantener mi funcionamiento mental en el *futuro.*

DESARROLLE UNA PASIÓN POR ALGO

Cuando su cerebro se involucra en una gran cantidad de actividades, se crean y mantienen más circuitos neurales.

Útil: Cultivar un interés en algo totalmente distinto a sus actividades habituales. Un abogado puede jugar al bridge… o un contador puede aprender a tocar el clarinete.

También es una buena idea tomar clases de asuntos con los que no esté familiarizado. Los estudios han demostrado que una educación superior mientras se es joven ayuda a asegurar un funcionamiento cerebral adecuado a una edad avanzada. Parece posible que la actividad intelectual a edades *avanzadas* también construya reservas cognitivas.

HAGA EJERCICIOS CON REGULARIDAD

Todos los días camino unas cuantas millas a un ritmo moderado. Además de mantener sanos los pulmones y el corazón, el ejercicio promueve el flujo sanguíneo hacia el cerebro, llenándolo de oxígeno y glucosa.

Otra forma de ejercicio excelente es el sutil arte marcial chino *"tai chi".*

TOME SUPLEMENTOS INTELIGENTEMENTE

Se piensa que el daño celular causado por los *radicales libres* –las moléculas dañinas que se forman en el cuerpo como un producto secundario del metabolismo normal– es una de las causas principales del declive mental relacionado con el envejecimiento.

Para neutralizar los radicales libres, ingiero muchas vitaminas antioxidantes A, C y E.

Como muchas frutas y vegetales y tomo un suplemento de 10.000 IU de betacaroteno (precursor de la vitamina A) 1.000 mg de vitamina C y 400 IU de vitamina E (de la forma *d-alfa tocoferol,* que tiene la mayor "biopotencia").*

*Pregúntele a su médico cuál es la dosis adecuada para usted.

Tendemos a tener deficiencia de zinc a medida que envejecemos, por eso también tomo una píldora de unos 20 mg de zinc todos los días. El zinc juega un rol esencial en la conservación del sentido del olfato.

●**Medicamentos antiinflamatorios.** El estudio sobre el envejecimiento Baltimore Longitudinal Study of Aging, también encontró pruebas preliminares que muestran que tomar medicamentos antiinflamatorios sin esteroides (NSAID por sus siglas en inglés) como el *ibuprofeno* puede proteger contra el mal de Alzheimer.

Advertencia: Dado que los NSAID pueden causar problemas estomacales, deben ser tomados bajo supervisión médica.

●**DHEA** (Dehidroepiandrosterona). Los estudios sugieren que esta hormona mejora la memoria, pero sube el riesgo de cáncer de próstata en los hombres. No se sabe si tiene riesgos en las mujeres. Se necesita investigar más.

PREVENGA LOS DERRAMES CEREBRALES

Un derrame cerebral ocurre cuando un coágulo de sangre o una arteria rota cortan el flujo de sangre al cerebro. Nuevas investigaciones relacionan el daño cerebral inducido por derrames con el mal de Alzheimer.

Para minimizar su riesgo: Haga ejercicio regularmente, lleve una dieta sana, no fume y controle su presión arterial.

Si ocurre un derrame cerebral hay nuevos medicamentos que pueden frenar los daños. Pero se deben administrar a las *pocas horas* del derrame, así que busque atención médica de *inmediato* ante las primeras señales de derrame cerebral.

Los indicios de un derrame incluyen parálisis de un lado del cuerpo, dificultad al hablar o entender a los demás, dolores de cabeza repentinos, mareos o pérdida del equilibrio y disminución de la visión o visión borrosa.

CONTROLE EL ESTRÉS

El estrés psicológico crónico hace que el cuerpo produzca demasiado *cortisol*. Con el tiempo, los altos niveles de esta hormona adrenal pueden deteriorar el *hipocampo*, una parte del cerebro esencial para la memoria.

No siempre *podemos* controlar lo que sucede, pero sí podemos controlar nuestra reacción. Una estrategia que utilizo es ver las *frustraciones* como *retos*. Me pregunto, "¿cuál es el mejor camino a seguir en este momento?" También utilizo palabras con un efecto tranquilizador en lugar de las que producen tensión –por ejemplo, uso *inquietud* en lugar de *preocupación.*

MANTENGA LA DESTREZA DE SUS DEDOS

Investigadores franceses descubrieron recientemente que las mujeres que tejen mantienen un funcionamiento mental normal durante más tiempo que aquellas que no lo hacen.

Yo no tejo, pero siempre llevo un juego de palabras cruzadas y dados. Siempre que tengo unos minutos, juego.

HAGA CAMBIOS PRÁCTICOS

Las ayudas a la memoria –como hacer listas o llevar una computadora de bolsillo– son muy buenas para contrarrestar la pérdida de memoria. Pero *no* se haga tan dependiente a ellas como para permitir que se atrofien sus propias habilidades naturales.

Por ejemplo: Si llevo una lista de cosas por hacer, solo la reviso *cuando ya* he recordado la mayor cantidad de cosas con mi propia memoria.

Los beneficios de la píldora para la presión arterial

Michael Murray, MD, científico sénior del Regenstrief Institute, Inc., de la facultad de medicina de la Universidad de Indiana en Indianapolis, y director de un estudio con 1.900 pacientes mayores de 65 años, presentado en la 17ª Conferencia Internacional de Farmacoepidemiología.

Las píldoras para la presión arterial reducen el riesgo de declinación mental en pacientes mayores. Las personas mayores de 65 años que tomaron medicamentos para bajar la presión arterial, como diuréticos y bloqueantes de canales de calcio, durante al menos cinco años, tuvieron un 38% menos de probabilidades de desarrollar demencia o deterioro del pensamiento que los que no tomaron las medicinas.

El ejercicio mejora la audición

Helaine M. Alessio, PhD, profesora adjunta de educación física de la Universidad Miami en Oxford, Ohio.

L as investigaciones indican que las personas que no están en buena forma física mejoran su audición cuando empiezan un programa regular de ejercicios aeróbicos –y que las personas que están en forma son menos susceptibles de sufrir una pérdida de audición como consecuencia de exponerse a ruidos altos.

El ejercicio contra el mal de Alzheimer

Robert Friedland, MD, profesor de neurología y psicología, y jefe del laboratorio de neurogeriatría de la facultad de medicina de la Universidad Case Western Reserve en Cleveland.

E l riesgo de Alzheimer se reduce notablemente con ejercicio, ya sea físico o mental. En un estudio de siete años con 2.000 personas mayores de 65 años, se halló que aquellos que leían mucho, hacían ejercicio o simplemente conversaban con amigos redujeron su riesgo de Alzheimer en un 38%.

La razón: Las actividades físicas y mentales incrementan el flujo sanguíneo al cerebro, lo cual fortalece su resistencia a las enfermedades y aumenta las conexiones entre las células nerviosas. El cerebro es como cualquier otro órgano del cuerpo –envejece y sigue funcionando mejor cuando se usa.

El enfoque mente-cuerpo para la artritis

Margaret A. Caudill-Slosberg, MD, PhD, instructora de medicina de la facultad de medicina de la Universidad Dartmouth en Hanover, New Hampshire. Autora de *Managing Pain Before It Manages You.* Guilford Press.

S i usted sufre de artritis, probablemente ya sabe que los medicamentos solo brindan alivio parcial.

Afortunadamente, la artritis –así como los dolores de cabeza, de espalda y la mayoría de los dolores crónicos– puede tratarse con una serie de técnicas cuerpo-mente. Estas técnicas no cuestan nada y se las puede administrar uno mismo. Son efectivas tanto si su dolor es causado por una enfermedad claramente identificable o si el origen es misterioso.

DOLOR AGUDO VS. DOLOR CRÓNICO

El dolor *agudo* es la manera que tiene el cuerpo de advertirnos que algo está mal. Cuando recibimos esta "señal de alarma", tomamos medidas inmediatas para protegernos.

Ejemplo: Dejamos caer un plato demasiado caliente. Hacerlo nos ayuda a evitar una lesión mayor y permite que la lesión sane.

Con el dolor *crónico* no hay plato que soltar. Al no tener una forma evidente de protegernos, respondemos emocionalmente. Nos deprimimos, no podemos trabajar, tenemos problemas con nuestras relaciones, etc.

La clave para soportar el dolor crónico es vivir bien a *pesar* del dolor.

LLEVE UN DIARIO DE DOLOR

Un diario de dolor le ayudará a comprender su dolor de manera objetiva.

Qué hacer: Tres veces al día, déle un valor a su dolor, de cero (sin dolor) a diez (el peor dolor). También describa la sensación. ¿Es una sensación de ardor? ¿Tirantez?

Observe qué está haciendo cuando aparece el dolor. Déle un valor a su malestar: cuánta frustración, rabia, ansiedad o tristeza siente como consecuencia del dolor.

Anote qué hizo para aliviar el dolor –si tomó una aspirina, dio un paseo, se aplicó frío o calor, etc.

Su diario le ayudará a distinguir cosas que alivian o aumentan su dolor… y le indicará claramente la diferencia entre el dolor y su respuesta emocional al mismo.

UTILICE LA REACCIÓN DE RELAJACIÓN

En muchos casos, el estrés psicológico causado por el dolor es peor que el propio dolor.

El estrés provoca tensión muscular que puede causar nuevos problemas –dolores de cabeza o de estómago, por ejemplo. El estrés también empeora la fatiga que a menudo acompaña el dolor crónico.

Al utilizar su "reacción de relajación", puede aliviar este estrés emocional.

La técnica: Elija un momento en que su dolor sea relativamente leve y encuentre un lugar tranquilo donde nadie lo moleste. Siéntese con comodidad o acuéstese. Utilice una almohadilla de calor, una bolsa de hielo o almohadas si es necesario para estar cómodo.

Preste atención a la respiración. Con cada exhalación, repita en silencio una palabra o frase de su elección. Puede ser algo neutro, como "uno", o algo que lo anime, como "Dios".

O bien, cuente cada exhalación e inhalación, empezando de nuevo al llegar a diez. Cuando su mente se distraiga, lleve sutilmente de nuevo la atención a su palabra o frase. Practique la "reacción de relajación" al menos 20 minutos todos los días.

Puede aplicarla al hacer ejercicio. Solo asegúrese de que su respiración y sus pensamientos están sincronizados con sus movimientos.

PRACTIQUE LA AUTOHIPNOSIS

Cuando domine la reacción de relajación, agregue autohipnosis. Mientras está profundamente relajado, cierre los ojos e imagine que su mano derecha se vuelve agradablemente cálida y pesada. Cada vez que usted exhale, imagine que la sensación placentera se intensifica.

Ahora imagine un adormecimiento placentero que empieza en su dedo pulgar, luego pasa a cada dedo con cada exhalación. Sienta cómo se expande hacia la palma y el revés de su mano, deteniéndose en la muñeca.

Coloque la mano adormecida en la parte adolorida del cuerpo, o imagine que el adormecimiento se traslada hacia esa parte. Cuando esa sensación haya sido "absorbida" por el área adolorida, vuelva a su palabra de relajación.

Acabe cada sesión volviendo al adormecimiento de su mano derecha. Sienta que las sensaciones normales vuelven a su mano con cada respiración.

ADAPTE SU RITMO

Algunos pacientes con dolores crónicos tratan de ignorar sus cuerpos y llevarlos al límite hasta que el dolor se hace insoportable. Otros simplemente dejan de tener actividades sociales y/o profesionales.

Lo mejor: Adapte su ritmo. Aprenda a llevar a cabo sus actividades diarias y a vivir tan normalmente como pueda.

Para hacerlo, usted debe…

●**Estar en contacto con su cuerpo.** Utilice su diario de dolor y la reacción de relajación para estar alerta de sensaciones sutiles que señalen una recaída.

●**Cambie de actividad a una menos exigente** cuando sienta que aumenta el dolor. Si está lavando los platos cuando su dolor empeora, siéntese y utilice ese tiempo para pagar las cuentas. Siga con los platos más tarde.

CAMBIE SU FORMA DE HABLARSE

El significado que usted le asigne a su dolor influye mucho en el efecto que puede tener en su vida y estado de ánimo.

¿Qué significa para usted su dolor? Para averiguarlo, escuche lo que *usted se dice*, esa voz en su cabeza que continuamente comenta e interpreta su dolor.

En las personas con dolor crónico, esta voz está bastante distorsionada. Tienden a hacer de todo una *catástrofe* –empeorando las cosas con una conversación exagerada consigo mismos.

Ejemplo Nº 1: En vez de decirse que puede soportar una recaída, usted piensa: "este dolor es insoportable".

Ejemplo Nº 2: En vez de reconocer la cantidad de cosas que puede hacer a pesar de su dolor, usted se dice: "mi vida está arruinada".

No se deje llevar por esa voz negativa. Elija conscientemente cambiarla. No le haga caso. Por ejemplo, su dolor es demasiado severo como para almorzar con un amigo. Usted piensa: "se me arruinó el día".

Sustitúyalo por una interpretación realista: "esto es un fastidio, pero puedo hacer otros planes. Invitaré a mi amigo a venir aquí, y pediremos una pizza".

PREPÁRESE PARA LAS RECAÍDAS

No importa lo bien que soporte sus dolores, habrá momentos en que serán muy fuertes. Para prepararse, tenga a mano una lista de estrategias que lo harán sentir mejor –cosas que usted puede hacer para disminuir el dolor y su angustia.

Ejemplos: Acostarse, aplicarse calor o hielo, autohipnosis, llamar a un amigo o distraerse con un video divertido.

AYUDA DE ALTA TECNOLOGÍA

Aunque los medicamentos no pueden detener el dolor crónico por completo, pueden hacer más efectivo su programa de autoayuda. *Cuatro medicamentos son especialmente eficaces…*

●**Gabapentina (Neurontin).** Parece eficaz para el dolor nervioso causado por la diabetes y la neuralgia posherpética.

●**Fentanil (Duragesic).** Un nuevo sistema de parches para la piel que libera este potente analgésico de forma continua por tres días.

●**Morfina (Duramorph).** La bomba de infusión intratecal ("intrathecal pump") libera morfina constantemente al área alrededor de la espina dorsal.

Los mejores zapatos para personas mayores

Steven Robbins, MD, profesor adjunto de medicina geriátrica del Center for Studies in Aging de la Universidad McGill en Montreal.

Los zapatos son los de suelas duras y delgadas. Comparado con ir descalzo o usar zapatos deportivos o para correr de suela suave, los de suela dura hacen que esté más consciente de la posición del pie, lo que mejora la postura y ayuda a mantener el equilibrio.

Cómo prevenir la degeneración macular

Neil M. Bressler, MD, profesor adjunto de oftalmología en el instituto Wilmer de oftalmología de la facultad de medicina de la Universidad Johns Hopkins en Baltimore.

La mayoría de las personas sabe que la diabetes y el glaucoma pueden causar ceguera. Pero una de las principales causas de la pérdida de visión es el deterioro de células en la retina, conocido como *degeneración macular* (AMD por sus siglas en inglés) relacionada con la edad.

Esta condición, que puede ser detectada con un simple examen ocular, causa cuatro veces más ceguera en adultos mayores que el glaucoma o la diabetes. Un cuarto de las personas mayores de 65 años, y un tercio de las mayores de 80, tienen señales del inicio de la enfermedad.

Lo más alarmante es que la AMD puede progresar rápidamente de un problema visual leve a casi una pérdida total de visión "central".

No hay forma de restaurar la visión perdida por degeneración macular. Pero un tratamiento a tiempo puede detener la enfermedad.

DAÑO EN LA RETINA

La degeneración macular obtiene su nombre de la *mácula*, la región central, muy sensible, de la retina, la membrana fotosensible en el fondo del ojo. La mácula es lo que nos permite leer, conducir, reconocer rostros y otras tareas que requieren una visión aguda.

La degeneración macular ocurre cuando se forman pequeños parches de material amarillento, llamados *drusa*, en el fondo del ojo, detrás de una capa de células en la mácula.

En algunos casos, la drusa no muestra síntomas por 10 ó 20 años. Pero en algunas personas desafortunadas, la drusa produce rápidamente una proliferación anormal de vasos sanguíneos y tejido cicatrizado dentro de la mácula.

LÍNEAS ONDULANTES

Es en este momento cuando los síntomas empiezan a aparecer. Las líneas rectas parecen onduladas, o aparecen pequeños puntos negros en el centro de su campo visual.

El curso de la enfermedad puede variar. Algunas personas con AMD pierden la capacidad de leer o conducir en el año siguiente a la aparición de los síntomas. Otras, sufren una pérdida comparativamente menor de visión, incluso después de cinco o diez años.

PREVENCIÓN

Los médicos no han encontrado la forma de eliminar el riesgo de desarrollar AMD. *Las investigaciones preliminares sugieren, sin embargo, que las dos estrategias siguientes pueden ofrecer al menos cierto grado de protección...*

•**No fume.** Los fumadores tienen más probabilidades de desarrollar la proliferación anormal de vasos sanguíneos y tejido cicatrizado que los no fumadores. Si usted aún no ha abandonado el hábito, esta es una razón para hacerlo.

•**Evite los factores de riesgo de enfermedades cardiacas.** Los mismos factores que aumentan el riesgo de enfermedad cardiovascular –en especial la presión arterial alta– parecen aumentar el riesgo de pérdida de visión por degeneración macular.

Permita que esta razón refuerce su decisión de disminuir su consumo de grasas saturadas, controlar su presión arterial, hacer ejercicio con regularidad y evitar la obesidad.

DETECCIÓN TEMPRANA

Hasta que los médicos sepan más acerca de la prevención, la mejor forma de proteger su visión de la AMD es con exámenes de la vista anuales. Mientras más concientizado esté acerca de estos exámenes, tendrá más probabilidades de detectar la AMD en sus inicios –cuando todavía es tratable.

Mediante el uso de un aparato llamado oftalmoscopio, un oftalmólogo puede ver fácilmente la drusa y otras anormalidades de la retina que son las señales del inicio de la degeneración macular.

No hay tratamiento para la AMD temprana. Pero si las señales están allí, es de vital importancia mantenerse alerta acerca de cambios sutiles en la visión que sugieran que la enfermedad está empeorando.

Útil: Examine la visión de cada ojo por separado todos los días. Algunos oftalmólogos sugieren utilizar una cuadrícula de Amsler ("Amsler grid"). Pídale una a su oculista.

CIRUGÍA LÁSER

Hoy en día, la cirugía láser es el único procedimiento comprobado que detiene el progreso de la AMD.

Este procedimiento ambulatorio de 15 minutos debería ayudar a confinar los vasos sanguíneos problemáticos y el tejido cicatrizado, reduciendo así el riesgo de pérdida de visión adicional y protegiendo la visión restante.

La cirugía láser no puede restaurar la mácula a su estado original. Incluso si la operación sale bien, lo más probable es que usted no pueda leer sin ayudas visuales que sirvan de lupa y proporcionen más luz.

Después de la cirugía, necesitará exámenes –uno al mes y otro a los tres meses, y luego cada tres o cuatro meses– durante al menos un año y posiblemente dos. En casi la mitad de los casos, se debe repetir la cirugía para atender nuevas áreas dañadas.

Importante: La cirugía láser es beneficiosa solo cuando el daño macular se limita a un área pequeña –de 1,5 a 3 mm de diámetro. Por eso es tan crucial acudir al oculista en cuanto advierta los primeros síntomas. Si espera aunque sea unas pocas semanas, puede ser muy tarde para que el tratamiento sea efectivo.

No hay forma de estabilizar la visión afectada por áreas mayores de vasos sanguíneos anormales y tejido cicatrizado. *Pero hay dos pruebas clínicas que se llevan a cabo que podrían cambiar eso...*

•**Estudio Nº 1.** Los médicos están evaluando implementar técnicas quirúrgicas sin láser para retirar la zona dañada y así limitar la pérdida de visión.

•**Estudio Nº 2.** Los médicos están tratando de limitar el daño a través de la *terapia fotodinámica* –una tintura se inyecta en una vena del brazo del paciente, llega hasta el ojo y se concentra en los vasos sanguíneos anormales y el tejido cicatrizado. Mediante una luz inocua proyectada sobre el ojo se crea un cambio químico en la tintura que la hace tóxico solo para el área enferma de la retina.

Para ver los resultados de la terapia fotodinámica con Visudyne, contacte a Novartis Ophthalmics en *www.visudyne.com.*

AYUDAS PARA LA VISIÓN DEFICIENTE

Existen numerosos dispositivos para la vista que lo ayudan a aprovechar al máximo la visión que le queda, desde lentes para leer de alta graduación y circuitos cerrados de video hasta lupas con luz. Estas ayudas pueden marcar la diferencia entre ser o no capaz de leer o moverse fuera de su casa.

Si su oftalmólogo no conoce estos dispositivos, pídale que le refiera a un especialista en deficiencias de la visión ("low-visual specialist").

Para saber más sobre degeneración macular, envíe un sobre tamaño oficio con su dirección y estampilla a: American Academy of Ophthalmology, Box 7424, San Francisco 94120.

La relación entre insuficiencias cardiacas congestivas y la presión arterial

Daniel Levy, MD, director del Framingham Heart Study en Framingham, Massachusetts.

Controlar la presión arterial es la mejor forma de evitar la insuficiencia cardiaca congestiva (CHF por sus siglas en inglés).

La trampa: Los médicos a menudo pasan por alto la *tensión sistólica*, el tipo de tensión con mayor probabilidad de causar CHF. En esta forma de tensión alta, el primer número (sistólico) es de 140 o más… mientras que el segundo (diastólico) es menor de 90.

Conclusión: Los pacientes con esa presión arterial alta requieren atenta vigilancia y pueden necesitar tratamiento.

Alivio para el mal de Alzheimer

Rachelle Doody, MD, PhD, profesora adjunta de neurología y directora del Alzheimer's Disease Research Center de la facultad de medicina Baylor en Houston.

Aunque no es una cura, el *donepezil* (Aricept) puede beneficiar hasta a un 80% de los pacientes de mal de Alzheimer. El medicamento es capaz de desacelerar el deterioro de la sustancia química cerebral *acetilcolina*, que es vital para la transmisión de señales nerviosas. El donepezil es el segundo medicamento contra el mal de Alzheimer en recibir la aprobación de la agencia federal Food and Drug Administration (FDA). A diferencia de la primera, la *tacrina* (Cognex), el donepezil no puede dañar el hígado. Y debe tomarse solo una vez al día. La tacrina normalmente se toma cuatro veces al día.

Los análisis de PSA: ¿Más daños que beneficios?

Timothy McCall, MD, internista en Boston, editor médico de la revista *Yoga Journal* y autor de *Examining Your Doctor: A Patient's Guide to Avoiding Harmful Medical Care*. Citadel Press. *www.drmccall.com.*

Una de las preguntas más comunes que me hacen mis pacientes varones es si deberían hacerse el examen de *antígeno prostático específico* (PSA por sus siglas en inglés). Este simple examen de sangre, les digo, puede detectar el cáncer de próstata en sus inicios. Lo que no se sabe es si un examen de PSA le beneficiará.

En 1996, fueron diagnosticados en EE.UU., 317.000 nuevos casos de cáncer de próstata. Con más de 40.000 muertes por año, se ha convertido en la segunda causa de muerte por cáncer en los hombres (el cáncer de pulmón sigue siendo el número uno).

El cáncer de la próstata es muy común. Se ha estimado que el 40% de los hombres mayores de 50 años lo tiene. Pero solo el 8% jamás tiene síntomas, y solo el 3% muere por la enfermedad. En otras palabras, cuatro de cada cinco hombres con cáncer de próstata nunca tienen síntomas y nueve de cada 10 morirán por otras causas. En el pasado, la mayoría de estos hombres nunca supo que tenía cáncer.

El examen de PSA cambió todo esto. Antes de que el examen se utilizara ampliamente, a partir de mediados de los años 80, se diagnosticaban al año solo un tercio de los casos diagnosticados hoy en día. Aún así, el número de muertes por cáncer de próstata era más o menos igual que el de ahora.

Esto señala uno de los mayores problemas con el examen de PSA. Ahora tenemos la capacidad de detectar el cáncer, no solo en aquellas personas que morirán de la enfermedad sino en la gran mayoría que nunca desarrollará síntomas. Lamentablemente, es imposible diferenciar los dos grupos –al menos hasta ahora.

El segundo gran problema con el examen de PSA es que no está claro si los tratamientos estándar para el cáncer de próstata (la cirugía de próstata radical y la radioterapia) salvan vidas. Muchos médicos y pacientes suponen que sí. Pero todavía no se sabe cuán efectivos son, además ningún estudio ha comparado ambos tratamientos entre sí. Sin embargo, el número de hombres que se somete a cirugía de la próstata ha aumentado drásticamente.

Los efectos secundarios de una cirugía radical de próstata, tales como impotencia e incontinencia, son significativos. A pesar de que los cirujanos en los principales centros de cáncer de próstata reportan mejores resultados, en una encuesta entre hombres que habían sido operados de dos a cuatro años antes se halló que solo el 11% había tenido una erección adecuada para el coito en el mes anterior. Casi un tercio usaba pañales para adultos o abrazaderas alrededor del pene para controlar la orina. La radioterapia también tiene efectos secundarios significativos.

Hay grandes desacuerdos entre las autoridades médicas acerca del examen de PSA. La American Cancer Society afirma que los hombres deben hacerse un examen anual a partir de los 50 años (o antes si son afroamericanos o tienen un historial familiar de cáncer de próstata).

La junta asesora US Preventive Services Task Force no recomienda análisis rutinarios.

En mis pacientes varones mayores de 70 años y aquellos cuya esperanza de vida (debido a otras enfermedades) es menor de 10 años, no recomiendo los análisis de PSA. Los efectos secundarios sencillamente superan los beneficios. A los hombres más jóvenes les digo que un análisis de PSA podría salvar sus vidas –o podría causarles gran dolor sin necesidad. En este momento nadie puede decir qué pasará.

Animo a mis pacientes a que aprendan tanto como puedan sobre el cáncer de próstata. Usted puede acudir a su biblioteca local. Recuerde, cualquier cosa que tenga más de dos años está desactualizada. Si usted (o la biblioteca) tiene acceso a Internet, Oncolink (*http://es.oncolink.org/es_index.cfm*) es un buen lugar donde empezar.

Dadas las incertidumbres, hacerse o no el análisis de PSA es una decisión muy personal –que cada hombre debe tomar consultando a su médico. Al igual que cualquier decisión médica, ésta se basa sobre todo en juicios de valor, sin embargo, deben ser sus valores –y no los del médico– los que le indiquen qué hacer.

Cómo evitar caídas incapacitantes

Steven L. Wolf, PhD, profesor y director de investigación del departamento de medicina de rehabilitación de la facultad de medicina de la Universidad Emory en Atlanta. Para una introducción al tai chi, pida el video *Tai Chi: A Gift for Balance*, Dr. Tingsen Xu, Box 98426, Atlanta 30359.

Las personas mayores pueden tener menos probabilidad de sufrir caídas incapacitantes si practican *"tai chi"*, el antiguo arte marcial chino que combina la meditación con movimientos lentos y rítmicos. El tai chi mejora el equilibrio al enseñar a controlar el cuerpo.

Advertencia: Las personas mayores deben empezar a hacer tai chi solo después de que el médico haya descartado problemas neurológicos.

Atención telefónica gratuita para los mayores

Un teléfono gratis de atención a los mayores puede remitirle a más de 4.000 agencias locales que pueden ayudarle a cubrir sus necesidades. Hay ayuda disponible en relación con atención médica, impuestos, leyes, inversiones, vivienda, transporte y mucho más. El servicio buscador de atención médica para los mayores, Eldercare Locator Service (*www.eldercare.gov*), está financiado por la agencia federal Administration on Aging. Llame al 800-677-1116.

El dentista puede tener la clave del riesgo de derrame cerebral

Laurie Carter, DDS, PhD, directora de radiología oral y maxilofacial de la facultad de odontología de la Universidad Virginia Commonwealth en Richmond.

Los rayos X dentales pueden identificar a las personas con alto riesgo de ataques cardiacos y derrame cerebral. El endurecimiento de las arterias carótidas, que conducen al cerebro, a menudo se puede ver en la radiografía dental panorámica. Este endurecimiento de las carótidas duplica el riesgo de muerte por ataque al corazón o derrame cerebral. *Cuando se tome una radiografía:* pídale a su dentista que vea si hay calcificaciones en las arterias carótidas.

Para las víctimas de derrame cerebral

David J. Ballard, MD, PhD, profesor de medicina de la facultad de medicina de la Universidad Emory en Atlanta. Su estudio de 38.612 pacientes mayores de 65 años fue publicado en *Stroke*, American Heart Association, 7272 Greenville Ave., Dallas 75231.

Las víctimas de derrame cerebral viven más cuando son atendidas por un neurólogo.

Noventa días después del derrame cerebral, los pacientes que fueron tratados por un neurólogo tuvieron una tasa de supervivencia un 36% mayor que los atendidos por el médico familiar.

El alcohol y las enfermedades: derrame cerebral... diabetes y cáncer

Eric Rimm, ScD, notable investigador sobre el alcohol y profesor auxiliar de epidemiología y nutrición en la facultad de sanidad pública de la Universidad Harvard en Boston.

La alta mortalidad por beber en exceso es muy obvia –accidentes de auto, enfermedades hepáticas, problemas del sistema inmune y depresión.

Pero la otra cara del alcohol también es una realidad. Beber moderadamente reduce el riesgo de desarrollar enfermedades graves.

La clave: Saber qué nivel de alcohol es bueno para usted.

ENFERMEDADES DEL CORAZÓN Y DERRAMES CEREBRALES

Las pruebas de que un consumo moderado de alcohol reduce el riesgo de enfermedades cardiovasculares son contundentes. Más de 35 estudios han demostrado que los que beben una o dos copas al día son entre un 25% y un 40% menos propensos a tener un ataque al corazón que los que no beben.

Al parecer, beber moderadamente protege el corazón al aumentar los niveles del colesterol bueno HDL en la sangre... y reducir las concentraciones de *fibrinógeno*, un compuesto natural relacionado con la coagulación.

El efecto del alcohol sobre los derrames cerebrales es más complejo. Los derrames *isquémicos* (los más comunes) son causados por coágulos en el cerebro. Una o dos copas al día protegen contra los derrames isquémicos de la misma forma que protegen de ataques al corazón.

Lamentablemente, la acción anticoagulante del alcohol puede incrementar el riesgo de derrame cerebral *hemorrágico*. Este tipo de derrame es causado por una hemorragia en el cerebro. Las investigaciones han demostrado que las personas que consumen tres o más copas al día son más propensas a sufrir un derrame hemorrágico que las que no beben.

El alcohol puede subir o bajar la presión arterial, dependiendo de la *cantidad* que beba. Si usted está tomando medicamentos para la presión alta, pregúntele a su médico si puede beber, y si es así, cuánto.

¿HAY ALGO ESPECIAL EN EL VINO TINTO?

Quizá usted haya escuchado que el vino tinto tiene facultades especiales para proteger el corazón. El vino tinto *contiene* antioxidantes y otros compuestos beneficiosos que no se encuentran en otras bebidas alcohólicas. Pero un análisis de la información obtenida en investigaciones sobre el alcohol demostró que *todas* las formas de alcohol son igualmente eficaces para bajar el riesgo de enfermedad cardiaca.

Para su corazón, una copa es una copa. Una copa equivale a entre cuatro y seis onzas (entre 120 y 180 ml) de vino… 12 onzas (350 ml) de cerveza… ó 1,5 onza (45 ml) de whisky, ginebra, u otro licor "fuerte".

LA DIABETES

Los bebedores moderados son de 30% a 40% menos propensos que los no bebedores a desarrollar diabetes adulta (tipo II). Esta enfermedad común se asocia con ceguera, insuficiencia renal y enfermedades cardiacas.

Los investigadores aún no tienen una explicación para este efecto preventivo de la diabetes. Una teoría es que beber con las comidas hace más lenta la absorción de los alimentos, y eso mantiene estables los niveles de insulina. Otra es que el alcohol hace a las células del cuerpo más sensibles a la insulina.

EL CÁNCER: UNA HISTORIA DISTINTA

Simplemente no existen dudas al respecto –beber *aumenta* el riesgo de cáncer.

Las dolencias en la boca y garganta son comunes entre bebedores. Pero estas formas de cáncer son raras, y el alza del riesgo es insignificante si se beben menos de 4 copas al día.

Existen pruebas de que apenas dos copas por día aumentan el riesgo de cáncer de colon. Esa es una dolencia *muy* común.

Las buenas noticias: Una vitamina común del grupo B llamada ácido fólico, o folato, puede neutralizar este peligro adicional.

Para las personas que consumen al menos la dosis diaria recomendada RDA de folato, beber moderadamente *no* parece aumentar el riesgo de cáncer de colon. La RDA de folato es de 400 microgramos (mcg) al día.

Fuentes de folato: Vegetales frescos, cereales, jugo de naranja, suplementos vitamínicos.

La relación entre el alcohol y el cáncer de mama es absoluta. Los estudios demuestran que con dos o tres bebidas por día el riesgo de una mujer de sufrir cáncer de mama aumenta de un 30% a un 40%. No está claro si beber menos de esa cantidad tiene algún efecto o no.

Los epidemiólogos aconsejan a las mujeres que beban solo una copa al día. En este nivel, los beneficios para el corazón superan el aumento del riesgo de cáncer.

Excepción: Si usted tiene un alto riesgo de padecer cáncer de mama (si su madre o hermana desarrollaron la enfermedad, por ejemplo), probablemente sea prudente limitar su consumo de alcohol a dos copas a la semana.

Los medios han informado sobre las investigaciones que demuestran que el vino tinto reduce el riesgo de cáncer.

Los estudios de laboratorio revelaron que el *resveratrol*, un antioxidante que se encuentra en el vino tinto, bloquea el daño en el ADN que conlleva al cáncer, desintoxica los cancerígenos y previene el desarrollo de tumores. Pero no hay pruebas de que el resveratrol tenga efecto alguno en los seres humanos. No ha habido ningún estudio demográfico que haya relacionado el consumo de vino tinto con tasas de cáncer reducidas.

Insinuación: Es poco probable que tomar extracto de uvas, comer uvas o beber jugo de uva para consumir resveratrol le cause daño alguno. Pero tampoco hay evidencia de que lo ayuden.

EN DEFINITIVA

Hay pruebas convincentes que demuestran que beber moderadamente –hasta dos copas al día en hombres, una copa en mujeres– es mejor para la salud que abstenerse. Beber a este nivel reduce las muertes de todas las causas en un 15% –tanto en hombres como en mujeres.

Si usted ya bebe moderadamente, quédese tranquilo.

Si usted no es un bebedor, ¿debería empezar a beber? No necesariamente. Usted puede ser parte de la minoría que no puede mantener su bebida a un nivel beneficioso. Si se pasa de tres bebidas al día, su riesgo de enfermedad y muerte aumenta –no disminuye.

El beber intensamente por periodos también es una mala idea. El beber toda su cuota semanal de alcohol durante el fin de semana no ayudará a su colesterol… y puede elevar su riesgo de sufrir un derrame cerebral o una alteración mortal del ritmo cardiaco.

Tener un corazón sano tampoco será de mucha ayuda si usted choca su auto contra un poste de teléfonos.

¿Son eficaces los medicamentos para el cáncer de colon?

Leonard Saltz, MD, médico auxiliar de consulta de la división de oncología gastrointestinal del Memorial Sloan-Kettering Cancer Center en Nueva York.

Los pacientes con cáncer colorrectal avanzado pueden beneficiarse con el *irinotecán* (Camptosar). En un estudio, este medicamento inyectable disminuyó el tamaño del tumor a la mitad en más del 23% de pacientes de cáncer que no había respondido a otros medicamentos. En los pacientes que no habían recibido quimioterapia previamente, la tasa de respuesta fue de un 32%.

Fumar mata a 400.000 estadounidenses cada año… cómo dejar el hábito

Harlan M. Krumholz, MD, profesor auxiliar de cardiología de la facultad de medicina de la Universidad Yale en New Haven, Connecticut. Es autor de *No Ifs, Ands or Butts*. Avery.

Si usted está tratando de dejar de fumar, o conoce a alguien que lo está haciendo, aquí tiene ocho estrategias que maximizarán sus probabilidades de éxito…

1. Olvídese de pasar a fumar cigarrillos "light". Algunos fumadores cambian a marcas con menos nicotina ("low-nicotine") y alquitrán ("low-tar"), pensando que así bajarán los niveles de estas toxinas en el cuerpo. O cambian a una marca "light" como un preludio a dejarlo del todo.

El cambiar *no* ayuda. Los estudios demuestran que las personas que cambian de marca lo compensan al inhalar el humo más profunda o frecuentemente. El consumo de nicotina y alquitrán sigue siendo el mismo.

2. Desarrolle un plan concreto. Solo un 2% de los fumadores que intenta dejar de fumar tiene éxito en el primer intento. La mayoría de las personas falla varias veces antes de lograrlo.

Debe abordar el dejar de fumar como lo haría si quisiera correr un maratón o con cualquier otro gran proyecto.

Fíjese una fecha firme para dejarlo. Planifique lo que hará *cada día* cuando aparezcan las inevitables ansias. Si vuelve a fumar, intente dejarlo nuevamente.

3. Pruebe la terapia de sustitución de nicotina. Los parches de nicotina ("nicotine patches" como Habitrol, Nicoderm, etc.) y el chicle de nicotina (Nicorette) pueden duplicar su posibilidad de dejar de fumar.

Tanto los parches como el chicle son efectivos. Algunas personas disfrutan la sensación oral del chicle. Otras consideran el masticar como una tarea, y prefieren usar los parches, que administran nicotina de manera continua durante el día.

No fume mientras esté usando el parche o mascando chicle de nicotina.

Las mujeres embarazadas probablemente no deberían usar ni el parche ni el chicle, aunque el seguir fumando quizás sea más dañino que la terapia de sustitución de la nicotina.

A algunas personas el parche les irrita la piel. Si usted está entre ellas, consulte a su médico.

4. Involucre a sus amigos y familiares. Muchos fumadores tratan de dejarlo en secreto –porque quieren evitar la vergüenza si fallan. Eso es lo opuesto de lo que se debe hacer.

Dígales a sus amigos y familiares, incluso a su médico, lo que piensa hacer. Pídales que periódicamente le pregunten cómo le va. Discúlpese con anticipación por lo irritable que estará mientras sufra de la abstinencia de nicotina.

5. Únase a un grupo de apoyo. El reunirse siquiera 20 minutos a la semana con compañeros que también están dejando de fumar puede aumentar su probabilidad de éxito.

Para encontrar un grupo de apoyo en su comunidad, contacte a su hospital local, a la American Cancer Society (800-227-2345, *www.cancer.org*) o a la American Lung Association (800-586-4872, *www.lungusa.org*).

6. Busque maneras de motivarse. Piense cuánto más sano estará cuando deje de fumar… cuánto tiempo más vivirá… o cuánto dinero podrá ahorrar. En un periodo de diez años, un hábito de dos paquetes al día cuesta alrededor de $51.000.

7. Considere usar técnicas alternativas. Hay escasa evidencia científica de que la acupuntura, acupresión, hipnotismo y otras terapias alternativas ayuden a dejar de fumar. Sin embargo, muchos ex fumadores creen en su eficacia. Si usted decide probar una terapia alternativa, asegúrese de elegir un profesional con entrenamiento legítimo.

8. Pregúntele a su médico sobre la terapia antidepresiva. Hay pruebas que demuestran que la *fluoxetina* (Prozac) y otros antidepresivos facilitan a algunos pacientes el dejar de fumar. Sin embargo, los médicos a menudo son reacios a recetar estos medicamentos para dejar de fumar. Temen que los fumadores dejen su adicción al tabaco para hacerse dependientes de los antidepresivos.

No obstante, si usted ha tratado de dejar de fumar varias veces sin conseguirlo, el riesgo de volverse dependiente a un antidepresivo puede ser superado por los peligros que implica el seguir fumando.

Otro medicamento potencialmente útil es el *bupropión* (Zyban). Se ha utilizado para tratar la depresión durante varios años, con el nombre de Wellbutrin. No se sabe exactamente cómo funciona, pero se piensa que afecta al neurotransmisor *dopamina*, que puede tener un papel en la adicción a la nicotina. Los estudios han hallado que es más probable que la combinación entre la sustitución de la nicotina y el Zyban sea más eficaz para dejar de fumar que tomar cualquiera de los medicamentos por separado. Los efectos secundarios incluyen boca seca e insomnio. Las personas con epilepsia no deben usar el Zyban porque puede causar ataques epilépticos.

Cómo obtener el tratamiento adecuado

Stephen B. Soumerai, ScD, profesor adjunto de cuidados ambulatorios y preventivos de la facultad de medicina de la Universidad Harvard en Boston.

Los ancianos que han sufrido un ataque al corazón rara vez reciben el tratamiento adecuado. Los supervivientes de ataques al corazón que reciben betabloqueantes tienen una probabilidad de morir 43% menor y una probabilidad de ser readmitidos en el hospital 22% menor que pacientes similares que reciben otros tratamientos. Sin embargo, en un estudio sobre 5.332 pacientes ancianos de ataques al corazón, solo el 21% de quienes *debieron* haber sido recetados con betabloqueantes, lo recibió.

El problema: Muchos médicos han exagerado las preocupaciones acerca de los efectos secundarios de los betabloqueantes, como depresión, pérdida de libido y fatiga. Estas preocupaciones están basadas en viejos estudios que ya han sido desmentidos.

La relación entre la vida rural y la longevidad

Mark D. Hayward, PhD, profesor de sociología de la Universidad Pennsylvania State en University Park. Su estudio, basado en el National Longitudinal Study of Older Men, realizado de 1966 a 1990, fue presentado en un encuentro de la Population Association of America.

Los hombres que viven en áreas rurales viven más que sus iguales de áreas urbanas y suburbanas.

La teoría: La forma de vida rural promueve las relaciones cercanas entre familiares, amigos y vecinos. Estas redes sociales proporcionan a los hombres apoyo emocional y ayuda. No hay datos sobre las mujeres rurales.

La autodefensa de la atención médica

Timothy McCall, MD, internista en Boston, editor médico de la revista *Yoga Journal* y autor de *Examining Your Doctor: A Patient's Guide to Avoiding Harmful Medical Care.* Citadel Press. *www.drmccall.com.*

Para obtener la mejor atención médica, usted debe estar bien informado y ser asertivo. Como médico, estoy en una posición única para escuchar y observar los errores más frecuentes que otros médicos cometen en los exámenes.

Esto son algunos de los grandes errores que cometen los médicos y lo que usted puede hacer para prevenirlos…

Error: **Recetar medicamentos sin explicar bien cómo tomarlos.** Si las medicinas no se toman de manera adecuada, puede que no funcionen –o que tengan efectos secundarios inesperados.

Útil: Después de que su médico escriba la receta, pregúntele qué cantidad del medicamento debe tomar, con qué frecuencia, si debe tomarlo con el estómago vacío, qué hacer si olvida una dosis y qué hacer si siente efectos secundarios. Luego pídale al médico que le haga un horario por escrito del medicamento así usted sabrá exactamente cuándo tomarlo y durante cuánto tiempo.

Error: **Recomendar un tratamiento sin que usted participe en la razón de la decisión o del diagnóstico.** Pídale a su médico que le hable francamente acerca de lo que él o ella piensa sobre su estado y los pro y los contra de cada tratamiento disponible. Asegúrese de tomar notas.

Importante: Cuando su dolencia requiere cirugía electiva –o puede causar complicaciones más severas– insista en que necesita tiempo para pensar acerca del tratamiento recomendado. Esto le dará tiempo para investigar sobre su dolencia, buscar una segunda o tercera opinión y considerar alternativas.

Error: **Llegar a conclusiones sin tomar en consideración los factores psicológicos de su vida.** La mente puede tener un efecto muy profundo en su sistema inmune, sin embargo, muchos médicos pasan por alto este impacto.

Útil: Si están ocurriendo cambios importantes en su vida que su médico debería conocer, tales como problemas matrimoniales o asuntos laborales, asegúrese de mencionarlos –incluso si su médico se olvida de preguntar.

Error: **Recetar el "último" medicamento.** Las empresas farmacéuticas gastan millones en influir en los hábitos de los médicos a la hora de recetar. Normalmente tratan que los médicos recomienden medicamentos nuevos con precios y márgenes de ganancias altos. Pero lo que usted quiere es el mejor medicamento para su dolencia.

Útil: Pregúntele a su médico si hay algún medicamento que haya estado en el mercado por más tiempo que el que le recetó, y si sería adecuado tomarlo en su lugar. En general, los medicamentos más antiguos tienen un mayor seguimiento de seguridad y normalmente son más baratos.

Error: **Que le dé a usted muestras gratuitas de medicamentos que normalmente no recetaría.** A la mayoría de los pacientes le encanta recibir muestras gratis. Pero las empresas farmacéuticas con frecuencia dan muestras de medicamentos nuevos que quieren promocionar. Por lo común, se trata de medicamentos que los médicos aún no conocen muy bien.

Útil: Antes de aceptar una muestra gratuita, pregúntele a su médico qué tan bueno es el nuevo medicamento y si existe otro ya establecido, o más barato, que le pueda recetar.

Suplementos antivejez: El Dr. Kenneth Cooper explica lo qué funciona y lo qué no funciona

Kenneth H. Cooper, MD, MPH, presidente y fundador de The Cooper Aerobics Center, 12200 Preston Rd., Dallas 75230. Es autor de numerosos libros de salud y fitness, incluyendo *Dr. Kenneth H. Cooper's Antioxidant Revolution*. Thomas Nelson.

Desde la DHEA (dehidroepiandrosterona) hasta la melatonina, el mercado está saturado de suplementos con aparentes propiedades que combaten el envejecimiento. ¿Realmente hacen estas píldoras lo que dicen sus defensores? ¿Son seguras?

Acudimos al Dr. Kenneth Cooper, el renombrado investigador del ejercicio y defensor pionero de los suplementos antioxidantes, para que nos diera unas respuestas.

•De todos los suplementos antienvejecimiento, la melatonina es el más publicitado. ¿Es efectivo? La melatonina parece ser segura y eficaz para su uso ocasional en el tratamiento del desfase horario ("jet lag") o el insomnio.

Al parecer, la melatonina también es prometedora contra la esclerosis múltiple y ciertos tipos de cáncer, a pesar de que las investigaciones en esos ámbitos todavía se encuentran en fase preliminar.

Sin embargo, estoy en *contra* del uso de la melatonina como suplemento antivejez. La mayoría de los estudios que sugiere sus efectos antivejez ha sido realizada en animales. No sabemos si tiene los mismos efectos en los seres humanos.

La seguridad de la melatonina tampoco ha sido totalmente establecida. Ya existen informaciones sobre efectos secundarios molestos, como resaca y pérdida de la memoria.

Como la melatonina es una hormona, su uso prolongado puede producir cáncer –al igual que el uso prolongado del estrógeno puede aumentar el riesgo de cáncer de mama en las mujeres. Todavía no sabemos si la melatonina aumenta el riesgo de cáncer. Mientras tanto, yo no la recomiendo a mis pacientes.

•¿Y qué piensa de la DHEA? Los estudios a corto plazo sugieren que la DHEA mejora el sistema inmune, como afirman sus defensores.

Pero como la DHEA estimula la síntesis de las hormonas sexuales (testosterona en el hombre y estrógeno en las mujeres), es lógico pensar que también puede estar promoviendo el cáncer de próstata y/o de mama.

Las personas que toman DHEA hoy en día pueden estar creando una bomba de tiempo con una mecha de 20 años.

•¿Eso también es cierto sobre otras hormonas, como la hormona del crecimiento humano (HGH por sus siglas en inglés)? Sí. Un hombre normal, sano, que toma HGH y/o testosterona por sus supuestas propiedades antienvejecimiento puede estar aumentando su riesgo de cáncer de próstata o de cáncer testicular y de enfermedades cardiacas.

En mi opinión, el que tome HGH o testosterona está jugando con dinamita.

•¿Es promisorio el picnogenol, el derivado de la corteza de pino? No hay dudas de que esta mezcla de flavonoides es promisoria.

Algunos estudios demuestran que sus propiedades antioxidantes son 60 veces más potentes que las de la vitamina E. Pero hasta que no estemos seguros de que es inocuo, no recomiendo suplementos de picnogenol a mis pacientes.

•¿Hay algún suplemento antienvejecimiento que valga la pena tomar? Creo firmemente en los suplementos que contienen las vitaminas C y E y el betacaroteno.

A pesar de que estos antioxidantes por lo general no se consideran como suplementos antivejez, retrasan el envejecimiento al ayudar a prevenir las enfermedades asociadas con el envejecimiento.

Estos tres antioxidantes actúan neutralizando los *radicales libres*, las moléculas dañinas que causan el daño celular que acompaña al envejecimiento.

La vitamina E es especialmente beneficiosa. Bloquea la oxidación del colesterol "malo" LDL y previene la formación de depósitos en las arterias que preceden los ataques al corazón. La vitamina E también previene los daños en el ADN que se cree son el primer paso en el desarrollo del cáncer.

Como es casi imposible obtener suficiente vitamina E de los alimentos, les digo a mis pacientes que tomen un suplemento diario que contenga 400 unidades internacionales (IU) de vitamina E *natural (d-alfa tocoferol)*. La vitamina E natural se absorbe mejor que la sintética.

Sin embargo, debido a la posible interacción entre la vitamina E y varios fármacos y suplementos, al igual que por otras consideraciones de seguridad, consulte a su médico antes de empezar un régimen de vitamina E.

●**¿Qué efectos tienen la vitamina C y el betacaroteno?** Además de combatir los radicales libres, la vitamina C ahora parece ser un remedio eficaz contra los dolores leves de artritis. Es difícil obtenerla de los alimentos, así que les digo a mis pacientes que tomen un suplemento de 500 mg dos veces al día.

El betacaroteno ayuda a proteger contra las enfermedades del corazón, cataratas y ciertos tipos de cáncer, incluido el de piel.

Les pido a todos los fumadores que consuman 25.000 IU de betacaroteno cada día. Puede obtener esta cantidad en forma de suplemento, o comiendo una zanahoria y media de tamaño promedio.

●**¿Algo más?** El mineral selenio parece ayudar a combatir los radicales libres y a prevenir el cáncer de pulmón, colon, próstata y recto. Mi recomendación es añadir 200 microgramos (mcg) al día de selenio a su "coctel" de vitaminas y minerales.

Finalmente, ahora se sabe que el ácido fólico es clave para una buena salud. Baja los niveles de *homocisteína* en la sangre, un producto de la descomposición de la *metionina*. Ese es un aminoácido que se puede obtener sobre todo de las carnes rojas y los productos lácteos.

Los estudios demuestran una clara relación entre los niveles de homocisteína y el riesgo de ataques al corazón, incluso cuando los niveles de colesterol son bajos.

Les recomiendo a mis pacientes que tomen 400 mcg de ácido fólico al día en suplementos (de 800 a 1.000 mcg si tienen cardiopatía).*

Los mayores de 50 años deben tomar 50 mg de vitamina B-6 y 500 mcg de B-12 al día, junto con ácido fólico. De otro modo, la deficiencia de vitamina B-12 puede quedar oculta.

Cómo mantenerse seguro en este mundo loco

Louis R. Mizell, Jr., experto en tácticas delictivas. Es autor de *Street Sense for Seniors*. The Putnam Berkley Publishing Group.

Todos los días, más de 4.000 estadounidenses mayores de 55 años son víctimas de delitos en sus hogares.

Los delincuentes buscan a las personas mayores, esperando que sean menos capaces de protegerse y de atestiguar.

El ochenta por ciento de estos delitos podría evitarse si los mayores aprendiesen más acerca de las tácticas delictivas y tomaran unas simples medidas para mejorar su seguridad. *Estos son algunos datos sobre los delitos que más predominan y cómo evitarlos…*

SEGURIDAD DOMÉSTICA

La idea de que los criminales no entrarán a una casa ocupada es un mito. Por medio de la fuerza o el engaño, cada año los maleantes entran en las casas de más 500.000 personas estando al menos un miembro de la familia dentro de la casa. *La mayoría de estos delitos no ocurrirían si las personas tomaran estas precauciones…*

●**No abra la puerta** a menos que sepa quién está del otro lado. Cada año, 15.000 ancianos son víctimas de la táctica de "empuje" cuando el delincuente entra por la fuerza. Si usted no conoce a la persona, use la mirilla y hable a través de la puerta cerrada.

*Se piensa que los niveles altos de homocisteína causan defectos congénitos del tubo neural. Es por esta razón que los obstetras recomiendan que las mujeres embarazadas –e incluso las que *pueden* quedar embarazadas– tomen suplementos de ácido fólico.

Tenga en cuenta que un delincuente puede empujar una puerta parcialmente abierta lo suficiente como para romper cadenas que no hayan sido instaladas profesionalmente.

●**No confíe en la gente** simplemente porque su aspecto es respetable.

Ejemplo: En Miami, tres jovencitas (una de 10 y dos de 14 años) llamaban a las puertas de ancianos y los conmovían con sus ojos brillantes y sus dulces sonrisas. Una vez que las dejaban entrar, una se iba a las habitaciones para llevarse el dinero y las joyas, mientras las otras dos distraían a la víctima. Antes de ser arrestadas robaron a 26 ancianos.

●**Esté atento ante los impostores.** Más de 230.000 delitos al año los cometen delincuentes haciéndose pasar por plomeros, inspectores de la luz y el gas, policías, etc. Verifique las credenciales de cada persona que vaya a su hogar *antes* de abrir la puerta. Si tiene sospechas, llame a la organización que él/ella dice que lo envió.

●**Cierre la puerta con llave** siempre que salga, incluso si solo va a sacar la basura, comprar alimentos o buscar el correo. De las 3,2 millones de intrusiones a hogares, 800.000 fueron el resultado de una ventana o una puerta sin cerrar con llave.

●**Mantenga sus llaves en un lugar seguro.** Alguien que tiene sus llaves tiene acceso las 24 horas a su casa, familia, propiedad y por supuesto, a usted.

●**No le entregue sus llaves a nadie…** ni a trabajadores, ni a asistentes sociales, ni a agentes inmobiliarios a menos que sepa que puede confiar en ellos y en todos sus familiares y amigos que también puedan tener acceso a sus llaves. Trescientos mil delitos son cometidos por delincuentes que obtienen nuestras llaves de forma fraudulenta.

●**No mantenga sus llaves del auto** en el mismo llavero que las de la casa.

●**No deje el control para abrir el garaje en el auto abierto.**

SECUESTRO DE AUTOS Y DELITOS EN LA ENTRADA DEL GARAJE

En el activo mundo de hoy, los delincuentes han aprendido muchas formas de aprovecharse de personas vulnerables sacándolas de sus autos o llevándoselas en ellos. Proliferan los delitos que se cometen en la entrada del garaje.

Ejemplo: Un alto ejecutivo de la empresa Exxon fue secuestrado en el camino de 200 pies de longitud para entrar a su propiedad, al norte de Nueva Jersey.

No baje la guardia cuando llegue al camino de entrada a su casa. Mire por el espejo retrovisor a medida que se acerca a su casa y que conduce hacia el camino de entrada. Si alguien lo sigue, mantenga sus puertas cerradas con seguro y dé vueltas por la manzana. Si continúan siguiéndole, conduzca hasta la estación de policía más cercana.

Si ve a alguien sospechoso cerca de su casa, mantenga las puertas cerradas y toque la bocina. Si hay un vehículo desconocido en el camino de entrada, tome el número de matrícula y llame a la policía desde la casa de un vecino antes de entrar a su casa. Mantenga cerradas las puertas del auto y el motor en marcha hasta que esté seguro de que no hay sospechosos cerca.

Esté consciente de los trucos que usan los delincuentes para sacarle de su auto. *Dos de los más comunes incluyen…*

●**Choque y robo.** El criminal choca a la víctima por detrás y la roba cuando la víctima (casi siempre mujeres mayores) va a inspeccionar los daños.

●**El buen samaritano.** El delincuente se acerca a su víctima y le señala que tiene un neumático desinflado (de lo cual es responsable el ladrón). Después se ofrece a llevar a la víctima a buscar ayuda en su auto, y la roba o la ataca.

CAJEROS AUTOMÁTICOS Y TELÉFONOS PÚBLICOS

Los cajeros automáticos ("ATM") y teléfonos públicos ofrecen *muchas* oportunidades al delincuente. Al menos 27 mil delitos, incluidos secuestros, asesinatos, violaciones, robos de autos y de pertenencias o dinero ocurren cada año en teléfonos públicos. *Para optimizar la seguridad…*

●**Use cajeros y teléfonos que estén a la vista del público y bien iluminados.**

●**Lleve un acompañante** que pueda vigilarlo desde su auto cerrado. Si no tiene un auto, haga que se pare a unos diez ó 15 pies para disuadir a los criminales.

●**No deje su auto abierto** ni las llaves puestas si tiene que ir solo.

●**Mire hacia la calle** cuando use el teléfono.

●**Haga el trámite con rapidez.**

●**No retire o deposite dinero en el mismo lugar** o a la misma hora todos los días.

●**Mantenga su clave ("PIN") en secreto.**

●**Esté alerta de los alrededores** y vigile si le siguen.

SABIDURÍA

No importa lo segura que trate de hacer su casa, nunca será tan segura como un banco. No guarde grandes cantidades de dinero en su casa. Las noticias vuelan.

Cada año, miles de ancianos son víctimas de robos y pierden cientos de miles de dólares.

Para minimizar el riesgo de osteoporosis

Barbara S. Levine, RD, PhD, directora del Calcium Information Center del centro médico New York Hospital–Cornell en Nueva York.

La mayoría de las mujeres *y* los hombres necesitan aumentar su consumo de calcio. Las nuevas directrices estadounidenses indican que los adultos mayores de 50 años deben tomar 1.200 mg de calcio por día. Eso es el equivalente a cuatro porciones al día de leche y yogur bajos en grasa, jugo de naranja enriquecido u otros alimentos con calcio. Los adultos menores de 50 años deben consumir 1.000 mg al día, y los adolescentes, 1.300 mg. Las antiguas directrices recomendaban 800 mg al día para la mayoría de los adultos. *El peligro:* el adulto promedio consume solo entre 500 y 700 mg al día.

Los remedios de Harry Lorayne para los olvidadizos

Harry Lorayne puede recordar los nombres de todas las personas en una sala con 500 personas y recitar de memoria páginas al azar del último número de la revista *Time*. Es autor de varios libros sobre la memoria, entre ellos el paquete *Memory Power* (libro y casetes de audio y video).

Ya no es necesario aceptar la pérdida de memoria como una parte inevitable del envejecimiento. La falta de atención es producto de una disminución del interés en actividades rutinarias como establecer y mantener citas, llevar a cabo rituales diarios y estar pendiente de las posesiones y asuntos. Le puede pasar a cualquiera, a cualquier edad.

La buena noticia es que hay técnicas sencillas que usted puede usar para agudizar su memoria y recordar dónde deja las cosas, los nombres de las personas... y hasta las diligencias que tiene que hacer.

DÓNDE LO HABRÉ PUESTO...

Nunca más perderá nada si se concentra claramente en el *presente* al momento en que esté colocando o guardando algo.

Hágalo creando una imagen mental que conecte el objeto con su nuevo lugar de una manera absurda o tonta. La extravagancia de la imagen hará que la mente se interese, y lo obligará a estar *alerta*.

Ejemplo: Mientras va a echar una carta antes de que cierre el correo, sin pensar coloca sus lentes sobre el televisor. Al volver a casa no recuerda dónde los dejó.

La mejor forma: Al poner sus lentes encima del televisor, hágase una imagen mental absurda. Por ejemplo, imagine que la antena del televisor se asoma por los lentes hasta sus ojos. Cuando necesite sus lentes, automáticamente recordará la imagen, se estremecerá y los tomará.

Por qué funciona: Este sistema de ejercicio mental, y otros similares, cura a las personas distraídas al "tomar la mente por el cuello", forzándola a prestar atención por un segundo.

El principio recordatorio: Estos ejercicios de la memoria ejercitan su mente igual que el caminar ejercita su cuerpo. Se volverá más creativo e imaginativo mientras mejora su memoria. Otras técnicas de ejercicios mentales…

¿HABRÉ APAGADO EL…?

La semana pasada, mientras andaba por la acera, no podía recordar si había apagado la hornilla.

La semana anterior, fue la plancha.

Esta noche, está en cama preguntándose si recordó poner la alarma.

Ayudas de la memoria: Para estar seguro más adelante de que de verdad ha hecho estas tareas, visualice una imagen absurda mientras las realiza.

Ejemplo: Al desconectar la plancha, imagine que desconecta su propia cabeza, con forma de plancha, y la saca del enchufe. Al poner la alarma por la noche, imagine que el botón le agujerea el dedo o que está usando el radio-despertador para dormir en lugar de una almohada.

Más tarde, cuando se pregunte si habrá hecho estas actividades cotidianas, las imágenes extraordinarias que vengan a su mente le asegurarán que se ha ocupado de ellas.

Y no se preocupe: su mente no recordará de forma "incorrecta" que ha hecho estas cosas, incluso si usa cada día la misma imagen. La "memoria verdadera" se asegurará de que recuerde lo que ha hecho y lo que no.

CÓMO SE LLAMA…

Una forma sencilla de recordar los nombres de personas es pensar en palabras conocidas que suenan parecido al nombre que está intentando recordar. Probablemente ha escuchado esto antes, pero de verdad funciona. *Pruébelo…*

Cuando le presenten a alguien, escuche de *verdad* su nombre.

Si no lo escucha la primera vez, pídale que lo repita. Eso no solo le ayudará a recordar el nombre, sino que hará que la persona se sienta bien y sabrá que a usted le interesa conocerla.

Para recordar el nombre de una persona, use su imaginación.

¿Cómo suena el nombre? ¿Qué le recuerda?

Lo mejor es inventar sus propias palabras e imágenes, porque es más seguro que algo propio le recuerde el nombre de la persona que si usa una imagen o palabra sugerida por otros.

Ejemplo: El nombre "Dr. Bocaranda" suena como "boca - anda". Una forma de recordar este nombre es, por tanto, imaginar una boca que anda.

CONOZCO SU CARA, PERO…

Ahora lleve su imagen mental un paso más allá. Mire de nuevo el rostro del Dr. Bocaranda. ¿Cuál de sus facciones le llama más la atención? ¿Tiene una frente alta? ¿Unas greñas rebeldes? ¿Dientes torcidos o tapados?

Sea cual sea el rasgo que le parezca más prominente hoy es probable que siga destacándose para usted en el futuro. Una vez que haya identificado el rasgo más dominante del Dr. Bocaranda, conéctelo con su palabra sustituta, en este caso "boca - anda", y su imagen mental de la boca que camina.

Ejemplo: Puede imaginarse la cabeza calva del Dr. Bocaranda como si fuera la superficie por donde se camina, o como si salieran bocas andando en lugar de cabello. Para recordar que Bocaranda es un médico, imagine estetoscopios pegados a las bocas. Ahora ha asociado el nombre del Dr. Bocaranda a su rostro de una forma que no le será fácil olvidar. Se ha forzado a escuchar su nombre, a mirar realmente su rostro –y una cosa le recordará la otra.

PRIMERO EL DENTISTA, LUEGO…

Supongamos que tiene que hacer una serie de diligencias. En lugar de anotarlas y evitar usar su memoria (y posiblemente olvidar la lista), vincule las diligencias entre sí de esta forma tonta:

Ejemplo: Usted tiene que ir al dentista, echar una carta en el correo, comprar leche y neumáticos nuevos para su auto. Una forma de relacionar estas diligencias es imaginar al dentista sacando sobres con estampillas de su boca. Imagínese sirviendo miles de sobres con estampillas de un cartón de leche… un auto que está bebiendo leche de un cartón gigante… o un cartón de leche gigante que va conduciendo un auto.

Visualice estas imágenes ridículas en su mente. Luego, cuando salga de la consulta del dentista, imagínelas de nuevo. Casi sin esfuerzo, recordará todas y cada una de sus diligencias, porque una debe recordarle la siguiente.

Menor riesgo
de fractura de cadera

Dennis Black, PhD, profesor adjunto de epidemiología y bioestadística de la Universidad de California en San Francisco.

El *alendronato*, un medicamento contra la osteoporosis, reduce a la mitad el riesgo de fractura de cadera. El fármaco se vende con el nombre comercial Fosamax. En un estudio de tres años con 2.027 pacientes con osteoporosis que tomaron el medicamento diariamente se halló que reducía su riesgo de fracturarse la cadera en un 51%, en comparación con aquellos que tomaron placebos. El Fosamax es una alternativa al estrógeno, que se piensa que también es eficaz para reducir el riesgo de fractura.

15

El cuidado de la piel

Haga que su piel se vea joven de nuevo sin cirugía

Joseph P. Bark, MD

Hace unos años un estiramiento facial ("face-lift") era la única manera de tratar la piel con arrugas, dañada por el sol, flácida o con cicatrices. Pero hoy en día, esto ya no es cierto.

Aunque aún se requiere cirugía para problemas graves, hay muchas técnicas *no quirúrgicas* seguras y no muy costosas para rejuvenecer la piel. *He aquí algunas opciones…*

ÁCIDOS ALFA-HIDRÓXIDOS

Los ácidos glicólico, láctico, cítrico y otros ácidos *alfa-hidróxidos* (AHA por sus siglas en inglés) se encuentran en un número creciente de cosméticos. Si se utilizan a diario, son excelentes humectantes y también parecen disminuir las arrugas, el daño solar y el acné.

Más eficaz: Los productos *recetados* que contienen mayores concentraciones del ácido AHA. Puede conseguirlos con su dermatólogo.

LOS PROTECTORES SOLARES Y LOS HUMECTANTES

Los protectores solares ("sunscreens") no solo previenen el daño de la piel, sino que también ayudan a atenuar arrugas pequeñas ya *existentes*.

Los humectantes ("moisturizers") mejoran *temporalmente* la apariencia de la piel, manteniéndola suave y flexible. Pero no previenen ni eliminan las arrugas. De hecho, usar humectante sin protector solar puede aumentar la vulnerabilidad de su piel al daño solar.

UN DERIVADO DE LA VITAMINA

La *tretinoína* (Retin-A) es un potente medicamento desarrollado originalmente para tratar el acné. Los médicos pueden prescribir este

Joseph P. Bark, MD, dermatólogo con práctica privada y miembro del personal médico del hospital St. Joseph en Lexington, Kentucky. Autor de *Your Skin: An Owner's Guide*. Prentice Hall.

derivado de la vitamina A para atenuar líneas pequeñas alrededor de los ojos… y para eliminar estrías y manchas del envejecimiento.

Es sorprendentemente eficaz cuando se usa regularmente, aunque puede tardar un año o más para que los efectos se hagan visibles. La tretinoína hace que la piel se vea más lisa al espesar la capa exterior y "comprimir" la capa de células de piel muertas.

Precaución: La tretinoína puede provocar sequedad, enrojecimiento y puede aumentar su susceptibilidad a las quemaduras del sol. Debido al riesgo de causar defectos congénitos, no es apropiado para mujeres embarazadas.

Otra fórmula de tretinoína, Renova, es el primer medicamento desarrollado específicamente para eliminar las arrugas. Reduce las pequeñas líneas faciales, manchas marrones y rugosidad superficial tan eficazmente como la tretinoína ordinaria –y tiene menos probabilidades de irritar la piel.

EXFOLIACIONES QUÍMICAS

En las exfoliaciones químicas ("chemical peels") se aplican AHA concentrados (de 40% a 70% de ácido vs. de 0,5% a 10% de ácido en los productos con AHA sin receta). Las exfoliaciones se hacen en un consultorio médico.

Una serie de exfoliaciones *glicólicas* suaves ayuda a remover la piel dañada y mejora la apariencia de las patas de gallo y de las cicatrices de acné menores. La exfoliación puede provocar escozor y enrojecimiento leve por un día.

Para eliminar las arrugas alrededor de la boca, de los ojos y de la frente; para corregir pigmentación irregular y para eliminar las manchas del envejecimiento se necesita una exfoliación más profunda con *ácido tricloroacético* (TCA por sus siglas en inglés) o *fenol*.

Los efectos de una exfoliación duran varios años. Sin embargo, las exfoliaciones pueden causar dolor considerable, enrojecimiento persistente, cicatrices y hacer la piel tensa. Las exfoliaciones con fenol no son apropiadas para personas con enfermedades del riñón o del corazón… o de tez oscura.

Advertencia: La recuperación de una exfoliación con TCA o con fenol no es agradable. Las costras parecidas a una corteza que aparecen inmediatamente luego de la exfoliación pueden tardar hasta dos semanas en sanar. Durante este periodo es esencial evitar el sol.

DERMOABRASIÓN

Este procedimiento implica el uso de un cepillo eléctrico giratorio para "lijar" las dos capas superiores de la piel, suavizando su apariencia. Los resultados duran varios años.

La dermoabrasión ("dermabrasion") es buena para eliminar cicatrices de acné, marcas de viruela y arrugas pequeñas alrededor de los labios. Para manchas severas, se puede necesitar dos tratamientos, con una separación de entre seis y 12 meses.

Precaución: La dermoabrasión puede causar infecciones, cicatrices, variaciones en el tono de la piel y sensibilidad extrema al sol. Al igual que en las exfoliaciones, salen costras en la piel. Una recuperación completa puede tomar varios meses.

Además, como la exfoliación, la dermoabrasión funciona mejor en personas de piel clara.

EXFOLIACIÓN LÁSER

En este procedimiento –una nueva alternativa para la dermoabrasión y la exfoliación química– el médico usa un láser para "pelar" la epidermis. La exfoliación láser es menos propensa que las exfoliaciones químicas a provocar cicatrices y a aclarar excesivamente la piel. También es más precisa.

Aunque con la exfoliación láser ("laser peel") la piel también se enrojece y aparecen costras, la recuperación es generalmente más rápida. La exfoliación láser es particularmente eficaz para las arrugas alrededor de los ojos, manchas del envejecimiento, cicatrices y decoloración facial.

INYECCIONES DE COLÁGENO

Los médicos pueden inyectarle una proteína natural llamada *colágeno* para hinchar la piel facial y ayudar a rellenar cicatrices de acné graves (quísticas) y arrugas profundas.

Los efectos son inmediatos y duran entre cuatro y ocho meses, hasta que el colágeno se resorbe. Entonces se puede administrar una nueva ronda de inyecciones.

Después de las inyecciones se pueden presentar infecciones y sensibilidad al sol. Y las alergias al colágeno pueden causar firmeza excesiva y decoloración púrpura. Estos efectos secundarios pueden durar hasta seis semanas.

Para asegurarse de que usted no es alérgico: Hágase dos pruebas de alergia al colágeno antes de recibir las inyecciones. *No* se inyecte si padece artritis reumatoide, hipertiroidismo, lupus, u otra enfermedad autoinmune.

En lugar de colágeno, algunos médicos han comenzado a inyectar grasa "cosechada" en alguna otra parte del cuerpo (las nalgas, la espalda, etc.). Como el material inyectado es parte del cuerpo, no hay peligro de reacción alérgica. Lamentablemente, no se ha determinado cuánto duran las inyecciones de grasa.

Las dietas bajas en grasa pueden reducir el riesgo de cáncer de piel

Homer S. Black, PhD, profesor de dermatología de la facultad de medicina de la Universidad Baylor en Houston. Su estudio de dos años con 76 pacientes fue publicado en *The New England Journal of Medicine*, 10 Shattuck St., Boston 02115.

Los pacientes con cáncer de piel que siguieron una dieta con menos de 20% de calorías provenientes de la grasa, desarrollaron 70% menos lesiones de piel precancerosas (queratosis actínica) que pacientes similares que siguieron una dieta con más de 36% de las calorías provenientes de la grasa. *La implicación:* si ha tenido cáncer de piel, seguir una dieta baja en grasa puede ayudarle a prevenir que recurra.

Ayuda contra las cicatrices desagradables

Tina S. Alster, MD, profesora auxiliar de dermatología y pediatría del centro médico de la Universidad Georgetown en Washington, DC. Su estudio de terapia láser de 16 pacientes operados del corazón fue publicado en *The Lancet*, 32 Jamestown Rd., Londres NW7 1BY.

Las cicatrices rojas y abultadas (*queloides*) que quedan en el pecho luego de una cirugía de corazón pueden hacerse menos visibles –y que causen menos picazón– cuando se tratan con una luz intensa pulsada ("pulsed-dye laser"). Los resultados del tratamiento láser parecen durar mucho tiempo, sin ninguna recurrencia durante el primer año posterior al tratamiento.

¿El cabello nos protege del sol?

Zoe Diana Draelos, MD, profesora clínica auxiliar de dermatología de la facultad de medicina de la Universidad Wake Forest en Winston-Salem, Carolina del Norte.

Una cabellera completa *no* ofrece una protección total contra el cáncer de piel del cuero cabelludo. La piel del cuero cabelludo es tan vulnerable al daño solar como la piel de cualquier otra parte del cuerpo. Cuando ocurre, este cáncer frecuentemente es muy agresivo.

La autodefensa: Si usted es calvo o está perdiendo el cabello, frótese protector solar con SPF-15 en el cuero cabelludo y póngase un sombrero con ala de 4 pulgadas (9 cm) que rodee la cabeza. Aunque usted tenga la cabellera completa, es mejor usar un acondicionador o un spray para el cabello con protector solar.

La vitamina C contra las arrugas

Sheldon Pinnell, MD, profesor de dermatología del centro médico de la Universidad Duke en Durham, Carolina del Norte.

Una crema recetada que tiene 10% de vitamina C redujo significativamente las arrugas y las manchas del envejecimiento en los pacientes que la usaron por ocho meses. La vitamina "ordena" a las células de la piel que produzcan más colágeno, hinchando levemente la piel. La crema, llamada *Cellex*, envía de 20 a 40 veces la cantidad de vitamina que puede ser absorbida de las pastillas.

Cáncer de piel – cómo protegerse

Perry Robins, MD, jefe de cirugía micrográfica Mohs del centro médico de la Universidad de Nueva York (NYU) y presidente de The Skin Cancer Foundation, 245 Fifth Ave., Suite 1403, Nueva York 10016. Escribió *Sun Sense*, que se puede adquirir a través de dicha organización: 800-SKIN-490, *www.skincancer.org*.

En Estados Unidos enfrentamos una creciente epidemia de melanoma maligno, la forma más letal de cáncer de piel.

En los últimos 20 años, ha habido un drástico crecimiento en el número de nuevos casos reportados.

¿Por qué el aumento? No sabemos a ciencia cierta en que grado los protectores solares realmente nos protegen, además de que no los usan muchas personas.

Estas son las preguntas más comunes que me hacen sobre la protección de la piel y el cáncer de piel…

•¿Continúa usted recomendando que la gente use protector solar? Sin duda alguna. Durante los últimos 20 años, incontables estudios han demostrado la efectividad de los protectores solares para prevenir las quemaduras de sol *y* el cáncer de piel.

Por supuesto, el protector solar *no* es 100% eficaz. Y usarlo no le da completa libertad de tomar sol todo el día.

•¿Qué tipo de protector solar es mejor? Busque un protector solar que ofrezca protección para *ambas* formas de luz ultravioleta –UVA y UVB.

Los rayos UVB causan más quemaduras de sol y cáncer de piel que los rayos UVA. Sin embargo, los rayos UVA aún pueden ser peligrosos si se está en el sol por periodos de tiempo prolongados.

Su protector solar debe tener un factor de protección solar (SPF por sus siglas en inglés) de por lo menos 15… y debe ser resistente al agua si usted planea nadar. Usando un protector solar con SPF-15, usted puede permanecer sin riesgo de quemarse 15 veces más tiempo de lo que podría con la piel desprotegida.

En regiones donde los rayos del sol son particularmente fuertes, como en el sur de EE.UU., use un *bloqueador solar* ("sunblock") además del protector solar.

Problema: Los bloqueadores solares que usan óxido de zinc, talco y otros materiales opacos para crear una barrera física para impedir que los rayos pasen, son pegajosos y de apariencia muy fea. Por consecuencia no son apropiados para cubrir grandes áreas de piel. Yo recomiendo usarlo en dos puntos de alto riesgo, la nariz y el borde de las orejas.

Evite cremas que contengan aceite mineral, aceite para cocinar o manteca de cacao ("cocoa butter"). Estos productos solamente lubrican la piel; no bloquean los peligrosos rayos del sol.

•¿Cómo debo aplicarme un protector solar? Aplíquelo generosamente en todas las áreas de la piel que estarán expuestas al sol. Hágalo a menos 15 minutos antes de salir, para que pueda ser absorbido.

Ponga atención a los lugares que pueden ser pasados por alto fácilmente –los pies, los lóbulos de las orejas, un punto calvo, el revés de las manos, la nuca y la punta de la nariz.

Reaplíquelo por lo menos una vez cada tres horas durante el tiempo que esté al sol. Incluso con un protector solar resistente al agua, es prudente reaplicar luego de meterse al agua o de sudar demasiado.

•Hace muchos años que no me quedo acostado al sol. ¿Todavía necesito protector solar? Sí. Su piel esta en riesgo cada vez que se expone al sol –ya sea en la playa, en su jardín o en un paseo corto. ¡Los protectores solares no son *solo* para la playa!

En primavera, otoño y verano, aplicarse protector solar debería ser parte de su rutina. Póngaselo después de ducharse en la mañana.

Para trabajadores de oficina, una sola aplicación en la mañana es suficiente. Si usted trabaja afuera, reaplique el protector solar frecuentemente durante el día. Incluso en invierno es buena idea ponerse protector solar si planea estar al aire libre por más de unos minutos.

•¿Qué más puedo hacer para protegerme? Primero, no tome mucho sol muy pronto. En su primer día al sol, limite su exposición a unos pocos minutos. Cada día, aumente el tiempo de su exposición por unos minutos.

Si la exposición repetitiva al sol es inevitable, su objetivo debería ser broncearse gradualmente en vez de quemarse. Un bronceado ofrece un poco de protección al absorber rayos UV. *Otras estrategias útiles…*

●**Póngase gafas de sol bloqueadoras de UV ("UV-blocking").** Busque gafas que bloqueen al menos 95% de los rayos UVB, 60% de los UVA y 92% de la luz visible. Revise la etiqueta del fabricante… o busque las palabras "Z-80-3 Standard". Un buen par de gafas de sol le ayudará a proteger los ojos de cataratas inducidas por la luz del sol.

●**Evite exponerse al sol entre las 10 de la mañana y las 3 de la tarde.** Los rayos del sol son más fuertes durante este periodo.

●**Siempre lleve un sombrero de ala ancha** que les dé sombra a las orejas, la frente y el cuello.

●**En la playa, use una sombrilla.**

●**¿Y si me quemo fácilmente?** Las personas de piel y cabello claros, y ojos azules o verdes, tienen el doble de probabilidades de desarrollar cáncer de piel que las personas de piel y cabello oscuros y ojos marrones.

Y las personas con un historial familiar de cáncer de piel están en mayor riesgo.

No hay reglas especiales para estas personas, excepto ser *extra* diligente en proteger su piel. Para las personas de piel clara, llevar un sombrero y usar protector solar diariamente son buenas ideas —de hecho, ¡son absolutamente *esenciales!*

●**¿Qué pasa si desarrollo cáncer de piel?** El melanoma maligno es generalmente curable —si se detecta en su etapa temprana, cuando es muy superficial. Mientras más profundo se haga el melanoma, más letal es.

Para mejorar sus posibilidades de detectar cáncer de piel en su etapa temprana, hágase un *examen completo de piel* al menos una vez cada tres meses. Mire si tiene algún bulto nuevo o algún cambio en la piel. *Comience hoy mismo.*

●**¿Cómo me examino?** Necesitara un espejo de mano, un espejo completo y un secador de pelo.

Comience con la cabeza y el cuello, donde ocurre el 80% de todos los cánceres de piel.

Examínese la cara, la nariz, los labios, la boca y no olvide las orejas —especialmente en los bordes y los lóbulos.

Use un secador de pelo para separar su cabello sección por sección. Parado de espalda al espejo completo, use un espejo de mano para examinar el cuero cabelludo y el cuello. Puede ser mejor pedirle ayuda a un amigo o a un familiar.

Continúe hacia abajo, examínese la espalda, las manos, los dedos, las nalgas, los genitales, las piernas, los tobillos —todo, hasta llegar a la punta de los pies.

El examen no tomará más de 10 minutos.

Consulte inmediatamente a un dermatólogo si usted nota…

●**Un bulto en la piel que aumenta de tamaño** y/o parece perlado, traslúcido, bronceado, marrón, negro o multicolor.

●**Una verruga, una marca de nacimiento o un lunar que cambie de color,** aumente de tamaño o de espesor, cambie de textura o cuyo delineado se vuelva irregular.

●**Una mancha o bulto que cause picazón o dolor,** que tenga una costra, o que sangre.

●**Una herida abierta que persista** por más de cuatro semanas —o que se cure y luego vuelva a abrirse.

¿Un día sin luz solar?

Wilma Bergfeld, MD, directora de investigación clínica en dermatología de la Cleveland Clinic Foundation en Cleveland, Ohio.

No es saludable evitar el sol por completo. El cuerpo humano necesita un poco de exposición al sol para sintetizar la vitamina D —entre cinco y 10 minutos al día es suficiente. Y solo necesita exponer un poco de piel —hasta un dedo del pie es suficiente.

Los protectores solares son eficaces por tres años después de comprarse

Barbara A. Gilchrest, MD, de la facultad de medicina de la Universidad de Boston, 80 E. Concord St., Boston 02118.

Después de ese tiempo, algunos químicos dicen que podrían seguir siendo eficaces por otro año –pero no hay manera de comprobarlo con seguridad.

La autodefensa: Deseche los protectores solares que no haya usado después de tres años. *Importante:* deséchelo inmediatamente si parece más diluido o comienza a oler extraño. Esto puede pasar si se deja dentro de un auto caliente por demasiado tiempo.

Nuestra piel podría cambiar muy poco con el tiempo

Joseph P. Bark, MD, dermatólogo con práctica privada y miembro del personal médico del hospital St. Joseph en Lexington, Kentucky. Autor de *Your Skin: An Owner's Guide.* Prentice Hall.

Las áreas más expuestas del cuerpo –en especial la cara, el cuero cabelludo y los brazos– tienen más probabilidades de desarrollar manchas, resequedad, arrugas y cáncer de piel.

LA MEJOR PROTECCIÓN GENERAL

●**Use protector solar.** Son baratos y puede comprarlos sin receta. Si los hombres usaran protector solar en vez de loción para después de afeitar, evitarían muchos problemas de piel. Use un factor de protección solar (SPF por sus siglas en inglés) de 30 ó 50 (preferiblemente 50) cada vez que salga al sol.

●**No fume.** Fumar pone la piel amarillenta, la seca y aumenta sumamente las arrugas, especialmente alrededor de la boca.

LA PIEL SECA Y CON COMEZÓN

Después de los 50 años de edad, las quejas de piel seca son extremadamente comunes por buenas razones…

●**Menos aceite.** Algunas glándulas productoras de aceite en la piel dejan de producir el aceite necesario para la lubricación.

●**Comezón de invierno.** En áreas de baja humedad como el desierto del suroeste de EE.UU., y durante el invierno en otros lugares, el agua se evapora de la piel muy rápidamente.

●**Exceso de limpieza.** Estamos en un país lleno de maniacos de la limpieza. Normalmente lavamos la capa de aceite que actúa como una envoltura plástica, sellando la humedad. *Mejor:* báñese cada dos días y no se frote vigorosamente. *Las recomendaciones…*

●**Báñese, no se duche.** Una ducha es igual a un número infinito de enjuagues. Chapotear en la bañera remueve menos aceite.

●**No use aceite de baño.** La mayoría se va por el drenaje. El residuo hará que la bañera se ponga resbalosa y puede causar una caída. En cambio, salga del baño y sobre una alfombra absorbente aplique humectante mientras que la piel está todavía mojada para sellar el agua. Séquese con palmaditas.

Buenos humectantes ("moisturizers"): Domol, Lubriderm, Hermal, Moisturel, aceite mineral y el más barato de todos –la manteca sólida Crisco. Crisco también es excelente para la comezón. Frótela suavemente con la punta de los dedos.

●**Use agua tibia.** Al igual que el agua caliente arranca la grasa de los platos sucios, también arranca los aceites protectores de la piel.

●**Escoja un jabón suave.** La causa mayor de piel seca es el uso diario de jabones fuertes. *Buenos jabones suaves:* Basis… Lowila… Dove sin perfume ("unscented").

MANCHAS INOCUAS

●**Manchas del envejecimiento.** En inglés se llaman "liver spots" y aunque alguna vez se consideró erróneamente que el hígado era el causante, la única relación entre el hígado y las manchas oscuras (usualmente en el dorso de las manos) es su color. Las manchas o pecas del envejecimiento ("age spots") es un término más preciso. Yo prefiero llamarlas "regalos de cumpleaños". Estas manchas planas y marrones (llamadas *lentigo solar*) no se oscurecen con el sol como las pecas.

Si no le gusta como se ven los lentigos o manchas del envejecimiento, un dermatólogo puede congelarlos individualmente con un spray de nitrógeno líquido (causa un poco de escozor brevemente) y se despegarán en una semana o dos.

●**Queratosis seborreica.** Parecen gotas de cera de vela de color marrón claro u oscuro con grietas (divisiones). Son hereditarias, programadas genéticamente para aparecer en la vejez. La queratosis seborreica, que es muy común, comienza con manchas pequeñas pero pueden cuadruplicarse en tamaño. *Lugares principales:* el pecho, la espalda y las sienes.

Si usted tiene queratosis seborreica que pica, es escamosa o fea, no se la rasque ni la saque cortándola. Un dermatólogo puede congelarla con nitrógeno líquido. La costra que se forma se caerá en dos o tres semanas.

ARRUGAS

Las arrugas no son dañinas pero pueden ser reducidas si le molestan. Las arrugas que se forman por la posición al dormir van verticalmente del cuero cabelludo al mentón y se vuelven más prominentes del lado en el que se duerme. Para disminuir las arrugas por la posición al dormir, varíe la posición. *Otras maneras de alisarse…*

●**Retin-A** (tretinoína). Esta magnífica crema disponible con receta médica es una buena apuesta para mantener su piel lisa y suave a medida que se envejece. *Precaución:* Retin-A hace que la piel sea mucho más sensible a la luz solar. Use protector solar.

Precaución: Muchos medicamentos además de Retin-A –sobre todo los diuréticos tomados para la presión arterial alta, los problemas del corazón y las piernas hinchadas– provocan irritaciones en la piel o incrementan los efectos de las quemaduras del sol. Los resultados pueden ser inmediatos o tardar meses –o años. Si su piel se enrojece, un medicamento que esté tomando puede ser el culpable.

●**Tratamientos con colágeno.** El cuero del ganado es químicamente procesado, dividido en sus componentes hasta que forma una gelatina espesa que se inyecta en la piel. Las inyecciones actúan como ladrillos que reconstruyen una "pared" bajo la piel para reemplazar el colágeno perdido con la edad, especialmente en mujeres posmenopáusicas.

Sitio típico: El labio superior. Al perder el soporte que da una capa de grasa, la boca se pliega sobre sí misma.

El tratamiento de colágeno: Su dermatólogo primero prueba un pedazo de piel de un brazo. Treinta días después hará una prueba cerca del nacimiento del cabello para ver si hay reacción alérgica. Si no hay enrojecimiento o comezón en dos semanas, usted recibirá un tratamiento de colágeno (o quizás dos, con un intervalo de algunas semanas). Los beneficios duran entre seis y ocho meses. *Costo:* varios cientos de dólares.

La enfermedad de las vacas locas ("mad cow disease") no afecta el colágeno, que se extrae de rebaños seleccionados.

●**Tratamiento láser.** Son tratamientos de una sola aplicación y se realizan en el consultorio del médico; son especialmente efectivos para las arrugas sobre los labios y alrededor de los ojos. El tratamiento implica quemar con extremo cuidado, la capa superficial de la piel (epidermis) en un área definida con precisión. La piel se contrae y se ve más suave.

Qué esperar: Un poco de dolor… semanas de cicatrización… meses de enrojecimiento. Tenga en cuenta que en algunos casos puede haber pérdida permanente del color de la piel en el área tratada, lo que será más obvio mientras más oscuro sea el color natural de su piel. Mientras más clara sea su piel, más satisfactorios serán los resultados. *Costo:* entre $3.500 y $6.500.

CUÍDESE DE LAS MANCHAS SOLARES

En muchos tipos de cáncer de piel, tener una mancha o lesión incrementa el riesgo de recurrencia. Si usted ha tenido alguna vez cáncer de piel, vaya fielmente a su dermatólogo para que lo examine.

Las "manchas solares" ("sun spots") o queratosis actínica, son manchas escamosas y rojas que aparecen en áreas expuestas de la piel. Por lo general no son peligrosas –pero si no se cuidan hasta un 20% eventualmente se transforma en células escamosas cancerígenas. Aunque esto tarda generalmente de 3 a 10 años o hasta 20 años, la posibilidad de cáncer hace crucial el eliminarlas pronto.

Sitios más comunes: La nariz… la cara… la punta de las orejas… el dorso de las manos… y los brazos.

Cómo determinar si usted tiene una mancha solar: Cierre los ojos y pásese los dedos suavemente por la cara. Si siente un bulto escamoso bajo la piel pero no lo puede ver, haga que lo chequeen. Las queratosis actínicas no se hacen visibles hasta después de un tiempo. Usualmente comienzan más pequeñas que un borrador de lápiz (menos de seis milímetros de diámetro) y se hacen más anchas y prominentes con el tiempo, creando una textura parecida a la de un botón con una base dura.

MELANOMA

Esta forma a veces letal de cáncer de piel es peligrosa a cualquier edad, pero aumenta su probabilidad con el tiempo, ya que su presencia está estrechamente relacionada con la acumulación de exposición al sol. Los melanomas tienen textura plana a irregular, usualmente sin grietas en la superficie, y son de color marrón a negro.

En definitiva: Cualquier bulto extraño en la cara –especialmente si tiene algún tipo de pigmentación– debe ser examinado por un dermatólogo. Si la biopsia revela que es un melanoma, o el médico puede identificarlo como tal, debe eliminarse inmediatamente.

Búsqueda de melanomas

Marianne Berwick, PhD, directora del programa de epidemiología y prevención del cáncer, y jefa de la división de epidemiología de la Universidad de Nuevo México en Albuquerque.

Inspeccionar su piel minuciosamente puede reducir notablemente su riesgo de melanoma. En un estudio de 1.200 personas se halló que aquellos que se examinaban cuidadosamente la piel de todo el cuerpo tuvieron una tasa 63% más baja de muerte por melanoma. Los dermatólogos usan la regla *ABCD* para identificar pecas y lunares sospechosos: forma Asimétrica, Bordes irregulares, Coloración inusual, Diámetro más grande que el de un borrador de lápiz.

La luz del sol no es la única amenaza para su piel

Pearon G. Lang, Jr., MD, profesor de dermatología de la Universidad de medicina de Carolina del Sur en Charleston.

El cáncer de piel también se ha relacionado con las marcas de nacimiento, viejas cicatrices o úlceras cutáneas… supresión del sistema inmune causada por enfermedades o por quimioterapia… virus de papiloma humano (la causa de las verrugas)… la exposición a derivados del petróleo y otros carcinógenos.

La autodefensa: Hágase remover o chequear anualmente las marcas de nacimiento… vaya a un médico si una úlcera cutánea no sana o si una cicatriz desarrolla una llaga o un bulto. Si una verruga no responde a la terapia habitual, usted puede necesitar una biopsia. Un paciente con supresión del sistema inmune o que ha sido expuesto a carcinógenos debería buscar atención médica si desarrolla nuevos bultos o llagas.

Los enfermos de rosácea

Jonathan Weiss, MD, profesor clínico auxiliar de dermatología de la Universidad Emory en Atlanta.

Pregúntele a su médico sobre *MetroCream*. En un estudio de 128 pacientes, esta *crema* recetada de metronidazol redujo en un 58% el enrojecimiento y la resequedad de la piel, comparado con una reducción del 22% del *gel* de metronidazol. Se notaron las mejorías en tres semanas y siguieron por las 12 semanas del estudio. La rosácea es una enfermedad parecida al acné que causa enrojecimiento facial y usualmente aparece después de los 30 años.

Retraso del champú anticaspa

John Reeves, MD, dermatólogo del University Health Care System en Augusta, Georgia.

El champú anticaspa ("dandruff shampoo") puede tardar hasta un mes en dar resultado –así que no se dé por vencido demasiado pronto. El champú remueve la caspa de la piel, disminuye la producción de las células que producen la caspa, minimiza la inflamación del cuero cabelludo y/o mata el hongo que contribuye al problema. Varios champúes anticaspa parecen ser igualmente eficaces, pero cada persona encontrará el que le siente mejor.

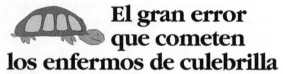

El gran error que cometen los enfermos de culebrilla

Michael N. Oxman, MD, profesor de medicina y patología de la Universidad de California, y médico del centro médico de la Veterans Administration, ambos en San Diego. Es miembro de la Scientific Advisory Board for the VZV Research Foundation, 40 E. 72 St., Nueva York 10021.

Si alguna vez ha tenido viruela –y el 95% de los estadounidenses la ha tenido– tiene el riesgo de sufrir *culebrilla* ("shingles"), una erupción abrasadora y con dolor severo.

Las personas que se enferman con culebrilla con frecuencia están tentadas a esperar a que el problema se vaya por sí solo. Pero esperar es lo peor que puede hacer. Sin un tratamiento inmediato con medicamentos antivirales, la culebrilla puede volverse crónica.

Le preguntamos al doctor Michael N. Oxman, virólogo de la Universidad de California lo que debemos saber acerca de la culebrilla…

●**¿Qué es la culebrilla, y quien la pueda contraer?** La culebrilla es una enfermedad de la piel y los nervios causada por una reactivación del *virus zoster de la varicela* (VZV) –el mismo virus que causa la viruela.

Después de sufrir viruela, el virus no se va del cuerpo. Viaja por las fibras de un nervio sensorial desde la piel y establece infecciones latentes (durmientes) en el tejido nervioso que duran toda la vida de la persona.

Aún no sabemos qué causa la reactivación. Sabemos que la culebrilla se presenta con más frecuencia en personas con inmunodeficiencia –que toman corticoesteroides o medicamentos inmunosupresores– o que reciben quimioterapia; o que están infectados con VIH.

En algunos casos, la culebrilla puede ser provocada por estrés psicológico.

La culebrilla es especialmente común entre los mayores de 50 años –probablemente porque la inmunidad declina con la edad. Entre las personas que viven hasta los 85 años, la mitad sufrirá la enfermedad.

●**¿La culebrilla es contagiosa?** No puede contraer culebrilla a menos que haya tenido viruela –y no se va a contagiar de alguien que tenga culebrilla. Sin embargo, si nunca ha tenido viruela, se puede contagiar de *viruela* de alguien con *culebrilla.*

El virus de la culebrilla es similar al *virus del herpes simple* que causa el herpes genital. Sin embargo, a diferencia del virus simple, el VZV *no* se trasmite por contacto sexual.

●**¿Cuáles son los síntomas?** La culebrilla normalmente empieza con dolor en un costado del cuerpo –generalmente en el tronco o alrededor del ojo.

El dolor –casi siempre muy intenso– es causado por la inflamación creada cuando el virus se reproduce dentro del tejido nervioso. Por lo general, después del dolor aparece una erupción en la misma zona, de 1 a 3 días después.

Hasta que la erupción indicadora aparece, la culebrilla es bastante difícil de diagnosticar. Dependiendo del sitio del dolor, la culebrilla puede parecer un ataque al corazón, un ataque a la vesícula biliar, apendicitis, una piedra renal o a la ruptura de un disco espinal. La culebrilla puede ser incluso confundida con glaucoma, si afecta a los ojos.

Una vez que el médico ha controlado las dolencias, vigile las erupciones. Es esencial comenzar el tratamiento tan pronto como aparezca la erupción.

Si el tratamiento no se comienza rápidamente, el virus puede dispersarse a otras células nerviosas. Esto puede causar debilidad muscular, pérdida de la audición u otros problemas.

La complicación más común: El dolor crónico. Algunos pacientes con este desorden, llamado *neuralgia posherpética* (PHN por sus siglas en inglés) son tan sensibles que incluso la presión de la ropa sobre la piel puede ser una tortura.

●**¿Cuál es el tratamiento para la culebrilla?** Hasta hace unos años no había tratamiento. Pero se ha descubierto que la droga antiviral *aciclovir* (Zovirax) es eficaz; pero se debe tomar en dosis orales muy altas, o inyectarse.

Algunos médicos acostumbraban recetar esteroides junto con el aciclovir. Se pensaba que al reducir la inflamación los esteroides podían prevenir el PHN.

Los estudios demuestran que los esteroides *no* previenen el PHN. Además, pueden causar úlceras estomacales y subir la presión arterial.

Lo mejor: Dos nuevos medicamentos antivirales, *famciclovir* (Famvir) y *valaciclovir* (Valtrex), se absorben más fácilmente que el aciclovir y son mucho más efectivos.

●**¿Y para controlar el dolor?** La aspirina, ibuprofeno o acetaminofeno pueden bastar a veces. Para el dolor severo y agudo, los médicos deben recetar codeína u otro narcótico.

●**¿Y si el dolor se vuelve crónico?** Los antidepresivos tricíclicos –recetados en dosis más bajas que para la depresión– son efectivos en un 60% a un 70% de los pacientes con PHN.

Algunos pacientes parecen mejorar con tratamientos alternativos como la acupuntura y la estimulación eléctrica.

Una picazón puede ir más allá de la piel

Neal Schultz, MD, dermatólogo con práctica privada, 1040 Park Ave., Nueva York 10028.

Cuando la picazón le moleste, busque la causa. *La trampa:* una picazón severa y prolongada puede indicar enfermedad de la tiroides, de los riñones o del hígado, linfoma u otros problemas… así que consulte a su médico.

Para estar más cómodo mientras tanto: Enfríe la piel con compresas o cremas de venta sin receta como la crema *Sarna Lotion*. Los antihistamínicos orales alivian la picazón al impedir las reacciones alérgicas –y pueden usarse como sedante si no puede dormir por la picazón. La crema de cortisona de uso tópico alivia la piel inflamada. Si estos remedios no dan resultados, pídale al médico fármacos recetados. La luz ultravioleta alivia el eccema y la picazón que no tienen causa aparente.

Defensa contra el sol todo el año

Perry Robins, MD, jefe de cirugía micrográfica Mohs del centro médico de la Universidad de Nueva York (NYU) y presidente de The Skin Cancer Foundation, 245 Fifth Ave., Suite 1403, Nueva York 10016. Escribió *Sun Sense*, que se puede adquirir a través de dicha organización: 800-SKIN-490, *www.skincancer.org*.

Si va estar al sol use siempre protector solar, sin importar la cantidad de tiempo. Además, use protector que bloquee los rayos UVA cuando pase mucho tiempo cerca de vidrio.

La causa: El vidrio no bloquea eficazmente los dañinos rayos UVA.

Las mujeres deben usar humectantes que contengan un amplio espectro de protección solar (es decir, que bloquee los rayos UVA y también los rayos UVB) debajo del maquillaje.

Piel mucho… mucho más joven en 15 minutos por día

Rachel Perry, fundadora y directora ejecutiva de Rachel Perry, Inc., una compañía de cuidados naturales de la piel y maquillaje en Chatsworth, California. Es autora de *Reverse the Aging Process of Your Face: A Simple Technique That Works*. Avery Publishing Group.

Es verdad, se puede revertir el proceso de envejecimiento de la cara. ¿Cómo? Utilizando limpiadores y exfoliadores faciales de buena calidad junto a simples ejercicios iso-métricos faciales y automasaje. Sólo toma 15 minutos por día, que pueden ser en la ducha. Mi régimen funciona para hombres y mujeres.

La idea general es acelerar el proceso de remoción y reemplazo del tejido muerto de la piel de la cara. Es el tejido muerto el que hace que la piel se vea cansada y como lodosa.

Los hombres no tienen esas finas líneas sobre el labio superior que les salen a muchas mujeres porque la mayoría de ellos se afeitan a diario, haciendo una exfoliación y una epidermoabra-sión automática –es decir, remueven el tejido muerto de la piel.

LIMPIADORES Y EXFOLIADORES

La limpieza diaria y la exfoliación son la clave para remover las células muertas de la piel.

Como *limpiador* use una crema limpiadora ("creamy cleanser") o un gel facial que haga espuma ("foaming cleansing gel"). Busque una consistencia untable. Un limpiador no debería penetrar su piel muy fácilmente. El limpiador remueve el aceite y la suciedad.

Un *exfoliador** ("scrub") –que se usa para dar un masaje exfoliador abrasivo– debería tener todos los ingredientes naturales posi-bles. La palabra "scrub" o "cleanser" debe estar claramente marcada en el empaque.

Como exfoliador, creo que las algas ("sea kelp") y la sal marina ("sea salt") tienen la acción abrasiva necesaria, son antibacteriales y dan una textura suave y refinada a la piel. Si no consigue un producto con estos ingredientes, cómprelos al mayor y agregue ¼ cucharadita de sal marina y ¼ cucharadita de alga marina por cada onza (30 ml) del producto comprado.

Cuando use un exfoliador moje primero sus dedos en agua –al estar más húmedo es más fácil untar el producto. Siempre busque pro-ductos con un pH balanceado.

Precaución: Use el exfoliador suavemente al principio, hasta que se acostumbre a su acción abrasiva. No querrá exagerar y quedar con mar-cas rojas, o aún peor, romperse vasos sanguíneos en la cara.

*Los exfoliadores faciales hechos con ingredientes natu-rales tienen diferentes grados de abrasividad y los puede encontrar en una tienda de alimentos naturales ("health food store") o en la sección naturista del supermercado.

También es bueno tener toallas blancas pequeñas de algodón de paño crudo ("terry-cloth"). Las toallas de mano tienen buen tamaño. Yo tengo siete –para una semana.

AHORA, LOS EJERCICIOS

Es una buena idea hacer estos ejercicios siempre que se aplique limpiadores y exfolia-dores faciales.

Las mujeres quizás también quieran hacer-los cuando se apliquen cremas humectantes, las cremas de noche o hasta la base del maquillaje. Esto permite que los dedos se muevan suavemente sobre la cara.

Los hombres quizás encuentren más fácil hacerlos en la ducha. Una vez que aprenda los ejercicios, se volverán automáticos rápida-mente. Después de todo, usted hace ejercicio para mantener el cuerpo en forma. Si ejercita los brazos, las piernas y el abdomen, ¿por qué no ejercitar la cara?

LA ETERNA "O"

Estos ejercicios mantienen firmes la boca, las mejillas, la nariz y la zona de los ojos…

Primero, haga una gran "O" oval con la boca, poniendo su labio superior debajo de sus dientes. Sonría ligeramente pero no cambie la boca de la forma "O".

Al mismo tiempo apriete y cierre sus párpa-dos. El propósito de esta fase es estirar la piel de la cara, para que usted pueda masajearla sin preocuparse por dañar la elasticidad de la piel.

El masaje: Manteniendo la posición "O" con los ojos cerrados use la punta de los dedos de cada mano para trazar un circulo completo alrededor de cada ojo.

•**Empiece por las esquinas**, muévase hacia las cejas, luego debajo de los ojos (incluida la parte superior de las mejillas) para un círculo completo.

•**Haga esto rápido**, un mínimo de diez veces. Eventualmente, usted podrá hacerlo hasta 50 veces o más.

Nariz: Luego, masajéese la nariz con movi-mientos hacia abajo, cinco veces.

Boca: Después masajéese un círculo com-pleto alrededor de la boca, cinco veces en una dirección, cinco veces en la otra.

Frente: Finalmente, ponga la punta de los dedos en el puente de la nariz, y masajéese hacia arriba y hacia abajo por la frente hasta la línea del cabello, usando de cinco a 10 movimientos largos.

LA SONRISA AFIRMADORA

Ahora, para la mitad inferior de la cara, para ayudar a prevenir la quijada y la papada…

● **Doble los labios hacia dentro sobre sus dientes superiores e inferiores**, dejando un espacio de alrededor de ½ pulgada (1 cm) entre los labios.

● **Sonría tan ampliamente como pueda** con la mandíbula *inferior* solamente.

● **Manteniendo la posición del ejercicio**, y usando la punta de los dedos, masajéese toda la parte inferior de la cara con pequeños movimientos circulares hacia fuera.

● **Empiece en la punta de la barbilla**, suba a las orejas y luego baje de nuevo contando lentamente hasta 10. Con práctica, trate de llegar hasta 20.

EL REJUVENECEDOR DE CUELLO

Para mantener los músculos del cuello firmes, y el tejido del cuello suave y flexible…

● **Coloque el pulgar debajo de su mejilla** y enrolle la lengua hacia su garganta hasta que sienta sobresalir el músculo que está directamente debajo de su barbilla.

● **Ahora puede quitar el pulgar,** pero siga manteniendo la lengua enrollada hacia atrás.

● **Entonces, con la barbilla apuntando hacia arriba**, estire el cuello todo lo que pueda hacia la izquierda y cuente lentamente hasta 10.

● **Repita, rotando hacia la derecha.** Al mismo tiempo, masajéese desde la base del cuello con la punta de los dedos de ambas manos, con movimientos largos y vigorosos hacia arriba, hasta el hueso de la mandíbula.

EL SUAVIZANTE DEL LABIO SUPERIOR Y FORTALECEDOR DEL CONTORNO DE LA BOCA

Para prevenir las líneas del labio superior, suavice los surcos que van desde las esquinas de la boca hasta la barbilla, fortalezca los músculos del contorno de la boca y afirme los labios…

● **Apriete los labios juntos en una línea recta**, sonriendo levemente.

● **Usando los índices de ambas manos**, masajéese con diminutos movimientos circulares hacia fuera el contorno de la boca, hasta contar lentamente hasta 10.

● **Apriete los labios juntos cada vez más fuerte** hasta que tenga una sensación de estremecimiento.

● **Inmediatamente después haga una pequeña "O" con la boca**, hasta contar lentamente hasta 10.

● **Frunza cada vez más fuertemente masajeando** con diminutos movimientos circulares hacia fuera el contorno de la boca, hasta contar lentamente hasta 10. Relaje.

Haga este ejercicio con el masaje al menos dos veces al día. También hágalo cuando pueda sin el masaje –mientras maneje, cocine, limpie o lee. Es un ejercicio realmente portátil.

Medicamento para el acné

Diane Berson, MD, profesora clínica auxiliar de dermatología de la facultad de medicina de la Universidad de Nueva York (NYU) en la ciudad de Nueva York.

La crema de venta con receta médica *sulfacetamida* (Klaron) limpia las manchas inhibiendo el crecimiento bacteriano que causa el acné –sin secar la piel como otras cremas para el acné.

En estudios, personas que sufren de acné que usaron sulfacetamida vieron mejoría en dos semanas. Es eficaz en adultos y adolescentes.

Los rayos UVB están en todas partes

Richard H. Grant, PhD, profesor adjunto de agronomía de la Universidad Purdue en West Lafayette, Indiana.

Hay rayos ultravioleta B (UVB) en la sombra y en la luz directa del sol. La exposición a los UVB se relaciona más con cuanto *cielo abierto* se puede ver que con su exposición directa a la luz del sol.

    Ejemplo: Si usted está en una arboleda y le pega la luz directa del sol pero tiene una vista limitada del cielo, probablemente estará recibiendo *menos* exposición a los UVB de la que tendría si estuviera en la sombra debajo de un solo árbol donde la vista del cielo tiene menos obstáculos.

    Útil: Protector solar, mangas largas, pantalones largos y un sombrero de ala ancha.

Riesgo de las personas con cáncer de piel

Morten Frisch, MD, PhD, epidemiólogo sénior del Danish Epidemiology Science Centre en Copenhague, Dinamarca. Su estudio de 37.674 pacientes de cáncer de piel fue publicado en *Annals of Internal Medicine*, Independence Mall West, Sixth St. at Race, Filadelfia 19106.

La gente que ha tenido cáncer de piel enfrenta un riesgo mayor de desarrollar otros tipos de cáncer. Comparados con la población general, los pacientes que han tenido al menos una célula base de carcinoma antes de los 60 años tuvieron un 37% más de riesgo de desarrollar cáncer de mama y dos o tres veces mayor riesgo de desarrollar cáncer de testículos o linfoma no Hodgkin.

Cómo reparar el daño de la piel

Joseph P. Bark, MD, dermatólogo con práctica privada y miembro del personal médico del hospital St. Joseph en Lexington, Kentucky. Autor de *Your Skin: An Owner's Guide*. Prentice Hall.

La cirugía cosmética es la mejor opción para reparar un daño importante de la piel –arrugas profundas, piel sumamente flácida, marcas de viruela y cicatrices de cirugías o heridas (incluyendo la cicatriz abultada y roja conocida como *"queloide"*). Consulte dos cirujanos cosméticos o dermatólogos para obtener una visión balanceada de los posibles beneficios y riesgos de cualquier procedimiento recomendado (incluidas las exfoliaciones químicas y dermoabrasiones). Pida ver fotos de pacientes antes y después del procedimiento. *Además:* pida nombres y números de teléfono de esos pacientes y contáctelos antes de proceder.

Peligro del protector solar

Brian L. Diffey, PhD, profesor de fotobiología del hospital Dryburn, en Durham, Inglaterra.

Aplicar incorrectamente el protector solar puede aumentar el riesgo de cáncer de piel. Para aprovechar la protección solar completa (SPF en inglés), los adultos de un tamaño promedio deben usar alrededor de 1,2 onzas (35 ml) por aplicación para cubrirse el cuerpo.

    El problema: La mayoría de la gente se aplica mucho menos. A pesar de tener insuficiente protector solar, toman sol creyendo que están protegidos y se exponen al sol demasiado tiempo.

    La autodefensa: Aplique el protector solar generosa y uniformemente. Déjelo secar antes de exponerse al sol.

Protección solar

Vincent DeLeo, MD, profesor adjunto de dermatología de la Universidad Columbia en Nueva York.

Cuando se trata de bloquear los rayos del sol, el *tejido* de la tela es mucho más importante que el color, el grosor o cualquier recubrimiento especial.

    Prueba: Sostenga la ropa hacia la luz. Si puede ver a través de ella, no le dará una protección adecuada.

Lo que mantiene su piel joven… y lo que no

Gerald Imber, MD, profesor clínico auxiliar de cirugía en el centro médico New York Hospital–Cornell, y cirujano plástico con práctica privada, ambos en Nueva York. Autor de *The Youth Corridor: A Renowned Plastic Surgeon's Revolutionary Program for Maintenance, Rejuvenation, and Timeless Beauty.* William Morrow.

Aunque he sido cirujano cosmético por más de 20 años, no dudo en hacer ver que la cirugía *no* es la única manera de mantener la apariencia joven de la cara.

El cuidado adecuado de la piel es más eficaz de lo que usted podría imaginar para evitar las arrugas. Mientras más pronto comience a cuidarse la piel, mejores serán los resultados.

Comience alrededor de los 20 años, y su piel debería mantener su apariencia joven hasta los 50 y más.

Incluso si usted es mayor de 60 años, puede deshacer mucho del daño causado por los efectos combinados del tiempo y los factores ambientales como las temperaturas extremas, la resequedad, la contaminación y los rayos solares. Usted también puede retardar el proceso de envejecimiento de la piel.

Eso *no* significa que tiene que comprar muchas cremas costosas. Los mostradores de las tiendas de cosméticos y los estantes de las farmacias se hunden bajo el peso de productos que aseguran hacer milagros. Ninguno los hace.

Pero aquí tiene cinco productos que realmente tendrán un efecto notable en su piel…

ÁCIDOS ALFA-HIDRÓXIDOS

Las cremas con *ácidos alfa-hidróxidos* (AHA por sus siglas en inglés) son las primeras preparaciones antienvejecimiento que se venden sin receta y realmente funcionan.

Derivados de fuentes naturales como la caña de azúcar, las uvas y la leche, los AHA actúan como exfoliantes, fomentando el crecimiento de nuevas células y desapareciendo, reduciendo o eliminando las líneas.

Hoy en día hay decenas de cremas con AHA disponibles, cada una con su ácido "especial" (láctico, cítrico, glicólico, etc.). Todas funcionan igualmente bien. Sólo asegúrese de que la etiqueta especifique una concentración de AHA de alrededor del 10%. Ésa es la concentración mínima que se necesita para suavizar la piel realmente.

Las cremas con AHA producen resultados visibles solo después de varios meses de uso diario –así que tenga paciencia.

Precaución: Como la aplicación una vez al día de los AHA da resultados tan buenos, algunas personas suponen que deberían ponérsela en la mañana y en la noche. *Mala idea.* El uso excesivo de las cremas con AHA puede causar graves irritaciones de la piel.

Para resultados más rápidos: Pídale a un cirujano plástico o a un dermatólogo que le haga una suave exfoliación química ("light chemical peel"). Estas exfoliaciones usan una solución que contiene de un 30% a un 70% de AHA. Se hacen en el consultorio médico, sin anestesia.

En la mayoría de los casos, los efectos secundarios son un leve cosquilleo y un enrojecimiento que duran alrededor de una hora.

PROTECTORES SOLARES

Si se usan adecuadamente, casi cualquier protector solar filtra y rechaza los rayos ultravioletas A (UVA) y los B (UVB) –los rayos que causan envejecimiento prematuro.

Lo mejor: Un factor de protector solar (SPF) de al menos 15. No suponga que un protector solar con factor 30 le permite quedarse en el sol el doble de tiempo que el protector con SPF 15.

El protector solar se evapora rápidamente al sudar. Yo recomiendo reaplicar generosamente al menos cada hora. Si se mete al agua, reaplíquelo tan pronto como salga. También recomiendo usar un sombrero cuando salga al aire libre bajo la luz solar.

VITAMINAS ANTIOXIDANTES

Las vitaminas C y E son las únicas que se ha comprobado que son buenas para la piel. Estas vitaminas antioxidantes actúan evitando la ruptura del colágeno –la proteína estructural que mantiene la piel fuerte, suave y elástica.

Incluso hay alguna evidencia de que las vitaminas C y E ayudan a crear más colágeno.

Yo recomiendo tomar 1.000 mg de vitamina C y 800 unidades internacionales (IU) de vitamina E a diario.

Precaución: Pregúntele a su médico antes de empezar a tomar suplementos.

Debe *ingerir* estas vitaminas para que haya algún efecto. Aunque es una práctica común, no hay evidencia de que frotar en la piel aceite o crema con vitamina E tenga beneficio alguno. Las moléculas de la vitamina son demasiado grandes para penetrar la piel.

TRETINOÍNA

Este derivado de la vitamina A (que se vende como *Retin-A*) suaviza la piel y borra las arrugas finas al acelerar el remplazo celular y estimular la piel para producir colágeno.

Es eficaz, pero el Retin-A puede causar parches rojos y escamosos. Afortunadamente, hay una fórmula de tretinoína que es una especie de humectante llamada *Renova*. No es tan efectiva como el Retin-A, pero tiene menos probabilidades de causar irritación.

Debe usar tretinoína al menos cuatro meses para que los resultados sean visibles. Para minimizar el riesgo de irritación de la piel, les recomiendo a mis pacientes que detengan el tratamiento periódicamente para permitirle a la piel que se recupere. Pregúntele a su médico cuándo y por cuánto tiempo debe usar tretinoína.

Retin-A y Renova solo se venden con receta médica. Se puede usar las cremas AHA y la tretinoína al mismo tiempo.

HUMECTANTES

La piel hidratada no es más sana que la seca, pero ciertamente se ve y se siente como si lo fuera.

Los humectantes ("moisturizers") hidratan las células muertas de la superficie de la piel, impidiendo temporalmente que se desprendan.

Cualquier formula a base de agua o aceite funcionará, al igual que la Vaselina o incluso la manteca Crisco. No hay ninguna razón médica para pagar más por marcas elegantes –sin importar los "ingredientes especiales" que contengan.

Los peligros de los rayos ultravioleta

Johanna Adami, MD, MPH, departamento de epidemiología médica del Instituto Karolinska en Estocolmo, Suecia. Su estudio de los historiales médicos de 113.000 pacientes con cáncer fue publicado en el *British Medical Journal*, Tavistock Square, Londres WCIH 9JR.

El cáncer de piel no es el único daño causada por la luz solar. En un estudio, el *linfoma no Hodgkin* –un cáncer del sistema linfático– fue 1,4 veces más común entre pacientes que habían tenido melanoma maligno que entre gente saludable… y dos veces más común en pacientes con carcinoma escamoso, otro cáncer común de la piel.

La teoría: La luz ultravioleta suprime el sistema inmune, disminuyendo su capacidad para matar células cancerígenas.

El peligro de úlcera de pie en los diabéticos

Lawrence O. Kollenberg, DPM, podiatra con práctica privada en Hot Springs, Arkansas.

En los diabéticos, las úlceras de pie que no cicatrizan a veces hacen necesaria la amputación de los dedos del pie, el pie entero o incluso toda la parte inferior de la pierna.

Ahora: Las vendas con colágeno bovino congelado ("freeze-dried bovine collagen") ayudan a cicatrizar tanto las úlceras infectadas como las no infectadas, ayudando a salvar el miembro. En un estudio, 24 diabéticos con úlceras de pie tratadas con colágeno cicatrizaron en un lapso de cinco meses.

También útil: No caminar descalzo, no usar zapatos apretados, lavarse los pies cada día con un limpiador suave que no reseque y ver a un podiatra regularmente.

Alivio al dolor de pies

Suzanne M. Levine, DPM, podiatra e instructora clínica del centro médico New York Hospital–Cornell en Nueva York.

L a gente que sufre de dolor crónico en la planta del pie debe evitar andar descalza.

Andar descalzo –especialmente al levantarse de la cama– puede romper el tejido cicatrizado que se forma durante la noche, haciendo que el proceso de curación deba comenzar de nuevo la noche siguiente.

La autodefensa: Hasta que el pie se cure totalmente, use siempre zapatos o sandalias.

Melanoma: lo que su médico no le dice

Timothy McCall, MD, es internista en Boston, editor médico de la revista *Yoga Journal* y autor de *Examining Your Doctor: A Patient's Guide to Avoiding Harmful Medical Care.* Citadel Press. *www.drmccall.com.*

L a incidencia de melanoma maligno, la forma de cáncer más mortal, se ha elevado en los años recientes –probablemente debido a que la capa de ozono se ha vuelto más delgada, y por nuestro estilo de vida más activo y al aire libre.

Como usted tal vez sabe, su posibilidad de sobrevivir el melanoma depende casi por completo de cuan temprano se detecte. Cuando se detecta en una etapa inicial, el melanoma tiene un índice de curación de casi el 100%. Sin embargo, una vez que el cáncer ha escavado profundo en la piel, las probabilidades de supervivencia a largo plazo son escasas.

Lamentablemente, las tendencias recientes en la forma como los médicos practican la medicina pueden estar *disminuyendo* las probabilidades de detectar temprano el melanoma. Debido al deseo de reducir costos, las organizaciones de mantenimiento de la salud (HMO) alientan a los médicos a pasar menos tiempo con los pacientes. Pero la única forma efectiva de revisar si hay cáncer de piel, o condiciones precancerosas que pueden convertirse en cáncer, es examinar toda la superficie de la piel. Eso toma tiempo.

Otro factor que interfiere con la detección temprana del cáncer de piel es que las HMO y otros planes de atención médica dirigida desalientan a los médicos de cabecera a que manden a los pacientes a especialistas. Y los *dermatólogos* son los médicos más capaces para decir cuáles lunares son cuestionables.

Como usted no puede depender de su médico para educarlo sobre el melanoma o hacerle un examen cuidadoso de la piel, su mejor defensa es aprender esas cosas por su cuenta. *He aquí lo básico…*

La gente de piel clara está en mayor riesgo. Las personas rubias y pelirrojas tienen el doble de probabilidades de desarrollar melanoma que las morenas. El melanoma en personas de color no es común, aunque ocurre. El melanoma tiende a recurrir en las familias. Sea especialmente vigilante en chequear su piel si algún pariente cercano lo tuvo. Cualquier lunar puede volverse cancerígeno, pero los de nacimiento son los más riesgosos.

La mejor manera de prevenir el cáncer de piel es evitar la exposición a la luz solar. Especialmente al mediodía, cuando la radiación ultravioleta (UV) está en su punto más alto.

Para reducir la exposición al sol, considere usar un sombrero de ala ancha, gafas de sol con protección UV, pantalones largos y camisas manga larga. Cubra todas las áreas expuestas con protector solar con un factor de protección (SPF) de 15 o más. Y no suponga que los días nublados son inofensivos. Un 80% de los rayos UV atraviesa las nubes. Los UV también se reflejan en las áreas con sombra.

Si está en riesgo, examínese la piel a menos una vez cada tres meses (o pídale a un miembro de su familia que lo ayude). *Busque los siguientes signos de alarma…*

●**Diámetro mayor que el del borrador de un lápiz.**

●**Coloración irregular,** a veces con zonas de colores rojo, blanco, gris o morado.

•**Bordes irregulares,** a veces cortados, con el color "sangrante" hacia fuera.

Los melanomas son más comunes en áreas del cuerpo que son expuestas al sol –especialmente la espalda y las piernas. Pero pueden salir en cualquier parte, hasta en lugares tan raros como la planta de los pies.

Si hay alguna duda de si un lunar puede o no ser melanoma, hágaselo revisar. Si su médico de cabecera no puede descartar melanoma como diagnóstico, pídale a un dermatólogo que le haga una biopsia del lunar.

El afiche de la pared de mi oficina lo expresa muy bien. En una imitación de los viejos afiches escolares, proclama en inglés: "See Spot. See Spot Change. See a Doctor." ("Observe la mancha, si ve que cambia, vaya al médico").

El autoexamen periódico…

1. Examínese el cuerpo en el espejo por delante y por detrás, luego los lados derecho e izquierdo con sus brazos levantados.

2. Doble los codos, revísese los antebrazos, el dorso de la parte superior de los brazos y las palmas.

3. Revísese las piernas y los pies por detrás, en los espacios entre los dedos y la planta.

4. Examínese el cuello por detrás y el cuero cabelludo con un espejo de mano. Divida el cabello para levantarlo.

5. Chequéese la espalda y las nalgas con un espejo de mano.

Más hechos
del cáncer de piel

Hensin Tsao, MD, PhD, investigador del melanoma del departamento de dermatología del hospital Massachusetts General en Boston.

El mortal cáncer de piel puede estar latente por más de una década. No hace mucho, todos los pacientes a quienes se les removía un melanoma y permanecía sin cáncer por 10 años era considerado un paciente curado.

Hallazgo: El melanoma puede reincidir incluso después de 15 años. Ya que hoy en día existen tratamientos para ciertas reincidencias, los sobrevivientes de melanoma deben revisarse la piel y nódulos linfáticos anualmente.

Unas palabras
sobre la cirugía

Gerald Imber, MD, profesor clínico auxiliar de cirugía en el centro médico New York Hospital–Cornell y cirujano plástico con práctica privada, ambos en Nueva York. Autor de *The Youth Corridor: A Renowned Plastic Surgeon's Revolutionary Program for Maintenance, Rejuvenation, and Timeless Beauty.* William Morrow.

Si usted piensa que algún día se podrá someter a una cirugía cosmética, no espere hasta que necesite un estiramiento facial ("face-lift") total.

En cambio, comience temprano y hágase varios procedimientos menos invasivos (micro succión de la papada, estiramiento de los ojos "eyelift", etc.). De esta forma, se verá muy bien todo el tiempo.

¿Qué causa las
diminutas líneas rojas en
las mejillas?

Thomas N. Helm, MD, profesor clínico auxiliar de dermatología en la Universidad del Estado de Nueva York (SUNY) en Buffalo.

Esas líneas pequeñitas por lo general no son más que vasos sanguíneos dilatados debajo de la piel. Se llaman *telangiectasia* y son causadas por la exposición al sol y por el adelgazamiento de la piel relacionado con el envejecimiento.

Las buenas noticias: Los dermatólogos pueden quitarlas usando una sonda eléctrica o con terapia de láser.

16

Alertas de salud

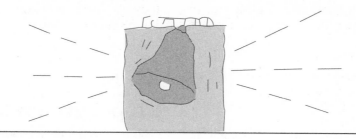

Lo que debe saber sobre los calambres en las piernas

Norman Marcus, MD
Hospital Lenox Hill
International Foundation for Pain Relief

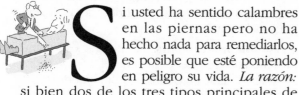

Si usted ha sentido calambres en las piernas pero no ha hecho nada para remediarlos, es posible que esté poniendo en peligro su vida. *La razón:* si bien dos de los tres tipos principales de calambre son benignos, existe un tipo de calambre, relacionado con el caminar y conocido como claudicación intermitente, que puede ser una señal de enfermedad del corazón.

●**Los calambres nocturnos** normalmente conllevan un espasmo en el músculo de la pantorrilla que despierta a la persona. *Para detener el dolor:* de un masaje al nudo mientras flexiona y extiende los dedos de los pies.

También útil: Pregunte a su médico si debe tomar sulfato de quinina ("quinine sulfate"), un medicamento recetado… o un suplemento que tenga entre 500 y 1.000 mg de calcio al día… 1.000 mg de magnesio… y 400 unidades internacionales (IU) de vitamina D.

Los minerales son esenciales para una contracción muscular apropiada, y la vitamina D asegura la adecuada absorción de los minerales.

●**Los calambres en las piernas posteriores al ejercicio** son ocasionados normalmente por un desequilibrio en los electrolitos debido a la sudoración intensa. Estos desequilibrios hacen que las células de los músculos y nervios no funcionen bien.

Útil: Descansar, tomar agua o bebidas deportivas como Gatorade antes y durante el ejercicio y darse masajes después del ejercicio.

●**Claudicación intermitente.** Si caminar le produce calambres en una de las pantorrillas,

Norman Marcus, MD, jefe de medicina del dolor en el hospital Lenox Hill y presidente de la International Foundation for Pain Relief, ambos en Nueva York. Autor de *Freedom from Pain*. Simon & Schuster.

vea a su médico de inmediato. A diferencia de otros tipos de calambre, la claudicación intermitente es causada por una mala circulación sanguínea en una de las piernas. En la mayoría de los casos, esta disminución en la circulación se debe a la acumulación de depósitos de grasa en las arterias de la pierna (aterosclerosis).

Peligro: Las personas con depósitos de grasas en las arterias de las piernas a menudo tienen depósitos similares en las arterias coronarias. De hecho, si alguien padece de claudicación, existe un 50% de probabilidades de que también padezca de enfermedad del corazón.

La claudicación ocasiona fuertes calambres en una pierna después de caminar, aunque sea una distancia corta. Normalmente, el calambre desaparece después de uno o dos minutos de descanso y reaparece una vez que la persona vuelve a caminar.

Otros síntomas: Uñas de los dedos de un pie más gruesas que las del otro pie, o de color azulado, un pie con menos vello o más frío que el otro.

El tratamiento para la claudicación intermitente es similar al que se usa en la enfermedad coronaria. En la mayoría de los casos, se les recomienda a los pacientes hacer largas caminatas u otro ejercicio aeróbico con regularidad, dejar de fumar y adoptar una dieta baja en grasa y en colesterol.

Algunos casos de claudicación intermitente requieren cirugía en las piernas para eliminar los bloqueos. En algunos casos, los médicos pueden empujar hacia un lado los depósitos de grasa introduciendo un catéter con punta en forma de globo a través de la piel y dentro de la arteria atascada. Este procedimiento se denomina *angioplastia con globo* ("balloon angioplasty").

En casos graves, puede ser necesaria una cirugía de desviación (bypass). En este procedimiento, el cirujano realiza un "desvío" alrededor de las arterias atascadas, injertando un vaso sanguíneo procedente de una arteria grande en la ingle en una arteria detrás de la rodilla.

En algunos casos, las personas que experimentan calambres en las piernas relacionados con el caminar no padecen de claudicación sino de *seudo*-claudicación.

Esta condición, comparativamente benigna, es causada por el crecimiento anormal del tejido óseo en la columna. A medida que el hueso crece, la cubierta ósea que recubre los nervios de la parte baja de la espalda se hace más estrecha. Los nervios se comprimen y causan dolor.

¿Cómo distinguir la seudo-claudicación de la verdadera claudicación? El dolor producto de la claudicación se pasa unos dos minutos después de dejar de caminar. El dolor de la seudo-claudicación puede durar de cinco a diez minutos.

Si la seudo-claudicación viene acompañada por debilidad en la pierna y pérdida de sensibilidad, puede ser necesaria la intervención quirúrgica. Las inyecciones de cortisona y la anestesia local en la zona de la columna pueden disminuir el dolor.

Un peligro en la cocina

Charles Gerba, PhD, profesor de microbiología de la Universidad de Arizona en Tucson.

Los trapos, toallas y esponjas de cocina a menudo están infectados con *salmonela*, *estafilococos* y otros gérmenes causantes de enfermedades.

La autodefensa: Sustituya los trapos y esponjas por toallas de papel. O utilice una esponja resistente a los gérmenes, como la de marca Cell-O, y lávela con agua caliente después de cada uso. Asegúrese también de lavarse las manos con jabón antibacterial después de manipular carne cruda.

Las buenas noticias: Al adoptar estas simples medidas se puede prevenir el 90% de todas las enfermedades producidas por alimentos.

La alarmante verdad acerca de las transfusiones de sangre

Edgar G. Engleman, MD, profesor de patología y medicina en la facultad de medicina de la Universidad Stanford y director del centro de sangre de dicha universidad, ambos en Palo Alto, California. En 1983, bajo la dirección del Dr. Engleman, el centro de sangre de Stanford fue el primero en el mundo en analizar la sangre donada para comprobar la presencia del virus del sida.

Aunque en la actualidad el abastecimiento de sangre de EE.UU. es más seguro que nunca, muchas personas siguen temiendo el contagio de sida u otras enfermedades por medio de transfusiones.

Para actualizarnos acerca de la seguridad en las transfusiones, hablamos con el doctor Edgar G. Engleman, quien fue pionero en el análisis de sangre donada para comprobar la presencia del virus del sida, a principios de los años 80.

Según el Dr. Engleman, el abastecimiento de sangre es asombrosamente seguro, especialmente si lo comparamos con el de hace 10 años. El riesgo de contraer una infección grave es de apenas uno en 5.000. *Existen varias razones para este incremento en el nivel de seguridad…*

PRUEBAS MÁS GENERALIZADAS

A principios de los años 80, la sangre donada era examinada solo para comprobar si presentaba hepatitis B y sífilis. Recién en 1985, las pruebas del virus del sida (VIH) se implementaron en todo EE.UU.

La mayoría de los bancos de sangre no emprendieron esfuerzos para efectuar pruebas de sida antes de que estuviese disponible un examen específico, argumentando que el riesgo de contraer el sida en una transfusión era mínimo y los costos altos. De hecho, hasta un 2% de las unidades de sangre que se utilizó en transfusiones en algunas ciudades a comienzos de los años 80 estaba contaminado con VIH. Miles de personas fueron infectadas innecesariamente, incluido Arthur Ashe y Ryan White.

En la actualidad, la agencia federal Food and Drug Administration (FDA) vigila cuidadosamente los bancos de sangre. No duda en clausurar los que no siguen las regulaciones.

PRUEBAS DE VIH MÁS EXACTAS

En el pasado, los bancos de sangre realizaban exámenes solo para comprobar la presencia de *anticuerpos* de VIH (no la presencia del virus en sí mismo). *Problema:* la formación de anticuerpos puede llevar un tiempo después de la infección. Hay un margen de tiempo en el que la sangre de una persona puede estar infectada sin que el virus sea detectado a través del examen tradicional de anticuerpos.

Para solucionar este problema, se han desarrollado nuevos exámenes de anticuerpos mucho más sensibles.

Resultado: El margen de tiempo se ha reducido de 24 semanas a cuatro semanas. Además, la FDA ha autorizado un examen que comprueba la presencia del propio VIH. Este examen, obligatorio para todos los bancos de sangre, hace que el margen de tiempo se reduzca aún más.

Por otra parte, los posibles donantes de sangre son interrogados a fondo sobre posibles factores de riesgo de sida (abuso de drogas intravenosas, homosexualidad, etc.) antes de que se les permita donar sangre.

En definitiva: Apenas una de 400.000 transfusiones tiene como resultado la transmisión del VIH. El nuevo examen debería reducir la incidencia a una en 700.000.

SE REALIZAN MENOS TRANSFUSIONES

Hace unos 25 años, los médicos recomendaban transfusiones aún en casos en los que la vida no corría peligro, por ejemplo para ayudar a los pacientes a sentirse menos cansados después de una cirugía.

Hoy en día, los médicos ordenan transfusiones solo para salvar vidas, no para ayudar a los pacientes a sentirse mejor.

MÁS ALLÁ DE LAS PRUEBAS DE SIDA

Ahora, los bancos de sangre examinan la sangre donada para comprobar la presencia de los dos tipos de VIH, sífilis, las hepatitis B y C y otros dos patógenos potencialmente mortales:

• **Los virus T-linfotrópicos humanos** (HTLV-1 y HTLV-2). Estos virus son parientes cercanos del VIH y producen cáncer y otras enfermedades.

• **El citomegalovirus** (CMV). Puede producir una infección que puede ser mortal en niños prematuros; en pacientes que reciben quimioterapia, que padecen de sida, que han recibido transplantes y toman medicamentos inmunodepresores; y otras personas cuya respuesta inmune se vea reducida.

Entre las enfermedades cuya presencia en la sangre todavía no se examina, pero que pueden ser motivo de preocupación, se incluyen…

●**Hepatitis G.** Este tipo de hepatitis, recientemente descubierto, es menos virulento que los otros tipos –pero más persistente.

●**El mal de Chagas.** Este organismo unicelular (protozoo) causa infecciones crónicas que pueden desencadenar insuficiencia cardiaca.

A medida que una mayor cantidad de personas entre en Estados Unidos proveniente de zonas donde el mal de Chagas es endémico (América Central y del Sur, sobre todo), los índices de la enfermedad en EE.UU. aumentarán. Aún así, el número de casos propagados por transfusiones de sangre probablemente seguirá siendo bajo.

CÓMO EVITAR LA SANGRE CONTAMINADA

¿Qué pueden hacer las personas para protegerse de la sangre contaminada? Primero, es importante recordar que *las transfusiones de sangre salvan vidas…* y que han muerto personas al *negarse* a recibir transfusiones. *Dicho esto, existen formas de minimizar los riesgos…*

●**Done su propia sangre con antelación.** La donación autóloga (guardar su propia sangre para uso personal) es la precaución más importante que puede tomar. Con tal que se eviten los errores humanos (poco probables) que se pueden producir en la manipulación de la sangre, su riesgo de contraer una enfermedad a raíz de una transfusión es esencialmente nulo.

●**Recicle su sangre.** Hoy en día, muchas salas de operaciones están equipadas con mecanismos que recogen la sangre que gotea de la incisión quirúrgica y la vuelven a introducir en el cuerpo.

Llamada *transfusión intraoperativa autóloga* (IAT por sus siglas en inglés), esta técnica es a menudo eficaz en cirugías de emergencia –así que vale la pena solicitarla. No puede ser utilizada en el caso de cirugía intestinal, eliminación

de tumores o cualquier otra operación en la que la sangre pueda contaminarse con bacterias o células cancerosas.

●**Conozca sus opciones.** En California, los cirujanos tienen que informar a los pacientes sobre las opciones que tienen a la hora de recibir una transfusión. Este *no* es el caso en todos los estados.

Si su cirujano no le explica las opciones que tiene, pídale que lo haga. Debe estudiar las diferentes alternativas al menos seis semanas antes de la operación.

Si se espera una pérdida de sangre considerable, quizás se requiera una *serie* de donaciones autólogas en un lapso de varias semanas. Las células sanguíneas se pueden almacenar hasta 42 días, y el plasma congelado hasta un año.

No se debe culpar necesariamente al cirujano si usted necesita una transfusión. Sin embargo, es más probable que usted pierda menos sangre si está en manos de un buen cirujano. Pregúntele cuántas veces ha realizado la operación que le van a hacer.

Algunos hospitales pueden proveer plasma o plaquetas provenientes de una sola persona. La sangre procedente de un "donante único" tiene normalmente menos probabilidades de estar infectada que la sangre mezclada. Sin embargo, no siempre es práctico. Con los exámenes que se practican hoy en día, el aumento en la seguridad sería mínimo en el mejor de los casos.

Algunos pacientes que van a ser operados piden a sus parientes y amigos que donen sangre. Se supone que la sangre de alguien que uno conoce es más segura que la sangre proveniente de donantes anónimos.

En realidad, lo más probable es que esos amigos y parientes sean donantes *primerizos* (mientras que el suministro de sangre de la comunidad proviene sobre todo de donantes frecuentes), y su sangre no ha sido sometida a exámenes sucesivos. Irónicamente, incluso puede que sea menos segura.

●**Pregunte por medicamentos que estimulen la producción de sangre.** En la última década se han descubierto substancias parecidas a las hormonas que incitan la producción de glóbulos rojos, glóbulos blancos o plaquetas.

En muchos casos, estos factores se pueden sintetizar por medio de una tecnología que recombina el ADN, y pueden ser utilizados como medicamentos.

La *eritropoyetina* (EPO), uno de los primeros en salir a la venta, ayuda al cuerpo a producir más glóbulos rojos. Es útil para pacientes con insuficiencia renal y otras dolencias crónicas que requieren transfusiones sucesivas.

Pero como el organismo tarda varias semanas en producir glóbulos rojos en respuesta a la EPO, su valor en la cirugía es limitado.

El peligro del plomo

Charles V. Shorten, PhD, profesor adjunto de salud de la Universidad de West Chester en Pensilvania.

El aderezo para ensaladas guardado en una vinagrera de cristal puede contener plomo. Desde hace tiempo se sabe que los envases de cristal pueden lixiviar plomo y éste se puede mezclar con la bebida. Hasta ahora esto no se consideraba una amenaza para los niños porque son pocos los que beben directamente de un recipiente de cristal. *Sin embargo:* un estudio demostró que el plomo puede lixiviarse rápidamente en el aderezo de ensaladas. Después de una hora en una vinagrera de cristal, los niveles de plomo alcanzaron 162 microgramos por litro (mcg/L). Luego de 42 días, los niveles llegaron a 665 mcg/L, ocho veces más que el nivel que se encuentra en el agua destilada.

El peligro de tomar bebidas alcohólicas

Nedra Wilson, PhD, profesora auxiliar de anatomía y biología celular de la Universidad Oklahoma State en Tulsa.

Cada vaso de alcohol que usted bebe hace que su cuerpo pierda agua. Si el agua no se reemplaza, usted puede llegar a deshidratarse.

La autodefensa: Nunca beba cerveza u otra bebida alcohólica para calmar la sed. Acuérdese de beber agua siempre que tome cerveza, vino o cualquier otra bebida alcohólica.

Los ataques de alergia y los alimentos

Stephen F. Kemp, MD, profesor adjunto de medicina, alergia e inmunología del centro médico de la Universidad de Mississippi en Jackson.

En una muestra de 266 casos de *anafilaxis*, una reacción alérgica que puede llegar a ser mortal, el 34% fue ocasionado por alimentos, especias o aditivos de las comidas. *Los culpables más comunes:* mariscos y maní (cacahuates, "peanuts"). La aspirina y los medicamentos antiinflamatorios sin esteroides, causaron la mayoría de los ataques provocados por el consumo de medicamentos. Todo el que esté en riesgo de sufrir de anafilaxis debe tener siempre a mano el medicamento *epinefrina*.

El peligro de los termómetros de oído

Michael Yaron, MD, profesor adjunto de cirugía del centro de ciencias de la salud de la Universidad de Colorado en Denver. Su estudio de 100 pacientes fue publicado en el *Journal of Emergency Medicine*, University of California Medical Center, 200 W. Arbor Dr., San Diego 92103.

Los termómetros de oído no son demasiado confiables. Solo a seis de diez adultos con fiebre detectada por un termómetro rectal electrónico –considerado el método de mayor precisión para medir la fiebre– se les detectó la fiebre por medio de un termómetro de oído. Los termómetros orales generalmente son precisos.

Revacúnese contra el tétanos cada 10 años

Timothy McCall, MD, internista en Boston, editor médico de la revista *Yoga Journal* y autor de *Examining Your Doctor: A Patient's Guide to Avoiding Harmful Medical Care*. Citadel Press. *www.drmccall.com*.

La protección generada por una vacuna contra el tétanos se deteriora con el tiempo. Las personas mayores, en particular, que no han recibido una inyección de refuerzo ("tetanus booster shot") en varias décadas, pierden inmunidad frente a esta enfermedad que se puede prevenir totalmente pero que puede ser mortal.

Beber café sin filtrar puede subir su nivel de colesterol en la sangre

Michael J. Klag, MD, profesor adjunto de la facultad de medicina de la Universidad Johns Hopkins en Baltimore.

Cuando un grupo de investigadores holandeses midió los niveles de colesterol en personas que cambiaron al café sin filtrar, preparado en cafeteras de prensa francesa, halló que habían subido 20 puntos comparados a las personas que siguieron bebiendo café filtrado. Los científicos piensan que ese aumento se debió a dos compuestos que quedan atrapados en los filtros de café y que se ha demostrado aumentan los niveles de colesterol y afectan la función del hígado, que metaboliza el colesterol.

Otro peligro del humo de segunda mano

George Howard, DrPH, epidemiólogo de la facultad de medicina Bowman Gray en Winston-Salem, Carolina del Norte, y director de un estudio de siete años de 8.400 personas.

La aterosclerosis –un engrosamiento de las arterias que puede producir un ataque al corazón o derrame cerebral ("stroke")– es otro de los peligros de inhalar humo de segunda mano. Con el tiempo los efectos se acumulan. La inhalación con regularidad interfiere de manera significativa en la capacidad de las arterias de llevar la sangre, incrementando así el riesgo de sufrir una enfermedad grave.

¡No lo puedo creer! ¿Otra vacuna contra el sarampión?

Barbara Reynolds, de los Centers for Disease Control and Prevention en Atlanta.

Si usted nació después de 1956 y recibió solo una vacuna contra el sarampión, quizás necesite una segunda para protegerse. Más de tres millones de estadounidenses corren el riesgo de contraer sarampión a pesar de la inoculación. En el 5% de los casos, una sola vacuna no inmuniza. La tasa de error fue detectada en 1989, y los niños de hasta 12 años recibieron una segunda vacuna. Puede que usted no esté protegido si tenía más de 12 años en 1989.

La autodefensa: Revise su historial médico. Vacúnese por segunda vez si es necesario.

No reduzca el consumo de cafeína de manera repentina

Johanna Dwyer, RD, profesora de medicina y salud comunitaria de la facultad de medicina y de la facultad de nutrición de la Universidad Tufts en Boston.

Usted puede sufrir síntomas de abstinencia si reduce repentinamente su consumo de cafeína. *Mejor:* disminuya su consumo de manera gradual. Intente eliminar media taza de café de su dieta cada pocos días… o mezcle el café normal con café sin cafeína y aumente gradualmente la proporción de este último.

También modere su consumo de otras bebidas con cafeína, como algunos tés y refrescos.

Peligros ocultos en productos del hogar y en alimentos comunes

Samuel S. Epstein, MD, es profesor de medicina ocupacional y ambiental de la facultad de sanidad pública de la Universidad de Illinois en Chicago, y presidente de la Cancer Prevention Coalition, 520 N. Michigan Ave., Suite 410, Chicago 60611. Coautor de *The Safe Shopper's Bible: A Consumer's Guide to Nontoxic Household Products, Cosmetics and Food.* Macmillan.

Todo el mundo parece preocuparse por la polución ("smog") y otras fuentes de contaminación *fuera* del hogar.

Pero muchos alimentos que consumimos a diario están contaminados con químicos tóxicos y un estudio de la agencia federal Environmental Protection Agency (EPA) sobre el aire de seis ciudades de EE.UU. demostró que algunas toxinas que se encuentran en el aire pueden tener 500 veces más concentración dentro de los hogares que fuera.

¿De dónde vienen estas peligrosas toxinas transportadas por el aire? De limpiadores, pinturas, cosméticos y otros productos del hogar.

El problema: Las regulaciones federales acerca de la información requerida en la etiqueta de productos para los consumidores son muy deficientes. En consecuencia, es difícil que los consumidores puedan averiguar exactamente qué productos contienen ingredientes peligrosos o contaminantes –y cuáles son seguros.

Para averiguar cómo los consumidores pueden protegerse, hablamos con el doctor Samuel S. Epstein, un eminente toxicólogo y presidente de la Cancer Prevention Coalition con sede en Chicago…

PRODUCTOS PELIGROSOS Y ALTERNATIVAS SEGURAS

•**Salchichas ("hot dogs").** Los conservantes de nitrato que llevan las salchichas de carne ("beef franks") interactúan con las *aminas*, que se encuentran de manera natural en la carne y el pescado, para formar compuestos denominados nitrosaminas que son muy cancerígenos.

Las salchichas pueden estar contaminadas además con los pesticidas cancerígenos *DDT, hexacloro de bencina, heptaclor, dacthal, dieldrín* y con residuos de poderosas hormonas.

Más seguro: Salchichas sin nitrato ("nitrite-free") o, mejor aún, de tofu.

•**Insecticidas.** Muchos insecticidas para el hogar contienen *propoxur*, un compuesto cancerígeno y neurotóxico.

Más seguro: Las marcas que sustituyen el propoxur por *piretrum* u otro insecticida natural a base de hierbas.

•**Arena de los gatos.** Muchas marcas contienen *sílica cristalina*, un irritante de los ojos y los pulmones que sospechan que puede ser cancerígeno.

Más seguro: Arena fabricada con materiales naturales como el papel pulverizado.

•**Collar de pulgas.** Muchos collares de pulgas contienen el pesticida propoxur.

Más seguro: Collares de pulgas fabricados con pesticidas naturales a base de hierbas.

•**Ambientador.** Algunas marcas en aerosol contienen *ortofenilfenol*, un irritante de la piel y cancerígeno. Esto es especialmente peligroso porque las pequeñas gotas de aerosol se inhalan fácilmente hasta llegar profundamente a los pulmones.

Más seguro: Usar ambientadores sólidos hechos con aromas de base vegetal. Es mejor evitar todos los productos en aerosol, incluidos los ambientadores, los cosméticos y los limpiadores domésticos.

•**Acondicionador para el cabello.** Algunas marcas contienen formaldehído y el tinte cancerígeno FD&C Rojo #4.

Más seguro: Acondicionadores naturales elaborados a partir de plantas.

•**Tintes para el cabello.** Los tintes negros y marrones se han relacionado con varios tipos de cáncer, incluidos el linfoma no Hodgkin, el mieloma múltiple y la leucemia.

Más seguro: Tintes de cabello que utilizan substancias fabricadas a partir de plantas, como la *henna*, en lugar de tintes sintéticos. *Advertencia:*

nunca compre tintes que contengan *fenilendia-mina* ("phenylenediamine").

●**Detergente para lavar ropa.** Las marcas que contienen carbonato sódico ("washing soda") son altamente cáusticas. Algunas marcas también pueden estar contaminadas con un cancerígeno llamado *1,4-dioxano*.

Más seguro: Detergente o jabón para ropa a base de vegetales.

●**Maquillaje.** Los cosméticos a menudo contienen talco, *dióxido de titanio* y/o el conservante *BHA* –que son cancerígenos. Además, la *lanolina* que se encuentra en muchas marcas a menudo está contaminada con DDT.

Más seguro: Cosméticos naturales hechos a partir de plantas.

●**Repelentes de polillas ("moth balls").** A menudo contienen *naftaleno*, una neurotoxina; o *diclorobenceno*, un compuesto altamente volátil que es un potente cancerígeno.

Más seguro: Trozos o bolsitas de cedro ("cedar blocks", "chips" y "sachets").

●**Removedor de pinturas.** Los removedores de pinturas en aerosol con frecuencia contienen *metanol*, una neurotoxina que también es un potente irritante de los ojos y la piel… junto con *cloruro de metileno*, un cancerígeno.

Más seguro: Retire la pintura vieja raspándola o con una lija. Para evitar la inhalación de polvo, use una mascarilla.

●**Crema de afeitar.** Algunas marcas tienen el conservante cancerígeno BHA… y también *trietalonamina* y/o *dietalonamina*, precursores de la nitrosamina.

Otras contienen *Azul #1* y otros tintes que producen cáncer.

Más seguro: Marcas naturales, en especial las que se aplican con una brocha.

●**Polvos de talco.** El talco irrita los pulmones y ha sido relacionado con el cáncer de ovarios.

Más seguro: Productos elaborados con maicena ("cornstarch").

●**Dentífricos.** Muchas marcas populares de dentífricos utilizan Azul #1, que es cancerígeno.

Se sospecha que el flúor también puede ocasionar cáncer.

Más seguro: Dentífricos naturales que no contengan flúor.

●**Productos para eliminar la mala hierba ("weed killers").** Algunas marcas contienen 2,4 *diclorofenoxiacetato sódico* (2,4-D), cancerígeno y neurotoxina.

Más seguro: Herramientas para retirar la mala hierba cortándola y no envenenándola.

●**La leche entera** y los productos a base de leche entera como quesos y chocolate.

La grasa de la leche se asocia con frecuencia con los compuestos cancerígenos DDT, dieldrina, heptacloro o *hexaclorobenceno*.

Además, los productos lácteos a menudo están contaminados con residuos de antibióticos, algunos de los cuales pueden ocasionar reacciones alérgicas. Se presume que otros producen cáncer.

La ingesta de estos residuos de antibióticos también estimula el crecimiento dentro del organismo de bacterias resistentes a los antibióticos, que pueden ser peligrosas.

Más seguro: Leche descremada orgánica, especialmente las marcas que llevan la etiqueta "sin hormonas bovinas".

Advertencia sobre la meningitis

Ronald Ruden, MD, internista con consulta privada en Nueva York.

La meningitis *bacteriana* –el tipo menos común de meningitis, pero *potencialmente mortal*– es más frecuente a finales del invierno y principios de la primavera. La meningitis *viral* es más común a finales del verano y principios del otoño. Los síntomas son los mismos: fuertes dolores de cabeza, fiebre, rigidez en el cuello. Si experimenta esos síntomas, acuda al médico de *inmediato*. La meningitis bacteriana requiere antibióticos. La viral se trata simplemente con reposo en cama.

Prevención: Buena higiene –lávese las manos después de ir al baño… no comparta la comida.

Incluso los mejores laboratorios médicos cometen errores...

Charles B. Inlander, consultor de servicios médicos y presidente de la organización sin fines de lucro People's Medical Society, un grupo en Allentown, Pensilvania, que defiende a los usuarios de servicios médicos. Autor de varios libros, entre ellos *The People's Medical Society Health Desk Reference*. Hyperion.

Y estos errores pueden ser peligrosos –incluso mortales. Los mayores errores ocurren en pruebas rutinarias, especialmente en el examen de Papanicolau y en las pruebas PSA (para cáncer de próstata). Si los resultados de una prueba son negativos y usted todavía considera que puede haber un problema, pida que le hagan *de nuevo* los exámenes. Pídale a su médico que envíe la prueba a un laboratorio distinto... o al mismo laboratorio pero con otro nombre. *Nunca* utilice el *laboratorio del consultorio* de su médico. Sus índices de error son mayores que los de los laboratorios comerciales.

Además: Asegúrese de que el laboratorio con el que trabaja su médico esté autorizado por el College of American Pathologists. Si no confía en el laboratorio utilizado por su médico, pídale que trabaje con uno debidamente acreditado.

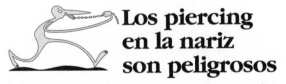

Los piercing en la nariz son peligrosos

William Castelli, MD, director médico del Framingham Heart Study en Boston.

D ebido a que la nariz está diseñada para atrapar las bacterias que viajan en el aire, es uno de los lugares más sucios del cuerpo. Muchas bacterias virulentas, como el *estafilococo áureo*, son inofensivas siempre y cuando permanezcan en la nariz. Pero si la aguja del piercing las empuja al torrente sanguíneo pueden ocasionar enfermedades graves –e incluso la muerte.

Hasta la tensión levemente alta puede dañar los riñones

Michael Klag, MD, MPH, profesor adjunto de la facultad de medicina de la Universidad Johns Hopkins en Baltimore. Su estudio de 16 años sobre una población de 332.544 hombres fue publicado en *The New England Journal of Medicine*, 10 Shattuck St., Boston 02115.

D esde hace tiempo se sabe que la tensión muy alta puede dañar los riñones, pero los investigadores no han estado seguros sobre los peligros que puede suponer para los riñones la tensión moderadamente alta.

En un estudio se demostró que los hombres con presión arterial entre 140/90 y 159/99 tenían un riesgo tres veces mayor de sufrir insuficiencia renal que los hombres con una tensión por debajo de 120/80. Aquéllos cuya tensión era de hasta 179/109 eran seis veces más propensos a sufrir daños en los riñones.

Al rescate: Su médico seguramente le recetará un régimen para bajar la tensión.

La trampa de sueño de los fumadores

David Wetter, PhD, profesor auxiliar de ciencias del comportamiento en el M.D. Anderson Cancer Center de la Universidad de Texas en Houston, y Terry Young, PhD, profesor adjunto de medicina preventiva de la Universidad de Wisconsin en Madison.

L os fumadores tienen más probabilidades de tener somnolencia durante el día, pesadillas y problemas para conciliar el sueño y despertarse. *Las posibles causas:* los efectos estimulantes de la nicotina, la abstinencia nocturna de nicotina y dificultades respiratorias asociadas con el fumar. Con el tiempo, estos trastornos pueden ocasionar fatiga, depresión y dificultad para pensar.

Advertencia sobre el asma

Thomas Plaut, MD, especialista en asma y consultor médico de *Asthma Update*, 123 Monticello Ave., Annapolis, MD 21401.

Los pacientes de asma no pueden medir la gravedad de su condición solo por cómo se sienten. Se necesita un medidor de flujo espiratorio máximo ("peak-flow meter") para determinar el funcionamiento de los pulmones y las formas apropiadas de controlar la enfermedad. Si usted sufre de asma, asegúrese de que su médico use un medidor de flujo espiratorio máximo como base para determinar el tratamiento a seguir. Y asegúrese de que el doctor le enseñe a utilizarlo en casa.

Alerta sobre el plomo

Howard Hu, MD, ScD, profesor adjunto de medicina ocupacional y ambiental, de la facultad de sanidad pública de la Universidad Harvard en Boston.

Incluso los niveles muy bajos de plomo son peligrosos para los adultos. Los adultos que absorben trazas de plomo de fuentes ambientales –como latas de comida, cañerías y polvo de pintura de plomo– pueden desarrollar presión arterial alta e insuficiencias renales.

La autodefensa: Tome las mismas precauciones que tomaría en el caso de un niño. *En primer lugar:* haga analizar el agua para comprobar que los niveles de plomo son seguros. El peligro que supone la pintura a base de plomo debe ser evaluado y la pintura retirada, en su caso, por profesionales –no lo haga usted mismo. Tome precauciones adicionales con las actividades que lo expongan al plomo, como pintar sobre vidrio y el tiro al blanco.

Alerta sobre la intoxicación con plomo

Estudio de 23 tipos de tiza para tacos de billar conducido por Mary Beth Miller, DO, del departamento de toxicología médica del centro médico regional Good Samaritan en Phoenix, Arizona, reportado en *Pediatrics*, 141 NW Point Rd., Elk Grove Village, IL 60009.

Una sorprendente fuente de riesgo de plomo: la tiza para tacos de billar. Con frecuencia se usan compuestos de plomo para dar color a la tiza para tacos. En un caso, una niña de 28 meses que a menudo se llevaba la tiza a la boca desarrolló elevados niveles de plomo.

La autodefensa: Adquiera tiza para tacos de billar que no contenga plomo. Si no está seguro, tome precauciones adicionales para mantener la tiza fuera del alcance de los niños.

Autodefensa de los químicos tóxicos

Robert G. Lewis, PhD, científico sénior del National Exposure Research Laboratory de Environmental Protection Agency en Research Triangle Park, Carolina del Norte.

Para mantener los químicos tóxicos alejados de su hogar, quítese los zapatos antes de entrar, especialmente después de trabajar con insecticidas o herbicidas.

Además: Use un felpudo, limpie las alfombras al vapor y remplace las que tengan más de 20 años. Las alfombras viejas pueden tener algunos residuos de pesticidas prohibidos como el DDT.

¿Quién debe vacunarse contra la hepatitis B?

Mary Ann Littell, especialista en información de la American Liver Foundation, 1425 Pompton Ave., Cedar Grove, NJ 07009.

La vacuna es una buena idea para quienes viajan al extranjero, niños y adolescentes, médicos, enfermeras, paramédicos, bomberos y policías, personas sometidas a hemodiálisis, militares, trabajadores de empresas funerarias y embalsamadores, pacientes y personal de instituciones con deficiencias mentales, miembros de grupos étnicos o raciales con altos índices de infección por hepatitis B: afroamericanos, nativos-americanos, hispanos, chinos, coreanos, indochinos, filipinos, esquimales de Alaska o haitianos, personas con múltiples parejas sexuales, usuarios de drogas intravenosas, receptores de factores de coagulación de la sangre y algunos otros productos sanguíneos, personas que viven o tienen relaciones sexuales con portadores de hepatitis B.

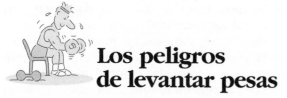

Los peligros de levantar pesas

John D. Cantwell, MD, médico del equipo de béisbol Atlanta Braves y cardiólogo con consulta privada en Atlanta.

El levantamiento de pesas intenso puede ser peligroso para los individuos con presión arterial alta. Cualquier persona con hipertensión u otros factores de riesgo de enfermedad cardiaca (fumadores, colesterol alto, diabetes, etc.) debe hacer ejercicio enérgico solo con permiso médico.

Una verdad acerca del ahogamiento

Centers for Disease Control & Prevention, 1600 Clifton Rd. NE, Atlanta 30333.

Evite el alcohol antes de nadar o navegar. Entre un 25% y un 50% de todas las víctimas adultas de ahogamiento habían bebido alcohol antes de su muerte.

Tablas para cortar: plástico vs. madera

Don Schaffner, PhD, especialista en ciencias alimentarias de la Universidad Rutgers en New Brunswick, Nueva Jersey.

Cuando se trata de prevenir la contaminación bacteriana, ahora los expertos en seguridad alimenticia prefieren el plástico. Pero la mejor solución puede ser la de tener una tabla de plástico para la carne y las aves y una de madera para las frutas, los vegetales y el pan. Mantenga las tablas por separado para evitar que se contaminen entre sí. Límpielas después de cada uso con una solución de dos cucharaditas de cloro en un cuarto de galón de agua. Las tablas de plástico se pueden lavar en el lavavajillas automático.

Precaución: El uso del microondas para higienizar una tabla de madera puede producir un incendio.

Para combatir el calor...

Stuart R. Rose, MD, jefe de la clínica para viajes al extranjero del hospital Noble en Westfield, Massachusetts, y presidente de Travel Medicine, Inc., de Northampton, Massachusetts.

Beba de dos a tres cuartos de galón (2 ó 3 litros) de agua al día, aunque no tenga mucha sed.

●**Beba dos vasos, dos horas antes de realizar cualquier ejercicio.** Durante la actividad, siga bebiendo agua fresca, pero no fría.

●**Revise con su médico los medicamentos que toma.** Algunos pueden restringir la sudoración o aumentar la producción de calor corporal.

●**Si toma diuréticos recetados,** pregúntele a su médico si debe cambiar la dosis mientras esté de viaje.

●**Remplace la sal perdida a través de la sudoración** bebiendo una bebida deportiva o comiendo alimentos salados. Si tiene restricciones con la sal, consulte a su médico.

La relación entre la leche y la diabetes

Hans-Michael Dosch, MD, profesor de pediatría e inmunología del Hospital for Sick Children en Toronto. Su estudio de la diabetes en 140 bebés fue publicado en *The New England Journal of Medicine*, 10 Shattuck St., Boston 02115.

Los bebés a los que se les alimenta con una fórmula de leche de vaca durante los primeros tres meses de vida tendrán más riesgo de padecer diabetes en el futuro.

Teoría: Una proteína que hay en la leche de vaca, la *albúmina sérica bovina ("bovine serum albumin")*, es similar a las proteínas que se encuentran en las células productoras de insulina del páncreas. En los niños genéticamente predispuestos a sufrir de diabetes, los anticuerpos que atacan la albúmina sérica bovina terminan atacando también las células del páncreas.

Lección: Dentro de lo posible, las madres deben amamantar a sus bebés durante los tres primeros meses de vida.

¿Tiene problemas en los pies?

John T. Langloh, MD, miembro del personal médico ortopedista del National Hospital Medical Center en Arlington, Virginia.

Diagnostique los problemas de los pies observando sus pisadas. Moje sus pies en agua, luego camine sobre un pedazo de papel marrón. Si tiene una pisada "ligera" –escasa o ninguna unión entre la planta y el talón– es posible que tenga un arco pronunciado.

Útil: Zapatos que brinden "estabilidad" con acolchado extra en el arco, zapatos deportivos altos, de media bota.

Si usted tiene una pisada "pesada", puede que tenga el pie plano. Esto puede ocasionar dolores en el arco o las rodillas.

Útil: Los soportes moldeados para el arco… los zapatos que brinden "control"… las plantillas ortóticas.

¿Quién lee su historial médico?

Timothy McCall, MD, internista en Boston, editor médico de la revista *Yoga Journal* y autor de *Examining Your Doctor: A Patient's Guide to Avoiding Harmful Medical Care*. Citadel Press. *www.drmccall.com.*

Los pacientes hablan de asuntos privados con sus médicos con el entendimiento implícito de que la información que comparten es privada. La realidad es que cada vez más personas tienen acceso a esos historiales médicos confidenciales y utilizan la información con fines ajenos a las intenciones de los interesados.

En la actualidad, las empresas aseguradoras, oficinas de crédito y similares, han elaborado sofisticadas bases de datos que contienen gran cantidad de información privada. Sin su conocimiento, esta información puede ser compartida con otros asegurados, empleadores potenciales, empresas comercializadoras –y a veces puede incluso ser vendida a quien pague por ello.

Lo peor de todo es que la información que usted le haya confiado a su médico para facilitarle la labor de ayudarlo a usted, puede ser utilizada con el resultado contrario. *Aquí tiene cuatro terribles historias verdaderas…*

•**Una empresa cambia su política de seguros para limitar la cobertura** de problemas relacionados con el sida después de enterarse que un empleado había resultado positivo en las pruebas de VIH.

•**A un hombre se le niega un seguro de vida** luego de confesarle al médico que estaba "deprimido" porque temía que su empresa fuese víctima de una adquisición hostil.

•**Una mujer es despedida** después de que su jefe se enteró de que ella necesitaba un transplante de riñón.

•**Un empleado de un hospital utiliza una computadora para acceder a los teléfonos de las pacientes adolescentes,** luego las llama y las acosa sexualmente.

Para proporcionar un cuidado médico de calidad, los médicos necesitan tener acceso total a los asuntos delicados –abuso de drogas, hábitos sexuales, etc. Necesitamos que nuestros pacientes confíen en que sus secretos seguirán siendo secretos. Si un joven no se siente cómodo diciéndole a su médico que es homosexual, por ejemplo, el médico puede entonces malinterpretar la importancia de un síntoma, ordenar los exámenes equivocados, pasar por alto diagnósticos y la oportunidad de tratar adecuadamente al paciente.

Hasta que no se cierren las lagunas legales que permiten la diseminación no autorizada de información médica, ¿cómo puede usted minimizar los riesgos? Yo recomiendo estas estrategias…

●**Nunca firme un formulario de divulgación ("disclosure form") en blanco.** Antes de aceptar que su historial médico se dé a conocer, asegúrese de saber a quiénes se les permitirá tener acceso a él, a qué información tendrán acceso esas personas y para qué la necesitan.

●**Recuérdele a su médico que su información no debe ser compartida con nadie sin su consentimiento.**

●**Considere solicitarle a su médico que no incluya información especialmente delicada en su historial.** Puede decirle: "si le digo algo muy personal que puede ser pertinente a mi tratamiento pero que no quiero que aparezca por escrito en mi historial, ¿respetaría usted mis deseos?" Si su médico no está dispuesto a acceder a su petición, usted tendrá que decidir si aún quiere revelar la información.

Recuerde que el hecho que un dato importante no aparezca en su historial puede comprometer su atención médica en un futuro –sobre todo si usted consulta a otro médico o si su médico actual olvida lo que usted le dijo. Pida que estos datos no aparezcan en su historial solo si lo considera absolutamente necesario.

●**Esté atento a cualquier información médica que revele,** sin importar lo inocente que pueda parecer. Hubo un anuncio de televisión que ofrecía información gratuita sobre los índices de polen a cualquiera que llamara a un número 800. Los nombres de las personas que llamaron fueron utilizados por la empresa farmacéutica que había patrocinado el anuncio para comercializar un medicamento contra las alergias.

●**Pida una copia de su historial médico** para asegurarse de que toda la información es correcta. Un error en su historial puede llevar a la pérdida del empleo o de la cobertura de seguro en un futuro.

En la mayoría de los casos, usted tiene un derecho legal sobre su historial médico. En los demás casos, puede pedir a su médico una copia de su historial; si no se la da, tendrá que preguntarse si su médico piensa que el cuidado de la salud es una democracia o una dictadura.

Fibromialgia… nuevas formas de controlar el misterioso dolor y la fatiga

Robert M. Bennett, MD, profesor de medicina y presidente de la división de artritis y enfermedades reumáticas de la Universidad Oregon Health Sciences en Portland, y miembro del consejo médico de la National Fibromyalgia Research Foundation. Para solicitar un paquete informativo gratuito sobre la fibromialgia, escriba a la asociación a esta dirección: Box 500, Salem, Oregon 97308.

L a fibromialgia es un misterioso síndrome doloroso que afecta a cuatro millones de estadounidenses y se caracteriza por…

●**Dolor crónico,** similar al de la gripe en los músculos, tendones y ligamentos.

●**Puntos sensibles o "delicados"**—zonas con gran sensibilidad al tacto.

●**Inquietud, entumecimiento y/o estremecimiento** en los brazos y las piernas.

●**Problemas para dormir,** que puedan deberse al dolor y/o a espasmos persistentes en las piernas y que impiden el sueño profundo y relajado.

●**Fatiga crónica.** Muchos pacientes de fibromialgia se sienten cansados incluso después de haber dormido toda la noche.

Otros dicen tener dolor de cabeza, hinchazón abdominal y/o síndrome de intestino irritable.

Para saber más, conversamos con el más destacado investigador sobre la fibromialgia de EE.UU., el doctor Robert M. Bennett.

UN PROBLEMA EMOCIONAL

Durante décadas, los médicos han considerado la fibromialgia como un problema emocional. El consenso era que los individuos ansiosos o depresivos "creaban" sus síntomas sin ser conscientes de ello.

Desde mediados de los años 70, varios estudios han demostrado que esta teoría está equivocada. Resulta que la mayoría de los pacientes de fibromialgia *no* tiene problemas emocionales. En aquellos que sí los padecen, ahora se considera que estos problemas son el *resultado* de tener que vivir con dolor crónico –pero no son la causa del dolor.

La fibromialgia parece estar relacionada con el síndrome de fatiga crónica (CFS por sus siglas en inglés), otro trastorno con al menos alguna conexión con problemas emocionales. Hasta el 80% de los pacientes con CFS también tiene fibromialgia.

Algunos investigadores especulan que el CFS y la fibromialgia sean términos distintos para el mismo trastorno. Sin embargo, debido a que todavía no se comprende bien ninguno de estos síndromes, es difícil asegurarlo.

CÓMO EMPIEZA LA FIBROMIALGIA

Si bien algunos casos empiezan con una infección parecida a la gripe, la mayoría empieza con dolor en la parte baja de la espalda, dolor tipo latigazo u otro dolor localizado. Este dolor luego se expande hacia otras partes del cuerpo.

¿Por qué persiste el dolor? ¿Qué hace que se extienda? La causa parece encontrarse en cambios sutiles en el sistema nervioso central –posiblemente como resultado de niveles anormalmente altos de ciertos neurotransmisores– que hacen a las personas más sensibles al dolor.

Debido a que el trastorno tiende a repetirse en las familias, los investigadores también sospechan que puede existir algún componente hereditario.

LAS BUENAS NOTICIAS… Y LAS MALAS

La buena noticia es que la fibromialgia no es degenerativa ni inmovilizante. Desde luego no es una enfermedad mortal.

Tristemente, no tiene cura. La mayoría de los pacientes aprenden a vivir con sus síntomas, pero el dolor puede estallar como consecuencia de una lesión, una infección o por estrés.

Peor aún, pocos médicos están actualizados acerca del síndrome. Eso significa que puede ser difícil obtener un diagnóstico preciso.

Si usted piensa que puede tener fibromialgia, su mejor apuesta probablemente sea un reumatólogo. Para encontrar uno en su comunidad, póngase en contacto con la Arthritis Foundation (800-568-4045, *www.arthritis.org*).

TERAPIA CON MEDICAMENTOS

Los medicamentos convencionales para la artritis, incluida la aspirina, no parecen ser particularmente efectivos contra la fibromialgia. *Entre estos medicamentos se encuentran…*

●*Amitriptilina* (Elavil) y otros antidepresivos tricíclicos. Tomados en dosis pequeñas (de 10 a 25 mg en lugar de los 100 a 200 mg prescritos para casos de depresión), los tricíclicos ayudan a reducir el dolor y favorecen el sueño.

●*Zolpidem* (Ambien). Este sedante de acción inmediata puede ayudar a los pacientes de fibromialgia a dormir, algo que necesitan mucho. Sin embargo, debido al peligro de dependencia, el zolpidem no se debe tomar más de dos veces por semana.

●*L-dopa y carbidopa* (Sinemet). Las dosis muy bajas de este medicamento –utilizado principalmente para tratar el mal de Parkinson– alivian el síndrome de piernas inquietas, muy común entre los pacientes de fibromialgia.

●*Procaína o lidocaína.* Estos anestésicos locales se inyectan en los puntos sensibles. Si se inyectan correctamente, pueden producir alivio por varios meses.

●*Tramadol* (Ultram). Un medicamento relativamente nuevo y no narcótico.

EL ESTILO DE VIDA

Dado que el estrés emocional puede desencadenar el dolor, los pacientes de fibromialgia deben aprender a adaptar su ritmo. Los fisioterapeutas y los terapeutas ocupacionales pueden mostrarles cómo moverse con menos estrés… y sugerir cambios para hacer que el ambiente laboral sea más cómodo.

Es particularmente importante evitar las sesiones largas de movimientos repetitivos, como mecanografiar.

•Ejercicio. Aunque hacer demasiado, o muy poco, ejercicio puede exacerbar los síntomas de la fibromialgia, el estiramiento suave o los masajes (incluida la acupresión) y el ejercicio moderado son esenciales. Lo ideal son 20 minutos de ejercicio aeróbico tres veces por semana.

•Relajación. Debido a que el dolor de la fibromialgia no es causado por tensión muscular, es poco probable que la respiración profunda y otras técnicas de relajación reduzcan los síntomas.

Pero aprender a relajarse puede evitar que la tensión *incremente* el dolor. Los pacientes que saben cómo relajarse (con grabaciones, respiración rítmica, baños calientes, etc.) pueden controlar mejor el problema.

•Grupos de apoyo. Al igual que con muchas enfermedades crónicas, en el caso de la fibromialgia es muy beneficiosa la participación en un grupo de apoyo ("support group").

Para encontrar un grupo en su comunidad –o para obtener más información acerca de la fibromialgia– puede ponerse en contacto con la Arthritis Foundation.

Alerta sobre los aneurismas

Harold Wilkinson, MD, presidente de neurocirugía en la Universidad de Massachusetts en Worcester.

Cuando se trata de dolores de cabeza, me considero afortunado. Rara vez los tengo, y siempre puedo identificar la causa –la más reciente es haber dejado el hábito de tomar tres tazas de café al día.

Aunque normalmente son benignos, los dolores de cabeza pueden ser una señal de problemas serios como tumores, meningitis, etc. Una de las causas que a menudo se pasa por alto es un aneurisma cerebral –una arteria dentro del cráneo que presenta una sección débil y abultada. Si no se trata, un aneurisma se puede romper, causando un "infarto cerebral" mortal.

Cada año, 25.000 estadounidenses sufren la ruptura de un aneurisma. Recientemente, un amigo de solo 36 años murió a causa de ello.

¿Por qué se producen los aneurismas? Los factores de riesgo incluyen la edad (de 30 a 60 son los años de mayor riesgo), la presión arterial alta, la aterosclerosis… y una historia familiar de aneurismas.

La buena noticia acerca de los aneurismas cerebrales es que la cirugía a menudo los cura –si se lleva a cabo dentro de las 24 horas después de la ruptura. Trágicamente, muchas personas no les prestan atención a sus síntomas hasta que es demasiado tarde.

Si a usted repentinamente le da "el peor dolor de cabeza de su vida", acuda inmediatamente al médico –sobre todo si tiene alguno de los factores de riesgo.

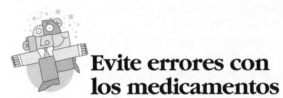

Evite errores con los medicamentos

David W. Freeman, ex director editorial del boletín *Bottom Line/Health*, 281 Tresser Blvd., Stamford, CT 06901.

Los médicos son famosos por su mala letra. Para empeorar las cosas, muchos medicamentos comunes tienen nombres parecidos –Accupril y Accutane, Lovastatin y Lotensin, Prilosec y Prozac… por mencionar solo unos pocos.

La mala letra y los nombres confusos de los medicamentos pueden ser la causa de grandes problemas. *Un ejemplo de la vida real:* un médico hizo una receta por 2 mg de *Cardura*, un medicamento para la presión arterial alta, en la información clínica de un paciente. Pero el farmacéutico leyó el garabato del médico como 2 mg del anticoagulante *Coumadin*.

Afortunadamente para el paciente, una enfermera advirtió el error, que pudo haber sido mortal, y llamó al médico, quien aclaró el asunto. Por supuesto, no todos las enfermeras están siempre tan alertas.

¿Cómo puede uno protegerse de esos errores? Le hice esa pregunta a Diane D. Cousins,

RPh, experta en errores de recetas médicas en la US Pharmacopeia, la organización sin fines de lucro que establece los estándares farmacológicos para Estados Unidos. *Ella dijo que cada vez que un médico le escriba una receta, usted debe insistirle que escriba con letra legible y que además...*

●**Evite el uso de palabras del latín y de abreviaciones** en los nombres de los medicamentos y en las instrucciones.

●**Incluya una breve nota acerca del propósito del medicamento.**

●**Anote su edad y peso.**

●**Especifique las dosis con valores métricos** (gramos, miligramos, etc.) o unidades internacionales (IU) en vez de los antiguos términos apotecarios (dracmas, pizcas, etc.).

●**Escriba un cero *antes* del decimal (para dosis fraccionadas),** pero no un cero después de un decimal. Por ejemplo: 0,5 mg en lugar de ,5 mg, pero 3 mg en lugar de 3,0 mg.

Por favor, asegúrese de que su médico acceda. Podría salvarle la vida.

Peligro del humo del gas

Victoria Strand, MD, médica asesora del departamento de enfermedades respiratorias y alérgicas del instituto Karolinska del hospital de la Universidad Huddinge en Estocolmo, Suecia.

El humo proveniente de aparatos a gas y del tráfico intenso puede volver el tracto respiratorio inusualmente sensible al polen.

Estudio: Los adultos asmáticos tuvieron un descenso promedio del 52% en su funcionamiento pulmonar al exponerse al polen del aire, después de respirar esos gases pocas horas antes.

La autodefensa: Haga inspeccionar cada año sus aparatos a gas, equipe las hornillas a gas con campanas extractoras o abra una ventana cuando cocine y cuando utilice una secadora a gas. Evite trotar o correr en calles concurridas.

Importante: Si no es posible tener suficiente ventilación en el hogar, los asmáticos deberían considerar cambiar los aparatos a gas por aparatos eléctricos.

17

Conquistar el peso ideal

10 secretos para adelgazar con éxito

Anne M. Fletcher, MS, RD

Si usted está tratando de adelgazar, es muy fácil que los expertos lo desanimen. Rutinariamente, los médicos y dietistas citan números pesimistas como la "tasa de fracasos del 95%". Según esta estadística, el 95% de quienes hacen dieta vuelve a subir de peso –y hasta aumenta más de lo que había perdido.

La verdad sobre la pérdida de peso quizá no es tan terrible. En una encuesta de la revista *Consumer Reports,* se halló que uno de cada cuatro lectores que siguieron programas comerciales de dieta mantuvieron al menos dos tercios del peso que habían perdido.

Un veinticinco por ciento todavía es una tasa de éxito inferior a lo que la mayoría de nosotros desearía. Pero en lugar de concentrarme en dietas fallidas, decidí examinar lo

que diferencia a quienes *no* recuperan el peso perdido.

Consulté a los expertos que en *verdad* cuentan –160 personas que perdieron al menos 20 libras ó 9 kilos (el promedio de pérdida de peso en este grupo resultó ser de 63 libras ó 28 kilos) y que se mantuvieron sin recuperar el peso al menos por tres años.

Resultó que estos "perdedores exitosos" tenían diez puntos en común…

1. Tenían la seguridad de que podían lograrlo. La mayoría de las personas que encuesté había adelgazado y recuperado el peso por lo menos cinco veces antes de triunfar en adelgazar y mantenerse. Pero nunca se rindieron.

El punto de quiebre para muchos de ellos ocurrió cuando se dieron cuenta de que estaban cansados de luchar por adelgazar. En lugar de usar este sentimiento como una excusa para dejar de intentarlo, los perdedores

Anne M. Fletcher, MS, RD, autora de *Eating Thin for Life: Food Secrets & Recipes from People Who Have Lost Weight & Kept It Off.* Chapters Publishing, Ltd.

exitosos de algún modo se sintieron fortalecidos por ello. El sentimiento les hizo tomar control.

2. Perdieron peso porque querían hacerlo –no por complacer a otra persona. Durante toda su vida, una joven mujer que entrevisté recibía de su madre (y de todo el mundo) el siguiente mensaje, "tienes un rostro tan bonito… si tan sólo adelgazaras un poco".

Adelgazó y engordó de nuevo en repetidas oportunidades. Pero por dentro, le molestaba que las personas no la aceptaran tal como era. Cuando ingresó a la universidad pesaba más de 200 libras (90 kilos). Pero allí conoció a un hombre que la quería tal como era.

Irónicamente, debido a que finalmente se sintió aceptada, logró perder peso de una vez por todas –porque quería hacerlo.

3. Descubrieron lo que les daba resultado. Alrededor de la mitad de la gente con la que hablé adelgazó por cuenta propia. Otros usaron un centro de dietas comercial o un grupo de autoayuda… o consultaron a un dietista privado.

Además, quienes tuvieron éxito, aprendieron a aceptar un peso meta que fuera realista para ellos. Quizá esta meta era ligeramente superior a su peso ideal, pero sabían que no podrían rebajar más sin pasar hambre.

4. Estaban dispuestos a aprender una nueva manera de comer –para toda la vida. Muchos de los que siguen dietas regresan a sus antiguos hábitos alimenticios una vez que han perdido peso. Por eso la mayoría de ellos recobra el peso.

Los expertos en control de peso han aceptado comer pocas grasas como una *forma de vida*. Aprendieron a disfrutar las frutas, vegetales, granos y cereales. Encontraron maneras de añadir sabor de pocas calorías usando especias, jugo de limón o lima y productos de pocas grasas. Gradualmente, notaron que no se sentían bien cuando comían comidas con mucha grasa.

5. Se ocupan de los deslices inmediatamente. Aún cuando no están obsesionados con la balanza, casi todos se pesan una vez a la semana o una vez cada pocos días. Tienen un estrecho margen de peso adquirido aceptable (típicamente entre 5 y 10 libras o entre 2 y 5 kilos). Cuando el peso excede esta "zona aceptable", hacen lo necesario para adelgazar.

Algunos hacen más ejercicios. Otros eliminan los dulces, prestan más atención al tamaño de las raciones o llevan un diario de comidas para estar más conscientes de lo que comen. Pero cada uno de los que entrevisté tenía un plan de acción –y lo ponía en práctica antes de que el peso ganado se les fuera de las manos.

6. Se dicen cosas agradables. Hablarse de manera negativa puede convertirse en realidad. Un ejemplo es el fenómeno, "soy un fracaso", tan común en muchas personas, *"me comí una galleta, que cerdo soy… entonces debería comerme toda la bolsa".*

Los expertos en adelgazar se dan mensajes positivos y alentadores aun cuando cometen errores, *"decidí no comer más de una ración, pero tuve un desliz. Seré más cuidadoso el resto del día".*

7. Hacen ejercicios. Nueve de diez de las personas que adelgazaron con éxito que entrevisté hacen ejercicios con regularidad. No son fanáticos, y pocos de ellos se ejercitan a diario. Pero se las han arreglado para encontrar actividades simples, como caminar, que pueden incorporar a su rutina diaria.

8. Enfrentan sus sentimientos. Cuando tenían sobrepeso, muchas personas con las que hablé, acudían automáticamente a la comida cuando se sentían molestas, aburridas, solitarias o ansiosas.

Lo que aprendieron a hacer en cambio fue ir a la fuente de la emoción negativa –encontrar el sentimiento, identificar la causa e imaginar una manera de resolver el problema.

Muchas de las soluciones son muy simples. Si están aburridos, salen de la casa y hacen algo divertido. Si se sienten solos, llaman a un amigo. Si están enojados, confrontan a la persona que los ha tratado mal.

9. Disfrutan la vida. Un buen número de los ahora exitosos solía invertir tanta energía ocupándose de los demás que se olvidaba de sus propias necesidades. Comer era su única recompensa.

Algunos de quienes no recobraron peso han desarrollado lo que llamo "egoísmo saludable". No han dejado de ser considerados con los demás, pero también se ocupan de sí mismos.

Como dijo una mujer, *"descubrí que cuando había satisfecho mis propias necesidades, lograba atender mejor las de los demás".*

También han encontrado maneras de premiarse sin comida –desde dedicarse a un hobby hasta buscar relaciones más satisfactorias.

10. Buscan apoyo. Piden a sus familias que no dejen comida chatarra cerca, llaman a un amigo cuando tienen tentación de comer de más y piden ánimo y palabras de aliento a los amigos y familiares.

Los bebedores de cerveza sí tienen más panza

Bruce B. Duncan, MD, PhD, epidemiólogo de la Universidad federal de Rio Grande do Sul en Porto Alegre, Brasil. Su estudio de los hábitos de bebida de más de 12.000 adultos fue publicado en el *American Journal of Epidemiology*, 111 Market Pl., Suite 840, Baltimore 21202.

Comparados con los no bebedores y con quienes beben una cantidad equivalente de alcohol en vino, los adultos que beben seis cervezas por semana están más abultados en la cintura. *El peligro:* las panzas han sido relacionadas con el riesgo de enfermedad cardiaca.

Fantásticas formas de no recuperar el peso perdido

Joyce Nash, PhD, psicóloga clínica en San Francisco y Palo Alto, CA. Autora de varios libros de medicina del comportamiento, incluido *Now That You've Lost It.* Bull Publishing Co.

Es mucho más fácil adelgazar que mantenerse sin recobrar los kilos extras. Cuando uno trata de perder peso, se concentra especialmente en ese primer objetivo. Pero una vez que se llega al peso ideal, se debe balancear el mantenimiento del nuevo peso con otros factores de la vida.

Esto requiere que usted haga ajustes continuos y diarios para volver a su vida normal.

El control del peso es más un camino que un destino.

LA PSICOLOGÍA DEL MANTENIMIENTO DEL PESO

Los patrones de pensamiento positivo son cruciales para controlar el peso exitosamente a largo plazo. *Las personas que no tienen éxito al controlar su peso tienden a…*

- **Encontrar excusas** que les permitan comer demasiado o no hacer ejercicio.
- **Concentrarse solamente en el placer de comer** y olvidar sus objetivos de mantenimiento de peso.
- **Dudar de su capacidad de cambiar.**
- **Crear expectativas poco realistas** para ellos o para los demás.
- **Juzgarse a sí mismos –y a los demás– con severidad.**

En contraste, los que son exitosos tienden a:

- **Recordar sus objetivos a largo plazo.**
- **Notar hasta los más pequeños logros** en su control del peso.
- **Hablarse positivamente** para seguir en el camino correcto.

ESTRATEGIAS PARA EL CONTROL DEL PESO

- **Convierta el ejercicio en una parte regular de su vida.** Si no hace ejercicio con regularidad, es mucho más difícil mantener el peso.

Por supuesto, sabemos que eso de hacer del ejercicio una parte de su rutina diaria es más fácil de decir que de hacer. Le recomiendo que escoja una gama de actividades que le gusten y que pueda realizar de acuerdo a su estado de ánimo, o al mal tiempo.

Ejemplo: Yo camino al aire libre una hora todos los días. Cuando llueve, pedaleo en una bicicleta estacionaria bajo techo.

- **Reduzca las calorías provenientes de la grasa a un 30% de su ingesta diaria.** La mayoría de los estadounidenses come más grasa de la que necesita. Estamos expuestos a una gran cantidad de comidas grasosas y muy apetitosas, por lo que desarrollamos un gusto por las comidas que están disponibles fácilmente. Sin embargo, usted puede cambiar sus gustos y aprender a preferir las comidas con pocas grasas.

Estrategia: Empiece con pasos pequeños. Coma pan sin mantequilla, ensalada con poco aliño o ninguno y el pollo sin piel.

Bono: Luego de consumir comidas bajas en grasas por un tiempo, le parecerá que la ingesta de comidas grasosas lo hará sentir física y sicológicamente incómodo... hinchado, perezoso y hasta con náuseas.

• **Controle las comilonas.** Entre el 25% y el 50% de quienes participan en programas de control de peso tienen tendencia a las comilonas. Los mayores detonantes para una comilona son las emociones negativas –rabia... depresión... ansiedad.

Estrategia: Lleve un diario por dos semanas de sus hábitos alimenticios –comidas, meriendas, comilonas. Anote también las circunstancias –cómo se siente, qué está haciendo y en qué piensa mientras come. Esto le ayudará a identificar los detonadores que le hacen comer y a desarrollar estrategias para evitarlos.

Ejemplo: Hace poco traté a una paciente que a menudo sentía rabia y respondía a sus emociones negativas con comilonas. Una vez que ella identificó que su rabia era un detonador para comer en exceso, pudo examinar su ciclo de rabia y escoger cuáles batallas luchar y cuándo dejar pasar la rabia. También aprendió a expresar su ira –por ejemplo confrontando a la persona que le provocó ese sentimiento– de otras maneras distintas a comer.

• **Coma moderadamente.** Para conservar exitosamente un nivel bajo de peso, debe controlar su ingesta de calorías.

Estrategia: Coma todo lo que quiera, pero mantenga las calorías en un rango moderado. Para la mayoría de los hombres y mujeres adultos, el gobierno estadounidense recomienda entre 1.600 y 2.800 calorías por día para mantener el peso. Sin embargo, su mejor rango para mantener el peso dependerá de su edad, sexo, estilo de vida, nivel de actividad y otros factores. Experimente sumando y restando calorías para encontrar el rango que sea mejor para usted.

• **Piense inteligentemente.** Concéntrese en su objetivo a largo plazo de mantenerse en un peso, instrúyase y felicítese por comportamientos positivos.

Error: En la oficina, un colega pasa ofreciendo trozos de torta. Mientras que se acerca, usted ve solo el pastel, no su objetivo. Usted racionaliza y se dice que se ha portado bien durante semanas y no debería privarse cuando todos los demás están comiendo.

Mejor: Cuando el trozo de torta se acerque a usted, recuerde que ha trabajado duro para perder peso, se siente maravillosamente y quiere mantenerse así. Dígase que el placer momentáneo del dulce no lo beneficia. Rechace la torta. Cuando su colega se dirija a otro compañero, siéntase bien y felicítese por resistir la tentación.

• **Controle los deslices.** Todo el mundo tiene deslices ocasionales.

Estrategia: Evite convertir un desliz en un doble desliz. En lugar de comerse un segundo trozo de torta, vaya al gimnasio y elimine esas calorías al día siguiente.

• **Cree un estilo de vida que le satisfaga.** Lo último que usted desea decir al final de su vida es que dedicó la mayor parte de su vida a vigilar su peso. Si bien el mantenimiento del peso es importante para la salud y el bienestar psicológico, su vida debería centrarse en algo mucho más significativo.

Cree una misión que dé valor a su vida. Encuentre una manera de ser creativo, contribuir a la sociedad o hacer algo que sea importante para usted.

Maximice su "entrenamiento" en el jardín

Jeffrey Restuccio, es autor de *Fitness the Dynamic Gardening Way.* Balance of Nature Publishing.

Cavar con fuerza, rastrillar, sedimentar la tierra, echar abono y otras tareas de jardinería queman entre 300 y 400 calorías por hora.

Para quemar aún más: Use herramientas de mano, como una podadora de cilindro tradicional, en lugar de una de motor... un rastrillo en lugar de un soplador de hojas… use pesas en las muñecas y los tobillos para aumentar el número de calorías que quema… divida las tareas en segmentos de 30 minutos para tener un buen entrenamiento todos los días.

Precaución: No se exceda.

El metabolismo se hace más lento con la edad

Johanna Dwyer, DSc, RD, directora del centro de nutrición Frances Stern del centro médico New England en Boston.

El metabolismo se hace más lento con la edad –a partir de los 35 años.

Resultado: Aumentará de peso solo por seguir comiendo como cuando era joven.

Autodefensa: El entrenamiento con pesas y los ejercicios aeróbicos hechos con regularidad para incrementar la masa muscular y mantener acelerado su metabolismo. *Además:* consuma alimentos ricos en nutrientes pero bajos en calorías –beba jugos vegetales en lugar de gaseosas, coma pan integral en lugar de pan blanco. Usted puede seguir comiendo casi todos sus alimentos favoritos –siempre que reduzca las raciones.

Dietas para personas que tienen problemas con las dietas

Louis Aronne, MD, director del Comprehensive Weight Control Center del Hospital New York en Nueva York. Autor de *Weigh Less, Eat More.* John Wiley & Sons.

Si usted es como la mayoría de la gente, probablemente ha probado todos los métodos de control de peso –pero no ha tenido éxito en perder todo el peso que desea… o en no volver a engordar.

POR QUÉ COMEMOS EN EXCESO

Una de las principales razones de su sobrepeso quizá sea que no puede controlar sus impulsos de comer. Las ansias de comer son el resultado de un desequilibrio químico en el cerebro. Empieza en el hipotálamo, el centro de hambre del cerebro, que envía mensajes químicos –*neurotransmisores*– para decirle cuándo, cuánto y qué comer.

Aunque suena muy sencillo –algunos neurotransmisores dicen "coma"… otros dicen "deje de comer"– el delicado equilibrio entre los mensajeros puede perturbarse fácilmente.

Las ilimitadas cantidades de comida disponibles en todas partes hoy en día y el hecho de que usted no tenga que esforzarse físicamente para obtener alimentos facilitan las condiciones para comer sin control.

CÓMO CONTROLAR LAS ANSIAS DE COMER

Para luchar contra las ansias de comer, usted debe aprender a restringir los niveles de neurotransmisores que el cerebro envía. La única manera de suprimir su impulso por comer de inmediato es cambiar sus patrones de ejercicio y sus hábitos alimentarios. *Para lograrlo…*

●**Lleve un diario de control de peso por un mes.** Las investigaciones demuestran que no sabemos cuánto comemos realmente en un día –a veces subestimamos su valor real en un setenta y cinco por ciento.

Útil: Compre una libreta pequeña que pueda llevar a todas partes. Cada vez que coma o beba algo, anote qué fue, cuánto consumió, cuándo y dónde, qué estaba haciendo antes y cómo se sintió mientras comía.

La razón: Si usted usa el diario todos los días –todo el día– podrá identificar trampas alimenticias ocultas en su rutina… determinar si el estrés lo hizo comer… descubrir los tipos de comida que lo impulsan a comer en exceso… saber cómo el ejercicio afecta su apetito.

●**Empiece un programa de ejercicios.** Usted lo ha oído una y otra vez, pero el ejercicio es realmente la clave para controlar el peso con éxito.

Incluya el ejercicio en su vida diaria: suba por las escaleras y no por el ascensor, camine a la tienda de la esquina en lugar de ir en auto…

estaciónese lo más lejos posible del centro comercial así tendrá que caminar más.

Haga hasta una hora de ejercicios aeróbicos (caminar, correr, andar en bicicleta) y ejercicios de resistencia (calisténicos o levantamientos de pesas) a menos tres veces por semana.

Ejemplo: Haga 10 minutos de actividad aeróbica mezclada con entrenamiento de resistencia tres veces al día... ó 30 minutos una vez al día. Los estudios demuestran que ambas formas son igualmente beneficiosas para quienes están empezando a hacer ejercicio.

Si usted ya hace ejercicio con regularidad pero desea quemar más calorías, varíe la intensidad de su ejercicio.

Ejemplo: Configure la máquina caminadora para subir colinas de diferentes alturas seguidas de superficies planas.

•**Aprenda sobre los componentes de una dieta nutricional balanceada.** *El gobierno estadounidense recomienda que los adultos ingieran diariamente lo siguiente...*

•**Entre seis y 11 raciones de pasta, cereal, arroz o pan.** *Ejemplo:* una ración es media taza de pasta.

•**Entre tres y cinco raciones de vegetales.** *Ejemplo:* una ración es media taza.

•**Entre dos y cuatro raciones de frutas.** *Ejemplo:* una ración es una banana.

•**Entre dos y tres raciones de productos lácteos.** *Ejemplo:* una ración equivale a ocho onzas (235 ml) de leche.

•**Entre dos y tres raciones de carne, pollo, pescado y huevos.** *Ejemplo:* una ración es de dos a tres onzas (60 a 85 g).

•**Disminuya las cantidades de grasas, aceites y dulces.**

Excepción: Si usted sufre de *resistencia a la insulina* –una condición en la que el cuerpo debe producir cada vez mayores cantidades de insulina para mantener los niveles de azúcar en la sangre– modere su ingesta de cereal, pan, pasta y otros carbohidratos. En su lugar, siga una dieta ligeramente más alta en proteínas y más baja en carbohidratos de lo que el gobierno recomienda.

La razón: Usted siente ansias por carbohidratos, pero éstos le hacen comer más porque

elevan y disminuyen rápidamente sus niveles de insulina. Su cuerpo considera que su nivel de azúcar en la sangre bajará demasiado y envía una señal pidiendo más alimentos.

Usted puede saber si tiene resistencia a la insulina –un cuarto de la población la tiene– llevando su diario de peso y analizando su respuesta a los carbohidratos. O puede consultar a su médico.

•**No suprima comidas o limite demasiado su ingesta de alimentos.** Esto hace que su cerebro produzca más *neuropéptidos*, que producen ansias por carbohidratos.

Si usted ignora esa ansia, su cerebro libera otra sustancia, llamada *galanina*, que da instrucciones a su cuerpo de comer y almacenar grasa. Las dos sustancias juntas producen irresistibles ansias de comer.

•**Prepárese para las ansias de comer cuando cambie a una dieta más saludable.** Las buenas noticias son que los ataques de hambre desaparecerán.

Útil: Satisfaga las ganas de comer carbohidratos comiendo pequeñas cantidades de comida –un trozo pequeño de fruta o un "pretzel".

Controle su deseo por los dulces comiendo raciones pequeñas de un producto sin grasa, como galletas "graham" o un caramelo duro. Las raciones grandes pueden tener muchas calorías, así que esté alerta. Si necesita comer chocolate, coma unos pocos "kisses".

•**Controle el estrés.** Cuando usted está bajo presión, su cuerpo produce *cortisol* –una hormona que le dice a su cuerpo que produzca más neuropéptidos y galanina. Como resultado, usted siente deseos de comer carbohidratos y grasas.

Útil: Aunque sea imposible eliminar el estrés por completo, sí puede aprender a controlarlo. Encuentre el mejor disipador de estrés para usted –haga ejercicios, practique meditación o respiración profunda, haga ejercicios de relajamiento muscular, tome un baño tibio, lea un libro o escuche música.

Para algunas personas, la reducción del estrés realmente suprime el apetito pues reduce los niveles de ciertos componentes en el cuerpo que pueden estimularlo a ganar peso.

Sorprendente quemador de calorías

Harold Bloomfield, MD, psiquiatra con práctica privada en Del Mar, California, y coautor de *The Power of 5*. Rodale.

Beber agua helada quema calorías. Cuando se bebe algo frío, el cuerpo sube el metabolismo para que la temperatura corporal no baje. Esto quema calorías –8 vasos de 16 onzas de agua fría queman unas 200 calorías extra al día.

El banco de grasas

50 Essential Things to Do When the Doctor Says It's Heart Disease por Fredric Pashkow, MD, director médico de rehabilitación cardiaca de la Cleveland Clinic Foundation. Plume Books.

Use el "banco de grasas" para mantener una dieta saludable sin tener la sensación de no poder comer más comidas grasosas. Considere las cuotas de calorías y grasas como saldos en una cuenta bancaria. Puede acudir a ellas como lo haría en el banco. Si sabe que querrá un alimento con grasas un día, puede "componer su saldo" reduciendo su ingesta de grasas con unos días de antelación o reduciendo su ingesta de grasa después, para equilibrar su cuenta.

También útil: En una comida con alimentos muy grasosos, coma una pequeña cantidad de éstos y equilíbrela con opciones "bajas en grasa" –muchos vegetales o frutas como postre.

Secretos sencillos para adelgazar permanentemente

Kathleen Thompson, coautora de *Feeding on Dreams: Why America's Diet Industry Doesn't Work & What Will Work for You*. Avon.

Cada año, los estadounidenses gastan $33 mil millones en programas de dieta –gran parte de lo cual es dinero perdido.

La razón: La premisa en que se basan estos programas –reducir calorías y perder peso– está desactualizada por lo menos 20 años. En varios estudios estos programas han sido desacreditados completamente.

Adelgazar no es tan fácil. La parte difícil no es perder peso, sino no recuperarlo. A menos que usted quiera comer comidas congeladas y beber batidos bajos en calorías por el resto de su vida, conservar el peso ideal es casi imposible con la mayoría de los programas comerciales para adelgazar.

No sorprende entonces, que muchos de los que hacen dieta pasen sin éxito de un plan a otro; pierden peso en uno, lo recobran, y entonces cambian a otro plan.

De hecho, los consejeros que trabajan para los planes de dieta comerciales más conocidos admiten abiertamente que quizás nueve de cada 10 personas que prueban una dieta comercial terminan probando dos o tres... o más.

PRINCIPIOS PARA ADELGAZAR

¿Cómo perder peso y no recuperarlo? ¿De una vez y para siempre? *Hay tres principios fundamentales para adelgazar de forma efectiva y duraderamente...*

Principio Nº 1: Controle su vida y su peso. Dejar la responsabilidad de lo que come y lo que hace a otra persona puede ser mortal. Debe elaborar un programa especialmente para usted. Y, además, debe analizar su vida.

Con frecuencia, comer es una técnica de sobrevivencia. Es una manera de soportar nuestras frustraciones y desilusiones. La vida puede ser muy difícil. Comer puede ayudar a sobrellevarla.

Comer en exceso se convierte en una manera de conservar la salud emocional –aunque como resultado la salud física se vea en riesgo.

Para superar este enfoque autodestructivo hacia la comida, usted debe aprender a separar la comida de su simbolismo emocional. Quizás necesite la ayuda de un psicólogo especializado en problemas de peso.

Para referencias a un psicólogo en su comunidad, contacte a la National Association of Anorexia Nervosa and Associated Disorders, Box 7, Highland Park, IL 60035, 847-831-3438, *www.anad.org*.

Principio Nº 2: Acepte su cuerpo. No se concentre en el aspecto de su cuerpo, sino en lo que le permite hacer. No se compare con el cuerpo ideal promocionado por las películas sexy o los anuncios de las revistas. Después de todo, la figura corporal está determinada en gran parte por la herencia. Tendemos a lucir como nuestras madres y padres –y eso persiste incluso si tenemos éxito al adelgazar.

Principio Nº 3: Convierta la comida en un placer. Evite pensar en ella como un asunto moral. Las "buenas" comidas son las que cree que debería comer: frutas, vegetales, frijoles, pasta, etc. Las "malas" saben bien pero engordan: tortas, dulces, refrescos azucarados, etc.

Sustituir las buenas comidas por las malas *parece* una buena idea, pero puede que se predisponga a fracasar. *Problema:* aunque usted pudiera evitar las comidas malas por varios meses, cedería a la tentación, posiblemente hasta el extremo del hartazgo.

La mejor manera: Si le gusta la torta de queso "cheesecake", tómese la libertad de comerla de vez en cuando. Al eliminar el "tabú" por ese postre, ya no le causará tanta obsesión.

LA DIETA VS. SU PESO META

La única manera de asegurar una pérdida de peso duradera es bajar su meta –lo que su cuerpo "piensa" que debería pesar. Cuando las personas comen en exceso, por lo general ganan peso solo temporalmente y vuelven a su peso normal, o meta, una vez que reanuda sus hábitos alimenticios previos.

De forma similar, cuando usted sigue una dieta baja en calorías, su cuerpo quiere evitar el hambre. Como resultado, su metabolismo se hace más lento para mantener su meta. *Resultado:* se adelgaza muy lentamente. Cuando regresa a sus patrones alimentarios normales, su peso sube rápidamente al nivel anterior.

Para bajar su peso meta, reduzca su ingesta de grasa y aumente su masa muscular. En otras palabras, aligere sus hábitos alimenticios y haga suficiente ejercicio para crear musculatura.

CÓMO REDUCIR LA GRASA EN LA DIETA

●**Empiece con un poco.** Usted no va a hacer dieta, sino que va a cambiar la manera de comer por el resto de su vida. Así que no hay necesidad de reducir toda la grasa de la dieta de una vez.

Usted puede empezar por poner leche en lugar de crema a su café, luego usar mayonesa baja en grasa en sus sándwiches, etc.

●**Coma lo que quiera.** Si ya disfruta de ciertos alimentos bajos en grasa, conviértalos en los elementos básicos de su dieta. Haga una lista de sus comidas favoritas altas en grasa, y trate de sustituirlas con versiones bajas en grasa.

●**Calcule su ingesta de grasa.** Compre una guía nutricional que diga el contenido de grasa de cada alimento. Úsela para calcular los gramos de grasa que consume cada día.

La cantidad máxima de gramos de grasa que usted puede consumir diariamente y aún perder peso está determinada por su edad, sexo y condición médica, entre otras cosas.

Una mujer mayor de 30 años probablemente no debería consumir más de 20% de sus calorías en forma de grasa. Un hombre mayor de 30 años quizá puede consumir hasta el 25%. (Un gramo de grasa es igual a unas nueve calorías).

●**Asegúrese de que toda la familia adopte hábitos alimenticios sanos.** Si su cónyuge toma helado de postre, probablemente usted no se sentirá satisfecho con una pera. Pero si todos en la familia empiezan a comer saludablemente, habrá menos tentación.

LA IMPORTANCIA DEL EJERCICIO

Mientras más ejercicio haga, más músculos desarrollará. Y como las células musculares queman grasa de la dieta más eficazmente que las células de grasa, el ganar masa muscular acelerará su metabolismo. *Ganancia:* una persona delgada puede comer mucha más grasa sin ganar peso que una persona gorda.

Si usted ha estado inactivo por largo tiempo, empiece ejercitándose solo cinco ó 10 minutos al día. Vaya aumentando gradualmente hasta que se ejercite a menos 20 minutos diarios, de tres a cuatro veces por semana.

La idea es hacer lo que le gusta. De otra forma, pronto dejará de hacer ejercicio. Si usted solía jugar mucho voleibol o sóftbol, por ejemplo, intente reincorporar estas actividades a su itinerario. Si piensa inscribirse en un gimnasio, busque uno donde se sienta cómodo.

Una razón por la cual la gente deja de ir al gimnasio es que siente que no está a gusto. Si usted se siente intimidado por un club de moda, pruebe el "YMCA" o "YWCA" local.

Considere contratar a un entrenador personal. Si no puede pagarlo, júntese con varios amigos y contraten un entrenador que vaya a una de sus casas. Invierta en audífonos y unos buenos videos de ejercicio.

Libérese de las ansias de comer

Elizabeth Somer, MA, RD, autora de *Food and Mood*. Henry Holt. Editora en jefe del boletín *Nutrition Alert*, editado por Nutrition Communications, 4742 Liberty Rd. S., Suite 148, Salem, OR 97302.

A continuación algunas maneras sencillas de deshacerse de las ansias de comer...

• **Si le provoca comer algo dulce,** coma un "bagel" con mermelada baja en azúcar en lugar de un dulce.

• **Haga cambios graduales en su dieta** –no haga cambios abruptos, que puedan alterar las sustancias químicas cerebrales que controlan los cambios de ánimo.

• **Coma regularmente** –no omita el desayuno. *Útil:* coma cantidades más pequeñas pero más seguido.

• **Tome diariamente un multivitamínico** con minerales.

• **Beba al menos seis vasos de agua** todos los días.

El riesgo para la salud de la figura corporal

Stephen P. Gullo, PhD, presidente del Institute for Health and Weight Sciences en Nueva York, y autor de *Thin Tastes Better*. Carol Southern Books.

El peso extra en la cintura aumenta el riesgo de ataque al corazón, alta presión arterial, derrames cerebrales y diabetes –pero el peso extra en las caderas y los muslos quizá no.

Para descubrir el "riesgo de su figura corporal", mídase la cintura en su punto más estrecho, y las caderas (sobre las nalgas) en su punto más ancho. Divida las medidas de la cintura entre las de las caderas.

El aumento en los riesgos para la salud está relacionado a una proporción mayor que 1,0 para los hombres y 0,8 para las mujeres.

Dieta de por vida

James Merker, MPA, CAE, director ejecutivo de la American Society of Bariatric Physicians en Englewood, CO.

No empiece una dieta simplemente para lograr un peso meta a corto plazo.

Ejemplo: Tratar de bajar unas tallas de ropa para una ocasión especial.

Problema: Las libras que se pierden rápidamente tienden a recuperarse con la misma velocidad –o más rápido.

Mejor: Concéntrese en controlar el peso permanentemente y a largo plazo, esto requiere un cambio similar en su estilo de vida.

Las dietas vegetarianas: los resultados duran más

Neal Barnard, MD, presidente del Physician's Committee for Responsible Medicine, 5100 Wisconsin Ave. NW, Suite 404, Washington, DC 20016. Médico y siquiatra, y autor de *Eat Right, Live Longer*. Harmony Books.

Las dietas totalmente vegetarianas son mejores en modificar exitosamente los hábitos alimentarios de una manera que produce resultados duraderos.

Error: Muchos médicos recomiendan dietas moderadas porque piensan que sus pacientes harán trampa en dietas estrictas o las abandonarán. Pero las investigaciones indican que los que hacen dietas tienden *más* a seguir dietas estrictas que moderadas.

Las razones: El régimen dietético está claramente diseñado, por lo que no hay lugar para la trampa. Y las dietas estrictas ofrecen resultados más rápidos –y con ellos el vital refuerzo positivo del éxito visible.

¿Le duelen los pies?

Carol Frey, MD, cirujana ortopédica de la Foot & Ankle Clinic de la Universidad Southern California en Los Ángeles, y autora de un estudio de cinco años con 580 mujeres.

Con el aumento de peso, los pies crecen y la persona es más propensa a tener problemas en los pies y tobillos.

Ejemplo: Las mujeres con exceso de peso fueron tres veces más propensas al dolor de tobillos que las mujeres de peso normal.

Pierda peso –incluso cuando duerme

Keli Roberts, entrenadora personal en Los Ángeles, y autora de *Fitness Hollywood*. Summit Group.

Para perder peso… levante pesas. La cantidad de calorías que se queman en una rutina de levantamiento de pesas no es muy alta –pero una persona con mayor masa muscular gasta más calorías *todo el tiempo*, incluso cuando duerme.

En un estudio, un grupo de personas hizo ejercicios aeróbicos tres veces a la semana por 30 minutos, mientras que otro grupo dividió las sesiones entre aeróbicos y entrenamiento de fuerza. El grupo de los aeróbicos perdió cuatro libras (casi 2 kilos) y los que añadieron el entrenamiento de fuerza perdieron 10 libras (4½ kilos)… y ganaron masa muscular.

Los secretos de los médicos dietistas para perder peso… y no recuperarlo

Mary Dan Eades, MD, internista especializada en pérdida de peso y medicina metabólica. Tiene un consultorio privado con su esposo, Michael Eades, MD, en Little Rock, Arkansas… Stephen Gullo, PhD, presidente del Institute for Health and Weight Sciences en Nueva York y autor de *Thin Tastes Better*. Carol Southern Books… John McDougall, MD, fundador y director del McDougall Program en el hospital St. Helena en Deer Park, California.

El secreto para verse y sentirse más joven es seguir una dieta nutritiva y hacer ejercicios con regularidad. Pero hay muchas estrategias distintas para combatir la tentación diaria y permanecer delgado. *Les preguntamos a tres destacados médicos dietistas cómo lo logran…*

MARY DAN EADES, MD

Mi dieta se concentra en tener el balance correcto de alimentos para que las hormonas metabólicas, particularmente la insulina, ayuden al cuerpo a usar los nutrientes como debería. Como resultado, consumo cantidades moderadas de proteínas y grasas, y soy selectiva con los carbohidratos que ingiero.

Hoy peso 135 libras (61 kg), mido cinco pies, cinco pulgadas (165 cm) de alto, y tengo menos del 24% de grasa corporal.

•**Como cantidades adecuadas de proteínas.** Las proteínas son la comida más esencial que el cuerpo necesita para sobrevivir. Como al menos 10 a 12 onzas (275 a 350 g) de proteínas por día cuando trato de perder o mantener mi peso.

Obtengo las proteínas en forma de carnes rojas magras, pescado, pollo, queso bajo en grasa, huevos y tofu. Comer proteínas en proporción correcta con los otros componentes dietéticos, me permite quemar las grasas entrantes como combustible para la energía en lugar de almacenarlas –como pasaría si comiera muchas comidas ricas en proteínas y no suficiente de otros tipos.

●**Selecciono los carbohidratos con cuidado.** Mantengo mi ingesta de carbohidratos al mínimo –entre unos 60 y 80 gramos diarios debido a su impacto adverso en la insulina– especialmente las féculas (semillas y tubérculos) y los carbohidratos refinados. Obtengo la mayoría de esos carbohidratos de una amplia variedad de frutas y vegetales que contienen muchas vitaminas.

●**Tomo un suplemento vitamínico diario** para asegurarme de que estoy consumiendo todos los nutrientes que debo y que tal vez no obtengo de otra manera.

●**Hago ejercicios con regularidad.** Practico kung fu (un entrenamiento de resistencia con aeróbicos de alto impacto) cuatro veces a la semana por una hora. O, si no puedo ir a mi clase de kung fu, corro y me ejercito con pesas.

STEPHEN GULLO, PhD

Con un estilo de vida muy ocupado y rodeado de comidas bien preparadas, frecuentemente me siento tentado a comer de más. Mi familia tiende a la obesidad y tengo los mismos problemas de control de peso que mis pacientes. Si no soy cuidadoso con lo que como, puedo fácilmente agregar de ocho a 10 libras (unos 4 kilos) a mi marco de 5'11" y 168 libras (180 cm y 76 kg). Soy especialmente propenso a ganar peso alrededor del abdomen. Y esto es particularmente poco saludable.

La pizza es mi debilidad. Sólo un trozo me puede causar continuos ansias de más pizza, pan y otros productos harinosos por semanas. *Para controlar mis deseos de pizza, trato de minimizar mi problema con la comida desencadenante mediante el "encierro"…*

●**Limito** la cantidad que como.

●**Controlo** la frecuencia con que la como.

●**Evito** los sitios en los que normalmente me siento inclinado a comer este tipo de comida.

Si el autocontrol no funciona, entonces elimino temporalmente la pizza de mi dieta. Al principio es difícil, pero eventualmente dejo de sentir deseos. Si me descubro pensando en ello, me entretengo. Por lo general una actividad que distraiga la mente elimina el deseo casi instantáneamente.

Para evitar la tentación, sigo algunos lineamientos básicos…

●**Compro cuidadosamente en el supermercado,** pues es allí donde empieza la mayoría de los problemas de peso. Evito comprar al final de la tarde o justo después del trabajo, cuando el azúcar en la sangre nos hace comprar comida impulsivamente. Antes de poner ningún producto en mi carrito, me pregunto *si se trata de algo de lo que yo normalmente abuse.* Si lo es, lo devuelvo al anaquel.

●**Cuando viajo, no acepto las llaves del minibar del hotel.** También pido a la mucama que no deje galletas o caramelos en mi almohada. La disponibilidad crea deseos.

●**Nunca voy hambriento a un restaurante.** Es fácil atacar la cesta de pan. En cambio, como gelatina sin azúcar, yogur sin grasa, sopa sin grasa o fruta antes de salir. Algunas veces antes de la comida, tomo un jugo de tomate frío, que es un supresor natural del apetito.

●**Hago ejercicios regularmente.** Troto o configuro a 45 minutos el "entrenador de fuerza" NordicTrack dos a tres veces por semana y hago entrenamiento de fuerza adicional. Esto me ayuda a quemar de 10% a 15% más calorías que lo que haría normalmente.

●**Tomo suplementos.** Creo en la importancia de las vitaminas y los antioxidantes. Cada día tomo vitamina E (400 IU), vitamina C (500 mg por la mañana y 500 mg por la noche), folato (400 mg), selenio (100 mg) y aspirina infantil.*

●**Uso técnicas cognitivas de cambio.** Esto incluye remplazar los pensamientos negativos sobre alimentos por pensamientos saludables.

Ejemplo: En lugar de decir que *comeré sólo un trozo de pizza* (lo cual no es cierto en mi historial con esta comida en particular), me digo a mí mismo que el deseo que estoy sintiendo es temporal, que el deseo pasará y que del mismo modo que en este momento quiero el trozo de pizza, también quiero estar saludable y tener control sobre mi vida.

JOHN McDOUGALL, MD

A los 22 años, pesaba 220 libras (100 kg) y medía seis pies y una pulgada (185 cm) de

*Pregúntele a su médico cuál es la dosis adecuada para usted.

alto. Hoy, tengo 49 años y peso 175 libras (80 kg). Soy un vegetariano que se apoya en la dieta basada en féculas que sigue la gente en China, Japón y el Medio Oriente.

En estas culturas, la gente tiene niveles más bajos de obesidad, menos enfermedades del corazón, cáncer de seno y otros problemas de salud que los que siguen la típica dieta estadounidense alta en grasas. *Esto es lo que hago:*

●**Como cantidades mínimas de proteínas y grasas.** Como vegetariano, no como carne, pescado, pollo ni productos lácteos. Creo que causan problemas médicos. Obtengo todas las proteínas que necesito de fuentes vegetales. También evito aceites vegetales, margarina, manteca y los azúcares refinados y simples.

●**Como principalmente carbohidratos.** Mi dieta consiste en granos y cereales integrales (pan, pasta y arroz); tubérculos (papas, batatas, ñames, nabos, chirivías); frijoles, guisantes, lentejas y vegetales verdes y amarillos. Puedo comer estos alimentos hasta quedar satisfecho. Como pocas cantidades de frutas (porque pueden tener mucha azúcar y calorías) y cantidades limitadas de aderezos y salsas bajos en grasa.

●**No tomo suplementos vitamínicos** porque obtengo todos los nutrientes que necesito de mi dieta. Aunque no ingiero productos lácteos, obtengo suficiente calcio de las papas, arroz, maíz y otros vegetales.

●**Hago ejercicio moderado.** Mi dieta baja en grasa no requiere una actividad intensa para mantener mi peso. Trato de estar físicamente activo en mi rutina. Hago esquí de montaña en invierno, y nado, practico "windsurf" y camino durante el verano. También hago pesas con un entrenador personal una hora por semana… aunque desearía tener tiempo para hacer más.

Quemadores de calorías

Pietro Tonino, MD, jefe de medicina deportiva del centro médico de la Universidad Loyola en Maywood, Illinois.

Correr en una máquina caminadora quema más calorías que usar cualquiera de las otras cinco máquinas de ejercicios comunes. Los deportistas que corrieron en una caminadora quemaron cerca de 700 calorías por hora, comparados con los que usaron la máquina de escalar –627 calorías por hora; la remadora –606; la máquina de ski –595; la bicicleta fija con movimientos de brazos –509 y la bicicleta fija estándar –498.

La verdadera razón por la cual es tan difícil adelgazar

Albert Ellis, PhD, creador de la terapia de comportamiento racional emotivo y autor o coautor de más de 700 informes y libros, entre ellos *The Art & Science of Rational Eating.* Barricade. Presidente del Institute for Rational Emotive Behavior Therapy, 45 E. 65 St., New York 10021.

Es difícil adelgazar. ¿Por qué? No es porque no sepamos cuáles comidas comer (y cuáles evitar).

En la mayoría de los casos, la obesidad persistente es resultado de *creencias irracionales.*

Esto es lo que nos decimos –consciente o inconscientemente– sobre los hechos de nuestras vidas y nuestras reacciones ante ellos.

Son las razones por las cuales muchos de nosotros terminamos usando la comida para satisfacer el hambre *emocional*, no la física.

Remplazar estas creencias con autodeclaraciones honestas, posibilita que usted cambie su comportamiento alimenticio –y su peso.

COMIENCE CON LA AUTOACEPTACIÓN

Pocas personas reconocen la increíble ironía que se esconde en la mayoría de los casos de obesidad –es decir, si usted quiere perder peso en serio, primero tiene que aprender en serio a aceptarse a sí mismo. Debe hacerlo *incondicionalmente*, con todos sus problemas de alimentación y peso.

Si se desestima por ser gordo, por no lograr sus objetivos alimenticios o por cualquier otra razón, quizá se *perciba* como una herramienta emotiva poderosa. De hecho, obstaculiza sus esfuerzos por cambiar sus hábitos alimenticios.

Trampa: Si usted por lo general se desestima, eventualmente se verá a sí mismo como débil e incapaz de cambiar –y, quizás sentirá que no vale la pena *tratar de cambiarse.*

La autoflagelación también le hace sentir mal. Y la gente frecuentemente come en exceso para mitigar los malos sentimientos.

¿Cómo se puede lograr una mayor autoaceptación? *Hay dos estrategias clave…*

●**Enfocarse en el comportamiento.** No confunda lo que usted *hace* con la persona que usted *es.* Solo porque coma en exceso (comportamiento) no significa que usted sea una mala persona (carácter).

Cada uno de nosotros hace millones de cosas durante la vida. Algunas son buenas. Algunas son malas. Aprenda a decir, "comer en *exceso* es malo", en lugar de decir, "*soy* malo".

●**Convierta los "debería" en sus preferencias.** Los "debería" están entre las creencias irracionales más comunes (y más destructivas). *Si usted piensa que…*

  ●**La vida *debería* ser menos estresante…**
  ●***Debería* poder comer lo que quisiera…**
  ●***Debería* estar más delgado…**
  ●**La gente *debería* tratarlo con justicia…**

…entonces sentirá rabia cuando estas exigencias no se cumplan.

Enfrentémoslo. La vida *no* es justa y los demás no siempre nos tratan de la manera en que nos gustaría que lo hicieran. Insistir en que las cosas sean de otra manera tampoco va a cambiar las cosas. Solo es una pérdida de tiempo y energía que nos molesta de manera crónica.

Cuando transformamos estas exigencias en *preferencias,* pierden su poder de hacernos sentir mal.

Ejemplo: No se diga, "*debería* estar delgado". Dígase, "*prefiero* estar delgado".

EL MÉTODO ACCC

Cada vez que usted se dé cuenta de que está comiendo en exceso, analice la situación usando esta técnica sencilla. Algunos consideran útil hacerlo por escrito. *Haga una pausa, y luego…*

●**Identifique el evento *Activador.*** Es decir, la situación que precedió a su angustia.

Ejemplos: Su jefe le dio una evaluación de desempeño negativa… tuvo una pelea con su cónyuge… se subió a la balanza solo para ver que había aumentado dos kilos.

●**Anote sus *Creencias* irracionales sobre el evento negativo.** Además de usar los *"debería"* para desestimarse, las creencias irracionales pueden provenir de *exagerar* las cosas… y *reducir la tolerancia a la frustración* (ver la frustración y el malestar como *intolerables* en lugar de *inconvenientes*).

Ejemplos: "Mi jefe *debería* apreciarme más, y es *terrible* que no lo haga"… "Mi esposa *debería* apoyarme y siempre estar de buen humor"… "Hacer dieta es *demasiado difícil* y no puedo *soportarlo*".

No hay nada de malo con sentirse frustrado, deprimido o enojado ocasionalmente. Pero cuando usted se convence de que estos sentimientos deben evitarse a toda costa, se somete a un dolor innecesario.

●**Considere las *Consecuencias* de su pensamiento irracional.** Mientras más consciente esté de sus creencias irracionales, más fácil será ver que éstas provocan consecuencias indeseables –emocionales *y* de comportamiento.

Ejemplo: Si usted cree que en la vida no debería haber problemas ni desafíos, probablemente pasará gran parte de su tiempo sintiendo resentimiento y desánimo. Quizá también evite ser responsable de escoger inteligentemente lo que come.

Cuando usted acepte que restringir sus alimentos puede ser difícil pero no *horrible* ni *imposible,* podrá enfocarse en placeres distintos a la comida.

●***Confronte*** **sus creencias irracionales.** No es suficiente identificar simplemente los eventos problemáticos, las creencias y sus consecuencias. Usted debe *desafiar* enérgicamente sus autodeclaraciones ineficaces. *Estas son algunas maneras de enfrentar sus creencias irracionales…*

●**Evidencia.** ¿Acaso se ha *demostrado* que las personas gordas no son valiosas? ¿Y que usted siempre debería obtener lo que quiere?

●**Lógica.** ¿Quién dijo que salirse de la dieta una o dos veces significa que nunca adelgazará?

●**Pragmatismo.** ¿Esta creencia está realmente ayudándole a alcanzar su meta? ¿Una creencia distinta podría ayudarle más?

●**Juego de rol.** Pídale a un amigo que repita sus creencias irracionales una por una –mientras usted las refuta con convicción.

Formas probadas de adelgazar sabiamente

Anne M. Fletcher, MS, RD, autora de *Eating Thin for Life: Food Secrets & Recipes from People Who Have Lost Weight & Kept It Off.* Chapters Publishing, Ltd.

Al estudiar entrevistas con más de 200 personas –cada una de las cuales había perdido un promedio de 64 libras (29 kg) exitosamente y no las había recuperado al menos en tres años–, he descubierto que no es necesario gastar mucho dinero para adelgazar.

La mayoría de estas personas logró sus objetivos sin gastar miles de dólares en inscripciones en gimnasios o vacaciones en un spa. No compraron una máquina para correr de $3.000 dólares… ni se operaron el estómago para reducir su capacidad… ni siguieron un costoso régimen dietético con medicamentos.

En vez, hicieron cambios razonables tanto en sus hábitos alimenticios como en los ejercicios –cambios que duran toda la vida.

Lecciones de las personas que entrevisté y que adelgazaron sin irse a la quiebra…

●**Anote lo que come.** Algunos de nosotros subestimamos hasta la mitad lo que comemos si no llevamos un registro de cada bocado. Las meriendítas –el puñado de maníes o el mordisco al postre de su pareja– son las que pueden causar problemas.

Útil: Muchas personas consideran útil llevar la cuenta en una libreta de todo lo que comen mientras están perdiendo peso. Y la mayoría de los que encuesté continuó registrando lo que comía por semana u ocasionalmente para no recuperar el peso. El simple acto de llevar registro de lo que se consume ayuda a muchos a reducir las cantidades.

●**Compre una balanza digital para alimentos ("food scale"), tazas y cucharas para** medir y un contador de grasas y calorías ("fat and calorie counter"). Muchas personas no están conscientes de cuánto es exactamente una porción de alimentos. Estamos acostumbrados a "agigantar" ("supersize") las comidas, por eso las porciones suelen ser mucho más grandes que las que están listadas en las etiquetas de los alimentos.

Ejemplo: Algunos contadores de calorías dicen que un "bagel" pesa dos onzas (57 g). Pero el peso típico de los regordetes "bagels" frescos de las pastelerías es de cuatro onzas (115 g), lo que duplica la cantidad de calorías a más de 300.

Costo total: Menos de $100.

Una vez que aprenda a conocer el tamaño *real* de las porciones, podrá olvidarse de la balanza y de los libros. Pero no los deseche.

La razón: A veces es bueno revisar para asegurarse de que usted todavía está midiendo a ojo las raciones de manera correcta y que su cuenta de calorías y grasas es la que se propuso.

●**Si necesita ayuda para adelgazar, busque programas de precio razonable.** La mitad de las personas que entrevisté adelgazó por cuenta propia. La otra mitad necesitó ayuda de profesionales o de programas. No hay nada de malo en inscribirse en un programa comercial, pero no debería costarle un ojo de la cara.

Los grupos de apoyo sin fines de lucro como TOPS (Take Off Pounds Sensibly, 800-932-8677, *www.tops.org*) y Overeaters Anonymous (505-891-2664, *www.oa.org*) cuestan solo unos pocos dólares a la semana. Algunos programas son completamente gratuitos.

Weight Watchers es asequible, la inscripción cuesta unos $20 y otros $12 por semana para poder asistir a las reuniones (800-651-6000, *www.weightwatchers.com*).

●**Camine.** Con mucha ventaja, caminar fue la primera preferencia de ejercicio de las personas que encuesté.

Razones: No cuesta nada, puede hacerlo al aire libre o en un centro comercial… con el perro o los amigos… cerca de su casa o en una universidad o escuela local… con una intensidad baja, moderada o alta –con la que se sienta cómodo.

Importante: Más de la mitad de las personas que encuesté hacía más de un tipo de ejercicio para romper la monotonía del ejercicio diario.

•**Aproveche los programas educativos comunitarios de ejercicios para adultos.** Por la noche, muchas escuelas locales abren sus puertas a los adultos para dar clases de educación física como aeróbicos, calistenia, natación o baile. Estas clases por lo general son baratas (menos de $50), duran varias semanas y son dictadas por expertos.

•**Saque libros de cocina baja en grasa de la biblioteca.** Pruebe las recetas, y si hay un libro que le gusta, cómprelo… y úselo.

O, como la mayoría de nosotros tiende a comer las mismas 10 comidas una y otra vez, seleccione de cinco a 10 recetas bajas en grasa y cópielas en tarjetas de recetas.

•**Vea a un dietista registrado (RD por sus siglas en inglés) en el hospital de su comunidad.** Un RD puede evaluar dónde están fallando sus hábitos alimenticios, y también puede elaborar un plan personalizado que le ayudará a controlar su ingesta de alimentos y a obtener la nutrición que necesita.

Costo: Una visita a un RD cuesta alrededor de $40. Si usted tiene una condición médica relacionada con el peso, como diabetes o alta presión arterial, su seguro de salud podría cubrir el costo.

•**Gaste el dinero de sus meriendas en frutas y vegetales.** Las personas que encuesté me dijeron que éste era su mayor secreto para perder peso y no recuperarlo.

La aromaterapia puede ayudarle a adelgazar

Alan R. Hirsch, MD, profesor adjunto de neurología y psiquiatría del centro médico Rush-Presbyterian-St. Luke's en Chicago. Además, es el director neurológico de la Smell & Taste Treatment and Research Foundation, Water Tower Place, Suite 990W, 845 N. Michigan Ave., Chicago 60611. Autor de *Dr. Hirsch's Guide to Scentsational Weight Loss.* Element.

L os médicos saben desde hace mucho tiempo que las personas que pierden el sentido del olfato (una condición conocida como *anosmia*) a menudo terminan aumentando de peso.

Mi investigación demuestra que las personas con sobrepeso que huelen aromas de comida les pasa lo opuesto –*pierden* peso.

Estudio: A más de 3.000 personas con sobrepeso se les dio un inhalador en forma de bolígrafo que contenía aroma de manzana, menta piperita ("peppermint") o banana. Se les pidió que olieran el aroma cada vez que sintieran hambre.

Durante los seis meses de investigación, los participantes olieron el inhalador de 18 a 288 veces por día… y perdieron un promedio de 30 libras (13½ kg) por persona.

Mientras más frecuentemente olieron, sintieron menos hambre –y perdieron más peso. Algunas personas terminaron adelgazando más de lo que tenían pensado.

No está claro aún si estas personas podrán evitar recuperar el peso perdido. Mi presentimiento, sin embargo, es que se probará que la pérdida de peso inducida por aromas no es ni más fácil ni más difícil de mantener que la lograda por medios más convencionales –dietas especiales, regímenes de ejercicios, supresores del apetito, etc. Estudios de seguimiento podrán brindar una respuesta a esta importante pregunta.

POR QUÉ OLER FUNCIONA

¿Qué explica la relación entre oler alimentos y perder peso?

Una posibilidad es que *oler* comida de alguna manera engaña al cerebro para que *piense* que el cuerpo está verdaderamente consumiendo alimentos.

Otra teoría: Inhalar el aroma de una comida placentera ayuda a eliminar la ansiedad que a menudo causa que la gente coma de más.

Cualquiera que sea la explicación, está claro que los aromas de alimentos ayudan a controlar los excesos en la alimentación.

PARA PRACTICAR AROMATERAPIA

Si usted desea perder peso por medio de la aromaterapia, pruebe estas simples estrategias:

•**Tómese el tiempo de oler su comida antes de comer.** Inhale tan profundamente como pueda para asegurarse de que las moléculas que causan el aroma lleguen al bulbo olfativo. Esa es la parte del organismo responsable de sentir los olores.

●**Mastique bien la comida.** Mientras más concienzudamente usted mastique, más olor se libera. Si usted está comiendo solo, o puede hacerlo sin ofender a su acompañante, incluso debería intentar "soplar burbujas" en cada bocado de comida antes de tragar.

Al hacerlo maximiza la mezcla de moléculas de los alimentos con las moléculas del aire.

●**Opte por comida fresca siempre que pueda...** y cómala caliente. Los alimentos frescos no procesados tienden a tener aromas más fuertes que los envasados o enlatados. La comida caliente es más aromática que la comida fría.

●**Añada una hierba, condimento o especia penetrante a los alimentos sosos.** Al arroz, por ejemplo, puede rociarle una salsa para bistec ("steak sauce"). Puede espolvorear ajo picado sobre la ensalada... o añadir una pizca de "ketchup" a su queso ricota.

PARA USAR UN INHALADOR

Si prefiere, puede usar un inhalador de aromas. Para obtener información sobre dónde comprar uno, comuníquese con The Smell & Taste Treatment and Research Foundation al 312-938-1047, *www.smellandtaste.org.*

Lleve el inhalador en todo momento. Cuando sienta hambre, inhale el aroma tres veces por cada fosa nasal.

Varíe los aromas que huele, y escoja aromas de alimentos que le gusten. Si no encuentra placentero el olor, no le ayudará a perder peso.

Precaución: No use un inhalador si usted sufre de asma o migrañas. Estas condiciones se pueden empeorar si usa un inhalador.

Otro beneficio de adelgazar

Gary Zammit, PhD, es director del Sleep Disorder Institute en Nueva York.

Es posible que al adelgazar se curen además los ronquidos.

Estudio: Se sometió a hombres que roncaban fuertemente a un programa de pérdida de peso de seis meses. *Resultado:* entre los hombres que perdieron seis libras (casi 3 kg), la cantidad de ronquidos descendió un 50%. Entre los que rebajaron 13 libras o más (6 kg), los ronquidos se eliminaron casi por completo.

Cómo adelgazaron los científicos en pérdida de peso

Richard Heller, PhD, and Rachael Heller, PhD. Él es profesor adjunto de patología en la facultad de medicina Mount Sinai en Nueva York y profesor de ciencias biomédicas en la City University of New York (CUNY). Ella es profesora clínica auxiliar de patología en Mount Sinai y profesora auxiliar de ciencias biomédicas en CUNY. Son coautores de varios libros, entre ellos, *The Carbohydrate Addict's Lifespan Program.* Dutton.

Como científicos que hemos tenido sobrepeso, sabemos de primera mano que las ansias de comer y el aumento de peso no son siempre el resultado de la falta de fuerza de voluntad.

Podrían ser causados por una adicción biológica a los carbohidratos y una producción superabundante de la hormona insulina.

LOS CARBOHIDRATOS Y LA INSULINA

Nuestra investigación demuestra que un 75% de las personas con sobrepeso –y el 40% de las personas de peso normal– sufre de un desequilibrio biológico relacionado con la insulina.

La insulina es una hormona que ayuda al cuerpo a usar y conservar la energía de los alimentos de tres maneras...

●**La insulina le *dice* al cuerpo cuándo comer.**

●**La insulina *lleva* la energía de los alimentos** a donde sea que el cuerpo la necesite.

●**La insulina le *ordena* al cuerpo que ahorre energía** de los alimentos que se almacena en células de grasa, para cuando no haya alimentos disponibles.

Muchas personas producen tanta insulina que sus cuerpos no son capaces de absorberla completamente. Como consecuencia, terminan con un exceso de insulina en el torrente sanguíneo. Este desequilibrio da lugar a un ciclo en el cual experimentan irresistibles deseos por comer carbohidratos (pan, pasta, meriendas y refrigerios, y tortas y pasteles). Cuando comen carbohidratos, el cuerpo libera aún más insulina.

El resultado es una constante sensación de hambre, deseos intensos y reiterados de comer carbohidratos, fácil aumento de peso y dificultad para perderlo.

Afortunadamente, la adicción a los carbohidratos y el desequilibrio de insulina pueden corregirse para que usted pueda adelgazar y estar sano el resto de su vida –sin pasar privaciones y sin luchar por controlar sus patrones alimenticios ni su peso.

¿ES USTED UN ADICTO A LOS CARBOHIDRATOS?

Hágase estas seis preguntas. *Le ayudarán a saber si su cuerpo tiene problemas para asimilar los carbohidratos…*

●**Luego de comer un desayuno completo** ¿siente más hambre mucho antes de la hora del almuerzo de lo que sentiría si no hubiera desayunado?

●**¿Siente cansancio después de comer un almuerzo abundante** o nota que siente pereza y/o hambre por la tarde?

●**¿Ha seguido varias dietas,** solo para recuperar todo el peso que había perdido y hasta más?

●**¿El estrés, el aburrimiento o el cansancio le provocan ganas de comer?**

●**¿Hay veces en las que no se siente satisfecho,** aún cuando recién terminó de comer?

●**¿Se le hace más difícil perder peso** –y no recuperarlo– que cuando era más joven?

Si respondió "sí" a *dos* de estas seis preguntas, probablemente usted tenga una leve adicción a los carbohidratos.

Si respondió "sí" a *tres* o *cuatro* preguntas, usted puede ser un adicto moderado a los carbohidratos.

Si respondió "sí" a *cinco* o *seis* preguntas, usted probablemente tenga una severa adicción a los carbohidratos que puede afectar enormemente su vida.

CONTROLE SU INGESTA DE CARBOHIDRATOS

Hemos creado un plan sencillo para ayudar a restablecer el equilibrio corporal natural de un adicto a los carbohidratos.

Este régimen nos dio buenos resultados a ambos –Rachael perdió 165 libras (75 kg) y Richard 45 libras (20 kg), y ninguno ha recuperado el peso en más de 12 años. También funcionó para el 80% de los 1.000 pacientes adictos a los carbohidratos que atendimos en el Hospital Mount Sinai en Nueva York.

El plan no requiere que usted se prive de los carbohidratos, sino que los limite a una comida por día para prevenir la liberación de cantidades excesivas de insulina.

DOS CATEGORÍAS DE ALIMENTOS

●**Comidas ricas en carbohidratos:** Pan, granos, cereales, helado, leche, yogur, fruta y jugos… carnes enlatadas, pasta, fideos, arroz, meriendas y refrigerios, dulces y vegetales con fécula –remolacha, calabaza, zanahorias, calabacines, maíz, tomates, guisantes y papas.

●**Comidas que reducen las ansias de comer:** Carnes rojas, pollo, pescado, queso, tofu, aceites, grasas, aliños, vegetales sin fécula –coles de bruselas, judías verdes, pimientos, lechuga, espárragos, brócoli y champiñones.

NUESTRO PLAN BÁSICO

●**Coma una "comida de recompensa" (Reward Meal®) balanceada todos los días, bien sea en el desayuno, el almuerzo o la cena.** Se trata de una comida balanceada saludable –no una comilona– que incluya todos los alimentos que usted necesita para una nutrición y salud buenas. Empiece con dos tazas de ensalada fresca. *El resto de la comida debe consistir en…*

●**Un tercio de proteína reductora de las ansias de comer** como carne, pollo, pescado, queso, huevos o tofu.

●**Un tercio de vegetales sin féculas.**

●**Un tercio de alimentos ricos en carbohidratos** como vegetales con féculas (almidón) y refrigerios, frutas, jugos o dulces.

No creemos que usted deba pesar su comida o contar las calorías o gramos de grasa con este plan. Solo use su sentido común y escuche a su cuerpo para medir las raciones.

● **Termine su comida de recompensa Reward Meal® en una hora.** Si pasa más tiempo, su cuerpo continuará liberando insulina en respuesta a los alimentos ricos en carbohidratos y usted volverá a sentir hambre.

● **Coma solo alimentos reductores de ansias de comer en las demás comidas que haga durante el día.**

No pensamos que nuestro plan funcionará para todos. Todos los programas deben personalizarse para adaptarlos a las necesidades y estilos de vida particulares. Pero creemos que la adicción a los carbohidratos es tan penetrante que, para la mayoría de las personas, vale la pena probar nuestro plan.

Consulte a su médico y siga el programa dos semanas. Debería notar de inmediato una reducción de sus ataques de hambre.

Si no es así, trate de ajustar el programa hasta que note una diferencia –por ejemplo, quizá necesite comer meriendas entre comidas, ajustar las proporciones de las comidas o ajustar su ingesta de suplementos nutricionales o dietéticos.

Cómo saber cuántas calorías comer cada día

Ellen Coleman, MPH, consultora de nutrición de la Sport Clinic en Riverside, California.

Use las *ecuaciones Harris-Benedict* para determinar su *gasto de energía basal* (*BEE* por sus siglas en inglés).

Hombres: BEE = 66 + 13.7W + 5H – 6.8A.

Mujeres: BEE = 665 + 9.6W + 1.7H – 4.7A.

En cada ecuación, W es igual al peso en kilos, H es igual a la altura en centímetros y A es igual a la edad. Para hacer las conversiones métricas, multiplique su altura en pulgadas por 2,54 y divida su peso en libras por 2,2.

Ejemplo: Un hombre de 40 años que mide 5 pies 10 pulgadas (178 cm) de alto y que pesa 195 libras (88,6 kg) necesita 1.897 calorías por día. 66 + (13,7 x 88,6) + (5 x 178) - (6,8 x 40).

Nota: El BEE está basado en cuántas calorías necesita cada día una persona *sedentaria*. *Añada* 100 calorías por cada 15 a 20 minutos de ejercicio ligero (caminar, jardinería, etc.). Agregue de 150 a 200 calorías por cada 15 a 20 minutos de ejercicio vigoroso (correr, nadar, etc.).

18

Actitudes saludables para el ambiente de trabajo y el hogar

Síndrome del túnel carpiano: nuevas medidas preventivas

George Piligian, MD
Irving J. Selikoff Center for Occupational and Environmental Medicine

La condición médica conocida como *síndrome del túnel carpiano* ("carpal tunnel syndrome" o CTS) –y las dolencias relacionadas denominadas de *trauma acumulativo* ("cumulative trauma" o CTD)– están entre los trastornos laborales más comunes y más frecuentemente discutidos.

EL FONDO DEL PROBLEMA

El CTS surge como consecuencia de que uno de los tres nervios principales de la mano queda comprimido en su paso por la muñeca. Puede diagnosticarse mediante un examen físico y una prueba de diagnóstico objetiva llamada velocidad de conducción del nervio y electromiografía ("nerve conduction velocity and EMG"). Las dolencias relacionadas o CTD pueden ser más difíciles de diagnosticar porque no existen pruebas de diagnóstico objetivas para todas ellas.

Los síntomas comunes que los empleados deben tener en cuenta: Un cambio en las sensaciones de la mano –como hormigueo– o simplemente sentir que la mano no está bien, son señales tempranas de CTS. Después, puede presentarse dolor, entumecimiento o debilidad.

Si se ignora, el CTS puede llevar a la pérdida del control muscular de la mano y la parálisis.

LA AMENAZA DEL COSTO

Además de la dificultad de diagnosticar las CTD, en las fases avanzadas de una CTD, los síntomas son, con frecuencia, imposibles de revertir completamente.

La implicación para las empresas: La prevención de este tipo de dolencias es la mejor, y prácticamente la única, defensa de las empresas.

George Piligian, MD, es doctor de medicina ocupacional en el Irving J. Selikoff Center for Occupational and Environmental Medicine del centro médico Mount Sinai en Nueva York.

La segunda mejor defensa es intentar ayudar a los trabajadores afectados tan pronto aparezca el primer síntoma.

El riesgo de ignorar los primeros signos: Una vez que los síntomas se agravan, el empleado probablemente tendrá licencia por invalidez ("disability leave") y tratamiento médico prolongado –la cirugía es el tratamiento más probable para los casos muy graves.

El resultado: El costo de tener un empleado que padece una CTD a menudo recae en su mayor parte en la empresa a través de las pólizas de seguro médico y de invalidez. A pesar de la dificultad de diagnóstico, el CTS y las condiciones relacionadas son un problema real y cada vez más grande para las empresas.

CÓMO REDUCIR EL RIESGO

Los empleados corren un riesgo mayor cuando hacen tareas repetitivas, sobre todo si deben trabajar en posiciones incómodas o usar herramientas y equipos mal diseñados.

Se cree que el uso creciente de las computadoras es una de las causas principales porque involucra varios factores como el estilo de trabajo y el uso del cuerpo mientras se está frente a la computadora.

Dé por sentado que las quejas por CTS son reales y justificadas. De hecho, dado que los síntomas son progresivos, mientras más anime a los trabajadores a que anuncien el primer signo de posibles problemas, mejor será para los trabajadores y para la empresa.

Cuando los casos más leves se detectan en sus inicios, se puede detener el progreso haciendo pequeños cambios en la función laboral, junto a fisioterapia para aliviar los síntomas. Es posible que algunas personas puedan seguir trabajando a un nivel bastante alto mientras siguen el tratamiento. Pero a menudo, se necesitan cambios importantes en el ritmo y el estilo de trabajo para detener el avance de los síntomas.

MEDIDAS PREVENTIVAS ADICIONALES

• **Escuche las quejas del empleado** que dice que ciertos trabajos, especialmente los repetitivos, causan incomodidad o dolor. Las quejas sobre dolores de cabeza, de cuello o de espalda, fatiga persistente de las manos y de los músculos del brazo, y cambios en la sensibilidad de estas partes pueden todas ser signos de alerta temprana de las CTD.

• **Modifique las estaciones de trabajo.** Esté atento a empleados que se vean incómodos en sus tareas, y con los trabajos que parecen forzar a los trabajadores en posturas incómodas. ¿Se pueden ajustar los escritorios y las mesas de trabajo para adaptarlos a los trabajadores que los usan? ¿Parece que los trabajadores tienen problemas al usar algunas herramientas? Escuche las quejas de que ciertas herramientas "no se sienten bien". No suponga que "un tamaño sirve para todos" cuando se trata de equipos de oficina. Es posible que algunos equipos tengan que ser rediseñados para adaptarse mejor a cada trabajador.

• **Rediseñe los trabajos para minimizar movimientos repetitivos.** Trate de rotar las tareas entre varios empleados para que ninguno deba realizar la misma labor una y otra vez. Si el trabajo repetitivo no se puede reducir, por lo menos proporcione pausas frecuentes y periodos de descanso.

• **Reduzca el estrés.** Dado que el estrés o los factores organizacionales del ambiente laboral son, aparentemente, factores que contribuyen a algunas CTD, haga todo lo posible para reducir el nivel de estrés en el trabajo. Si las ausencias son frecuentes y los niveles de irritabilidad están en aumento, es probable que haya demasiado estrés.

• **Considere usar la experiencia externa.** Busque el hospital universitario más cercano que tenga una clínica de salud laboral con experiencia en investigación en este campo relativamente nuevo. Consulte a miembros del personal que tienen experiencia en encontrar y eliminar los riesgos en los ambientes laborales.

Atención: Muchos empresarios han empezado a comercializar artículos ergonómicos –promoviendo su experiencia en la prevención de las CTD. La calidad de muchos de estos supuestos expertos es difícil de evaluar.

Párese derecho

Susanne Callan-Harris, MS, PT, fisioterapeuta del departamento de medicina deportiva de la Universidad de Rochester en el estado de Nueva York.

Una causa sorprendente del síndrome del túnel carpiano es estar encorvado. La mala postura al trabajar ante una computadora debilita los hombros y la parte superior de la espalda debido a la falta de uso. Cuando la parte superior del cuerpo está débil, los antebrazos y las muñecas tienen que trabajar más al teclear. El resultado puede ser tensión por el movimiento repetitivo, como el síndrome del túnel carpiano.

Cómo usar mejor la computadora I

Estudio de Alan Hedge, PhD, director del Human Factors Laboratory de la Universidad Cornell, citado en Office Systems97, 1111 Bethlehem Pike, Box 908, Springhouse, PA 19477.

Evite la tensión ocular debido a la computadora cambiando su enfoque de vez en cuando a objetos distantes para relajar los músculos oculares. Además, mantenga el monitor en, o debajo de, la línea horizontal de visión y entre 18 y 30 pulgadas (45 y 75 cm) de los ojos. Entre los síntomas de tensión ocular están visión borrosa, mareos y dolores de cabeza.

Cómo usar mejor la computadora II

Steelcase Corp., especialistas en diseño y muebles de oficinas en Grand Rapids, Michigan.

Los filtros antirreflejo de las pantallas de las computadoras reducen los problemas de salud y de visión mientras aumentan la productividad de los usuarios que pasan todo el día enfrente de la computadora. En un estudio

de filtros antirreflejo de vidrio óptico, un 80% de los usuarios dijo que los filtros le facilitaron el leer en las pantallas de las computadoras, y un 89% dijo que los filtros aumentaron la calidad de la imagen de la pantalla. El porcentaje de usuarios de computadoras que se quejó de tener los ojos cansados cayó del 86% al 40%… de letargo del 78% al 36%… de ojos irritados del 60% al 28%… de problemas para enfocar del 60% al 33%… de ojos secos del 52% al 24%… y de dolores de cabeza del 53% al 32%.

Lo que ocultan las organizaciones de mantenimiento de la salud (HMO)

Alan Mittermaier, presidente de HealthMetrix Research, Inc., una compañía que ayuda a los empleadores a evaluar las HMO y otros proveedores de atención médica dirigida, Box 30041, Columbus, Ohio 43230.

Cuando una compañía contrata cualquier servicio externo, el procedimiento habitual es supervisar al proveedor para asegurarse de que entregue en forma consistente lo que se comprometió a entregar. Sin embargo, cuando se trata de las organizaciones de mantenimiento de la salud (HMO), muchas compañías ignoran ese elemento esencial de la práctica comercial.

El descuido podría resultar especialmente caro hoy en día. *La razón:* independientemente de lo que pase en el Congreso estadounidense con respecto a los seguros médicos, todavía se espera que los costos de salud aumenten en los próximos años.

LA COMPARACIÓN CRUCIAL

Las buenas noticias: Es más fácil controlar el desempeño de una HMO de lo que muchas compañías piensan.

Esencial: Por lo menos una vez al año, compare el desempeño de la HMO usada por la compañía, con los índices de desempeño de las HMO de todo EE.UU.

Ventajas: Al revisar anualmente el desempeño de la HMO, la compañía puede descubrir a tiempo las señales de alerta de algún posible problema. Aun cuando esté en buen estado, al saber cómo la HMO se encuentra con relación a la competencia coloca a la compañía en una mejor posición negociadora a la hora de renovar el contrato.

Cómo hacerlo: Utilice la información del *Health Plan Employer Data Information Set* (HEDIS), que puede conseguir del National Committee on Quality Assurance (NCQA) en Washington, DC. La base de datos establece las pautas para comparar las HMO en aproximadamente 60 áreas clave de desempeño.

Casi todas las HMO –especialmente aquéllas con excelente desempeño– le brindan los datos de HEDIS a las compañías que los solicitan.

Cuando una compañía compara su HMO por primera vez con las normas de la industria, a menudo contrata a un asesor. Por unos $5.000 a $10.000, la mayoría de los asesores de empresas del cuidado de salud orientará a la compañía en el procedimiento inicial y también enseñará a los gerentes cómo hacerlo en el futuro. *Entre los criterios de desempeño importantes se encuentran...*

●**La proporción de pérdida médica ("medical-loss ratio").** El término se refiere a la proporción de los gastos médicos de una HMO con respecto a los ingresos que recauda en primas. La mayoría de los observadores de la industria de atención médica dirigida coincide en que una proporción de pérdida médica menor de 0,80 –donde menos del 80% de ingreso en primas se gasta en cobertura médica– no es adecuada.

Por otro lado, una proporción de entre 0,80 y 0,85 es un indicativo confiable de que la HMO es financieramente estable y no gasta una porción excesiva de sus ingresos en mercadeo o en gastos administrativos.

Atención: Tenga cuidado al renovar un contrato con una HMO cuya proporción fluctúa significativamente de un año a otro. Una caída muy pronunciada podría indicar que la organización ha tenido la necesidad súbita de mercadearse más agresivamente. Eso puede ocurrir si una HMO pierde un gran número de miembros repentinamente.

Una ola ascendente puede ser también un mal augurio. Podría indicar, por ejemplo, que una HMO ha incurrido en gastos médicos imprevistos que podrían implicar dificultades financieras. Esto puede pasar si la HMO se encuentra con un gran número de casos médicos inesperadamente costosos.

Si hay problemas, una HMO puede tratar de reducir los servicios a los miembros o concentrarse en atraer nuevos miembros en lugar de atender a los actuales.

Excepciones: Las nuevas HMO pueden tener más fluctuaciones en la proporción de pérdida médica que las que tienen muchos años.

●**Tasa de retiro ("disenrollment rate").** Este término se refiere al porcentaje de empleados que han dejado las HMO.

Las estadísticas no son tan obvias como se podría pensar, porque las cifras significativas no pueden incluir empleados que se retiraron porque cambiaron de empleador o porque se mudaron. Las estadísticas que hay que examinar son las de trabajadores que deciden abandonar ese plan y buscar otro.

Consejo útil: Sospeche de una HMO con una tasa de retiro de más del 10% al año o si tiene una tasa de retiro con un crecimiento constante.

●**Cuidados preventivos.** Aunque no haya ninguna garantía, las compañías normalmente pueden controlar las primas de cuidado médico usando una HMO que enfatice el cuidado preventivo. Por esa razón, verifique periódicamente las estadísticas HEDIS para ver el desempeño de la HMO, comparado con las normas de la industria, en vacunas para los niños, mamografías y atención prenatal.

Una reducción de estos servicios puede indicar costos más altos en el futuro.

CÓMO EVALUAR UNA HMO NUEVA

Si la compañía decide cambiar de HMO, o está considerando contratar una, lo primero es, de nuevo, buscar los datos HEDIS de las organizaciones que la compañía esté considerando.

Entonces, verifique con los clientes actuales y anteriores igual que lo haría con cualquier otro proveedor. *Pero también tenga muy en cuenta...*

● **Precios.** La mejor HMO no es necesariamente la que tiene primas más bajas, sino aquélla cuyos servicios armonizan mejor con la política de beneficios de la compañía.

Ejemplo: Si la política actual de la compañía no requiere ningún copago ("copayment") del empleado al ir a una consulta, podría buscar una HMO menos cara, que un negocio que actualmente recupera parte de su desembolso de cuidado de salud al requerir $25 de copago.

● **Calidad.** Como regla general, trate de contratar una HMO que esté certificada por la NCQA en Washington o por la Joint Commission on Accreditation of Health Care Organizations in Oak Brook Terrace, Illinois.

Ambas organizaciones tienen estándares rigurosos. La información proporcionada por la NCQA generalmente es comprensible y más fácil de entender. No obstante, es prudente para las compañías que contratan una organización de mantenimiento de la salud por primera vez, contratar a un asesor para que evalúe los datos.

● **Acceso a médicos de atención primaria.** La clave aquí es el número de médicos de la lista de la HMO que realmente aceptan nuevos pacientes. A menudo, el directorio de las HMO da listas con un despliegue impresionante de médicos de familia, internistas y pediatras, pero muchos de ellos no aceptan nuevos pacientes. HEDIS tiene el porcentaje de los que lo hacen.

Consejo útil: Seleccione una HMO donde al menos el 75% de los médicos listados acepte nuevos pacientes.

● **La satisfacción del paciente.** Esto es fácil de pasar por alto pero es sumamente importante. *La razón:* el mejor plan de cuidado médico del país no le hará mucho bien a una compañía si a los empleados no les gusta.

Recomendación: Además de hablar con clientes antiguos y actuales, pídale a la HMO que está considerando los resultados de su último estudio de satisfacción del paciente, preferiblemente uno realizado por una organización independiente. Si la HMO dirige su propio estudio, pida ver la encuesta para detectar preguntas parcializadas.

Consejo útil: Lo normal es negociar entre la satisfacción de los empleados y la limitación de elegir proveedores, un gran factor al bajar costos.

Ejemplo: Una HMO que limita a los empleados a una pequeña red de médicos puede ahorrarle dinero a la compañía, pero también puede crear insatisfacción, sobre todo si los empleados no pueden seguir viendo a sus propios médicos.

¿Está aprovechando la Ley de licencia por razones médicas y familiares?

Investigación del Departamento de Trabajo (Labor) estadounidense, citada en *Benefits and Compensation Solutions*, 10 Valley Dr., Greenwich, Connecticut 06831.

Solo entre el 2% y el 4% de los empleados elegibles aprovecha la Ley de licencia por razones médicas y familiares ("Family and Medical Leave Act"), a pesar del temor de que la ley crearía tensión en las empresas. Según esta ley, las empresas con 50 ó más empleados deben permitir a éstos tomar 12 semanas por año de licencia *no remunerada* para ocuparse de familiares enfermos, nacimientos o adopciones.

Todos tenemos ansiedad... más o menos

Jerilyn Ross, MA, LICSW, directora del Ross Center for Anxiety and Related Disorders, 5225 Wisconsin Ave. NW, Suite 400, Washington, DC 20015. Ross es autora de *Triumph Over Fear: A Book of Help and Hope for People with Anxiety, Panic Attacks, and Phobias.* Bantam Books.

Usted sufre de ansiedad cuando yendo retrasado a una cita, se queda atrapado en el tráfico y le empieza a latir el corazón y a sudar las manos.

O... si por una discusión con su pareja se le tensan los músculos y siente las rodillas débiles.

Un ataque ocasional de ansiedad no solo es inevitable, sino que es saludable. Esta emoción tiene una función constructiva –lo prepara para enfrentar situaciones estresantes, lo motiva a evitar la adversidad y resolver los problemas.

Pero cuando es *frecuente*, la ansiedad intensa no es una condición saludable.

CUANDO LA ANSIEDAD EN SÍ ES EL PROBLEMA

Hay razones para preocuparse por la ansiedad cuando los síntomas son desproporcionados con respecto al evento o situación que la desencadena… o cuando la ansiedad interfiere con su capacidad de ocuparse de las actividades y responsabilidades cotidianas.

Los altos gerentes que viven y trabajan en un ambiente estresante de desafío y cambio normalmente saben diferenciar entre la ansiedad normal y la que está fuera de control. *Algunos casos típicos…*

•**Un ejecutivo que por años ha sido un excelente orador,** antes de cada presentación ha sentido nervios normales, pero nunca ha temido la experiencia. Entonces durante una presentación en particular, sin razón aparente, sufre un ataque de pánico –el corazón se acelera, siente dificultad al respirar y se marea– está seguro de que se va a desmayar. Como resultado, el ejecutivo empieza a temer que esos nervios lo ataquen en la *próxima* presentación –así que empieza a inventar excusas y rechaza invitaciones para hablar.

•**Un gerente que viaja mucho por negocios en avión** y siente la ansiedad normal cuando un avión entra en una turbulencia o el aterrizaje se retrasa por mal tiempo. Entonces, por alguna razón, la anticipación de esos temores se vuelve asfixiante. El gerente empieza a resistirse a los viajes de negocios y rechaza un ascenso que requeriría viajar aún más.

El problema: Los temores causados por la anticipación de un ataque de pánico pueden interferir con la vida cotidiana normal. Son miedos de los sentimientos en sí.

No son miedos de volar o hablar ante un público. Son temores a que los sentimientos en sí serán asfixiantes y convertirán las charlas y presentaciones en desastres totales. Una persona teme que puede perder el control o que puede hacer el ridículo –que el corazón acelerado y la dificultad al respirar lo maten o que pueda estar enloqueciéndose.

Precaución: Con frecuencia gerentes competentes se autodiagnostican estos síntomas diciéndose que "está todo en la mente" –que debe ser dominado con autodisciplina.

A menudo trabajan en el ambiente y la cultura del mundo de los negocios que anima a las personas a ser fuertes y no rendirse.

Tienen vergüenza de revelar sus temores. Y aunque muchos de estos síntomas agobian a la persona que los experimenta, sus pares y subordinados quizás no perciban ninguna señal exterior de los terrores de su interior.

En la actualidad, los trastornos de ansiedad son el problema de salud mental más común en Estados Unidos. Entre el 13% y el 25% de los estadounidenses padece estos problemas –que pueden manifestarse como ataques de pánico, fobias o trastorno obsesivo-compulsivo.

Afortunadamente, los trastornos de ansiedad también están entre los trastornos mentales más fácilmente tratables.

Al igual que la hipertensión y la diabetes, los síntomas por lo general responden favorablemente a los medicamentos y al entrenamiento de la modificación de la conducta por psicoterapeutas calificados.

La trampa: Aunque los que padecen ansiedad no tienen ninguna razón para avergonzarse de sus sentimientos, o para creer que no hay remedio, menos del 25% de las personas que sufre estos miedos irracionales recibe tratamiento.

LA MEDICINA CORRECTA

Cualquiera que haya ido hace más de diez años a un médico en busca de alivio para un problema de ansiedad y tuvo una experiencia negativa con el medicamento prescrito no debería estar reacio a intentarlo de nuevo ahora –si lo necesita. Antes de mediados de los años 1980, los médicos normalmente trataban los síntomas de pánico con medicamentos que posiblemente creaban hábitos y no siempre eran muy útiles. Ahora hay tratamientos más eficaces.

Ninguna píldora en particular hará que todos los síntomas de un trastorno de ansiedad desaparezcan mágicamente. Aunque muchas personas se recuperan completamente de sus angustiantes síntomas, los trastornos de ansiedad generalmente son una condición crónica que puede aliviarse bastante bien, aunque raramente se erradica, con el medicamento correcto y terapia conductual.

Un psiquiatra experto en trastornos de ansiedad puede prescribir *Xanax* (alprazolam) o *Klonopin* (clonazepam), aunque éstos pueden causar dependencia... o *Prozac* (hidroclorida), *Paxil* (paroxetina) o *Tofranil* (imipramine).

La agencia federal Food and Drug Administration (FDA) está examinando muchos más medicamentos específicamente elaborados para tratar los trastornos de pánico.

Un psicoterapeuta especializado en trastornos de ansiedad generalmente puede enseñar a los pacientes formas de modificar eficaz y eficientemente sus pensamientos y su conducta, y a mucho menor costo que otras condiciones mentales. Pídale a su médico referencias de psicoterapeutas experimentados en su comunidad.

"LA SALIDA"

Además de usar los medicamentos, con frecuencia es posible aprender a controlar las ansiedades irracionales por su cuenta.

La clave: Use su creatividad para darse una "salida" –real o imaginaria– de los lugares o situaciones que le provocan ansiedad.

Ejemplo: Si usted empieza a sudar por la ansiedad relacionada con un almuerzo donde se reunirá con un cliente importante para discutir la renovación de un contrato, mire donde está el teléfono y los baños del restaurante –lugares a los que pueda retirarse fácilmente si necesita un descanso emocional– y retírese educadamente si lo necesita.

Importante: Una salida –algo que le ayude a enfrentar la temible situación– no es una muleta. Una muleta es algo que usted usa para alejarse de la actividad. Una muleta es pedirle a alguien que haga sus compras porque usted tiene miedo de ir a las tiendas; o ir por calles laterales al manejar en lugar de usar las autopistas; o subir las escaleras en lugar de usar los ascensores. Una salida, por otro lado, es algo que lo *devuelve* a la situación.

La hostilidad, el estrés y la enfermedad

Redford B. Williams, MD, profesor de psiquiatría del centro médico de la Universidad Duke en Durham, Carolina del Norte. Es coautor de *Anger Kills.* Harper Perennial.

La ira intensa tiene casi tantas probabilidades de causar un ataque cardiaco como una actividad agotadora. Las personas con trabajos estresantes también tienen mayor incidencia de presión arterial alta. Después de un ataque cardiaco, una perspectiva optimista y lazos sociales favorables pueden jugar un papel importante en la recuperación exitosa.

Simples reductores de estrés para practicar en la oficina

Chicago Institute of Neurosurgery and Neuroresearch

Millones de estadounidenses que padecen de dolor de espalda y de cuello son incapaces de identificar un incidente concreto que haya sido la raíz de su incomodidad.

Sorprendentemente, no hace falta saltar en benji o mover un piano para ocasionar un dolor de espalda. De hecho, una de las causas más comunes de los problemas de espalda y de cuello es simplemente pasar demasiado tiempo sin hacer nada.

Los trabajos sedentarios que requieren estar sentado en un escritorio o un terminal de computadora por largos periodos de tiempo pueden ser problemáticos para su cuerpo. Mantener la misma posición por horas puede provocar tensión muscular constante, presión en las articulaciones, reducción muscular permanente, disminución de la circulación y otras condiciones perjudiciales que contribuyen al dolor de espalda y de cuello.

¿Están las personas que trabajan pegadas a una silla de oficina, hora tras hora, día tras día, destinadas a sufrir problemas de espalda? Absolutamente no. Usted puede neutralizar los efectos negativos de estar sentado por largo tiempo, dividiendo el día en periodos cortos y frecuentes de actividad.

Realice estas series de estiramiento de cinco minutos dos veces por día y complemente esta rápida rutina con un paseo cada hora por la oficina. El estiramiento, junto a un minuto o dos de movimiento de pie cada hora, ayuda a reducir el estrés, a calmar la tensión y la presión muscular, mejorar la circulación y aliviar el dolor.

Si usted tiene dolor fuerte o persistente, consulte a un médico.

1. Lleve ambos brazos a la mitad de la espalda, enlace los dedos con las palmas enfrentadas. Lentamente suba y enderece los brazos. Mantenga esta posición varios segundos. Relaje lentamente. Repita tres veces.

2. Levante los codos y mantenga las caderas inmóviles. Gire hacia la derecha la parte superior del cuerpo desde la cintura. Mantenga esta posición varios segundos. Repita con el lado izquierdo. Repita este estiramiento tres veces de cada lado.

3. Ponga los dedos detrás de la cabeza. Apriete los omóplatos juntos hasta que sienta la tensión en la parte superior de la espalda, entonces relaje lentamente. Repita tres veces.

4. Cruce el brazo derecho por la parte superior del cuerpo. Con el brazo izquierdo, tire del codo derecho hacia el hombro izquierdo. Mantenga esta posición varios segundos. Cambie los brazos. Repita tres veces.

5. Enlace las manos sobre la cabeza. Mientras estira las manos hacia arriba, inclínese lentamente al lado derecho, luego al izquierdo. No arquee la espalda. Mantenga las rodillas ligeramente dobladas. Repita tres veces.

6. Reclínese contra un apoyo con la pierna izquierda adelante y la derecha atrás. La pierna izquierda debe estar doblada y la derecha debe estar recta. Con el talón derecho en el suelo, lentamente mueva las caderas hacia adelante hasta que sienta que la pantorrilla derecha se estira. Mantenga 30 segundos antes de relajar. Cambie la posición de las piernas. Repita tres veces.

7. Extienda y separe los dedos hasta que sienta que se estiran. Manténgalos así cinco segundos. Relaje. Doble lentamente los dedos.

8. Lleve la mano izquierda a la parte superior de la espalda y la derecha a la parte inferior de la espalda. Lentamente mueva las manos y acérquelas lo más que pueda. Mantenga. Relaje después de varios segundos. Cambie la posición de los brazos. Repita tres veces.

9. Retraiga la barbilla lentamente. Mantenga esta posición dos segundos. Relaje. Este ejercicio neutraliza los efectos de inclinarse hacia adelante para mirar fijamente el monitor de la computadora.

10. Siéntese derecho y extienda ambas piernas. Mantenga esta posición varios segundos. Relaje. Repita tres veces.

Cómo reducir el estrés de trabajo

Valerie O'Hara, PhD, fundadora del La Jolla Institute for Stress Management, y psicoterapeuta con práctica privada en Grass Valley, California. Autora de *Wellness at Work: Building Resilience to Job Stress* and *Five Weeks to Healing Stress: The Wellness Option.* New Harbinger.

Ha llegado al punto en que no puede dormir. Le duele el cuerpo. Le responde mal a su cónyuge, a sus hijos y hasta al perro. Estos son síntomas comunes. Al igual que la causa *–el estrés de trabajo.*

¿Cómo puede aliviarse *sin* renunciar? El ejercicio regular, una buena nutrición y alguna forma de meditación diaria son eliminadores eficaces del estrés. *Pero hay algunos antídotos menos conocidos que puede probar…*

TÓMESE UN DÍA POR ENFERMEDAD

Haga esto *antes* de que sienta que ya no aguanta más el estrés. Alejarse temporalmente del ambiente de trabajo le da el tiempo y la distancia que usted necesita para reflexionar sobre las causas precisas del estrés… y cómo eliminarlas.

Si usted no pide un día libre por enfermedad ahora, pronto su cuerpo puede forzarlo a hacerlo. Los epidemiólogos dicen que más del 80% de las consultas a médicos de atención primaria son por enfermedades relacionadas con el estrés.

LLEVE UN DIARIO

Use su tiempo libre para tratar de escribir un diario. La idea es crear un informe de estrés diario, en el cual usted detalla las fuentes de la tensión laboral… y hace una lista de lo que le gusta de su trabajo.

Cuando se trata de estrés psicológico, la manera en que usted *percibe* las circunstancias juega un gran papel en determinar su respuesta a ellas. Con frecuencia exageramos los problemas de trabajo en nuestra mente. Escribirlos nos ayuda a reconocer estas exageraciones.

Ejemplo: Jenny, una enfermera, acudió a mí quejándose amargamente sobre "el interminable papeleo". Insistía en que odiaba su trabajo.

El diario la ayudó a darse cuenta de que pasaba solo un cuarto de su tiempo en papeleo. El resto lo consagraba a cuidar a los pacientes –algo que ella realmente adoraba.

Al cambiar la manera en que percibía su trabajo, Jenny aprendió a contener su estrés y a no exagerarlo.

HAGA UN ESQUEMA

Un esquema de reemplazo de pensamiento es una herramienta que ayuda a modificar sus respuestas inmediatas a situaciones estresantes.

Lo que debe hacer: Tome una hoja de papel y divídala en tres columnas. La primera columna se titulará "Situaciones detonantes", la del medio "Pensamientos negativos" y la tercera columna "Pensamientos positivos de remplazo".

En la primera columna, anote las fuentes comunes de su estrés de trabajo. En la del centro, describa sus respuestas habituales a estas situaciones. En la tercera, escriba lo que un amigo le diría para hacerlo sentir mejor… o lo que se diría usted mismo si estuviera de buen ánimo.

La próxima vez que se encuentre en una de estas situaciones, use las palabras de la tercera columna para responderse. Hacerlo cambiará su percepción y disipará su estrés.

Ejemplo: Larry se sentía agobiado por el aumento de trabajo asociado con su reciente ascenso. Siempre que su jefe le daba un nuevo proyecto, pensaba, "nunca terminaré esto a tiempo. Sería mejor darme por vencido. No merezco este ascenso".

El esquema de remplazo de pensamiento ayudó a Larry a cambiar esta conversación interior por: "puedo hacer una cosa a la vez. Puedo priorizar y delegar. Puedo hacer este trabajo".

Larry todavía tiene igual cantidad de trabajo. Pero su nueva perspectiva de la situación, más positiva, le ha ayudado a manejarlo mejor.

APARTE TIEMPO PARA PREOCUPARSE

A veces hablar consigo mismo sobre un problema no es suficiente para resolverlo. En esos casos, debe hacer algo.

Si pasa demasiado tiempo pensando lo que puede hacer, programe sesiones periódicas para "concentrarse en las preocupaciones".

Asigne 30 minutos diarios para dedicarlos a lo que lo estresa. Piense las posibles soluciones solo… o con la ayuda de un compañero de trabajo. Cuando se le acabe el tiempo, disipe cualquier preocupación diciéndose: "no, esos pensamientos son para la próxima sesión de concentración en las preocupaciones".

NO OLVIDE RELAJARSE

Equilibre sus sesiones de concentración en las preocupaciones con uno o más "descansos de las preocupaciones" diarios… un tiempo predeterminado en el cual usted simplemente se niega a pensar en nada estresante.

Si la idea de recordar que tiene que tomar un descanso lo pone ansioso, vincúlelo con una actividad regular –la ducha, salir a trotar, el camino al trabajo, la comida o algo más que ya sea parte de su rutina.

A muchas personas les gustaría intentar la respiración profunda u otro ejercicio de relajación –pero se ven tan atrapadas en el horario de trabajo que olvidan tomar un descanso.

En esos casos, la solución es colocar un recordatorio visual.

Ejemplo: Vicki, una directora de personal, se dio cuenta de que unos momentos de respiración profunda y de visualizarse sentada cerca de una cascada le ayudaba a calmar sus nervios. Pero seguía olvidando usar esta técnica, hasta que colgó un cuadro de una cascada en su oficina para recordárselo.

PIENSE DOS VECES SOBRE LA CAFEÍNA

El café, el té, el refresco, etc., de los que depende para sobrevivir una mañana de estrés puede *causarle* estrés adicional durante el resto del día.

Dos tazas de café al día contribuyen a la ansiedad. Más de dos tazas la *crean*.

Averigüe cuánta cafeína tiene lo que bebe. Para animarlo a beber alternativas sin cafeína, pegue una nota en su taza que le recuerde que es mejor beber un té de hierbas.

Mejor aún, tenga una botella de agua de medio galón (2 litros) en su escritorio. Trate de terminarla al final del día laboral. Mantendrá el hambre a raya y evitará que coma meriendas y refrigerios incitados por el estrés. Cuando su cuerpo está hidratado adecuadamente funciona mejor y produce más energía –energía que usted necesita para hacer bien su trabajo y luchar contra el estrés.

Estrategias fáciles contra los contaminantes de interiores

Leo Galland, MD, director de la Foundation for Integrated Medicine en Nueva York, e internista con práctica privada en Nueva York. Autor de *The Four Pillars of Healing*. Random House.

La contaminación ambiental puede causar toda clase de dolencias, como asma, alergias, inhibición del sistema inmune e incluso cáncer.

Los medios de comunicación le prestan mucha atención al "smog", los vertederos de desechos tóxicos, las sustancias químicas en los ríos y otros ejemplos de *polución* externa. Pero para la mayoría de nosotros, los contaminantes en el *interior del hogar* son amenazas mucho mayores para nuestra salud.

Cree un hogar ambientalmente seguro...

PROHIBA FUMAR

Establezca una política firme de no fumar –ni pipas, ni puros, ni cigarrillos.

Si alguien en la familia fuma y no quiere o no puede dejarlo, asegúrese de que fume afuera. Para desanimar a que los invitados fumen, elimine los ceniceros... y considere poner una señal que diga POR FAVOR, NO FUME.

Además de elevar su riesgo de cáncer y de enfermedad del corazón, el humo de segunda mano agrava el asma y eleva la susceptibilidad de los niños a sufrir dolores de garganta e infecciones de oído.

Los alquitranes del humo del tabaco que causan el cáncer se quedan en las cortinas y en los tapizados de los muebles mucho tiempo después de apagar los cigarrillos.

QUÍTESE LOS ZAPATOS

Los zapatos traen trazas de pesticidas, plomo y otras toxinas cada vez que usted entra a su casa. Estas sustancias químicas pueden ser difíciles de limpiar, especialmente si se depositan en las alfombras.

En Japón y en muchos otros países, se acostumbra que los invitados y los ocupantes de la casa dejen los zapatos en la puerta. Siga su ejemplo. Vaya descalzo... o use pantuflas, si lo prefiere.

CONTROLE EL MOHO

El moho en la casa puede causar muchos problemas desde eccema y asma hasta dolor en las articulaciones, fatiga y dolores de cabeza. Algunos mohos excretan *tricotecenes*, compuestos tóxicos que inhiben el sistema inmune y causan leucemia.

Los mohos florecen en el aire húmedo. Use un deshumidificador para mantener la humedad relativa en espacios interiores por debajo del 50%. Puede conseguir modelos sencillos por unos $100 en las ferreterías.

Asegúrese de que el sótano y el ático estén bien ventilados. Instale extractores en la cocina y en los baños para librarse de la humedad que se acumula al cocinar y al ducharse.

No instale alfombras en los baños, sótanos u otros lugares donde halla un problema de humedad, sea esta leve o intensa.

Verifique su refrigerador diariamente. Deseche la comida con cualquier señal de enmohecimiento. Una vez por semana, limpie las duchas, las bañeras, los armarios debajo del lavabo y otros lugares propensos al moho. Use guantes para aplicar una solución antiséptica hecha de 50% de agua oxigenada ("hydrogen peroxide") y 50% de agua.

REVISE LOS APARATOS DE GAS

Las estufas de gas, las calefacciones y las secadoras de ropa deben ventilarse adecuadamente para evitar la exposición al monóxido de carbono (CO), dióxido de nitrógeno (NO2), formaldehído y otras emisiones tóxicas.

Especialmente peligrosos: Los aparatos de gas con luces piloto. Si su casa tiene uno de estos aparatos, remplácelo con aparatos eléctricos… o con aparatos a gas sin piloto que tienen un sistema de ignición eléctrico.

Hasta un nivel bajo de exposición al CO –si es prolongada– puede causar deterioro de la memoria y pérdida de la audición. El NO2 puede causar tos y dolor de garganta.

La autodefensa: Instale un detector de CO en su cocina. *El costo:* unos $50. Para obtener mayor información, llame a la Consumer Product Safety Commission al 800-638-2772, *www.cpsc.gov/cpscpub/spanish/spanish.html.*

TENGA CUIDADO CON EL FORMALDEHÍDO

El *formaldehído* se encuentra comúnmente en las tablas de madera aglomerada, el contrachapado y otros materiales de construcción. Puede lixiviar estos materiales en el aire.

Respirar aire cargado de formaldehído puede causar vértigo, dificultad al respirar y una sensación de ardor en los ojos, la nariz y/o la garganta. La exposición prolongada se ha relacionado con dolor de cabeza crónico, pérdida de memoria y cáncer.

Si piensa remodelar su casa, use materiales de construcción sin formaldehído. Si su casa ya tiene materiales hechos con formaldehído, cúbralos con *barniz sellador* u otra laca fuerte.

Ya que la ropa, las alfombras y los muebles nuevos también pueden emanar formaldehído, es buena idea airearlos durante varios días antes de usarlos. Póngalos en un cuarto desocupado con las ventanas abiertas.

COLOQUE UN FILTRO DE AIRE

Todas las casas deberían tener un sistema de filtración de aire. *Hay tres tipos básicos de filtros:*

●**Filtros generadores de iones negativos** ("negative ion generators"). Le suministran una pequeña descarga eléctrica a las partículas de humo y polvo que las hace adherirse al suelo, las paredes y los muebles de donde se pueden quitar al barrer o al desempolvar.

●**Filtros aprehensores de alta eficiencia que atrapan las partículas** ("high-efficiency particulate arrestor" HEPA). El filtro es un elemento de papel plegado que filtra el polvo, el polen y el humo.

●**Filtros de carbón activado.** Se filtra el formaldehído y los *compuestos orgánicos volátiles* (VOC por sus siglas en inglés) que pueden irritar los pulmones y causar cáncer.

Para obtener más información sobre filtros de aire, llame a Allermed al 800-221-2748, *www.allermed.com.*

…Y UN FILTRO DE AGUA

En la mayor parte de EE.UU., se trata el agua del grifo con cloro para matar las bacterias. Lamentablemente, el cloro reacciona con sustancias orgánicas (por lo general hojas que caen en el sistema de agua) para formar *cloroformo* y otro *trialometanos*. Se sabe que estos compuestos provocan cáncer en la vejiga y en el recto.

La autodefensa: Use un filtro de agua de carbón activado (como los fabricados por Brita y Water Pik) para toda el agua que se use para beber o cocinar. Estos filtros que también eliminan el plomo son baratos y se consiguen fácilmente. *Costo:* unos $20.

Como los trialometanos se pueden evaporar en el aire mientras usted se ducha, también es buena idea instalar un filtro de carbón en la cabeza de la ducha. *Costo:* unos $70 ó más.

¿Y el agua mineral embotellada? Por lo general no tiene cloro, pero algunas marcas están contaminadas con bacterias. Llame al fabricante para asegurarse de que viene de un manantial protegido y pida un análisis.

CONTROLE EL POLVO

El polvo de la casa puede tener plomo (de las pinturas de plomo y la tierra corrompida con plomo), así como VOC de la pintura, los adhesivos, el alfombrado y las soluciones para limpiar.

La autodefensa: Pase un trapeador (mopa) húmedo por todos los pisos y por otras superficies horizontales (alféizares, muebles, etc.) una vez por semana. Pase la aspiradora a las alfombras tres veces por semana.

ESCOJA LOS PRODUCTOS CUIDADOSAMENTE

Las pinturas, los solventes, los limpiadores, los barnices para muebles, los ambientadores y otros productos comunes pueden contener una amplia gama de toxinas. Para limitar su exposición a estas sustancias químicas nocivas, use las alternativas no tóxicas.

Recurso útil: *The Safe Shopper's Bible* (Macmillan) del Dr. Samuel Epstein.

Precaución: Nunca mezcle productos que contengan amoníaco y cloro. Estos compuestos reaccionan para formar *cloramina*, una toxina que puede causar un grave daño pulmonar.

UNA OFICINA SEGURA EN SU CASA

Las computadoras, fotocopiadoras, máquinas de fax y sobre todo las impresoras láser emiten a menudo compuestos volátiles. Ponga todos estos dispositivos en una habitación que no sea el dormitorio. Asegúrese de que el cuarto tenga buena ventilación, e instale un filtro de aire.

Si es posible, salga cada vez que imprima un documento.

Control ambiental para aliviar las alergias

Harold Nelson, MD, miembro del personal médico y alergólogo sénior del departamento de medicina del National Jewish Center for Immunology and Respiratory Medicine en Denver.

A menudo, la mejor defensa contra los alérgenos transportados por el aire que provocan la fiebre del heno y otras alergias es controlar el ambiente que lo rodea. Esto significa evitar situaciones en las que es probable que las alergias ataquen y seguir los pasos para minimizar las reacciones alérgicas cuando no es posible evitarlas. *Estrategias generales...*

●**No planee actividades al aire libre para el mediodía ni para la tarde.** La ambrosía ("ragweed") alcanza su máximo entre las 11 de la mañana y la 1 de la tarde. El césped es menos problemático a final de la tarde y a principio de la mañana.

●**Tómese unas vacaciones "seguras" durante el punto más alto de la estación de alergias.** *Los mejores destinos:* las montañas o la playa que no suelen tener polen.

●**Evite el alcohol.** En algunas personas con alergias nasales, el alcohol hincha los vasos sanguíneos de los pasajes nasales, causando un aumento de la obstrucción nasal.

●**No cuelgue la ropa ni las sábanas a secar al aire libre.** Atraparán el polen y los mohos traídos por el viento.

●**Aléjese de los fumadores.** El cigarrillo, la pipa y los puros –al igual que el humo de las parrillas y de las fogatas de campamento– pueden desencadenar la sinusitis.

HAGA SU HOGAR A PRUEBA DE ALERGIAS

●**Alquile un sistema de filtración de aire antes de comprarlo.** Esto le permitirá probarlo primero para ver si funciona. Un sistema de filtración no siempre es útil para las alergias causadas por polvo y ácaros ("dust mites") de la casa, pero puede ayudar a los alérgicos a la caspilla de los animales.

●**Cubra su colchón con plástico.** *Además:* lave y cubra las almohadas, remplace las almohadas de plumas por almohadas de poliéster –las de gomaespuma pueden ponerse mohosas. *Útil:* lave la ropa de cama en agua caliente por lo menos una vez cada dos semanas.

●**Considere quitar las alfombras de su dormitorio.** Aunque las limpie regularmente, las alfombras y los tapetes pueden albergar ácaros. Para limitar los problemas de la caspilla animal, mantenga los animales domésticos fuera de las áreas alfombradas.

19

El cuidado de los ojos, oídos y dientes

Secretos simples para evitar problemas graves en los ojos

James F. Collins, MD, FACS
Center for Eye Care

Todas las personas mayores de 40 años –no solo las que usan anteojos o lentes de contacto– deben ver a un oftalmólogo una vez cada uno o dos años… luego *anualmente* después de los 65 años. La mayoría de los problemas oculares progresa lentamente pero las enfermedades importantes se agudizan después de los 65 años.

Los exámenes para determinar la salud ocular cuestan entre unos $50 y $125. Una prueba de campo visual para visión periférica ("visual field test for peripheral vision") cuesta otros $75.

El lado negativo: El programa Medicare quizás no pague por cuidado preventivo, sobre todo si el médico no encuentra un problema.

Las tres enfermedades oculares más comunes son cataratas, glaucoma y una enfermedad que es poco conocida… la degeneración macular. La catarata es cuando el cristalino del ojo ha perdido algo de su claridad y se ha vuelto nublado u opaco. Las cataratas relacionadas con la edad, el tipo más común, pueden empezar a los 40 años.

Causas poco comunes: Heridas en los ojos, ciertos medicamentos (incluidos los esteroides como prednisona o cortisona) y la diabetes. Muchas personas sufren de algún grado de formación de cataratas a los 60 ó 70 años.

La magnitud del daño depende de la localización y el alcance de la nebulosidad en el cristalino –así como a lo que cada persona está acostumbrada. Es probable que las cataratas molesten más a una persona que hace crucigramas o costura fina que a alguien que no hace ningún trabajo donde tenga que fijar la vista de cerca o que no lea mucho.

James F. Collins, MD, FACS, oftalmólogo y director médico del Center for Eye Care en West Islip, Nueva York. Autor de *Your Eyes…An Owner's Manual.* Prentice Hall.

Los tipos de cataratas más comunes avanzan lentamente y los síntomas pueden ser tratados a medida que se desarrollan. En las etapas tempranas, las cataratas son tratadas con una nueva prescripción de anteojos y el uso de anteojos de sol. Relativamente pocas personas con cataratas requieren cirugía. Cuando es necesario operar, es bueno saber que la cirugía de cataratas es una de las operaciones más consistentemente exitosas de las que se realizan hoy en día. Salvo que otra enfermedad ocular esté presente, la posibilidad de recuperar la visión a su nivel anterior es de más del 95%.

El cirujano elimina la parte interna nublada del cristalino (la catarata) y la reemplaza con un lente artificial. La parte externa del cristalino (la cápsula) se deja en su lugar. Cerca de un tercio de las veces, la cápsula se vuelve nebulosa y debe realizarse una abertura, con un tratamiento sin dolor con láser, meses o años después.

Anteriormente las técnicas de tratamiento requerían esperar hasta que la catarata estuviera "madura" antes de que pudiera ser congelada y eliminada. Ahora se realiza según las necesidades individuales, como la incapacidad de una persona para manejar un auto o jugar golf. La cirugía de catarata les permite a muchas personas conducir por primera vez en muchos años.

GLAUCOMA

El glaucoma es un grupo de trastornos que implican una presión excesiva dentro del ojo. El daño al nervio óptico causa una pérdida parcial de la visión. El grado de gravedad varía enormemente.

Solo un oftalmólogo puede interpretar los sutiles exámenes requeridos para realizar un diagnóstico. La mayoría de los casos de glaucoma puede ser controlada antes de que se produzca una pérdida significativa de visión.

Claves para el éxito: Detección temprana, tratamiento adecuado y cumplir las indicaciones del médico.

El tipo más común –*glaucoma primario de ángulo abierto*– es una enfermedad insidiosa que es tratable en las etapas iniciales, pero que puede progresar hasta convertirse en ceguera permanente.

El "ángulo" formado por la córnea y el iris contiene la malla trabecular que permite el drenaje de fluido.

La incidencia aumenta drásticamente luego de los 40 años (ataca a alrededor del 2% de las personas de ese grupo de edad) y luego continúa aumentando de manera constante.

Normalmente los síntomas no aparecen hasta que la pérdida de visión periférica es evidente. Solo los exámenes regulares de la vista pueden detectar precozmente este tipo de glaucoma.

La pérdida lenta de la visión periférica puede ser sigilosa. *Hechos que la delatan:* se tropieza con los muebles, se sube a las aceras al conducir o necesita voltear más su cabeza para mirar a su alrededor.

El tratamiento: Gotas oculares, pastillas, cirugía láser e incluso cirugía convencional con incisión, de ser necesario.

Mucho menos común: El glaucoma de ángulo estrecho y de cierre de ángulo agudo. El drenaje de los ojos se cierra. Esto puede causar un repentino dolor severo (usualmente en un solo ojo), visión borrosa, enrojecimiento e inflamación del ojo, dolor de cabeza y náuseas.

DEGENERACIÓN MACULAR

Una causa frecuente de la pérdida de visión aguda es la degeneración macular. La mácula es la porción central de la retina, que es un tejido delgado y transparente que funciona como la capa de células nerviosas del ojo.

El tipo más común es la llamada degeneración macular seca *(atrófica)* que a menudo no causa síntomas. Solo un oftalmólogo puede diagnosticarla correctamente.

Menos común: Una degeneración macular húmeda *(exudativa)*, una hemorragia en la mácula, es responsable por casi uno de cada diez casos, y de más del 90% de las pérdidas de visión graves causadas por degeneración macular relacionada con la edad.

El síntoma principal: Pérdida gradual de la visión central o, en el caso de degeneración macular "húmeda", un descenso súbito de la capacidad visual.

Otras causas de pérdida súbita de la visión incluyen glaucoma agudo, coágulos de sangre y hemorragias. Las migrañas también pueden causar la pérdida de visión súbita y temporal, usualmente de un solo lado.

La terapia fotodinámica, que usa un láser de bajo poder, junto con el medicamento *verteporfin* ha demostrado ser de gran ayuda para detener la progresión del tipo "húmedo".

ROTURAS Y DESPRENDIMIENTOS DE LA RETINA

Una rotura en la retina es un hueco redondo o un agujero en forma de herradura en la retina. El líquido puede pasar a través de ella y acumularse debajo de la retina, separándola de las capas del ojo que hay debajo –provocando un desprendimiento de la retina. Un desprendimiento pequeño quizás no se note, pero desprendimientos más grandes pueden generar una pérdida profunda de la visión e incluso ceguera.

En riesgo: Cualquier persona que haya tenido una herida en el ojo o un golpe en la cabeza, que sea muy miope, tenga un historial familiar de roturas o desprendimientos retinales o padezca diabetes severa. Algunos diabéticos desarrollan un tejido cicatrizado anormal en el humor vítreo (una sustancia espesa, transparente y gelatinosa que llena el globo ocular, acolchándolo y protegiéndolo desde adentro) que puede contraerse, causando agujeros y desprendimientos retinales.

Los avances modernos han hecho que los agujeros y desprendimientos retinales sean mucho menos comunes después de la cirugía de catarata.

Aún más raro, un agujero retinal puede causar también un desgarramiento en un vaso sanguíneo de la retina, lo que produce una hemorragia en el humor vítreo. Esto a su vez puede causar pérdida súbita de la visión.

Síntomas de una rotura retinal: Puede ver "luces" o "partículas flotantes" o notar repentinamente que le "falta" una parte determinada de la visión, señal de que una sección grande de la retina se ha desprendido.

Algún desprendimiento retinal puede causar muy pocos o ningún síntoma y solo ser descubierto con un examen exhaustivo de la visión.

Tratamiento para la rotura retinal: Un oftalmólogo hace seguimientos cuidadosos de cualquier rotura retinal para verificar si hay des-prendimiento de la retina. El tratamiento con láser se usa frecuentemente como medida preventiva.

Tratamiento para el desprendimiento retinal: Volver a colocar la retina en su lugar quirúrgicamente, algunas veces con múltiples procedimientos. La prognosis para la recuperación es mejor cuando el tratamiento se hace de forma precoz.

PROTÉJASE

• **Use anteojos de sol** que bloquean los rayos ultravioletas (UV).

• **Mantenga la presión arterial a niveles normales.**

• **Tome suplementos de vitaminas A, C y E y los minerales zinc y selenio.** Los compuestos hechos específicamente para los ojos por lo general son mejores que los multivitamínicos porque contienen mayores cantidades de zinc y selenio.

• **Lleve una dieta saludable.** Una dieta adecuada es mejor para sus ojos que tomar suplementos vitamínicos. Prefiera los vegetales de hoja verde oscuro como la espinaca y la berza ("collard greens").

En un notable estudio de personas con degeneración macular temprana, fue más probable que las que seguían una dieta rica en vegetales verdes oscuros conservaran una buena visión que las que no lo hacían.

• **No fume.** Fumar cigarrillos priva a los ojos de importantes nutrientes y agrava las cataratas.

Siga estas recomendaciones aún con más rigor si usted tiene alguno de los dos factores de riesgo que no se pueden controlar: Predisposición genética –la condición tiende a repetirse en las familias– y el color de los ojos.

Las personas con ojos claros, especialmente los de iris azules, tienen mucha más incidencia de degeneración macular.

Para asegurarse de que todo esta bien haga esta sencilla prueba con los anteojos puestos. Cúbrase un ojo primero. ¿Ve igualmente bien por ambos ojos?

Un remedio para los ojos rojos

Anne Sumers, MD, oftalmóloga con práctica privada en Ridgewood, Nueva Jersey.

Los ojos se ponen rojos y se irritan cuando los vasos sanguíneos de la superficie del globo ocular se dilatan, a menudo debido a alergias o por haber dormido muy poco, bebido demasiado alcohol, o haberse frotado los ojos en exceso.

La autodefensa: Aunque los ojos rojos mejorarán solos, en uno o dos días, se pueden aliviar con una compresa fría ya que el frío causa *vasoespasmos* (contracción de los vasos sanguíneos).

Importante: Los ojos rojos pueden ser un signo de *conjuntivitis*, una dolencia en la que se inflama el tejido que recubre el interior del párpado. Puede ser causada por una infección viral o bacterial, alergia o sustancias irritantes (champú, polvo, humo, cloro de la piscina, etc.).

Si usted cree que tiene una infección ocular: Vaya al médico. Le puede recetar gotas vasoconstrictoras como *olopatadina* (Patanol) o *epinastina* (Elestad), para reducir el enrojecimiento y la picazón. Es posible que también necesite gotas antibióticas como *ofloxacina* (Ocuflox) o *orbobramicina* (Tobrex), para eliminar la infección.

¿Una señal de diabetes?

El difunto Michael Yablonski, MD, fue jefe de oftalmología de la Universidad de Nebraska en Omaha.

Los ojos rojos pueden ser una señal de diabetes. Si sus ojos se enrojecen con frecuencia, consulte a un médico.

Otras causas: Alergias, infecciones en los párpados, anemia de células falciformes.

La autodefensa contra las cataratas: los anteojos de sol… los suplementos… la cirugía

Julius Shulman, MD, profesor clínico auxiliar de oftalmología en el centro médico Mount Sinai en Nueva York. Autor de *Cataracts: The Complete Guide from Diagnosis to Recovery for Patients and Their Families.* St. Martin's Press.

Al igual que las canas y las arrugas, un empañamiento gradual del cristalino del ojo –la estructura transparente que enfoca la luz, justo detrás del iris– representa una parte natural del envejecimiento.*

Si bien la remoción del cristalino nublado sigue siendo la única cura para las cataratas, las técnicas quirúrgicas modernas hacen esta operación mucho más simple y segura de lo que solía ser.

También hemos aprendido mucho sobre el papel que juegan los factores ambientales en la formación de las cataratas –y cómo hacer que el proceso sea más lento.

CÓMO PREVENIR LAS CATARATAS

Los científicos saben ahora que la luz del sol y otras fuentes de luz ultravioleta (UV) pueden acelerar la formación de cataratas –y también la degeneración macular y otros trastornos oculares que pueden causar ceguera.

La autodefensa: Así como usa protector solar para proteger la piel del sol, debe usar también anteojos de sol bloqueadores de rayos UV para limitar la exposición de los ojos a estos rayos.

Cada vez que salga bajo el sol brillante, use anteojos de sol que bloqueen los rayos UVA y UVB. Tanto los de cristal como los de plástico funcionan bien. Los anteojos polarizados no representan ninguna ventaja.

Si usted usa anteojos correctivos, asegúrese de escoger lentes que filtren los rayos UV. Otras estrategias para prevenir el desarrollo de

*Algunas personas desarrollan cataratas a los 50 años, algunas a los 90. Al pasar los 65 años, cerca del 30% de las personas las tiene, y a los 75, más del 50%. Las cataratas también pueden ser causadas por trauma ocular –una pelota o un golpe en el ojo, por ejemplo.

cataratas incluyen evitar fumar y limitar su exposición a la contaminación ambiental.

Dentro del organismo, las toxinas que se encuentran en el humo del cigarrillo y en la contaminación ambiental tienen un efecto oxidante y causan la formación de compuestos muy corrosivos llamados *radicales libres*. Estos compuestos atacan las células, incluidas las que se encuentran en el cristalino.

Los antioxidantes –especialmente las vitaminas E y C– ayudarán a limitar la producción de radicales libres.

Los diabéticos tienen un mayor riesgo de sufrir de cataratas, aparentemente por las fluctuaciones en los niveles de azúcar en la sangre. Estas fluctuaciones causan que el cristalino se inflame, lo que perturba su delicado metabolismo y causa el empañamiento.

Si usted padece diabetes, examine sus niveles de glucosa en la sangre frecuentemente y tome otras medidas para mantener controlada el azúcar en la sangre.

La utilización prolongada de *prednisona* u otro corticoesteroide oral –recetado para la artritis reumatoide, la colitis ulcerosa, el asma, el lupus, etc.– aumenta el riesgo de cataratas. Consulte con su médico sobre el uso de medicamentos antiinflamatorios sin esteroides (NSAID por sus siglas en inglés) y otras alternativas.

La autodefensa: Hágase un examen de la vista cada dos años si tiene menos de 60 años; cada año si es mayor o sufre de diabetes y dos veces al año si está tomando corticoesteroides.

CUÁNDO TRATAR LAS CATARATAS

Los primeros síntomas de cataratas son frecuentemente una sensibilidad inusual a la luz brillante (fotofobia) y visión borrosa –un problema que se nota especialmente cuando se conduce de noche.

A medida que se reduce la transparencia del cristalino, puede desarrollar miopía, lo que hace innecesario el uso de anteojos para leer. Si ya es miope, puede necesitar anteojos con una fórmula más alta.

Cualquier persona que experimente síntomas que sugieren cataratas debe ver a un oftalmólogo de inmediato. Él o ella puede recetarle una fórmula más alta para los lentes, de ser necesario… y hacerle exámenes para descartar alguna otra causa de pérdida de la visión como glaucoma o degeneración macular. Si no se tratan a tiempo, estas condiciones de la vista pueden producir ceguera.

Las buenas noticias: Mientras sus anteojos puedan corregir su visión a 20/50 o más –ése es el punto en el que los problemas de visión empiezan a afectar las actividades diarias– la cirugía de cataratas es generalmente innecesaria.

Excepciones: Es necesaria una cirugía inmediata para las cataratas si…

● **Usted conduce y su visión declina a menos de 20/40–** el estándar legal en la mayoría de los estados en EE.UU.

● **Tiene inflamación ocular crónica.**

● **Las cataratas amenazan con causar glaucoma.**

En definitiva, el momento para operarse es una decisión *personal*. Un lector apasionado o un coleccionista de estampillas quizá quiera que le remuevan las cataratas antes que una persona cuyas actividades de esparcimiento son el alpinismo o el cine.

Si un médico recomienda cirugía de cataratas, pregunte por qué. No acceda a la cirugía salvo que tenga problemas considerables con sus actividades diarias… o sus síntomas disminuyan su calidad de vida.

OPCIONES QUIRÚRGICAS

El tratamiento de preferencia para la mayoría de las cataratas es un procedimiento ambulatorio conocido como *"facoemulsión"* en el cual el cirujano pulveriza el cristalino con ondas sonoras mediante una diminuta sonda de ultrasonido insertada en el ojo.

La "facoemulsión" requiere una sola incisión corta de ⅛ de pulgada (32 mm) –y ningún o muy pocos puntos. Sana en unas 2 ó 3 semanas.

Una técnica más antigua –*extracción extracapsular de la catarata* (ECCE por sus siglas en inglés)– requiere una incisión de ½ pulgada (1,3 cm) que debe cerrarse hasta con diez puntos de sutura.

La ECCE también se realiza de forma ambulatoria, pero casi siempre es menos deseable que la facoemulsión porque toma hasta ocho semanas para sanar.

La excepción: La ECCE es mejor que la facoemulsión para cataratas avanzadas, que son muy duras de disolver con ondas sonoras.

Puesto que la facoemulsión es preferible, por lo general, sospeche de cualquier médico que le recomiende la ECCE.

Tanto la facoemulsión como la ECCE se practican con anestesia local (inyectada en los párpados). Algunos cirujanos usan ahora anestesia *tópica*, que se coloca en el ojo en forma de gotas oculares.

Costo de la cirugía: De $1.500 a $2.000.

REMPLAZO DEL CRISTALINO

Hasta la década de los 70, las personas operadas de cataratas debían usar anteojos muy gruesos "fondo de botella" luego de la cirugía –para compensar el cristalino extraído.

Con la cirugía moderna, los anteojos gruesos son innecesarios. El cirujano simplemente remplaza el cristalino con una prótesis de un lente intraocular, de plástico o de silicona.

A diferencia del cristalino natural, la prótesis tiene una distancia focal fija –es decir, no puede cambiar su forma para adaptarse para ver de lejos y de cerca.

En la mayoría de los casos se debe tomar una decisión: ¿prefiere el lente para leer o para otro trabajo de cerca o para ver de lejos?

Si escoge ver de cerca, necesitará anteojos normales (no los de fondo de botella) para ver a distancia –y viceversa.

Si debe operarse de cataratas en ambos ojos, pregúntele al cirujano si puede colocarle un lente para ver de cerca en un ojo y uno para ver de lejos en el otro. Así puede evitar usar gafas.

El peligro del asma

Samy Suissa, PhD, director de la división de epidemiología clínica del hospital Royal Victoria en Montreal. Su análisis de registros médicos de 48.118 pacientes con asma se publicó en el *Journal of the American Medical Association*, 515 N. State St., Chicago 60610.

El uso prolongado de inhaladores con altas dosis de esteroides puede causar glaucoma. El uso de inhaladores con esteroides ha aumentado considerablemente en los últimos 10 años. Pero según un estudio, los asmáticos que usaron inhaladores con alta dosis de esteroides ocho veces al día durante tres meses o más, fueron un 44% más propensos a desarrollar glaucoma que los asmáticos similares que no usaban esteroides inhalados.

La autodefensa: Los asmáticos que usan inhaladores con altas dosis de esteroides deben hacerse examinar la vista por un oftalmólogo.

Exterminadores de glaucoma

Sally Mellgren, MD, oftalmóloga con práctica privada en Vista, California. Su estudio fue presentado en una reunión de la American Academy of Ophthalmology.

Combata el glaucoma con una dieta baja en grasa y ejercicio. El glaucoma, un problema común relacionado con la edad, es causado por la acumulación de presión dentro del globo ocular. *El estudio:* los médicos sometieron a sus pacientes con glaucoma a una dieta básicamente vegetariana y a un programa de ejercicio moderado. A las dos semanas, la presión del fluido en los ojos bajó en promedio un 11,3%.

Mejores pruebas de glaucoma

Richard Mills, MD, oftalmólogo de la Universidad de Washington en Seattle.

El examen regular de glaucoma, que mide la presión dentro del ojo, quizás no sea la forma más eficaz de diagnosticar la enfermedad.

Las razones: La presión ocular fluctúa, así que cualquier medida aislada puede ser normal… y algunas personas que sufren de glaucoma tal vez nunca desarrollen presión ocular sobre lo normal. *Lo mejor:* una inspección del fondo del ojo para determinar si hay daño en el nervio óptico y medir cualquier pérdida de visión periférica.

Tratamiento de glaucoma sin efectos secundarios

Joel S. Schuman, MD, profesor adjunto de oftalmología de la facultad de medicina de la Universidad Tufts y director del servicio de glaucoma del New England Eye Center, ambos en Boston.

Al parecer es menos probable que las gotas oculares *brimonidina* (Alphagan) causen efectos secundarios problemáticos que otros medicamentos para el glaucoma. La *brimonidina* funciona reduciendo la producción de *humor acuoso* (el fluido acuoso transparente del ojo). Es poco probable que provoque trastornos en la frecuencia cardiaca o la presión arterial, esto evita que los pacientes de glaucoma asmáticos y cardiacos usen otros medicamentos para el glaucoma. Todas las personas de 40 años o más deben ser examinadas cada dos años para determinar la presencia de glaucoma.

Calendario de exámenes de la vista

John Shoemaker, vicepresidente auxiliar de Prevent Blindness America, 500 E. Remington Rd., Schaumburg, IL 60173.

Los adultos sanos de 20 a 39 años deben ver a un optometrista u oftalmólogo por lo menos una vez cada tres o cinco años (los afroamericanos cada dos o cuatro años). Entre los 40 y los 64 años, cada dos a cuatro años, tanto para los caucásicos como para los afroamericanos. Para los caucásicos y los afroamericanos de 65 años o más, cada uno o dos años.

Importante: Las personas con un historial familiar de glaucoma u otra enfermedad de la vista deben examinarse la vista más frecuentemente. Consulte a un oftalmólogo de inmediato si experimenta algún problema de visión.

Ejercicios oculares

Paul Planer, OD, optometrista y autor de *The Sports Vision Manual.* International Academy of Sports Vision.

Ejercite sus ojos mientras trabaja en la computadora, colgando una página de periódico en la pared a unos ocho pies (2,5 metros) de distancia de donde usted se sienta. Cada 15 minutos, aparte la vista de la pantalla de la computadora y mire el periódico, enfoque los titulares y luego vuelva su mirada a la pantalla. Repítalo cinco veces antes de volver a trabajar.

¿Le pican los ojos?

George Fulk, OD, PhD, profesor de optometría de la facultad de optometría de la Universidad Northeastern State en Tahlequah, Oklahoma.

Sus pestañas pueden estar infectadas con ácaros. Estos insectos microscópicos normalmente son inofensivos –salvo que sean muy numerosos.

La autodefensa: Pregúntele a su médico u optometrista sobre la posibilidad de usar el gel *pilocarpina* (Pilopine) para tratar el problema.

El peligro de los "ojos rojos"

El difunto Michael Yablonski, MD, fue jefe de oftalmología de la Universidad de Nebraska en Omaha.

Si bien normalmente es una condición menor causada por una infección bacterial o viral, los ojos rojos a veces son síntoma de *iritis* –una inflamación del iris que puede causar ceguera.

Otros síntomas: Lagrimeo excesivo, dolor al reaccionar a la luz, visión nublada y dolores de cabeza.

Las buenas noticias: El problema generalmente mejora después de unos pocos días o semanas de tratamiento.

El tratamiento: Gotas oculares parecidas a la cortisona para controlar la inflamación. Algunas veces se usan junto a un medicamento para dilatar las pupilas y un analgésico.

¿Mi hijo de 10 años necesita gafas bifocales?

George Fulk, OD, PhD, profesor de optometría de la facultad de optometría de la Universidad Northeastern State en Tahlequah, Oklahoma.

Los anteojos bifocales ayudan a que algunos niños no se vuelvan extremadamente miopes. Funcionan aliviando el estrés ocular cuando los niños realizan "trabajos de cerca". Los niños levemente miopes a quienes se les prescriben anteojos bifocales pueden ser un 50% menos propensos a llegar a ser extremadamente miopes que los niños a quienes se les prescriben anteojos comunes.

El peligro de las gotas oculares I

Douglas Koch, MD, profesor de oftalmología de la facultad de medicina de la Universidad Baylor en Houston. Su estudio de 70 personas fue publicado en *Archives of Ophthalmology*, 2870 University Ave., Madison, WI 53705.

Las gotas oculares descongestionantes usadas para aliviar el enrojecimiento pueden enrojecer los ojos aún más. En el 70% de los pacientes estudiados, el aumento del enrojecimiento fue causado por el efecto de "rebote". Esto indica que los pacientes que usaron las gotas de venta libre desarrollaron un enrojecimiento todavía mayor cuando terminó el efecto de las gotas. El otro 30% era alérgico o tuvo una reacción tóxica a la *tetrahidrozolina* o a otro ingrediente.

Las buenas noticias: El enrojecimiento de rebote y la inflamación generalmente se disipan cuando los pacientes dejan de usar las gotas.

La autodefensa: Use gotas oculares de venta libre por un máximo de cuatro días. O pruebe lágrimas artificiales, que no contienen ingredientes irritantes. Si el enrojecimiento persiste, consulte a un oftalmólogo.

El peligro de las gotas oculares II

Douglas Koch, MD, profesor de oftalmología de la facultad de medicina de la Universidad Baylor en Houston. Su estudio de 70 personas fue publicado en *Archives of Ophthalmology*, 2870 University Ave., Madison, WI 53705.

Las gotas oculares vasoconstrictoras –disponibles ampliamente sin receta médica– pueden perjudicar los ojos si se utilizan con demasiada frecuencia, al causar conjuntivitis.

La autodefensa: Si desarrolla inflamación, enrojecimiento, molestia o supuración mientras usa las gotas, deje de usarlas inmediatamente. Tenga especial cuidado al usar gotas que contengan *nafazolina* o *clorhidrato de tetrahidrozolina*.

Ejemplos: Las marcas Clear Eyes, Murine Plus y Visine.

Reducción de lesiones oculares

Paul Vinger, MD, profesor clínico adjunto de oftalmología de la facultad de medicina de la Universidad Tufts en Boston.

Para reducir el riesgo de lesión ocular, pida unos anteojos de *policarbonato* cuando compre sus anteojos. Son mucho más resistentes que el cristal u otros plásticos. *La prueba:* los anteojos de *plástico de alto índice* se quebraron al ser golpeados por una pelota de tenis a 40 millas por hora. Los de *resina plástica de alil* se quebraron al ser golpeados por una pelota de tenis a 55 mp/h. El cristal soportó impactos de 89 mp/h. Los anteojos de *policarbonato* no se quebraron ni siquiera cuando fueron golpeados a velocidades de hasta 130 mp/h. (Las velocidades en millas corresponden a 65, 90, 140 y 210 km/h).

Los anteojos de sol que cubren la cara ofrecen la mejor protección

Safe in the Sun por Mary-Ellen Siegel, MSW, trabajadora social y terapeuta del departamento de medicina comunitaria de la facultad de medicina Mount Sinai en Nueva York. Walker & Co.

Los anteojos de sol que cubren la cara y los que se ajustan bien son los mejores. Si los anteojos de sol no se ajustan bien a la cara, los ojos son alcanzados por casi el triple de rayos UV. Asegúrese de que los anteojos le queden bien ajustados y cómodos.

Ideal: Monturas que distribuyan el peso de forma balanceada sobre la nariz, bisagras firmes y patas que no se muevan mucho.

Alimento para sus ojos

Johanna M. Seddon, MD, profesora adjunta de oftalmología de la facultad de medicina de la Universidad Harvard en Boston.

En un estudio, las personas que comieron espinacas, u otra verdura de hojas verde oscuro, como la berza ("collard greens") o las hojas de mostaza ("mustard greens"), entre dos y cuatro veces por semana, presentaron máculas (la parte central de la capa de la retina) más saludables y mejor visión que los que no comieron dichas verduras. Comer verduras cinco o seis veces por semana brindó beneficios aún mayores. Los resultados incluyeron verduras de todo tipo, enlatadas o frescas, cocinadas o crudas.

La posible explicación: Estos vegetales verdes son ricos en luteína y zeaxantina, pigmentos que son vitales para el proceso visual

pero que pueden ser dañados o destruidos por la luz y por el envejecimiento.

La sorpresa: Las zanahorias, que usualmente se consideraban buenas para la visión, contienen muy poca luteína y zeaxantina.

Mejor audición

George A. Gates, MD, profesor de otolaringología y cirugía de cuello y cabeza de la Universidad de Washington en Seattle.

Los adultos profundamente sordos pueden beneficiarse con un implante de cóclea. Este dispositivo –ampliamente recomendado principalmente para *niños* sordos– se implanta quirúrgicamente detrás de la oreja. Transforma el sonido en impulsos eléctricos que el portador puede "escuchar".

Los implantes mejoraron la capacidad de leer los labios en un 90% de los usuarios… y entre un 10% y un 20% de los usuarios pudo comunicarse sin leer los labios.

Examen de audición gratuito

George Biddle, director ejecutivo de DAHST (Dial A Hearing Screening Test), 300 S. Chester Rd., Swarthmore, Pensilvania 19081.

Los exámenes de audición gratuitos pueden tranquilizarle frente al temor de perder la audición –o indicarle la necesidad de atención médica. La llamada consiste en escuchar cuatro tonos en cada oído. No escuchar alguno de los tonos indica un problema. Llame al 800-222-EARS (800-222-3277) entre las 9 a.m. y las 5 p.m. hora del Este, para obtener el teléfono de la clínica de audición local donde se realiza el examen.

El ejercicio puede mejorar su audición

Estudio de 26 personas de Helaine Alessio, PhD, profesora adjunta de fisiología del ejercicio de la Universidad Miami en Oxford, Ohio.

Las personas pudieron escuchar sonidos suaves dos veces mejor luego de haber hecho ejercicio por media hora, dos o tres veces por semana, durante dos meses. *La posible explicación:* una mejoría en la circulación al oído interno puede mejorar la capacidad auditiva.

Cómo prevenir la pérdida de audición

Christopher Linstrom, MD, jefe de otología del New York Eye and Ear Infirmary en Nueva York, y profesor auxiliar de otolaringología del New York Medical College en Valhalla, Nueva York.

Tendemos a no prestar mucha atención a nuestra audición –hasta que empezamos a perderla. Y una vez que ocurre la pérdida de audición, usualmente es *irreversible*.

La pérdida gradual de la audición que ocurre a medida que envejecemos se llama *presbiacusia*. Es muy común. A los 60 años la mayoría de las personas experimenta una ligera debilidad en su capacidad de escuchar sonidos por encima de los 4.000 hercios (ciclos por segundo). Lamentablemente, ése es el rango del habla.

El primer signo de presbiacusia es por lo general la incapacidad para entender las consonantes –distinguir entre "vaso" y "paso" o "sello" y "vello".

Una pérdida irreversible de la audición puede también ser producto de fiebre alta, sarampión, escarlatina u otras enfermedades… o, pocas veces, un efecto secundario de la anestesia quirúrgica.

Una tercera forma de pérdida de la audición ocurre cuando un pequeño hueso del oído medio llamado estribo pierde su capacidad de transmitir sonidos al nervio auditivo.

Esta condición hereditaria, la *otosclerosis*, ataca al 3% de la población, la mayoría mujeres. Puede empezar en la pubertad, pero típicamente aparece a los 20, 30 ó 40 años.

PROTEJA SU AUDICIÓN

No hay mucho que pueda hacer en relación con sus genes o su edad, pero puede protegerse contra el mayor enemigo de la audición –los ruidos altos.

El ruido continuo sobre los 85 decibeles (del alto de un grito o del llanto de un bebé) puede dañar las terminaciones nerviosas que transmiten las señales sonoras al cerebro. Parecido a la presbiacusia, primero se disminuye la capacidad de captar las frecuencias del lenguaje cerca de los 4.000 hercios, y luego las frecuencias más altas y más bajas.

Una persona de 30 años que ha pasado años usando un martillo neumático sin protección en los oídos puede tener la audición de alguien de 80 años.

Corre un riesgo similar si pasa las noches en discotecas o bares donde la música es ensordecedora. O si mantiene muy alto el volumen de su "Walkman".

La autodefensa: Haga todo lo necesario para prevenir una exposición prolongada a ruidos altos. Si los niveles de ruido en un club le causan dolor o un zumbido en los oídos, *váyase*.

Si no puede evitar el ruido constante –en el trabajo, por ejemplo– use audífonos para bloquear el ruido ("noise-blocking headset")… o tapones ("earplugs") de goma espuma ("foam rubber") o cera moldeable ("molded wax") para los oídos. Para mayor protección, use audífonos *además* de los tapones.

Cuando compre protección para los oídos, busque una tasa de reducción de ruido ("noise-reduction rating", NRR) de 15 ó más alta. Colocarse algodones en los oídos *no* es muy efectivo. El algodón tiene una tasa NRR de sólo cinco a diez.

¿Qué sucede con las exposiciones breves al ruido alto? Probablemente no sufrirá ninguna pérdida de la audición por un camión de bomberos que ocasionalmente pase a su lado (aunque taparse los oídos con los dedos es una buena idea). Pero hasta una sola explosión fuerte –un disparo, por ejemplo– puede causar problemas permanentes.

Si usted experimenta zumbido en los oídos y su audición parece ser menos aguda después de un ruido fuerte, *y no vuelve a la normalidad luego de un día o dos*, consulte a un especialista. Para encontrar uno bueno, llame al departamento de garganta, nariz y oído ("ear, nose and throat department") del hospital local... o comuníquese con la American Academy of Otolaryngology-Head and Neck Surgery al 703-836-4444, *www.aaohns.org.*

INFECCIONES CRÓNICAS DE LOS OÍDOS

Un resfriado fuerte o gripe frecuentemente causa acumulación de líquidos en los oídos. Si la acumulación de líquidos se vuelve crónica, las delicadas estructuras del oído medio pueden dañarse permanentemente.

Si su congestión persiste más de un mes, o si tiene infecciones de oído recurrentes, su médico puede recetarle un descongestionante poderoso o insertarle un tubo de ventilación en el tímpano.

Para evitar daños en el tímpano, no viaje en avión cuando tenga líquido en los oídos. Si su viaje no puede posponerse, pídale a su médico un buen descongestionante. En el vuelo, destápese los oídos suavemente tragando fuerte.

CÓMO ENFRENTAR LA PÉRDIDA DE LA AUDICIÓN

Su médico posiblemente le recomendará una prueba de audición para determinar la gravedad y la causa de su problema. Es raro, pero la pérdida de audición puede derivarse de un tumor en el cerebro o en el nervio craneal. Es muy importante descartar un tumor si su pérdida de audición es más pronunciada de un lado.

Un examen de audición se practica en una cabina de prueba aislada, sin ruido. Comprueba tanto el *nivel* (el umbral de habla-recepción) como la *claridad* (nivel de discriminación de palabras) de la audición.

Algunos hospitales y fabricantes de audífonos ofrecen un "examen de audición telefónico", pero éstos no son muy precisos.

¿Su pérdida de audición deriva de un problema en la transmisión del sonido a través del oído interno? ¿De un daño en el nervio auditivo? ¿Qué frecuencias han sido afectadas? El examen de audición debe responder estas preguntas.

Algunas condiciones pueden ser corregidas quirúrgicamente. Si usted tiene otosclerosis, por ejemplo, una simple intervención ambulatoria para insertar un pequeño "pistón" en el oído interno recupera la audición normal el 90% de las veces.

Si usted necesita un audífono, pida la ayuda de un audiólogo para escoger el modelo más apropiado.

Los audífonos actuales –que deben ser calibrados meticulosamente– son diferentes a los de décadas pasadas. La mayoría son lo suficientemente pequeños para encajar dentro o detrás de las orejas o en la montura de los anteojos. Y la mayoría tienen filtros electrónicos y controles de volumen precisos que le permiten amplificar solo las frecuencias que le son problemáticas.

Algunos dispositivos avanzados son programables. Usted puede preajustarlos para escuchar cómodamente conversaciones o música, en interiores o al aire libre. *Costo:* $400 a $2.000.

Precaución: Nunca compre un audífono por correo o por teléfono.

IMPLANTES DE CÓCLEA

El ultimo tratamiento para la pérdida de audición es el *implante de cóclea*. Implantada en un hueso cercano al oído, esta minicomputadora convierte el sonido en energía electromagnética, que es conducida hacia el oído interno para estimular el nervio auditivo.

Los implantes de cóclea son apropiados solo para individuos con una pérdida de audición profunda en ambos oídos y que no puede ser solucionada con audífonos.

Aunque los implantes de cóclea pueden aumentar la audición a personas que de otra manera serían sordas, no pueden proporcionar la misma calidad de sonido que un buen audífono.

Cómo eliminar los dolores de oído al viajar en avión

Jeffrey Jones, MD, director del departamento de medicina de emergencia del hospital Butterworth en Grand Rapids, Michigan. Su estudio de 190 personas con dolor de oído recurrente al viajar en avión se presentó en *Annals of Emergency Medicine,* 11830 Westline Industrial Dr., St. Louis 63146.

Tome una pastilla descongestionante con *seudoefedrina* por lo menos 30 minutos antes de que salga su vuelo. Un estudio halló que tomarla alivió en un 68% la molestia de las personas con dolor de oído recurrente al volar, comparado con un 38% que tomó un placebo. Una pastilla funciona durante todo el día, así que no necesita tomar otra si su vuelo se retrasa.

Importante: Verifique con su médico antes de probar este régimen para asegurarse de que la seudoefedrina no interfiere con otros medicamentos o condiciones de salud.

Lo que pueden revelar los lóbulos de la oreja

William J. Elliott, MD, PhD, es profesor adjunto de medicina preventiva y farmacología del centro médico Rush-Presbyterian–St. Luke's en Chicago. Su estudio de 264 pacientes cardiacos fue publicado en el *American Journal of Medicine*, 105 Raiders Ln., Belle Mead, NJ 08502.

Los lóbulos con dobleces ("creased earlobes") son mejores para predecir futuros problemas del corazón que tener diabetes, hipertensión, colesterol alto, un historial familiar de enfermedad coronaria u obesidad, o fumar. En un estudio, el tener un lóbulo con dobleces elevó el riesgo en un 33%. Tener ambos lóbulos con dobleces lo elevó en un 77%. La relación entre los dobleces del lóbulo de la oreja y la enfermedad cardiaca aún no se ha comprendido.

La autodefensa: Si sus lóbulos tienen dobleces, pídale a su médico estrategias para disminuir su riesgo.

Ayuda para el zumbido en los oídos del Dr. Nagler, un paciente de tinitus

Stephen M. Nagler, MD, director de la Southeastern Comprehensive Tinnitus Clinic en Atlanta. Padece tinitus y es miembro del directorio de la American Tinnitus Association, Box 5, Portland, OR 97207.

Cuarenta y cuatro millones de estadounidenses padecen el trastorno auditivo *tinitus* –tintineo, zumbido, campanilleo o pitido en los oídos– ocasionalmente. Seis millones sufren de tinitus crónico.

El tinitus dificulta la concentración y puede perturbar el sueño. Puede conducir a la depresión –o incluso al suicidio.

¿QUÉ CAUSA EL RUIDO?

El tinitus *no* es una consecuencia natural del envejecimiento. Usualmente es causado por daño a las "células capilares" que recubren la *cóclea*, una estructura en forma de caracol del oído interno.

Las causas más comunes de daño a las células capilares son...

• **Ruidos altos.** Un solo ruido alto (como una explosión) puede dañar permanentemente las células capilares. Más frecuentemente, el tinitus deriva de años de exposición a música muy alta, a ruido de fábricas, etc.

La autodefensa: Evite la música alta. Póngase tapones en los oídos que absorban el sonido cuando esté expuesto a una máquina ruidosa.

En las ferreterías se consiguen tapones baratos. Si sabe con antelación que tendrá exposiciones repetidas o prolongadas, los tapones hechos a medida por un audiólogo –u orejeras que absorban el ruido– dan la mejor protección.

Ineficaz: Llenarse los oídos con algodón.

• **Medicamentos.** Muchos medicamentos comunes, incluida la aspirina, pueden causar tinitus temporal. Entre los medicamentos que pueden causar tinitus *permanente* se encuentran la *cisplatina* y otros agentes quimioterapéuticos… y los antibióticos aminoglicósidos como la *estreptomicina* o la *gentamicina*.

La autodefensa: Siempre que su médico le recete un fármaco, pregúntele sobre los riesgos –incluido el riesgo de tinitus. Asegúrese de que los beneficios sean superiores al riesgo.

●**Enfermedades.** El tinitus puede ser sintomático de alta presión arterial, arteriosclerosis, trastornos de la tiroides, diabetes y algunas otras enfermedades.

El tinitus también puede derivar de lesiones en la cabeza y el cuello… o por trastornos del oído medio o interno, entre otros la otosclerosis y la enfermedad de Ménière. En casos raros, un tumor en el nervio auditivo puede causar el tinitus.

La autodefensa: Si usted sufre de alguna de estas dolencias, asegúrese de obtener el tratamiento adecuado. Si desarrolla tinitus, consulte con un médico de inmediato.

DISIMULADORES DEL SONIDO

La mayoría de las personas que sufre de tinitus ansía el silencio. Irónicamente, el tratamiento más efectivo es "sumergirse" en sonido.

●**Música.** Pruebe escuchar distintos tipos de música, Fíjese si alguno le ayuda a disimular el tinitus o si simplemente distrae su atención.

●**Generadores de ruido blanco** ("white noise generators"). Estos dispositivos de mesa producen ruido estático o sonidos de la naturaleza (viento, marea, etc.) Los puede conseguir en las tiendas de aparatos electrónicos. *Costo:* $100 o menos.

●**Disimuladores de tinitus** ("tinnitus maskers"). Son generadores de ruido blanco que se colocan dentro o detrás de la oreja, como un audífono. Algunos disimuladores funcionan como generadores de ruido blanco y como audífono.

Los disimuladores de tinitus deben ser adaptados por un audiólogo. *Costo:* $1.000 o más.

HABITUACIÓN AUDITIVA

La habituación auditiva combina el uso de disimuladores del tinitus o audífonos con sesiones educativas que ayudan a la persona con tinitus a cambiar la forma en la que percibe el sonido.

Esta técnica –administrada por un audiólogo o por un médico– puede ser muy efectiva. El 80% de quienes la prueban obtienen un alivio significativo. Sin embargo, el proceso puede tomar dos años.

Finalmente, la persona que padece de tinitus aprende a tener una percepción *neutral*, en vez de *negativa*, del sonido. Es como usar pantalones –se puede sentir la tela contra la piel si uno lo piensa. Sin embargo, la mayor parte del tiempo, no estamos conscientes de la sensación.

TÉCNICAS MENTE/CUERPO

●**Terapia cognitivo-conductual.** Ayuda a quienes sufren de tinitus a evitar los pensamientos retorcidos que empeoran su sufrimiento.

Ejemplo: "El ruido me está volviendo loco. No puedo hacer mi trabajo".

Para ser referido a un terapeuta cognitivo-conductual, llame a la American Psychological Association al 800-374-2721, *www.apa.org.* Asegúrese de que el terapeuta tenga experiencia en el tratamiento del tinitus.

●**Autohipnosis.** Algunos hipnoterapeutas inescrupulosos afirman que las personas que sufren de tinitus pueden ser hipnotizados para no escuchar más el ruido. Eso es falso. Pero la autohipnosis puede ayudarles a vivir con su dolencia.

Más información: Comuníquese con la American Society of Clinical Hypnosis, 140 N. Bloomingdale Rd., Bloomingdale, IL 60108, Tel.: 630-980-4740, *www.asch.net.*

●**Bioautorregulación** ("biofeedback"). Esta técnica usa dispositivos electrónicos que le permiten monitorear las ondas cerebrales y las contracciones musculares. Al usar este dispositivo, las personas que sufren de tinitus aprenden a controlar sus propias reacciones fisiológicas ante el ruido.

Para obtener una lista de profesionales de bioautorregulación en su zona, envíe un sobre con estampilla postal y su nombre y dirección a la Association for Applied Psychophysiology and Biofeedback, 10200 W. 44 Ave., Suite 304, Wheat Ridge, CO 80033, Tel.: 800-477-8892, *www.aapb.org.*

●**Visualización guiada.** Simplemente imaginarse en un ambiente tranquilo y reposado puede ayudar a eliminar la frustración que causa el tinitus.

Qué hacer: Varias veces al día, cierre los ojos y pase unos minutos imaginándose en un velero. Imagínese el olor del mar, la sensación del sol en su piel, el sonido de las olas del mar, etc.

Usted va en camino a una isla imaginaria donde su tinitus desaparecerá mágicamente.

MEDICACIÓN PARA EL TINITUS

El *alprazolam* (Xanax) brinda alivio a algunos pacientes. Si una congestión o alergias parecieran estar aumentando el problema, puede ser útil un antihistamínico.

La hierba *ginkgo biloba* se ha usado con algún éxito.

Precaución: El ginkgo puede interferir con la coagulación de la sangre. Si lo toma regularmente, pídale a su médico que le haga una prueba de tiempo de sangría y coagulación ("bleeding and clotting time") por lo menos dos veces al año.

Ayuda para los dientes y las encías

Walter J. Loesche, DMD, PhD, profesor emérito Marcus Ward de odontología de la facultad de odontología de la Universidad de Michigan en Ann Arbor. Dirigió un estudio de 90 pacientes con enfermedad periodontal, publicado en el *Journal of the American Dental Association*, 211 E. Chicago Ave., Chicago 60611.

El tratamiento no quirúrgico para la enfermedad periodontal puede salvar dientes y hacer innecesarias las extracciones.

Un estudio reciente: Una limpieza agresiva, conocida como planificación y blanqueado de raíz, junto a un tratamiento con antibióticos durante dos semanas hicieron que el 87% de las cirugías y las extracciones fueran innecesarias. Los beneficios duraron cinco años. Si usted padece enfermedad periodontal, consulte a su odontólogo sobre las alternativas a la cirugía.

Niños con dientes más limpios

Eli Grossman, DDS, asesor de la New Institutional Service Company en Northfield, Nueva Jersey. Su estudio de 32 niños entre 8 y 12 años fue publicado en el *Journal of the American Dental Association*, 211 E. Chicago Ave., Chicago 60611.

Los cepillos de dientes eléctricos ayudan a los niños a mantener los dientes más limpios.

El estudio: Los niños que usaron un cepillo de dientes eléctrico de cabeza pequeña, diseñado especialmente para niños (Braun Oral-B Plaque Remover for Kids) eliminaron el 65% de la placa dental.

Los niños que usaron un cepillo manual normal eliminaron el 42% de la placa.

El hilo dental adecuado

Peter L. Jacobsen, DDS, PhD, profesor de ciencias diagnósticas de la facultad de odontología de la Universidad Pacific en San Francisco.

Si sus dientes están muy juntos use las marcas Glide, Colgate Total u otro hilo dental de poca fricción ("low-friction floss"). Para dientes separados (si usted puede ver un espacio entre sus dientes a nivel de las encías) use un hilo tejido ("woven floss") como Ultra Floss o Super Floss de marca Oral-B. Si usted tiene la tendencia a deshilachar el hilo dental, use mejor cinta dental ("dental tape").

El mejor cepillado de dientes

Academy of General Dentistry, 211 E. Chicago Ave., Suite 1200, Chicago 60611. Puede solicitar a la Academia el folleto gratuito *Brush Up on Your Dental Facts for Adults and Seniors*.

Se necesita de tres a cuatro minutos de cepillado para limpiar los dientes bien. La persona típica se cepilla menos de un minuto.

Útil: Oiga música mientras se cepilla. La mayoría de las canciones dura 3 ó 4 minutos.

Cepillarse y usar hilo dental no es suficiente

Tom McGuire, DDS, presidente de Tooth Fitness, una empresa de Grass Valley, California, que produce programas de salud dental para empresas. Autor de *Tooth Fitness, Your Guide to Healthy Teeth*. St. Michael's Press.

Todos sabemos la importancia de cepillarse y usar hilo dental. Pero cuando se trata de otros aspectos del cuidado dental, todavía hay mucha confusión. *Aquí tiene las respuestas a las preguntas más comunes que hacen los pacientes sobre sus dientes...*

●**¿Con cuánta frecuencia debo hacerme una limpieza de dientes profesional?** El consejo común –una vez cada seis meses– es bastante arbitrario. Vaya tan frecuentemente como su odontólogo o higienista dental diga que es necesario. Si usted sufre de una enfermedad avanzada de las encías, o no se cepilla muy bien los dientes, podría ser hasta una vez al mes.

●**Mis encías sangran cuando me cepillo. ¿Debo preocuparme?** Muchas personas creen que sangrar un poco es normal. *Eso es falso.* Las encías que sangran son una señal temprana de enfermedad de las encías (gingivitis). Si no se trata, puede causar una infección bacterial grave.

Por lo regular, la gingivitis puede ser revertida en una a tres semanas, usando hilo dental a diario y cepillándose después de cada comida.

Útil: Luego de cepillarse, enjuáguese con una mezcla de un cuarto de cucharadita de sal en cuatro onzas (120 ml) de agua, para eliminar las bacterias.

Si continúa sangrando por más de tres semanas, vaya al dentista. Es posible que tenga enfermedad *periodontal* –una forma avanzada de enfermedad de las encías que no responde al autotratamiento.

Otras señales de peligro: Sensibilidad al calor o al frío, a alimentos azucarados o ácidos, dolor súbito en el área afectada, sangrado o sentir que algo presiona la raíz de un diente.

Con el tiempo, la enfermedad periodontal causa pérdida de hueso en la mandíbula. Si no se trata puede llevar a la pérdida del diente.

Advertencia: La enfermedad periodontal puede aumentar el riesgo de enfermedad cardiaca. Si sospecha que tiene una enfermedad de las encías, vea a su odontólogo de inmediato –especialmente si tiene predisposición a enfermedad cardiaca.

●**¿Qué causa que las encías se retraigan?** La causa más probable es la enfermedad de las encías, aunque debe tener en cuenta que después de los 50 años, las encías empiezan a separarse de los dientes naturalmente. Si bien una retracción severa puede causar caries, la mayoría de los casos de encías que se retraen son solamente un problema *cosmético*.

●**¿Qué puedo hacer para prevenir la enfermedad de las encías?** Se ha demostrado que los suplementos de vitaminas C, A y el complejo B ayudan. También ayuda comer menos azúcar. El azúcar acelera la formación de la placa (una película hecha de partículas de alimentos, bacterias y saliva), que causa caries y enfermedad de las encías.

●**¿Qué tipo de cepillo de dientes es mejor?** Un modelo en forma de gota con cerdas suaves de aproximadamente una pulgada de largo (2 ó 3 cm). Si su boca es pequeña, escoja un cepillo de tamaño infantil.

El cepillo debe tener no más de cuatro hileras de cerdas transparentes (no de color). Éstas facilitan la detección de algún signo de sangrado en el cepillado.

Los cepillos con mangos transparentes de plástico permanecen limpios por más tiempo –permiten que la luz ultra violeta que mata las bacterias penetre las cerdas.

Luego de cepillarse, enjuague su cepillo en agua tibia. Déjelo secar en posición vertical. Dejar secar el cepillo en posición horizontal permite que el agua se acumule... y que crezcan las bacterias. Para ayudar a controlar las bacterias, remoje los cepillos una vez a la semana en enjuague bucal.

●**¿Con cuánta frecuencia debo remplazar mi cepillo de dientes?** Cada tres meses –hágalo antes si las cerdas se han aplanado o deshilachado.

También es una buena idea cambiar su cepillo luego de cada limpieza dental profesional –para prevenir exponer los dientes limpios a bacterias del cepillo viejo.

●**¿Funcionan mejor los cepillos eléctricos?** Los cepillos eléctricos y ultrasónicos brindan más golpes de cepillado por segundo, pero frecuentemente son menos eficaces que los cepillos manuales para alcanzar los dientes de atrás y las caras internas de los dientes inferiores delanteros.

En vez de un cepillo eléctrico, puede considerar comprar un *dispositivo de irrigación oral*. Este dispositivo envía un chorro de agua debajo del borde de las encías, donde el cepillo y el hilo dental no llegan. Debe usarse *además* del cepillado y del hilo dental.

El mejor modelo: El Water Pik, con la punta Pik Pocket para irrigación subgingival.

Cuando use un irrigador, mantenga la presión baja. Para máximos beneficios, llene el envase con enjuague bucal antibacterial o con solución salina, en vez de agua.

●**¿Qué marca de crema dental es la mejor?** Todas son bastante parecidas. Es la acción del *cepillado* lo que limpia los dientes y mantiene las encías sanas.

Los adultos deben usar la crema que mejor les sepa. Si odia el sabor de su crema dental, es probable que evite cepillarse.

Las personas que tienen problemas de encías deben evitar las cremas dentales "blanqueadoras" ("whitening") que tienden a ser abrasivas.

Importante: No se trague la crema dental. La mayoría de las marcas contiene colorantes, saborizantes, endulzantes artificiales, etc., cuyos riesgos para la salud no se conocen a ciencia cierta.

Ya que los niños pequeños tienden a tragarse la crema dental, yo les recomiendo una crema natural como Tom's of Maine, que no contiene aditivos.

●**¿Qué opina de los hilos dentales especiales?** Los hilos dentales sin cera, que tienen una superficie áspera, son mejores que los hilos dentales con cera, delgados o "sin fricción", para eliminar la placa y sacar los alimentos.

La excepción: Si sus dientes están muy juntos, o si el hilo dental sin cera le causa dolor o se deshilacha, pruebe un hilo dental recubierto ("coated") o muy fino ("ultrathin"). De otro modo, es probable que no use el hilo dental.

Evite los hilos dentales de *colores*. Dificultan la detección de sangre.

La técnica de uso del hilo dental es más importante que el tipo de hilo que use.

La manera correcta: Luego de introducir una pieza de hilo dental de 12 a 18 pulgadas (30 a 45 cm) entre dos dientes, presiónela hacia un lado y guíela hacia abajo usando un movimiento vibratorio hacia atrás y hacia delante.

Precaución: Halar el hilo "hacia arriba y hacia fuera" puede sacar un empaste. En vez de hacer esto, suelte un extremo del hilo dental y deslícelo por el espacio entre los dientes.

Use el hilo dental por lo menos todas las noches –luego de cepillarse pero *antes* de escupir toda la crema dental. Si usted tiene un área donde los alimentos se quedan atascados, use hilo dental cada vez que se cepille.

●**¿Debo usar un enjuague con fluoruro ("fluoride") o antiplaca ("antiplaque")?** Sí. Recomiendo usarlos antes de cepillarse (o cuando no puede cepillarse después de una comida). El fluoruro es muy bueno para combatir las caries.

Si el agua de su hogar no contiene fluoruro, deben dársele a los niños gotas de fluoruro, desde el año y medio hasta los 16 años. Tomar fluoruro durante ese periodo es la mejor manera de prevenir las caries en la adultez.

●**¿Cuál es la mejor manera de blanquear los dientes?** Para manchas superficiales causadas por las gaseosas "cola", los cigarrillos o el café, pruebe una crema dental blanqueadora. Siga las instrucciones detenidamente. El uso excesivo puede eliminar el esmalte protector de sus dientes.

Para quitar manchas severas, consulte al dentista sobre el blanqueamiento de los dientes. Los blanqueamientos administrados por dentistas son más rápidos, más efectivos y es menos probable que le irriten las encías que los blanqueamientos caseros. *Costo:* de $100 a $300 por blanqueamiento.

●**¿Cada cuánto tiempo debo hacerme una radiografía dental?** Cuando comience con un dentista nuevo, hágase una serie completa de radiografías *bucales, de mordida ("bitewing") y periapical (la raíz).* Luego de eso, hágase radiografías de la mordida anualmente (cada seis meses si es propenso a las caries). Dependiendo de sus chequeos y las recomendaciones de su dentista, puede pasar hasta 5 años entre sus radiografías bucales completa y periapical.

●**¿Son peligrosos los empastes de amalgama (plateados)?** Los empastes de amalgama, que contienen el metal tóxico mercurio, pueden causar náuseas, pérdida de la memoria y problemas neurológicos. Si está preocupado por la toxicidad del mercurio, considere remplazarlos. Busque un dentista cosmético o uno que use odontología sin mercurio.

Para un mejor aliento

Alan Winter, DDS, profesor clínico adjunto de odontología, de la facultad de odontología de la Universidad de Nueva York (NYU) y socio de Park Avenue Periodontal Associates, 30 E. 60 St., Suite 302, Nueva York 10022.

Enjuáguese la boca después de comer. Enjuáguesela cuidadosamente luego de comer alimentos azucarados o feculentos.

●**Raspe la parte de atrás de su lengua con un cepillo de dientes todos los días** para eliminar las bacterias. (La tendencia a las náuseas disminuirá con el tiempo).

●**Evite el café**, el alcohol, el tabaco y los alimentos con sulfuro como el ajo y las cebollas.

●**Beba agua o mastique goma de mascar sin azúcar** cuando su boca esté seca, para producir más saliva.

●**Coma perejil** –un refrescante natural del aliento.

●**Evite enjuagues bucales de venta libre.** La mayoría solo disfraza el mal aliento por poco tiempo.

Importante: Chupar caramelos de menta y pastillas para la tos no sirve porque causan caries.

Si el problema persiste, consulte a su médico o al dentista para ver si tiene algún problema dental o digestivo subyacente.

Procedimientos de blanqueado con láser

Gary F. Alder, DDS, director del programa de residencia en odontología en el centro médico Rush–Presbyterian–St. Luke's en Chicago.

Los dientes decolorados ahora pueden blanquearse rápido y sin dolor con un láser. En este procedimiento, los dientes se pintan con un blanqueador a base de peróxido, luego se atacan con un láser de argón azul. El tratamiento de 90 minutos –ejecutado en el consultorio del dentista– funciona para eliminar manchas de café y tabaco, y para la decoloración causada por el antibiótico tetraciclina. Los dientes se ven notablemente más blancos inmediatamente después del tratamiento… y siguen blanqueándose durante varios días. El láser es mejor y más rápido que los blanqueados caseros.

20

Mantenerse en forma vale la pena

La fórmula mágica de Jack LaLanne para estar en forma

Jack LaLanne

La vida es la supervivencia del más apto. Para esto, ¡usted tiene que estar en forma! Examine su condición física. ¿Descansa lo suficiente? ¿Come los alimentos adecuados? ¿Tiene un hobby que libere el estrés? ¿Hace ejercicio para tener reservas de energía que serán como dinero en el banco para el día que la necesite?

La única manera de aumentar su fuerza, energía y vitalidad es forzando su cuerpo más de lo que esta acostumbrado.

Personas de hasta 95 años han *duplicado* su fuerza y resistencia en corto tiempo gracias a programas de entrenamiento con pesas.

Una persona de 90 años no puede levantar igual peso que una de 21. Pero cada uno puede entrenar a su capacidad y obtener resultados.

Las personas racionalizan el no hacer ejercicios. Su principal excusa es *la falta de tiempo.* ¿Vendería usted su brazo por $100 o su pierna por $1 millón? No, porque su posesión más preciada es su cuerpo. ¿No debería usted dedicarle un poco de tiempo a mantenerlo en buena forma?

Su apariencia es un reflejo de la opinión que usted tiene de sí. En la medida en que mejore su condición física, y se vea y se sienta mejor, más crecerá su autoestima… un buen primer paso para mejorar también su vida sexual.

Si teme que va a sufrir un ataque al corazón –recuerde que las personas que sufren ataques al corazón son las que *no* se ejercitan.

APROVECHE LOS ANUNCIOS COMERCIALES

Cuando un comercial de TV interrumpe un programa, no busque un refrigerio –haga ejercicios. *Éste es uno fácil de hacer…*

Jack LaLanne, experto en fitness, abrió su primer gimnasio en 1936 y ha promovido el fisicoculturismo por 65 años. Es autor de varios libros, entre ellos, *Revitalize Your Life After 50: Improve Your Looks, Your Health and Your Sex Life.* Hastings House.

380

●**Levántese/acuéstese.** Acuéstese boca arriba en el piso. Levántese. Repita lentamente. Luego rápidamente. Practique hasta que pueda hacerlo rápido 15 veces seguidas. Dígale a sus hijos y nietos que lo acompañen.

CINCO EJERCICIOS MÁGICOS

Diseñé estos cinco ejercicios simples para reducir y endurecer todas las partes del cuerpo. Puede hacer los cinco ejercicios mágicos en casi cualquier lugar. El único equipo que necesita es una silla con el respaldo derecho y un par de libros.

Empiece haciendo cada ejercicio lentamente hasta contar 10. Gane resistencia al ejercitarse cada vez más vigorosamente, cuatro o cinco veces a la semana. Considere mirarse al espejo para ver cómo progresa. Visualice cómo desea verse. Respire profundamente para llevar oxígeno a su torrente sanguíneo y quemar grasa.

1. Columpios. Se pueden trabajar varios músculos simultáneamente. Sostenga un libro liviano entre las manos. Separe los pies según el ancho de los hombros. Doble un poco las rodillas.

Inclínese por la cintura. Al exhalar, columpie lentamente el libro bajo las piernas, tratando de tocar una pared imaginaria detrás de usted. Al inhalar, columpie el libro de vuelta sobre la cabeza. Mantenga los brazos rectos y trate de tocar la pared imaginaria con el libro.

2. Rodillas al pecho. Es excelente para la cintura, la flexibilidad de las caderas, los músculos abdominales y la parte inferior de la espalda.

Siéntese al borde de una silla dura y derecha. Sosteniendo ambos lados de la silla para mantener el equilibrio, inclínese hacia atrás hasta que toque el respaldo de la silla con los hombros. Levante ambas rodillas lo más cerca que pueda del pecho (o levante una a la vez hasta que pueda levantar las dos simultáneamente). Cuando se haga un experto, sostenga un libro entre las piernas.

Baje las piernas. Haga movimientos de pedaleo, simulando que va en bicicleta. Haga primero movimientos pequeños y luego grandes. Con cada rotación, extienda la pierna hacia abajo cerca del suelo antes de seguir.

Para variar, haga estos ejercicios acostado boca arriba en el piso o en la cama.

3. Movimientos de pierna. Para caderas caídas y muslos flácidos.

Póngase de pie a un lado de la silla. Sosténgase al respaldo. Con la pierna derecha, dé un paso hacia delante como en esgrima. Regrese. Repita con la pierna izquierda. Cuando se haga más fuerte, doble más su rodilla y pise más lejos. Mantenga la parte superior de su cuerpo erguida durante el movimiento.

4. Extensiones de pierna hacia la espalda. Es estupendo para los músculos de la espalda, desde el cuello hasta la planta de los pies… y endurece las nalgas.

Colóquese de frente a la silla, inclínese por la cintura y agarre ambos lados del asiento. Mantenga los brazos derechos y aléjese de la silla hasta que se sienta cómodo.

Levante lentamente la pierna derecha lo más alto que pueda y ponga los dedos de los pies en punta, mire hacia arriba, inhale y tense fuerte las caderas. Puede doblar un poco la rodilla izquierda. Mientras baja la pierna, exhale, lleve la mandíbula al pecho y curve la espalda, tensando los músculos abdominales. Repita con la otra pierna.

5. Golpes de ida y vuelta. Estos ejercicios cardiovasculares trabajan la mayoría de los músculos de la parte superior del cuerpo. Queman calorías y reducen la cintura.

●**Golpes hacia delante.** Útiles para los brazos, hombros, la parte superior de la espalda y el pecho. Póngase de pie y separe los pies según el ancho de los hombros. Doble un poco las rodillas. Visualice un saco de boxeo frente a usted y golpéelo fuertemente con una mano a la vez. Imagine que el codo golpea una pared detrás de usted cuando se devuelve. Aumente el ritmo.

●**Golpes sobre la cabeza.** Trabajan el dorso de los brazos, los lados de la cintura y las pantorrillas. Mejoran su postura.

Cierre los puños, póngase de pie recto y golpee con el brazo derecho sobre la cabeza, como si tratara de golpear el techo. Levántese en puntillas mientras lo hace. Deje caer el codo opuesto lo más bajo posible. Alterne los brazos. Haga este ejercicio rápidamente.

●**Combinación de golpes.** Póngase en la postura para golpes hacia delante. Meta la cintura y golpee hacia delante rápidamente, golpeando con los codos la pared imaginaria detrás de usted. Rápido cambie a un golpe sobre la cabeza. A medida que un brazo baja, empuje el codo lo más abajo que pueda. Mientras más rápido golpee, quemará más calorías. Cuando sea experto, sostenga un libro en cada mano para más resistencia.

TONIFIQUE LOS MÚSCULOS DE LA PARTE SUPERIOR DEL BRAZO

A medida que la gente envejece, el músculo de la parte posterior del brazo normalmente se pone fofo porque los tríceps no son utilizados muy seguido. *Para tonificar ese músculo...*

●**Haga golpes sobre la cabeza** (descritos anteriormente).

●**Empuje un peso,** como una pequeña mancuerna sobre la cabeza.

●**De pie, con la espalda contra la pared, los brazos hacia abajo** y las palmas contra la pared, apártese de la pared empujándose y luego vuelva hacia ella. *Bono:* ejercitará la parte posterior de los hombros y mejorará su postura.

SEA RESPONSABLE

Yo paso por lo menos una hora al día levantando pesas y otra hora nadando. ¿No puede dedicar 20 minutos un par de veces a la semana para mantenerse en forma?

Precaución: Siempre consulte al médico antes de empezar un régimen de ejercicios.

Caminar para mejorar la salud

Mort Malkin, DDS, cirujano del centro hospitalario de Brooklyn en Nueva York. Es un renombrado experto en fitness y caminata, y autor de *Aerobic Walking—The Weight-Loss Exercise.* John Wiley & Sons.

Caminar puede ser *la* mejor manera de hacer ejercicio. Puede ser un ejercicio tan bueno como correr –o esquiar a campo traviesa– sin las molestias, el costo o el riesgo de lesiones asociado a esas actividades.

Con un par de alteraciones simples en su paso, caminar es también una excelente manera de deshacerse de unas libras y fortalecer los músculos. Además, caminar es un ejercicio que hace que el cuerpo soporte peso, lo cual es bueno para la formación de los huesos... y se puede hacer en cualquier lugar. Todo lo que necesita es un par de zapatos decentes.

CÓMO OPTIMIZAR SU PASO

El caminar convencional es demasiado fácil para que sea un ejercicio, porque solo se usa una pequeña parte de la masa muscular del cuerpo.

Según un estudio de la Universidad Columbia, el caminar convencional es principalmente impulso –es solamente en el tercio final del paso que los músculos producen energía para moverse hacia delante... y aún en ese momento la energía viene únicamente de los músculos de modesto tamaño de la pantorrilla –el *sóleo* y el *gastrocnemio.*

Para aumentar la calidad del ejercicio, debe poner más músculos a trabajar cuando camina. Mientras más cantidad de masa muscular involucre en cada paso, mayor será el beneficio para su salud, incluida la pérdida de peso.

Éstas son tres maneras de optimizar su paso:

●**Haga que los músculos trabajen antes.** La mayoría de los caminantes aplican energía solo al final del paso, cuando empujan con la parte blanda del pie y los dedos.

En cambio: Comience por aplicar fuerza contra el piso en el instante en que sus talones tocan el piso. Como si empujara el piso debajo del cuerpo con la pierna. Esta acción usa la parte trasera de sus muslos (tendón de la corva) y las nalgas (glúteos). Juntos, estos músculos son hasta cinco veces más grandes que los de las pantorrillas. Finalice cada paso con un empuje normal.

●**Balancee las caderas** –la mayoría de las personas usan solo las piernas para mover sus pies hacia delante.

Mejor: Vaya hacia delante con la cadera de la pierna que se adelanta para el nuevo paso.

Dibuje una línea por las caderas que vaya de izquierda a derecha. Si está paseando, esta línea se mantiene perpendicular a la dirección del movimiento. En la caminata aeróbica, la línea debería estar en un ángulo de 45 grados de la dirección a la que se dirige.

Resultado: Usted trabaja los músculos abdominales, los de la parte inferior de la espalda y los glúteos.

●**Incremente la velocidad.** Concéntrese en acelerar tan pronto como sus talones golpeen el suelo. Imagine sus ojos en un nivel plano. Mientras camina manténgalos nivelados, sin rebotar.

Mire un poste, un árbol o algún otro objeto que esté relativamente cerca de usted. Camine tan uniformemente que logre que el objeto no se mueva.

BENEFICIOS PARA EL CUERPO

Ponga más masa muscular a trabajar y obtendrá más rápidamente los beneficios de la caminata –mejor metabolismo de las grasas, mejoría en la tolerancia a la glucosa, un pulso menor al descansar, reducción de estrés, etc.

La diferencia entre la caminata normal y la aeróbica es notable.

Ejemplo: Una mujer con diabetes tipo II, que estaba tomando insulina, se inscribió a una de mis clases de caminata. Durante años, ella había caminado de cinco a seis millas (8 a 10 km) por semana. Necesitaba 20 unidades de insulina al día. Su nivel de azúcar en la sangre promediaba 135.

Después de probar la técnica adecuada por un mes, descubrió que necesitaba menos insulina –12 unidades diarias. Su nivel de azúcar disminuyó a 99, un nivel más normal.

PARA COMENZAR

Para reducir el riesgo de lesiones, comience su programa de caminatas gradualmente. Puede comenzar por dar un paseo de diez a 20 minutos, tres o cuatro días por semana, incluso si usted ya está en buena forma física.

Agregue cinco minutos por semana, hasta llegar a un promedio de 40 a 50 minutos por sesión. Esta es la duración ideal de entrenamiento para bajar de peso y mejorar la salud.

En la medida en que aumenta el tiempo de entrenamiento, aumente también la velocidad. *Usted sabrá que ha alcanzado la intensidad adecuada si…*

●**Le falta un *poco* el aliento** durante el entrenamiento.

●**Está un poco por encima de la zona de confort** pero puede terminar el entrenamiento. En una escala de 5 (descansado) a 20 (máximo esfuerzo) su esfuerzo debiera estar cerca de 14.

●**Usted puede hablar solo con frases,** no con oraciones completas. De hecho, no tendrá ningunas ganas de hablar.

ESCOJA LOS ZAPATOS ADECUADOS

Pruebe varios zapatos para correr y para caminar para encontrar el que mejor le calza.

Busque: Amortiguación moderada, inclinación baja del talón, espaciado en la puntera, flexibilidad y un corte en "v" en el cuello (así el tendón de Aquiles tendrá espacio).

Haga que un vendedor revise el patrón de uso de sus zapatos viejos antes de que le recomiende un par nuevo.

Maneras baratas de ponerse en forma

Patrick Netter, asesor de equipos de ejercicio y fitness, en Los Ángeles, California.

Alquile –o compre– videos de entrenamiento, averigüe si una escuela secundaria en su comunidad da clases de ejercicio para adultos por la noche, cree su propio gimnasio casero comprando una sola máquina de ejercicios bien hecha –será más barato que afiliarse a un gimnasio– y haga ejercicios con amigos para que dejar de entrenar sea más difícil.

Los gimnasios pueden ser poco saludables

Rodney Basler, MD, dermatólogo y ex presidente de la junta especializada en medicina deportiva de la American Academy of Dermatology en Lincoln, Nebraska.

Hasta el gimnasio con la apariencia más limpia puede, efectivamente, estar lleno de microbios escondidos.

La autodefensa: Tome una toalla cuando entre y póngala entre su cuerpo y el equipo; en vez de ponerse camisetas cortas y sin mangas y pantalones cortos, haga ejercicio con camisetas y pantalones que lleguen hasta los muslos. Use sandalias en la ducha –el agua empozada en el suelo de la ducha y el alfombrado húmedo pueden causar pie de atleta. Antes de usar un jacuzzi asegúrese de que el agua sea transparente –el agua turbia y depósitos a los lados de la bañera son señales de crecimiento bacterial.

Alerta con las estafas en gimnasios

Stephen Isaacs, abogado y coautor de *The Consumer's Legal Guide to Today's Health Care.* Houghton-Mifflin.

Las costosas membresías de por vida que promocionan los gimnasios son un mal negocio. *La razón:* duran la vida del club, no la *suya.* Cuando se inscriba en un gimnasio, lea las letras pequeñas del contrato *muy detenidamente.* Algunos contratos tienen una amplia renuncia de responsabilidades que libera al gimnasio de la responsabilidad por cualquier accidente… incluso por aquellos provocados por su propia negligencia.

Hacer ejercicio le gana a hacer dieta

John Foreyt, profesor de medicina y psiquiatría de la facultad de medicina de la Universidad Baylor en Houston, y director de la clínica de investigación nutricional de dicha universidad.

El ejercicio es más importante que hacer dieta para perder peso. En un estudio, investigadores observaron tres grupos de personas que querían perder peso. Un grupo hizo ejercicio y dieta, el segundo hizo dieta sin ejercicio, el tercero hizo ejercicio sin dieta. Después de dos años, solo el grupo que hizo ejercicio sin seguir una dieta estricta mantuvo la perdida de peso.

Razón: Estas personas dijeron que después de hacer ejercicios, no querían llenarse de comidas altas en calorías y grasas y en su lugar comieron adecuadamente y perdieron peso.

El mejor momento para hacer ejercicio

Tom Thomas, PhD, profesor de ciencias nutricionales de la Universidad de Missouri en Columbia, citado en la revista *Runner's World,* 33 E. Minor St., Emmaus, PA 18098.

Haga ejercicio *antes* de una comida grasosa para minimizar el efecto de obstrucción arterial de la comida. Una hora de ejercicios, alrededor de 12 horas antes de una comida alta en grasas reduce significativamente la cantidad de grasas que circulará en la sangre después de la comida. Hacer ejercicio después de la comida surte poco efecto. *En definitiva:* si espera comer una cena alta en grasas por la noche, corra una hora, por ejemplo, al levantarse.

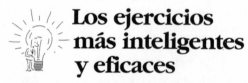

Los ejercicios más inteligentes y eficaces

Mort Malkin, cirujano del centro hospitalario de Brooklyn en Nueva York. Es un renombrado experto en fitness y caminata, y autor de *Aerobic Walking—The Weight-Loss Exercise.* John Wiley & Sons.

A menos que tome las precauciones adecuadas, debería evitar usar pesas al caminar para ponerse en forma.

¿Por qué? Las pesas de mano pueden causar dolor de espalda y de hombros. Las pesas para el tobillo pueden forzar las rodillas y afectar su equilibrio.

Más eficaz que las pesas: Aumente su ritmo de caminata.

El plan de ejercicio del Dr. Kenneth Cooper

Kenneth H. Cooper, MD, MPH, presidente y fundador del Cooper Aerobics Center, 12200 Preston Rd., Dallas, TX 75230. Autor de numerosos libros de salud y fitness, entre ellos, *Dr. Kenneth H. Cooper's Antioxidant Revolution.* Thomas Nelson.

He sido un entusiasta del ejercicio por varias décadas. Pero mis ideas sobre la salud y el ejercicio han cambiado con el tiempo y por la información médica que ha surgido.

CÓMO HACER EJERCICIOS CON INTELIGENCIA

Para el típico estadounidense, está claro que hacer ejercicio moderado es lo mejor. El ejercicio moderado minimiza el riesgo de lesiones locomotoras, es un nivel realista de ejercicio para la mayoría de las personas, es fácil de hacer y no toma mucho tiempo.

En el Cooper Aerobics Center, hemos demostrado que la actividad moderada reduce las muertes por ataque al corazón, derrame cerebral, diabetes y cáncer en un 55% –y aumenta significativamente la longevidad.

Los mejores ejercicios para obtener beneficios de salud y longevidad, sin orden en particular, son: esquí a campo traviesa, natación, ciclismo, correr y caminar.

Puede practicar versiones de estas actividades en interiores o al aire libre y mezclarlas para mantenerlo interesado.

UN PLAN DE ENTRENAMIENTO SEMANAL

Si usted es un hombre saludable de más de 40 años, o una mujer saludable de más de 50, antes de comenzar un programa de ejercicio, consulte a un médico para que le haga un chequeo y una prueba de esfuerzo cardiaco ("exercise stress test").

He aquí un excelente plan de entrenamiento moderado que puede hacer casi todo el mundo…

Ejercicio aeróbico: Haga una actividad aeróbica por lo menos tres veces a la semana. *Asegúrese de que cada sesión incluya…*

• **Una sesión de estiramiento de tres o cuatro minutos.** Estire las piernas –tendones de la corva, cuádriceps (el músculo de la parte posterior del muslo) y tendones de Aquiles– y su espalda antes y después de hacer ejercicio. También estire los hombros hacia fuera si se está preparando para hacer una actividad con movimientos intensos de los brazos, como nadar o esquiar a campo traviesa.

Los estiramientos deben ser suaves y continuos, no intermitentes. Respire regularmente mientras se estira y estírese hasta el punto de resistencia, no hasta sentir dolor.

• **Entre cinco y diez minutos de calentamiento.** Haga el ejercicio que escogió a un ritmo lento para alistar su sistema locomotor para una actividad más intensa.

Ejemplo: Camine al 75% de su velocidad normal hasta que transpire un poco.

• **Un segmento aeróbico de 20 minutos** efectuado a una velocidad baja y sostenida. Luego de seis a diez semanas, incremente gradualmente la velocidad y la distancia, y agregue movimientos de brazos para intensificar el entrenamiento.

Para estar aeróbicamente en forma, camine hasta 45 minutos, cinco veces por semana… ó 60 minutos, dos o tres veces por semana.

• **Cinco minutos de enfriamiento.** Haga ejercicio lentamente de nuevo para disminuir su pulso a lo normal.

• **Integre ejercicios para tonificar los músculos a su régimen.** Use máquinas o pesas de mano, o haga flexiones o abdominales por lo menos dos veces a la semana por 20 minutos.

La razón: Los ejercicios para tonificar mantienen los músculos en forma –incluido su corazón– mejoran la fuerza, la resistencia y la flexibilidad, y reducen las posibilidades de sufrir lesiones.

Puede hacer ejercicios para tonificar los músculos los mismos días que hace los aeróbicos o en días alternos.

RECUERDE

• **Envejecer aumenta el riesgo de lesiones.** Por lo tanto, la intensidad del ejercicio se vuelve menos importante que su duración. Usted obtiene tanto beneficio aeróbico cardiovascular por caminar una milla (1.600 metros) en 12 minutos que por correr una milla en nueve minutos.

Importante: Impóngase un paso de 12 a 15 minutos por milla al caminar.

● **Estirarse se hace más importante.** Puede reducir la rigidez y el riesgo de lesiones, y mejorar el rendimiento atlético.

Importante: Si siente dolor, detenga inmediatamente lo que está haciendo, si el dolor persiste, vaya al médico.

● **Es posible que gane algo de peso al envejecer** –pero esto no es malo para la salud si usted sigue haciendo ejercicios. No se preocupe por los kilos de más si está dentro del 20% de su peso ideal.

Mejor entrenamiento con pesas

Patrick Netter, asesor de equipos de ejercicio y fitness, en Los Ángeles, California.

Usted tonificará mejor los músculos y tendrá más fuerza si aumenta el peso en lugar de las repeticiones. Apenas pueda hacer tres series de 12 repeticiones con esfuerzo moderado, agregue entre cinco y diez libras (entre 2 y 4,5 kilos) de peso. *Además:* cuando haga repeticiones, hágalas lentamente. Las repeticiones rápidas y desiguales crean impulsos y movimientos que pueden causar tensión o lesiones en los músculos y articulaciones.

Las sesiones cortas de ejercicios pueden ser mejores

John Jakicic, PhD, profesor auxiliar de medicina del comportamiento de la facultad de medicina de la Universidad Brown en Providence, Rhode Island, y director de un estudio sobre ejercicio con 56 mujeres.

En un estudio de mujeres con sobrepeso, las que hicieron tres sesiones de ejercicio de 10 minutos perdieron más peso que las que hicieron una sesión de 30 minutos.

La posible razón: Los entrenamientos más cortos les parecieron más fáciles de hacer a las mujeres –así que los hicieron más diligentemente y terminaron haciendo más ejercicio en total que las que hicieron los entrenamientos más largos.

Bebidas deportivas caseras

Nancy Clark, MS, RD, autora de *Nancy Clark's Sports Nutrition Guidebook.* Human Kinetics.

Durante entrenamientos físicos fuertes de una hora o más, las bebidas deportivas como Gatorade y Powerade son mejores que el agua para remplazar los carbohidratos perdidos. Pero los atletas pueden ahorrar dinero al hacer sus propias bebidas deportivas.

Receta: Disuelva una cucharada de azúcar y una pizca de sal en un vaso con una cucharada de agua caliente. Agregue una cucharada de jugo de naranja (o dos cucharadas de jugo de limón) y siete onzas (200 ml) de agua fría.

Ejercicios antiartritis

Marian Minor, PhD, PT, profesora adjunta de la facultad de medicina de la Universidad de Missouri en Columbia.

La caminata y el ciclismo –ambos ejercicios dinámicos– son buenos para las personas artríticas.

En un estudio se descubrió que los ejercicios dinámicos mejoran más la fuerza muscular, el acondicionamiento físico y la movilidad de las articulaciones que los ejercicios isométricos o los movimientos de alcance general ("range-of-motion"), recomendados para personas con artritis reumatoide.

Mejorar la movilidad de las articulaciones facilita el moverse, doblarse y estirarse requeridos por las actividades cotidianas.

La mejor manera de seguir un programa adecuado de ejercicio no competitivo que no excede su capacidad es inscribirse en un grupo con otras personas que conozcan la artritis. Puede que las oficinas de la Arthritis Foundation de su comunidad puedan guiarlo.

El ejercicio es bueno para los asmáticos

Francois Haas, PhD, fisiólogo pulmonar en el instituto Rusk del centro médico de la Universidad de Nueva York (NYU), 400 E. 34 St., Nueva York 10016.

El ejercicio aeróbico ayuda a aumentar la capacidad pulmonar y fortalece el corazón, lo que facilita el transporte de oxígeno a los pulmones y ayuda al corazón a bombear sangre rica en oxígeno.

Útil: Cualquier ejercicio que eleve el ritmo cardiaco por encima de los límites normales... incluso caminar.

La autodefensa: Tome medicamentos para abrir los tubos bronquiales al menos 20 minutos antes de hacer ejercicios. Haga un calentamiento de 10 minutos antes de hacer ejercicios vigorosos. Evite situaciones que provoquen asma como hacer ejercicio con el clima frío o seco o cuando el aire está lleno de contaminación o alérgenos.

Como mantenerse en su régimen de ejercicios

Charles Roy Schroeder, PhD, profesor de fisiología del ejercicio de la Universidad de Memphis. Es autor de *Taking the Work Out of Working Out.* Chronimed.

Seguro que alguna vez se ha comprometido a una rutina de ejercicios –solo para abandonarla al poco tiempo.

Si es así, probablemente su compromiso se basaba en la posibilidad de lograr metas a *futuro* –perder peso, bajar el colesterol, tonificar los músculos, etc.

No hay nada malo con estas metas, pero rara vez son suficiente razón para mantenerlo motivado.

Para mantenerse en su rutina, usted tiene que encontrar maneras de disfrutar el ejercicio en sí. ¿Cómo hacerlo? *El Dr. Charles Roy Schroeder, uno de los fisiólogos del ejercicio más destacados de EE.UU., recomienda estas estrategias...*

●**Tenga en cuenta su personalidad y su estilo de vida cuando escoja una rutina de ejercicio.** Si tiene un trabajo exigente y orientado a la gente, quizás disfrute un ejercicio solitario y repetitivo como nadar o trotar.

Si a usted le alienta la competencia, escoja un deporte competitivo como el tenis, el baloncesto, etc. –o incluya en sus ejercicios elementos con metas específicas, como carreras cortas cronometradas.

●**Esté alerta de las sensaciones corporales.** Es fácil pasar por alto las sensaciones placenteras que acompañan el ejercicio. Tenga como propósito estar pendiente de estas sensaciones *cenestésicas* –el ritmo de su respiración, el movimiento de sus articulaciones, el flujo y reflujo de la tensión cuando los músculos se contraen y se relajan.

●**Póngale música.** La música apropiada puede darle fluidez y ritmo a sus movimientos. También puede marcar el ritmo a seguir.

Evite la música fuerte o insistente –la preferida por muchos instructores de aeróbicos. La música estruendosa desvía su atención de las sensaciones cenestésicas placenteras.

Si corre, anda en bicicleta o patina, es mejor no usar audífonos. Esto podría dificultarle oír el tráfico u otros posibles peligros.

●**Haga ejercicios frente al espejo.** Los espejos le permiten ver cómo trabajan sus músculos al mismo tiempo que los *siente* trabajar –y eso lo ayuda a concentrarse.

Los espejos también ayudan a mantener las posiciones correctas... y le permiten disfrutar el mejoramiento gradual de su apariencia mientras va poniéndose en forma. Eso lo ayuda a mantenerse motivado.

●**Varíe su rutina de ejercicios.** *Haga su sesión de ejercicios interesante al variar...*

●**Velocidad e intensidad.** Alterne pesas livianas y pesadas. Pruebe diferentes resistencias en la bicicleta de ejercicios. Varíe el ritmo al que está corriendo.

•Magnitud. En una máquina escaladora, suba un escalón a la vez por varios escalones, luego dos escalones por vez, luego tres y luego vuelva a uno.

•Rango de movimiento. En vez de levantar el peso completamente hasta arriba en cada repetición, levántelo a un cuarto del camino y entonces bájelo. Luego levántelo hasta la mitad y bájelo y luego levántelo a tres cuartos del camino.

También: Agregue unos movimientos que extiendan el trabajo a músculos adicionales.

Para la flexión de brazos ("arm curl"), por ejemplo, la forma convencional es sostener las pesas abajo con las manos a los costados y doblar los codos para llevar los antebrazos frente al pecho.

Cuando suba los antebrazos, trate de mover los codos hacia adelante al mismo tiempo. Eso hace que los músculos de los hombros trabajen.

•Forma. En una bicicleta, mueva las caderas de lado a lado mientras pedalea, o empuje más duro alternando los lados (IZQUIERDA derecha, izquierda; DERECHA, izquierda, derecha).

•Consiga un compañero de ejercicios –alguien que esté dispuesto a explorar placer en el movimiento. Motívense e inspírense mutuamente.

•Sea juguetón. Dé unos saltitos cuando esté trotando. En la piscina, imagine que es un delfín o un submarino. Nadie tiene porque saber lo que usted está pensando.

Dejar libre su imaginación hará que el ejercicio sea más divertido.

Mejor uso de la bicicleta estacionaria

Hold It! You're Exercising Wrong de Edward Jackowski, fundador de Exude, una empresa de motivación y ejercicio personalizados con sede en Nueva York. Fireside.

A menos que quiera agregar volumen a la parte inferior de su cuerpo, no pedalee en bicicleta con mucha tensión en las ruedas. Mientras más tensión o resistencia usted tenga

al pedalear, más grandes se pondrán los músculos de sus piernas. *Para mejorar el tono muscular sin aumentar el tamaño:* pedalee con poca o ninguna resistencia a una alta velocidad –de 80 a 120 rotaciones por minuto (RPM).

El ejercicio vs. el insomnio

Peter Tanzer, MD, con práctica privada en Pittsburgh, es profesor clínico auxiliar de medicina de la facultad de medicina de la Universidad de Pittsburgh, y autor de *The Doctor's Guide for Sleep Without Pills.* Tresco Publishers.

L os ejercicios pueden ayudar a vencer el insomnio. Haga ejercicio *mucho antes* de irse a dormir. Luego, cuando se enfríe, comenzará a sentirse relajado y estará listo para dormir.

Hacer ejercicio muy cerca de la hora de dormir es estimulante y causa un mayor estado de alerta que puede interferir con el sueño.

Atención: Si una rutina de ejercicio lo ayuda a dormir mejor, manténgala. Si deja de hacerla, el insomnio puede volver en unos días.

Como sacarle el mayor provecho a su ejercicio

Miriam E. Nelson, PhD, jefa adjunta del laboratorio de fisiología humana del centro de investigación Jean Mayer sobre los efectos de la nutrición en el envejecimiento del departamento de agricultura de EE.UU. (USDA) en la Universidad Tufts en Boston. Es autora de *Strong Women Stay Young.* Bantam.

H acer ejercicio en un gimnasio puede ser una buena manera de aumentar la fuerza muscular y la resistencia. Pero sólo una fracción de los 19 millones de estadounidenses que se estima que pertenece a gimnasios y clubes le está sacando provecho a su dinero.

Para asegurarse de que no está desperdiciando *su* dinero, ni su esfuerzo, ni su tiempo, haga esto…

PIDA ASESORAMIENTO

Puede *pensar* que los entrenadores personales que están de turno en su gimnasio están mirando cuidadosamente cómo usted hace los ejercicios.

Pero la mayoría de los entrenadores interactúan con los miembros del club con una actitud amable de "no tocar" y "no criticar". Para evitar parecer bruscos *solo* corregirán su técnica si usted está a punto de lastimarse.

A menos que usted tome la iniciativa y pida ayuda, puede que nunca sepa que se está apoyando demasiado en la baranda de la escaladora, o que ese tipo de movimientos cortos y desiguales que usa para levantar el peso en la máquina "lat pull-down" son menos efectivos que los movimientos lentos y suaves.

La próxima vez que haga ejercicio en el gimnasio no dude en preguntarle a un instructor: "¿estoy usando el equipo correctamente? ¿Hay alguna manera en que pueda sacarle mayor provecho?"

PRIMERO HAGA EL ENTRENAMIENTO DE FUERZA

Si está empezando un programa de ejercicio, no comience con una clase de aeróbicos u otro ejercicio cardiovascular. Si lo hace, probablemente le será más difícil seguir. Esto es debido a que sus músculos, ligamentos y huesos aún no están suficientemente fuertes como para soportar el castigo.

En cambio, haga entrenamiento de fuerza por un par de semanas. Entonces disfrutará más la actividad aeróbica.

PÓNGASE RETOS

No es cierto que deba experimentar dolor para mejorar su condición física. Pero si quiere ver un aumento notable en su fuerza, debe estar dispuesto a exigirse un poco.

¿Cuánto peso debería levantar? En general, debería levantar un peso determinado sólo de ocho a diez veces, antes de que sus músculos estén tan fatigados que necesite descansar.

El dolor agudo es la señal para dejar de hacer ejercicio de inmediato, ya que puede indicar un problema en las articulaciones.

Si tiene algún problema de salud, consulte al médico antes de comenzar un régimen de ejercicios.

MEJORE AMBOS LADOS DE SU CUERPO

Aunque el cuerpo de una persona parezca perfectamente simétrico, la mayoría de nosotros somos más fuertes de un lado. Tendemos a usar más ese lado cuando hacemos ejercicio con máquinas de extensión de piernas y otras máquinas con pesas que involucran el uso de ambos brazos y piernas al mismo tiempo. Como resultado, el lado más fuerte se mantiene siempre más fuerte.

Cuando hace ejercicios con ambas piernas o brazos, esté consciente de retar su miembro más débil. No dependa del lado más fuerte para levantar el peso.

NO AGUANTE LA RESPIRACIÓN

Mucha gente aguanta la respiración de forma instintiva cuando levantan pesas. Pero aguantar la respiración mientras se esfuerza es peligroso –especialmente para personas que sufren de enfermedad del corazón, alta tensión arterial, diabetes o glaucoma. Causa una presión excesiva en el pecho y el abdomen.

Más seguro: Exhale cuando levante las pesas e inhale cuando las baje. Si tiene problemas encontrando el ritmo correcto, cuente en voz alta cuando levante las pesas.

PREVENGA LA DESHIDRATACIÓN

Usted ya sabe que es importante tomar agua cuando hace ejercicio. Pero es igualmente importante tomar al menos ocho onzas (235 ml) de agua *después* de hacer ejercicio –incluso si no tiene sed.

Las bebidas deportivas como Gatorade son aptas solo para personas que corren largas distancias y otros atletas de resistencia.

CONVIERTA SU EJERCICIO EN ALGO SOCIAL

Haga ejercicio con un amigo o amiga. Una buena conversación hace que los minutos en la caminadora pasen volando… y estar cerca de alguien agradable lo mantendrá activo en las series de pesas.

Su tiempo de ejercicio es también una buena manera de estar en contacto con gente que generalmente estaría muy ocupado para ver. Finalmente, saber que su compañero/a de ejercicio estará esperándolo en el gimnasio hará más probable que mantenga su itinerario de ejercicio.

Motívese manteniendo un diario que registre el mejoramiento de su condición física. Este registro le facilitará recordar el ajuste adecuado del asiento, la resistencia y otras configuraciones para cada máquina.

Las máquinas de abdominales están sobrevaloradas

Investigaciones dirigidas por William Whiting, especialista en biomecánica que reside en Los Ángeles, reportadas en *Women's Health Letter*, Box 467939, Atlanta 31146.

Las máquinas para ejercicios abdominales están altamente sobrevaloradas. No son más efectivas que los abdominales tradicionales. Afirmaciones como las de perder 10 libras (más de 4 kilos) en 10 días están basadas en el uso de las máquinas en combinación con programas de ejercicios aeróbicos y de nutrición. Los abdominales –con o sin aparatos– no queman suficientes calorías como para lograr una pérdida de peso significativa. Y no brindan suficiente resistencia para ayudar al usuario a alcanzar un abdomen fuerte y con los músculos bien definidos.

Baile por salud y diversión

David Nieman, DrPH, profesor de ciencias de la salud y ejercicios de la Universidad Appalachian State en Boone, Carolina del Norte 28608.

Bailar es mejor ejercicio que caminar. El baile de salón quema entre 210 y 385 calorías por hora. Los bailes más vigorosos como el "western" o el "swing" queman hasta 400 calorías por hora. Caminar de 2,5 a 4,5 millas por hora (4 a 7 km/h) quema entre 210 y 315 calorías por hora. Además, las clases de danza son una forma excelente de conocer gente –ya que normalmente se cambia de pareja durante la lección.

Para dormir mejor

Donald Bliwise, PhD, director de la Sleep Disorders Clinic de la facultad de medicina de la Universidad Emory en Atlanta.

Hacer ejercicio durante el día lo puede ayudar a dormir mejor en la noche. Investigadores establecieron un programa de ejercicio moderado cuatro veces a la semana para un grupo de personas entre 50 y 76 años que tenían dificultades para dormir en la noche, y hallaron que eran capaces de dormir más profundamente. Los expertos afirman que para ayudar a dormir, se debe hacer ejercicio temprano en el día, mucho antes de la hora de la cena. *Lo mejor:* pedalear en bicicleta, caminar enérgicamente u otros ejercicios aeróbicos moderados.

Para encontrar la fuente de la juventud

Investigaciones conducidas por Gary Hunter, PhD, profesor de estudios humanos de la facultad de educación de la Universidad de Alabama.

El entrenamiento de fuerza es lo más cercano a la "fuente de la juventud".

El estudio: Mujeres de hasta 77 años de edad que comenzaron a entrenar en máquinas de pesas aumentaron su fuerza física en más del 50% en cuatro meses. Esta fuerza es vital para prevenir lesiones debilitantes relacionadas frecuentemente con el envejecimiento –desde debilitamiento gradual y falta de movilidad hasta osteoporosis y heridas por caídas. Las mujeres del estudio también incrementaron la velocidad de caminata en un 18% aunque caminar no era parte del entrenamiento.

Importante: Los ejercicios aeróbicos como caminar y nadar, aunque son excelentes para la salud general, no brindan beneficios de fuerza.

Para lograr esto es necesario el entrenamiento de resistencia con pesas o máquinas.

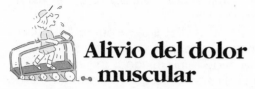

Alivio del dolor muscular

Patrice Morency, MS, directora de la Innerweave Clinic en Portland, Oregon.

Alivie el dolor muscular con una ducha caliente/fría. Comience con 2 minutos de agua caliente, luego cambie a agua fría por 2 minutos. Repita este ciclo caliente/frío 5 veces.

Porqué funciona: El cambio de temperatura hace que los vasos sanguíneos se contraigan y dilaten alternativamente. Eso ayuda a liberar de los músculos el ácido láctico –la sustancia química que provoca el dolor.

Correr cuando hace mucho calor

Jeff Galloway, ex corredor Olímpico que conduce clínicas sobre fitness en EE.UU., publicado en la revista *Runner's World*, 33 E. Minor St., Emmaus, PA 18098.

Mantenga su cabeza húmeda echándose agua antes de empezar a correr y luego cada 10 ó 20 minutos. Use ropa liviana y sintética para que el sudor se evapore rápidamente. Después de correr, enfríese echándose agua, nadando o tomando una ducha de agua fría.

El mejor ejercicio de natación

Revista *Men's Fitness*, 21100 Erwin St., Woodland Hills, CA 91367.

Cuando nade por ejercicio, use una brazada básica de crol. Cubra la mayor cantidad posible de agua con cada brazada. Mida el progreso por cuantas brazadas le toma hacer el largo de la piscina. Respire una brazada sí y otra no. Evite aguantar la respiración durante varias brazadas. Deje que el poder venga de sus brazos –dos o tres patadas relajadas y superficiales por brazada son suficientes. Para intensificar las brazadas nade lo más rápido posible con los puños cerrados.

Hacer ejercicio para perder peso

Robert McMurray, PhD, profesor de ciencia del deporte y nutrición de la Universidad de Carolina del Norte en Chapel Hill.

Hacer ejercicio para perder peso funciona si usted puede hacer al menos 45 minutos de ejercicios aeróbicos y entrenamiento para fortalecer los músculos cinco días a la semana. *Régimen:* cambie su rutina diaria o semanalmente para disminuir el riesgo de tensión en los músculos y reducir la monotonía

Ejemplo: Alterne entre nadar y caminar. Realizar una variedad de ejercicios mantendrá más músculos tonificados y puede quemar más calorías.

Fácil alivio de la artritis reumatoide

Mary J. Bell, MD, profesora auxiliar de reumatología y epidemiología clínica, del centro de ciencias de la salud Sunnybrook de la Universidad de Toronto. Su estudio con 150 pacientes de artritis reumatoide fue presentado en una reunión del American College of Rheumatology.

El ejercicio mejora la rigidez de las articulaciones causada por la artritis reumatoide. Los pacientes que hicieron ejercicios suaves –caminar y estirarse– por tres horas en un período de seis semanas reportaron una reducción significativa de la rigidez. El ejercicio también es eficaz contra la osteoartritis.

Caminar con pesas da buenos resultados

David Nieman, DrPH, profesor de ciencias de la salud y ejercicios de la Universidad Appalachian State en Boone, Carolina del Norte.

Caminar con pesas quema más calorías que caminar sin ellas.

Para evitar lesiones: Comience con pesas de una libra (½ kilo) en cada mano. Aumente gradualmente a cinco libras (2 kg). Mantenga la duración de las zancadas normal y constante y camine lentamente hasta que se acostumbre a las pesas.

Atención: Balancear excesivamente los brazos cuando lleva las pesas puede ocasionar lesiones en los codos y en los hombros. Si es posible, alterne el uso de pesas de mano con pesas para los tobillos o chalecos con pesas.

Como mantener el hábito de hacer ejercicio

Adele Pace, MD, psiquiatra de Ashland, Kentucky, tiene interés especial en fitness. Es autora de *The Busy Executive's Guide to Total Fitness*. Prentice Hall.

Todo el mundo sabe que hacer ejercicio es bueno para la salud; reduce el riesgo de enfermedad del corazón, diabetes y cáncer; ayuda a bajar de peso y a levantar el espíritu. Pero para muchos de nosotros, la separación entre el gimnasio y el sofá es demasiado grande.

Mucha gente se embarca en ambiciosos programas de ejercicio para recaer en la inactividad después de unos cuantos entrenamientos. Esa gente no logra desarrollar el *hábito de hacer ejercicio* que mantiene a algunas personas activas sin importar el ánimo o el clima.

UNA ADICCIÓN POSITIVA

Al igual que tenemos un apetito innato para la comida y el sexo, lo tenemos para la actividad física. Hacer ejercicio desencadena la producción de *dopamina* y otros neurotransmisores que dan placer, y el cerebro llega a anhelar este gratificante "baño" de neurotransmisores.

En consecuencia, la gente que se ejercita con regularidad desarrolla una clase de adicción al ejercicio. Para ellos, el ejercicio ya no es una tarea o una obligación. Es un hábito placentero.

¿Cómo puede llegar a ese punto? La clave es encontrar una manera de *disfrutar* el entrenamiento. Si le tiene miedo a los ejercicios –si espera que sean dolorosos o aburridos– así lo serán. Anticipe placer, y lo encontrará.

LA CLAVE ES LA AUTOEDUCACIÓN

Tener una vaga idea de que el ejercicio es beneficioso no cambia su actitud. Usted debe leer sobre las recompensas específicas y concretas del ejercicio.

Buenos libros en inglés: *The American College of Sports Medicine Fitness Book* (Human Kinetics) y *Health and Fitness Excellence,* Dr. Robert Cooper (Houghton Mifflin).

Averigüe exactamente cómo el ejercicio fortalece los músculos y aumenta la resistencia. Aprenda cómo el ejercicio regular disminuye el riesgo de enfermedad del corazón tan efectivamente como dejar el cigarrillo.

Hable con personas entusiastas del ejercicio. Pídales que le digan cómo se sienten durante y después del ejercicio. Pregúnteles por qué lo hacen. Contágiese de su entusiasmo.

Cuando yo era médico residente, sabía que debía hacer ejercicio. Pero no tenía tiempo –o eso pensaba. Le pregunte a un estudiante –que corría 25 millas a la semana– porque perdía el tiempo si su horario ya estaba complicado.

Él me explicó vividamente como correr le daba energía extra y agudizaba su concentración. Él afirmaba que los 30 minutos diarios que pasaba corriendo lo hacían ser mejor estudiante.

Pues, ¿sabe qué? Se graduó primero en su clase.

RECOMPÉNSESE

Una buena manera de entrenarse para convertirse en una persona que hace ejercicios habitualmente es alentar el sistema de refuerzo natural del cerebro con recompensas externas.

Durante su entrenamiento, visualice la bebida fría que se tomará cuando termine, o prométase un refrigerio bajo en grasas.

Ponga un sistema de recompensas a corto plazo por alcanzar sus metas. Si ha caminado fielmente sus 30 minutos diarios toda la semana, consiéntase con un buen libro o una película, una nueva prenda de vestir o una tarde fuera de la oficina. Disfrute este consentimiento especial con la conciencia clara.

Para mantener su interés –e incrementar su condición física– revise continuamente sus metas de forma ascendente. A medida que su condición mejore, aumente el ritmo a 20 minutos por milla (1.600 metros), luego 15 minutos por milla (o el ritmo que le parezca razonable).

Registre su progreso en un diario. Revíselo periódicamente para recordar lo lejos que ha llegado.

SECRETOS PARA TENER ÉXITO CON EL EJERCICIO

●**Haga ejercicio con un compañero/a.** Correr, caminar o entrenar con pesas con una persona que tenga su misma mentalidad es mucho más placentero que hacerlo solo.

Cuando usted tiene un compañero de ejercicio, cada período de ejercicio se convierte también en una ocasión social. Usted espera reunirse con su compañero. Puede comparar notas y darse apoyo mutuo.

●**Ayude a otros con sus programas de ejercicios.** Además de *pedir* ayuda para desarrollar el hábito del ejercicio, *brinde* ayuda a amigos y familiares que quieran ponerse en forma. Al hacerlo se le hará más difícil aceptar sus propias excusas para no entrenarse.

Si tiene niños, hacer ejercicio juntos ciertamente califica como "tiempo de calidad". Al alentar a sus hijos a que hagan ejercicios, usted los ayuda a cultivar un hábito que da vida de por vida.

Ayudar a los otros funciona incluso si la otra "persona" es un perro. Yo me convertí en un corredor comprometido por llevar a mi perro con sobrepeso, Sam, a correr dos millas (3 km) diariamente. No importa lo cansado que me sienta, me rehúso a dejar que mi cachorro deje de hacer su ejercicio.

●**Combine el ejercicio con otras actividades.** Yo hago ejercicios al aire libre tanto como puedo y voy al gimnasio solo cuando hay mal tiempo (o para levantar pesas).

Como muchas personas, me parece que las escaladoras y las bicicletas estacionarias son aburridas. Para lograr que entrenar en ellas sea más agradable, leo revistas y periódicos médicos mientras piso o pedaleo.

Cuando corro en una caminadora, escucho casetes de autoayuda. Uno de mis favoritos es el set de seis casetes del Dr. Denis Waitley –*The Psychology of Winning* (Nightingale Conant).

●**Incluya varios tipos diferentes de ejercicio en su repertorio.** Puede correr un día, montar bicicleta el otro, nadar el siguiente, etc. El entrenamiento variado le ayuda a poner en forma todo el cuerpo mientras que se libera del aburrimiento.

HACER EJERCICIO CUANDO VIAJA

Antes de salir, llame al hotel a ver si tiene gimnasio (o si hay alguno cerca que pueda usar). Si visita la misma ciudad frecuentemente, investigue las mejores opciones para hacer ejercicio.

Si ha tenido un entrenamiento variado, no tendrá ningún problema en encontrar una buena sesión de ejercicio –ya sea que las instalaciones estén adaptadas para correr, montar bicicleta, nadar, etc.

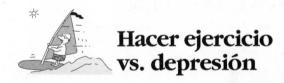

Hacer ejercicio vs. depresión

Kathleen Moore, PhD, investigadora adjunta del departamento de psiquiatría del centro médico de la Universidad Duke en Durham, Carolina del Norte. Su estudio con 57 personas deprimidas mayores de 50 años fue presentado en una reunión de la Society of Behavioral Medicine.

Hasta los entrenamientos cortos –tan breves como de ocho minutos– son suficientes para mejorar el humor.

Estudios previos han mostrado los beneficios psicológicos del ejercicio *sostenido*. Pero éste es el primero en sugerir que el entrenamiento reduce los sentimientos de tristeza, tensión, fatiga, enojo y confusión.

21

La conexión entre la mente y el cuerpo

Los secretos de Deepak Chopra para tener energía ilimitada

Deepak Chopra, MD
Chopra Center

La fatiga es uno de los problemas más comunes que se les presenta a los médicos. Es probable que las quejas de cansancio extremo y agotamiento continúen, debido a que estamos muy ocupados y a las excesivas exigencias de nuestras vidas.

Sin embargo, y a pesar de la gran cantidad de personas que se sienten cansadas día tras día, la fatiga no es un estado natural. Los animales y los niños no la padecen. Cuando se sienten cansados, descansan y se despiertan renovados.

Pero los adultos tienen la capacidad de apartarse de sus necesidades biológicas. Se obligan a sí mismos, resisten el ciclo biológico natural de alternar descanso y actividad, y se agotan.

Para eliminar la fatiga común, necesitamos redescubrir nuestra armonía básica con la naturaleza. El secreto para recuperar nuestra armonía se puede hallar en un sistema de salud de mente y cuerpo, que se basa en el entendimiento de que el sistema mente/cuerpo de cada individuo está conectado de forma inseparable a los sistemas de la naturaleza.

TENGA CUIDADO CON LO QUE COME

Puede aumentar su energía comiendo alimentos frescos y puros. En cambio, las comidas muy procesadas y que no son frescas agotan la energía del cuerpo. *Entre los alimentos especialmente ricos en energía natural se incluyen:*

●**Frutas frescas y vegetales ligeramente cocinados.**

●**Trigo, arroz, cebada y otros granos integrales.**

●**Fuentes de proteína que no sean carne**, como los frijoles secos ("beans"). Para quienes

Deepak Chopra, MD, es fundador del Chopra Center en Carlsbad, California, y autor de numerosos libros, entre ellos *Boundless Energy* (Harmony Books) y *The Seven Spiritual Laws of Success* (New World Library).

se niegan a seguir una dieta vegetariana, el pescado y las aves son sustitutos aceptables.

●**Miel, para sustituir la azúcar refinada.**

Entre las comidas que agotan la energía y deben evitarse se encuentran las carnes rojas, el queso curado, el alcohol, el café y los alimentos ahumados y enlatados. Esto no significa que usted deba evitar todos los alimentos a excepción de los que proporcionan energía.

Cualquier sistema que sea demasiado rígido creará más desequilibrio. En vez, experimente con estas sugerencias y tome nota de las proporciones que cambian significativamente su nivel de energía.

FORTALEZCA SU DIGESTIÓN

Una digestión deficiente puede conducir a la fatiga de dos formas…

●**La energía para el cuerpo se pierde cuando los alimentos no se metabolizan adecuadamente.**

●**Cuando hay restos de comida que permanecen sin digerir**, se pueden acumular toxinas e impurezas, lo que resulta estresante para el cuerpo.

Cómo fortalecer su digestión y aumentar sus niveles de energía…

●**Cree una atmósfera tranquila para cenar.** En lugar de dejar de almorzar por tener mucho trabajo y de cenar frente al televisor, disfrute y preste atención a su comida. Conversar está bien –pero evite los temas controvertidos.

Cuando el cuerpo se acostumbra a una rutina, la digestión será automática. Así que respete el horario de las comidas.

●**Haga del almuerzo su comida principal.** Las investigaciones demuestran que es entonces cuando el metabolismo es más eficiente.

●**Beba agua tibia o infusiones de hierbas a lo largo del día** para normalizar el metabolismo y eliminar toxinas.

Útil: Llene un termo con agua tibia, que estimula la digestión. Téngalo cerca y tome algunos sorbos cada media hora.

REDUZCA EL ESTRÉS

La tensión agota la energía del cuerpo, y hace que éste funcione con menos eficacia.

Lo mejor: Convierta las actividades relajantes en una prioridad. Todo el mundo tiene pasatiempos favoritos, y algunos de ellos se pueden realizar incluso durante las horas de trabajo.

Calmantes clásicos de estrés: La meditación, un masaje, el sexo, una ducha o baño caliente, tocar o escuchar música… y un cambio de ambiente.

EJERCÍTESE CON MODERACIÓN

La obsesión de los estadounidenses con el ejercicio intenso está creando una epidemia de agotamiento. Exigirnos hasta exceder lo que nuestros cuerpos están diseñados para soportar de manera natural conduce a una fatiga de larga duración.

La solución: Para tener máxima energía, haga ejercicio siete días a la semana durante 15 ó 20 minutos seguidos. Algunos expertos en fitness recomiendan tomarse un día libre entre entrenamientos –pero eso es porque nuestros entrenamientos promedio son demasiado agotadores. En lugar de ello, ejercítese todos los días, pero solo al 50% de su capacidad.

Ejemplo: Si usted puede nadar 20 vueltas, nade solo diez. Se sentirá con energía, y con el tiempo, su capacidad aumentará.

MANTENGA LOS RITMOS NATURALES

El cuerpo responde mejor a ciertas actividades cuando se realizan a determinadas horas.

Antes de que se inventara la luz eléctrica, nuestros horarios se ajustaban mejor a esos ritmos naturales bajo los cuales nuestros cuerpos se desarrollaban. El redescubrir esos ritmos lo ayudará a sentirse con energía todos los días.

●**Levántese entre las 6 a.m. y las 7 a.m.**

●**Haga ejercicio por la mañana** –o si no es posible, hágalo a más tardar tres horas antes de dormir.

●**Almuerce entre las 12 p.m. y la 1 p.m.**

●**Cene entre las 6 p.m. y las 7 p.m.** …y relájese con actividades calmantes después de cenar, como pasear, leer, jugar con su familia o escuchar música.

●**Váyase a la cama entre las 10 p.m. y las 11 p.m. cada noche.**

Útil: Si procura irse a la cama a las 10 p.m., pero encuentra que tiene problemas para conciliar el sueño, no se preocupe. Simplemente descanse tranquilamente con los ojos cerrados. Aclare la mente y evite pensar en cualquier cosa que le preocupe. Su cuerpo obtendrá el descanso que necesita. Con el tiempo, se irá dando cuenta de que tiene más energía por la mañana, y podrá dormirse más temprano.

DISFRUTE DE LA VIDA

La alegría es un energizante natural. Si está feliz, nunca se sentirá fatigado. De hecho, los estudios han demostrado que el 80% de las personas que sufre de fatiga crónica tiene niveles de depresión y ansiedad más altos de lo normal.

La solución: Centre su atención en lo positivo. No podemos evitar los eventos negativos, pero no tenemos que obsesionarnos con ellos.

Trate a los demás con amabilidad, tolerancia y amor, niéguese a albergar negatividad y preste atención a la alegría y el desenfado que lo rodea. Aprenda a meditar para ayudarse a estar en contacto con la naturaleza y permitirse ver estas sencillas alegrías.

UNA EXCEPCIÓN A LA REGLA

Si una fatiga persistente lo molesta, sométase a una exhaustiva revisión médica para descartar una causa física que se pueda tratar –como anemia, problemas de tiroides o mononucleosis.

---

20 minutos al día para una vida mucho más feliz y saludable

Herbert Benson, MD, profesor adjunto de medicina en la facultad de medicina de la Universidad Harvard, presidente del Mind/Body Medical Institute y coautor de *Timeless Healing: The Power and Biology of Belief.* Scribner.

En mis más de 30 años como médico, he encontrado que la fuerza curativa más impresionante –y accesible universalmente– es el poder del individuo de sanarse a sí mismo.

EL BIENESTAR RECORDADO

Los médicos saben desde hace tiempo que muchos pacientes mejoran con placebos (falsos

medicamentos) simplemente porque piensan que la píldora recetada por el médico será efectiva. Gran parte del éxito que tuvieron los médicos antes de la era científica moderna probablemente se debía a este efecto, porque muchos de los medicamentos que usaban tenían poco o ningún valor farmacéutico.

Ejemplo: En mis años universitarios, pasé un verano trabajando como marinero en un barco mercante. Como sabían que era estudiante de medicina, mis compañeros me pedían que les curara las resacas. Yo les daba pastillas de vitaminas, las únicas que tenía para administrar, y me asombraba ver la eficacia con la que curaban los síntomas de mis compañeros de barco.

La mayoría de los investigadores descarta este "efecto placebo" como una complicación que dificulta las investigaciones objetivas sobre el efecto de los tratamientos médicos. Pero el efecto placebo demuestra el poder de las creencias para despertar los propios poderes curativos del organismo.

Cuando los pacientes confían en un médico, el tratamiento que éste recomiende puede ser muy efectivo aunque la medicina científica sostenga que no debería funcionar. Creo que deberíamos reconocer la gran capacidad de la mente humana para encauzar al cuerpo hacia la salud, abandonando la expresión "efecto placebo" y sustituyéndola por un término más positivo como "bienestar recordado".

Ejemplos: En 1979, el doctor David P. McCallie, Jr., de Harvard y yo estudiamos una variedad de tratamientos que se habían usado en el pasado para aliviar la angina, pero que se había descubierto que no tenían ningún efecto fisiológico. Descubrimos que mientras la profesión médica todavía creía en ellos, los tratamientos funcionaban de un 70% a un 90% de los casos. Más adelante, cuando algunos médicos mejor informados empezaron a dudar de ellos, la eficacia de estos tratamientos descendió en más de la mitad.

Estudios más recientes demuestran que el bienestar recordado ayuda a los pacientes más del 70% de las veces a aliviar dolores de pecho, fatiga, mareos, dolores de espalda e insuficiencia cardiaca congestiva.

MENTE Y CUERPO

El bienestar recordado es una herramienta poderosa para restaurar la salud. Usted puede usarla con ese propósito al entrenar su cuerpo a recurrir al poder de convencimiento de la mente.

Los investigadores de la mente han descubierto que pensar sobre un suceso en particular produce el mismo patrón de actividad en el cerebro que si realmente se estuviera experimentando el suceso. El cerebro envía señales al cuerpo que lo hacen reaccionar del mismo modo que lo haría ante el verdadero suceso.

Ejemplo: Cuando la película *Lawrence de Arabia* se estaba exhibiendo en los cines, los concesionarios experimentaron un récord en la demanda de bebidas. Los espectadores que habían estado viendo la acción en el desierto durante dos horas salían en el intermedio tan sedientos como si de verdad hubieran pasado ese tiempo en el desierto de Arabia.

Nuestras mentes siempre producen imágenes con poderosos efectos sobre el organismo. En particular, muchos de nosotros hoy en día estamos continuamente expuestos a distintos tipos de situaciones estresantes –el tráfico, la fecha de entrega de un trabajo, problemas familiares.

La respuesta natural del cerebro frente al estrés, conocida como la reacción "luchar o huir", es liberar adrenalina y otras hormonas para combatir el estrés. Estas sustancias aumentan la presión arterial y producen efectos dañinos en el cuerpo, incluidos obstrucción de los vasos sanguíneos, problemas de ritmo cardiaco, ansiedad, depresión, enojo y hostilidad.

Los medicamentos no son efectivos a largo plazo para contrarrestar los efectos del estrés.

Una mejor alternativa es acudir a los poderes curativos del cuerpo con el bienestar recordado. Un método eficaz es practicar la *respuesta de relajación*.

QUE COMIENCE LA CURACIÓN

La respuesta de relajación es el resultado de practicar técnicas de concentración mental que evitan que la mente agitada salte de un pensamiento provocador de estrés a otro. Cuando la mente se calma, el cuerpo también. La respuesta de relajación desacelera el metabolismo del cuerpo y produce ondas cerebrales lentas asociadas con sentimientos placenteros.

Para producir la respuesta de relajación: Siéntese en una posición cómoda, cierre los ojos, relájese y respire de forma lenta y natural mientras en silencio repite una frase determinada que haya elegido.

La frase puede ser una palabra, una frase o una oración religiosa particularmente significativa para usted, o un término no religioso con un efecto calmante. *Ejemplos:* "Dios, dame serenidad", "paz", "relajación".

Si su mente se distrae, no preste atención a los pensamientos y tranquilamente vuelva a la frase elegida.

Continúe por 10 a 20 minutos, luego deje que otros pensamientos acudan a su mente, abra los ojos y permanezca sentado otro minuto.

Libre de distracciones, el organismo se verá estimulado a utilizar sus propios poderes de recuperación.

EL PODER DEL CONVENCIMIENTO PARA SALVAR VIDAS

Cuando las personas creen que la vida tiene un significado y que tienen una misión que cumplir, están fuertemente motivadas a utilizar todos los recursos de la mente y el cuerpo para ayudarse a combatir enfermedades. Esa combinación a menudo produce milagros médicos.

Ejemplo: Mi paciente, una viuda de 71 años profundamente religiosa, habiendo superado la diabetes y varios ataques al corazón, sufría de cáncer de garganta en estado avanzado. Cuando su médico le recomendó la cirugía para retirar la mitad de su mandíbula, ella se negó, insistiendo en que podría sobrevivir con radioterapia, otra terapia comprobada pero menos agresiva.

Mientras sufría los devastadores efectos secundarios de las radiaciones, ella nunca perdió la fe en que sobreviviría para ayudar a otras personas. Reforzó su poder de resistencia practicando la respuesta de relajación, y sus numerosos amigos y parientes de todo el país la ayudaron con sus propias oraciones fervientes.

Cinco años más tarde, el tumor ha desaparecido, y mi paciente está en mejores condiciones de las que ha estado en mucho tiempo.

EN DEFINITIVA

La medicina moderna tiene muchos medicamentos y procedimientos eficaces para combatir enfermedades específicas. Tanto los médicos como los pacientes necesitan reconocer que estas técnicas funcionan mejor cuando se combinan con las creencias del paciente.

Cómo usar la imaginación guiada para lograr bienestar

Mitchell L. Gaynor, MD, profesor clínico auxiliar de medicina del Weill Medical College de la Universidad Cornell en Nueva York. Es autor de *Healing Essence: A Cancer Doctor's Practical Program for Hope and Recovery.* Kodansha.

Si le hicieran estas preguntas, qué diría: ¿puede su imaginación protegerlo del cáncer y otras enfermedades graves? ¿Puede curar enfermedades? ¿Prolongar la vida? ¿Puede hacerlo sentir menos ansioso y más realizado?

Aunque hay que seguir investigando, los estudios preliminares sugieren que la respuesta a estas preguntas es *sí.*

Para aprovechar al máximo el poder de su imaginación, debe practicar la imaginación guiada todos los días.

Este fácil ejercicio mental incluye crear y luego centrarse en una imagen mental tranquila –se ve descansando sobre la arena de una playa en donde sopla la brisa, por ejemplo. La psicóloga Jeanne Achterberg ha llamado la *imaginación guiada* "pensar sin palabras".

CÓMO LA MENTE SANA EL CUERPO

En los últimos ocho años, he enseñado a miles de pacientes de cáncer a usar la imaginación guiada para sanar y recuperarse; la misma técnica puede ser usada por personas *sanas* para sentirse más felices y relajadas –y menos vulnerables a las enfermedades.

Mi régimen de imágenes –al que llamo *Esencia*– no sustituye el cuidado médico. Es un complemento a las terapias convencionales para tratar el cáncer, como la quimioterapia, la radiación y el transplante de médula.

Un campo científico llamado *psiconeuroinmunología* (PNI) ha demostrado claramente que la mente juega un rol importante en la salud y la enfermedad.

Específicamente, los factores psicológicos negativos como el estrés, la depresión y el pesimismo dañan el sistema inmune… mientras que la alegría, el optimismo y otras emociones positivas lo estimulan.

En un estudio importante, las pacientes de cáncer de mama que practicaron la meditación y la imaginación guiada además de recibir atención médica convencional, vivieron el *doble* de tiempo que las que solo obtuvieron atención médica.

En otro estudio, conducido en la Universidad Yale, los pacientes de depresión comenzaron a sentirse mucho mejor cuando visualizaron escenas en las que eran alabados por personas a las que admiraban.

Utilizando mi programa Esencia, usted puede cultivar emociones positivas, estimulantes de la salud –y ayudarse en su curación.

CÓMO FUNCIONA ESENCIA

Uno de mis pacientes, un hombre de 28 años, había experimentado una completa remisión del cáncer después de recibir un transplante de médula ósea. Pero no había dormido en tres meses. Tenía miedo de no despertar más.

La imaginación guiada le dio una sensación de paz que le permitió liberarse de ese miedo. Pronto fue capaz de dormir lo necesario para mantenerse bien.

Otra paciente se estaba beneficiando de la quimioterapia, pero sufría tanto por las náuseas que pensó en detener el tratamiento.

Con mi programa, se disiparon la ansiedad y las náuseas. Pudo continuar con el tratamiento que le estaba salvando la vida.

Cuando otro de mis pacientes descubrió que el cáncer se había expandido hacia su hígado, estaba seguro de que la enfermedad ya estaba muy avanzada para que la quimioterapia lo ayudara.

Mi programa lo ayudó a darse cuenta de que él era una persona y no una estadística… y de que el resultado *en su caso* era incierto. Tuvo una remisión parcial, y ha vuelto a trabajar un año después de su diagnóstico.

Incluso si su enfermedad no puede curarse –y no todas pueden– mi programa puede ayudar a eliminar el sufrimiento *emocional*.

LA ESENCIA DE ESENCIA

Muchos de nosotros fuimos criados con una clara imagen de cómo se suponía que resultarían nuestras vidas. Sufrimos porque nuestras vidas no cumplen las expectativas.

Luchamos contra la realidad de la enfermedad. *Se suponía que no sería así*, pensamos, *la vida no es justa.*

Pero en el fondo de todos nosotros se encuentra el yo verdadero –nuestra "esencia". Es la parte de cada uno que no juzga su vida, sino que la acepta. No suprime los sentimientos negativos. No convierte el dolor físico en dolor emocional con pensamientos como *"no puedo soportarlo"* o *"¿por qué tiene que pasarme esto?".*

Usted experimenta su esencia solo cuando su mente está en calma y sus pensamientos se detienen. La meditación ayuda, pero he descubierto que mi programa actúa más rápido.

Les pido a mis pacientes que hagan esto por 20 minutos, dos veces al día…

Siéntese en un lugar tranquilo y respire lentamente. Deje que el aire entre por la nariz hasta la parte superior del abdomen y que salga por la boca.

Concéntrese en un pensamiento positivo, precedido por la palabra "infinito". *Ejemplos:* paz infinita, amor infinito, curación infinita. *Luego…*

●**Experimente la emoción negativa que lo esté afectando.** Procure visualizar la emoción como un objeto físico, con forma, temperatura, color, etc.

●**Visualice su esencia como una luz blanca sobre su cabeza.**

●**Abandone su dolor,** sufrimiento o tristeza. Imagine que la luz blanca se traga esas emociones negativas.

●**Déle poder a su sanación.** Respire profundamente, y mientras inhala, visualice la luz blanca yendo hacia el área de su cuerpo en donde hubo sufrimiento o dolor.

●**Nutra la idea de un resultado positivo.** Imagine una vida sin dolor, temor y sufrimiento.

●**Cree un canal imaginario** que permita a la luz blanca de su esencia fluir hacia el lugar donde siente emociones negativas.

●**Personifique su propio poder curativo.** Imagine cada célula de su cuerpo bañada en la luz blanca.

A pesar de que desarrollé esta técnica para pacientes de cáncer, también puede sanar el sufrimiento que causa cualquier enfermedad, incluidas la enfermedad del corazón, la artritis,

etc. También puede ayudar a las personas saludables.

Todos tenemos miedos, recuerdos dolorosos y desengaños. Olvidamos quiénes somos realmente mientras luchamos por satisfacer expectativas no realistas… y condenamos a las personas cercanas que no satisfacen las expectativas que tenemos de ellas. Intentamos poner estos sentimientos de lado, pero a la larga ellos pasan factura.

Simplemente concéntrese en lo que lo está molestando, estrés por el trabajo, problemas conyugales, etc. Al mismo tiempo, visualice su esencia. Deje que su poder sanador fluya a través de su mente y su cuerpo.

Cómo usar la mente para mejorar la salud

Steven Locke, MD, profesor auxiliar de psiquiatría de la facultad de medicina de la Universidad Harvard en Boston, y jefe de medicina conductual de Harvard Pilgrim Health Care, la organización de mantenimiento de la salud más grande de Nueva Inglaterra. Es coautor de *The Healer Within*. Mentor.

Mientras que algunos médicos aún advierten contra la visualización creativa y otras técnicas de "mente y cuerpo" excluidas por la medicina convencional, los estudios demuestran cada vez más que la actitud mental y el estado emocional juegan un papel clave en la prevención –y la recuperación– de las enfermedades.

Le preguntamos al científico de la facultad de medicina de Harvard, Steven Locke, MD, sobre la relación entre la mente y el sistema inmune.

●**¿Qué efectos tienen las emociones positivas sobre la inmunidad?** Las relaciones cercanas con amigos y familiares parecen tener efectos significativos y muy beneficiosos sobre el sistema inmune. Varios estudios han demostrado, por ejemplo, que las personas casadas viven más tiempo que las solteras o divorciadas. Otros estudios han relacionado la felicidad y las emociones positivas con una mayor supervivencia en pacientes de cáncer.

Estudio Nº 1: Ochenta y seis mujeres con cáncer de mama avanzado fueron divididas en dos grupos. Uno recibió atención médica habitual… y el otro recibió atención médica y sesiones semanales de terapia de grupo.

El resultado: Las mujeres que recibieron terapia de grupo vivieron casi el doble que las que solo recibieron atención médica.

Estudio Nº 2: Se dividió a un grupo de pacientes de melanoma en dos grupos. El primero solamente recibió atención médica… el segundo grupo, además de atención médica, recibió entrenamiento para controlar el estrés.

El resultado: Los del segundo grupo sufrieron mucha menos angustia por su diagnóstico de cáncer que los del primer grupo, sus funciones inmunológicas fueron mucho más fuertes y su tasa de supervivencia fue mayor. *Además:* hubo una mayor tendencia (aunque no estadísticamente significativa) a que reapareciera el melanoma en el primer grupo.

• **¿Cómo afectan las emociones negativas el sistema inmune?** Los acontecimientos estresantes –la muerte de un miembro de la familia, separación matrimonial, pérdida del trabajo y hasta un examen universitario– ocasionan notables deficiencias en el sistema inmune, medidas según los cambios en el número y funcionamiento de células sanguíneas especializadas.

Lo que se desconoce: Si estos acontecimientos aumentaron la susceptibilidad a la enfermedad. También se desconoce si la depresión y otros problemas emocionales producen cáncer. Se sabe que conducen a hábitos autodestructivos que causan el cáncer, pero no hay pruebas de que produzcan cáncer por sí mismos.

• **¿Existe una personalidad típica de cáncer?** Algunos investigadores sugieren que existen patrones de conducta –incluyendo la supresión de la hostilidad y una actitud de desesperanza– que ponen a algunas personas en una situación de mayor riesgo de cáncer.

En mi opinión, la noción de que la personalidad determina el riesgo de cáncer resulta simplista y emocionalmente destructiva. El cáncer ya de por sí es malo sin creer que la enfermedad es culpa de uno.

La realidad: Las personas desarrollan cáncer no por defectos de la personalidad sino por una predisposición hereditaria, la exposición al humo de tabaco u otros cancerígenos, una dieta alta en grasa y baja en fibras o el abuso de alcohol.

• **¿Son útiles la imaginación guiada, la relajación profunda y otras técnicas "alternativas"?** Tales técnicas realmente brindan a los enfermos un estímulo psicológico al proporcionarles un sentido de su propio poder.

Menos certero: Si estas técnicas hacen lo que se supone que deben hacer –reforzar las defensas contra los patógenos.

En un estudio de la Universidad Ohio State, unos ancianos recibieron entrenamiento en relajación muscular progresiva.

El resultado: Los ancianos tuvieron en su sangre muchas más células asesinas naturales –un tipo de inmunidad que protege contra las enfermedades virales y el cáncer– después del entrenamiento, que las que tenían antes.

Precaución: Estas técnicas no están comprobadas para el cáncer u otras enfermedades potencialmente mortales. Quienes deseen utilizarlas no deben abandonar sus tratamientos convencionales creyendo que estas técnicas los curarán.

• **¿Juega la risa un papel en la batalla contra las enfermedades?** Norman Cousins, el fallecido editor y ensayista que escribió sobre su lucha personal por la salud en *Anatomy of an Illness*, fue uno de los primeros en argumentar que la risa *no* juega un papel importante. Se sentía malinterpretado en relación con el poder de la risa. Él creía que lo que había marcado la diferencia para él, había sido la sensación de control que le daba el ser un participante activo en su tratamiento. Aunque usaba comedias para inducir emociones positivas, él enfatizaba la esperanza, un sentimiento de control y el apoyo afectivo como factores vitales para la curación. Las investigaciones, sin embargo, sugieren que la risa sí puede afectar la inmunidad.

Estudio: Ver un video humorístico (en este caso un comediante) reduce los niveles de adrenalina y cortisol en la sangre, de acuerdo con los científicos de la Universidad de Loma Linda en California. Estas y otras sustancias que suprimen la inmunidad se producen en el cuerpo en grandes cantidades en los momentos de estrés.

•**¿Es verdad que las personas hostiles y violentas mueren más jóvenes?** El Dr. Redford Williams y sus asociados de la Universidad Duke hallaron que ciertas formas de hostilidad (el cinismo y la desconfianza) están relacionadas con una mortalidad más alta. Otros estudios sugieren que las personas que se enfadan demasiado o que nunca expresan su enfado tienen un riesgo más alto. En Harvard, mis colegas y yo hicimos un estudio sobre varios factores psicosociales y la inmunidad.

Entre los hallazgos: Las personas que se consideraban más hostiles tenían una menor actividad de las células asesinas naturales.

Posible explicación: Los individuos hostiles y desconfiados pueden tener unas redes sociales pobres. Muchos estudios sugieren que el apoyo de amigos y familiares juega un papel protector de la salud.

•**¿Puede el poder de la mente combatir un resfriado?** El estrés aumenta las probabilidades de desarrollar resfriados. Dado que las técnicas de relajación han aumentado las respuestas inmunes en otros estudios, la respiración profunda y la meditación pueden ayudar a fortalecer la resistencia al virus del resfriado. A pesar de que esto no se ha investigado bien, vale la pena probar.

Su mente y su salud

Elliott Dacher, MD, practica medicina interna y conduce seminarios de bienestar y curación a través de EE.UU., 11469 Washington Plaza W., Reston, VA 22090. Es autor de *Whole Healing: A Step-by-Step Program to Reclaim Your Power to Heal.* Dutton.

Cuando no se expresan ni se resuelven, las emociones como la ira y la hostilidad y los sentimientos de pérdida y estrés resultan peligrosos para la salud. También lo es el sentimiento de impotencia.

Ejemplo: Un estudio en *The Journal of the American Medical Association* demostró que las personas que tenían poco o ningún control sobre sus trabajos dijeron sentirse "impotentes e incapaces", y

tenían una probabilidad más alta de desarrollar problemas del corazón y alta presión arterial.

Aunque surgirán sentimientos de ansiedad, éstos pueden manejarse de manera que no comprometan su salud.

POR QUÉ SUDAN LAS MANOS

Nuestras mentes tienen más influencia sobre nuestro bienestar de lo que la mayoría de nosotros somos conscientes. El cerebro humano produce unas sustancias químicas llamadas *neuropéptidos* –mensajeros que llevan información a varias partes del organismo. El mundo médico descubrió recientemente que los neuropéptidos también se producen fuera del cerebro –en tejidos, órganos, e incluso en los glóbulos blancos del sistema inmune. Los neuropéptidos, los nervios y otros neurotransmisores unen todas las partes del cuerpo, creando una especie de conversación interna. Lo que pase en un área u órgano puede afectar a muchos otros órganos.

Ejemplo: Si usted está a punto de hablar en público y se siente nervioso, su cerebro puede enviar neuropéptidos con un mensaje que provoque ansiedad hacia su estómago. A su vez, su estómago puede enviar mensajes similares a la parte de atrás de su cuello (promoviendo la tensión), su corazón (causando palpitaciones) y sus manos (dando como resultado las manos sudorosas).

Los investigadores médicos ahora reconocen que es imposible separar la salud mental de la corporal. Lo que usted crea, piense o sienta afectará su cuerpo a corto y a largo plazo, y un creciente número de expertos tiene grandes sospechas de que se puede usar la mente no solo para evitar las enfermedades sino también para curarlas.

CÓMO USAR SU MENTE

•**Utilice su poder de decisión.** Para combatir los sentimientos de impotencia e inutilidad –en el trabajo, en las relaciones personales o en el cuidado de su salud– tome decisiones bien informadas e inteligentes.

Ejemplo: En el área del cuidado de la salud, es crucial darse cuenta de que usted no puede permitirse ser impotente, confiando en que los profesionales o las instituciones tomen por usted las decisiones adecuadas o garanticen su salud a largo plazo. Usted tiene que estar en control de la situación.

Cuando va al médico, asegúrese de estar informado acerca de su dolencia. Visite una biblioteca pública o la del hospital, lea publicaciones médicas, revise fuentes en Internet, como HealthWorld (*www.healthy.net*), que tienen artículos sobre dolencias médicas.

Si toma decisiones bien informadas en cada área de su vida –actuando en vez de dejar que los demás hagan las decisiones– podrá obtener esa importante sensación de control.

●**Escuche a su cuerpo y confíe en él.** Todos los días veo pacientes que se quejan de dolores de garganta o resfriados que no desaparecen. Cuando les pregunto *si han dejado de ir a trabajar para curarse*, la respuesta es casi siempre que *no*.

Mi mensaje para ellos: Si ustedes fuesen otros animales en vez de seres humanos, escucharían a su cuerpo y le harían caso cuando les pide descansar. Encontrarían un lugar donde descansar, se acurrucarían y dormirían hasta que se sintieran mejor.

Con demasiada frecuencia, nuestra mente "inteligente" nos dice que debemos terminar un proyecto a toda costa o dedicar una tarde del sábado a entrenar al equipo de fútbol de nuestro hijo, aunque estemos agotados. Ignoramos las señales enviadas por nuestro cuerpo y nuestra mente más intuitiva y sabia.

Los síntomas de enfermedades pueden ser más que señales de problemas físicos. A menudo indican que algo en su vida no está en sintonía, que algún aspecto de cómo hace frente a la vida tiene que cambiar.

Si siempre está cansado o le falta energía, quizás su cuerpo esté diciéndole que haga más ejercicio o que cambie su alimentación –o simplemente que se meta en la cama y desconecte el teléfono para lograr un descanso reparador.

Cuando aprenda a escuchar y a confiar en los mensajes de su cuerpo, estará dando un paso importante hacia una salud óptima.

●**Déle un descanso a su mente.** Así como su cuerpo necesita dormir para renovarse y gozar de buena salud, su mente necesita periodos de calma y soledad.

Una mente tranquila revela cosas importantes acerca de su vida, cambios que quizá necesita hacer para crear un estilo de vida más sano y pleno. Tal información interior no puede llegar a usted a través del constante ruido mental. Un periodo de soledad "recarga" la mente y el cuerpo.

Útil: A menudo le digo a la gente, especialmente padres que trabajan, que se tomen medio día libre, que pasen un sábado solos, que vayan a un retiro o un balneario un fin de semana y reflexionen, lean, paseen o escuchen música.

●**Hable con un amigo o lleve un diario.** Cuando usted piensa solamente acerca de sus problemas, es probable que termine obsesionándose con ellos –y sintiéndose todavía más estresado.

Útil: Pase tiempo en compañía de un amigo en quien confíe, compartiendo sus temores más profundos, su tristeza por la pérdida de un ser querido o su ira o amargura por un problema en el trabajo. Las investigaciones demuestran que algo tan simple como el apoyo de los demás es un estímulo importante para la propia salud.

O escriba en un diario todas las noches durante 15 a 20 minutos. Las investigaciones señalan que hablar con un amigo cercano de sus sentimientos o escribirlos alivia el estrés. Escribir también pone orden a situaciones específicas, así que será más capaz de resolver sus problemas.

Yo he llevado un diario durante 20 años, y cuando leo lo que he escrito, descubro patrones de pensamiento y comportamiento… buenos y malos. Veo decisiones que he tomado y direcciones en las que me he encaminado. A menudo me doy cuenta de que necesito cambiar ciertos patrones para lograr una vida más saludable.

●**Busque un significado a cada aspecto de su vida.** Los estudios demuestran que encontrar el significado de nuestra vida, es una parte esencial de la buena salud. Es fácil encontrar un significado en los aspectos positivos de la vida, como la relación con sus hijos y la alegría en su trabajo, pero es difícil hallar significado y propósito en las dificultades y crisis de la vida.

Cuando se enfrente a una situación difícil en el trabajo o en sus relaciones personales, en vez de sentirse impotente o enfadado o resentido, pregúntese: *¿hay algo que pueda aprender de esta situación?*

Cuando usted encuentra un significado positivo en cada aspecto de su vida y comienza a darse cuenta de que existe una fuerza mayor en acción, empieza a desarrollar la espiritualidad esencial para una salud verdadera.

● **Considere la salud como un proceso de por vida.** La mayoría de nosotros considera la "salud" como la ausencia de enfermedad. Pero la salud es mucho más que no tener síntomas y arreglar lo que está roto. Todo lo que hacemos, sentimos o experimentamos juega un papel –bueno o malo– en nuestra salud.

Me gusta pensar en la salud como un arte –el proceso durante toda la vida de desarrollar, dar forma y componer nuestras vidas.

Cómo tener una mente aguda

Harry Lorayne, es capaz de recordar los nombres de todas las personas en una sala con 500 personas y recitar de memoria páginas al azar del último número de la revista *Time*. Es autor de varios libros sobre la memoria, entre ellos el paquete *Memory Power* (libro y casetes de audio y video).

Tengo más de 70 años. Puedo recordar 500 nombres de una vez o cifras con una cantidad de dígitos casi infinita. Cuando no uso mis métodos, mi memoria no es tan buena como cuando era joven. Pero, cuando los uso, ¡puedo recordar más cosas que cualquier persona en el mundo!

Usted puede usar mis métodos para *recuperar* la memoria. Bob Norland lo hizo. Me escribió a los 75 años. Había tenido un derrame cerebral, y los médicos le dijeron que nunca sería capaz de recordar nada. Su hija le llevó mis métodos. Ahora, con 80 años, Bob todavía trabaja, pero no puede escribir con su mano derecha. Así que cuando toma pedidos por teléfono, debe depender de su memoria para recordar nombres, números de pedido, precios y teléfonos.

Cuando yo estaba empezando, en los años 50, el gran gurú de la memoria era David Roth. Lo conocí cuando él tenía 91 años. Pocos años

después, me dijo que el Rotary Club le organizaba una fiesta por que cumplía 94 años. Me dijo: "no haré mucho, solo le pediré a cada persona su nombre y su teléfono… y los recitaré… persona por persona".

Murió a los 96 años, con su capacidad mental intacta. Poner en práctica estas ideas puede mantenerlo joven.

EJERCICIOS MENTALES PARA HACER UNO CADA DÍA

Los ejercicios mentales son la clave para mantener una memoria aguda. Yo siempre hago crucigramas. También hago un ejercicio mental cada día. Me obligan a pensar. *Aquí hay tres ejemplos (las respuestas están al final del artículo)…*

1. Tome papel y lápiz. Dibuje una línea, de izquierda a derecha, de una pulgada (2 cm) de largo. ¿Cómo puede hacerla más corta sin borrar, cortar o doblar el papel?

2. Los pollos cuestan 50 centavos cada uno, los patos tres dólares, y los pavos diez dólares cada uno. Usted tiene que gastar exactamente 100 dólares, pero también quiere llevarse a casa 100 aves. ¿Cuántas de cada ave debe comprar?

3. Observe el número romano IX. ¿Cómo puede añadir un símbolo, y convertirlo en el número 6?

EL USO DE LOS "SISTEMAS"

Todo lo que necesita hacer para usar eficazmente mis métodos es permanecer alerta y consciente. Se basan en antiguos métodos de memoria que se remontan a Aristóteles, con algunos giros propios. Yo siempre uso estos métodos, mientras camino por la calle, manejo o espero en una cola. *Así debe comenzar…*

● **Conciencia original.** No puede olvidar algo que nunca recordó. *Si le da la vuelta a esta afirmación, tiene la solución para recordar:* si usted recuerda algo en el primer momento, ¿cómo puede olvidarlo?

● **Observación.** Esencial para la *conciencia original:* si quiere recordar cualquier cosa, debe observarla primero.

● **Asociación.** Ésta es la mejor manera de agudizar su observación y, por lo tanto, su *conciencia original.*

Para poder recordar una información nueva, deberá asociarla con algo que usted conozca o recuerde de una forma que resulte ridícula.

●**Vinculación.** Una vez que relacione una información al visualizarla de una forma *ridícula*, puede *vincularla* con cualquier otra cosa. Esa es la mejor manera de recordar secuencias largas.

Digamos que quiere recordar las siguientes seis palabras, en orden: avión, árbol, sobre, pendiente, cubo, cantar. *Así debe hacerlo…*

Avión: Visualice un avión. Ahora quiere asociar "avión" con "árbol". Piense en una imagen ridícula que conecte o asocie esas dos cosas en su mente.

Ejemplos: Un árbol gigante volando en lugar de un avión, un avión creciendo de la tierra como un árbol, aviones que crecen en los árboles, millones de árboles como si fueran pasajeros abordando un avión. Se trata de imágenes imposibles y absurdas.

Sobre: Visualice millones de sobres creciendo en un árbol. Vea la imagen claramente, solo un segundo.

Pendiente: Usted abre un sobre y millones de pendientes salen volando y le golpean la cara. O lleva puestos sobres en las orejas en lugar de pendientes.

Cubo: Un cubo gigante lleva pendientes.

Cantar: El cubo gigante está cantando.

Ahora poniéndolo todo junto: Su primera imagen es de un avión. Luego un árbol gigante sale volando de un avión. Cuando piensa en árbol, su siguiente "vínculo" es el de millones de sobres creciendo en un árbol. Usted abre un sobre y millones de pendientes vuelan de él. Un cubo gigante lleva pendientes. El cubo gigante está cantando. Practique pensar en esas imágenes, y tendrá la secuencia. Usando el mismo método, usted podrá recordar 10, 15, 20 ó más elementos en una secuencia.

HACER LA CONEXIÓN

Es muy importante que sus imágenes sean ridículas. *Las siguientes son cuatro formas de hacerlo…*

●**Sustitución.** Imagine un objeto en lugar de otro. *Por ejemplo,* un árbol volando en vez de un avión.

●**Cambie las proporciones.** Procure ver los elementos más grandes que en la realidad. Por eso muchas de mis sugerencias son "gigantes".

●**Exageración.** Por esa razón muchas veces sugiero que vea "millones" de un elemento.

●**Acción.** Siempre es fácil de recordar.

La *conexión* –enlazar imágenes ridículas unas con otras– funciona con *cualquier cosa.*

Incluso puede hacerlo con números. Es fácil, una vez que aprende a asociar cada número con una imagen en particular.

Para recordar los nombres, incluso con palabras extranjeras, puede construir su imagen por sustitución.

Ejemplo: Digamos que quiere recordar los estados por orden alfabético. Después de "Michigan" viene "Minnesota". ¿Cómo asociarlos? No puede visualizar "Michigan", pero puede imaginarse "mi chica" y una "mini soda". Ahora, imagine que "mi chica" bebe una "mini soda" es "Minnesota". Así, cuando piense en "mi chica" (Michigan) automáticamente pensará en "mini soda" (Minnesota).

Todos olvidamos las cosas mundanas. Lo que recordamos es lo inusual, lo obsceno, lo violento.

Eso es exactamente lo que hace que los métodos funcionen.

El uso de imágenes en los métodos de memoria no es nuevo. Aristóteles escribió: "Debemos especular con imágenes".

Yo añadí el aspecto ridículo. Para los niños no es un problema. Les pedí a algunos niños que visualizaran un piano saliéndole de los oídos. Los adultos a veces tienen problemas con esto, pero los niños no. Uno de ellos dijo: "¡vi un piano saliendo de mi oído y lo tocaba un ornitorrinco!".

La sociedad opaca su imaginación. ¡No deje que eso pase!

Respuestas a los ejercicios para hacer uno cada día: 1) Dibuje una línea de dos pulgadas (5 cm) de largo sobre la otra. La primera línea es más corta. 2) 94 pollos, un pato, cinco pavos. 3) Añada una letra S mayúscula. Ahora dice SIX (seis en inglés).

Cómo estimular su cerebelo

Arthur Winter, MD, FICS, neurocirujano del New Jersey Neurological Institute en Livingston, Nueva Jersey. Es coautor de *Build Your Brain Power—The Latest Techniques to Preserve, Restore and Improve Your Brain's Potential.* St. Martin's Press.

El cerebelo se encuentra en la parte de atrás del cráneo, debajo del cerebro. Es el responsable de coordinar los movimientos corporales, y es particularmente vulnerable al envejecimiento.

Útil: Practique nuevas técnicas motoras para estimular la región.

Prueba para el cerebelo: Póngase de pie con las manos a los lados y cierre los ojos. Tóquese la nariz con un dedo índice y luego con el otro. Repita cuatro veces.

Haga este ejercicio y al menos algunos de los siguientes todos los días…

●**Acertijos** (que sustituyen el habla con el control corporal).

●**Dése palmaditas en la cabeza con una mano y masajes en el estómago con la otra** y cuente hasta 20. Cambie las manos y repita.

●**Use unas tijeras para cortar una imagen** de un periódico o revista, siguiendo el contorno lo más cerca posible.

●**Intente apilar 100 monedas de un centavo** tan alto como pueda sin que se caigan.

●**Juegue al tenis o a los bolos.** Ambos deportes requieren coordinar los movimientos corporales con la vista.

●**Escuche música bailable** (esto estimula las áreas de "baile" en su cerebro).

Aumente su poder

Jane Shuman es conferencista motivacional de Shuman & Associates, 2475 Boxwood Ln., Aurora, Illinois 60504.

Aumente su poder visualizando y afirmando lo que desea que suceda *como si ya hubiese sucedido.* Elija una situación en la que quiera tener más control. Relájese. Respire profunda y tranquilamente. Visualice la situación tan detalladamente como pueda. Imagínese teniendo una reacción poderosa y positiva a esa situación. Concéntrese en la imagen de su éxito todos los días hasta que lo logre.

El poder curativo de la amistad

Jacqueline Olds, MD, profesora clínica auxiliar de psiquiatría en la facultad de medicina de la Universidad Harvard en Boston, y psiquiatra con consulta privada en Cambridge, Massachusetts. Es coautora de *Overcoming Loneliness in Everyday Life.* Birch Lane Press.

Estados Unidos está sufriendo una epidemia de soledad –y el aislamiento deteriora nuestra salud. Sin embargo, dado que nuestra cultura aprecia la independencia y detesta lo contrario, a muchos de nosotros nos avergüenza admitir que nos sentimos solos… y somos demasiado orgullosos para buscar a los demás.

En la sociedad estadounidense, decir que uno se siente muy solo equivale a decir que uno es débil o incapaz de hacer amigos. Sin embargo, la independencia total es un mito, y la soledad *no* es señal de debilidad. Es un sistema de alarma –una señal de que necesitamos integrar a otras personas en nuestras vidas.

UN PROBLEMA OCULTO

Debido al estigma que significa admitir que nos sentimos muy solos, muchas personas ni siquiera *saben* que se sienten así, y mucho menos qué pueden hacer para solucionarlo.

Pueden definir al problema como "baja autoestima" y buscar soluciones en el pasado. Pero lo que realmente necesitan hacer es relacionarse más con las personas que los rodean. Por supuesto, quienes estén demasiado deprimidos necesitan que su depresión sea tratada primero.

Nuestra aparente obsesión con los detalles más íntimos de las vidas de personas extrañas –como se evidencia en los programas de televisión en donde se revela todo– es otra manifestación de nuestro aislamiento.

Cuando no se tiene un círculo de personas cercanas que conoce bien, contar chismes sobre personas extrañas es una forma de llenar ese vacío. Pero no es muy gratificante.

EL RIESGO DE LA SOLEDAD EN LA SALUD

Aumentan las evidencias de que la soledad tiene serias consecuencias sobre la salud…

James House, PhD, un sociólogo de la Universidad de Michigan, revisó estudios sobre 37.000 personas en EE.UU., Suecia y Finlandia.

Lo que halló: Las personas que no tenían problemas médicos graves pero que vivían solas y/o tenían pocos amigos tenían el doble de probabilidades de morir en el lapso de una década que quienes tenían más nexos sociales.

●**En un estudio de la Universidad Duke se halló** que los supervivientes de ataques al corazón que estaban casados o tenían confidentes presentaron una tasa de supervivencia del 82% en cinco años. Quienes no contaban con nadie presentaron una tasa de supervivencia del 50%.

●**Los investigadores de la Universidad Ohio State han demostrado** que tener un círculo de amigos cercanos ayuda a evitar los descensos en la función inmune relacionados con el estrés, medidos por la actividad de las células asesinas naturales.

EL AISLAMIENTO CRECIENTE

Robert Putnam, de Harvard, ha reportado un importante descenso en el número de estadounidenses involucrados en grupos parroquiales, políticos, la Cruz Roja y otras organizaciones comunitarias similares.

Una encuesta de 1992 apoya las afirmaciones de Putnam. Se encontró que el 39% de los estadounidenses dijo socializar con sus vecinos no más de una vez al año, comparado con el 28% en 1974. Lamentablemente, no parece que esta tendencia mejore a corto plazo.

Varios estudiantes universitarios me han dicho que tener una relación importante con alguien entorpecerá sus carreras. Sus prioridades están tan distorsionadas que ven una relación de ese tipo como una carga que les dificultará alcanzar sus metas "verdaderas".

CULTIVAR AMISTADES

No importa lo ajetreadas que sean nuestras vidas, es esencial que dejemos espacio para los demás. Incluso si uno está casado, necesita amigos cercanos *aparte* de la pareja. No es razonable esperar que una sola relación llene todas las necesidades emocionales.

Incluso si en la pareja se *pudieran* satisfacer todas las necesidades, es un riesgo depender exclusivamente de él o ella. ¿Qué pasaría si algo le ocurre?

Muchas personas asumen que una amistad se forma de manera natural cuando conocemos personas que nos agradan y las invitamos a reunirse con nosotros de vez en cuando.

Pero que alguien le caiga bien y que usted procure conocer mejor a esa persona no es suficiente. Para crecer, la amistad necesita un contexto –un esfuerzo mutuo que aporte un contacto regular.

GRUPOS DE INTERESES

Los grupos de intereses pueden proporcionar ese contexto –pero solo si el enfoque es a largo plazo. Ayudar en una única campaña política no le dará la misma sensación de conexión que ayudar a limpiar el parque una vez a la semana.

Si usted es tímido a la hora de entrar en un grupo nuevo, considere invitar a alguien conocido para que lo *acompañe* a una reunión.

Además de un contexto, la amistad necesita cierto grado de dependencia y obligación mutuas.

Ejemplos: Regar las plantas del otro cuando uno esté fuera de la ciudad, organizar juntos una venta de garaje, hacer turnos para cuidar a los niños de la otra persona por la tarde, compartir un huerto que una los dos jardines.

Una forma obvia de empezar este intercambio es *ofreciendo* ayuda. Pregunte a un colega enfermo si puede pasar a comprarle alimentos, o recoja el correo de un vecino que esté de viaje.

Un método mucho mejor: Pida un favor. Esto va en contra de la naturaleza de muchos de nosotros. Nos preocupa que dejemos de caerle bien a la gente si nos imponemos. Éste es uno de los primeros valores culturales que adquirimos en Estados Unidos.

Sin embargo, la mayoría de las veces a la gente le encanta que se le pida ayuda. Ya que uno se arriesgó a hacerlo, ellos serán más proclives a pedir ayuda cuando la necesiten.

FORTALECER LOS LAZOS FAMILIARES

Pedir ayuda también es una excelente forma de fortalecer los lazos familiares.

Ejemplo: La abuela de mi esposo, de 98 años, se veía deprimida en las reuniones familiares. Ella todavía es una excelente costurera, así que en una ocasión le pedimos que hiciera unos arreglos que teníamos acumulados. De pronto se sintió útil y feliz. Se fue de la reunión más contenta de lo que se veía en varios meses.

Incluso si sus familiares viven lejos, trabajar en proyectos juntos los ayudará a unirse más.

Ejemplo Nº 1: Los hermanos que están dispersos geográficamente pueden ayudarse unos a otros a ordenar viejas fotos familiares o a compilar anécdotas orales.

Ejemplo Nº 2: Las familias pueden participar en causas caritativas que tengan un significado especial para ellas –como contribuir tiempo y dinero a la American Liver Foundation si un familiar necesitó un transplante de hígado.

Una vez que reconocemos nuestra necesidad de otras personas, le abrimos la puerta a una vida más sana, conectada y satisfactoria.

Cómo se ayudan los grandes expertos en autoayuda

Joan Borysenko, PhD, cofundadora de la Mind/Body Clinic en el hospital New England Deaconess en Boston, y presidenta de Mind/Body Health Sciences en Boulder, Colorado. Es autora de *Minding the Body, Mending the Mind* (Bantam) y *A Woman's Book of Life* (Riverhead)... Wayne Dyer, PhD, un reconocido conferencista motivacional y autor de numerosos libros, incluidos *Your Erroneous Zones* (HarperCollins) y *A Promise Is a Promise* (Hay House)... Bernie Siegel, MD, fundador de Exceptional Cancer Patients en Middletown, Connecticut, que proporciona información y apoyo terapéutico a personas con enfermedades potencialmente mortales y crónicas. Es autor de varios libros, incluido *How to Live Between Office Visits*. HarperCollins.

El estrés y la tensión que vienen con las exigencias del trabajo y la familia afectan a todos hoy en día. Sin embargo, algunos afrontan la presión mejor que otros, al manejar con tranquilidad los problemas a los que se enfrentan.

Para descubrir los secretos de las personas que se mantienen en calma mientras buscan la excelencia, tres de los más importantes expertos en superación personal de EE.UU. comparten las técnicas que utilizan cuando la tensión ataca:

JOAN BORYSENKO, PhD

Una agenda exigente que me mantiene viajando unos 200 días al año es una fuente de gran satisfacción y de posible estrés. Dar conferencias y talleres en hospitales, corporaciones, iglesias y grupos cívicos sobre materias que van desde medicina y psicología hasta espiritualidad, estrés y salud de la mujer, es algo que requiere una investigación continua. Hay una serie sin fin de fechas de entrega de manuscritos de libros y de producción de cintas de audio, todo lo cual hace que mi vida sea muy ocupada. Y hasta hace cinco años, cuando mi hijo menor se fue a estudiar a la universidad, también estaba tratando de balancear la familia y mi carrera.

Las investigaciones demuestran que cuando el trabajo que hacemos es profundamente significativo –cuando estamos comprometidos y nos apasiona lo que hacemos– existe menos estrés. Ése es definitivamente mi caso.

La autodefensa: Mientras que la actitud me ayuda a manejar el estrés, también lo hacen la familia, los amigos y los hábitos saludables. Las investigaciones médicas revelan que las relaciones significativas son muy importantes para la salud y el bienestar. Estar en contacto con amigos y familiares es una prioridad para mí –incluso si eso significa pagar enormes cuentas telefónicas cuando llamo desde el extranjero.

Los hábitos saludables también son importantes. Pero cuanto más ocupadas y estresadas se hacen nuestras vidas, más fácil se nos hace poner excusas para no hacer ejercicio.

Ejemplo: Yo vivo en lo alto de las Montañas Rocosas, donde me encanta hacer caminatas y disfrutar de la belleza natural y el aire puro. Para mí, las excursiones y el yoga son prioridades cuando estoy en casa. Cuando viajo, tengo que ser más creativa. Pido quedarme en hoteles que estén cerca de lugares en donde se puedan dar caminatas y no en el centro de la ciudad, subo las escaleras en

407

lugar de tomar el elevador, pido comida para llevar y uso el tiempo libre para dar paseos.

Comer bien es otro reto cuando la vida es agitada. Desayuno avena y frutas y sigo una dieta en gran parte vegetariana y con comidas integrales, para reducir la grasa y la comida basura ("junk food").

Debido a que enseño meditación y exalto los beneficios de la oración, tengo la fortuna de que mi trabajo refuerza esta gran fuente de tranquilidad y creatividad.

La mayoría de las mañanas y por la tarde medito, lo que refuerza mi gratitud. Durante el día, procuro estar consciente de mi respiración. ¿Es superficial y tensa… o profunda, energizante y relajante?

Solo unos pocos minutos de esto significa una gran ventaja psicológica y fisiológica. Y cuando cambio mi respiración, tomo más conciencia de lo que está en mi mente. ¿Estoy quejándome… o estoy consciente de que la vida es el don más preciado?

Recordar ser agradecida me trae al presente. El estrés es reemplazado por la paz, y me doy cuenta de que la vida –con todas sus alegrías y penas– es una aventura increíble y maravillosa.

WAYNE DYER, PhD

Mi vida está llena de cosas estresantes –exigentes fechas de entrega de redacción, una agenda de viaje complicada y la tensión que conllevan los vuelos cancelados o atrasados.

Además, tengo ocho hijos, de seis a 22 años… siete de los cuales viven en casa, que es donde trabajo.

Cuando hay tantas obligaciones es importante darse cuenta de que no son las *cosas* las que nos molestan. Los sucesos en sí mismos no significan nada. Lo que cuenta es cómo reaccionamos. La forma como elegimos procesar cada suceso depende únicamente de nosotros. Si elegimos la paz interior, tendremos paz.

La autodefensa: Lo más importante que hago para ayudar a cambiar mis pensamientos y mis niveles de estrés es meditar. Todos los días medito durante al menos 20 minutos por la mañana y otro tanto por la noche.

También evito un estilo de vida sedentario, que pueda hacerme más susceptible al estrés.

Para acceder al fluir natural de la salud, la sanación y el amor, tenemos que movernos.

Ejemplos: En vez de conducir hasta el mercado para comprar leche, voy caminando. Y cuando me fui por dos meses a una oficina en el octavo piso para escribir mi libro más reciente, me comprometí a usar la escalera y no el elevador. Además, me levanto muchos días a las 4.45 de la mañana y corro entre 12 y 15 millas (20 a 25 km).

Cuando suceden cosas molestas, me digo que el universo tiene un propósito y que las cosas suceden por algo.

Si crece la tensión o el estrés cuando estoy en grupo, me excuso y busco un lugar tranquilo para meditar durante 10 minutos. Cuando regreso, normalmente ha vuelto la paz.

Y me aseguro de estar inspirado todo el tiempo. La palabra *"inspirado"* viene de "en espíritu". Cuando uno está inspirado por lo que hace, abandona el estrés del campo físico y entra en lo que se llama "la zona". Se tiene un objetivo primordial… y se está en el camino correcto.

BERNIE SIEGEL, MD

Como médico, veo muchas situaciones todos los días que rompen el corazón. Para ayudarme a comprenderlas y sobrellevarlas, hace años que empecé a llevar un diario.

Al principio, escribía notas personales todo el día. Pero al llegar a casa, no siempre recordaba los detalles del día. Así que aprendí a tomar notas más elaboradas para ayudarme a recordar. A pesar de mis esfuerzos, todavía no era capaz de resolver mis emociones. Sabía que las cosas me estaban afectando porque sabía cómo se sentían mi mente y mi cuerpo cada noche.

Al rescate: En vez de ver los sucesos difíciles como estresantes, recordé lo que mi madre me había enseñado –que las dificultades son parte de la vida… pueden verse como nuevas direcciones a tomar… y pueden traer algo bueno.

Comencé a darme cuenta de que solo tengo un problema verdadero: *yo.* Descubrí que podía reenfocar mis pensamientos acordándome que todo en la vida es frágil… que somos mortales y que estamos aquí por un periodo limitado. Reenfocando mis pensamientos, puedo concentrarme en lo que amo de verdad en vez de dejarme distraer por los detalles de la vida cotidiana. No se trata de egoísmo sino de cómo contribuimos en el mundo con nuestro amor.

Otra lección que he aprendido es que lo que sucede en la vida sucederá independientemente de lo que yo piense. No juzgo los hechos como buenos o malos. Las situaciones que yo pude haber desestimado como "problemas" o "fracasos" han redirigido mi vida y conducido a cosas por las que ahora estoy agradecido.

Útil: Cada mañana, corro durante al menos una hora y escucho mi voz interior y otras voces que me quieran hablar. También hojeo libros inspiradores que tengo en una repisa en mi oficina, y leo un párrafo o dos para estar siempre centrado en lo que es importante. La *serie de meditación Hazelden* (Hazelden Publishing and Education) es muy útil.

A lo largo del día medito. Mi meta es que todo mi día sea una meditación. Eso ocurrirá cuando sea capaz de amar lo suficiente y tenga suficiente fe.

Varias veces al día me detengo a pensar sobre mi comportamiento y cómo estoy actuando. Descubro que nunca estoy del todo satisfecho con la forma en que actúo. Pero me perdono y continúo practicando y ensayando –tal como lo haría cualquier atleta– para mantenerme en contacto conmigo mismo.

Para mantenerme en contacto con mis sentimientos, llevo un diario, y al menos una vez a la semana escribo poesía o prosa, pinto o construyo algo con las manos. Estas actividades me ayudan a integrar lo que estoy experimentando en vez de aislar las vivencias de mis emociones.

Los pacientes de cáncer excepcionales viven más tiempo y son más felices

Bernie Siegel, MD, fundador de Excepcional Cancer Patients en Middletown, CT, que da información y apoyo terapéutico a personas con enfermedades crónicas o potencialmente mortales. Es autor de varios libros, incluido *How to Live Between Office Visits.* HarperCollins.

En más de 30 años como cirujano, he tratado a miles de pacientes de cáncer. Con los años, he notado que mientras algunos de mis pacientes negaban sus verdaderos sentimientos acerca de su enfermedad, otros permanecían optimistas e insistían en tomar la responsabilidad de sus vidas.

Estos pacientes de cáncer "excepcionales" conseguían abrirse camino emocionalmente mejor a pesar de estar enfermos. En muchos casos, también les iba bien *físicamente* –viviendo más meses o años que sus contrapartes menos optimistas.

¿Cuál es el secreto para ser un paciente excepcional? Existen dos factores: *la inspiración y la información. Incluso si usted no tiene cáncer, el pensar en estas ocho preguntas –desarrolladas por George Solomon, MD– lo inspirarán y le proporcionarán información útil…*

● **¿Tienen algún significado para mí el trabajo, las actividades diarias y las relaciones?** Las personas a las que no les gusta lo que hacen a menudo se enferman como resultado del inevitable estrés psicológico o porque la enfermedad ofrece una salida oportuna ante una situación desagradable. Cada uno de nosotros debería trabajar en algo que veamos como una contribución al mundo.

He visto a muchos pacientes de cáncer dejar de pronto sus trabajos y dedicarse a lo que siempre quisieron hacer. Muchos de ellos vivieron vidas más sanas durante más tiempo.

Cada uno de nosotros debe darse cuenta de que a pesar de las aparentes restricciones de nuestra vida, tenemos la libertad de hacer lo que deseamos.

● **¿Soy capaz de expresar mi enojo de manera adecuada?** Cuando a un niño pequeño no se le da lo que quiere –comida, afecto, un pañal seco, etc.– llora.

Como los bebés, los adultos merecen ser tratados con respeto y amor. Si no nos tratan así, debemos expresar nuestra insatisfacción. Debemos decirles a los demás que no estamos dispuestos a dejarnos pisotear.

Lamentablemente, a la mayoría de nosotros se nos ha enseñado que está mal que expresemos nuestro enojo. En lugar de hacerlo, bloqueamos nuestros sentimientos negativos, inhibiendo nuestros propios poderes curativos y construyendo un depósito de rabia.

•¿Soy capaz de pedir ayuda a mi familia y amigos (y a mi médico)? Usted tiene derecho a pedir ayuda cuando la necesite. En asuntos cotidianos como alimento y transporte, o apoyo emocional cuando se sienta triste o muy solo.

Pedir ayuda no es un asunto de egoísmo. Es un asunto de supervivencia.

•¿Soy capaz de decir "no" cuando me piden un favor que no puedo hacer –o que no tengo ganas de hacer? Al igual que tiene derecho a pedir ayuda, también tiene derecho a declinar las peticiones de los demás.

El hacerlo no significa que usted no quiera a la persona que le pide el favor. Significa que reconoce que sólo usted tiene derecho a decidir qué hacer con su tiempo.

Por supuesto, sus familiares y amigos tienen el derecho de rechazar sus peticiones.

•¿Sigo comportamientos que promueven la salud de acuerdo con *mis* necesidades? Los demás no tienen derecho a decirle lo que usted debe o no debe hacer en cuanto a ejercicio, dieta, los tratamientos que solicite (o no), etc. Sólo usted puede decidirlo.

Escuche a los demás, pero no tenga miedo de seguir su propio camino.

•¿Dedico suficiente tiempo al ocio? Al decir ocio me refiero a cualquier actividad lo suficientemente agradable como para que usted pierda la noción del tiempo. Si puede perder la noción del tiempo, no se sentirá enfermo mientras dure la actividad –sin importar lo terrible que sea su prognosis.

•¿Me siento con frecuencia deprimido y/o sin esperanza? Muchos pacientes de cáncer caen en la trampa de sentirse deprimidos por *estar* deprimidos. En lugar de eso, usted debe afrontar su depresión y aprender de ella.

Puede que necesite antidepresivos y/o psicoterapia. De cualquier forma, *aprenda* de lo negativo –y acepte que tener cáncer en realidad le otorga un sentimiento de libertad.

•¿Estoy jugando un papel diligentemente mientras descuido mis propias necesidades? Muchas personas se identifican solo por los papeles que asumen –marido o esposa, madre o padre, empleado valorado, etc.

Cuando estos individuos ya no pueden jugar ese rol debido al cáncer, pierden todo sentido de identidad.

A menudo les pregunto a mis pacientes de cáncer cómo se presentarían ante Dios. Si uno se presentara como abogado o profesor, creo que Dios diría: "Vuelve cuando hayas aprendido quién eres de verdad". Cada uno de nosotros es una creación única. Somos mucho más que los evidentes roles que asumimos.

Para una relajación profunda: el yoga fácil

Alice Christensen, presidenta de la American Yoga Association, 513 S. Orange Ave., Sarasota, FL 34236. Autora de *20-Minute Yoga Workouts.* Ballantine.

Si usted tiene ansiedad crónica o si simplemente se siente estresado, pruebe hacer yoga. Este sistema que reúne ejercicio, respiración y meditación, tiene más de 5 mil años de antigüedad y es maravillosamente eficaz para aclarar la mente y aliviar la tensión muscular.

También fomenta una profunda sensación de confianza en sí mismo –el sentimiento de que podrá enfrentarse a cualquier cosa.

PROGRAMA BÁSICO DE YOGA

Un programa básico toma unos 20 minutos al día. Algunas personas prefieren hacerlo en la mañana. Otros prefieren temprano por la noche antes de la cena. Está bien de cualquier manera. Sólo asegúrese de hacerlo a la misma hora todos los días.

El único "equipo" que necesitará es una habitación tranquila, ropa suelta y cómoda y una manta, toalla grande, u otra colchoneta sobre la que se pueda sentar cómodamente.*

RESPIRACIÓN DE YOGA

Para ayudarse a concentrar su atención hacia el interior, empiece con dos minutos de ejercicios de "respiración completa".

Siéntese con las piernas cruzadas sobre un cojín firme en el suelo, o en otra posición sentada con la espalda recta pero relajada.

Empiece a inhalar lenta y profundamente por la nariz. Relaje el abdomen de manera que se expanda con cada inspiración, y deje que se expandan el pecho y la caja torácica. Cuando su inhalación llegue "a tope", los hombros se levantarán un poco. En este punto, exhale relajando los hombros y luego las costillas. Luego apriete el abdomen para dejar salir el aire. Relájese y repita.

Importante: Cuando respiramos normalmente, cada inhalación dura más que cada exhalación. Con la respiración de yoga, la inhalación y la exhalación deben durar el mismo tiempo.

Inhale contando hasta cinco… luego *exhale* contando hasta cinco, hasta que haya establecido el ritmo. Entonces concéntrese en el sonido de su respiración.

ESTIRAMIENTOS DE HOMBROS Y BRAZOS

Estos tres estiramientos, realizados de pie, relajan las articulaciones y alivian la tensión muscular.

- **Rotación de brazos.** Estire los brazos a los lados, los codos rectos, las manos hacia arriba como si estuviera deteniendo el tráfico. Rote los brazos hacia delante en tres círculos grandes, y luego hacia atrás en tres círculos grandes. Entonces haga tres círculos *pequeños* en cada dirección.

- **Rotación de la cabeza.** Con los brazos a los lados, doble la cabeza hacia delante mientras relaja los músculos de la parte de atrás del cuello. Lentamente gire la cabeza a un lado, luego hacia atrás, al otro lado, y al frente.

Haga esta rotación tres veces en el sentido de las agujas del reloj, y luego en el sentido contrario.

*Para obtener más información sobre yoga, o para solicitar videos o casetes de audio, comuníquese con la American Yoga Association al teléfono 941-927-4977, o en *www.americanyogaassociation.org*.

- **Estiramiento de los lados.** Coloque los pies un poco más abiertos que los hombros, con los brazos hacia los lados. Inhale profundamente. Luego exhale mientras se dobla a la derecha. Deslice la mano derecha por el muslo hacia la rodilla, y lleve el brazo contrario sobre la cabeza. Inhale, y vuelva a la posición original.

Haga lo mismo del lado izquierdo. Repita tres veces con cada lado.

ESTIRAMIENTOS DE LA COLUMNA

Estas posturas son especialmente beneficiosas si trabaja en un escritorio.

- **Postura del sol.** Póngase de pie con los pies juntos. Mientras inhala, levante los brazos a los lados hasta que se eleven por encima de la cabeza. Mire hacia arriba. Exhale mientras dobla la cintura. Llegue hacia delante lo más que pueda sin sentirse incómodo, y agárrese las pantorrillas, tobillos o rodillas.

Quédese así un momento, luego inhale mientras vuelve a enderezarse, levantando los brazos por encima de la cabeza. Baje los brazos en un círculo mientras exhala. Repita dos veces.

- **Postura del bebé.** Siéntese sobre los pies. Lentamente dóblese hacia delante hasta que la cabeza se acerque al suelo. Deje que los brazos descansen a los lados con los codos doblados. Permanezca así al menos un minuto.

- **Postura del cadáver.** Acuéstese boca arriba con los pies separados un poco y los brazos a los lados con las palmas hacia arriba. Cierre los ojos. Relaje todo el cuerpo, prestando atención al rostro y el estómago. Descanse durante al menos un minuto.

MEDITACIÓN DE YOGA

La meditación nos enseña a *observar* los pensamientos que constantemente nos pasan por la mente –en vez de preocuparnos por ellos o simplemente reaccionar a ellos.

Esto nos permite alejarnos del incesante bombardeo de deseos, miedos, arrepentimientos, etc., y encontrar la paz poniendo nuestra atención solo en el momento presente. Empiece acostándose boca arriba sobre su colchoneta, con los brazos a los lados y las palmas hacia arriba. Permanezca tan inmóvil como pueda.

Durante unos dos minutos, concéntrese en cada parte de su cuerpo por turnos. Visualice cada parte por separado… y relájela.

Empiece con la frente, luego los ojos, rostro, cuello y hombros. Desplace la atención por su cuerpo hacia abajo relajando cada parte: brazos y manos… pecho y abdomen… caderas, piernas y pies… luego hacia arriba por la columna hacia el cuello y la cabeza.

Lleve suavemente la atención hacia su frente. En silencio, repita la sílaba "om" varias veces.

Su objetivo es no pensar en nada. Si aparecen pensamientos, no se preocupe –y no intente hacerlos detener a la *fuerza*. Simplemente vuelva su atención a la experiencia del silencio.

La trampa: Mientras más luche por *detener* sus pensamientos, más se resistirán. En lugar de eso, solo observe los pensamientos como si pasaran a lo lejos.

Después de meditar por unos diez minutos, abra los ojos. Mueva los dedos de las manos y los pies, abra y cierre los puños. Respire profundamente. Estire sus brazos y piernas. Ha concluido su sesión de yoga.

A medida que se haga más hábil meditando, debería ser capaz de *recordar* y *reproducir* la sensación a voluntad, para lograr la relajación instantánea en cualquier momento y lugar.

La sabiduría de la mediana edad

Kathryn Cramer, PhD, es psicóloga y fundadora del Cramer Institute, que ayuda a individuos y organizaciones a manejar la transición y el cambio, 10411 Clayton Rd., Suite 305, St. Louis, MO. Es autora de *Roads Home: Seven Pathways to Midlife Wisdom*. William Morrow & Co.

Inquietud, aburrimiento, cambios físicos y emocionales, falta de creatividad y/o la sensación de que algo amenazante se asoma en el horizonte, son a menudo señales de una crisis de la mediana edad.

Yo las llamo las *señales* que indican que se está preparado para iniciar un viaje hacia la sabiduría de la mediana edad, para lo cual hay que atravesar siete importantes caminos.

DOMINIO DE LA MENTE

El dominio es la capacidad de capitalizar sus conocimientos acumulados y su experiencia para resolver problemas.

La atención consciente a los detalles de su vida lo conducirá a tener mejor criterio a la hora de resolver problemas. Sin embargo, los expertos afirman que hoy en día el bombardeo de información es 1.000 veces mayor que en la época de nuestros abuelos.

Decidimos en primer lugar a qué parte de esa información prestar atención o ignorar –pero la mayoría de nosotros no nos damos cuenta de que hemos sobredesarrollado esta habilidad porque cuando llegamos a la mediana edad, hemos *dejado de prestar atención* de manera selectiva una gran cantidad de veces.

Útil: Para estar más consciente de los detalles de su vida, hágase estas preguntas al final de cada día…

● **¿Qué aprendí hoy?** Sea específico. Escriba lo que logró, pensó y dijo. Recuerde cualquier herramienta o aprendizaje nuevo que haya adquirido.

● **¿Cómo aprendí lo que aprendí?** Esto lo ayudará a señalar cómo aprende mejor y de forma más natural.

● **¿Cómo puedo aumentar el uso de esta forma de aprender en mi vida cotidiana?** Si ve que aprende leyendo, piense en llevar la lectura hacia otras partes de su vida.

VIGOR FÍSICO

Hay dos razones por las que las personas entre 35 y 65 años deben sintonizar con la forma como se sienten con sus cuerpos…

● **El componente físico de su viaje** está íntimamente relacionado con todos los demás componentes. Su mente, emociones y relaciones no pueden estar en la cima si su cuerpo no está funcionando al menos cerca de lo óptimo.

● **Gran parte de lo que perturba a las personas de mediana edad puede solucionarse o mejorarse.**

Estos simples hábitos pueden tener un impacto poderoso sobre su bienestar físico y mental…

● **Desayune todos los días.**

● **Evite las meriendas entre comidas.**

● **Mantenga su peso ideal.**

● **Haga ejercicio con regularidad.**

● **Duerma de siete a ocho horas todas las noches.**

- **No fume.**
- **Si bebe, hágalo moderadamente.**

VITALIDAD EMOCIONAL

Para mantenerse en buena salud emocional, debe ser capaz de recuperarse de las situaciones perturbadoras del pasado y el presente, y enriquecer sus relaciones con otras personas y otros acontecimientos.

Yo he hallado que en la primera mitad de la vida las experiencias felices a menudo surgen de sucesos que ocurren como uno quería.

Durante la segunda mitad de la vida, sin embargo, los adultos emocionalmente saludables son capaces de experimentar una alegría verdadera a pesar de las cosas malas que les ocurren. Perdemos la grandiosidad de la juventud, según la cual nosotros podemos y debemos ser la fuerza en el centro de la vida.

Lamentablemente, la mayoría de nosotros tenemos poco entrenamiento emocional antes de la mediana edad, por lo que tenemos dificultades para responder de manera competente al enojo, al dolor y al miedo.

Útil: Anote lo que le perturba de una experiencia frente a la que le gustaría responder emocionalmente diferente. Recuerde las experiencias infantiles que provocaron sentimientos negativos similares. ¿Cómo reaccionó? Sienta el dolor de no haber expresado sus sentimientos cuando niño. Sienta compasión por el niño que fue.

EFECTIVIDAD INTERPERSONAL

Interactuar bien con los demás requiere que seamos capaces de establecer relaciones afectivas y unificar los aspectos fuertes y los aspectos sensibles de nuestra personalidad.

Ejemplo: ¿Es usted feliz cuando le da un regalo a alguien? Para los adultos maduros, la satisfacción de dar un regalo es mucho mayor que la emoción de recibir uno. De hecho, los expertos llaman a este altruismo el sello de la madurez y la base de relaciones satisfactorias.

Muchas personas de mediana edad tienen dificultades que surgen de la falta de este factor altruista. Algunas parejas han perdido su capacidad de ayudarse el uno al otro de forma verdaderamente compasiva. O los padres no saben ser compasivos con sus hijos adolescentes.

Útil: Elija una persona que sienta como un adversario. Anote características que admire y que deteste. Luego escriba unas pocas oraciones acerca de su adversario como si no tuviera ningún sentimiento hacia él o ella. Sea objetivo y desapegado.

Piense en las características neutrales, admirables y negativas que le asignó a su adversario. Haga como si estuviera conociendo a esta persona por primera vez.

Esté atento a los descubrimientos que surjan como resultado de esta visión más equilibrada. Una vez que haya logrado una distancia emocional con esta persona, pruebe un acercamiento nuevo, enfatizando las características atractivas y neutrales por encima de las negativas. Verá los puntos de vista de su antiguo adversario de forma mucho más clara.

APTITUD EXCEPCIONAL

Necesitamos llevar a cabo tareas complejas, asumir roles de liderazgo y guía, y contribuir al mundo en forma importante con nuestros talentos y deseos.

Cuando llegamos a la mitad de nuestras vidas, nos hemos hecho hábiles en las tareas que hemos ido desempeñando durante años. Use esas aptitudes para dejar libres su tiempo y su atención y poder centrarse en los objetivos importantes de la segunda mitad de su vida. Es tiempo de confirmar o reajustar sus prioridades y desarrollar una visión, como cuando era joven.

Importante: No compare sus éxitos y fracasos con los de los demás. Esto lo desalentará o alimentará su ego de manera innecesaria. Subestimará el valor de lo que ha logrado, o tendrá un falso sentido de superioridad que menguará su motivación.

SERENIDAD ESPIRITUAL

La ansiedad espiritual de la mediana edad es muy frecuente. Si no luchamos para encontrar respuestas más satisfactorias a preguntas muy antiguas sobre la vida y nuestra mortalidad, nos arriesgamos a enfrentar la vejez teniendo al miedo y la ira como nuestras principales compañías. *Útil...*

- **Haga las paces con la vida.** Nuestra mortalidad asusta menos cuando sentimos que hemos aprovechado bien nuestras vidas.

- **Abandónese a los sentimientos acerca de su mortalidad.** Solidificar sus sentimientos puede conducir a un sentido más claro del propósito de la vida y una mayor satisfacción con la misma.

INTEGRIDAD PERSONAL

Estar feliz con uno mismo y el trabajo requiere integridad personal, una integración de las muchas partes de la personalidad trabajando juntas como un todo cohesivo. Las personas con integridad personal no actúan de una forma en el trabajo y de otra en casa. Tienen las mismas pautas de honestidad, comportamiento y respuesta emocional donde sea que estén.

Esfuércese por sacar lo mejor de usted y de los demás. Acuérdese de ayudar a quienes lo necesitan, y sea generoso con su tiempo y su energía. Su reputación y entusiasmo levantarán vuelo.

Plan para vencer las obsesiones y compulsiones

Jeffrey M. Schwartz, MD, profesor adjunto de investigación en psiquiatría de la facultad de medicina de la Universidad de California en Los Ángeles (UCLA). Es autor de *Brain Lock: Free Yourself from Obsessive-Compulsive Behavior.* HarperCollins.

No está seguro si apagó el horno, así que se va a casa a revisarla. Después de haber salido de nuevo, *todavía* no está seguro. ¿Y si la casa se quema? Así que revisa la cocina *otra vez.* Y *otra.* Éste es un comportamiento *obsesivo-compulsivo* clásico. El miedo que surge de los pensamientos perturbadores (obsesiones) conduce al comportamiento repetitivo (compulsiones).

Uno de mis pacientes se lavaba las manos 100 veces al día. Él sabía que estaban limpias pero no podía abandonar la sensación de que estaban sucias… y las frotaba hasta que sus manos se agrietaban y se ponían ásperas.

Cinco millones de estadounidenses sufren del *trastorno obsesivo-compulsivo* (TOC), cuyos síntomas dificultan considerablemente la vida cotidiana. Muchísimos otros tienen obsesiones y compulsiones menores de las que les gustaría librarse.

Ejemplos: Levantarse por la noche para revisar una cerradura una y otra vez, volver a leer el mismo texto para asegurarse de que entendió todas las palabras, tener atroces pensamientos violentos que no puede sacar de su mente.

Hemos dado grandes pasos en encontrar la causa de estos síntomas enloquecedores… y en desarrollar una terapia que efectivamente dé buenos resultados.

UN FALLO EN LA MENTE

El TOC se produce por un desequilibrio bioquímico en el *núcleo caudado*, una región del cerebro cuya función es controlar otra parte del cerebro llamada la *corteza orbital.*

Normalmente, la corteza orbital funciona como una especie de "sistema de detección de errores". Cuando el núcleo caudado no funciona bien, la corteza orbital se queda en la posición de "encendido". Este estado de "candado cerebral" crea una sensación persistente de que "algo está mal".

Al rescate: Mi programa de cuatro pasos puede controlar el TOC en pocas semanas.

PASO Nº 1: CAMBIAR LAS ETIQUETAS

Como las obsesiones y las compulsiones no desaparecen solas, lo primero es *cambiarles* las etiquetas haciendo notas mentales.

Si se siente obligado a contar todos los autos azules que pasen en la carretera, por ejemplo, dígase a sí mismo: "no *necesito* contar los autos azules. Tengo un impulso *compulsivo* de hacerlo".

Este diálogo interior lo devolverá a la realidad. *Observando* su mente, sin abandonarse a la compulsión pero tampoco negando que existe, usted refuerza su "espectador imparcial". Esa es la parte más interna de su personalidad… la que lo ayudará a vencer el TOC.

PASO Nº 2: REATRIBUIR

El siguiente paso responde a la pregunta: "¿por qué no se van estos aterradores pensamientos, impulsos y comportamientos?" *Reatribuya* esos síntomas a su verdadera causa: un desequilibrio químico en el cerebro.

Piense en la ansiedad del TOC como un sistema de alarma mental con un disparador. La sirena podrá estar sonando incesantemente, pero eso *no* significa que usted tenga que prestarle atención.

Útil: En silencio piense en la frase: "no soy yo, es el TOC". Al hacerlo hace hincapié en la diferencia entre sus pensamientos y miedos… y su yo verdadero.

Una vez que aprenda a separarse de sus impulsos y ansiedades, puede *elegir* no reaccionar a ellos.

PASO Nº 3: REENFOCAR

Cada vez que surja su obsesión o compulsión, *reenfoque* su atención en una actividad constructiva y agradable –dar un paseo, trabajar en el jardín, tejer, escuchar música, jugar a un videojuego.

Su meta es practicar la actividad durante al menos 15 minutos. Al principio, sin embargo, es posible que no pueda seguirla por más de cinco minutos.

Mientras más se frene a la hora de seguir impulsos compulsivos, más débiles serán estos impulsos. Incluso si a la larga cede, usted ha mejorado. Está aprendiendo a tolerar el malestar psicológico… y a fortalecer su poder de decir "no". Esto es profundamente enriquecedor.

PASO Nº 4: REEVALUAR

Mientras más practique con diligencia los pasos anteriores, más podrá reconocer sus obsesiones y compulsiones como lo que son –distracciones que no valen la pena y no tienen ningún valor.

Este proceso a la larga se volverá automático. Sin siquiera pensarlo, será capaz de minimizar los pensamientos e impulsos hasta que éstos se desvanezcan.

BENEFICIOS DE ESTE MÉTODO

Algunas personas experimentan un profundo alivio después de usar mi programa de cuatro pasos durante solo un día. Para la mayoría de las personas, sin embargo, lleva unas ocho a diez semanas.

No espere que sus impulsos desaparezcan por completo. Cada pequeño adelanto –como aplazar durante cinco minutos el revisar la cerradura– lo acerca al control completo. ¡Alábese por cada paso adelante!

El método de cuatro pasos es más que una técnica de comportamiento, porque tiene efectos fisiológicos. Los estudios que se llevaron a cabo con *tomografía por emisión de positrones* (PET por sus siglas en inglés) demostraron que en los individuos que practican el método de cuatro pasos, el funcionamiento de la mente se normaliza.

¿Y QUÉ TAL CON LOS MEDICAMENTOS?

Algunos medicamentos desarrollados recientemente –incluidos los antidepresivos *fluoxetina* (Prozac) y *fluvoxamina* (Luvox) y el ansiolítico *buspirona* (BuSpar)– debilitan en gran medida los temores que hacen que los impulsos del TOC sean tan difíciles de resistir.

Considero estos medicamentos como "opciones de iniciación" –una ayuda útil cuando está familiarizándose con el método de cuatro pasos.

Una vez que domine mi programa y la biología de su cerebro comience a cambiar, usted podrá reducir la dosis… o dejar de tomar los medicamentos por completo.

22

Métodos naturales y soluciones herbarias

Tés de hierbas...
cómo cultivar las hierbas
y preparar el té

Marietta Marshall Marcin

Existen muchas hierbas que se pueden usar para preparar té. Aun cuando no crecerán tanto como lo harían al aire libre, usted puede cultivarlas dentro de casa. Simplemente escoja un lugar donde las plantas reciban mucho sol –lo ideal es una ventana con vista al sur que tenga luz durante todo el día.

HIERBAS QUE SIRVEN
PARA PREPARAR TÉS EXCELENTES

Es probable que en su tienda de jardinería tengan semillas o que allí sepan dónde pedirlas por correo. *Estas son algunas de mis favoritas...*

● **Las semillas, hojas y raíces de hinojo ("fennel")** son remedios excelentes para el estómago y los intestinos. Cuando se hacen en té, despiertan también el apetito y expelan acumulaciones mucosas. El té sabe como el anís, la menta y el regaliz ("licorice").

● **El té de melisa (toronjil, "lemon balm")** ha sido usado para cólicos, retortijones, catarros bronquiales, dispepsia, algunas formas de asma y dolores de cabeza.

● **El té de menta ("mint")** puede hacerse de 30 variedades distintas. Los tés de menta alivian retortijones, tos, mala digestión, náuseas, acidez estomacal, dolores estomacales y de cabeza y otras dolencias atribuidas a los nervios.

● **El té de tomillo ("thyme")** es ideal para calmar los nervios, aliviar la indigestión y limpiar las membranas mucosas.

SECADO Y ALMACENAMIENTO

● **Con unas tijeras,** corte las hojas justo antes de que se forme la flor, para obtener el sabor más intenso y el mejor color de la hoja cuando se seque.

Marietta Marshall Marcin, jardinera de Winnetka, Illinois, cultiva 34 hierbas en su jardín. Es autora de varios libros, incluido *The Herbal Tea Garden: Planning, Planting, Harvesting & Brewing.* Storey Communications.

416

•Lave rápidamente las hojas o las ramas en agua fría... y séquelas ligeramente con una toalla. Luego distribúyalas sobre una bandeja de malla y coloque en el horno a fuego lento de entre 100° y 125° F (40° a 50° C). Deje la puerta del horno abierta, y quédese cerca porque las hojas se secan en pocos minutos. O séquelas en el microondas a una configuración muy baja por un minuto o menos.

INFUSIÓN

Cubra una cucharadita de hojas secas –o tres cucharaditas de hierba recién triturada– con una taza de agua hirviendo. Remoje por diez minutos y cuele.

Las especias y la autocuración

James A. Duke, PhD, botánico en Fulton, Maryland. Está jubilado luego de trabajar 30 años en el Departamento de Agricultura de Estados Unidos (USDA) en Beltsville, Maryland. Es autor de numerosos libros, incluido *The Green Pharmacy* (disponible en español –*La farmacia natural*). Rodale Press.

Tal vez usted no sepa que las semillas de apio combaten la gota. O que las hojas de laurel alivian el dolor de cabeza. Nosotros tampoco, hasta que el destacado botánico James A. Duke, PhD, compartió con nosotros sus preferencias de especias medicinales más útiles*...

HOJAS DE LAUREL

Buenas para: Migrañas y diabetes.

Propiedades curativas: Las hojas de laurel son ricas en componentes analgésicos llamados *partenolidos*.

También contienen un componente que estimula la capacidad de la insulina de controlar el azúcar en la sangre ("blood glucose").

Comer alimentos sazonados con hojas de laurel ayuda a prevenir la diabetes... y ayuda a evitar que los que padezcan diabetes Tipo II (que generalmente comienza en la adultez)

*Consulte a su médico antes de utilizar especias con propósitos medicinales. No sustituya con "terapia de especias" los medicamentos recetados por su médico.

empeoren hasta el punto de necesitar inyecciones diarias de insulina.

Cómo usarlo: Haga té remojando varias hojas de laurel en agua caliente. O añada hojas de laurel a la sopa de pollo o de frijoles (habichuelas, "beans").

Precaución: Las hojas de laurel no se deben comer.

LA CAYENA ("CAYENNE")

Buena para: Dolor crónico, artritis, úlceras, bronquitis, resfriados, gripe.

Propiedades curativas: La cayena contiene *capsaicina*, un compuesto que bloquea la *Sustancia P*, la sustancia química cerebral que tiene involucrada con la transmisión de los impulsos de dolor.

La capsaicina también estimula la producción natural de analgésicos corporales llamados *endorfinas*... y destruye la bacteria estomacal que causa las úlceras, la *helicobacteria pylori*.

Cómo usarla: Para alivio del dolor, empape una gasa en salsa de pimientos picantes ("hot pepper sauce") que contenga cayena, y aplíquela en el área adolorida. Mi esposa ha encontrado esto muy eficaz para su dolor de espalda.

Para úlceras o para obstrucciones de las vías respiratorias, añada media cucharadita de salsa de pimientos picantes o de cayena a una limonada caliente, y bébala.

SEMILLAS DE APIO ("CELERY")

Buenas para: Artritis y la gota.

Propiedades curativas: Las semillas de apio contienen más de una docena de distintos compuestos antiinflamatorios. Estos mismos compuestos se hallan en los tallos de apio.

Cómo usarlas: Tome dos cápsulas de extracto de semillas de apio ("celery seed extract" que se puede comprar en las tiendas de alimentos naturales). También puede comer cuatro tallos de apio.

AJO

Bueno para: Enfermedades cardiacas, alta presión arterial, defensas inmunes defectuosas.

Propiedades curativas: El ajo es uno de los antibióticos naturales más potentes, inhibe el crecimiento de hongos, levaduras y bacteria –incluidos los que se han vuelto resistentes a antibióticos sintéticos.

El ajo también contiene *alicina*, un compuesto que trabaja como la aspirina para diluir la sangre. Gracias a este efecto –además de sus comprobados poderes para reducir el colesterol y bajar la presión arterial– el ajo es eficaz en la prevención de la aterosclerosis.

Cómo usarlo: Añado dientes de ajo a casi todo lo que cocino. También cocino con cebollín ("chives"), puerros ("leeks") y cebollas. Todos tienen propiedades similares a las del ajo.

Cada vez que mis nietos me visitan, tomo pastillas de ajo para protegerme de cualquier infección que ellos puedan haber traído.

Por temor a tener mal aliento, algunas personas prefieren las pastillas de ajo "sin olor" ("deodorized"). Pero estoy convencido de que mientras más olor tenga una pastilla de ajo, mejor será para usted.

Atención: Si usted toma aspirina para prevenir un ataque cardiaco, el ajo puede diluir su sangre demasiado. Hable con su médico.

EL REGALIZ ("LICORICE")

Bueno para: Próstata agrandada y úlceras.

Propiedades curativas: *El ácido de glicirrizina*, el principal ingrediente activo del regaliz, previene la conversión de testosterona en didrotestosterona. Esto reduce la hinchazón de la próstata, con lo cual se termina la orina frecuente, el síntoma más común del agrandamiento de la próstata.

El regaliz también contiene numerosos compuestos antibacteriales, incluidos algunos que eliminan la bacteria causante de las úlceras.

Cómo usarlo: Masticar caramelos de regaliz *no* funciona porque la mayoría de los caramelos de regaliz que se venden en EE.UU. se hacen con anís, y no regaliz.

En cambio, use una pieza de raíz de regaliz para revolver su té. Los ingredientes activos se remojarán en el té –y actuarán como edulcorante natural.

También puede añadir extracto de raíz de regaliz a las bebidas calientes. La raíz de regaliz y el extracto de raíz de regaliz se consiguen en las tiendas de alimentos naturales.

Precaución: Mucho regaliz puede elevar la presión arterial y causar problemas cardiacos. Si usted tiene presión arterial alta, consulte a su médico antes de usar regaliz.

ROMERO ("ROSEMARY")

Bueno para: Mal de Alzheimer.

Propiedades curativas: Llamada a veces la "hierba de la memoria", el romero contiene cinco compuestos que parecen prevenir la desintegración de la *acetilcolina*, un neurotransmisor del que carecen los pacientes con Alzheimer.

Creo que el romero funciona tan bien que el medicamento para el Alzheimer, *tacrina* (Cognex). La tacrina solo funciona en el 25% de los pacientes… y puede causar daños al hígado.

También creo que comer romero reduce el riesgo de *desarrollar* mal de Alzheimer.

Cómo usarlo: El romero puede añadirse a todo tipo de recetas, incluidos platos con pollo y pescado.

Como existe evidencia de que el romero puede ser absorbido por la piel, también puede añadir ramitas de romero al agua del baño… usar champú de romero… y frotar loción de romero en la piel.

Jengibre para las molestias estomacales… y más

Stephen Fulder, PhD, bioquímico y consultor de investigaciones privadas en Galilea, Israel. Fue profesor de la Universidad de Londres y ha escrito varios libros, incluido *The Ginger Book: The Ultimate Home Remedy*. Avery.

Si usted es como la mayoría de los estadounidenses, el contacto más próximo que tiene con el jengibre ("ginger") es en un vaso de la bebida gaseosa "ginger ale".

Pero en muchas partes de Asia, el jengibre es muy valorado como medicina. Es parte de la vida diaria de mil millones de personas, como remedio casero seguro y eficaz para una variedad de dolencias, incluidas molestias estomacales, resfriados y la mala circulación.

El jengibre en polvo, del que usted encuentra en la sección de especias del supermercado, es bastante poderoso. Pero el jengibre fresco es más poderoso… y el jengibre fresco natural es aún más potente. *A continuación le indicamos cómo utilizar el jengibre…*

●**Molestias estomacales.** Un "té" de jengibre hecho con un tercio de cucharadita de jengibre en polvo (o una cucharadita de jengibre rallado) en una taza de agua caliente con un chorrito de limón brinda alivio rápido a los mareos, náuseas, vómitos o una indigestión.

También puede comprar jengibre en cápsulas o tabletas en las tiendas de alimentos naturales. En ese caso, debe tomar 2 cápsulas de 500 mg.

El jengibre calma el estómago eliminando la sensación de náuseas y acelerando el proceso digestivo.

●**Resfriado.** Tome dos tazas de té de jengibre (o dos cápsulas de 500 mg) tres veces al día.

●**Mala circulación.** Para las manos y/o pies fríos, tome una taza de té de jengibre (o una cápsula de 500 mg) diaria, preferiblemente en la mañana. No verá los resultados rápidamente; es más una medida preventiva que una cura.

Pero no espere enfermarse para usarlo. Me encanta añadir un pedacito de jengibre fresco al té regular… o espolvorearlo sobre vegetales salteados. Yo consumo un poco de jengibre todos los días. Usted también debería hacerlo.

Hierbas medicinales: Cultívelas para mejorar su salud física y emocional

Miranda Smith, escritora y profesora de horticultura del New England Small Farm Institute, Box 180, Belchertown, Massachusetts 01007. Autora de *Your Backyard Herb Garden*. Rodale Press.

En los años recientes, hemos empezado a apreciar de nuevo el valor medicinal de las hierbas. Usadas de la manera apropiada, las hierbas ofrecen una alternativa natural y segura a muchos medicamentos –para energizar, relajar, ayudar a curar las heridas, etc.

La mayoría de la gente compra sus hierbas en las tiendas de alimentos naturales. Pero muchas hierbas son fáciles de cultivar, ya sea que usted tenga un jardín grande o solo unas macetas en el portal.

LA JARDINERÍA LE HACE BIEN

La jardinería es un antídoto maravilloso para el estrés psicológico… una fuente de soledad… y un descanso de los problemas cotidianos. Además, usar la pala, el pico, el azadón, etc., constituye un ejercicio muy bueno.

Usted podría descubrir que la jardinería es buena para el espíritu. Una cosa es *leer* que "todo está conectado" y otra *experimentarlo* en su propio jardín.

Cuando usted cuida sus hierbas todos los días, comprueba cómo el sol, la lluvia, la tierra y su propio cuidado afectan las plantas. Y empieza a sentir que usted es una parte integral de los ritmos de la naturaleza.

Las hierbas pueden cultivarse a partir de semillas o retoños. Puede conseguirlas en el vivero de su comunidad… o solicitarlas a compañías que venden por correo, como Richters, 357 Hwy. 47, Goodwood, Ontario, Canadá L0C 1A0. 905-640-6677, *www.richters.com*.

MANZANILLA ("CHAMOMILE")

Esta planta produce flores parecidas a las margaritas en tallos que crecen hasta tres pies (1 metro) de alto. Lo mejor es que le dé mucha luz solar, pero tolera sombras parciales.

La manzanilla *alemana* crece recta y puede plantarse con 6 a 8 pulgadas (15 a 20 cm) de separación. La manzanilla *romana* es baja, con tallos rastreros. Deje unas 18 pulgadas (45 cm) entre las plantas.

Usos: El té de manzanilla, hecho de flores secas o frescas, es muy relajante. Tomado 15 minutos antes de dormir, induce el sueño. El té de manzanilla también calma a los niños malhumorados y alivia el dolor cuando les salen los dientes.

Precaución: Si usted es alérgico a la ambrosía ("ragweed"), evite el té de manzanilla.

CONSUELDA ("COMFREY")

Esta planta tupida crece de tres a cinco pies (1 a 1,5 metro) de alto, con flores tubulares colgantes en colores que van del azul hasta el crema y el amarillo. La consuelda prefiere bastante sol pero crecerá en sombra parcial. Dé a cada planta al menos tres pies cuadrados.

Usos: La consuelda es para usos *externos* únicamente. Un *concentrado* fuerte de consuelda tipo té usada en la piel, ayuda a sanar cortadas, quemaduras y contusiones.

HINOJO ("FENNEL")

Esta hierba crece hasta 5 pies de alto, con pequeñas flores amarillas que aparecen en pleno verano. Plante con separación de 6 pulgadas (15 cm), preferiblemente a la luz del sol.

Usos: El té de hinojo ayuda a la digestión. También reduce los cólicos de los bebés, y los gases en niños y adultos.

MATRICARIA ("FEVERFEW")

Esta robusta perenne (también conocida como crisantemo o pelitre) de 2 pies (60 cm) da flores blancas parecidas a las margaritas. Plante las semillas donde dé sol o sombra parcial, con 12 pulgadas (30 cm) de separación. La matricaria florece también en interiores en una maceta, siempre que le dé directamente la luz del sol.

Usos: Se ha comprobado que el té de hojas de matricaria reduce la severidad e intensidad de las migrañas. Puede tomarse hasta tres veces por día, entre comidas. O simplemente mastique de una a cuatro hojas frescas al día.

Precaución: Deje de usarla si desarrolla llagas en la boca.

LAVANDA (ESPLIEGO, "LAVENDER")

Esta planta crece hasta 2 pies (60 cm) de alto. Sus lindas flores dejan una fragancia dulce y limpia. Plántela donde dé mucho sol o en sombra parcial, y deje de 1 a 3 pies (30 a 90 cm) de separación. También, crece en macetas.

Usos: El té de lavanda calma los nervios. Una compresa de té de lavanda fría alivia los dolores de cabeza.

LIGÚSTICO (LEVÍSTICO, LIGUSTRO, "LOVAGE")

Una planta de ligústico, que crece hasta seis pies (1,80 m) de alto, puede cubrir sus necesidades por un año entero. Prefiere sombra parcial.

Usos: Use el ligústico tal como usaría el apio, en platos de queso y huevos, sopas, guisos, ensaladas, etc. Puede aplicar té de ligústico a las heridas como antiséptico. O beberlo para estimular la digestión.

MEJORANA ("MARJORAM")

Esta planta crece un pie (30 cm) de alto, con pequeñas flores blancas o rosadas. Siembre las semillas a una distancia de seis a ocho pulgadas (15 a 20 cm), si es posible bajo el sol. También crecerá en macetas.

Usos: El té de mejorana ayuda a aliviar el malestar estomacal. Úselo tibio en gárgaras para la garganta inflamada.

MENTA POLEO ("PENNYROYAL")

Esta planta perenne crece hasta un pie de alto, con flores azuladas. Ponga las plantas al sol o sombra parcial, separadas de 6 a 10 pulgadas.

Usos: La menta poleo es un repelente de insectos natural. Frote las hojas sobre la piel… o ponga un ramillete de poleo en su mesa de picnic. De vez en cuando apriete las hojas para liberar la fragancia insecticida.

Precaución: No ingiera la menta poleo. Es venenosa.

TOMILLO ("THYME")

El tomillo crece hasta 15 pulgadas (40 cm) de alto. Ponga grupos de plantas con 1 pie (30 cm) de distancia, bajo el sol o en sombra parcial.

Usos: El té de tomillo asienta el estómago. También puede añadirlo al agua del baño. Sus cualidades antisépticas alivian la piel áspera.

CÓMO PREPARAR INFUSIONES DE HIERBAS

Remoje las hierbas frescas o secas por 20 minutos en un envase bien cerrado. Refrigere inmediatamente cualquier porción que no use.

Algunas hierbas pueden causar irritación del estómago, dolor de cabeza y otros efectos secundarios. Para empezar, haga un té extremadamente ligero. Vea cómo le afecta. Una vez que esté seguro de que tolera el té ligero, aumente un poco la fuerza para encontrar el punto que le funcione mejor.

Remedios florales

Jamison Starbuck, ND, médica de naturopatía con práctica familiar que da clases en la Universidad de Montana en Missoula. Fue presidenta de la American Association of Naturopathic Physicians y editora colaboradora de *The Alternative Advisor: The Complete Guide to Natural Therapies and Alternative Treatments*. Time Life.

Las flores secas de *caléndula officinalis* (maravilla) son buenas para quemaduras, cortaduras, rasguños, acné, amigdalitis y llagas bucales, vaginitis, sarpullidos, pie de atleta y quemaduras del sol.

Durante la Guerra Civil estadounidense, estas flores de color amarillo y anaranjado intenso fueron la línea de defensa principal contra las infecciones. Ahora usted puede comprar flores secas de caléndula officinalis, ungüentos, tintes o spray en la mayoría de las tiendas de alimentos naturistas… o plantarlas usted mismo.

La caléndula officinalis florece en casi cualquier clima, ya sea que se plante en una maceta o en la tierra.

La mayoría de los viveros venden matas para plantar en primavera. Asegúrese de preguntar por la *caléndula officinalis* –no caléndula que es "marigold" en inglés.

Las flores cosechadas entre junio y septiembre son las más potentes. Séquelas sin que les dé sol directo en una malla por una o dos semanas. Guárdelas en un envase hermético.

El té caliente de caléndula officinalis ayuda a aliviar las úlceras. Haga gárgaras con té frío para las amígdalas inflamadas o las llagas bucales.

Para preparar té: Vierta 10 onzas (300 ml) de agua hirviendo en ⅔ de taza de flores. Deje remojar por 15 minutos. O puede añadir de cinco a diez gotas de tintura de caléndula ("calendula tincture") a una taza de agua caliente.

Aplique el tinte o el spray a sarpullidos, cortaduras, rasguños o acné con una bolita de algodón. El spray es bueno para insolaciones, vaginitis y lombrices intestinales. Use el ungüento en costras, eczemas y soriasis.

Para hacer ungüento: Derrita ½ taza de vaselina ("petroleum jelly") a fuego lento en baño María ("double boiler"). Añada un puñado de flores de caléndula officinalis secas. Caliente a fuego lento por una hora. Separe la hierba y vierta en una jarra de vidrio.

Trate el estrés y la depresión de forma natural

Michael J. Norden, MD, profesor clínico adjunto de psiquiatría de la Universidad de Washington en Seattle. Estuvo entre los primeros en publicar información médica de la variedad de usos del Prozac y ha sido pionero en la integración de la psicofarmacología y los tratamientos alternativos. Es autor de *Beyond Prozac.* ReganBooks/HarperCollins.

El estrés de la vida moderna ha ocasionado la aparición de una epidemia mundial de depresión. Los desórdenes del humor prevalecen más ahora que nunca, y están ocurriendo a edades más tempranas.

¿Qué está causando esta epidemia? Gran parte de la culpa puede recaer en la tecnología, y los cambios de estilo de vida que ha impulsado.

Nuestros cuerpos y cerebros evolucionaron para una existencia en la Edad de Piedra, cuando la vida diaria era gobernada por la salida y la puesta del sol y el cambio de las estaciones. Hoy, la gente parece vivir a un paso precipitado, las 24 horas del día, durante todo el año.

El problema: La vida acelerada ocasiona la reducción de los niveles del neurotransmisor *serotonina*, un protector clave contra la depresión.

Bajo el consejo de sus médicos, muchas personas utilizan los antidepresivos para aliviar su desazón mental. Esto es prudente para depresiones graves. Sin embargo, a menudo tiene más sentido encontrar maneras naturales y no farmacológicas de elevar los niveles de serotonina…

RECIBA MÁS LUZ

Se ha demostrado que la exposición a la luz brillante eleva los niveles de serotonina. Lamentablemente, la luz interior tiene un promedio de solo 200 a 500 lux. Muy débil para lograr resultados. Al aire libre, la luz del sol puede llegar a más de 100.000 lux.

Exponerse a la luz artificial de *noche* (cuando nuestros ancestros habrían estado durmiendo) desequilibra el ciclo de producción de *melatonina.* Esta importante sustancia neuroquímica afecta una variedad de funciones corporales, incluida la síntesis de serotonina, lo que la convierte en otro importante protector contra la depresión.

Antídoto: Salga al aire libre tanto como pueda durante el día. Si usted vive en un clima "gris", considere comprar una caja de luz (10.000 lux). Este aparato –que puede costar desde $200– puede usarse mientras lee, hace ejercicios o mira televisión.

Precaución: No se recomienda el uso de las cajas de luz a personas con enfermedades en la retina.

Mejores marcas: Apollo Light Systems (800-545-9667, *www.apollolight.com*) y The SunBox Company (800-548-3968, *www.sunboxco.com*).

También ayuda: Simuladores de amanecer. Estos aparatos usan la luz para despertarle naturalmente en las oscuras mañanas de invierno.

BUSQUE IONES NEGATIVOS

El aire con altas concentraciones de iones negativos –moléculas con un electrón adicional– está claramente relacionado con humores positivos. Lamentablemente, el aire de la ciudad contiene diez veces menos iones negativos que el aire del campo o de la costa. Las concentraciones de iones son incluso más bajas dentro de las oficinas con aire acondicionado.

Antídoto: Si usted no puede vivir en el campo o cerca del mar, compre un generador de iones negativos. Estos aparatos impulsan los niveles de serotonina, mejorando el humor y fomentando el sueño.

Asegúrese de que la máquina que adquiera genere iones negativos *pequeños*. Ese es el tipo que ha demostrado producir beneficios psicológicos.

Mejor marca: Bionic Products of America (800-634-4667).

DUERMA MÁS

Los adultos hoy en día duermen 20% menos que antes de la invención de la luz eléctrica. La mayoría de nosotros necesita al menos ocho horas de sueño cada noche. Cerca del 50% de los estadounidenses duerme menos de eso.

La privación del sueño produce una drástica disminución de los niveles de serotonina. Y esto está directamente ligado a la depresión.

Antídoto: Convierta el dormir en una prioridad. Si le da sueño durante el día o si necesita

una alarma para despertarse probablemente usted necesite dormir más.

Estrategias: Mantenga su habitación fresca y oscura… evite trabajar o ver televisión estimulante al menos una hora antes de acostarse… reduzca la cafeína y el alcohol… haga ejercicios tarde en el día (pero al menos cinco horas antes de ir a la cama)… levántese a la misma hora todos los días. Los días en que no haya podido dormir suficiente, tome una siesta.

HAGA EJERCICIO CON REGULARIDAD

El ejercicio, un excelente impulsor de serotonina, está relacionado no solo con humores positivos, sino también con una mejor salud general. Sin embargo, a pesar de la llamada "revolución del fitness", los estadounidenses hacen menos ejercicio hoy que hace diez años. Hacemos muchísimo menos ejercicio que nuestros ancestros cazadores-recolectores.

Antídoto: Encuentre un ejercicio que le agrade, y hágalo con regularidad. El ejercicio aeróbico varias veces a la semana es ideal, pero cualquier tipo de ejercicio es mejor que nada.

REVISE SU DIETA

Nuestros ancestros sobrevivieron prácticamente de plantas verdes pequeñas y animales de caza que tenían poca grasa pero mucho colesterol.

Lección: Aún cuando algunos hombres de mediana edad y otros con alto riesgo de ataques cardiacos deberían tomar medidas para reducir los altos niveles de colesterol, los niveles de colesterol por debajo de 160 dan un riesgo más elevado de depresión, accidentes y suicidio. Aparentemente, los niveles de colesterol bajos interfieren con la regulación de la serotonina.

Esto no significa que debemos llenarnos de grasas saturadas. Más bien sugiere que debemos ser cautelosos con los niveles de colesterol que estén demasiado altos o demasiado bajos.

¿Y los carbohidratos? Estos sí parecen mejorar la función de la serotonina temporalmente. A largo plazo, sin embargo, una dieta alta en carbohidratos reduce su bienestar.

La razón: Los carbohidratos elevan rápidamente el azúcar en la sangre y los niveles de insulina. La insulina elevada hace que el cuerpo almacene la comida como grasa –haciéndola menos disponible para la energía. La insulina también estimula la producción de ciertas prostaglandinas vinculadas a la depresión.

Antídoto: Lleve una dieta que sea más acorde a la de nuestros ancestros cazadores-recolectores…

●**Haga énfasis en las frutas y los vegetales** y limite el consumo de granos, cereales y dulces. Cuando coma granos, que sean granos integrales. Tienen un efecto menos drástico en el azúcar en la sangre que el pan blanco o el cereal procesado.

●**En cada comida, mantenga una proporción de calorías** provenientes de proteínas, grasas y carbohidratos de 30%-30%-40%.

●**Mantenga sus comidas por debajo de las 500 calorías.** No deje que pasen más de cinco horas entre comidas (excepto cuando duerme). Las comidas pequeñas y frecuentes mantienen los niveles de insulina más bajos que unas pocas comidas grandes.

●**No consuma carnes rojas o yemas de huevo más de una vez a la semana.** Estos alimentos contienen una sustancia química precursora de una sustancia cerebral asociado a la depresión.

¿Y QUÉ TAL LOS ANTIDEPRESIVOS?

Alguien que esté tan deprimido que presente problemas para rendir en el trabajo o en su casa debería pedir un diagnóstico médico.

●**Fluoxetina** (Prozac) es el más conocido de un grupo de antidepresivos llamados *inhibidores de la elevación de serotonina selectiva* (SSRI por sus siglas en inglés). Estos medicamentos evitan muchos de los serios riesgos médicos de los fármacos antiguos.

Pero el Prozac puede causar disminución de la libido, retrasar el orgasmo, producir insomnio y agitación… y puede suprimir los niveles de melatonina.

Puede que esto no sea una preocupación a corto plazo. Sin embargo, para pacientes que toman el medicamento por un año o más, el efecto en la melatonina puede tener implicaciones negativas para la salud y el humor a largo plazo.

●**Sertralina** (Zoloft) y *paroxetina* (Paxil) son parecidos al Prozac pero pueden resultar mejores o peores según cada persona.

●**Fluvoxamina** (Luvox) es otro SSRI que parece tener menos efectos secundarios que el Prozac. A diferencia del Prozac, eleva los niveles de melatonina.

●**Nefazodone** (Serzone) afecta la serotonina más sutilmente y parece no tener los efectos secundarios que más se le adjudican al Prozac. Puede ser de particular ayuda para tratar la depresión acompañada de ansiedad e insomnio.

●**Venlafaxina** (Effexor) actúa en la serotonina e impulsa los niveles de *norepinefrina* (la sustancia neuroquímica afectada por antidepresivos antiguos llamados tricíclicos). Tiene una buena historia en tratamiento de casos que no responden a otros medicamentos.

●**Bupropion** (Wellbutrin) no actúa sobre la serotonina. De hecho, no estamos muy seguros *cómo* funciona. En un pequeño porcentaje de los casos, se le ha asociado con ataques apopléticos. Este riesgo puede minimizarse disminuyendo la dosis.

Remedios eficaces en el gabinete de su cocina

Jamison Starbuck, ND, médica de naturopatía con práctica familiar que da clases en la Universidad de Montana en Missoula. Fue presidenta de la American Association of Naturopathic Physicians y editora colaboradora de *The Alternative Advisor: The Complete Guide to Natural Therapies and Alternative Treatments.* Time Life.

La próxima vez que necesite alivio para una dolencia aguda, busque en su cocina. Es probable que encuentre la misma cantidad de remedios allí, que en su gabinete de medicamentos.

●**Resfriado.** Pruebe té de jengibre ("ginger"). Es un remedio antiviral y antiinflamatorio, ayuda a prevenir los escalofríos y reduce la formación de flema. *Qué hacer:* corte en rebanadas finas una pieza de dos pulgadas (5 cm) de raíz de jengibre fresca. Coloque las rebanadas en una cacerolita y cubra con 12 onzas (350 ml) de agua. Caliente hasta el punto de hervor, luego deje hervir a fuego lento por siete minutos. Cuele, añada miel y el jugo de medio limón fresco. Tome seis onzas (175 ml) cada tres horas.

●**Congestión nasal o sinusitis.** Para limpiar las vías nasales, pruebe una inhalación de *vapor de hojas secas de tomillo* ("thyme"). El tomillo es un buen antiséptico y descongestionante. *Qué hacer:* vierta ¼ de galón (1 litro) de agua hirviendo en un bol. Añada una cucharadita colmada de hojas de tomillo secas. Colóquese una toalla grande de algodón sobre la cabeza y mantenga su rostro a unas 12 pulgadas (30 cm) sobre el bol. Respire el vapor de tomillo por ocho minutos. Luego suénese la nariz con suavidad.

●**Infección de la vejiga.** Si siente los primeros síntomas de una infección en la vejiga –como dolor al orinar o aumento en la frecuencia de orinar– pruebe el *té de perejil*. El perejil es un diurético natural suave que contiene casi ninguna caloría y también lava la vejiga de organismos molestos que pueden causar infecciones. *Qué hacer:* hierva ¼ de galón (1 litro) de agua, apague el fuego y añada una taza de perejil fresco, con las hojas y los tallos. Cubra y deje remojar por 15 minutos. Cuele y beba una taza de té frío en un periodo de dos horas. Repita el proceso cuatro horas más tarde. Si sus síntomas empeoran o persisten por más de 24 horas, vea a un profesional de la salud.

Todo sobre los remedios herbarios

Daniel B. Mowrey, PhD, presidente del American Phytotherapy Research Laboratory, una institución de investigación sin fines de lucro en Lehi, Utah. Es autor de varios libros sobre la medicina herbaria, entre ellos *Herbal Tonic Therapies.* Keats Publishing.

Aun si usted come correctamente, hace ejercicios con regularidad y duerme suficiente, los suplementos de hierbas pueden mejorar significativamente su salud.

Como lo explica el Dr. Daniel B. Mowrey, uno de los principales botánicos del país, los llamados "tónicos" de hierbas brindan un impresionante conjunto de beneficios para la salud, incluidos un incremento de la energía y la vitalidad... mayor inmunidad... reducción del riesgo de enfermedades cardiacas... mejor funcionamiento del hígado... y reducción de la inflamación de las articulaciones.

Si desea añadir remedios herbarios a su gabinete de medicamentos, empiece con los siguientes ocho tónicos herbarios.* Todos se consiguen en las tiendas de alimentos naturales.

A diferencia de los fármacos, las preparaciones herbarias no están reguladas por la agencia federal Food and Drug Administration (FDA). Pida a un empleado de la tienda que le recomiende una marca confiable.

Las dosis que sugerimos se basan en cápsulas que contienen de 850 a 900 mg de la hierba.

Precaución: Consulte a un médico antes de empezar cualquier régimen con hierbas –especialmente si usted tiene una dolencia cardiaca u otra enfermedad crónica y/o si usa medicamentos con o sin receta. Los remedios herbarios pueden interactuar peligrosamente con ciertos fármacos.

Si al tomar una hierba, usted desarrolla sarpullido, náuseas, urticaria, dolores de cabeza o síntomas parecidos a los de la fiebre del heno, deje de tomarla de inmediato.

CAYENA ("CAYENNE")

La cayena es buena para el sistema cardiovascular. Es un estimulante suave que también ayuda a mantener el tono muscular del estómago y las paredes intestinales y mejora la digestión. La cayena también es una excelente "hierba activadora", lo que amplifica el beneficio de otras hierbas que usted tome.

Dosis diaria: Dos cápsulas. O use cayena molida como especia.

*Nota del editor: Ciertos remedios son inherentemente peligrosos. La *consuelda* ("comfrey"), la *borraja* ("borage"), el *chaparro* (jarrilla, "chaparral") y la *fárfara* (tusilago, "coltsfoot") pueden causar enfermedades hepáticas... la *efedra* ("ma huang") puede provocar elevación de la presión arterial, especialmente peligrosa para las personas con enfermedades cardiacas, de tiroides o diabéticas... la *yohimbina* ("yohimbe") puede ocasionar temblores, ansiedad, alta presión arterial y aumento del ritmo cardiaco.

EQUINÁCEA ("ECHINACEA")

La equinácea combate la enfermedad en dos niveles. Primero, eleva los niveles de glóbulos blancos, *linfocitos B* y *T* y *fagocitos* –que son los componentes clave de un sistema inmune saludable. Y segundo, neutraliza los microorganismos invasores.

Investigadores alemanes han demostrado que la equinácea detiene infecciones de estafilococos, estreptococos y hongos, además de una variedad de virus.

Dosis diaria: Dos cápsulas. Asegúrese de que las cápsulas contengan la raíz *entera* en forma pulverizada y no un extracto.

Usado intermitentemente, el extracto líquido de la equinácea forma un bálsamo calmante para las irritaciones de garganta. Con un gotero, deje caer algunas gotas en la parte de atrás de su garganta.

AJO

Esta especia ayuda a prevenir enfermedades cardiacas porque disminuye los niveles de colesterol y bloquea la formación de depósitos de grasa en las arterias coronarias. También eleva los niveles de células T, que son un componente crítico del sistema inmune.

Los estudios en animales y seres humanos han demostrado que el ajo también alivia la artritis. Contiene compuestos de azufre ("sulfur") conocidos por sus significativas propiedades antiinflamatorias.

Dosis diaria: Dos píldoras. O use dientes de ajo o ajo en polvo en sus comidas.

RAÍZ DE JENGIBRE ("GINGERROOT")

La raíz de jengibre es un remedio excelente para la indigestión, el estreñimiento, la diarrea y las náuseas (incluidas las provocadas por el embarazo). No hay una buena explicación de porqué funciona. Pero mi investigación sugiere que el jengibre es todavía más eficaz que la dramamina en la prevención de los mareos. También es efectivo contra la gripe.

Asegúrese de comprar cápsulas hechas de la raíz *entera* del jengibre, no del extracto.

Dosis diaria: Para mareos moderados por movimiento, tome dos cápsulas 15 minutos antes de salir (y de dos a cuatro más cada hora o si los síntomas vuelven). Para malestar gastrointestinal grave, tome de seis a 12 cápsulas por hora.

LAPACHO

El lapacho, una hierba de América del sur, contiene *naftoquinones* (factores N), unos componentes únicos que tienen propiedades antivirales y antibióticas. Es eficaz para prevenir resfriados, gripe e infecciones bacterianas y de hongos.

Tomado en cápsulas o como té, el lapacho alivia los dolores en las articulaciones… y eleva los niveles de energía. El lapacho también estimula la actividad de las enzimas del hígado, mejorando su capacidad de eliminar de la sangre las toxinas.

En Brasil, el lapacho se usa para tratar la leucemia y el cáncer cervical, y el ungüento de lapacho se usa para tratar el cáncer de piel.

Los estudios sugieren que esta hierba también podría ser eficaz contra el cáncer de mama.

Haga el té cocinando a fuego lento en agua, la delgada capa morada que recubre el interior de la corteza por 20 minutos, luego cuele y deje enfriar. El té sobrante puede refrigerarse.

Dosis diaria: Para prevenir enfermedades, cuatro cápsulas o dos tazas de té. Para tratar una infección, seis cápsulas o entre uno y dos cuartos de galón (1 a 2 litros) de té.

CARDO MARIANO (CARDO LECHERO, "MILK THISTLE")

Una de las plantas más estudiadas del mundo, muy buena para el hígado, es el cardo lechero. Dado que estimula la síntesis de las proteínas, eleva los niveles de algunas enzimas clave del hígado, acelerando la regeneración del tejido dañado en el hígado. También inhibe la *lipoxigenasa*, una enzima que destruye las células del hígado.

Los estudios muestran que el cardo lechero puede ayudar a revertir los efectos de la hepatitis y la cirrosis.

Dosis diaria: Dos cápsulas.

EXTRACTO DE PÍGEUM (CIRUELO AFRICANO, "PYGEUM")

Derivado de la corteza de un árbol africano, se ha demostrado que el pígeum previene –e incluso alivia– el agrandamiento benigno de la próstata. Contiene *fitosteroles*, que son potentes componentes antiinflamatorios. El pígeum también contiene *triterpenoides*, compuestos que producen un efecto antiinflamatorio.

Dosis diaria: Para prevenir el agrandamiento de la próstata, dos cápsulas. Para reducir una próstata agrandada, cuatro cápsulas.

YERBA MATE

Esta hierba de América del sur eleva la energía y el vigor sin causar los temblores que provoca la cafeína. Informes anecdóticos sugieren que la yerba mate también es eficaz contra el asma y las alergias, aunque el mecanismo se desconoce.

La mejor manera de tomar yerba mate diariamente es en forma de té. Vierta agua hirviendo sobre hojas de yerba mate, deje reposar por 10 minutos, luego cuele y sirva.

Dosis diaria: De dos a cuatro tazas.

Secretos de un curandero maya

Rosita Arvigo, DN (doctora de naprapatía, una rama de la quiropráctica), directora de la Ix Chel Tropical Research Foundation en Belice. Es coautora de *Rain Forest Remedies: One Hundred Healing Herbs of Belize*. Lotus Press.

En los últimos diez años, el National Cancer Institute experimentó con unas 2.000 plantas de las selvas lluviosas para encontrar actividad contra el cáncer y el SIDA. Cientos de medicamentos se han desarrollado de esta manera, incluida la *vincristina* (Oncovin) para la leucemia y el *paclitaxel* (Taxol) para el cáncer de ovarios.

Por varias décadas, la Dra. Rosita Arvigo, de Chicago, ha vivido en la selva lluviosa de Belice, la pequeña nación centroamericana. Allí, ella y Michael Balick, PhD, director asociado del Jardín Botánico de Nueva York, han estudiado plantas medicinales, incluidas las usadas por el fallecido Don Elijio Panti, un curandero de 103 años, que fue una leyenda entre los mayas de Belice.

A diferencia de los medicamentos modernos, estas plantas han comprobado por más de mil años de uso que son eficaces y seguras. Se pueden conseguir en los supermercados, tiendas de alimentos naturales y centros de jardinería.

Precaución: Los remedios provenientes de las plantas no deben ser usados por personas con alergias a esas plantas. Cualquiera que experimente palpitaciones cardiacas o sarpullidos en la piel debido a una planta medicinal debe descontinuar su uso.

Recientemente le preguntamos a la Dra. Arvigo acerca de estas plantas –y cómo podemos integrarlas a nuestras vidas…

●**Albahaca ("basil").** El té de albahaca alivia la fiebre, la indigestión, la ansiedad y el insomnio. Las pruebas de laboratorio han encontrado que el aceite de albahaca tiene propiedades antibacteriales y antimicóticas.

Hierva un puñado de hojas frescas (o dos cucharadas de hojas secas) en dos tazas de agua por cinco minutos, luego cuele. Beba caliente antes de las comidas o a la hora de dormir.

●**Limoncillo (hierba de limón, "lemon grass").** Entre los mayas, el té de limoncillo se usa ampliamente para reducir la fiebre. También es eficaz contra la tos y los resfriados.

El limoncillo provoca sudoración y ayuda a la expulsión de flema.

Para tratar la fiebre en adultos, hierva una raíz triturada y 10 hojas de la planta en tres tazas de agua por 10 minutos. Bébalo caliente, acuéstese y abríguese.

Para la fiebre en niños, hierba 10 hojas en tres tazas de agua por 10 minutos. Déle al niño media taza de té seis veces al día.

●**Caléndula ("marigold").** Tomadas como té caliente, las variedades amarillas más grandes de la caléndula son excelentes para tratar los cólicos. El té de caléndula también alivia la fiebre, el dolor de estómago, la flatulencia y los dolores de cabeza.

Para preparar té, hierva dos o tres cabezas de flores en una taza de agua por cinco minutos. Deje reposar el té por 10 minutos. Déle al bebé cucharadas del té caliente.

Baño de hierbas: Hierva un puñado de flores y otro de hojas de caléndula en una olla grande con agua por 20 minutos. Deje que el agua se enfríe, luego viértala en una bañera plástica de bebés. Bañe al niño por 10 minutos, luego abríguelo y acuéstelo.

•**Orégano.** Esta hierba es usada ampliamente en Belice como remedio para las infecciones del tracto respiratorio superior. También alivia la indigestión.

El orégano se puede tomar como té… o las hojas frescas o secas se pueden añadir a sopas, guisos y salsas.

Para preparar té, vierta tres tazas de agua hirviendo en media taza de hojas recién cortadas o tres cucharadas de hojas secas. Deje reposar 15 minutos, luego cuele. Beba una taza antes de cada comida.

•**Pervinca ("pink periwinkle", vinca rosa).** Aunque la pervinca contiene potentes componentes anticancerosos, es más usada como remedio para la irritación de garganta.

Coloque nueve flores rosadas en una pinta (½ litro) de agua, y remoje al sol por tres horas. Tome el té resultante durante todo el día cuando tenga la garganta irritada o un resfrío.

•**Rosa roja.** Esta consentida del jardín es un tónico refrescante para los días calurosos y húmedos. También ayuda a aliviar la fiebre y previene la diarrea. *Para los niños:* hierva una rosa roja y nueve hojas en una taza de agua por 5 minutos, luego deje remojar por 15 minutos. Cuele y déselo al niño. *Para los adultos:* hierva tres rosas rojas y nueve hojas por taza de agua.

Soluciones seguras y sencillas para heridas leves

William Pawluk, MD, MSc, profesor adjunto de la facultad de medicina de la Universidad Johns Hopkins en Baltimore.

Desde torceduras y moretones hasta dolor de muelas, fracturas de huesos e incomodidad postoperatoria, el remedio homeopático *árnica* es bueno para casi cualquier dolor causado por traumas físicos. A diferencia de la aspirina y otros analgésicos de venta libre, las píldoras de árnica no tienen efectos secundarios.

En un estudio realizado en Inglaterra en 1991, con pacientes hospitalizados por heridas agudas, el árnica alivió el entumecimiento y mejoró el bienestar psicológico en el 98% de los pacientes, en comparación con el 57% de los pacientes que recibieron un placebo.

El árnica funciona *rápido*. Uno de mis compañeros de trabajo se cayó y tuvo un tirón muscular. Normalmente, habría tardado una o dos semanas para que un dolor como ese cediera. Pero en tres días, luego de empezar a tomar árnica, el dolor había desaparecido.

Incluso puede ser beneficioso tomar árnica *antes* de un esfuerzo doloroso. Muchos maratonistas la usan antes de las carreras. En Canadá, los entrenadores de caballos han empezado a usar árnica para obtener un poco más de velocidad de sus purasangres.

El árnica deriva de una planta montañosa llamada *árnica montana* ("leopard's bane" en inglés). Se vende en varias "potencias" desde 6x o 6c (baja potencia) a 200c (alta potencia).

En general, las de alta potencia son mejores para condiciones crónicas y las de baja potencia para condiciones agudas. Pero hable con su médico antes de tomar una dosis.

El árnica es segura en una amplia variedad de dosis —desde una píldora cada ocho horas a cuatro pastillas cada hora. Si el dolor persiste, vaya al médico.

Puede comprar árnica en tiendas de alimentos naturales, farmacias y farmacias homeopáticas que venden por correo.

Dos hierbas para calmar el colon

David Edelberg, MD, instructor clínico de la facultad de medicina de la Universidad Northwestern y jefe de medicina holística y preventiva en el hospital Grant, ambos en Chicago. También es presidente y director médico de American Holistic Centers, un grupo de clínicas que ofrece atención con medicina alternativa supervisada por un médico.

Si sufre de diarrea, retortijones y gases intestinales, puede tener el *síndrome de colón irritable* (IBS por sus siglas en inglés).

¿Qué causa el IBS? Normalmente se relaciona con estrés emocional.

Cualquiera que sea la causa, el IBS puede controlarse con estas dos hierbas…

● **La menta piperita ("peppermint")** relaja el músculo blando que rodea el intestino delgado y controla los espasmos.

En caso de IBS, le pido a mis pacientes que tomen aceite de *menta entérico* ("enteric-coated peppermint oil"), una o dos cápsulas tres veces al día entre comidas. Si esta dosis causa una sensación de ardor al evacuar, reduzca la dosis.

● **El hipérico (corazoncillo, hierba de San Juan, "St. John's wort")** aminora la ansiedad porque actúa como un leve tranquilizante y antidepresivo. Baja los niveles de la sustancia cerebral *monoamina oxidasa* (MAO por sus siglas en inglés). Los niveles altos de MAO han sido relacionados con la depresión.

El método común para reducir los niveles de MAO es tomar un inhibidor de MAO como Marplan, Nardil o Parnate. Pero las comidas que contienen *tiramina,* el queso añejado, las bananas y el salchichón, pueden interactuar con los inhibidores de MAO *–y esto podría ser letal.*

No hay restricciones dietéticas con el hipérico (aunque puede hacer que la gente de piel clara sea sensible a la luz del sol). Tome una cápsula dos veces al día con las comidas.

Puede encontrar ambas hierbas en las tiendas de alimentos naturales.

Para pedirlas por correo: Comuníquese con Arrowroot Standard Direct (800-456-7818, *www.arrowroot.com*).

Los alimentos y la curación

Annemarie Colbin, fundadora del Natural Gourmet Institute for Food and Health, 48 W. 21 St., Nueva York 10010. Es especialista certificada en educación de la salud, profesional culinaria certificada, y autora de varios libros, incluido *Food and Healing.* Ballantine.

Probablemente usted ya está consciente de que seguir una dieta baja en grasas y alta en fibra puede ayudarle a prevenir enfermedades. Pero, ¿es cierto que hay alimentos que sanan?

La respuesta es *sí.*

Por más de 30 años, he estudiado los efectos de los alimentos en la salud. También he comprobado muchos remedios basados en la ancestral sabiduría popular.

Basada en mis observaciones y las de mis estudiantes, estoy convencida de que ciertos alimentos *ayudan* a que el cuerpo sane más rápidamente de un número de malestares leves…

RESFRIADOS Y GRIPE

El mejor remedio natural es el ajo. Al estimular el sistema inmune y matar las bacterias, ayuda a prevenir que una enfermedad viral suave se vuelva una infección bacterial grave.

Trague un diente de ajo pequeño o varios pedacitos cada cuatro a seis horas hasta que los síntomas cedan. Tome esta "píldora" con un vaso de jugo de naranja o agua.

No se preocupe por el mal aliento. Si no mastica el ajo, nadie podrá sentirlo en su aliento.

ESTREÑIMIENTO

Probablemente usted sabe que los granos integrales, las frutas y los vegetales frescos –especialmente las ciruelas pasas– ayudan a "normalizar" las funciones del colon.

Pero estos remedios naturales no servirán de mucho a menos que usted los tome con mucha agua. Los vegetarianos deberían tomar de cuatro a seis vasos de agua al día –los carnívoros, por lo menos ocho.

Irónicamente, el estreñimiento es causado a veces por consumir *demasiada* fibra dietética. Si cree que ese es su problema, reduzca el consumo de productos crudos. Siga comiendo granos integrales –en especial arroz integral– que parece ser digerido más fácilmente que otros alimentos altos en fibra. Y beba mucha agua.

TOS

Si usted tiene tos "húmeda" (la que produce flema), beba líquidos calientes –especialmente sopas condimentadas y picantes. La tos húmeda debe ser alentada –es la forma como el cuerpo expulsa las bacterias y otros patógenos.

También ayuda: Tomar jugo caliente de manzanas o comer peras con canela (según la tradición médica china).

Para detener la tos "seca" o el cosquilleo en la garganta, coma algo salado –como las *ciruelas umeboshi* ("umeboshi plums"). Estas ciruelas encurtidas se venden en las tiendas de alimentos naturales y en las tiendas de productos japoneses. O, pruebe con té de regaliz ("licorice"). El té de regaliz fortalece los pulmones y es un remedio herbario tradicional para el asma.

DIARREA

La diarrea moderada se puede controlar a menudo comiendo pequeñas cantidades de arroz blanco cocido... o manzana cruda rallada –deje que se ponga marrón, para que desarrolle la fibra soluble pectina.

Precaución: Vaya al médico si tiene diarrea fuerte y prolongada o diarrea acompañada de vómito. Esto puede ser señal de disentería, intoxicación alimentaria u otra infección grave.

DOLOR DE CABEZA

Los dolores de cabeza por tensión suelen ser desencadenados por falta de comida o de líquidos... o por la exposición prolongada al calor del verano.

Remedio: Dos o más tazas de jugo frío. He visto esta "receta" aliviar dolores de cabeza en cinco minutos.

Los jugos de frutas, especialmente el de manzanas o de albaricoque (damasco, "apricot"), parecen ser los mejores. No sé si es debido a su sabor placentero o porque le da carbohidratos y líquidos al sistema rápidamente.

Para dolores de cabeza causados por beber demasiado alcohol o comer demasiada azúcar, coma aceitunas, anchoas o ciruelas umeboshi.

También puede probar comer vegetales al vapor aderezados con sal de sésamo. Mi padre tenía una variación muy fácil y deliciosa de esta idea –comer cebolla escalonia (cebollino, "scallion") previamente sumergida en sal.

Para el dolor de cabeza derivado de haber dejado la cafeína, mastique un pedazo de limón. El saber fuerte y agrio de alguna manera contrarresta la respuesta del cuerpo a la falta de cafeína. Beba mucha agua para prevenir la deshidratación.

A lo largo de los años, he notado que las migrañas pueden ser desencadenadas por consumir papitas fritas ("chips") u otros alimentos grasosos con el estómago vacío.

Remedio: El té de limón "especiado". Exprima medio limón en una taza. Corte en cuadritos la corteza y cocine a fuego lento en 1¼ taza de agua por diez minutos. Cuele en la taza. Añada una pizca de cayena ("cayenne") o ½ cucharadita de jengibre ("ginger") fresco rallado, o ¼ cucharadita de jengibre en polvo. Endulce con almíbar de arce ("maple syrup") o malta de cebada ("barley malt").

IRRITACIÓN DE GARGANTA

Para aliviar la garganta irritada, tome té hecho de jengibre o corteza de olmo americano ("slippery elm" que se puede encontrar en las tiendas de alimentos naturales). Las pastillas de olmo americano también son eficaces.

El té de jengibre se prepara cocinando a fuego lento tres o cuatro rebanadas de jengibre fresco en una taza de agua por ocho minutos. También es bueno para la tos, la congestión del pecho y los mareos por movimiento.

MALESTAR ESTOMACAL

Si usted tiene acidez u otra forma de *reflujo gastroesofágico*, coma solo alimentos *cocinados* –son más fáciles de digerir.

Los gases intestinales pueden aliviarse a menudo con un "antiácido" hecho de *"kudzu"*, una fécula (almidón) derivada de la raíz de la planta kudzu. Se vende en las tiendas de alimentos naturales.

Disuelva una cucharada de kudzu en una taza de agua fría, revuelva hasta que espese. Añada una cucharada de salsa de soja.

Para preparar budín de kudzu, disuelva dos cucharadas de kudzu en una taza de jugo de manzanas. Añada una cucharadita de vainilla si lo desea. Cocine, revolviendo constantemente, hasta lograr que se ponga espeso. Agregue una cucharada de tahini (pasta de sésamo). Cómalo caliente o frío.

El budín de kudzu es calmante, relajante y, además, es un excelente remedio para el estrés o el insomnio. También se ha demostrado que el kudzu reduce las ganas de ingerir alcohol.

RESPETE SU SENTIDO DEL GUSTO

No se fuerce a comer alimentos que no le gustan. Si no le gusta el sabor de un alimento, probablemente no será de mucha ayuda para su cuerpo.

Alivio rápido para el dolor de cabeza sin medicamentos

Art Ulene, MD, corresponsal médico del programa "Today" de la cadena de televisión NBC y profesor clínico de ginecología y obstetricia de la facultad de medicina de la Universidad Southern California en Los Ángeles.

Si sufre de dolores de cabeza frecuentes, debiera conocer mi programa de autotratamiento natural. El programa combina estrategias dietéticas (identificando y evitando las comidas que desencadenan los dolores de cabeza)... ejercicio y relajación diariamente... y imágenes visuales (visualización creativa).

Las imágenes pueden usarse en cualquier lugar, en cualquier momento. Son buenas tanto para protegerse de los dolores de cabeza como para evitar que empeoren.

Mi programa es *muy* eficaz. Cuando lo probé con 19 pacientes que sufrían de dolor de cabeza, reportaron 33% menos dolores.

Su uso de los analgésicos se redujo en un 40%. Esto es importante porque los medicamentos calman el dolor, pero al mismo tiempo pueden causar náuseas y otros efectos secundarios. En algunos casos, los efectos secundarios son peores que los dolores de cabeza.

Precaución: Si usted apenas empieza a experimentar dolores de cabeza, o si su dolor es severo, consulte a su médico. Cerca del 2% de los dolores de cabeza tiene una causa subyacente que necesita tratamiento –sinusitis, inflamación de un vaso sanguíneo o incluso un problema mucho más grave como un aneurisma o un tumor cerebral.

Pero para los dolores de cabeza causados por tensión y las migrañas, las imágenes funcionan muy bien.

Qué hacer: Cierre los ojos y relájese. Imagine una luz roja pegada en la parte de la cabeza donde siente que le duele. La luz representa su dolor.

Imagine que la luz va disminuyendo lentamente y luego se extingue. Esto le debe tomar de tres a cinco minutos. Cuando la luz, desaparezca también lo hará su dolor.

Si está en casa, acompañe la visualización con una bolsa fría. Una bolsa de guisantes

(chícharos, "peas") congelados da buenos resultados.

Remedios naturales para la fatiga

Adriane Fugh-Berman, MD, médica investigadora en Washington, DC, se especializa en salud femenina y medicina alternativa. Es autora de *Alternative Medicine: What Works.* Williams & Wilkins.

Si se siente cansado todo el tiempo y no tiene la energía que solía tener... bienvenido al club. La fatiga crónica es una queja extremadamente común –y tiene muchas causas diferentes. *Esto es lo que necesita saber para llegar a la raíz de su problema...*

●**Falta de sueño.** Aunque la falta de sueño parece una razón obvia para sentirse cansado, frecuentemente se ignora. Hoy en día, la gente alardea sobre lo poco que necesita dormir. Pero realmente son muy pocas las personas que necesitan solo de cinco a seis horas por noche. La mayoría necesita ocho. Otros necesitan nueve ó diez. Aún si usted se las arregla con seis o siete horas por noche *no* significa que ese es todo el sueño que necesita. Si usted sufre de fatiga persistente, pruebe lo tanto mejor que se siente con 30 ó 60 minutos más de sueño cada noche.

Maximice también la *calidad* de su sueño. La habitación no es lugar para trabajar o preocuparse. Haga que su habitación sea un espacio lo más tranquilo posible –use tapones de oído si los necesita. Si las luces de la calle u otras fuentes de luz afuera de su ventana le molestan, coloque cortinas gruesas o utilice un tapaojos.

●**Falta de ejercicio.** Muy poco ejercicio puede causar fatiga –o empeorarla. Claro, hacer demasiado ejercicio también puede causar fatiga, pero el ejercicio moderado es efectivamente energético. ¿Qué significa moderado? De 20 a 60 minutos tres veces por semana es lo ideal. *No* haga ejercicio en las dos horas previas a ir a la cama. Hacerlo puede interferir con su sueño.

●**Medicamentos.** Las píldoras para dormir pueden causar una especie de "resaca" por fatiga en muchas personas. Es así para la *melatonina* y para los sedantes con receta como el *diazepam* (Valium). La fatiga también puede ser un efecto secundario de muchos otros medicamentos con o sin receta, incluyendo los medicamentos para la presión arterial como el *propranolol* (Inderal) y *atenolol* (Tenormin)… así como muchos antidepresivos y antihistamínicos. Si usted sospecha que sus medicamentos le hacen sentir cansado, pregunte a su doctor si hay otras alternativas.

●**Dieta.** Las comidas pesadas, especialmente tarde en el día, o las comidas particularmente almidonadas pueden causar fatiga. Si usted insiste en las comidas pesadas, ingiéralas temprano. Un desayuno abundante no minará su energía tanto como un almuerzo o cena pesada.

¿Qué más puede hacer para estimular su energía? Considere tomar suplementos vitamínicos y herbarios. El *complejo B* es especialmente eficaz –tómelo una vez al día. La *vitamina B-12* también es buena. Tome 1.000 microgramos al día. Como la B-12 se encuentra casi exclusivamente en la carne y los productos lácteos, muchos vegetarianos estrictos sufren de deficiencia de B-12 –y como resultado sufren de fatiga crónica.

Es posible que la vitamina B-12 sea absorbida mejor cuando se inyecta, y mucha gente ha escogido las inyecciones como estimulantes energéticos. Yo prefiero generalmente las pastillas de B-12. Son mucho menos costosas y, en mi opinión, igual de eficaces.

La coenzima Q-10 ayuda a combatir la fatiga al maximizar la eficiencia de bombeo del corazón. Tome 30 mg una o dos veces al día.

El ginseng en té, cápsulas o en extracto puede ser una poderosa fuente de energía. Asegúrese de no mezclar ginseng con cafeína u otro estimulante. La combinación puede causar palpitaciones o latidos irregulares del corazón.

El "ginseng" siberiano no es realmente ginseng, sino otra especie de planta llamada *Eleuterococus*. También posee cualidades

energéticas. Ambas hierbas son *adaptógenos*, lo que significa que ayudan al cuerpo a adaptarse al estrés.

Si estas medidas no estimulan su energía, vaya al médico. Es posible que sufra de depresión, anemia, síndrome de fatiga crónica u otra enfermedad que requiera intervención médica.

Alternativas naturales a los medicamentos comunes

Michael T. Murray, ND, profesor de ciencias botánicas de la Universidad Bastyr en Seattle, y autor de *Natural Alternatives to Over-the-Counter and Prescription Drugs.* Morrow.

Los medicamentos convencionales pueden ser muy efectivos para controlar los síntomas… pero pueden causar desagradables efectos secundarios.

Afortunadamente, existen alternativas naturales para muchos de los medicamentos más comunes de venta con o sin receta. Estas hierbas, extractos de plantas, vitaminas, etc., se pueden encontrar en las tiendas de alimentos naturales y a menudo son tan eficaces como los medicamentos que remplazan –y menos propensas a causar efectos secundarios.

Si la idea de usar remedios naturales le parece un poco loca, puede ser porque los médicos tradicionales en Estados Unidos tienden a tener fuertes prejuicios en su contra.

Este prejuicio *no* lo comparten los médicos de otras partes. En Alemania, por ejemplo, la hierba *hipérico* (Hypericum perforatum, corazoncillo, hierba de San Juan, "St. John's wort") se receta para la depresión ocho veces más frecuentemente que los antidepresivos sintéticos como la *fluoxetina* (Prozac).

Esta es una lista de los medicamentos de los que usted podría prescindir, y sus correspondientes alternativas naturales para remplazarlos.

Importante: Escoja productos con etiquetas que especifiquen la concentración de ingredientes activos… y úselos solo bajo supervisión médica.

REMEDIOS PARA
EL DOLOR DE CABEZA

No es un secreto que la gente con dolores de cabeza recurrentes tiende a usar montones de aspirina, ibuprofeno y acetaminofeno. Poca gente se da cuenta de que, sin embargo, estos analgésicos de venta sin receta causan dolores de cabeza "de rebote" al 70% de la gente que los usa. Es decir que, los analgésicos para detener el dolor terminan causando *más* dolor.

Alternativa Nº 1: Magnesio. Muchos dolores de cabeza por tensión y migrañas son causados por una leve deficiencia de este mineral. Si esta es la causa de sus dolores de cabeza, los suplementos de óxido de magnesio ("magnesium oxide") deberían aliviarlo. Tome 600 mg por día, divididos en tres dosis de 200 mg.

Alternativa Nº 2: Matricaria ("fever-few"). Esta hierba es particularmente eficaz contra las migrañas. Tome 80 mg de un extracto que contenga al menos 0,2% de *partenolida*, el ingrediente activo de la matricaria. No se han reportado efectos secundarios.

BLOQUEANTES
DE ÁCIDO Y ANTIÁCIDOS

Los bloqueantes de ácido como Zantac, Tagamet y Axid combaten malestares estomacales y úlceras bloqueando la liberación de ácidos estomacales. Pero al hacerlo, interrumpen el proceso digestivo. Esto puede llevar a deficiencias nutricionales.

Los bloqueantes de ácido también han sido relacionados con problemas del hígado y los riñones, infecciones de hongos *(candidiasis)* y agrandamiento de los senos masculinos *(ginecomastia)*.

Los antiácidos como Tums y Maalox pueden causar efectos de rebote, en los que el estómago genera más ácido estomacal una vez que se diluye el antiácido. Muchos antiácidos contienen aluminio, del que algunos sospechan puede ser una causa de los males de Parkinson y Alzheimer.

Alternativa: Regaliz sin glicirrizina ("deglycyrrhizinated licorice" o DGL por sus siglas en inglés). Promueve la síntesis de las sustancias naturales que cubren el tracto intestinal, protegiéndolo contra la irritación causada por los ácidos. En los estudios, el DGL ha comprobado

ser *más* eficaz que los bloqueantes de ácido y el Maalox.

Dosis típica: Dos tabletas de 380 mg, tomadas 20 minutos antes de las comidas.

Precaución: Si usted tiene dolor estomacal persistente –especialmente un dolor que empeora con el estómago vacío– vaya al médico. Podría tener una úlcera péptica.

ANTIHISTAMÍNICOS

El Benadryl y otros antihistamínicos de venta sin receta son eficaces para aliviar la congestión nasal, el moqueo y otros síntomas del resfriado y la fiebre del heno. Algunos pueden causar resequedad en la boca y somnolencia.

Alternativa: Quercetina ("quercetin"). Este derivado de frutas y flores evita que el organismo libere histamina y otros compuestos que provocan los síntomas del resfriado y la fiebre del heno.

Dosis típica: 200 mg, tomada cinco minutos antes de las comidas.

PASTILLAS PARA DORMIR

Como mucha gente que sufre de insomnio ha descubierto, las pastillas para dormir pueden perjudicar las funciones físicas y mentales… y dificultan el ponerse en marcha por la mañana.

Alternativa: Valeriana ("valerian"). Esta ayuda para dormir de origen herbario funciona mejor que las pastillas para dormir, sin causar ninguna "resaca" mañanera.

Dosis típica: 150 mg, tomada 45 minutos antes de dormir. Busque un producto que contenga 0,8% de *ácido valeriánico* ("valerenic acid"), el ingrediente activo de la valeriana.

ANTIDEPRESIVOS

Todos los antidepresivos de venta con receta causan efectos secundarios. Casi la mitad de la gente que toma fluoxetina o *sertralina* (Zoloft), por ejemplo, aprecia una disminución de la actividad sexual.

Alternativa: Hipérico (corazoncillo, hierba de San Juan, "St. John's wort"). Los estudios han comprobado que esta hierba es *más* eficaz que los antidepresivos recetados. El hipérico parece ser seguro, aunque puede causar sensibilidad al sol y malestar estomacal.

Dosis típica: 300 mg, tres veces al día. Compre un producto que contenga 0,3% de *hipericina*, el ingrediente activo de la hierba.

FINASTERIDA (PROSCAR)

La próstata agrandada (conocida como *hiperplasia prostática benigna*, o BPH por sus siglas en inglés) afecta al 50% de los hombres mayores de 60 años. Los síntomas incluyen orina frecuente y un flujo de orina débil o desigual.

Los médicos frecuentemente tratan el BPH con *finasterida*. Este fármaco bloquea la síntesis de testosterona, la hormona que alimenta el crecimiento del tejido de la próstata.

Pero la finasterida puede tardar hasta seis meses para aliviar los síntomas. También puede causar depresión e impotencia.

Alternativa: Palmito aserrado (palmera de Florida, "saw palmetto"). Esta hierba, ampliamente usada en Europa, ha comprobado ser eficaz contra el BPH en muchos estudios. No causa mayores efectos secundarios.

Dosis típica: 160 mg, dos veces al día. Espere mejoría en 4 semanas. Compre un extracto *soluble en grasa* que contenga de 85% a 95% de ácidos grasos ("fatty acids") y esteroles ("sterols").

Precaución: Cualquier hombre que piense que tiene BPH debe hacerse un examen médico completo. Las dificultades urinarias pueden ser síntomas de cáncer en la próstata.

Maneras naturales de reducir la presión arterial

Stephen Fortmann, MD, profesor adjunto de medicina de la facultad de medicina de la Universidad Stanford, y director auxiliar del Stanford Center for Research in Disease Prevention, ambos en Palo Alto, California. Es coautor de *The Blood Pressure Book: How to Get It Down and Keep It Down*. Bull Publishing.

Si su presión arterial está por encima de 140/90, ya debe saber que tomar algunas medidas para bajarla reducirá también su riesgo de ataque cardiaco, derrame cerebral, insuficiencia renal y otras enfermedades graves.

Pero quizás no sepa que las mismas medidas son beneficiosas si su presión está en el estado prehipertenso (120/80 a 139/89). *Incluso si su presión es menor de 120/80, usted disfrutará de los beneficios a su salud a largo plazo si hace ciertos cambios en su estilo de vida...*

PIERDA PESO

No todo el mundo con alta presión arterial es obeso, y no todos los obesos tienen alta presión arterial. Pero para la mayoría de la gente, perder peso baja la presión arterial.

Regla general: La pérdida de una libra (450 g) de grasa corporal conlleva una baja de un punto en la presión arterial sistólica (el número mayor).

Si usted necesita perder peso, póngase metas realistas. Planee perder entre una y tres libras (de ½ a 1½ kilo) al mes.

HAGA EJERCICIOS CON REGULARIDAD

El ejercicio bombea su metabolismo, ayudándole a quemar más calorías y preservar tejido muscular. El ejercicio también parece tener un efecto directo de reducción de la presión arterial.

Hallazgo: Cuando la gente sedentaria empieza a hacer ejercicios con regularidad, su presión sistólica baja unos diez puntos.

Caminar es una excelente forma de ejercitarse. *A continuación la manera de incluir más caminatas en su vida diaria...*

● **Vaya al trabajo, haga las diligencias, etc.,** a pie o en bicicleta. Si es demasiado lejos, considere estacionar su auto a una cuadra de distancia o bájese del tren o el autobús una parada antes.

● **Camine todo lo que pueda mientras esté en el trabajo.** Suba por las escaleras en lugar de en elevador. Camine a las oficinas de sus compañeros en lugar de llamarles por teléfono. Haga una caminata breve en la hora de almuerzo... y en cada descanso en el trabajo.

● **Al final del día, haga una caminata de 15 minutos** con un familiar o un amigo. Una caminata al final de la tarde le ayudará a relajarse... y disminuirá su apetito.

REDUZCA LA INGESTIÓN DE SODIO

La industria de la sal ha estado promoviendo la idea de que solo una minoría de gente "sensible a la sal" debe preocuparse por los efectos del sodio en el alza de la presión arterial.

La realidad: Para la mayoría de la gente, restringir la ingestión de sodio reduce la presión arterial de dos a tres puntos.

Los estadounidenses ingieren mucha sal sin darse cuenta. La comida rápida —como los perros calientes, las pizzas, las hamburguesas, etc.–, a menudo está cargada de sodio. Asimismo las comidas enlatadas, las comidas congeladas, los aderezos de ensalada envasados y las salsas, la carne y el pollo procesados, los "pretzels", las papitas fritas ("chips") y el pescado ahumado.

Les digo a mis pacientes que eviten la sal en la mesa y las comidas saladas siempre que puedan. Un adulto solo necesita 200 mg de sodio al día. Un solo sándwich de rosbif ("roast beef") contiene cuatro veces esa cantidad.

En el supermercado, revise las etiquetas para saber el contenido de sodio. Al cocinar, aderece con hierbas en lugar de sal.

AUMENTE LA INGESTIÓN DE POTASIO

Un análisis de 33 estudios distintos hechos por Paul K. Whelton, MD, de la Universidad Tulane, encontró que la presión arterial sistólica de las personas que tomaron suplementos de potasio bajó un promedio de cinco puntos.

Los suplementos de potasio están bien, pero es mejor obtener el potasio de los alimentos. Entre los alimentos ricos en potasio están: manzanas, melones, bananas, papas, tomates y nectarinas.

Cada día tome al menos dos porciones de frutas y tres de vegetales frescos. Los jugos también son ricos en potasio, pero tenga cuidado con el jugo de tomate. La mayoría de las marcas de jugo de tomate incluye altísimos contenidos de sodio.

REDUZCA EL CONSUMO DE CARNE

Los vegetarianos tienden a tener una presión arterial más baja que quienes no lo son. ¿Por qué? Una posibilidad es que los antioxidantes que se hallan en las frutas y los vegetales ayudan a bajar la presión arterial.

Otra es que el calcio de las frutas y los vegetales se absorbe más fácilmente. El calcio parece ayudar a reducir la presión arterial.

REDUZCA EL CONSUMO DE ALCOHOL

Para algunos individuos, beber eleva su presión arterial. Para estas personas, abstenerse produce una baja notable de la presión arterial.

Ejemplo: Un bebedor que tome 2 tragos al día que deja de beber puede bajar diez puntos en la presión sistólica. Los bebedores más intensos pueden experimentar una baja de hasta 20 puntos.

HAGA EJERCICIOS DE RELAJACIÓN

El estrés psicológico causa una elevación pasajera de la presión arterial, pero los médicos aún no saben si tiene efectos a largo plazo.

Sin embargo, está claro que la relajación puede brindar reducciones duraderas de la presión arterial. Muchas personas que practican relajación con regularidad experimentan bajas de hasta cinco puntos en la presión sistólica.

Qué hacer: Dos veces a la semana por 15 minutos –ponga una alarma para no tener que contar el tiempo– siéntese en una silla cómoda en una habitación tranquila.

Cierre los ojos. Relaje el brazo derecho hasta que lo sienta caliente y "flojo", luego siga con el muslo, pantorrilla, tobillo y pie derechos… el muslo, la pantorrilla, el tobillo, el pie y el brazo izquierdos… el abdomen y las nalgas… el pecho… el cuello… la mandíbula y la frente.

Cuando todo su cuerpo esté relajado, visualice las ondas de un lago, una brisa suave que sopla sobre la hierba u otra escena relajante.

ALTA PRESIÓN ARTERIAL GRAVE

Si su presión arterial es de 140/90 o más, su médico puede recetar un antihipertensivo. Aún así, cambiar su estilo de vida puede permitirle tomar dosis menores… o bajar su presión arterial hasta que ya no necesite terapia medicinal.

La meditación baja la presión arterial

Robert Schneider, MD, director del Center for Health and Aging Studies, de la Maharishi University of Management en Fairfield, Iowa.

En un estudio, los pacientes con hipertensión moderada que practicaron *meditación trascendental* (TM por sus siglas en inglés) dos veces al día disminuyeron más su presión arterial que quienes aprendieron relajación muscular progresiva, que consiste en tensar y relajar los músculos uno por uno. También bajaron más de la presión arterial que los que redujeron el consumo de sal y las calorías e hicieron ejercicios con regularidad.

Además: La reducción de la presión arterial de quienes usaron TM fue más o menos igual que la de la gente que toma medicamentos para la presión arterial.

En la TM, usted se sienta con los ojos cerrados y repite una palabra o un sonido –un *mantra*– hasta sentirse descansado.

La meditación y el control del dolor

Amy Saltzman, MD, miembro del consejo de gerencia de la American Holistic Medical Association, 4101 Lake Boone Trail, Suite 201, Raleigh, NC 27607.

La meditación ayuda a controlar el dolor –y promueve la salud general. Una serie de estudios publicados en prestigiosas publicaciones médicas durante la década pasada halló que quienes practican meditación reportan bajas significativas del dolor, la ansiedad, la depresión, la presión arterial y otros síntomas físicos –lo que hizo que sus médicos les redujeran también los medicamentos y las visitas.

Los beneficios del masaje

Tiffany Field, PhD, directora del departamento de pediatría del Touch Research Institute de la Universidad de Miami, Box 016820 (D-820), 1601 NW 12 Ave., Miami 33101.

Los masajes promueven la buena salud general –no solo la relajación. También fortalecen el sistema inmune al incrementar el número de células asesinas naturales del cuerpo.

Estudio: Los pacientes con VIH que recibieron masajes con regularidad demostraron una

reducción del estrés y mejoraron sus funciones inmunes. Los masajes podrían ser considerados muy pronto como un componente básico de la buena salud así como la dieta y los ejercicios.

Secretos de la autocuración de la medicina china

Roger Jahnke, OMD (doctor en medicina Oriental), acupunturista y profesional de la medicina china con práctica privada en Santa Bárbara, California. Es autor de *The Healer Within: The Four Essential Self-Care Methods for Creating Optimal Health.* HarperCollins.

Una gran cantidad de investigaciones médicas demuestra que el cuerpo humano es capaz de lograr increíbles proezas autocurativas.

La autocuración se da automáticamente si usted cultiva los poderes de autocuración innatos de su cuerpo.

¿Cómo hacerlo? *La medicina china hace uso de cuatro sencillas técnicas…*

- **Respiración profunda**
- **Movimientos suaves**
- **Automasaje**
- **Meditación**

Ponga estas técnicas a trabajar entre diez y 15 minutos diarios, y se sentirá más enérgico y alerta… y menos vulnerable a las enfermedades y los efectos negativos del estrés.

Aunque estas técnicas pueden practicarse tan a menudo como quiera, es buena idea combinar las cuatro brevemente cada mañana.

RESPIRACIÓN PROFUNDA

Los estadounidenses han olvidado cómo respirar. Normalmente hacemos respiraciones superficiales. Este patrón de respiración estrecha los vasos sanguíneos, lo que contribuye a la alta presión.

La respiración superficial también afecta las funciones inmunes porque desacelera la circulación de anticuerpos y células inmunes por todo el cuerpo.

Al hacer un esfuerzo consciente de respirar lenta y profundamente, usted puede combatir estos trastornos psicológicos. *Intente hacer el siguiente ejercicio ahora mismo…*

- **Respire lenta y profundamente por la nariz.** Permita que las porciones más bajas de sus pulmones se llenen, luego mantenga la inhalación hasta que sus pulmones estén completamente inflados.

- **Exhale lentamente por diez segundos.** Puede exhalar silenciosamente, o con un suspiro audible de alivio. Déjese llevar por la relajación profunda.

Aunque una sola respiración profunda es beneficiosa, el efecto acumulado de muchas respiraciones como ésta es dramático. Tome la determinación de hacer dos a tres sesiones de respiraciones profundas todos los días.

Haga una sesión antes de levantarse de la cama en la mañana, otra en la noche, justo antes de dormir .

Algunas personas prefieren hacer respiraciones profundas periódicamente durante el día.

Puede decidir hacer respiraciones profundas cada vez que suene el teléfono… cada vez que pare en un semáforo rojo… o cada vez que abra el refrigerador. La idea es desarrollar un hábito de respiración profunda todo el día.

MOVIMIENTOS SUAVES

Existen estudios que confirman que el ejercicio sencillo y de baja intensidad brinda casi todos los beneficios contra las enfermedades del ejercicio vigoroso –con mucho menos riesgo de lesiones para sus músculos y articulaciones. *La "técnica de flujo" es muy popular en China.*

Qué hacer: Párese con los pies separados a la misma distancia que los hombros y con los hombros relajados. Deje caer sus brazos a los lados. Doble ligeramente las rodillas… mueva los huesos de abajo de la espina dorsal como para "alargar" su espalda… y baje la barbilla como si dijera "sí" con la cabeza.

Descanse brevemente, comience a inhalar lentamente y voltee las palmas hacia delante. Balancee los brazos hacia delante y hacia atrás, elevándose lentamente en la parte delantera de los pies. Levante las manos (con las palmas hacia arriba) a la altura de los hombros, manteniendo sus codos ligeramente doblados. Voltee las palmas hacia abajo. Con lentitud baje los brazos y exhale. Regrese los talones al piso. Mientras las manos pasan las piernas, déjelas balancearse ligeramente hacia atrás mientras levanta suavemente los dedos de los pies.

Repita de diez a 15 veces, desarrollando un ritmo suave.

AUTOMASAJE

El automasaje ha sido una poderosa herramienta curativa en China por miles de años…

- **Masaje de manos.** Usando el pulgar izquierdo, aplique una suave presión en la palma de la mano derecha. Ponga el resto de sus dedos en el dorso de la mano derecha como apoyo.

Incremente la presión gradualmente hasta que ejerza más o menos la misma presión necesaria para apretar una pelota de tenis nueva.

Masajee toda su mano, notando cualquier área sensible. Masajee los dedos también –hasta las puntas. Finalmente, apriete cada dedo de su mano derecha en ambos lados de las uñas. Pellizque suavemente.

Cambie de mano y repita. Para terminar, si encontró algún punto sensible en cualquiera de las manos vuelva y masajee suavemente por unos minutos más.

- **"Energice" los órganos internos.** Coloque las palmas sobre el borde inferior de la caja torácica, cerca de los lados del cuerpo pero hacia el frente. Frote las palmas contra el cuerpo en movimientos circulares, respirando profundamente mientras lo hace. Sienta como el calor generado por sus manos penetra hacia sus órganos.

Entonces coloque una mano sobre el esternón (hueso del pecho) y la otra en el ombligo. Frote con movimientos circulares con cada mano.

Mueva ambas manos hacia la parte baja de la espalda y repita el proceso. Los chinos creen que enviar calor a los órganos mejora la salud y cura las enfermedades.

MEDITACIÓN

La meditación reduce la presión arterial, dilata los vasos sanguíneos y estimula la producción de neurotransmisores y hormonas esenciales.

Una de las técnicas de meditación más poderosa es la *concientización* ("mindfulness"). Con esta técnica, usted puede liberarse del estrés físico y psicológico concentrándose en una sola sensación corporal.

Ejercicio de respiración consciente: De pie, sentado o acostado cómodamente, enfoque toda su concentración en sentir su respiración mientras pasa por las fosas nasales. Las fosas nasales deben sentirse frías cuando entra el aire fresco… y tibias al exhalar.

Usted puede hacer este ejercicio de concientización por un momento o por hasta 20 minutos.

Note que mientras siga concentrado en su respiración, es imposible preocuparse o pensar en situaciones estresantes.

Antiguo secreto chino para relajarse y mejorar la salud

Simon Wang, MD, PhD, profesor de fisiología en la Universidad de Medicina de Guangxi en China. Autor de *Qi Gong for Health and Longevity.* East Health Development Group.

Qi gong es el antiguo arte chino de la relajación, el rejuvenecimiento y la sanación del cuerpo y la mente. Se trata de ejercicios que estimulan el flujo del *qi* (se pronuncia chi), la fuerza universal de la vida dentro del cuerpo.

De acuerdo con los principios de la medicina china, el qi fluye por el cuerpo por canales llamados *meridianos.* Siempre que el flujo sea suave, el cuerpo se mantiene sano. Pero cualquier bloqueo o desequilibrio del qi causa enfermedades.

Para saber más acerca del qi gong y cómo usarlo en nuestras vidas, hablamos con el Dr. Simon Wang, quien ha recibido una educación médica occidental habitual, pero ha pasado años estudiando y usando el qi gong…

Nadie sabe a ciencia cierta cómo funciona el qi gong. Mi presentimiento es que afecta la liberación de hormonas en el cuerpo.

Podría contar innumerables anécdotas sobre la efectividad del qi gong. Mi padre, de 66 años de edad, por ejemplo, lo ha practicado por años… y nunca sufre ni siquiera de un resfriado. *Pero el qi gong también ha demostrado ser eficaz en muchos estudios clínicos…*

● **En un estudio controlado del Shanghai Hypertension Research Institute,** las personas mostraron una mejoría del flujo sanguíneo cerebral luego de 12 meses de entrenamiento en qi gong. Los dolores de cabeza, la hipertensión y muchas otras enfermedades se asocian con un flujo sanguíneo reducido en el cerebro.

El mismo estudio mostró niveles reducidos de segregación lactosa en la sangre luego del entrenamiento en qi gong –lo que sugiere una reducción beneficiosa de la tasa metabólica.

● **Los estudios que se llevaron a cabo en el Traditional Medical College en Beijing** mostraron que la gente que aprendió qi gong experimentó una marcada elevación de las ondas alfa cerebrales. Las ondas alfa se asocian a los estados de calma y alerta.

● **Un estudio de 68 pacientes con SIDA en San Francisco** demostró que dos meses de entrenamiento en qi gong produjo una elevación del 13% al 22% en el número de leucocitos que combaten las infecciones.

CÓMO PRACTICAR QI GONG

Hay muchos tipos de qi gong. Todos implican manipular el flujo de qi por medio de meditación, ejercicios respiratorios y automasaje.

El qi gong puede practicarse de pie, sentado o acostado. Puede hacerse en cualquier lugar donde encuentre un poco de paz y silencio –en casa o en la oficina… incluso si está de viaje.

Si lo permite el clima, lo mejor es hacerlo al aire libre. El flujo de qi se estimula con el aire fresco y la proximidad a las plantas.

El qi gong funciona mejor si se hace a diario y de por vida. Dedique unos 20 minutos todas las mañanas a aprender qi gong, y en dos meses se debería sentir más calmado y más fresco.

Esta es mi rutina diaria. *La hago todas las mañanas al despertar…*

RELAJE SU MENTE

Acuéstese en la cama o siéntese con las piernas cruzadas en la cama o en el piso. Relájese.

Concéntrese en respirar naturalmente por uno o dos minutos.

Luego, concéntrese en "guiar" el qi a un área profunda dentro de su cerebro, justo detrás de su frente. Imagine este "espacio qi" brillar con una luz roja o amarilla… o imagínese que está lleno de olas del mar, una pradera verde u otra escena natural.

Concéntrese en estas imágenes por cinco minutos. Gradualmente, lo invadirá una sensación de calma.

FRÓTESE LAS MANOS

Ahora active los espacios qi de las manos. Pase su concentración de la cabeza a las palmas de las manos. Suavemente frótese las manos por uno o dos minutos. Luego use una mano para frotar el dorso de la otra, por dos minutos más.

Después cambie de mano y repita el proceso, respirando normalmente.

FRÓTESE LOS BRAZOS

Siga concentrándose en las manos. Cierre los ojos, y suba la palma de la mano izquierda hasta el exterior del brazo derecho, desde la muñeca hasta el final del hombro. Rote su brazo derecho hacia fuera, y baje la mano izquierda por el interior de su brazo derecho.

Haga esto 20 veces, luego cambie de brazo y repita.

UN BAÑO PARA SU ROSTRO

Cierre los ojos. Suavemente presione la punta de la lengua contra la parte de atrás de sus dientes superiores. Cúbrase la cara con las manos, con los dedos apuntando hacia arriba.

Con ambas manos, frótese el rostro desde la frente hasta la barbilla. Luego frótelo de nuevo desde la barbilla hasta la frente. Repita el masaje 20 veces, hasta que sienta las manos y el rostro tibios.

FRÓTESE EL PECHO

Use la mano derecha para frotarse desde la parte superior derecha del pecho, baje y cruce hacia la parte inferior izquierda del pecho.

Luego con la mano izquierda frótese desde la parte superior izquierda del pecho hacia la parte inferior derecha.

Repita 20 veces, concentrándose en el centro de las manos.

FRICCIÓN *DAN TIAN*

Cierre los ojos. Con la palma de la mano derecha, frótese el abdomen, justo debajo del ombligo, con un movimiento circular cerrado. Repita 20 veces.

La parte baja del abdomen contiene el punto *Dan Tian*, donde se ubica uno de los espacios qi más importante.

FRICCIÓN *YONG QUAN*

Yong Quan es un espacio qi en el centro de la planta de los pies.

Coloque los dedos de la mano izquierda contra la planta del pie derecho –en el punto donde el arco se encuentra con la bola del pie. Frote rápidamente en movimientos circulares 20 veces, concentrándose en el punto Yong Quan.

Luego cambie a la mano derecha y el pie izquierdo, y repita.

Algunos aceites medicinales son muy buenos para usted

Richard N. Podell, MD, profesor clínico de medicina familiar en la facultad de medicina Robert Wood Johnson en New Brunswick, Nueva Jersey, y médico con práctica privada en New Providence, Nueva Jersey. Es autor de varios libros, incluido *Patient Power*. Fireside.

El conocimiento convencional tiene la idea de que se debe *evitar* el consumo de aceites en las dietas. Estas grasas líquidas tienen demasiadas calorías.

Pero hay algunos aceites que tienen excelentes propiedades medicinales…

ACEITE DE PRÍMULA NOCTURNA ("EVENING PRIMROSE")

Este aceite extraído de las semillas de la planta prímula *(Oenothera biennis)* es rico en *ácido gamma-linolénico* (GLA por sus siglas en inglés).

Los indígenas norteamericanos usaban la prímula nocturna como medicina, y las investigaciones modernas han confirmado que su aceite puede ayudar en una variedad de condiciones médicas.

•**Diabetes.** Muchas personas con diabetes desarrollan *neuropatía*, una forma de daño a los nervios que causa dolor y debilidad. Un impresionante cuerpo de investigaciones demuestra que el aceite de prímula nocturna puede ayudar a los diabéticos a protegerse contra la neuropatía.

En un estudio de 1993 conducido en siete hospitales de Inglaterra y Finlandia, 50 pacientes diabéticos tomaron 12 cápsulas de aceite de prímula nocturna diariamente por un año. Otros 50 pacientes diabéticos tomaron un placebo de aceite de oliva por el mismo periodo.

El resultado: Los que tomaron aceite de prímula nocturna presentaron reducciones significativas del dolor y la debilidad, y mejorías en el funcionamiento de los nervios y los reflejos. Los que tomaron aceite de oliva no tuvieron estas mejorías.

ACEITE DE BORRAJA ("BORAGE")

La borraja *(Borago officinalis)* es una planta de flores azules en forma de estrella. El aceite que se extrae de sus semillas contiene una concentración de GLA aún más alta que el aceite de prímula nocturna. Cuatro cápsulas estándar contienen la misma cantidad de ácido graso beneficioso que 12 cápsulas de aceite de prímula nocturna.

•**Estrés psicológico.** En un estudio controlado realizado en la Universidad de Waterloo en Ontario, Canadá, y presentado en el *Journal of Human Hypertension*, 30 estudiantes universitarios saludables fueron divididos en dos grupos. El primer grupo tomó nueve cápsulas de aceite de borraja al día por 28 días. El segundo grupo tomó un placebo por el mismo periodo. Antes y después del tiempo establecido, se les dio un examen psicológico conocido por causar estrés.

Resultado: Los estudiantes del grupo que tomó aceite de borraja demostraron mucho menos estrés cuando tomaron la prueba la segunda vez. Los del grupo que tomó el placebo no mostraron una reducción del nivel de estrés en la segunda prueba.

ACEITE DE PESCADO

El salmón y otros pescados de aguas frías son ricos en ácidos grasos *omega-3* –las sustancias que el organismo usa para sintetizar las prostaglandinas "buenas".

Un creciente número de investigaciones sugiere que el aceite de pescado es una poderosa medicina contra muchas enfermedades.

•**Enfermedad de Crohn.** Esta condición intestinal inflamatoria causa diarrea fuerte y dolor abdominal, e interfiere en la absorción de los nutrientes. La enfermedad de Crohn suele ceder, solo para reaparecer algunas semanas o meses después.

Un estudio realizado en Italia y publicado en *The New England Journal of Medicine* halló que los suplementos de aceite de pescado brindan beneficios a los pacientes con Crohn.

En el estudio, 78 pacientes cuya enfermedad estaba en remisión tomaron nueve cápsulas de aceite de pescado o de un placebo.

El resultado: Después de un año, 74% del grupo de control había sufrido recaídas, contra el 41% que tomó aceite de pescado.

EL USO DE ACEITES MEDICINALES

Aunque tomar una cápsula diaria de aceite de pescado, de prímula nocturna o de borraja por su cuenta no constituye un gran riesgo, asegúrese de consultarlo primero con su médico, quien podrá ayudarle a determinar la dosis apropiada para usted.

Algunos riesgos han sido asociados con el uso de aceites naturales.

Ejemplo: El aceite de pescado puede diluir la sangre tanto como para provocar hemorragias internas, especialmente si se toma junto con otros anticoagulantes como el ajo o la aspirina. En algunos casos, eleva el azúcar en la sangre y el colesterol.

Alimentos que eliminan la artritis

Lauri M. Aesoph, ND, médica de naturopatía en Sioux Falls, South Dakota. Es autora de *How to Eat Away Arthritis* (disponible en español –*Alimentos que eliminan la artritis*). Prentice Hall.

La cayena, el jengibre y la cúrcuma pueden ofrecer un alivio considerable al dolor de la artritis. Estas especias funcionan al bloquear la liberación de la *sustancia P*, una sustancia química cerebral que transmite las señales de dolor y activa la inflamación en las articulaciones.

Importante: Si decide empezar una "terapia de especias", dígaselo a su médico, para que pueda ajustar sus medicamentos para la artritis.

●**Cayena ("cayenne"):** La cayena puede comerse como especia, o aplicarse en crema en las articulaciones adoloridas. En un estudio, hasta al 80% de los pacientes artríticos mejoró gracias a una crema de venta sin receta con extracto de pimienta de cayena *(capsaicina)*.

La crema de capsaicina se vende bajo los nombres Capzasin-P, Pain Free y Zostrix.

Precaución: Aplicar la crema sobre piel agrietada puede causar dolor. Además, no coma cayena si usted tiene una úlcera.

●**Jengibre ("ginger").** En un estudio, el jengibre alivió el dolor y la hinchazón al 75% de los pacientes artríticos. Añada la raíz fresca a las comidas. O tome de una a tres cápsulas al día.

Precaución: Consumir más de 3 g de jengibre a la vez puede causar malestar estomacal.

●**Cúrcuma ("turmeric").** Esta especia contiene *curcumina*, un compuesto que reduce la inflamación. En un estudio, los pacientes artríticos tomaron 1.200 mg de curcumina ó 300 mg del medicamento para la artritis *fenilbutazone*. Ambos grupos mostraron mejorías similares, pero el fármaco ocasionó efectos secundarios.

Cocine con cúrcuma –o tome dos cápsulas de cúrcuma tres veces al día.

Precaución: Limite el consumo de cúrcuma a una sola comida… o seis cápsulas.

Remedios naturales para la impotencia

Adriane Fugh-Berman, MD, médica investigadora en Washington, DC, se especializa en salud femenina y medicina alternativa. Es autora de *Alternative Medicine: What Works*. Williams & Wilkins.

El primer paso para recuperarse de la impotencia es determinar qué tipo de impotencia se padece. La impotencia *física* es causada por daño en los nervios (a menudo como resultado de lesiones o condiciones crónicas como la diabetes)… o por mala circulación en el pene (frecuentemente causada por depósitos de grasa en los vasos sanguíneos del pene). Además, algunos medicamentos pueden causar impotencia física. Nueve de cada diez casos de impotencia son de origen físico.

La impotencia *psicológica* es producida por estrés emocional, depresión o peleas en su relación personal. Si usted tiene este tipo de impotencia, su mejor apuesta es la psicoterapia o la terapia de pareja. Cerca del 10% de todos los casos de impotencia tiene una base psicológica.

¿Cómo diferenciar la impotencia física de la psicológica? Fíjese si tiene erecciones cuando duerme. Existen máquinas costosas para medir el "crecimiento nocturno del pene". Pero usted no las necesita. Esta es una prueba sencilla y barata que usted puede hacer en casa.

Justo antes de irse a la cama, use cinta adhesiva para atar estampillas con perforaciones (de las que vienen en un rollo) alrededor de la base de su pene. No apriete demasiado. Debe poder meter una moneda entre la piel y las estampillas. En la mañana, revise si las estampillas se separaron por las perforaciones. Haga esto todas las noches por una semana.

Si usted rompe las estampillas constantemente, es probable que su problema sea psicológico. Considere pedirle a su médico que lo refiera a un terapeuta. Si usted *no* rompe las estampillas, quizás su problema es físico. Si es así, su siguiente paso es determinar si el causante es algún medicamento que esté tomando.

Una variedad de medicamento con y sin receta médica (y muchos remedios herbarios) pueden causar impotencia: descongestionantes con seudoefedrina, medicamentos para la presión arterial, especialmente betabloqueantes como el *propranolol* (Inderal) y *atenolol* (Tenormin) y antidepresivos *inhibidores de la elevación de serotonina selectiva* (SSRI por sus siglas en inglés) como *fluoxetina* (Prozac) y *sertralina* (Zoloft).

Si usted sospecha que su impotencia es un efecto secundario de un medicamento, pídale a su médico cambiar a otro medicamento. Si no cree que los medicamentos sean la causa, considere probar alguno de los remedios naturales eficaces contra la impotencia. *Entre ellos...*

● **Ginkgo biloba.** La buena circulación del pene es esencial para tener buenas erecciones, y este poderoso diluyente de la sangre ayuda a estimular la circulación en todo el cuerpo. En un estudio dirigido por Alan Cohen, MD, de la Universidad de California en San Francisco, 32 de los 37 pacientes con problemas sexuales (incluidas impotencia y dificultades para alcanzar el orgasmo) mejoraron cuando tomaron 120 mg de extracto de ginkgo dos veces al día.

● **Ginseng.** Aunque es mucho más conocido como estimulante moderado, el ginseng también es eficaz contra la impotencia. Se pueden encontrar dos variedades de ginseng fácilmente: *ginseng coreano* (panax ginseng) y *ginseng americano* (panax quinquifolius). Pueden tomarse como té, en forma de cápsulas (una o dos diarias) o extracto líquido (uno o dos goteros al día). Asegúrese de tomarlo por la mañana. En la noche, sus propiedades estimulantes pueden causar insomnio. Nunca combine ginseng con café o cualquier otro alimento o medicamento estimulante.

La yohimbina *("yohimbe")* se elabora de la corteza de un árbol del oeste de África y se vende a menudo como cura para la impotencia. Lamentablemente, puede elevar la presión arterial y el ritmo cardiaca y causar ansiedad, mareos, dolores de cabeza y temblores. Una forma farmacéutica de la hierba, la *yohimbina*, se puede comprar con receta. Sin embargo, no recomiendo ninguna versión de la hierba dados sus incómodos efectos secundarios.

Remedios naturales para las alergias de todas las estaciones

Richard Firshein, DO, médico en Nueva York que practica la medicina complementaria. Es autor de *A Guide to Nutritional Therapies: The Nutraceutical Revolution* (Riverhead) y responde preguntas relacionadas a la salud en *www.drcity.com*.

Más de 20 millones de estadounidenses sufren de alergias de primavera. Los antihistamínicos, descongestionantes y sprays de esteroides nasales que se venden con y sin receta médica pueden ayudar –pero también pueden causar somnolencia y hemorragia nasal y pueden tener otros efectos secundarios aún desconocidos.

Estos son algunos remedios naturales que pueden usarse con frecuencia en lugar de –o en conjunto con– los medicamentos. Consulte a su médico antes de usar cualquiera de ellos, especialmente si está embarazada, planea someterse a una cirugía o toma otros medicamentos.

● **Quercetina ("quercetin").** Este suplemento es un *bioflavonoide* –el componente presente en las frutas y vegetales que les da el color intenso. Tiene antihistamina natural y efectos antiinflamatorios.

Dosis típica: Empiece a tomar la quercetina al comienzo del clima primaveral y siga por toda la temporada hasta finales de junio. Tome 300 mg dos veces al día por una semana. Si no da resultados, tome 600 mg.

Si también sufre de alergias de otoño, comience de nuevo a mediados de agosto y siga hasta la primera escarcha (rocío nocturno congelado). En climas cálidos, quizá necesite tomar quercetina todo el año.

● **Ortiga mayor ("stinging nettle").** Al igual que la quercetina, el extracto de esta planta es un excelente antihistamínico y antiinflamatorio. Puede usarse en conjunto con la quercetina o solo.

Dosis típica: 400 mg dos veces al día durante la temporada de alergias.

Tratamiento inmediato: Si está sufriendo un ataque de alergias aunque haya tomado quercetina y/o ortiga mayor con regularidad, tome una dosis extra. Siempre les digo a mis pacientes que usen estos remedios cuando sientan que deben tomar un antihistamínico.

La mayoría de los que sufren alergias encuentra que la quercetina y/o la ortiga son altamente eficaces. Pero si a usted no le dan resultados, puede que uno de los siguientes antihistamínicos y antiinflamatorios sí le ayude, ya sea en conjunto con otros o solos. Pruébelos en este orden, pero, por supuesto, hable primero con su médico.

●**Vitamina C.** Tome 1.000 mg una o dos veces al día durante la temporada de alergias. Esta dosis debe ser reducida o eliminada cuando no padezca de alergias. Estudios recientes sugieren que la vitamina C en altas dosis puede engrosar las arterias e interferir con ciertas terapias para el cáncer. Se sugiere precaución a los pacientes con estas condiciones.

●**Picnogenol,** un antioxidante derivado del tronco de los árboles de pino. Tome 50 mg dos veces al día.

●**Ginkgo biloba.** Tome 60 mg dos veces al día. Una vez que los síntomas cedan, deje de tomarla. Si se usa en exceso (más de 200 mg al día), puede causar diarrea o falta de sueño.

Precaución: La gente que usa anticoagulantes ("blood thinners") debe evitar el uso de ginkgo biloba.

●**Matricaria ("feverfew").** Compre un producto que tenga al menos 0,7% de *partenolido* ("parthenolide"), que es el componente de esta hierba que reduce la hinchazón de los senos nasales. Tome 500 mg dos o tres veces al día.

MÁS DEFENSAS CONTRA LAS ALERGIAS

●**Elimine el polen de sus vías nasales antes de ir a la cama.** Use una solución salina en spray nasal o haga su propio lavado nasal disolviendo media cucharadita de sal en media taza de agua. Póngase unas cuantas gotas de la solución en la nariz con un gotero, luego suénese la nariz.

●**Mantenga cerradas las ventanas de su casa y su auto,** para evitar que entre el polen. Mantenga encendido el aire acondicionado para filtrar el aire y combatir los mohos que causan alergias.

●**Utilice un filtro HEPA todo el tiempo durante la temporada de alergias,** para purificar el aire de polen y otros alérgenos. También puede ayudar una aspiradora HEPA.

●**Lávese el cabello, las cejas, las pestañas, el bigote y la barba** antes de ir a la cama y luego de estar al aire libre. Las motas de polvo ("dust mites") y otros alérgenos se pegan a los cabellos. Cámbiese la ropa cuando llegue a casa.

●**Fortalezca su sistema inmune.** Una mejor salud general reduce los síntomas de las alergias. Tome un suplemento multivitamínico y de minerales a diario –coma saludablemente –descanse adecuadamente –haga ejercicio regularmente… y no fume.

Remedios naturales para aliviar el dolor

Jamison Starbuck, ND, médica de naturopatía con práctica familiar y profesora adjunta de la Universidad de Montana en Missoula; fue presidenta de la American Association of Naturopathic Physicians y editora colaboradora de *The Alternative Advisor: The Complete Guide to Natural Therapies and Alternative Treatments.* Time Life.

Para muchas personas tomar analgésicos es tan instintivo como comer. ¿Tiene hambre? Vaya al refrigerador y coma algo. ¿Le duele algo? Tome una pastilla. Pero las pastillas para el dolor tienen su costo.

El *acetaminofeno* (Tylenol, Panadol, etc.) puede causar daño al hígado. Los fármacos antiinflamatorios sin esteroides (NSAID por sus siglas en inglés), como el *naproxeno* (Aleve) e *ibuprofeno* (Advil, Motrin, etc.), pueden causar hemorragias gastrointestinales y deficiencia renal. También pueden inhibir la reparación de los cartílagos en las rodillas, caderas y otras articulaciones. Además de ser adictivos, el Lortab y el Percocet y otros analgésicos narcóticos pueden causar somnolencia y pensamientos confusos. El relajante muscular *ciclobenzaprina* (Flexeril) se ha relacionado con mareos, sarpullidos y hasta convulsiones.

En algunos casos, los riesgos de estas reacciones secundarias son compensados por los beneficios evidentes. Cuando el dolor es muy fuerte, nada puede remplazar el alivio de los medicamentos. Pero para aliviar molestias comunes –dolor de cabeza por tensión, torcedura del tobillo, entumecimiento de las articulaciones, dolores de espalda y postoperatorio– a veces es mejor evitar los medicamentos y optar por tratamientos naturales.

El hielo puede parecer pasado de moda, pero sigue siendo uno de los mejores analgésicos naturales. Es excelente para el dolor de espalda, las articulaciones adoloridas e hinchadas, y el dolor de cabeza. Reduce la congestión, mejorando el flujo sanguíneo y promoviendo la curación. Una bolsa de guisantes (chícharos, "peas") congelados funciona tan bien como una bolsa de hielo, y puede volver a congelarse y usarse muchas veces. Normalmente es eficaz una aplicación de diez minutos, dos o tres veces por hora.

Si su problema son los dolores de cabeza, beber mucha agua con frecuencia es todo lo que necesita. En especial, los dolores de cabeza por tensión y los dolores de cabeza "tóxicos" por haber bebido mucho alcohol o mucha cafeína responden muy bien a la "hidroterapia". Tome ocho onzas (235 ml) de agua cada 10 minutos por una hora. ¡Asegúrese de tener un baño cerca antes de empezar con este remedio!

Para torceduras agudas, rasguños, magulladuras y otros traumas menores, nada es mejor que el *árnica*. Este remedio homeopático –que se puede comprar en las tiendas de alimentos naturales y en muchas farmacias– reduce los moretones y el dolor. A menos que usted sea propenso a los accidentes, un solo frasco que cuesta menos de $10 puede durar varios años. Yo recomiendo el árnica en potencia 30C –normalmente 2 gránulos de una a tres veces al día, por hasta siete días.

Para la tendonitis y la ciática –y para acelerar la recuperación de la cirugía– suelo recomendar *bromelina* ("bromelain"). Este agente antiinflamatorio natural –una enzima derivada de la piña– estimula la eliminación de los compuestos inflamatorios en el lugar de la lesión. Se puede comprar la bromelina en cápsulas en tiendas de alimentos naturales y farmacias. La dosis típica es 250 mg de una a cuatro veces al día. La bromelina está prohibida para la gente con presión arterial alta.

La *boswellia serrata* (incienso, "frankincense") tiene una larga tradición como tratamiento para la artritis en la India y el Oriente medio. Aunque los estudios humanos sobre esta hierba son inadecuados, la experiencia clínica de muchos practicantes –yo, entre ellos– ha sido extremadamente prometedora. Yo recomiendo rutinariamente la boswellia como sustituto para los NSAID en casos de dolor de espalda, artritis, dolor inflamatorio de las articulaciones y lesiones agudas de los huesos y los músculos. Incluso usándola a largo plazo, la boswellia no parece causar la hemorragia gastrointestinal y el dolor, que puede producir el uso de los NSAID.

La boswellia se puede comprar en tiendas de alimentos naturales. Busque la boswellia sola, o combinada con jengibre ("ginger") y cúrcuma ("turmeric"), dos hierbas analgésicas que no afectan el estómago. La dosis típica es 300 mg de boswellia, tres veces al día, según se necesite para el dolor.

Cosas buenas del ginkgo biloba

Varro Tyler, PhD, ScD, distinguido profesor emérito de farmacognosia de la Universidad Purdue en West Lafayette, Indiana.

El ginkgo biloba siempre se ha conocido como un estimulante natural de la memoria. Pero este remedio herbal también es eficaz contra los mareos, el zumbido (tintineo, pitido) en los oídos *(tinitus)* y el dolor de piernas que viene y va llamado *claudicación intermitente*. Cada uno de estas dolencias puede ser causada por circulación lenta.

Cómo funciona el ginkgo: Ayuda a bajar los niveles anormalmente altos del factor de activación plaquetario (PAF por sus siglas en inglés), un componente natural del cuerpo que promueve la coagulación de la sangre, pero que inhibe la circulación.

23

Consejos útiles para el cuidado de la salud

Porqué es tan importante hacer su propia investigación médica

Fred D. Baldwin, PhD

Si le han diagnosticado una enfermedad grave o crónica, ¿cómo puede asegurarse de obtener la mejor atención posible? En el pasado, los pacientes solían depender de sus médicos para que decidieran el mejor tratamiento. *Lamentablemente, esto ya no es prudente.*

●**Los conocimientos de medicina cambian tan rápidamente** que pocos médicos pueden estar al día. Cada mes aparecen cientos de artículos en las publicaciones médicas –solo sobre cardiología.

●**Los estudios que su médico ha llevado a cabo podrían predisponerlo hacia ciertos tratamientos.** Los cirujanos tienden a favorecer la cirugía. Los internistas tienden a recomendar píldoras.

●**Su médico puede decidir no recomendarle una terapia costosa** debido a la presión de las organizaciones de mantenimiento de la salud (HMO) para bajar los costos.

La verdad es que usted pudiera no enterarse nunca de un tratamiento que podría curarlo, a menos que realice su propia investigación.

Ejemplo Nº 1: Un médico le dijo a una mujer con un tumor cerebral que su única opción era la cirugía, que podría dejarla parcialmente paralizada. Ella contactó a un grupo de apoyo, a través del cual se enteró de una alternativa no invasiva llamada "gamma knife" o bisturí de rayos gamma, una forma de radioterapia. Cinco años después, está completamente sana.

Ejemplo Nº 2: Los médicos le dijeron a una mujer con linfoma no Hodgkin que sus probabilidades de supervivencia eran mínimas. Entonces su madre leyó algo sobre pruebas clínicas de una

Fred D. Baldwin, PhD, escritor médico de Carlisle, Pensilvania, y coautor, con Suzanne McInerney, de *Infomedicine: A Consumer's Guide to the Latest Medical Research*. Little, Brown.

forma de quimioterapia en altas dosis llamada CHOP. La mujer no ha tenido síntomas durante más de un año. Los médicos dicen que sus expectativas de vida son excelentes.

SERVICIOS DE INVESTIGACIÓN

Si tiene poco tiempo o energía –y no le importa pagar por información médica– piense en contratar un servicio de investigación. Por una tarifa de $150 a $400, estos servicios buscan información en inmensas bases de datos médicas y elaboran un reporte encuadernado con copias de artículos relevantes.

Algunos servicios de investigación confiables:

●*The Health Resource,* 933 Faulkner, Conway, AR 72034. *www.thehealthresource.com,* 800-949-0090.

●*Institute for Health and Healing Library,* 2040 Webster St., San Francisco, CA 94115. 415-600-3681.

●*Schine Online,* 39 Brenton Ave., Providence, RI 02906. 800-346-3287, *www.findcure.com.*

CÓMO HACER SU PROPIA INVESTIGACIÓN

Normalmente, la gente queda satisfecha con los reportes que obtienen de estos servicios. Pero al pagarle a un tercero para buscar información acerca de su enfermedad, usted deja de aprender, un proceso que puede ser enriquecedor para muchas personas.

Los pacientes sienten que participar activamente en su propia investigación les ayuda a despejar su ansiedad y les hace sentir esperanzados en lugar de impotentes.

Las buenas noticias: Hacer una investigación médica sofisticada es ahora más fácil que nunca. Si tiene una computadora y un módem, puede hacer parte del trabajo desde su casa.

Si no tiene una computadora, averigüe si puede utilizar una en la biblioteca pública o en la de la escuela de medicina local. Para encontrar la biblioteca de medicina más cercana, llame a la National Library of Medicine (NLM) al 888-346-3656, *www.nlm.nih.gov.*

●**Lea sobre su dolencia en las guías médicas para el consumidor.** Busque en la *Mayo Clinic Family Health Book* (William Morrow)… *The American Medical Association's Family Medical Guide* (Random House)… y *The Merck Manual* (editado en español por Merck Publishing Co.).

Si tiene dificultades para descifrar la terminología médica consulte el *Mosby's Medical Dictionary* (Mosby-Year Book).

●**Busque a los principales especialistas.** Si tiene una enfermedad grave, es probable que su médico le insista en que consulte al menos un especialista. Pero muchos médicos están obligados a referirle a especialistas cuyos nombres aparecen en una lista facilitada por una empresa de seguros. Puede que no se trate del mejor especialista.

La autodefensa: Pregunte a su médico: "Si *usted,* doctor, tuviera este problema, ¿a quién consultaría?" Siempre que contacte a los expertos, hágales la misma pregunta.

●**Aproveche las inmensas bases de datos.** Cientos de bases de datos sobre salud han sido compiladas por servicios de investigación y bibliotecas de todo el país.

La mejor es la que la NLM proporciona, en inglés, en *www.nlm.nih.gov.*

Medline contiene referencias y extractos de 4.600 publicaciones médicas.

Además en el sitio Web de NLM, encontrará la sección MEDLINEplus, con información sobre cientos de enfermedades, dolencias y asuntos relacionados con el bienestar. También puede encontrar información sobre medicamentos, diccionarios médicos en línea, una enciclopedia médica y enlaces a otros recursos gubernamentales sobre salud.

También puede utilizar el *Index Medicus.* Este vasto índice *impreso* contiene los mismos artículos que Medline. Puede consultarlo en la mayoría de las bibliotecas médicas.

●**Céntrese en las investigaciones más recientes.** Preste especial atención a las *reseñas,* que resumen los últimos tratamientos. Brindan una gran visión general y normalmente están escritas por destacados expertos.

Anote dónde se encuentran estos expertos, y contáctelos. Si tiene dificultades para comunicarse con ellos, pida a su médico que solicite una consulta para usted.

Si usa una fuente impresa como *Index Medicus*, busque los artículos con títulos que contengan las palabras "current trends", "current status" o "review" (tendencias actuales, estado actual y reseña).

●**Investigue las pruebas clínicas.** Los Institutos Nacionales de Salud (NIH por sus siglas en inglés) actúan como centros de información sobre pruebas clínicas que se realizan en los centros de investigación de EE.UU.

Su página Web, *www.clinicaltrials.gov*, brinda información sobre pruebas clínicas públicas y privadas.

Para averiguar sobre las pruebas de cáncer, llame al National Cancer Institute al 800-422-6237. Para averiguar sobre las pruebas de sida, llame al Department of Health and Human Services al 800-874-2572, *www.hhs.gov*.

●**Averigüe los tratamientos alternativos.** Una buena fuente es *Fundamentals of Complementary and Alternative Medicine* por el Dr. Marc Micozzi (Churchill Livingstone).

También puede contactar el National Center for Complementary and Alternative Medicine Clearinghouse de los NIH (888-644-6226, *http://nccam.nih.gov*) para conocer los enfoques alternativos para su enfermedad.

Con una computadora puede revisar los recursos de medicina alternativa en Internet *www.healthfinder.gov* o *www.altmedicine.com*.

Advertencia: Algunas organizaciones que aparecen en la Web son la fachada de empresas que venden dudosos suplementos nutricionales.

●**Busque a otras personas que hayan tenido su enfermedad.** Puede encontrarlas en grupos de discusión en línea. Revise también Medical Matrix, *www.medmatrix.org*. Tiene una lista de grupos de noticias sobre medicina en Internet.

Para encontrar un grupo de apoyo: Llame al National Self-Help Clearinghouse (212-817-1822, *www.selfhelpweb.org*). O a la National Organization for Rare Disorders (800-999-6673, *www.rarediseases.org*). O consulte *The Self-Help Sourcebook* (American Self-Help Clearinghouse).

Cómo entender las noticias médicas

Timothy McCall, MD, internista en Boston, editor médico de la revista *Yoga Journal* y autor de *Examining Your Doctor: A Patient's Guide to Avoiding Harmful Medical Care*. Citadel Press. *www.drmccall.com*.

V aya más allá de los titulares. Los reportajes en los medios con frecuencia exageran la importancia de los estudios individuales.

●**Tome en cuenta la fuente.** Preocúpese por los posibles motivos ulteriores si el estudio fue patrocinado por una empresa o por una asociación farmacéuticas.

●**¿Se estudiaron animales o humanos?** Los resultados de los estudios sobre animales no siempre pueden aplicarse a los humanos.

●**¿Cuántos sujetos se estudiaron?** Muy pocos significa que los resultados tienen menos probabilidades de ser válidos.

●**¿Los sujetos eran como usted?** Un estudio sobre hombres ancianos puede significar poco para usted si es una mujer de 35 años.

●**No sobrevalore los resultados.** Solo porque un estudio diga que el ajo ayuda a proteger contra algunos tipos de cáncer, no significa que el ajo sea una cura contra el cáncer.

●**No cambie su estilo de vida basándose en un reportaje.** Siga consejos que han sido comprobados, tales como llevar una dieta balanceada, con pocas grasas y mucha fibra.

¿Cómo se evalúa su organización de mantenimiento de la salud (HMO)?

E l National Committee for Quality Assurance (NCQA) ha empezado a evaluar y acreditar las organizaciones de mantenimiento de la salud (HMO).

Se evalúa: La calidad del tratamiento médico de la organización… la formación y experiencia de sus médicos… los servicios de salud preventivos… los registros… lo apropiado del cuidado médico… los derechos de los pacientes.

Aunque las evaluaciones son pagadas por las organizaciones participantes, una de cada ocho de las evaluadas hasta ahora ha sido suspendida. *www.ncqa.org.*

Cómo elegir una organización de mantenimiento de la salud (HMO)

Susan Pisano, directora de comunicaciones de la American Association of Health Plans, 1129 20 St. NW, Suite 600, Washington, DC 20036.

Antes de inscribirse en una organización HMO, hágale estas preguntas al representante de la misma…

- **¿Hay médicos participantes cerca de donde vivo o trabajo?**

- **¿Dónde puedo acudir para recibir atención médica por la noche o durante el fin de semana?**

- **¿El plan ofrece varios médicos para elegir?**

- **¿Qué porcentaje de médicos participantes están acreditados por la junta médica ("board-certified")?**

- **¿El departamento de atención a los afiliados tiene información útil** sobre los médicos participantes?

Pídale referencias a la organización. Pregunte a sus amigos y familiares sobre sus experiencias con organizaciones de mantenimiento de la salud.

El valor de los exámenes de laboratorio

Marc Silverstein, MD, director del Center for Health Care Research de la Medical University of South Carolina en Charleston. Su estudio de pruebas de laboratorio con 531 pacientes de un promedio de edad de 63 años, fue publicado en *The American Journal of Medicine,* 655 Avenue of the Americas, Nueva York 10010.

Los exámenes rutinarios de laboratorio tienen poco valor para las personas aparentemente sanas. Muchos médicos piden análisis de orina, recuentos hemáticos, análisis bioquímicos de la sangre y exámenes de la tiroides como parte de sus análisis de rutina. Pero además de ser costosos, es poco probable que estos cuatro exámenes encuentren un problema de salud en estas personas. Si su médico le recomienda estos análisis como parte de un examen de rutina, pídale que le explique los beneficios de su salud derivados de la información que arrojen… y de que manera los resultados cambiarán sus recomendaciones.

Evite la ansiedad en un examen de resonancia magnética (MRI)

Helen Wahba, RN, enfermera del departamento de radiología del centro médico MetroHealth en Cleveland.

A una de cada diez personas citadas para hacerse una resonancia magnética (MRI) le parece imposible de aguantar.

La razón: Claustrofobia. En la resonancia magnética hay que estar acostado durante 25 a 60 minutos en un túnel muy angosto para un examen muy ruidoso.

Para que el proceso sea más soportable…

- **Pida a su médico que le explique el procedimiento** con anticipación a la cita. La mayoría de los sitios donde se llevan a cabo

Nota del editor: Ahora hay máquinas de resonancia más "abiertas" con más espacio adentro para el paciente, pero es posible que produzcan imágenes menos detalladas.

estos exámenes ofrece folletos informativos.

•**Pídale a un familiar o amigo que se quede con usted en la habitación mientras le hacen la resonancia.** Si puede, pídale que le sostenga el tobillo durante el examen.

•**Asegúrese de estar cómodo antes de que comience el examen.** Una almohada debajo de las rodillas reduce la tensión de la espalda.

•**Mantenga los ojos cerrados durante todo el proceso.** Póngase un pañuelo sobre los ojos, e imagine que está sentado en la playa o en su sillón favorito en casa.

•**Pida que pongan más alto el aire acondicionado.** Así se evita la sensación de confinamiento de una habitación demasiado calurosa.

•**Use anteojos prismáticos ("prism eyeglasses").** Éstos le permiten ver fuera del túnel mientras está acostado. Pídale a sus familiares que se sienten al final del túnel para que usted pueda verlos.

La prueba de úlcera

A. Mark Fendrick, MD, de las facultades de sanidad pública y de medicina de la Universidad de Michigan en Ann Arbor.

Aplace las pruebas invasivas de úlcera hasta que haya probado medicamentos. Las investigaciones demuestran que casi todas las personas con úlceras están infectadas con bacterias relacionadas con la repetición de la úlcera. Los consejos médicos actuales recomiendan usar antibióticos para matar las bacterias.

La trampa: Los médicos frecuentemente primero prescriben una incómoda endoscopia a los pacientes que creen que tienen úlceras. *Mejor:* hágase un examen de sangre para detectar anticuerpos. Considere la terapia con antibióticos si el resultado da positivo. Hágase la endoscopia solo si los síntomas no desaparecen.

Las pruebas genéticas pueden salvar su vida... o arruinarla

Ellen Matloff, MS, asesora sobre genética en el Yale Cancer Center en New Haven, CT. Se especializa en asesorar a pacientes con alto riesgo de ciertas formas de cáncer.

En los últimos 20 años, se han relacionado cientos de enfermedades con mutaciones de ciertos genes. Un creciente número de estos genes pueden detectarse con un simple análisis de sangre.

¿Cuánta influencia tiene su genética sobre su salud? ¿Qué puede hacer usted si en su familia hay una enfermedad hereditaria? ¿Quién debería someterse a análisis genéticos?

Para las respuestas a estas y otras preguntas, hablamos con la asesora genética de la Universidad Yale, Ellen Matloff...

•**¿Hasta qué punto la enfermedad está determinada por los genes "malos"?** No deberíamos llamar a estos genes "malos". Todos tenemos mutaciones genéticas. Cada persona quizá esté predispuesta al menos a una enfermedad –ya sea cáncer, enfermedad cardiaca, colesterol alto o afección de la sangre.

Tener una mutación que haya sido relacionada con una enfermedad específica no *garantiza* que usted vaya a desarrollarla. Solo significa que tiene un alto riesgo.

En muchos casos, usted puede reducir el riesgo adoptando un estilo de vida saludable... y vigilando cuidadosamente su salud.

Con algunos defectos genéticos, incluidos los que causan ciertos tipos de cáncer de tiroides y de colon, el riesgo de contraer la enfermedad puede estar cerca del 100%. Eso significa que es casi seguro que cualquier persona con el gen mutante que viva hasta los 85 años desarrollará la enfermedad, a menos que se retire el órgano, sin importar cuántas medidas preventivas se tomen.

Con otros genes mutantes, el riesgo es más incierto. Por ejemplo, si usted tiene uno de los genes recientemente identificados relacionados con cáncer de mama, tendrá un 85% de probabilidades de contraer dicho cáncer antes de los 85 años. La población femenina en general tiene un riesgo del 10% de padecer cáncer de mama.

Estas mutaciones también se asocian con un riesgo de por vida del 50% al 60% de padecer cáncer de ovarios (comparado con el 1% para la población general).

• **¿Para qué enfermedades está disponible el examen genético?** El examen está disponible ahora para cientos de enfermedades, incluidas algunas formas hereditarias de cáncer de mama y colon. Ese número crece cada año.

• **¿Quién debe someterse a exámenes genéticos?** Para mutaciones asociadas con la enfermedad de Huntington, distrofia muscular y otras enfermedades *raras*, los exámenes genéticos son apropiados si la persona ha empezado a mostrar síntomas… o si tiene un historial familiar de la enfermedad. Los resultados ayudan al médico a confirmar un diagnóstico.

Análisis presintomáticos: Disponibles para algunas formas hereditarias de cáncer de mama, ovarios, colon, tiroides y piel, son apropiadas solo si…

• **Uno o dos miembros cercanos de la familia** (padres, hermanos, abuelos, tíos) han tenido la enfermedad.

• **Un miembro cercano de la familia tuvo el cáncer a una edad temprana.** Para cáncer de mama, se considera edad temprana los 40 años o menos. O, si el miembro de la familia ha tenido el cáncer más de una vez –en ambos senos, por ejemplo. Consulte a su médico.

• **¿De qué se tratan los análisis genéticos?** Normalmente, una muestra de sangre o piel (células raspadas de la pared interna de las mejillas) es necesaria.

La muestra se puede analizar en el hospital –o enviar a un laboratorio independiente. Los resultados están listos de uno a tres meses después. Asegúrese de ir a un hospital que ofrezca asesoramiento genético junto con el análisis. Para encontrar uno, llame a la National Society of Genetic Counselors (Tel: 610-872-7608, *www.nsgc.org*) o pregunte en el servicio de información del hospital de su comunidad.

• **¿Qué pasa si sale positivo?** Para algunas enfermedades, no hay nada que hacer para alterar su destino. Por ejemplo, la enfermedad de Huntington. Incluso si descubre que tiene la mutación relacionada con esta enfermedad neurológica mortal, no hay forma de prevenir la degeneración de los nervios o de desacelerar su desarrollo.

En estos casos, una de las ventajas de las pruebas es la *eliminación de la incertidumbre.*

Alguien que sale positivo a la prueba del gen de Huntington puede decidir no tener hijos –por temor a transmitirles el gen… o a estar demasiado enfermos para criarlos.

Otra persona puede decidir tenerlos más temprano, usar esperma u óvulos provenientes de donantes o hacerse una prueba prenatal.

Esa persona ahora puede hacer planes realistas para el futuro –redactar un testamento, organizar las finanzas, incluso encontrar una residencia para enfermos. También puede ser el momento de pasar más tiempo con los amigos y la familia y disfrutar la vida al máximo.

Muchas personas encuentran que la reducción de la incertidumbre resulta positiva –aunque las noticias sean malas.

Con las mutaciones relacionadas con el cáncer, las perspectivas son más positivas.

Supongamos que el resultado es positivo en una mutación relacionada con el cáncer de mama u ovario. Su médico puede recomendarle que se haga una mamografía o una prueba con ultrasonido con mayor frecuencia de la que habitualmente se recomienda. De esa forma, podrá detectar cualquier tumor en la fase más temprana posible.

Si tiene el gen de cáncer de colon, puede hacerse colonoscopias con más frecuencia.

Un enfoque más agresivo puede ser retirar el órgano antes de que desarrolle la enfermedad.

Si se le extirpa la tiroides y toma suplementos de tiroides, por ejemplo, su riesgo de padecer cáncer de tiroides es casi nulo.

Una mujer con un historial familiar de cáncer de mama puede decidir que le extirpen los senos. Esta operación, llamada "mastectomía profiláctica", es una medida extrema. Pero puede ser una decisión que le salve la vida.

Saber que está en riesgo de padecer ciertas enfermedades puede motivarlo a llevar un estilo de vida saludable: seguir una dieta de pocas grasas y muchas fibras, no fumar, etc.

●**¿Cómo decido si hacerme o no los exámenes?** Hable con un asesor de genética, con su médico –y con su familia. Piense en lo que pasaría si el resultado fuera positivo –o negativo. Tómese el tiempo para pensar en esto.

Muchas personas que requieren que se les practiquen las pruebas, deciden no hacérselas –cuando se dan cuenta de todo lo que ello implica.

En la mayoría de los casos, recomendamos esperar al menos hasta los 18 años antes de hacerse pruebas de enfermedades que aparecen a la edad adulta. Los niños solo deben hacerse las pruebas si hay un historial familiar de alguna enfermedad infantil tratable.

Deducciones médicas que se pasan por alto fácilmente

Nadine Gordon Lee, socia asesora de impuestos de Ernst & Young, LLP, 787 Seventh Ave., Nueva York 10019.

Use esta lista para recordar algunas deducciones que se pueden pasar por alto fácilmente cuando prepare sus impuestos…*

●**Tratamientos por alcoholismo y adicción a las drogas.**

●**Lentes de contacto.**

●**Anticonceptivos**, si se adquieren con receta médica.

●**Aparatos para la audición.**

●**Tarifas de servicios hospitalarios** (trabajo de laboratorio, terapia, servicios de enfermería, y cirugía).

●**Gastos de trabajo relacionados con los impedimentos** de las personas discapacitadas.

●**Remoción de pintura que tenga base de plomo.**

●**Transportes médicos**, incluida la deducción estándar por millas.

*Estos gastos son deducibles sólo en la medida en que su total exceda el 7,5% del ingreso bruto ajustado.

●**Zapatos ortopédicos.**

●**Perros guía.**

●**Equipos especiales para las personas discapacitadas.**

●**Comidas especiales** recetadas por un médico y que son aparte de su dieta habitual.

●**Escuelas especiales para niños discapacitados.**

●**El costo para atención médica en las escuelas.**

●**Pelucas** esenciales para la salud mental.

Devoluciones para los enfermos

Nicholas T. Scott, CA-9, No. 94-15321.

El estatuto de limitaciones para solicitar una devolución se suspende temporalmente cuando una persona está incapacitada y no puede llenar la solicitud. Así, cuando el alcoholismo le impide a alguien presentar la solicitud de devolución, el estatuto de limitaciones se *extiende* y la solicitud puede ser presentada después de la fecha límite.

Alerta sobre los beneficios de salud

Estudio del Institute for Clinical Outcomes, 2681 Parleys Way, Suite 201, Salt Lake City 84109.

Sea cauteloso con los planes de seguros que limitan en gran medida la lista de medicamentos por los que le reembolsarán.

La razón: Forzar a los médicos a usar un medicamento alternativo a menudo conduce a un tiempo de recuperación más largo y puede incrementar el costo del tratamiento de una determinada enfermedad.

Un hecho sobre el cáncer de próstata

American Institute for Cancer Research, Washington, DC.

Alrededor del 90% de los hombres que son diagnosticados con cáncer antes de que se le haya extendido más allá de la próstata –y que son tratados con cirugía– pueden esperar vivir al menos otros 15 años.

Lista para prevenir el cáncer

Hugh Shingleton, MD, ex vicepresidente nacional para la detección y tratamiento del cáncer de la American Cancer Society, 1599 Clifton Rd., Atlanta 30329.

●**Colorrectal.** Los hombres y las mujeres mayores de 50 años deben hacerse una sigmoidoscopia cada tres a cinco años y un análisis anual de heces fecales para detectar sangre oculta ("fecal occult blood test").

●**Rectal/próstata.** Los hombres y las mujeres mayores de 40 años deben hacerse un examen de tacto rectal cada año, y los hombres mayores de 50 años deben hacerse un análisis de antígeno prostático específico (PSA por sus siglas en inglés) cada año.

●**Cervical.** Las mujeres mayores de 18 años (ó a la edad en que empieza la actividad sexual) deben hacerse un examen de Papanicolau ("Pap test") anual hasta los 39 años.

Excepción para las mujeres de 18 a 39 años: Después de tres o más exámenes de Papanicolau en años consecutivos con resultados normales, el examen se puede realizar con menos frecuencia según el criterio del médico.

Las mujeres mayores de 40 años deben hacerse un examen de Papanicolau anual.

●**Uterino/ovárico.** Las mujeres entre 18 y 39 años deben seguir las recomendaciones anteriores para un examen de Papanicolau. Las mujeres mayores de 40 años deben hacerse un examen pélvico anual.

●**Mama.** Las mujeres mayores de 20 años deben autoexaminarse los senos al menos una vez al mes. Las mujeres entre 20 y 39 años deben someterse a un examen manual practicado por un profesional cada tres años, y un examen clínico anual después de los 40 años. Las mujeres entre los 40 y los 49 años deben hacerse una mamografía anual o bianual, y después de los 50 años, una anual.

●**Otros.** Tanto hombres como mujeres entre los 20 y los 39 años deben recibir asesoramiento sanitario y una revisión de cáncer cada tres años, y anualmente después de los 40 años de edad.

Los teléfonos celulares y el riesgo de cáncer

Kenneth J. Rothman, DrPH, es profesor de epidemiología del centro médico de la Universidad de Boston en Massachusetts.

En un estudio con 250.000 usuarios de teléfonos celulares, no hubo un incremento en la mortalidad global. El estudio incluía teléfonos plegables ("flip phones") que tienen antenas que deben sostenerse cerca de la cabeza. *No* se evaluó específicamente si estos teléfonos ocasionan cáncer.

Usted puede recuperar el sueño

Allan Pack, MD, PhD, director del Center for Sleep and Respiratory Neurobiology de la Universidad de Pensilvania en Filadelfia.

Para recuperar el sueño no hay que dormir exactamente las mismas horas que se perdieron. Las personas que han perdido sueño tienen un sueño más profundo y pueden necesitar dormir menos horas que las que perdieron.

La mejor forma de proteger la parte baja de la espalda

Natural Medicine for Back Pain: The Best Alternative Methods for Banishing Backache. por Glenn S. Rothfeld, MD, fundador y director médico de Spectrum Medical Arts en Arlington, Massachusetts. Rodale Press.

Cualquier persona que permanezca sentada durante periodos largos tiene un alto riesgo de desarrollar dolor en la parte inferior de la espalda.

Para reducir el riesgo: Cruce las piernas en los tobillos, no en las rodillas, levántese y camine un poco al menos cada media hora.

Importante: La silla de su oficina debe tener brazos y un respaldo recto con un pequeño bulto que se acomode a la curva de su espalda… un asiento que no ceda más de media pulgada (1 cm)… y debe ser lo suficientemente espaciosa para que usted se pueda mover.

Si pone demasiada tensión en su espalda y siente dolor, aplique frío tan pronto como pueda. Continúe el tratamiento de frío periódicamente durante uno o dos días.

La razón: Enfriar la espalda previene que las pequeñas roturas en los músculos sangren, y reduce la dolorosa acumulación de fluido.

Luego de uno o dos días, cambie a tratamientos de calor de 15 minutos, dos o tres veces al día. Esto relaja los músculos y reduce el dolor. El calor húmedo –una botella de agua caliente envuelta en una toalla húmeda– es mejor que el seco de una almohadilla de calor ("heating pad").

Estudio sobre lesiones de espalda

Ann Myers, ScD, ex miembro de la facultad de gerencia y política de sanidad pública de la Universidad Johns Hopkins en Baltimore, y directora de un estudio sobre 600 empleados municipales.

Un estudio halló que las lesiones en la espalda son dos veces más comunes en los trabajadores que tienen poco control sobre sus trabajos que en los trabajadores que tienen mayor poder de decisión en la forma como realizan el mismo tipo de trabajo.

Los beneficios de las vacunas contra las alergias

Peter Creticos, MD, profesor adjunto de medicina de la facultad de medicina de la Universidad Johns Hopkins en Baltimore. Su estudio de tres años con 77 pacientes fue publicado en *The New England Journal of Medicine*, 10 Shattuck St., Boston 02115.

Los ataques de asma causados por la exposición al polen responden mejor a las vacunas contra la alergia que a los medicamentos orales. Las vacunas se han utilizado desde hace tiempo para controlar los estornudos, secreción nasal y otros síntomas *no respiratorios* de la rinitis alérgica causada por ambrosía ("ragweed"). Pero no está claro si estas vacunas ayudan a los pacientes con asma inducida por ambrosía.

Hallazgo: Los pacientes tratados con vacunas contra la alergia necesitaron menos medicamentos, pudieron respirar mejor y fueron menos sensibles a la ambrosía.

Cómo saber si usted es alérgico al níquel

James Marks, MD, profesor de medicina de la facultad de medicina de la Universidad Penn State en Hershey.

El níquel a menudo se pasa por alto como causante de reacciones alérgicas. Este metal blanco-plateado se encuentra en toda clase de objetos –pendientes de perforación, llaves, herramientas, cierres, y por supuesto, las monedas de níquel.

Síntoma: Una erupción con ampollas, costras y picazón.

Prueba útil: Péguese una moneda de níquel a la piel con cinta adhesiva en un día caluroso. Si su piel se pone roja, consulte a un dermatólogo.

Actualización acerca de la enfermedad de Lyme

Charlene C. DeMarco, DO, especialista en enfermedades producidas por garrapatas con consulta privada en Egg Harbor, Nueva Jersey. Su estudio de 89 pacientes con enfermedad de Lyme en estado avanzado se presentó en la International Conference on Macrolides en Lisboa, Portugal.

La enfermedad de Lyme responde bien al antibiótico *claritromicina*. De 28 pacientes que tomaron 250 mg dos veces al día, 20 tuvieron un alivio moderado de la artritis característica de las etapas más avanzadas de esta enfermedad. Los resultados fueron menos dramáticos en quienes tomaron el medicamento una vez al día. Otros antibióticos para la enfermedad de Lyme en estado avanzado deben inyectarse. El estado avanzando de la enfermedad de Lyme aparece unos 24 meses después de ser picado por una garrapata infectada.

Autodefensa contra la enfermedad de Lyme

Allen C. Steere, MD, director de reumatología e inmunología del centro médico New England de la facultad de medicina de la Universidad Tufts en Boston.

Saque la garrapata y póngala en un envase con una etiqueta con la fecha y el lugar donde cree que le picó… al aparecer las primeras señales de infección –erupción, dolor en las articulaciones, fiebre, otros síntomas parecidos a la gripe– lleve la garrapata al médico.

La razón: Saber qué clase de garrapata le picó ayuda al médico con el diagnóstico y tratamiento. Generalmente no es necesario examinar la garrapata misma para comprobar la presencia de agentes infecciosos.

Enfermarse puede ser bueno para usted

Randolph M. Nesse, MD, profesor de psiquiatría de la facultad de medicina de la Universidad de Michigan en Ann Arbor, y autor de *Why We Get Sick: The New Science of Darwinian Medicine*. Times Books.

Algunos síntomas de enfermedad demuestran que las defensas naturales del cuerpo están funcionando bien. Las náuseas y los vómitos eliminan toxinas que pueden ser fatales. La fiebre es una defensa contra la infección. La tos también elimina toxinas. La enfermedad y la salud están más relacionadas de lo que la mayoría de la gente piensa. El cuerpo humano repara el daño haciendo que las células se dividan –pero cuando este mecanismo se descontrola el cáncer puede resultar.

Para evitar contagiar las aftas…

Rodney Basler, MD, profesor auxiliar de medicina interna y dermatología del centro médico de la Universidad de Nebraska en Omaha.

Siempre use protección solar para los labios mientras esté al aire libre… mantenga las ampollas limpias y secas… cúbralas con vaselina o una sustancia similar para evitar que se agrieten… no comparta tazas, pajillas ("straws"), cepillos de dientes o toallas mientras tenga aftas. Si padece brotes frecuentes, pregúntele al médico si puede tomar dosis bajas del medicamento antiviral *aciclovir* para prevenir o disminuir la intensidad de los brotes. La medicina se vende con receta bajo el nombre *Zovirax*.

Ayuda para los ex ex fumadores

John Hughes, MD, profesor del departamento de psiquiatría de la Universidad de Vermont en Burlington.

La mayoría de los fumadores necesita 5 o 6 intentos para dejar de fumar. Pocas personas lo dejan al primer intento... pero muchos se desaniman al fracasar y no vuelven a intentarlo.

En definitiva: No deje de intentar dejar de fumar. A la larga lo logrará.

Fumadores excesivos y los parches de nicotina

Estudio con 522 fumadores por Jorn Olsen, MD, PhD, de la Universidad de Aarhus en Dinamarca, que fue publicado en el *American Journal of Epidemiology*.

Las personas que fuman mucho y utilizan los parches de nicotina para dejar de fumar deberían empezar con los parches más fuertes y disminuir la concentración gradualmente.

La razón: Si la dosis inicial no libera la suficiente nicotina, los fumadores podrían abandonar el tratamiento rápidamente. Los parches sin receta médica actualmente disponibles liberan de entre 21 mg y 7 mg de nicotina al día.

El costo: Alrededor de $30 para una semana.

¡Viva! ¡Medicamentos con receta más baratos!

Charles B. Inlander, consultor de servicios médicos y presidente de la organización sin fines de lucro People's Medical Society, un grupo en Allentown, Pensilvania, que defiende a los usuarios de servicios médicos. Autor de varios libros, entre ellos *The People's Medical Society Health Desk Reference*. Hyperion.

Para ahorrar dinero en los medicamentos recetados por su médico, usted puede...

●**Comprar genéricos** –cuestan 70% menos que las marcas de renombre que son casi idénticas.

●**Comprar en grandes cantidades** –pida una receta por seis meses en vez de una mensual que haya que renovar cinco veces.

●**No se arriesgue con medicamentos nuevos:** Compre solo lo suficiente para una semana hasta que compruebe si tienen algún efecto secundario.

●**Comparar** –las farmacias pueden tener el mismo medicamento a precios distintos.

●**Pedirlos por correo** –pídale a su empleador o su servicio de salud que le recomienden un buen lugar donde pedir medicamentos por correo. De esta forma, generalmente obtendrá los precios más bajos.

24

La salud emocional otorga felicidad

Las emociones afectan su salud… maneras eficaces para mantenerse bien

John Travis, MD, y Regina Sara Ryan
Wellness Associates

La ola de noticias sobre salud y bienestar en la actualidad puede confundir más que ayudar. Si ha estado haciendo ejercicio y comiendo "correctamente" durante años pero todavía se siente frustrado e insatisfecho, usted no es el único.

Hay maneras de ocuparse de su salud usando sus recursos internos. Los cambios que proponemos son simples y están diseñados para aumentar la conciencia personal, porque todos los aspectos de la vida son interdependientes.

Ejemplo: Cuando está preocupado, es probable que también se sienta mal del estómago.

Lo que pueden parecer eventos aislados son realmente aspectos interconectados dentro de un sistema más grande y complejo.

Cuando usted domina los pequeños cambios, construye una base sólida desde donde puede comenzar a avanzar en el camino de la curación hacia el bienestar.

Aunque muchas personas asocian el bienestar sólo con aptitud física, nutrición y reducción del estrés, el bienestar es, en realidad, mucho más que eso. El bienestar hace que las personas confíen en sí mismas y se sientan responsables de sus vidas.

ESTABLEZCA METAS PARA SU BIENESTAR

Las metas lo mantienen orientado. Además, las metas son como imanes –tienden a atraer personas y recursos que permiten que se cumplan. Es casi mágico cómo esto sucede.

A menudo, las personas fijan su objetivo demasiado alto y luego renuncian cuando no lo alcanzan. Afronte estas metas "imposibles" descomponiéndolas en partes manejables.

John Travis, MD, y Regina Sara Ryan, coautores de *Wellness: Small Changes You Can Use to Make a Big Difference*. Ten Speed Press. El Dr. Travis es director de Wellness Associates.

RESPIRAR REDUCE EL ESTRÉS

El estrés es inevitable –usted lo necesita para advertirle sobre las fuerzas negativas de la vida. Pero hay muchas formas de estrés que lo agotan y le causan varios tipos de problemas de salud.

Puede que no esté consciente de esto, pero cada situación tensa –o incluso recuerdos de situaciones tensas– causa un cambio en su respiración. Cuanto más estresado se sienta, más débil será su respiración. Respirar profunda y conscientemente puede aliviar la tensión, calmar el miedo y aliviar el dolor. De modo que antes de tomar la aspirina o el antiácido, respire hondamente por un momento.

LAS EMOCIONES Y LA SALUD

Se paga un precio muy alto cuando se niegan o se reprimen las emociones. Letargo, aburrimiento o falta de entusiasmo frente a la vida pueden ser las consecuencias. Los que no están acostumbrados a lidiar con sus sentimientos de una manera saludable muchas veces buscan otras maneras de cubrir esos sentimientos o distraerse –por ejemplo, con alcohol, comida, drogas, televisión, relaciones no saludables o trabajo compulsivo.

Establezca una relación con su yo emocional. Acepte las emociones como signos valiosos que le dicen que algo necesita atención. *Cómo admitir sus emociones…*

●**Escriba una carta** donde manifieste su ira y luego rómpala.

●**Escriba un poema** sobre su pesar.

●**Dibuje, pinte o incluso baile** para expresar sus sentimientos.

●**Ejercítese vigorosamente.**

●**Hable sobre sus sentimientos.**

●**Reconozca el miedo.**

●**Reconozca el desánimo.**

No trate de apartar esas emociones. Obsérvelas. Exprésalas cuando sea apropiado. Luego siga adelante con su vida.

SIMPLIFIQUE SU VIDA

Estar bien en cuerpo, mente y espíritu no es tan difícil como parece. El bienestar no es cuestión de acumular algo, ya sea más investigación o más experiencia.

Por el contrario, el bienestar se consigue al liberarse de todas esas cosas que impiden que su estado de buena salud natural esté presente. Llegar a estar bien es apreciar la simplicidad. *Ejemplos…*

●**Aprecie el valor** de un respiro… una sonrisa… un día de sol.

●**Simplifique su vida.**

●**Simplifique su dieta.**

●**Tómese el tiempo para descansar la mente.**

●**Vea a sus seres queridos como si fueran personas nuevas todos los días.**

HONRE LA SABIDURÍA DE SU CUERPO

Conozca su cuerpo. Aprenda a escuchar lo que le dice y a confiar en lo que escucha.

Escuchar a otros en vez de a sí mismo… o decir que *sí* cuando quiere decir que *no*, son dos ejemplos de las muchas maneras en la que puede engañarse. El bienestar se trata de "regresar a casa" –tomar posesión de su cuerpo nuevamente.

REPROGRÁMESE

Una investigación reciente en el campo de la psiconeuroinmunología verificó lo que los curanderos populares han sabido por siglos –el pensamiento y las emociones tienen un impacto directo en la fortaleza del sistema inmune.

El sistema inmune es su primera línea de defensa frente a la enfermedad. Al fortalecer su sistema inmune conscientemente, por medio del uso de la visualización o de una enriquecedora autoexaminación, le da más posibilidades de mantener una mejor salud total.

CONÉCTESE CON LA TIERRA PARA CURARSE

¿Cuándo fue la última vez que se sentó en el suelo o tocó la tierra de alguna manera? Esto puede parecer tonto, pero el contacto físico con la tierra, las aguas naturales, la luz del sol y el aire fresco es curativo.

Cuando sienta que tiene estrés acumulado, muchas veces lo único que necesita es salir a caminar alrededor de la manzana para recuperar la perspectiva.

Además, se conecta con fuerzas más fuertes que el individuo, y esto hace que todo entre en perspectiva.

UN APOYO PARA LA CURACIÓN

Habrá momentos en los que necesitará de la atención de un profesional que lo ayude –un médico, psicólogo, trabajador social, etc.

Cuando busque a estos profesionales, es importante que encuentre personas que estén dispuestas a tomarse el tiempo de contestar sus preguntas y escuchar sus preocupaciones. Si encuentra a alguien que no quiere hacerlo, vaya a alguien que lo haga.

EN DEFINITIVA

Empezar con estos pequeños cambios lo ayudará a cambiar su vida. Esperamos que experimente un mayor conocimiento y apreciación de su persona… que tenga más fortaleza interna… y, sobre todo, que viva una vida más saludable.

Todo sobre los estados de ánimo

Martin Groder, MD, psiquiatra y asesor de empresas en Chapel Hill, Carolina del Norte. Es autor de *Business Games: How to Recognize the Players and Deal with Them*. Boardroom Classics.

Vivimos en tiempos de grandes expectativas y enormes desencantos. Cuando las cosas no salen como queremos o el estrés en el trabajo o en la casa nos hace sentir deprimidos, nos volvemos poco cooperadores, malhumorados y hasta enojados.

Aunque pueda ser perfectamente normal y saludable sentirse un poco triste o gruñón, hay momentos en los que quisiéramos que el mal humor se fuera más rápido de lo que la naturaleza le permite hacerlo.

¿QUÉ SON LOS ESTADOS DE ÁNIMO?

Los estados de ánimo son el resultado de una compleja interacción entre la química interna del cerebro y los sucesos externos que se experimentan.

En el cerebro, tres neurotransmisores importantes afectan la manera como nos sentimos…

●**La serotonina,** que actúa como un estabilizador del estado de ánimo.

●**La dopamina y la norepinefrina,** que actúan como estimulantes.

Si bien no se entiende completamente cómo actúan estos tres neurotransmisores, sí sabemos que están siendo generados todo el tiempo y que se mueven naturalmente en sus propios ciclos.

Las sustancias químicas también son afectadas por estímulos externos –como alimentos, medicamentos y olores– que pueden causar cambios rápidos en la producción y el equilibrio de los neurotransmisores.

Esto ayuda a explicar por qué las personas pueden ponerse de mal humor luego de escuchar malas noticias. Igualmente, una persona que está de mal humor puede dejar de estarlo instantáneamente luego de recibir una llamada de un amigo muy querido o muy gracioso.

CÓMO QUITARSE EL MAL HUMOR

Si bien sentirse malhumorado es importante para el desarrollo de un sentido de autoanálisis crítico, hay pasos que puede seguir para engañar a su mente y sentirse mejor.

Importante: Si ninguna de las estrategias que voy a recomendar lo alivia y su mal humor persiste por más de dos semanas, consulte a su medico. El problema puede ser depresión, que debe ser afrontada y tratada más agresivamente.

Estrategias para salir del mal humor…

●**Identifique las causas de su mal humor.** Las causas más comunes de mal humor incluyen una enfermedad reciente… soledad… aburrimiento… expectativas no realistas… no poder alcanzar una meta… hacer una montaña de un grano de arena… y decepciones, culpa o ira que no está reconociendo.

En estos casos es útil tomarse el tiempo para analizar qué estaba sucediendo en su vida antes de que empezara a sentirse de mal humor. Saber de dónde vienen los sentimientos negativos le da un cierto sentido de control, y descubrir las causas de su mal humor puede darle alguna idea de cómo remediarlo.

Ejemplo: Uno de mis pacientes se sentía ansioso e irritable pero no sabía por qué. Hablamos sobre qué había pasado durante los últimos días y descubrimos que la esposa del paciente era el blanco de ira no expresada. Ella estaba gastando dinero sin importarle que estuvieran tratando de salir de sus deudas. Una vez que identificó la fuente del mal humor, el paciente pudo hablar directamente sobre ello y se sintió mejor inmediatamente.

Otra causa de mal humor que se pasa por alto frecuentemente es haber estado de buen humor por mucho tiempo. Las personas que están involucradas con proyectos muy intensos en el trabajo se sienten decepcionados cuando éstos terminan. En estos casos, lo que parece un mal humor es simplemente una falta de descanso o un humor neutral, ni bueno ni malo.

•Haga una lista de todas las cosas positivas en su vida. Cuando está de mal humor, todo lo ve negativo. Los contratiempos y las desilusiones se magnifican mientras que las cosas positivas son ignoradas del todo.

Útil: Si hace una lista de todos los factores positivos en su vida, es probable que su percepción negativa cambie.

•Haga ejercicios. El esfuerzo físico produce endorfinas –sustancias químicas naturales en el cerebro responsables de crear el buen humor. Según la persona, la actividad física no tiene que ser extenuante. Incluso una caminata ligera de 20 minutos es suficiente para combatir el mal humor. El estar afuera y exponerse a la luz del sol es otro antidepresivo natural.

Con el tiempo, el ejercicio hará que luzca mejor y que mejore su salud total. Al brindar un flujo constante de endorfinas, el ejercicio regular lo protegerá de futuros malos humores.

•Socialice. Uno de los errores más grandes que cometemos cuando estamos tristes es aislarnos, lo que puede hacer que un mal humor empeore aún más.

Útil: Oblíguese a llamar a alguien... o incluso haga una fiesta sencilla –ordenar una pizza es suficiente– e invite a algunas personas que no ha visto hace tiempo.

•Busque el humor. Nada disuelve el mal humor más rápido que la risa. Vaya a un club de comediantes... alquile un video muy gracioso... o llame a algún amigo que tenga un gran sentido del humor.

Útil: Grábese quejándose y escuche la grabación. Hasta la queja que parece más trágica suena ridícula al ser escuchada.

•Haga algo agradable para alguien. Olvídese de sí mismo al concentrarse en otra persona. Compre un regalo para un amigo. Llame a alguien con quien no haya hablado en años. Ofrézcase de voluntario en un hospital, donde probablemente vea a otros que tienen problemas mucho más graves que los suyos.

•Cambie su ambiente hogareño. El simple acto de cambiar los muebles de lugar lo ayudará a refrescar su actitud. Poner cortinas nuevas, cambiar las pantallas de las lámparas, cambiar la colcha de su cama o acomodar fotografías lo animará de inmediato.

•Disfrute de las artes. Durante siglos, las artes han sido el bálsamo de la civilización. Es difícil continuar de mal humor mientras se observa una pintura magnífica o se escucha la música que agrada.

Incluso juguetear con unas pinturas o con un piano lo distraerá de sus preocupaciones y le dará otra manera de expresarse.

•Pase tiempo en un ambiente natural. Estar cerca de la naturaleza nos ayuda a darnos cuenta de que, independientemente de cómo nos sintamos, el sol sigue saliendo y poniéndose cada día.

Sentarse en un banco del parque, caminar por la playa o acostarse en una colina y mirar al cielo le recordará que hay un mundo más grande que el suyo.

Secretos de fortaleza interior

Joan Borysenko, PhD, renombrada oradora sobre salud y espiritualidad, y presidenta de Mind/Body Health Sciences, una compañía educativa en Boulder, Colorado. Fue bióloga de células cancerígenas en la facultad de medicina de la Universidad Harvard y es autora de *Minding the Body, Mending the Mind* (Bantam) y *A Woman's Book of Life* (Riverhead Books).

Seguro ha notado como algunas personas permanecen centradas a pesar de sufrir enfermedades graves, tener problemas financieros u otros problemas que derrumbarían a otras personas.

Hablamos con Joan Borysenko, PhD, para aprender más sobre esos individuos "emocionalmente adaptables".

La Dra. Borysenko, bióloga de cáncer que se convirtió en investigadora del cuerpo y la mente, ha pasado décadas estudiando la adaptación emocional. Pero su pericia en el tema viene también de su experiencia personal.

Ella ha salido adelante a pesar de haber tenido su cuota de infortunios –incluido un divorcio, un accidente de auto casi fatal y el suicidio de su padre, que estaba muriéndose de leucemia.

¿En qué se diferencian las personas emocionalmente adaptables del resto de nosotros? *Los investigadores han identificado tres actitudes clave que todos comparten…*

RETOS

Las personas emocionalmente adaptables perciben las crisis como oportunidades para resolver problemas –como desafíos, no como amenazas para sobrevivir. Yo fui testigo de este fenómeno en mi propia vida hace 14 años, cuando mis tres hijos y yo encallamos mientras paseábamos en un bote en Scituate, Massachusetts.

Yo inmediatamente empecé a imaginarme lo peor, pensaba: "estaremos aquí toda la noche".

Pero mi hijo de 14 años, Justin, estaba fascinado. "Yo los rescataré", dijo.

Hizo que nos paráramos en un banco de arena y empezó a lanzar el ancla más hacia dentro del río, empujando el bote hasta que salimos a flote.

La actitud de Justin fue un maravilloso ejemplo de adaptación emocional. La mía no.

CONTROL

Las personas emocionalmente adaptables reconocen que si bien no pueden controlar todo lo que les pasa, pueden controlar su respuesta a esos sucesos.

También saben cuándo dejar de luchar, y cuándo simplemente permitir que las cosas sean como son. Personifican la famosa oración de Reinhold Niebuhr para la serenidad: *Que Dios me conceda la serenidad para aceptar las cosas que no puedo cambiar, el coraje para cambiar las que puedo y la sabiduría para reconocer la diferencia.*

COMPROMISO

Las personas emocionalmente adaptables creen que hay un propósito más elevado hasta para los hechos más dolorosos.

Esto no quiere decir que vean los problemas como intrínsecamente buenos. Pero reconocen que algún bien frecuentemente resulta de los sucesos más traumáticos.

Cuando mi padre se suicidó en 1975, no sólo sentí pena sino también una culpa terrible. Como bióloga de cáncer, sentí que debía haber hecho un mayor esfuerzo en ayudarlo a confrontar el difícil proceso de tratamiento por el que él estaba pasando.

Pero me rehusé a entregarme a la desesperación. Me dije que si podía ayudar incluso a una sola familia a lidiar con una tragedia así, la muerte de mi padre tendría algún sentido.

Renuncié a mi trabajo en el laboratorio y estudié para ser especialista en medicina conductual. Más adelante fundé una clínica de mente/cuerpo en uno de los hospitales de enseñanza de la Facultad de Medicina de Harvard, empezando una nueva carrera ayudando a los pacientes y sus familias a afrontar física y espiritualmente enfermedades que ponen en peligro la vida.

Una amiga pasó por algo similar cuando murió su hijo en un accidente de auto. Para sobrevivir el dolor agobiante, se forzó a pensar cómo su experiencia podía ayudar a otros.

Ahora sirve de voluntaria como facilitadora de un grupo de apoyo, ayudando a otros padres que han sufrido la pérdida de un hijo.

El fallecido psiquiatra y sobreviviente del Holocausto, Viktor E. Frankl sostenía que es el significado que le adjudicamos a los eventos *negativos* lo que nos permite soportar el sufrimiento sin entregarnos a la desesperación.

LA ADAPTACIÓN PUEDE SER CULTIVADA

La adaptación emocional no siempre viene naturalmente. A mí ciertamente no me vino naturalmente. *Pero puede ser desarrollada…*

●**Observe su respuesta habitual frente al estrés emocional.** ¿Hace usted una "catástrofe" de todo? ¿Cree que nada de lo que haga cambiará las cosas? ¿Se echa la culpa?

El darse cuenta de estas respuestas es a menudo el punto de inicio para el cambio.

●**Aprenda maneras más productivas de responder a los problemas.** Cuando se sienta preocupado o disgustado, pregúntese: "¿cómo me desafía esta situación?, ¿qué puedo aprender de ella?".

●**Cuídese.** Cuando estamos bajo un estrés emocional severo, tendemos a abandonar los hábitos saludables. Pero es precisamente en ese momento cuando más los necesitamos.

Sin importar lo qué esté sucediendo en su vida, mantenga siempre una dieta balanceada… haga ejercicios con regularidad… y duerma lo suficiente.

●**Alimente su alma.** Cada día, haga algo que le sea sumamente placentero –ya sea caminar en el parque, escuchar música o leer un libro.

●**Encuentre apoyo social.** Compartir sus problemas con amigos y/o familiares es el mejor protector contra el estrés.

Si no tiene personas cercanas a quien llamar, únase a un grupo de apoyo. Hay uno para casi todas las crisis que pueda enfrentar.

Para encontrar un grupo en su comunidad, consulte a un trabajador social de un hospital, o contacte al National Self-Help Clearinghouse en *www.selfhelpweb.org* o al 212-817-1822.

●**Practique la gratitud.** En su libro éxito de ventas *Simple Abundance* (Warner), Sarah Ban Breathnach recomienda pasar unos minutos cada mañana y cada tarde haciendo una lista de cinco cosas por las que se sienta agradecido.

Esto lo ayudará a enfocarse más en las cosas positivas de la vida en vez de en sus problemas. Yo pienso que es una excelente idea.

Expresarse libremente

Jim Spira, PhD, director del Institute for Health Psychology en San Diego.

Es posible que las personas que expresan libremente sus emociones negativas vivan más tiempo después de un ataque al corazón. En un estudio en Bélgica de 300 sobrevivientes de ataques al corazón se halló que quienes contenían sus emociones negativas –particularmente enojo y miedo– eran cuatro veces más propensos a morir en los siguientes seis a diez años luego del ataque al corazón que los sobrevivientes que hablaban más libremente.

Los investigadores especulan que las personas emocionalmente inexpresivas experimentan más estrés, lo que causa espasmos en las arterias e incrementa la tendencia de la sangre a coagularse –y esto contribuye a los problemas del corazón.

La travesía de un sobreviviente

Greg Anderson, fundador y presidente del American Wellness Project, Box 238, Hershey, PA 17033. Es autor de *The 22 (Non-Negotiable) Laws of Wellness.* Harper San Francisco.

En 1984, a la edad de 38 años, fui diagnosticado con cáncer de pulmón. Luego de que me quitaran un pulmón, me informaron que el cáncer se había expandido al sistema linfático. Mi médico me dio un mes de vida.

No obstante, no he tenido cáncer desde 1989.

¿Por qué sobreviví? Por el buen cuidado médico, que incluye terapia de radiación, por supuesto. Pero estoy convencido de que mucho del crédito lo tiene mi estricta adherencia a lo que yo llamo "las leyes del bienestar".

He identificado 22 leyes. *Éstas son las seis más importantes…*

LA LEY DEL CUERPO

El bienestar corporal depende de premisas bien conocidas –evitar el tabaco y el alcohol… ingerir una variedad de alimentos… minimizar el consumo de grasa, sal y azúcar… hacer ejercicio a diario y evitar el sobrepeso.

Los estudios más recientes demuestran que el mantener una dieta baja en calorías que limite todo tipo de carnes incrementa tanto la calidad como el tiempo de vida.

Ideal: Entre 1.500 y 2.000 calorías al día para la mayoría de las personas, dependiendo de cuánto ejercicio se haga.

LA LEY DE LA DECISIÓN EMOCIONAL

Se dé cuenta o no, usted tiene la capacidad de decidir qué emociones usted permite que afecten su vida. También tiene el poder de librarse de los sentimientos negativos.

El problema: Solemos dejar que nuestras emociones dicten nuestros comportamientos y experiencias. Reaccionamos frente a las situaciones y las personas que nos rodean en vez de ser responsables de nuestros propios sentimientos.

Ejemplo: Si su jefe lo critica durante una reunión, usted puede sentirse molesto por horas, o puede seguir la ley de decisión emocional. Esta ley le sugiere desprenderse de la emoción, perdonar al transgresor y olvidarse de la conducta.

Apartar las emociones negativas *no* significa que usted apruebe la mala conducta. Quiere decir que usted está consciente del estrés que afronta a diario, y se niega a permitir que le arruine la vida.

LA LEY DE GANAR O GANAR

Varios estudios exponen el daño del aislamiento social y el beneficio de permanecer conectado a los demás…

• **Las víctimas de ataques al corazón tienen un peligro de muerte mayor si llegan a una casa vacía** que si llegan a un hogar donde está su pareja o una mascota.

• **Las pacientes de cáncer de mama que acuden a un grupo de apoyo viven más** que las que no lo hacen.

• **Las personas que tienen muchos amigos cercanos tienen un sistema inmune más fuerte** que las personas con pocos amigos.

El bienestar social es más que simplemente pertenecer a un grupo –es llevarse bien con otros… y cultivar relaciones con afecto y apoyo.

El problema: La mayoría de las personas opera con una mentalidad de "ganar o perder". Inconscientemente creen que en cualquier encuentro una persona gana y la otra pierde.

Lo mejor: Siga la ley de ganar o ganar –no busque "tú manera" o "mí manera", encuentre una solución que sea *mutuamente* beneficiosa. Así creará aliados y no adversarios.

LA LEY DEL CRECIMIENTO DE POR VIDA

La mayoría de las personas entiende el envejecimiento en términos biológicos. De hecho, el 80% o más del proceso de envejecimiento puede atribuirse a nuestras actitudes y expectativas.

Si piensa que está muy viejo para hacer algo o para probar algo nuevo, lo está. Si piensa que está joven, lo está.

La imagen que tenemos de nosotros es muy poderosa. Un amigo mío, por ejemplo empezó un nuevo negocio, a la edad de 96 años y tomó una hipoteca de 30 años para un edificio de oficinas. *Eso es* estar bien.

El seguir sus intereses evita el aburrimiento y la depresión… lo mantiene saludable… y lo distrae de las molestias físicas. Hay información preliminar que sugiere que la actividad intelectual ayuda a prevenir el mal de Alzheimer. Trate de crecer todos los días.

LA LEY DE LA MISIÓN EN LA VIDA

En una encuesta, se le preguntó a personas de 75 años "¿qué hace que valga la pena vivir?" La respuesta más frecuente fue "tener un propósito".

El servir a otros –la ley de la misión en la vida– es esencial para la realización personal. Lamentablemente, muchos de nosotros estamos tan ocupados que nunca tenemos tiempo de sentarnos y considerar nuestro propósito en la vida.

Su propósito es más que su trabajo. Antes de enfermarme, vivía la vida de un ejecutivo corporativo muy apresurado –el clásico adicto al trabajo. El cáncer me ayudó a darme cuenta de cuál era mi misión –lograr el bienestar para mí y para otros.

No puedo decir que estoy feliz de haberme enfermado. Pero mi enfermedad ha estado llena de sorpresas beneficiosas.

¿Cómo puede descubrir su misión en la vida? Piense, reflexione sobre sus creencias personales: su filosofía sobre la razón por la que fue puesto en esta tierra. Y escriba una declaración de su misión.

Muchas personas tienen 3 misiones definidas:

• **Misión interna:** Lo que quiere conseguir en crecimiento personal. Busque ser una influencia más positiva y amorosa en el mundo.

• **Misión compartida:** Lo que desea alcanzar junto con otra persona. Quizás sea criar un hijo en un ambiente amoroso o redimirse de una condición social descarriada.

●**Misión única:** La que sólo usted con sus talentos y capacidades únicos puede alcanzar. Esta misión debe involucrar la ayuda a otros… haciendo trabajo voluntario, por ejemplo.

LA LEY DE LA PAZ PERSONAL

El bienestar espiritual implica concentrarse en un nivel superior de entendimiento de usted mismo y de los demás.

Me refiero a aprender a amar y ser amado incondicionalmente… expresar gratitud por su vida… perdonarse y perdonar a los demás por transgresiones pasadas o por fallas percibidas… y dejar ir el resentimiento y el enojo.

Consiga la paz personal tranquilizando su mente y su espíritu. Durante unos minutos cada día, medite, haga respiraciones profundas, tome un baño, acaricie a un animal o inicie alguna otra actividad silenciosa y contemplativa.

CÓMO SEGUIR LAS LEYES

Incorpore estas leyes en su vida una por una. Un día enfóquese en una ley. Al siguiente en otra –hasta que haya incorporado completamente el espíritu de bienestar en su vida. Mejorará su salud, enriquecerá su vida… y cambiará el mundo.

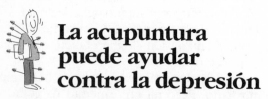

La acupuntura puede ayudar contra la depresión

John J. B. Allen, PhD, profesor auxiliar de psicología de la Universidad de Arizona en Tucson. Para encontrar un acupuntor cerca de usted, comuníquese con la American Association of Oriental Medicine, PO Box 162340, Sacramento, CA 95816, *www.aaom.org*.

En un estudio de seis semanas, los pacientes que recibieron acupuntura experimentaron una reducción del 43% en sus síntomas depresivos. Luego del tratamiento, más de la mitad de ellos no satisfacían el criterio de depresión clínica. Esto significa que la acupuntura es tan eficaz como los antidepresivos o la psicoterapia.

Cómo hacer nuestras vidas mucho más felices

Bernie Siegel, MD, fundador de Exceptional Cancer Patients en Middletown, Connecticut, que brinda información y apoyo terapéutico a personas con enfermedades crónicas que ponen en peligro la vida. Es autor de varios libros, incluido *Love, Medicine and Miracles* y *Peace, Love and Healing*. HarperCollins.

Cada año nuevo trae ambiciosos intentos de eliminar los malos hábitos… tener una vida más saludable… y lograr más en el trabajo.

Este año, en vez de tratar de alcanzar muchas metas diferentes y difíciles, haga la resolución de alcanzar sólo una –ser más feliz.

Mantenga esta resolución y su vida y su sistema inmune mejorarán, dando como resultado un año más saludable –y próspero. *Maneras simples de hacer su vida más feliz…*

●**Cambie su actitud sobre su trabajo y sus colegas.** Si está atrapado en un trabajo que odia, explore sus opciones de cambio y haga el esfuerzo de cambiar a una profesión que encuentre personalmente más satisfactoria.

Pero si no puede cambiar de trabajo –por razones financieras o profesionales– cambie su actitud hacia su trabajo y los que trabajan con usted.

Si necesita motivación, escuche cintas, lea libros edificantes, y hable con personas alentadoras. Comportarse como la persona que quiere ser, puede mejorar su vida ampliamente.

Cuanto más practique su nueva actitud, más fácilmente podrá cambiar su mal humor y sus sentimientos poco saludables.

●**Busque el tiempo para realizar sus actividades preferidas.** Los estudios han demostrado que cuando las personas trabajan en proyectos o pasatiempos que disfrutan, la composición de la sangre se altera positivamente casi de inmediato. Cuando la composición de la sangre se altera de esta manera, se incrementa la resistencia del cuerpo frente a infecciones y enfermedades que ponen en peligro la vida.

La clave: Realice actividades que le hagan perder el sentido del tiempo. Esas actividades varían según cada individuo, y pueden variar desde lavar un auto o pintar una casa hasta leer o navegar por Internet.

●Cambie la manera como percibe el fracaso. El fracaso es un estado mental. Cuando no cumple sus expectativas o las expectativas de otros, puede quedarse pensando en eso hasta que se siente terrible. O puede decidir no volver a sentirse así, entendiendo el fracaso como una redirección que conduce a cosas buenas. Recuerde que "F" no tiene que significar *fracaso*. Puede ser *"feedback"* –una sugerencia para mejorar.

Las personas que aprenden de las situaciones desagradables y luego avanzan son más felices y más sanas que las que no lo hacen.

Mi esposa tiene un refrán maravilloso: *Nunca piense que es un fracasado –siempre puede servir de mal ejemplo.* Ella sabe que hay una utilidad para todo –incluso para el fracaso– y que podemos sacar algo bueno o beneficioso de cada situación triste de la vida.

●Entre en completo contacto con sus emociones. La mayoría de nosotros sabemos muy bien cómo reprimir los temas con los que preferiríamos no lidiar. Nos distraemos colmando nuestra agenda con tantas actividades que nunca tenemos tiempo de ir a la raíz de lo que nos está haciendo infelices o ansiosos.

Si se toma el tiempo de entrar en contacto con sus sentimientos, puede descubrir y sanar la fuente de su dolor psicológico.

●Lleve un diario. Una de las mejores maneras de estar en contacto con sus sentimientos es anotarlos en un diario todos los días. Lleve consigo una libreta y un bolígrafo y escriba cualquier cosa que lo conmueva mientras pasa el día –ya sea que los hechos sean felices o molestos.

Al final del día, lea sus notas para que pueda recordar cómo se sintió en momentos específicos y qué puede haber causado esos sentimientos. También puede agregar algo a sus notas.

Los estudios han demostrado que las personas que regularmente escriben diarios se sienten menos estresadas y son menos susceptibles a diversas enfermedades.

●Trátese como trataría a una mascota muy querida. A muchas personas se les hace difícil tratarse bien a sí mismas. No se perdonan fácilmente por los errores que cometen y no se permiten disfrutar la vida.

Yo les digo a mis pacientes que se traten a sí mismos como lo harían con una mascota.

Ejemplos: ¿Le permitiría a su mascota que fumara?, ¿qué bebiera demasiado alcohol?, ¿qué estuviera obesa? Por supuesto que no. Usted se asegura de que haga ejercicios, de que coma bien, de darle alguna golosina ocasionalmente y juguetes que disfrute. Y lo más importante, le brinda muchos abrazos y le expresa su amor.

No haga la resolución de seguir una dieta saludable y hacer ejercicios solamente para prevenir la muerte. Siga una dieta saludable y haga ejercicios porque usted se quiere a sí mismo lo suficiente como para hacerlo.

Ámese lo suficiente como para disfrutar de las cosas bellas de la vida sin sentirse culpable. Cómprese un traje nuevo. Tómese un día libre en el trabajo y vaya al cine. Relájese y pase algún tiempo jugando.

●Haga algo por los demás. Las personas que ayudan a los otros varias veces a la semana frecuentemente viven vidas más largas y saludables. Cuando usted se ofrece de voluntario para ayudar a otros, se siente mejor emocional y físicamente. Llega a una excitación natural.

●Desarrolle un sentido del humor infantil. Así como los niños pueden ver el lado gracioso de casi todo en la vida, usted puede usar el humor para sobrellevar los problemas y las crisis cotidianas a las que se enfrenta en su vida. Ver películas y programas de televisión cómicos puede estimular su inmunidad física.

Si usted detesta su trabajo y odia volver cada lunes... o debe hacerse un tratamiento médico que lo aterroriza, su cuerpo empezará a liberar sustancias químicas que le provocan tensión antes de que llegue a la oficina o al hospital. Usted puede neutralizar esta acción leyendo un libro entretenido, escuchando una cinta divertida o simplemente buscándole el humor a la vida.

Hágase cargo de su propia vida y decida cuáles dolores de parto está dispuesto a sufrir para renacer en el mundo.

¿Tiene problemas con las apuestas?

Eric Hollander, MD, profesor de psiquiatría de la facultad de medicina Mount Sinai en Nueva York. Su estudio con 19 apostadores compulsivos de entre 22 y 57 años de edad se presentó en una reunión de la American Psychiatric Association.

El juego compulsivo puede con frecuencia controlarse con el antidepresivo *fluvoxamina* (Luvox). De diez adictos a las apuestas que tomaron el medicamento durante dos meses, siete manifestaron que no sentían más el deseo de apostar. La fluvoxamina también es eficaz contra las compras compulsivas.

La manera inteligente de controlar las emociones negativas

David K. Reynolds, PhD, experto en psicoterapias orientales en Coos Bay, Oregon. Ha entrenado a varios instructores en su método *Constructive Living* a través del mundo, y es autor de más de 30 libros, entre ellos *A Handbook for Constructive Living*. William Morrow.

La mayoría de las personas trata de corregir las emociones negativas como la ansiedad, la ira o la tristeza. Pero, en vez de resolver nuestros problemas, ésto nos deja inevitablemente frustrados y confundidos. No funciona porque los *sentimientos son incontrolables*.

Pero sí podemos controlar lo que hacemos. Esta sencilla noción es la base de una manera de vivir llamada *"vida constructiva"*. Al ayudarnos a enfocarnos en lo que sí podemos controlar (nuestra conducta) en vez de en lo que no podemos controlar (nuestros sentimientos, otras personas, el pasado), esta manera de vivir hace que la vida sea más satisfactoria y que tenga más sentido.

LAS RAÍCES DE LA VIDA CONSTRUCTIVA

La "vida constructiva" se basa en dos escuelas de psicoterapia japonesa...

●**La terapia Morita** representa el lado de la acción de la "vida constructiva". Desarrollada a principios del siglo XX por el psiquiatra Morita Shoma, tiene sus raíces en el budismo zen.

●**La terapia Naikan** es el lado reflexivo. Fue desarrollada en la década de 1930 por Yoshimoto Ishin, un empresario que se convirtió al sacerdocio.

A pesar de sus orígenes, la "vida constructiva" *no* es una terapia. Es un modo de vida que se aprende con la práctica diaria y la observación.

LA IMPORTANCIA DE LA ACCIÓN

Como el estado del tiempo, los sentimientos son impredecibles. La tristeza y el enojo vienen y van. Lo mismo sucede con la alegría y el entusiasmo. La aproximación más sensata para manejar estos sentimientos es aceptarlos... y *seguir haciendo lo que hay que hacer.*

Ejemplo: Si está nervioso porque va a empezar un nuevo trabajo, no se obsesione con su ansiedad ni trate de eliminarla. Permita que ésta lo anime a aprender con anticipación tanto como sea posible sobre sus obligaciones. Mejorará su desempeño... y probablemente se sentirá menos ansioso.

En definitiva: Tratar de cambiar la manera como se siente no tiene más sentido que tratar de hacer que una tormenta se detenga a su voluntad. Simplemente espere.

Mientras espera, actúe para lograr sus metas. Al hacerlo impedirá quedarse sumido en cosas que no puede controlar y le brindará un sentido de realización, lo que debería conducirlo a estar más feliz y satisfecho. Incluso si no logra este resultado, al concentrarse en su *objetivo* y en su *conducta* en vez de en sus sentimientos, logrará una sensación de calma y tranquilidad.

EL PROBLEMA DE LA PSICOTERAPIA OCCIDENTAL

Los psicoterapeutas convencionales hacen las cosas al revés. Tratan de hacer que sus pacientes se sientan mejor para que puedan dar los pasos para mejorar sus vidas.

Usted no tiene que sentirse bien consigo mismo para realizar cambios en su vida. De hecho, generalmente funciona de la manera opuesta –nos sentimos mejor como *resultado* de haber realizado cambios constructivos.

Los sentimientos que han sido etiquetados como "negativos" en psicoterapia tienen frecuentemente papeles muy útiles.

Ejemplo: El miedo nos ayuda a evitar el daño físico... la ansiedad nos estimula a organizar nuestras ideas antes de dar un discurso.

Reconocer estos sentimientos no quiere decir que usted deba rendirse a ellos. Se puede ser tímido y sin embargo invitar a alguien a almorzar. Se puede tener miedo a volar y hacerlo de todos modos. Se puede sentir tristeza por el fin de una relación y sin embargo ir a trabajar.

LOS EJERCICIOS MORITA

Ejercicio Nº 1: La próxima vez que esté malhumorado porque alguien lo ha tratado mal, haga algo útil y vigoroso. Lave su auto, por ejemplo, o pase la aspiradora en su casa.

Para cuando termine, los pensamientos molestos probablemente habrán pasado, y usted habrá hecho algo útil.

Ejercicio Nº 2: Haga una lista de todas las actividades domésticas que tiene que hacer. Luego, comience a hacerlas en orden alfabético. El propósito es *hacer* –no sufrir pensando en lo que tiene que hacer.

Ejercicio Nº 3: En las próximas 24 horas, intente hacer varias actividades que no haya realizado antes –como tejer, preparar una receta nueva, pintar, etc. Esto enseña a no permitir que el miedo u otros sentimientos le impidan intentar hacer algo nuevo.

EL PAPEL DE LA REFLEXIÓN

La contraparte del lado *Morita* de la "vida constructiva" es *Naikan*, el lado reflexivo.

Naikan nos enseña a venerar todos los regalos que hemos recibido. Hace que dejemos de concentrarnos en nosotros mismos para hacerlo en los demás.

Cuando no obtenemos lo que deseamos es fácil sentirse triste. Sentimos que no hemos obtenido lo que creímos que nos correspondía. Sin embargo, nada de lo que tenemos es exclusivamente nuestro.

Nuestro cuerpo es un regalo de nuestros padres, quienes obtuvieron sus cuerpos de *sus* padres. Nos mantenemos gracias a alimentos cultivados y procesados por personas que nunca conoceremos. Incluso nuestras ideas se basan en la sabiduría de otros.

La terapia convencional estimula a las personas a que revisen las cosas malas que les han sucedido en el pasado –todas las maneras en las que otros los han herido o defraudado.

¿Cuánto tiempo pasa pensando en las maneras en que *usted* ha herido a otras personas?

Incluso si sus padres no lo atendieron bien, usted les debe el haberle dado la vida. El hecho de haber alcanzado la adultez significa que *alguien* en su pasado lo cuidó.

La respuesta correcta para reconocer todo lo que se nos ha dado es la *gratitud*. En vez de enfocarnos en todo lo que el mundo nos debe, debemos enfocarnos en lo mucho que hemos recibido de muchas fuentes.

LOS EJERCICIOS NAIKAN

Ejercicio Nº 1: Al final del día, pase 20 minutos recordando lo que otras personas hicieron por usted ese día... lo que usted hizo por otros... y los problemas que pudo haber causado usted a otros. *No* dedique tiempo a revisar los problemas que otros le causaron a usted. La mayoría de nosotros ya sabemos muy bien como hacer eso.

Ejercicio Nº 2: Una vez a la semana, busque algo que no funcione y arréglelo. *Ejemplos:* una tubería que gotea, una copiadora atascada, etc. Ésta es una manera de expresar aprecio a las cosas en las que depende todos los días.

Ejercicio Nº 3: Piense en alguien con quien no se haya llevado bien, como un compañero de trabajo, por ejemplo. Diga "gracias" a esa persona diez veces al día.

Ejercicio Nº 4: Cada día, haga un favor a algún miembro de la familia, en secreto. Si alguien detecta su "servicio secreto", encuentre otro servicio secreto que hacer.

Ejemplo: Lustre los zapatos de su pareja y vuélvalos a poner en el clóset.

Solemos hacer cosas por los demás con la idea de obtener algo a cambio. Este ejercicio nos hace recordar que el mundo no nos debe nada en absoluto.

Sobreponerse al temor de fracasar

Arnold Fox, MD, especialista en cardiología y medicina interna durante más de 30 años y comisionado de la Board of Quality Assurance del estado de California. Él y su hijo, Barry Fox, PhD, son coautores de varios libros, incluido *Beyond Positive Thinking: Putting Your Thoughts Into Action.* Hay House.

Generalmente entendemos que el temor crónico al fracaso puede causar problemas en nuestras carreras y relaciones personales. Pero recientemente, los científicos han descubierto que esos sentimientos negativos pueden, además, afectar seriamente nuestra salud *física*.

LA ADRENALINA Y LAS CATECOLAMINAS

Para bien o para mal, cada pensamiento nuestro –ya sea positivo o negativo– afecta nuestro estado bioquímico interno. El miedo, las preocupaciones, la desconfianza en uno mismo y otras emociones "deprimentes" hacen mucho de su daño en forma velada al incrementar la secreción de adrenalina y otras hormonas llamadas *catecolaminas*.

Las catecolaminas pueden detonar una afección llamada *taquicardia paroxismal* –latidos del corazón irregulares o rápidos– incluso en individuos con corazones normales. Esto ha sido relacionado con la muerte súbita.

El exceso de catecolaminas también aumenta los niveles de colesterol y la presión arterial.

El resultado: Un incremento en el riesgo de ataque al corazón y derrame cerebral.

Con el tiempo, los niveles crónicamente elevados de catecolaminas elevan el metabolismo del corazón, forzándolo a trabajar más duro. Además, estas sustancias químicas reducen la producción de insulina del cuerpo, lo que eleva el riesgo de diabetes y de aterosclerosis.

Un flujo constante de catecolaminas también erosiona el revestimiento interno de los vasos sanguíneos pequeños. Los "hoyos" vasculares que resultan de esta erosión se llenan fácilmente con plaquetas y colesterol –incluso si los niveles de colesterol son normales.

Nuestro miedo al fracaso puede mantener el colesterol en niveles pico por largos periodos. *Ejemplo:* los niveles de colesterol de los estudiantes de medicina permanecen elevados por varias semanas luego de haber aprobado los exámenes importantes.

La preocupación crónica también causa estragos en el sistema inmune, reduciendo la eficacia de nuestras células *T protectoras*.

La ansiedad también puede estimular las glándulas suprarrenales a segregar más cortisona, aumentando el riesgo de contraer úlceras pépticas.

CÓMO CAMBIAR NUESTRAS PERCEPCIONES

Para contrarrestar el potencialmente mortal temor al fracaso debemos cambiar nuestras percepciones. *La clave:* darse cuenta de que el fracaso es un hecho inevitable de la vida.

Todos nos hemos equivocado en algún momento. Pero eso no significa que somos unos fracasados.

Incluso una larga racha de reveses o errores no nos califica para recibir esta etiqueta tan general y negativa. Los guiones de nuestras vidas están llenos de fallas y escenas tristes, así como de éxitos y escenas felices.

Útil: Recuerde y alégrese en las escenas positivas. No se hunda en los episodios negativos –repáselos solamente el tiempo suficiente para aprender de ellos, y luego siga adelante.

Las personas que se consideran fracasadas o con preocupación crónica simplemente están atascadas en sus episodios negativos. No pueden dejar atrás el guión y pasar la página, hablando en sentido figurativo.

Se inicia un círculo vicioso cuando la creencia de que son fracasados y el miedo constante de volver a fallar los desanima a probar nuevas experiencias o salir adelante en tareas que pueden conducirlos a resultados más positivos. Esto es así con la salud, la carrera y las relaciones.

ES MEJOR HALLAR CONSUELO HASTA EN LO PEOR

Estudio de caso: Imagínese dos empleados en la misma oficina, haciendo más o menos el mismo trabajo.

Un empleado considera que el trabajo no está a la altura de su talento y sus capacidades. Resiente el tener que recibir órdenes de una jefa y teme parecer un fracasado por tener un trabajo de tan bajo nivel.

El otro empleado, hijo de inmigrantes recién llegados, está feliz de tener un trabajo que sirve para pagar sus clases nocturnas y completar su educación universitaria.

Si bien ambos empleados están realizando el mismo trabajo por el mismo sueldo, el primero percibe que su trabajo es pésimo y el otro lo percibe como una gran oportunidad de salir adelante.

Para decirlo de otra manera, el segundo empleado percibe su trabajo como una experiencia *nueva*, *interesante* y como un *desafío*.

Evidentemente, el mismo estímulo puede desencadenar sentimientos positivos o negativos, según nuestra percepción. Las percepciones positivas nos permiten controlar nuestro mundo al alterar nuestra interpretación de las situaciones y los sucesos. Esto nos ayuda a enfocarnos en nuestros éxitos mientras nos preparamos para cualquier tarea difícil que pueda aparecer más adelante.

CUATRO RAZONES
PARA NO ENTREGARSE AL MIEDO

● **Los mensajes internos** –*no lo puedo hacer; no tengo la capacidad; nunca lo lograré; voy a fallar*– ya sean intencionales o no, verbales o no, disminuyen nuestra confianza, energía y fuerza creativa.

Cuando nos rendimos al miedo y a la preocupación, nuestra mente solo ve imágenes de fracaso, debilidad y vergüenza, bloqueando nuestras imágenes positivas y alentadoras.

● **Generalmente estamos menos preocupados por el fracaso que por cómo nos verán los demás** si fallamos.

Pero la preocupación excesiva por las apariencias nos quita nuestra iniciativa y la libertad de tomar el control de nuestras vidas. Nos programa para comportarnos de acuerdo a las expectativas de los demás –preparándonos para la ansiedad crónica.

● **El miedo al fracaso, la inseguridad y otras emociones que llevan a pensar "no puedo"** son lo que yo llamo adicciones "maestras". Pueden conducir a fumar, comer en exceso, abuso de alcohol y drogas, así como otros hábitos potencialmente mortales.

● **La palabra inglesa "worry" (preocupación) viene del inglés antiguo *wyrgan*, que significa "estrangular".** Eso es lo que hacemos cuando nos preocupamos –estrangulamos

nuestra capacidad de pensar y actuar eficazmente, junto con nuestra fuerza, flexibilidad, entusiasmo y fe en nosotros.

Una inquietud –el estar consciente de los problemas y tener el deseo de sobreponerse a ellos– nos estimula y nos ayuda a encontrar una solución a nuestros problemas. Al contrario, la preocupación nos impide realizar acción alguna.

CÓMO ACTUAR POSITIVAMENTE

Para liberarse del estrangulamiento del miedo, la incertidumbre y la duda…

● **Recuérdese que todo el mundo comete errores.** Lo más importante es lo que se hace con esos errores. No permita que sus errores o sus fallas afecten su autoestima.

En lugar de eso, dígase: *esto condujo a un resultado que yo no deseaba. La próxima vez lo evitaré… y buscaré otra manera de actuar.*

Útil: Establezca metas claras. Sepa dónde quiere ir, luego divida su travesía en viajes pequeños y manejables.

Siga estas tres reglas sencillas…

● **No se mortifique por cosas pequeñas.**

● **Todas las cosas son pequeñas.**

● **Si no puede huir, siga la corriente.**

● **Casi todos los problemas tienen un lado menos serio:** búsquelo. El humor es un gran remedio. Lo ayuda a evitar mortificarse por los pequeños obstáculos y circunstancias irritantes en su vida y le sirve para poner las cosas en perspectiva.

Intente sonreír, especialmente cuando no tenga ganas de hacerlo. Puede que al principio tenga que actuar, pero los sentimientos felices surgirán enseguida. Actúe como si tuviera confianza y ánimo –y pronto los tendrá.

● **Apártese del foco de su miedo y su preocupación.** Use sus talentos y fortalezas para ayudar a otros –a un niño con sus tareas, a un vecino anciano, a un amigo en problemas. Con frecuencia, la mejor manera de sentirse bien consigo mismo y con su vida es hacer algo por los demás –incluso si eso significa simplemente ofrecer su compañía y apoyo.

● **No se haga mala sangre por cosas que no puede controlar.** Enfóquese solamente en lo que *sí puede* controlar.

●**No lo haga sin ayuda.** Si una tarea parece abrumadora, pida ayuda. Hacerlo no es un signo de debilidad, sino de ingenio y fortaleza.

Intégrese a una comunidad. Ya sea una familia, un vecindario, una institución religiosa o un grupo de apoyo, sentir que uno pertenece a un grupo es un antídoto eficaz contra el miedo.

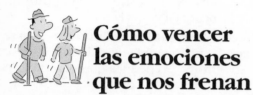

Cómo vencer las emociones que nos frenan

Marilyn Mason, PhD, profesora adjunta en la Universidad de Minnesota y asesora de empresas y oradora en Minneapolis. Es autora de varios libros, entre ellos *Seven Mountains: The Inner Climb to Commitment and Caring.* EP Dutton.

Durante los últimos 20 años, he escalado algunos de los picos más altos del mundo. Cuando comencé a escalar, no era muy atlética. Pero con el paso del tiempo me emocionaba ver cómo mi vitalidad escalaba… y mi cuerpo se fortalecía.

Más impresionante es ver cómo el escalar montañas me ayudó a obtener mayor control sobre mi mente. Incluso aprendí a dominar mis emociones –y cualquiera puede hacer lo mismo.

CÓMO ENFRENTAR SUS MIEDOS

El miedo es una de nuestras emociones más profundas. Puede motivarnos o inhibirnos para actuar. Cuando el miedo nos supera, puede oscurecer todo lo demás que vivimos o pensamos. Esto puede ocurrir independientemente de nuestra inteligencia o equilibrio mental.

El miedo ayudó a nuestros ancestros a reconocer el peligro de los depredadores, inspirándolos a huir y sobrevivir. Puesto que hoy rara vez nos vemos perseguidos por leones, el miedo se ha convertido en una emoción más compleja. Muchas veces reaccionamos ante peligros que son más aparentes que reales.

El miedo puede afectar su pensamiento de muchas maneras hoy en día, impidiendo que vaya tras una buena oportunidad, o diciéndole que escape de un peligro.

Útil: Cuando sienta que el miedo le impide probar algo nuevo, pregúntese por qué tiene miedo. Piénselo. Escriba su miedo. Identificar sus temores y reconocer cuándo están actuando en su contra es una experiencia liberadora.

Ejemplo: Yo estaba aterrorizada antes de mi primera escalada hace muchos años. La lógica me decía que no tenía nada que temer, yo sabía que la cuerda era lo suficientemente fuerte para soportar mi peso y tenía una confianza tremenda en la capacidad de mi compañero de escalada de volver a acercarme al peñasco si me resbalaba.

Al prepararme, mientras más lo pensaba, más cuenta me daba de que no temía herirme. Temía no tener éxito, no ser apta para la escalada. Eso me sorprendió, nunca me había dado cuenta de que le tenía tanto miedo al fracaso. Pero tan pronto como identifiqué el miedo, pude superarlo.

ACEPTE EL COMPROMISO

Vivimos en una época que cambia rápidamente, en la que la tecnología permea muchos aspectos de nuestra vida cotidiana. La tecnología nos ha hecho más productivos y ha incrementado la cantidad de información que recibimos y absorbemos.

Pero la tecnología también nos ha hecho menos pacientes. Hoy en día pasan cada vez más y más cosas en un solo instante, así que nos frustramos cuando los teléfonos están ocupados, los cajeros automáticos ("ATM") están lentos o las filas para pagar son largas.

Nuestra impaciencia general también nos impide soportar obstáculos temporales cuando luchamos por conseguir metas mayores. La respuesta más sencilla frente a problemas en el trabajo o en una relación pareciera ser rendirse.

Útil: Piense en lo que realmente le importa y acuérdese por qué. Cuando se sienta frustrado consigo mismo o con fuerzas que no puede controlar, pregúntese si todavía desea alcanzar sus metas.

Si la respuesta es *sí*, acuérdese que las mejores recompensas son posibles solo si se está dispuesto a aferrarse a ellas en los tiempos difíciles. Los más grandes logros de la vida nunca son alcanzados sin un poco de lucha.

Ejemplo: Escalar el Monte Kilimanjaro me enseñó esto. La montaña no exige una gran cantidad de destrezas técnicas de escalada, solo el deseo de llegar a la cima.

Al principio la escalada es maravillosa. La montaña es hermosa en las elevaciones bajas. Pero pronto es solo roca volcánica sin nada que lo distraiga del próximo paso frente a usted excepto el frío creciente y la falta de aire. El éxito requiere vigor y concentración en el resultado.

BUSQUE AYUDA

A pesar del cambio organizacional en el trabajo del individuo a los equipos, la persona que busca su propio camino todavía es muy admirada en nuestra sociedad. Por eso muchas personas aún se sienten fracasadas cuando deben pedir ayuda.

Pero muy pocas personas tienen éxito por sí mismas, incluso cuando *pareciera* que lo hicieron solas.

Aislarse de los demás y sentirse avergonzado al permitirle a los demás ver quién es usted en realidad, fomenta la deshonestidad y limita su exposición a las oportunidades. Es más probable que cubra sus fallas personales a que haga algo por superarlas.

Útil: Esfuércese en estar abierto a sugerencias creando una junta directiva personal. Hable con los "miembros" individualmente dos veces al año –o cuando necesite ayuda o tenga que tomar una decisión difícil.

Ninguna persona tiene todas las respuestas. El buen juicio viene al hacer las preguntas apropiadas a personas inteligentes.

Ejemplo: He descubierto que, en escaladas difíciles, el entusiasmo del grupo juega un papel muy importante en la determinación y el éxito de cada uno. Me he dado cuenta de que necesitar ayuda de vez en cuando no es una señal de fracaso. Escalar es una experiencia personal, pero no se puede realizar sólo.

LIDIE CON LOS REVESES

Todos sufrimos reveses de vez en cuando. Es parte de la vida, y sin ellos nunca apreciaríamos completamente nuestros triunfos.

Pero no todos reaccionamos de la misma manera frente a los reveses. Algunas personas ven cada expectativa fallida como un gran fracaso, lo que las lleva a menospreciarse o reprocharse. Esta visión negativa puede prevenir que actúen o ayudarlas a sabotear sus esfuerzos.

Útil: Reconozca que vivir la vida significa arriesgarse. Arriesgarse, en ocasiones, quiere decir reconocer una derrota. Cuando tenemos que tomar una decisión, lo hacemos basándonos en la información que tenemos al alcance. Algunas veces encontramos más tarde información adicional que nos lleva a concluir que nuestra decisión inicial fue incorrecta.

Cuando sufra un revés, piense en por qué tomó esa decisión en primer lugar, antes de calificarse de fracasado. ¿Fue un fracaso, o terminó siendo una oportunidad para mejorar?

Ejemplo: Mi primer fracaso en escalar vino en la Torre del Diablo, una roca monolítica de casi una milla (1.500 metros) de alto en Wyoming. Había logrado la primera etapa de la escalada con dificultad y sabía que había más secciones difíciles más adelante, así que di vuelta atrás. Me sentí humillada y vencida.

CÓMO ESTIMULAR LA EXCELENCIA PERSONAL

Hay pocas cosas en la vida tan difíciles psicológicamente como enfrentarnos a una experiencia en la que hemos fracasado en el pasado.

Volver a intentar una experiencia fallida conlleva memorias dolorosas de fracaso personal. Automáticamente nos decimos que estamos destinados a fallar de nuevo, quitándonos, en muchos casos, la mejor oportunidad de tener éxito. O ni siquiera tratamos de intentarla.

Útil: Prepárese con anticipación para estos temores. Concéntrese en lo que aprendió en su primer intento, no en cómo fue afectado.

Luego considere cómo ha cambiado desde su primer intento: ¿ha realizado investigación adicional?, ¿ha pasado más tiempo practicando como preparación? Es probable que usted no sea la misma persona que falló la primera vez.

Ejemplo: Volví a la Torre del Diablo un año después. Todavía había en mi mente ciertas dudas, pero había hecho muchas escaladas durante ese año y sabía que tenía muchas más destrezas que la primera vez que intenté hacerlo. Esta vez alcancé la cima.

La timidez extrema es un problema de salud: cómo superarlo

Franklin Schneier, MD, director adjunto de la clínica de desórdenes de ansiedad en el New York State Psychiatric Institute en la ciudad de Nueva York. Es coautor de *The Hidden Face of Shyness: Understanding and Overcoming Social Anxiety*. Avon.

Todo el mundo se siente tímido o ansioso *algunas veces* –ya sea una sensación nerviosa de mariposas en el estómago cuando entra a una fiesta, o un sudor frío cuando es su turno de hacer un brindis.

La mitad de las personas teme hablar en público. Aunque usted no lo crea, muchos dicen que preferirían morir antes que hablar en público.

La ansiedad social cubre una amplia gama, desde los nervios ocasionales hasta un desorden inhabilitante que imposibilita las relaciones y el trabajo.

Cualquiera sea su caso, dominar el nerviosismo puede mejorar mucho su calidad de vida.

ORIGEN DE LA ANSIEDAD

La ansiedad es la respuesta automática del organismo frente a un peligro percibido. El cerebro envía señales al *hipotálamo*, una glándula en la base del cerebro que estimula la producción de las hormonas adrenales *cortisol* y *adrenalina*.

Una vez que estas "hormonas del estrés" entran en su torrente sanguíneo, su corazón se acelera, sus músculos se contraen y usted empieza a sudar.

Hay gente que se sonroja porque la sangre se acumula en los capilares de sus mejillas. A otros les tiemblan las manos o sienten náuseas.

Muchas personas huyen de estas sensaciones incómodas evitando situaciones sociales. Puede que usted no piense que es tímido, solo que "no le gustan las fiestas" o "no disfruta dar discursos o charlas".

El problema: La evasión significa la pérdida de oportunidades de placer, satisfacción y avance profesional.

No es un asunto de timidez o debilidad. Uno de mis pacientes no encontraba dificultades al enfrentarse a situaciones peligrosas en su trabajo como detective de narcóticos. Pero la necesidad de testificar en la corte lo dejaba paralizado del miedo.

¿A QUÉ LE TEME?

Dos miedos básicos subyacen tras la mayoría de los casos de ansiedad social –el miedo a sentirse abochornado y el miedo a ser juzgado duramente. Nos atemoriza despertar en los demás ira, desprecio o ridículo... decir algo que los demás puedan considerar estúpido... o simplemente parecer tontos.

Son pensamientos como éstos los que les dan una sensación de peligro a las reuniónes y otras situaciones sociales que no son un riesgo físico.

Para hacer peor las cosas, tendemos a temer las manifestaciones corporales de la ansiedad. "Me voy a ruborizar y todos lo notarán", pensamos, o: "mis palmas sudorosas van a revelar a todos lo nervioso que estoy".

Ejemplo: Uno de mis pacientes, John G., estaba ansioso por su boda. ¿Por qué? Porque tendría que levantar una copa de vino durante la ceremonia. Temía que le temblara la mano. Los invitados lo verían como un manojo de nervios, pensaba, y lo considerarían un bobo.

DOMINE EL NERVIOSISMO

Cuanto más evite las situaciones que le producen ansiedad, más se arraigarán sus miedos.

La evasión es lo *opuesto* de lo que usted debería hacer. Para desarraigar sus miedos debe confrontarlos –haciendo justamente las cosas que encuentra más atemorizantes.

Útil: Establezca metas razonables y dé pequeños pasos hacia la realización de esas metas. Si usualmente es tímido en las reuniónes, es irreal –y contraproducente– que trate de ser el alma de la fiesta. En cambio, apunte simplemente a comenzar una o dos conversaciones.

OTRAS ESTRATEGIAS ÚTILES

●**Enfóquese en sus acciones, no en las reacciones de los demás.** La persona con la que trata de establecer una conversación en una fiesta puede mostrarse receptiva... o puede escaparse. De cualquier modo, dése a sí mismo el crédito que merece por lo que hizo: usted inició el contacto.

• **Esté consciente de los pensamientos irreales que lo hacen sentirse ansioso.** Antes de realizar un brindis o una presentación de negocios, ¿disminuye automáticamente su confianza en sí mismo"? ¿piensa: "me voy a equivocar y todos se reirán de mí"?

En situaciones sociales, piensa: "¿se me va a enredar la lengua y no sabré qué más decir"?

En esos casos el mejor antídoto es pensar de forma *realista*. En su presentación, ¿qué probabilidades tiene de equivocarse? ¿de verdad se reirán si se equivoca en una línea? ¿o apreciarán su humanidad y escucharán con más atención?

Remplace los pensamientos negativos que le provocan ansiedad con pensamientos positivos: "he realizado presentaciones anteriormente y lo he hecho bien. De cualquier manera, he mejorado desde la última vez".

Cuando mi paciente, John G., examinó sus nervios prenupciales, vio lo irreales que eran. Se dio cuenta de que si su mano llegara a temblar, su familia y sus amigos no pensarían que era un tonto. Pensarían que estaba conmovido por la ocasión –y lo respetarían aún más.

• **Ensaye las situaciones que lo hacen sentirse nervioso.** Si debe dar una conferencia, practique su charla con anterioridad usando una cámara de video o un grabador. Párese frente a un espejo o pídale a un amigo que lo mire.

En el caso de John G., ensayar su boda con un miembro de la familia lo ayudó a estimular su confianza.

Las personas que temen hablar en público pueden ganar una experiencia invalorable al participar (junto con otros oradores temerosos) en programas ofrecidos por Toastmasters International. Para encontrar un grupo en su comunidad, llame al 800-993-7732, o visite *www.toastmasters.org.*

• **Desarrolle destrezas que le brindarán confianza en sí mismo.** Lea sobre cómo dar una presentación de negocios o una charla eficaz. Observe a las personas que admira por sus destrezas sociales, tomando notas mentales de lo que les funciona.

Muchos centros de educación de adultos ofrecen cursos de destrezas sociales. Estas clases le enseñan qué hacer en fiestas o en citas.

CUANDO FALLA LA AUTOAYUDA

Muchas personas que no pueden controlar la ansiedad por sí mismos se benefician de la terapia cognitivo-conductual. Con esta forma de terapia, usted aprende a identificar y a cambiar los pensamientos negativos que le producen ansiedad… y llega a tener más confianza en sí mismo y a ser más extrovertido.

En solo unos pocos meses de terapia individual o de grupo, puede aprender destrezas que lo ayudarán durante el resto de su vida.

Cuando la terapia cognitivo-conductual no es suficiente, yo receto medicamentos para reducir la ansiedad.

Para la ansiedad *ocasional* –si debe dar una charla una vez al mes, por ejemplo– el beta-bloqueante *propranolol* (Inderal) suele ser lo mejor. Suaviza las reacciones del cuerpo frente a la adrenalina, ayudando a controlar los síntomas como aceleración del corazón o náuseas.

Muchos músicos y otras personas que realizan presentaciones públicas que sufren de miedo escénico pueden obtener alivio al usar propranolol.

Cuando la ansiedad se presenta a diario, frecuentemente yo receto *fluoxetina* (Prozac) u otro *inhibidor selectivo de la recaptación de serotonina* (SSRI por sus siglas en inglés). Las personas ansiosas que toman SSRI dicen que tienen menos pensamientos atemorizantes y se sienten más cómodas en situaciones sociales.

Si los SSRI no funcionan –o si problemas sexuales u otros efectos secundarios los hacen intolerables– prescribo un tranquilizante como *clonazepam* (Klonopin)… o un antidepresivo inhibidor de la monoaminooxidasa tal como *fenelzina* (Nardil).

Para algunas personas unos pocos meses de terapia con medicamentos son suficientes. Para otras se necesita terapia a largo plazo para mantener su mejoría.

Para consultar a un especialista en ansiedad social en su comunidad, comuníquese con la Anxiety Disorders Association of America, 8730 Georgia Ave., Suite 600, Silver Spring, MD 20910, 240-485-1001. *www.adaa.org.*

25

Nuevos métodos
para el siglo XXI

La medicina alternativa es cada vez más aceptada

James Gordon, MD
Facultad de medicina de Georgetown
y Center for Mind-Body Medicine

El interés de los estadounidenses sobre la medicina y las terapias alternativas ha crecido enormemente en los últimos años. En el último año, más de una de cada tres personas ha usado una terapia alternativa para reducir el estrés y el dolor... y/o ayudar a curar una dolencia.

El interés del público es tan fuerte que los Institutos Nacionales de Sanidad de EE.UU. (National Institutes of Health, NIH por sus siglas en inglés) crearon el Centro Nacional de Medicina Complementaria y Alternativa; y muchas facultades de medicina –incluidas las de Harvard, Columbia, Stanford y Georgetown, donde yo enseño– ahora ofrecen cursos de medicina alternativa.

Como médico, mi preocupación es encontrar la combinación más eficaz de medicina convencional y alternativa. Cuando tengo una duda sobre la condición de algún paciente, siempre me aseguro de que se haya hecho exámenes de diagnóstico convencionales completos antes de empezar un programa de terapias alternativas.

Entre las terapias alternativas que me parecen particularmente útiles están...

TERAPIAS DE RELAJACIÓN

Muchas de estas terapias se las puede administrar uno mismo y son sumamente eficaces para reducir el estrés.

Al reducir el estrés, se puede bajar la presión arterial y mejorar la función inmune. También se puede disminuir la frecuencia e intensidad

---

James Gordon, MD, profesor clínico de psiquiatría y de medicina familiar de la facultad de medicina de la Universidad Georgetown en Washington, DC. Es presidente de la junta asesora de la oficina de medicina alternativa de los National Institutes of Health; fundador y director del Center for Mind-Body Medicine, 5225 Connecticut Ave. NW, Washington, DC 20015; y autor de *Manifesto for a New Medicine: Your Guide to Healing Partnerships and the Wise Use of Alternative Therapies.* Addison-Wesley.

de los ataques de asma y de las migrañas y reducir el dolor crónico.

Todas las terapias de relajación empiezan con la inducción a un estado relajado. Esto se puede lograr de varias maneras –con ejercicios de respiración profunda, meditación y hasta con ejercicio físico. Una vez que se es capaz de lograr una sensación de relajación, se pueden seguir terapias más complejas de imaginación o de hipnosis dirigidas a dolencias o síntomas específicos. *Cómo funciona...*

●**Respiración profunda.** Siéntese en una silla cómoda con los pies en el suelo. Respire profundamente con el abdomen. Ponga una mano en el estómago, sienta como sube y baja. Deje el estómago blando (recuérdelo diciendo *estómago blando* mientras espira). Empiece con cinco o diez minutos de esto y hágalo una o dos veces por día. Aumente la duración a su conveniencia. Después de un tiempo, se dará cuenta de que unas pocas respiraciones profundas serán suficiente para sentirse relajado.

●**Meditación.** Una forma simple se llama la meditación concentrada. Mientras respira, repita un sonido como *"uan"* o una palabra u oración que sea importante para usted. Concéntrese en el sonido o la palabra.

●**Imaginación.** Usted puede usar los ojos de la mente para visualizar una escena relajada, como un lago agradable o hermosas montañas. También puede usar imágenes que influyan en funciones físicas específicas. Por ejemplo, visualice los glóbulos blancos de su sistema inmune luchando contra una infección o imagine más sangre fluyendo hacia una articulación rígida.

●**Hipnosis.** Este estado de relajación profunda puede tener un impacto en las condiciones físicas y psicológicas. Generalmente la realiza un profesional que lo ayuda a entrar en un estado en que usted se separa del mundo que lo rodea y tiene mayor capacidad de concentrarse. Él/ella también puede enseñarle estrategias de "autohipnosis".

La hipnosis requiere que usted esté "sugestionable" –es decir, abierto a que otra persona (o usted mismo) le dé instrucciones y dispuesto a dejar que su imaginación mande para que usted se separe del mundo externo y se concentre profundamente en el pensamiento, la escena, el sentimiento, el olor o lo que sea que se le pida que invoque.

O el profesional le puede dar instrucciones para salir del estado hipnótico tras un periodo de tiempo, o usted mismo se las dará. Al contrario de los temores populares, una persona hipnotizada no puede ser obligada a hacer algo que normalmente no haría.

Cómo encontrar a los profesionales: Comúnmente los centros de educación holísticos, las clínicas de control de estrés, los centros y las universidades comunitarios y algunos hospitales y centros médicos ofrecen clases de respiración profunda y meditación.

MEDICINA NUTRICIONAL Y HERBARIA

●**Vitaminas y minerales.** Los nutrientes específicos, sobre todo los antioxidantes en las vitaminas A, C y E, el betacaroteno y el selenio, pueden ser útiles para prevenir algunos tipos de cáncer o la recurrencia de algunas variantes de la enfermedad. Algunos estudios también han vinculado la vitamina E con una reducción del riesgo de enfermedad cardiaca.

Lo que les recomiendo a mis pacientes: Vitamina E: 400 unidades internacionales (IU), dos veces al día; vitamina C: 1.000 mg, una o dos veces al día; betacaroteno: máximo de 25.000 IU al día; selenio: 50 mcg dos veces al día.*

También les digo a mis pacientes que tomen 400 microgramos (0,4 mg) de ácido fólico al día. Se cree que este ácido previene varios defectos de nacimiento y puede reducir el riesgo de enfermedad cardiaca en hombres y mujeres.

●**Las hierbas** contienen ingredientes con efectos farmacológicos específicos.

Tanto en la medicina natural occidental como en las tradiciones no occidentales, como las de India, China y la de los indígenas norteamericanos, se usan combinaciones de hierbas para mejorar el funcionamiento de varios órganos.

Tenga en cuenta que las hierbas tardan más en funcionar que las medicinas occidentales tradicionales. Aconsejo a mis pacientes que esperen mejoras después de un periodo de semanas o meses.

*Pregúntele a su médico cuál es la dosis adecuada para usted.

Es importante consultar una guía herbaria renombrada que haga especial referencia a sus propiedades medicinales y tomar solo las cantidades prescritas. Las hierbas –como cualquier medicamento– pueden tener efectos secundarios dañinos.

Buenos recursos: *The New Holistic Herbal* por David Hoffman (Element Books) y *The Healing Herbs: The Ultimate Guide to the Curative Power of Nature's Medicines* por Michael Castleman (Rodale Press). Disponible en español, *Las hierbas que curan* (Rodale Press).

Las terapias herbarias pueden tratar todo, desde alergias hasta migrañas, y mejorar las funciones físicas y mentales.

Cómo encontrar a un profesional: Ya que los botánicos no están acreditados, su apuesta más segura puede ser encontrar a un médico, enfermera o nutricionista acreditado que usen hierbas en sus tratamientos. También puede preguntarle a amigos que hayan encontrado a alguien competente.

ACUPUNTURA

La acupuntura es una parte de la medicina china. Viene desde miles de años atrás y se usa a menudo junto con la medicina herbaria, cambios en la dieta y técnicas de relajación.

Cómo funciona: El acupuntor inserta agujas finas en puntos clave del cuerpo que se cree se conectan con los órganos e influyen en casi todas las funciones corporales.

Durante el tratamiento, se liberan los analgésicos naturales del cuerpo (*las endorfinas*) y otras sustancias químicas. La acupuntura tiene un efecto antidepresivo, mejora la capacidad pulmonar, estimula el sistema inmune y puede mejorar la circulación. Se usa a menudo para aliviar el dolor y puede usarse como anestesia para cirugías. En centenares de sitios de EE.UU., la acupuntura se usa para tratar el alcoholismo y la adicción a las drogas.

Cómo encontrar a un acupuntor: Hay cuatro veces tantos acupuntores calificados que no son médicos como médicos que practican la acupuntura. Los requisitos para la acreditación varían según el estado. Para encontrar a un médico acupuntor calificado en su comunidad, contacte a la junta de acreditación ("licensing board") de su estado o la American Academy of Medical Acupuncture (800-521-2262, o *www.medical acupuncture.org*).

HOMEOPATÍA

La homeopatía se originó en Alemania y fue traída a EE.UU. a principios del siglo XIX. Los profesionales homeópatas tratan las enfermedades recetando dosis pequeñas y sumamente diluidas de sustancias naturales que en dosis mayores y más concentradas, causarían los síntomas del paciente.

Ejemplo: Una cantidad diminuta de un alérgeno, una sustancia que activa una reacción alérgica, se usa para tratar una alergia.

Para mí los remedios homeopáticos son particularmente útiles para estimular el sistema inmune y para tratar náuseas y vómitos, resfriados y gripe y choques emocionales o físicos.

Los estudios sugieren que los remedios homeopáticos también puedan ser eficaces en el tratamiento de las alergias (fiebre del heno o "hay fever"), artritis y diarrea.

Cómo encontrar a un homeópata: Los homeópatas no están acreditados, excepto en Arizona. Algunos médicos, enfermeras y ayudantes médicos usan la homeopatía en sus tratamientos.

Pregúntele al homeópata dónde ha estudiado, si ha pasado un examen de acreditación ("certification") y cuánto tiempo ha practicado la homeopatía. Como con cualquier profesional, quizá quiera preguntarle si puede hablar con pacientes a quienes él ya haya tratado.

TERAPIAS DE MANIPULACIÓN

●**Quiropráctica y osteopatía.** En ambas terapias, los practicantes usan las manos para manipular los huesos de la columna vertebral, el cuello, la cabeza y las articulaciones. Al manipular los huesos, los practicantes afirman que alteran el funcionamiento de los sistemas nervioso y circulatorio. Creen que la manipulación afecta todos los órganos internos, no solo el sistema locomotriz (músculos y huesos).

●**Los doctores quiroprácticos** (DC) son acreditados por cada estado y deben completar dos años de estudio universitario y un curso de cuatro años en una facultad de quiropráctica.

●**Los doctores en osteopatía** (DO) reciben una educación de cuatro años similar a la de un médico. También deben completar una residencia de un año y aprobar los mismos exámenes para acreditarse. Los osteópatas pueden recetar medicamentos.

●**La terapia de masaje** puede reducir la tensión muscular y el estrés, mejorar la movilidad de las articulaciones y promover la curación de algunas heridas.

Algunos estados requieren que los terapeutas de masaje sean licenciados o estén acreditados, otros estados no. Busque a un terapeuta que tenga un certificado que diga que ha pasado el examen nacional de la American Massage Therapy Association.

Algunos fisioterapeutas licenciados y enfermeras certificadas practican terapia de masaje.

Cómo lograr que su HMO cubra el tratamiento con medicina alternativa

Alan Raymond, vicepresidente de comercialización y comunicaciones de Harvard Pilgrim Health Care, una HMO en Brookline, Massachusetts, y autor de *The HMO Health Care Companion*. HarperPerennial.

Todas las organizaciones de mantenimiento de la salud (HMO por sus siglas en inglés) dependen de médicos de cabecera o de atención primaria ("primary care doctors") para proporcionar o aprobar la mayoría de la atención de sus miembros. También tienden a cubrir solo los tratamientos "médicamente necesarios" y "no experimentales".

Por lo tanto, las HMO no están dispuestas a rembolsar a sus miembros por tratamientos médicos alternativos, como acupuntura, bio-autorregulación ("biofeedback"), terapias de masaje y quiropráctica.

Pero la popularidad de estos tratamientos alternativos está creciendo —más de un tercio de los estadounidenses ha probado por lo menos uno de ellos.

Para lograr que su HMO pague por los métodos alternativos…

●**Averigüe si su HMO debe pagar por el tratamiento en su estado**, y bajo qué circunstancias. Algunos estados requieren ahora que las aseguradoras de salud paguen por algunos tratamientos —especialmente la atención de un quiropráctico. El departamento de seguros ("insurance") de su estado puede informarle.

●**Pida a su médico de cabecera que le recomiende un tratamiento alternativo.** Explique cómo probablemente tendrá éxito tratando su problema. Algunas HMO pagan por tratamientos alternativos —si usted obtiene una referencia de su médico de la HMO. Llame a la HMO para averiguar su política.

●**Pregunte a los proveedores de los tratamientos alternativos si saben de alguna HMO que cubra sus servicios.** Pregunte si la HMO acepta referencias para tratamientos alternativos. Puede haber límites —por ejemplo, el tratamiento quiropráctico para el dolor lumbar puede estar cubierto, pero no el uso de terapias alternativas para enfermedades crónicas.

●**Pídale a su empleador que agregue terapias alternativas a sus beneficios.** Algunas HMO ofrecen cláusulas que extienden la cobertura para incluir las terapias no tradicionales. Le costará más a su empleador, así que usted probablemente tendrá primas ligeramente superiores. Mientras más compañeros de trabajo quieran este beneficio, será más probable que se conceda su petición.

●**Si se le niega la cobertura del tratamiento, use dinero apartado que no paga impuestos.** Muchas empresas ofrecen cuentas de gastos flexibles ("flexible spending accounts") que le permiten apartar dólares antes de que le debiten los impuestos para pagar los gastos médicos que no están cubiertos.

La acupuntura y la quiropráctica califican, porque el IRS ha reglamentado que ambas son gastos médicos deducibles. El IRS no ha reglamentado otros tratamientos, así que verifique con su empleador. Averigüe si necesita una referencia médica antes de recibir el tratamiento.

Tenga cuidado cuando aparte dinero en una cuenta de gasto flexible. Si usted no usa todo el dinero que aparta al final del año, perderá la cantidad restante.

Los imanes alivian el dolor… la artritis… y ayudan a curar los huesos rotos y más

Ron Lawrence, MD, neurólogo con práctica privada en Agoura Hills, California. Es presidente de la North American Academy of Magnetic Therapy, 17445 Oak Creek Ct., Encino, CA 91316.

En China, Francia, Japón y sobre todo en India, la terapia magnética se ha usado por mucho tiempo para acelerar la curación de huesos rotos y lesiones en los tejidos blandos.

En EE.UU., la terapia magnética es considerada a veces una forma de charlatanería. Pero al leer la publicación de varios estudios a favor de los imanes en el *Journal of Electro- and Magnetobiology* y en otras publicaciones, algunos médicos pioneros del país están empezando a usar los imanes en sus prácticas.

La terapia magnética ha demostrado eficacia en el tratamiento de fracturas de lenta curación y de rodillas y cuellos artríticos. Los estudios también sugieren que el uso regular de imanes puede revertir la osteoporosis… prevenir la enfermedad del corazón… demorar el crecimiento de un tumor… y estimular la función mental de algunos pacientes con Alzheimer.

Sé por experiencia personal que las personas duermen mejor y se despiertan sintiéndose más frescos después de una noche en un colchón magnético. ¡Yo uso uno para dormir!

¿Es segura la terapia magnética? *Absolutamente.* Las máquinas de resonancia magnética (MRI por sus siglas en inglés) rutinariamente exponen a los pacientes a altos campos magnéticos de hasta 15.000 gauss –sin efectos negativos. Esto justifica el pensar que un imán médico de 200 a 800 gauss no es una amenaza.

CÓMO FUNCIONAN LOS IMANES

Los estudios han demostrado bastante claramente que cuando se pone directamente en la piel, un simple imán portátil funciona al…

• **Incrementar el flujo de sangre.** Lo hace estimulando la actividad celular a través del llamado "efecto Hall" –el calentamiento general de la zona magnetizada.

Algunos científicos piensan que los imanes mejoran el funcionamiento del sistema nervioso autónomo que también podría estimular el flujo de sangre al área afectada.

• **Disminuir el dolor.** Esto ocurre por una combinación del efecto Hall y posiblemente alguna influencia estabilizadora del sistema nervioso autónomo.

• **Acelerar el proceso curativo.** Lo hace al estimular la síntesis corporal de *trifosfato de adenosina* (ATP), el "combustible" que dispara todo el proceso celular… y al mejorar la capacidad de la sangre de llevar oxígeno.

IMANES CONTRA LA ARTRITIS

La terapia magnética ayuda a aliviar los dolores producidos por la artritis y retarda el deterioro del cartílago en el interior de las articulaciones artríticas.

A mis pacientes artríticos les recomiendo que le pongan un cobertor magnético ("magnetic mattress pad") a su colchón; o que envuelvan una venda ("bandage") magnética flexible alrededor de la articulación afectada. Si usted usa un cobertor magnético para dormir, quítelo uno o dos días, cada dos a cuatro semanas. Esto parece prolongar los efectos beneficiosos.

DOLORES DE CABEZA Y DE ESPALDA

La funda de almohada magnética ("magnetic pillow liner") parece ser un tratamiento eficaz para el dolor crónico de cabeza y de mandíbula.

Las personas con dolor de espalda crónico han obtenido un alivio significativo al usar colchones magnéticos para dormir, y/o al usar cojines de asiento magnéticos.

INFLAMACIÓN DE PARTES BLANDAS

El codo de tenista, el síndrome del túnel carpiano y otros problemas de tendones o de ligamentos sanan más rápido cuando se envuelven con vendas magnéticas.

En la mayoría de los casos, la zona afectada se envuelve con el imán que se deja puesto hasta que el dolor desaparezca.

HUESOS ROTOS

En algunos hospitales usan poderosos electroimanes para acelerar la curación de fracturas persistentes de hueso. La terapia magnética también parece promover la regeneración del tejido de disco lumbar.

ASMA

El uso regular de los imanes ayuda a prevenir la violenta reacción alérgica en los pulmones que es característica del asma bronquial.

Útil: Dormir en un colchón magnético o ponerse una venda magnética en el pecho.

CÓMO UTILIZAR LOS IMANES

Los beneficios de la terapia magnética a menudo se hacen evidentes en la primera hora de tratamiento. En otros, se requieren tres o cuatro días de tratamiento constante.

Para el máximo beneficio: Coloque los imanes lo más cerca posible al cuerpo. La fuerza del campo magnético decae significativamente con la distancia.

Ahora se pueden encontrar una gran variedad de dispositivos magnéticos –cobertores de colchones, cojines de asientos, fundas de almohada, vendas con imanes incrustados y simples imanes de mano.

Una buena fuente de imanes médicos: Synergy for Life, Box 5962, Winston-Salem, NC 27113 (888-311-2963, *www.synergyforlife.com*).

Todo lo que debe saber sobre fototerapia

George Brainard, PhD, profesor de neurología y director del programa de investigación de la luz en la facultad de medicina Thomas Jefferson en Filadelfia. Es asesor de la NASA y los National Institutes of Health en los aspectos conductuales y los efectos terapéuticos de la luz.

La melatonina, aclamada como reparadora rápida de todo, desde el insomnio hasta el bajo deseo sexual, pronto se ha convertido en uno de los suplementos nutritivos mejor vendidos en la historia de EE.UU.

Para algunos, sin embargo, el problema no es tener *poca* melatonina –sino tener *demasiada*. Como resultado, muchas personas pueden tener una "sobredosis" de esta hormona.

LA MELATONINA Y LA LUZ DEL DÍA

La melatonina es una hormona natural producida por la glándula pineal o epífisis, una glándula del tamaño de un guisante (chícharo, "pea") ubicada en el centro del cerebro.

La síntesis de melatonina es gobernada por el *ritmo circadiano* –el ciclo diario de luz y oscuridad al que se expone cada persona.

Durante la exposición a la luz del sol u otra luz luminosa, la glándula pineal detiene la fabricación de melatonina. Esto hace que usted esté alerta.

Cuando hay poca luz u oscuridad por la noche, la producción de melatonina crece. Por eso tiende a darnos sueño por la noche.

El problema: Para muchos individuos, este ciclo de producción de melatonina se ha perturbado, debido a que pasamos mucho tiempo en interiores, bajo luz *artificial*.

RITMOS PERTURBADOS

Si usted no se expone suficientemente a la luz brillante todos los días, los ritmos circadianos pueden descoordinarse. Este fenómeno se llama *desincronización del ritmo circadiano*.

La desincronización circadiana también puede causarse por la ingesta de suplementos de melatonina... por el desfase horario ("jet lag")... o por horas de trabajo irregulares.

La enfermedad del corazón es dos veces más prevaleciente entre los obreros que trabajan el turno nocturno que en los que trabajan un turno normal de nueve a cinco.

Además de la enfermedad del corazón, la perturbación del ritmo circadiano se ha relacionado a...

- **Insomnio y otros trastornos del sueño.**
- **Problemas gastrointestinales.**
- **Adormecimiento o fatiga persistentes.**
- **Bajo rendimiento laboral.**
- **Menstruaciones irregulares.**

La privación de luz también se asocia con una forma grave de depresión llamada *desorden afectivo estacional* (SAD por sus siglas en inglés).

Los psiquiatras ahora creen que el SAD afecta a diez millones de estadounidenses (particularmente durante el otoño y el invierno, cuando se pasa un mínimo de tiempo al aire libre). Se piensa que otros 25 millones tienen una forma más suave ("subsíndrome") de SAD, llamada en inglés SSAD.

Hay indicios de que la privación de la luz también puede ser un factor en otros trastornos. El cáncer de mama, por ejemplo, es mucho menos prevaleciente cerca del ecuador –donde el sol es más brillante– que al norte o al sur. Y las incidencias de cáncer de mama en la parte norte de EE.UU. duplican las del sur.

EL ESTILO DE VIDA MODERNO

Los humanos evolucionaron para pasar gran parte de su tiempo al aire libre –y eso implica mucha exposición a la luz solar.

La luz eléctrica cambió esto. Ahora nuestros cuerpos están expuestos principalmente a luz artificial y la mayoría de la luz artificial es demasiado tenue para hacer que la glándula pineal deje de fabricar melatonina.

Para detener la fabricación de melatonina, el cuerpo necesita unos 2.500 lux (una vela emite unos 10 lux).

En un día soleado al aire libre, la luz puede alcanzar los 100.000 lux. Por el contrario, el rango de iluminación en interiores es solo de entre 100 y 800 lux.

La implicación: Aunque esté trabajando todo el día con una luz suficientemente luminosa para ver –es posible que esté en "oscuridad biológica" en lo que respecta a su glándula pineal.

LA SOLUCIÓN NATURAL

¿Debe preocuparse por la privación de luz? Si usted se siente saludable, probablemente no. Pero si experimenta cambios de humor, fatiga, insomnio o adormecimiento diurno, la privación de luz podría ser un problema.

Solución simple: Expóngase más a la luz natural del sol. Yo recomiendo a mis pacientes que tomen un paseo de 30 minutos al aire libre todas las mañanas antes del trabajo. Caminar a la hora del almuerzo también es bueno.

Mientras esté en interiores durante el día, trate de sentarse cerca de una ventana en un cuarto bien iluminado.

TRATAMIENTO DE LUZ LUMINOSA

La falta de luz también puede remediarse con la exposición diaria a una luz artificial especial (más brillante que la típica iluminación interior).

Normalmente, un mínimo de 30 minutos hasta dos horas por día de "fototerapia" neutralizará la carencia de luz.

Especialmente beneficioso: La exposición a la luz brillante temprano en la mañana, en la transición entre estar dormido y despierto.

En la actualidad, existen varias fuentes de luz artificial –la mayoría usa luz blanca, pero otros colores están bajo estudio.

- **Las cajas luminosas** ("light boxes") se componen de una serie de bombillas fluorescentes que juntas emiten unos 2.500 lux. La persona se sienta frente al tablero, a unos tres pies (un metro) de distancia.

- **Las estaciones de trabajo** ("workstations") son orientadas sobre la cabeza y se colocan más cerca de los ojos que las cajas luminosas. Producen unos 10.000 lux. Su efectividad es comparable a la de las cajas luminosas.

- **Las viseras de luz** ("light visors") se usan como un sombrero –la luz brilla hacia la cara; permiten la movilidad durante la fototerapia.

- **Los simuladores de luz solar** ("dawn simulators") aumentan lentamente la luz del dormitorio mientras usted se despierta. Varios estudios han demostrado la eficacia de este método para aliviar el SAD.

Para obtener una lista de fabricantes de cajas luminosas y centros de tratamiento, comuníquese con la Society for Light Treatment and Biological Rhythms, Box 591687, 174 Cook St., San Francisco 94159. *www.sltbr.org*.

Todo sobre la proloterapia

Robert G. Klein, MD, internista y proloterapeuta con práctica privada en Santa Bárbara, California… Janice Guthrie, fundadora y directora de la empresa de información e investigación médica, The Health Resource, 564 Locust St., Conway, AR 72032.

El dolor de espalda crónico, las lesiones por el efecto de latigazo en el cuello y muchos otros tipos de dolor locomotriz que no se alivian con fisioterapia, analgésicos o manipulación quiropráctica, pueden controlarse a menudo con *proloterapia*.

En este tratamiento, muy eficaz pero poco conocido, se inyectan cantidades pequeñas de una solución irritante –usualmente glucosa concentrada– en la zona de dolor.

La inflamación resultante promueve el crecimiento de colágeno, una proteína que es un componente importante de los ligamentos, los "cables" que unen las articulaciones.

Los nuevos crecimientos de colágeno ayudan a reducir el dolor y a aumentar la estabilidad de las articulaciones al fortalecer la cápsula fibrosa que las envuelve. También mejora significativamente la movilidad de las articulaciones.

Muchas formas de dolor locomotor crónico son causadas por daño de ligamentos. Los accidentes de auto, las caídas o los movimientos repetitivos hacen que los ligamentos se aflojen y/o se distiendan. La proloterapia es eficaz en la mayoría de estos dolores.

EFECTOS SECUNDARIOS

Los pacientes de proloterapia generalmente se sienten bien las cuatro a ocho horas siguientes a las inyecciones porque junto al irritante se coloca un anestésico local. La incomodidad que generalmente sigue se calma lentamente durante los próximos días.

Muchas personas que se someten a la proloterapia experimentan en el sitio de la inyección, dolor, hinchazón, sensibilidad, y rigidez y moretones temporales. Afortunadamente, la incomodidad normalmente se puede minimizar con medicamentos, hielo y masaje.

Precaución: Fumar hace que la terapia sea menos eficaz, también lo hace el uso de aspirinas y otros antiinflamatorios.

LA PRECISIÓN MARCA UNA DIFERENCIA

La mayoría de los pacientes necesita una serie de inyecciones en un periodo de varias semanas o meses. En algunos casos, la proloterapia se combina con otros tratamientos de las partes blandas –como fisioterapia, manipulación de las articulaciones o acupuntura.

Las inyecciones de proloterapia deben ser administradas con *precisión* en la unión de un hueso y un ligamento. Las inyecciones colocadas fuera de lugar son ineficaces y pueden incluso ser peligrosas. Si el irritante se inyecta inadvertidamente en el canal espinal, por ejemplo, el paciente podría quedar paralítico o hasta morir.

Por consiguiente, las inyecciones de proloterapia solo deben ser administradas por un médico muy bien entrenado en esta técnica. Algunos dicen que los cirujanos ortopédicos son ideales para administrar las inyecciones de proloterapia, porque ellos conocen muy bien la ubicación de ligaduras y músculos.

CÓMO ENCONTRAR UN PROLOTERAPEUTA

Actualmente solo unos 300 médicos ortopédicos y osteópatas en EE.UU. y Canadá usan la proloterapia en sus prácticas.

Entre estos profesionales está el ex cirujano general de EE.UU., C. Everett Koop, MD, quien empezó a usar la proloterapia al inicio de los años sesenta, después de que otro médico se la aplicó para curar un dolor en el cuello y el brazo que, hasta entonces, había sido incurable.

Para más información, comuníquese con la American Association of Orthopaedic Medicine (800-992-2063, *www.aaomed.org*).

COBERTURA DE SEGURO

Una sesión de proloterapia cuesta entre $75 y $300. El número de sesiones que se necesitan depende tanto de la severidad del dolor como de la respuesta del paciente al tratamiento.

Algunas compañías de seguros importantes ahora cubren la proloterapia. Otras rechazan la cobertura porque consideran que es un tratamiento "sin comprobar" o "experimental".

Cómo aprovechar el asombroso poder de su sistema inmune

Henry Dreher, escritor de medicina y de ciencia especializado en medicina complementaria. Es autor de varios libros, entre ellos *The Immune Power Personality: Seven Traits You Can Develop to Stay Healthy* (Plume) y coautor con Alice Domar, PhD, de *Healing Mind, Healthy Woman* (Henry Holt).

La mejor manera de mantenerse saludable es fortaleciendo su sistema inmune. Un sistema inmune fuerte lucha agresivamente contra las enfermedades, desde resfriados hasta la artritis y el cáncer. También puede prevenir una amplia gama de dolencias –en particular la enfermedad de corazón y el cáncer.

En la medida en que el número de bacterias resistentes a los antibióticos aumenta, un sistema inmune fuerte es su mejor defensa contra las enfermedades.

EL ESCUADRÓN DE POLICÍA DEL CUERPO

Para ayudarle a entender su sistema inmune, piense en él como un escuadrón de policía de células que realiza misiones de vigilancia por todo el cuerpo. Hay células de diferentes rangos, y cada una tiene un trabajo diferente. Como cualquier buena milicia, todas las células inmunes cooperan entre sí para identificar y arrestar a los "invasores" –bacterias, virus, células cancerígenas, etc. También acuden rápido a ayudar a las otras cuando es necesario.

Las órdenes para actuar de las células se originan en el cerebro y en ciertos órganos, como el timo, una glándula endocrina localizada detrás del esternón. El timo actúa como una "escuela de entrenamiento" para las células blancas inmaduras.

Los virus enemigos son capturados por los "oficiales de campo" –las células inmunes– como los linfocitos T, los linfocitos B y las moléculas proteicas llamadas *anticuerpos*.

Estos "oficiales" inmunes se comunican liberando moléculas "mensajeras" que viajan a otras "tropas" que se mueven por todo el cuerpo.

Cuando no tenemos suficientes células inmunes para vencer las infecciones invasoras nos enfermamos. También podemos enfermarnos cuando nuestras células no reciben los mensajes apropiados porque los diferentes niveles de la jerarquía celular no se comunican entre sí.

En el caso de la artritis y otras enfermedades autoinmunes, nuestras células inmunes atacan equivocadamente a nuestras células, causando inflamación y dolor paralizante. Es decir, los policías atacan a sospechosos que en realidad son inocentes.

EVALUACIÓN DEL SISTEMA INMUNE

¿Cómo saber si su sistema inmune está débil?

Aunque hay muchos análisis costosos para diagnosticar la deficiencia inmune, esas condiciones específicas son raras. La mayoría de las personas tiene la función inmune por debajo de lo óptimo porque están fatigadas.

Una manera más fácil y más económica de ayudar a fortalecer su sistema inmune es haciéndose una serie de preguntas…

•**¿Estoy constantemente sufriendo de resfriados,** gripes o bronquitis que duran dos semanas o más cada vez?

•**¿Me siento cansado todo el día**… o frecuentemente?

•**¿Padezco problemas de salud crónicos** como alergias, asma o artritis?

Si contesta que sí a una de estas preguntas, su sistema inmune probablemente está decaído. Consulte al médico –pero considere tomar medidas para estimular su sistema inmune.

PARA FORTALECER SU INMUNIDAD

•**Mejore la calidad de su dieta.** Las dietas con alto contenido de grasas y pocos nutrientes vitales debilitan su sistema inmune –el consumo excesivo de grasa animal, como carnes rojas y productos lácteos completos, activan *radicales libres*, moléculas inestables que pueden dañar las células inmunes.

La ingesta de aceites vegetales poliinsaturados que se encuentran en muchas meriendas ("snacks"), salsas, margarina y aderezos para ensalada también producen radicales libres.

•**Para reducir las grasas, coma menos carnes rojas.** Coma pollo sin piel, pescado y frijoles (habichuelas, "beans") –todos son fuentes excelentes de proteína.

•**Use cantidades moderadas de los aceites menos dañinos** –los de oliva y de canola– en lugar de mantequilla y otros aceites vegetales.

•**Coma más verduras y frutas.** Casi todas no contienen grasa y sí contienen nutrientes que estimulan el sistema inmune, como las vitaminas A y C y los fitoquímicos que se encuentran en las plantas y pueden luchar contra las enfermedades.

Útil: Para obtener la cantidad adecuada de vitaminas de sus alimentos todos los días, los médicos aconsejan que coma como guarnición una verdura al vapor y una ensalada con lechuga de hojas verde oscuro, pimientos (ajíes, "peppers"), brotes de frijol ("bean sprouts"), rábanos ("radishes") y zanahorias en el almuerzo y en la cena. También sugieren que debe comer de dos a tres pedazos de fruta fresca a diario.

●**Considere tomar un suplemento de vitaminas y minerales.** En un estudio sobre 96 personas en la Memorial University of Newfoundland (Terranova), algunos de los participantes recibieron un suplemento de 18 nutrientes, mientras los otros recibieron una píldora solo de calcio y magnesio. Los que recibieron el suplemento más grande tuvieron menos infecciones y la mitad de días de enfermedad comparado con los otros participantes. Además, los análisis de sangre demostraron que tuvieron respuestas inmunes más fuertes a los virus.

Esencial: Asegúrese de que el suplemento de multivitaminas y minerales contenga las vitaminas A, C, D y E… las vitaminas del complejo B… el betacaroteno… y los minerales cinc y selenio. Cada nutriente juega un papel en el fortalecimiento del sistema inmune. Pregunte las dosis a su médico o a su nutricionista.

Importante: Evite megadosis de suplementos de vitaminas específicas. Esas dosis pueden ser peligrosas –y no estimularán su sistema inmune más que si toma la cantidad recomendada.

●**Acostúmbrese a hacer ejercicio todos los días.** Se ha demostrado que el ejercicio regular fortalece un grupo particular de células inmunes que matan virus y células cancerígenas. Investigadores de la facultad de sanidad pública de Harvard han demostrado que el ejercicio regular puede llegar a prevenir cánceres de mama y ginecológicos en las mujeres.

Sin embargo, al contrario de la creencia popular, el ejercicio excesivo no es necesariamente mejor. Un estudio demostró que el ejercicio excesivo –varias horas diarias de actividad agotadora, cinco o más días por semana– puede disminuir la inmunidad, haciéndolo más susceptible a varias dolencias.

Mejor: Haga unos 30 minutos de ejercicio aeróbico –caminar, montar bicicleta o nadar– de tres a cinco veces por semana. Si eso no es posible, trate una rutina cómoda de caminata, 15 minutos por día.

●**Aprenda a reducir el estrés** –y a controlar su salud emocional. En un famoso estudio de 1991 publicado en *The New England Journal of Medicine,* científicos de la Universidad Carnegie-Mellon, inyectaron virus de resfriados a las personas y estudiaron sus niveles de estrés. Los investigadores hallaron que la probabilidad de contraer un resfriado fue directamente proporcional a la cantidad de estrés que los voluntarios experimentaron.

Aunque la mayoría de las personas ocupadas no puede evitar el estrés completamente, pueden protegerse para evitar que éste los consuma y aprender a controlar la ansiedad y la presión más eficazmente. *Las estrategias…*

●**Escriba acerca de su ansiedad.** Se ha demostrado que retener emociones negativas empeora los niveles de estrés y debilita las células inmunes.

James Pennebaker, PhD, de la Universidad Southern Methodist, ha demostrado que uno puede aumentar la inmunidad y prevenir enfermedades anotando los pensamientos de miedo, pesar y enojo de eventos estresantes –pasados y presentes.

El Dr. Pennebaker sugiere escribir sobre estos eventos 20 minutos por día sin detenerse ni censurarse.

Al mantener un diario de estrés por tres o cuatro días, usted se entrenará para identificar pensamientos tóxicos y niveles de estrés nocivos. Usted desarrollará una manera personal para desecharlos y evitar que se desarrollen, se agraven y puedan hacerle daño.

●**Aprenda a ser más asertivo.** Los estudios demuestran que los pacientes que le ganaron la guerra al cáncer y otras enfermedades graves son a menudo del tipo asertivo que se apoyan a sí mismos y se encargan de su propio bienestar. *Estrategias para ser más asertivo…*

☐ **Use la contemplación o la meditación silenciosa** para desarrollar un conocimiento de sus necesidades y derechos contra los de los demás.

☐ **Involúcrese en comunicaciones asertivas** en las que deja claras sus necesidades.

☐ **Aprenda a decir que *no*.** Elimine el hábito de decir que sí a cada demanda u obligación cuando su energía está en riesgo. Acuérdese de que su salud es primordial y tratar de hacer demasiado puede poner en riesgo su sistema inmune.

●**Practique la relajación.** En un estudio de la Universidad Ohio State se demostró que las personas que practicaron técnicas de relajación tenían las células del sistema inmune más fuertes. Dos técnicas de relajación fáciles de practicar en cualquier momento del día son la *meditación* y la *respiración profunda.*

Ejercicio útil: Siéntese en un cuarto silencioso. Cierre los ojos y respire profundo. Diga la palabra "om" en su mente mientras inhala… y diga la palabra "sal" mientras exhale.

Si su mente divaga, sutilmente devuelva la atención a su respiración. Permita que cada exhalación sea una oportunidad para dejar ir las tensiones de su cuerpo y de su mente. Practique esto por lo menos una vez por día durante 20 minutos o siempre que sienta que la tensión ha subido a un nivel incómodo.

Más sobre… usted, su sistema inmune y una salud mucho mejor

Henry Dreher, escritor de salud especializado en medicina alternativa y cuerpo-mente, y autor de *The Immune Power Personality: Seven Traits You Can Develop to Stay Healthy.* Dutton/Penguin.

La medicina convencional de "tome una píldora", "hay que operar", ha fallado enormemente al combatir condiciones crónicas y dolorosas como la artritis, el asma y las alergias. Además la medicina convencional no siempre tiene el tratamiento adecuado contra el cáncer, el sida y la enfermedad cardiaca. Pero podemos ayudar a combatir las enfermedades… *con la mente.*

Las técnicas de relajación, el ejercicio y una buena nutrición pueden ayudar mucho, pero no son suficientes.

Visión deficiente: La mayoría de los programas de reducción de estrés patrocinados por corporaciones se concentran en las técnicas de relajación en lugar de enfrentar las fuentes del estrés y trabajar para resolverlas. El factor psicológico fundamental en una enfermedad no es si nos encontraremos con el estrés. Eso es un hecho. Lo importante es cómo lo enfrentamos.

A medida que envejecemos, se le hace más difícil al organismo combatir enfermedades porque el sistema inmune empieza su declive natural. Pero al desarrollar ciertos aspectos de nuestra personalidad, que yo llamo las *características del poder inmune*, podemos ayudar a alejar la enfermedad o reducir sus síntomas.

Las siete características que se describen a continuación están directa o indirectamente ligadas a un sistema inmune vigoroso. Todas tienen el respaldo de investigaciones escrupulosas que demuestran que la mente puede contribuir en el riesgo, y la recuperación, de casi cualquier enfermedad que involucre un problema en el sistema inmune, desde las migrañas hasta la artritis reumatoide.

Una persona con una personalidad provista de *poder inmune* encuentra alegría y significado, y hasta salud, en los desafíos de la vida. Se ocupan de los sucesos estresantes con aceptación, flexibilidad y buena disposición para aprender y crecer.

Todos nacemos con el potencial de tener características de poder inmune y podemos redespertarlas a cualquier edad. No significa que se tienen que cambiar ciertas partes fijas de la personalidad.

La idea es utilizar las fuerzas de su propio carácter para asumir los desafíos y enfrentar las pérdidas y otros sucesos estresantes que usted no puede controlar.

SIETE CARACTERÍSTICAS DEL PODER INMUNE

Explore una nueva característica por semana, y continúe con las anteriores. Quizá notará que muchos de sus dolores de cabeza, de estómago, de espalda u otros síntomas desaparecen.

● ***El factor ACE: Atención, Conexión y Expresión.*** Estar atento a las señales del cuerpo y de la mente –lo opuesto a reprimirlas y negarlas– fortalece el corazón y el sistema inmune.

● **Preste atención** a sus sentimientos.

● **Conecte** los sentimientos a su conciencia.

● **Exprese** los sentimientos apropiadamente. Usted podría descubrir que no le ha puesto atención a la verdadera causa de su dolor presente.

● **Capacidad para confiar.** Compartir sus preocupaciones con otros en efecto mejora su respuesta inmune. Es lo contrario de ser cerrado –verbal y emocionalmente. *Útil:* pídale a alguien que lo escuche en silencio.

Ejercicio: Por 20 minutos, tres o cuatro días consecutivos, anote sus pensamientos y sentimientos más profundos sobre el suceso más traumático que usted pueda recordar. Si no se le ocurre nada, escoja un suceso que simbolice varias emociones que tuvieron un efecto duradero en usted.

●**Fortaleza.** Los individuos fuertes pueden resistir las pedradas y las flechas de la vida. Buscan apoyo para levantar su autoestima… no para reforzar el síndrome *"pobre de mí"*. *Los fuertes comparten estas tres características principales…*

●**Compromiso** y entusiasmo sincero con su trabajo, relaciones y actividades.

●**Control** de las circunstancias de su vida, enfrentando los problemas con creatividad y confianza. (Los maniáticos controladores manipulan a los demás… eso es completamente diferente).

●**Desafiantes** (puede ser útil cuando se presentan eventos estresantes). Las personas con un sentido del desafío se adaptan bien a los cambios.

Para desarrollar los tres puntos, concentre su atención en las fuentes de estrés, luego desarrolle un plan de acción para restaurar el equilibrio. A veces, ninguna cantidad de concentración es suficiente para llevar al cambio positivo.

Alternativa: La automejoría compensatoria. Identifique un problema relacionado que usted pueda resolver.

●**Asertividad.** Tomar sus propias decisiones reduce su sensación de ser la victima. Ser un mártir puede ser una manera destructiva de tratar su mente y su cuerpo. A la larga, la pasividad no es sana.

Ejemplo: En muchos casos, los paciente de sida y de cáncer que participaron activamente en su propia atención vivieron mucho más tiempo que los que no lo hicieron.

●**Confiar en alguien.** El deseo y la capacidad de tener una relación amorosa positiva, basada en la confianza y el respeto mutuos, estimula realmente sus defensas contra una vasta gama de síntomas físicos. Dar amor incondicionalmente lo relaja… y cambia su punto de vista.

Ejemplo: Un hombre de 42 años con una enfermedad coronaria grave, cansado de las cirugías, se forzó a suprimir su conducta crónicamente hostil al pensar las situaciones, antes de reaccionar ante ellas. Empezó a pasar más tiempo con su familia. El dolor de pecho y la falta de aliento se aliviaron rápidamente y eventualmente desaparecieron.

●**Altruismo.** Ayudar a otras personas es de *gran ayuda* para promover la salud y el espíritu. *Adopte cuatro características de ayuda saludable…*

●**Contacto personal.** Hacer un cheque no es lo mismo que hacer contacto con alguien. Enseñe a alguien a leer… sirva comida a los desamparados… sea voluntario en una guardería… ofrezca consejos a nuevos empresarios.

●**Frecuencia.** *La frecuencia ideal es igual que para la meditación o el ejercicio:* unas dos horas por semana. Seguir un horario le ayudará a mantener su compromiso.

●**Ayudar a desconocidos.** Tenemos más libertad de elegir cuando ayudamos a extraños que cuando lo hacemos con familiares o amigos cercanos. Vincularse con extraños ayuda a liberarnos del sentimiento de aislamiento.

●**Olvídese de los resultados.** Como con cualquier regalo, usted debe dar su tiempo sin esperar recompensa. Ayudar será su premio.

●**Complejidad.** Aumentamos nuestra salud física al poder contar con distintas fuentes vitales para mantener la energía, el bienestar y sentido de propósito en tiempos dolorosos. Para lograr el equilibrio tenga intereses diversos. Las personas más complejas se deprimen y se enferman menos en caso de perder temporalmente la autoestima en algún aspecto de sus vidas.

HAGA UN PLAN DE ACCIÓN

Encuentre su propio camino a cada una de estas características promotoras de salud. Si una es completamente ajena a su carácter y no le llama la atención, puede decidir rechazarla. Tenga en cuenta, sin embargo, que las interconexiones entre las características proporcionan mayores beneficios y una vida equilibrada.

Un aspecto positivo de una característica compensa el negativo de otra.

Ejemplo: Una persona que aclara sus necesidades puede dar abiertamente a otros sin volverse una víctima.

Concéntrese en las características del poder inmune en las que necesita más práctica.

Ejemplo: Alguien que grita constantemente a las personas le haría bien confiar en otros.

Si le resulta difícil empezar, siga el proceso con calma y paciencia. Reconozca que puede sanar algunas heridas –hasta las de toda la vida– al enfrentar los aspectos de su personalidad que subyacen… con calma y persistencia.

Adelanto para traumatismos en la cabeza

Guy L. Clifton, MD, presidente de neurocirugía del Centro de Ciencias de la Salud de la Universidad de Texas en Houston.

Los neurocirujanos han visto la hipotermia como un tratamiento importante para lesiones de cabeza potencialmente mortales.

Cómo funciona: Se envuelve al paciente con paquetes de agua helada. Luego de ocho horas, la temperatura del cuerpo se baja a 90°F (32°C), lo que retarda el metabolismo y bloquea las reacciones químicas inducidas por el trauma que causan daño cerebral irreversible. Una vez que pasa el peligro inmediato –generalmente después de 48 horas– la temperatura corporal del paciente se devuelve a la normal. En un estudio piloto, el 52% de los pacientes a los que se les indujo la hipotermia se recuperaron completamente, contra solo el 36% que recibieron "normotermia", en que la temperatura corporal del paciente se mantiene normal.

La insuficiencia cardiaca y la bioautorregulación

Debra K. Moser, RN, DNSc, distinguida profesora Gill del departamento de enfermería cardiovascular de la Universidad de Kentucky en Lexington.

Los pacientes que sufren de insuficiencia cardiaca se benefician del entrenamiento en bioautorregulación ("biofeedback") donde aprenden técnicas para elevar su temperatura

digital. (El aumento de la temperatura digital es una señal de relajación).

Estudio: Después de una sola sesión de 30 minutos, los vasos sanguíneos de los pacientes se abrieron más y su respiración se hizo más lenta.

Para obtener una lista de profesionales de bioautorregulación en su comunidad, envíe un sobre franqueado y con su dirección, a la Association for Applied Psychophysiology and Biofeedback, 10200 W. 44 Ave., Suite 304, Wheat Ridge, CO 80033.

Masaje electrostático

Milton Hammerly, MD, director médico de medicinas complementaria y alternativa de las instalaciones de salud Centura Health de Catholic Health Initiatives en Denver.

La *electricidad estática* es un remedio eficaz para los dolores de cabeza, artritis y otras fuentes comunes de dolor.

Los médicos han reconocido desde hace mucho tiempo que el cuerpo humano es pulsado por diminutas corrientes eléctricas. Si este flujo se rompe, el "normalizarlo" puede promover la curación. De hecho, los médicos han estado usando corriente eléctrica de bajo voltaje para remendar huesos rotos.

Se puede obtener un efecto similar al usar electricidad estática. El pasar un objeto cargado por una parte adolorida o herida del cuerpo, atrae un flujo de corriente eléctrica curativa al lugar.

Hacerlo también acelera la circulación de fluido fuera del sitio, y reduce la hinchazón.

Para hacer un "masaje electrostático" (EM), usted necesitará un trozo de tubo de poli cloruro de vinilo (PVC) de 1 pie (30 cm) y de 1,5 pulgadas (4 cm) de diámetro, además un guante ordinario de pintor ("painter's mitt"). Puede comprarlos todos en una ferretería.

Qué hacer: Frote el tubo vigorosamente con el guante un minuto, luego pase el tubo lentamente sobre la parte dolorida. Mueva en dirección de la cabeza a los pies –a una distancia de un cuarto a 1 pulgada (½ a 2 cm) de la piel.

He usado el masaje electrostático por más de dos años con resultados notables.

El 92% de los pacientes con dolor de cabeza por sinusitis se beneficiaron del EM, así como el 81% de quienes sufrían fibromialgia… el 76% de quienes sufrían dolores de cabeza por tensión… el 75% de víctimas de dolores musculares… y el 72% de los osteoartríticos.

Normalmente recomiendo dos sesiones diarias de 15 minutos de masajes electrostáticos por el tiempo que el dolor persista.

Tratamiento del aneurisma abdominal

Peter D. Fry, MD, profesor clínico de cirugía de la Universidad de British Columbia en Vancouver.

Se pueden tratar los aneurismas abdominales sin cirugía. Hasta hace poco, estos vasos sanguíneos debilitados se eliminaban haciendo una gran incisión que iba desde el esternón a la pelvis. Ahora, los médicos ensartan un tubo de poliéster tejido, llamado *endoprótesis*, ("stented graft") a través de una incisión pequeña en la ingle. El tubo se vuelve un revestimiento para el vaso sanguíneo donde amenaza estallar. Esto es un procedimiento menos invasivo que normalmente implica una estancia en el hospital solamente de dos días, mucho menos que la cirugía tradicional.

"Súper pegamento" vs. las suturas

James Quinn, MD, director de investigaciones de la división de medicina de emergencia de la facultad de medicina de la Universidad Stanford en California.

El súper pegamento ("super glue") puede ser mejor que las suturas para cerrar muchas laceraciones de la piel. En un estudio, los médicos pudieron cerrar las laceraciones más rápido y con menos dolor cuando usaron una versión médica del *octilcianoacrilato* adhesivo en lugar de suturas. Los cortes pegados sanaron tan bien como los cerrados con suturas.

Bono: Mientras las suturas deben quitarse unos días después, el pegamento no requiere ningún cuidado posterior. Se cae en unas semanas.

Limitación: No es apropiado para usar en las manos, los pies o en las articulaciones.

Gran avance en la esclerosis múltiple

Todd Richards, PhD, profesor adjunto de radiología de la Universidad de Washington en Seattle. Su estudio de dos meses sobre 30 pacientes de esclerosis múltiple se publicó en el *Journal of Alternative and Complementary Medicine*, 12425 St. James Rd., Rockville, MD 20850.

Los síntomas de esclerosis múltiple (MS) se pueden controlar a menudo con un dispositivo del tamaño de un reloj pulsera que emite breves pulsaciones magnéticas. Los pacientes de MS que usaron el dispositivo *Enermed* durante diez a 24 horas diarias por dos meses informaron tener más control de la vejiga, pensamientos más claros y más energía que los pacientes similares que usaron un placebo.

Además: La función manual, la movilidad, la sensación, el control muscular y la visión, mejoraron para el grupo de Enermed.

Más información: Contacte al fabricante, Energy Medicine Developments, (888) 363-7633, *www.enermed.com.*

Alivio para las náuseas

Hillary Steinhart, MD, profesora auxiliar de medicina de la Universidad de Toronto.

Un dispositivo a batería, *ReliefBand*, que se pone en la muñeca, alivia los mareos por movimiento, los vómitos matutinos, los vómitos relacionados con la quimioterapia y las náuseas posoperatorias. Cuesta $75 y estimula los nervios de la muñeca, manteniendo los signos que provocan las náuseas fuera del cerebro.

El único efecto secundario: Cosquilleo en la mano cuando la cinta está a un nivel muy alto.

Índice

B

tiempo para preocuparse, 359
tierra: conectarse con, 456
timidez extrema, 470–471
tinitus, 374
　ayuda para, 374–376
　causas, 374–375
　disimuladores de ("tinnitus
　　maskers"), 375
　ginkgo biloba para, 443
　medicaciones para, 376
tintes para el cabello, 323–324
tiramina, 30, 237, 428
tiroides
　examen de, 273
　problemas de, 38
tiroides hiperactiva, 38
tiroides hipoactiva, 38
tirosina, 229
Tofranil (imipramine), 357
tolazamida (Tolinase), 116
tolcapona (Tasmar), 279
tolerancia a la glucosa ("glucose-
　tolerance test" o GTT), 40, 170
tomate, 219–220
tomillo ("thyme"), 420
　té de, 416
　usos, 420
　vapor de hojas secas de, 424
tomografía computarizada ("CT
　scan"), 43, 85
tomografía por emisión de
　positrones ("PET"), 80
tono muscular
　cirugía estética para brazos
　　flácidos, 21
　mantenerse en forma, 388
　de parte superior del brazo, 382
tonsilectomía, 147
topiramato (Topamax), 123
toronja (pomelo, "grapefruit")
　interacciones con medicamentos, 115
　jugo de, 115, 124
toronjil ("lemon balm"), 416
tos
　alimentos que ayudan, 428–429
　remedios para, 116
toxinas ambientales, 39–40
trabajo
　actitud sobre, 462
　actitudes saludables para
　　ambiente de, 351–362
　estaciones de trabajo
　　("workstations"), 478
　estrés en, 173
　cómo reducir estrés de, 358–359
　reductores de estrés para practicar
　　en oficina, 357–358
　técnicas rápidas para eliminar
　　estrés, 177
trabajo de equipo, 186
tracto urinario: infecciones del
　(UTI)
　alerta de, 143
　evitarlas, 143
　prevención, 49

sexo y, 142–143
tramadol (Ultram), 330
tranilcipromina (Parnate), 116
transfusión intraoperativa autóloga
　(IAT), 320
transfusiones, 195
　donación de sangre autóloga, 195,
　　196, 320
　reducir riesgos de, 196
　de sangre, 319–321
transportes médicos, 450
trasplante fetal, 279
trastorno de déficit de atención e
　hiperactividad (ADHD), 166–167
trastorno obsesivo-compulsivo, 414
trastornos del sueño, 59
tratamientos trombolítico, 73
trauma acumulativo ("cumulative
　trauma" o CTD), 351
traumatismos en la cabeza, 484
travesía de un sobreviviente,
　460–462
trazodona, 205
trébol rojo ("red clover"), 127
tretinoína (Retin-A), 300–301
　para alisarse, 306
　para mantener piel joven, 314
　precaución, 301, 306
trialometanos, 361
tricloroetileno, 39
tricotecenes, 360
trietalonamina, 324
trifosfato de adenosina (ATP), 476
triglicéridos, 85
　análisis anual de niveles de, 273
　para mantener bajos los niveles de, 92
　niveles de, 92
trimetroprim sulfametoxazole
　(Bactrim), 143
triptofan, 229
triterpenoides, 425
trombólisis, 73
tuberculosis, 273
tumores, 130
tusilago ("coltsfoot"), 424

U

úlceras
　calmantes para, 119
　en niños, 159
　de pie, en diabéticos, 314
　protección contra, 252
　prueba de, 448
　reducir su riesgo de contraer, 125
ultrasonido intravaginal, 140
ultravioleta B (UVB) rayos, 311–312
uñas de los pies, 56
　hongos en, 57
ungüento con triple-antibiótico, 58
ungüento de caléndula officinalis
　(maravilla), 421
urgencia: incontinencia de, 54
uvas, 240

V

vacaciones, 362
vacaciones de un minuto, 177
vacaciones mentales, 10
vacuna
　contra alergias, 452
　antigripales ("flu shots"), 15, 273
　al día, 148–149
　contra hepatitis A, 125
　contra hepatitis B, 158, 326–327
　minimizar el riesgo, 147
　neumovax, 273
　para niños, 147
　revacunarse contra tétanos, 322
　contra sarampión, 322
　contra tétanos, 273, 322
valaciclovir (Valtrex)
　para culebrilla ("herpes zoster"), 309
　para reducir riesgo del herpes, 261
valeriana ("valerian"), 432
valores, 176
vapor de agua, 15
vardenafilo (Levitra), 205
varicoceles, 211
vasectomías, 203
Vasomax, 205
vasos sanguíneos, 88
vegetales (verduras), 215, 480
　para adelgazar, 347
　para estrés y depresión, 423
　interacciones con medicamentos, 115
　lograr que los niños los coma, 160
　recomendaciones, 338
　para sentirse y verse más joven, 53
vegetales amarillos, rojos y verde
　oscuro, 240
vegetales crucíferos, 240
vegetales marinos, 241
vegetarianismo. *Vea* dieta
　vegetariana
vejiga
　cáncer de, 253
　infecciones de, 144, 424
venas varicosas, 211
venlafaxina (Effexor), 423
verapamilo (Calan, Verelan), 31
verrugas ("warts"), 165, 304
verteporfin, 365
vértigo, 22
vértigo paroxístico postural
　benigno (BPPV), 22
vesícula: piedras en, 221
veteranos, 149
viajes
　ejercicio cuando viaja, 393
　dolores de oído en avión, 374
　guía esencial de enfermedades
　　infecciosas, 49–50
　mantenerse saludable mientras
　　viaja, 3–5
　mantenerse sano en aviones, 50–51
　relajación cuando, 31
vida constructiva, 464
vida diaria, 433
vida rural, 293